세주 완역
논어집주대전

이 도서의 국립중앙도서관 출판시도서목록(CIP)은 e-CIP홈페이지(http://www.nl.go.kr/ecip)에서 이용하실 수 있습니다. (CIP제어번호 : CIP2010003973)

세주 완역 논어집주대전 2

동양철학의 향연

| 이인서원 기획 김동인 지정민 여영기 옮김 |

한울
아카데미

일러두기

1. 대전 편집자의 주석 번역은 < >로 표시했다.
2. 편집자 주석 중 글자의 음만을 보여주는 것은 번역하지 않았다. 단, 음과 함께 의미의 해석이 있을 때는 번역했다.
3. 인용된 구절은 “ ”로 구분했다. 단, 앞에 나온 구절을 재인용하거나 요약·변형한 것은 ‘ ’로 구분했다.
4. 번역에서 글자를 설명할 때는 글자에 ‘ ’를 넣고 그 뒤에 자를 붙여 썼다.
   예: ‘학’ 자는 배운다는 뜻이다.
5. 책이름은 『 』, 편명은 「 」, 장은 < >로 표시했다.
6. 번역문에는 한자를 쓰지 않는 것을 원칙으로 했다. 단, 꼭 필요한 경우에는 ( ) 속에 병기했다.
7. 역자주는 달지 않았다. 단, 꼭 필요한 경우에는 [ ] 안에 넣어서 역자의 의견임을 밝혔다.
8. 본문에는 없으나 어조를 부드럽게 하거나 이해를 돕기 위해 첨가하는 말은 누가 보아도 이론의 여지가 없는 경우에만 ( ) 속에 넣고, 역자와 견해를 달리할 수 있는 경우로 판단되면 역자주로 취급해 [ ] 안에 넣었다.
9. 인용된 구절의 출전을 밝히는 경우에도 ( ) 속에 넣었다.
10. 원문의 끊어 읽기는 주어와 술어를 띄우는 것을 원칙으로 했으며, 그 외에는 특별한 규칙이 없다. 단, 해석을 하는 데 띄우는 것이 편리하다고 생각되면 띄웠고, 주어와 술어가 짧은 구절은 붙여 쓰기도 했다.
11. 曰·謂·所謂·說·言 등의 말하다라는 뜻이 있는 동사는 주어와 띄우지 않았다. 단, ‘무엇에 대해 말하다’로 해석될 때는 주어와 띄우고, 무엇 앞을 붙였다.
    예: 공자가 위령공에 대해 말하다 – 孔子 謂衛靈公
    소위는 ‘이른바 무엇’으로 해석할 수 있으면 무엇 앞을 붙였고, ‘누가 말한 바’로 해석할 때는 누가 뒤를 붙였다.
    예: 소위 인이란 – 所謂仁, 정자가 말한 바 – 程子所謂

해제

1414년(영락 12) 명 성조는 11월 송대 이후 주희(朱熹)를 비롯한 여러 성리학자들의 경전 연구를 종합하기 위해, 행재한림원학사(行在翰林院學士) 호광(胡廣)과 시강(侍講) 양영(楊榮), 김유자(金幼孜)에게 『오경대전(五經大全)』·『사서대전(四書大全)』·『성리대전(性理大全)』의 편찬을 명했다. 그 결과 이듬해인 1415년(영락 13) 9월에 편집 작업이 완료되었고, 그 후 성조가 친히 서문을 붙이고 예부에 명해 간행·반포케 했다. 편찬사업에 참여한 사람은 호광·양영·김유자와 한림편수(翰林編修) 섭시중(葉時中) 등 42명이었다(『사고전서총목제요(四庫全書總目提要)』 권5 예부(禮部) 「역류(易類)」 〈주역대전(周易大全)〉조).

대전 편찬의 총책임자인 호광(1370~1418)은 현재 강서성에 속한 길수(吉水)에서 태어났다. 자는 광대(光大)이고, 시호는 문목(文穆)이며, 저서로는 『호문목집(胡文穆集)』이 있다. 그는 1400년(건문 2) 진사에 등제했고, 그 뒤 한림수찬(翰林修撰)·문연각대학사(文淵閣大學士)·좌춘방대학사(左春坊大學士)·예부상서(禮部尙書) 등을 역임했으며, 명대 초반 관학의 확립 과정에서 중요한 역할을 담당했다.

『사서대전』은 주희의 『사서집주(四書集註)』를 본주로 하고, 진덕수(眞德秀)의 『사서집편(四書集編)』, 축수(祝洙)의 『사서부록(四書附錄)』, 채모(蔡模)의 『사서집소(四書集疏)』, 조순손(趙順孫)의 『사서찬소(四書纂疏)』, 오진자(吳眞子)의 『사서집성(四書集成)』, 진력(陳櫟)의 『사서발명(四書發明)』, 호병문(胡炳文)의 『사서통(四書通)』, 예사의(倪士毅)의 『사서집석(四書輯釋)』 등 사서 주해자 146명의 주요 학설을 편집해 세주로 정리한 것이다. 이 중에 특히 예사의의 『사서집석』은 『사서대전』 편찬의 기본 참고주석서였다. 『사고전서총목제요』 〈사서대전〉조에서 『사서대전』은 예사의의 『사서집석』을 약간 수정·보완했다고 나오며, 이 점은 고염무(顧炎武)의 『일지록(日知錄)』에서도 확인할 수 있다.

이렇게 해서 완성된 편찬본들은 명 영락제 이전에 만들어진 주석들을 망라했다는 의미에서 '대전(大全, Grand Code)'이라고 불린다. 이때 편찬·간행된 『오경대전』·『사서대전』·『성리대전』 등 대전본 경서는 성리학을 관학으로서 확고히 자리 잡게 했으며, 이후 과거를 비롯한 모든 국가적 차원의 학술활동에서 교과서로서의 기능을 수행했다.

대전본 경서가 우리나라에 처음 들어온 것은 편찬작업이 완료된 1415년(영락 13)으로부터 4년 후인 1419년(세종 원년) 12월이었다. 세종조에 세 번에 걸쳐 대전본 경서가 들어왔으며, 이때 새로운 활자본을 만들어 인쇄·보급한 이래 여러 차례에 걸쳐 국가가 주도해 간행했다.

『논어집주대전』은 『사서대전』의 일부로서 『논어』의 편수에 따라 20권 13책으로 간행되었으며, 주희 전후 약 100여 명의 송원대 유학자들의 주석들이 담겨 있다. 중국본 『사서대전』의 『논어집주대전』이 20권 13책인 것에 비해, 조선 후기에 간행된 『논어집주대전』은 20권 7책으로 구성되어 있다. 이 판본의 권말에는 1434년(세종 16)에 갑인자(甲寅字)를 제작한 이래 1772년(영조 48)의 임진자(壬辰字), 1777년(정조 1)의 정유자(丁酉字) 등을 주조해 사용한 연혁을 밝힌 글이 수록되어 있다.

본 국역작업에서는 1793년(정조 7)에 간행된 정유자본을 기본으로 삼으면서 문연각본 『사고전서(四庫全書)』의 『논어집주대전』과 그 원문을 비교·검토했다. 대체로 정유자본이 문연각본보다 오자가 적게 나오는데, 이는 오랜 기간 수차례 간행되면서 여러 유학자들의 교정을 거쳤기 때문으로 보인다. 정유자본과 문연각본을 비교해 글자가 서로 다르면 전체 뜻과 맥락에 맞는 쪽으로 글자를 교정했다.

차례

述而第七

泰伯第八

子罕第九

鄕黨第十

雍也第六

【집주】

凡二十八章 篇內 第十四章以前 大意 與前篇同

모두 28장이다. 이 편 안의 제14장 이전까지의 대의는 전편과 같다.

【세주】

胡氏曰 此篇前一半 與上篇 大意同 而八佾篇論禮樂 亦與爲政末 相接 大抵記聖人之言 多以其類而卷帙之分 特以竹簡之編 既 盡而止其篇目 則聊擧其首二字 以爲之別爾

호씨가 말했다. 이 편의 전반부는 상편과 그 대의가 동일하고, 「팔일」편(3편)에서 예악을 논한 것 역시 「위정」편(2편)의 마지막 부분과 서로 연결된다. 대개 성인의 말씀을 기록할 때 그 비슷한 종류에 따라 권질을 나눈 경우가 많다. 다만 죽간을 편집함에, 죽간이 이미 다 차서 그 항목을 중단하게 되면(비슷한 내용이더라도 더 이상 한 편으로 묶을 수 없게 되면), 어쩔 수 없이(그다음의 이어지는 글의) 그 첫머리 두 글자를 들어 구분으로(새로운 편의 이름으로) 삼았다.

○新安陳氏曰 亦論古今人物賢否得失

신안 진씨가 말했다. 또한 고금의 인물들의 현명함과 그렇지 못함, 잘잘못을 논했다.

6.1-1 子曰 雍也 可使南面

공자께서 말씀하셨다. 옹은 남면(임금 노릇)하게 할 만하다.

【집주】

南面者 人君聽治去聲之位

'남면(남쪽을 향해 앉음)'이란 임금이 정사를 듣는 위치이다.

【세주】

厚齋馮氏曰 人君聽治之位 必體天地陰陽之嚮背 南面 嚮明也

후재 풍씨가 말했다. 임금이 정사를 듣는 위치는 반드시 천지음양의 향배(향하고 등짐, 즉 방향)를 체현하는 것이니 남면은 밝은 쪽을 향하는 것이다.

【집주】

言仲弓寬洪簡重 有人君之度也

중궁이 너그럽고 넉넉하고 간결하고 중후하여 임금의 도량이 있다는 말이다.

【세주】

問 寬洪簡重也 是 說仲弓資質恁地 朱子曰 夫子 旣許他南面 則須是有人君之度 這又無稽考 須是將他言行來看如何

물었다. 너그럽고 넉넉하고 간결하고 중후하다는 것은 중궁의 자질이 그러하다는 말입니까? 주자가 답했다. 공자께서 그에게 남면을 인정하셨으니 틀림없이 그는 임금의 도량이 있었겠지만 또 이를 고찰할 수는 없다. 모름지기 장차 그의 언행이 어떠한지 보아야 한다.

○慶源輔氏曰 惟寬 故 洪 惟簡 故 重 寬則有容 故 洪 簡則守要 故 重 寬與簡 御衆臨下之道也 故 有人君之度 而可以南面 度 以德量言也

경원 보씨가 말했다. 진정 너그럽기 때문에 넉넉하고 진정 간결하기 때문에 중후하다. 너그러우면 포용력이 있는 까닭에 넉넉하다. 간결하면 요체를 지키는 까닭에 중후하다. 너그러움과 간결함은 무리를 다스리고 아랫사람에 임하는 도리이다. 그런 까닭에 임금의 도가 있어 남면할 수 있다. 도(度)는 덕량을 말한다.

○洪氏曰 語 顔淵以爲邦 王者之佐也 仲弓南面 諸侯之任也

홍씨가 말했다. 『논어』에, 안연이 정치를 할 수 있다는 것은 왕을 보좌할 수 있다는 것이고 중궁이 남면할 수 있다는 것은 제후를 맡을 수 있다는 것이다.

6.1-2 仲弓 問子桑伯子 子曰 可也 簡

중궁이 자상백자는 어떠한지 물었다. 공자께서 말씀하셨다. 간결하니, 괜찮기는 하다.

【집주】

子桑伯子 魯人 胡氏 以爲疑卽莊周所稱子桑戶者 是也

자상백자는 노나라 사람이다. 호씨는 장주(장자)가 말한 자상호라는 자가 아마도 이 사람이 아닌가 생각했다.

【세주】

朱子曰 莊子所稱子桑戶 與孟子反 子琴張 三人爲友 蓋 老氏之流

주자가 말했다. 장자가 말한 자상호와 맹자반과 자금장 이 세 사람은 친구로서, 대개 노자의 계열이다.

【집주】

仲弓 以夫子許己南面 故 問伯子如何 可者 僅可而有所未盡之辭 簡者 不煩之謂

중궁은 공자께서 이미 자신에게 남면할 만하다고 인정하셨기 때문에 (자상)백자가 어떠한지 물었다. '가(괜찮다)'란 겨우 괜찮지만 미진한 것이 있다는 말이다. '간(간결하다)'이란 번잡하지 않다는 말이다.

【세주】

朱子曰 仲弓 爲人簡重 見夫子許之 以伯子亦是一箇簡底 故 以爲問 夫子言 此人亦可者 以其簡也

주자가 말했다. 중궁의 사람됨은 간결하고 중후하다. 공자께서 인정하심을 보고 백자도 역시 간결한 사람이기 때문에 (그도 남면할 만한지 궁금해서) 질문했다. 공자께서 이 사람 또한 괜찮다고 하신 것은 그 간결함 때문이다.

6.1-3 仲弓曰 居敬而行簡 以臨其民 不亦可乎 居簡而行簡 無乃大簡乎 大 音太

중궁이 말했다. 경건함에 마음을 두고 간결하게 행함으로써 백성들에게 임하면 또한 괜찮지 않겠습니까? 간결함에 마음을 두고 또 (행동도) 간결하게 행하면 지나치게 간결한 것 아니겠습니까?

【집주】

言自處上聲 下同以敬 則中有主 而自治嚴 如是 而行簡以臨民 則事不煩 而民不擾 所以 爲可 若先自處以簡 則中無主 而自治疎矣 而所行又簡 豈不失之太簡 而無法度之可守乎

'경건함으로 자처하면(스스로 처신하면) 마음에 주로 삼는 것(기준이 되는 원칙)이 있어 스스로를 다스리는 것이 엄하다. 이러하면서 간결하게 행함으로써 백성들에게 임한다면, 일이 번거롭지 않고 백성이 어수선하지 않다. 그래서 괜찮은 것이다. 만약 먼저 간결함으로 자처하면 마음속에 주가 되는 것이 없고 스스로를 다스리는 것도 소략할 것인데, 행동 또한 간결하면 어찌 지나치게 간결한 잘못을 저질러 지킬 만한 법도가 없는 것이 아니겠는가?'라는 말이다.

【세주】

慶源輔氏曰 中有主 則一 自治嚴 則收斂固 事不煩 則無鑿出之事 民不擾 則無不得所之民 中無主 則二三 自治疎 則滲漏多 大簡 則率易 無法度之可

守 則或不免於猖狂妄行矣

경원 보씨가 말했다. 마음속에 주가 되는 것이 있으면 (마음이) 한결같고, 스스로를 다스리는 것이 엄하면 단속하는 것이 확고하고, 일이 번잡하지 않으면 끝까지 캐내는 일이 없고, 백성이 어수선하지 않으면 원하는 바를 얻지 못하는 백성이 없다. 마음속에 주가 되는 것이 없으면 (마음이) 둘로 셋으로 나뉘고, 스스로를 다스리는 것이 소홀하면 스며들고 새는 것이 많고, 지나치게 간결하면 경솔해지고, 지킬 만한 법도가 없으면 혹 미치고 망령된 행동을 면하지 못한다.

【집주】

家語記 伯子 不衣冠而處 夫子 譏其欲同人道於牛馬

『(공자)가어』에 다음과 같이 써 있다. "백자는 의관을 하지 않고 거처했는데, 공자께서 인도(사람의 도리)를 우마와 같게 하려는 것이라고 비판하셨다."

【세주】

張存中曰 劉向說苑云 孔子 見子桑伯子 子桑伯子 不衣冠而處 弟子曰 夫子 何爲見此人乎 曰 其質美而無文 吾欲說而文之 孔子去 子桑伯子門人 不說 曰 何爲見孔子乎 曰 其質美而文繁 吾欲說而去其文 故曰 文質修者 謂之君子 有質而無文 謂之易野 簡易鄙野也 子桑伯子 易野 欲同人道於牛馬 故 仲弓曰 大簡

장존중이 말했다. 유향의 『설원』(19, 「수문」)에서 다음과 같이 말했다. "공자께서 자상백자를 만났는데, 자상백자는 의관을 하지 않고 거처했다. (공자의) 제자가 물었다. '선생님께서는 왜 이 사람을 만나셨습니까?' 답하셨다. '그 사람은 질은 아름답지만 문이 없다. 나는 설득하여 문채를 내도록 하고 싶었다.' 공자께서 떠나자 자상백자의 문인이 기뻐하지 아니하며 물었다. '왜 공자를 만났습니까?' 답했다. '그 질은 아름다우나 그 문은 번잡하다. 나는 설득하여 문채를 제거하도록 하고 싶었다.' 그러므로 문과 질이 닦인 자를 군자라고 하고, 질만 있고 문이 없는 자를 조야하다고 한다. <(이야란) 거칠고 촌스러움이다.> 자상백자는 조야해서 인도를 우마와 같게 하려고 했으니, 그런 까닭에 중궁이 '지나치게 간결하다'고 말했다."

【집주】

然則伯子 蓋 太簡者 而仲弓 疑夫子之過許與

그런즉, 백자는 대개 지나치게 간결한 자이니, 중궁은 공자께서 지나치게 인정하신 것이 아닌지 의심했다.

【세주】

朱子曰 居敬 則凡事嚴肅 若要以此去律事 凡事都要如此 此 便是居敬而不行簡也

주자가 말했다. 거경(경건함에 마음을 둠)하면 모든 일에 엄숙해진다. 만약 이것으로써 일을 규율해 나가려고 한다면, 모든 일을 다 이와 같이(엄숙하게만) 하려 하게 된다. 이것은 곧 경건함에만 마음을 두어 간결하게 행하지 않는 것이다.

○今 固有居敬底人 把得忒重 却反行得煩碎了 臨下以簡 只要揀那緊要底來行

지금 거경을 고집하는 사람은 그것을 잘못 중시하기 때문에 오히려 거꾸로 행동이 번잡하게 된다. (반면) 아래에 간결하게 임하는 것은 단지 그 긴요한 것만 골라서 행하려는 것이다.

○居敬行簡 是兩件工夫 若謂居敬則所行自簡 則有偏於居敬之意 徒務行簡 老子 是也 乃所以爲不簡

거경과 행간(간결하게 행함)은 두 가지의 공부이다. 만약 거경하기만 하면 행하는 바가 저절로 간결해진다고 말한다면, 거경에 편중된 뜻이 있는 것이다. 단지 행간에만 힘쓰는 것은 노자가 바로 그 예이다. 그것이 간결하게만 하지는 말아야 하는 이유이다.

○居敬行簡 如云內外 不只是盡其內 而不用盡其外 如云本末 不只是致力於本 而不務乎其末 居敬了 又要行簡 聖人敎人爲學 皆如此 不只偏說一邊

거경하면서 행간하는 것은, 안팎으로 말하자면, '단지 안에만 힘을 다하면서 밖에는 그 힘을 다 쓰지 않는 것'이 아니고, 본말로 말하자면, '단지 본에만 그 힘을 다하면서 말에는 힘쓰지 않는 것'이 아니니[안과 밖, 본과 말 양쪽에 다 힘쓰는 것이니], 거경하고 또 행간해야 한다. 성인께서 사람에게 공부하기를 가르치신 것이 모두 이와 같으니, 단지 한쪽만을 치우치게 말씀하지 않으셨다.

○居敬行簡 是有本領底簡 居簡行簡 是無本領底簡

거경하면서 행간하는 것은 본령(원칙)이 있는 간결함이고 거간(간결함에 마음을 둠)하면서 행간하는 것은 본령이 없는 간결함이다.

○居敬 是自處以敬 行簡 是所行得要

거경은 경건함으로 자처하는 것이다. 행간은 행한 바가 요체를 얻은 것이다.

○問 敬 是就心上說 簡 是就事上說否 曰 簡 也是就心上做出來 而今 行簡 須是心裏安排後去行 豈有不是心做出來

물었다. '경(경건함)'은 마음에 관해 말하는 것이고 '간(간결함)'은 일에 관해서 말하는 것입니까? 답했다. 간 또한 마음에서 만들어져 나오는 것이다. 지금 행간도 모름지기 마음속에서 이리저리 생각한 후에 행하는 것이니 어찌 마음으로부터 만들어져 나오는 것이 아니겠는가?

○問 居敬行簡之居 如居室之居 曰 然 復問 何謂簡 曰 簡 是凡事據見定 又曰 簡靜 又曰 居敬 是所守正 而行之以簡

물었다. '거경행간'이라 할 때의 '거'는 거실의 거와 (그 뜻이) 같습니까? 답했다. 그렇다. 다시 물었다. 무엇을 '간'이라 합니까? 답했다. 간은 모든 일을 확실한 것에 의거하는 것이다. 또 말했다. (간이란) 간정함(간결하고 번잡하지 않음)이다. 또 말했다. 거경은 지키는 바가 바르면서 간결하게 행하는 것이다.

○問 居簡而行簡 則有志大略小之患 以之臨事 必有怠忽不擧之處 居敬而行簡 則心一於敬 不以事之大小 而此敬有所損益也 以之臨事 必簡而盡 曰 居敬 則明燭事幾 而無私意之擾 故 其行 必簡

물었다. 간에 마음을 두면서 간을 행하면 뜻은 크고 방법은 적다는 문제가 있습니다. 그것으로써 일에 임하면 반드시 소홀하여 잘되지 않는 것이 있습니다. 거경하면서 행간하면 마음이 전일하게 경건하여 일의 대소에 따라 그 경을 덜거나 더하지 않으니, 그것으로써 일에 임하면 반드시 간결하면서도 완전히 해낼 수 있습니다. 답했다. 거경하면 일의 기미를 명백히 밝혀서 사의에 의한 흔들림이 없다. 그러므로 행동이 반드시 간결해진다.

○葉少蘊曰 簡者 臨下之道 而非所以處己也 書 記舜之德曰 臨下以簡 此仲弓所以可使南面也

섭소온이 말했다. 간은 아래에 임하는 도리이지 자신(의 마음)을 두는 것이 아니다. 『서경』(「우서 대우모」 4장)에 순임금의 덕을 기록하기를 "아래에 간으로 임했다"라고 했으니 이것이 중궁을 남면하게 할 수 있는 이유이다.

○雙峯饒氏曰 敬者 一心之主宰 而萬事之本根也 仲弓之在聖門 以德行稱者也 夫子許之 以可使南面 是 以其有人君之德而然也 仲弓 聞夫子之許己 而未知其所以許之之意安在 於是 卽其氣象之類己 如子桑伯子者 以爲問夫子 以其可也簡 許之 而又曰 居簡而行簡 無乃大簡乎 其意 以爲簡出於敬 則其簡 爲有本 而每事順理而要直 謂之可也 固宜 簡出於簡 則其簡爲無本 而遇事 不免率意而疎略 無乃簡之過乎 仲弓之簡 敬而簡者也 伯子之簡 簡而簡者也 仲弓之簡 固與伯子之簡 異矣 然 其所以致是者 非特天資之美 亦其學力之至爾 蓋 他日 嘗問仁於夫子矣 夫子 告之曰 出門如見大賓 使民如承大祭 此 居敬之謂也 又嘗問政於夫子矣 夫子 告之曰 先有司 赦小過 擧賢才 此 行簡之謂也 居敬行簡 其得於平日師友之所講磨者 如此 則可使南面 固有所自來矣 若伯子之不衣冠而處 則有仲弓之資 而無仲弓之學者也 大簡之失 不亦宜乎

쌍봉 요씨가 말했다. 경은 한마음의 주재이고 만사의 근본이다. 중궁은 성인의 문하에서 덕행으로 일컬어진 자이다. 공자께서 남면하게 할 만하다고 인정하신 것, 이는 그가 임금의 덕이 있기 때문에 그러신 것이다. 중궁은 공자께서 자신을 인정하신 것은 들었으나 인정하신 뜻이 어디에 있는지 몰랐다. 이에 곧 기상이 자기와 비슷한 자상백자 같은 사람을 여쭈어보았다. 공자께서 '간결하니 괜찮다'라고 인정하시자 또 '거간행간하면 지나치게 간결한 것 아닙니까?'라고 여쭈었다. 그 말은 '간을 행하는 것이 경에서 나왔다면 그 간은 근본이 있어서 매사에 이치를 따르면서도 군더더기 없이 간결한 것이니 괜찮다고 해도 본디 마땅하지만, 간이 간으로부터 나왔다면 그 간은 근본이 없어 일을 만나면 마음대로 하고 소략해지는 것을 면할 수 없으니 지나치게 간결한 것이 아닌가?'라는 뜻이다. 중궁의 간은 경건하면서 간결한 것이고, 백자의 간은 간결하면서 간결한 것이니, 중궁의 간은 진실로 백자의 간과는 다르다. 그러나 여기(중궁의 간의 경지)에 도달하는 까닭은 비단 타고난 자질의 아름다움 때문만이 아니라 그 학력의 지극함 때문이기도 하다. 대개 다른 날 일찍이 인에 대하여 공자께 여쭈자 공자께서는 "문 밖에 나가서는 큰 손님을 맞듯이 하고 백성을 부릴 때는 큰 제사를 모시듯이 하라(『논어』12, 「안연」 2장)"고 알려주셨으니 이것은 거경을 말한 것이다. 또 일찍이 공자께 정치에 대해 여쭈자 "유사(담당관리)가 먼저 하도록 하고, 작은 허물은 용서하고, 현명한 인재를 등용하라(『논어』13, 「자로」

2장)"고 알려주셨으니 이는 행간을 말한 것이다. 거경행간, 평소 스승과 벗과 함께 공부하고 연마한 바로부터 얻은 것이 이와 같은 것이니 가사남면(임금을 시킬 수 있다고 인정받은 것)은 본디 근거가 있는 것이었다. 백자처럼 의관을 하지 않고 거처하는 것은 중궁 같은 자질은 있지만 중궁 같은 배움은 없는 것이니 '지나치게 간결한 잘못'이라 하는 것이 또한 당연하지 않으랴.

○簡 於行事上 用得 於治己上 用不得 故 行簡 則可 居簡 則不可

간은 일을 하는 데에는 쓸 수 있지만 자기를 다스리는 데에는 쓸 수 없다. 따라서 행간하는 것은 괜찮지만 거간(간결함에 마음을 둠)하는 것은 괜찮지 않다.

○新安陳氏曰 人 所以異於馬牛 以衣冠也 伯子 惡衣冠煩 而去之 簡則簡矣 如不敬何 簡與敬 易相反 故 書曰 簡而無傲 蓋 簡 易流於傲 無傲者 欲以敬 矯簡之流弊也 敬而簡 則爲簡嚴簡易之簡 不然 則爲簡忽簡略之簡 仲弓 蓋 能居敬行簡者 伯子 乃不敬而居簡行簡者也

신안 진씨가 말했다. 사람이 우마와 다른 까닭은 의관 때문이다. 백자는 의관이 번잡한 것을 싫어하여 없애버렸으니 간은 간이지만 불경이 아니고 무엇인가. 간과 경은 상반(모순)되기 쉽다. 그러므로 『서경』(「우서 순전」 9장)에 말하기를 "간결하되 오만하지 않아야 한다"라 했다. 대개 간은 오만으로 흐르기 쉽기 때문이다. 오만하지 않은 자는 경으로써 간의 유폐(말류의 폐단, 즉 잘못한 끝에 결국 나타나는 폐단)를 바로잡으려 한다. 경하고 간하면 간엄(간결하고 엄함) 간이(간결하면서 간편함)의 간이 되고, 그렇지 않으면 간홀(간단해서 소홀함) 간략(간단하게 생략함)의 간이 된다. 중궁이 대개 능히 거경행간하는 자라면 백자는 곧 불경하면서 거간행간하는 자이다.

6.1-4 子曰 雍之言 然

공자께서 말씀하셨다. 옹의 말이 맞다.

【집주】

仲弓 蓋 未喩夫子可字之意 而其所言之理 有黙契焉者 故 夫子 然之

중궁은 대개 공자께서 말씀하신 '가(괜찮다)' 자의 뜻을 깨닫지 못했으나 그 (중궁이) 한 말의 이치를 보면 말없이 부합하는 것이 있었다. 그래서 공자께서 그렇다고 인정하셨다.

【세주】

朱子曰 夫子 雖不言其居簡之失 而可字 已寓未盡善之意 仲弓 雖未喩可爲僅可 乃能默契其微旨 分別出居敬居簡之不同 夫子 所以 深許之

주자가 말했다. 공자께서는 비록 거간의 잘못을 말씀하지는 않았으나 '가' 자에는 이미 완전히 선하지는 않다는 뜻이 숨어 있다. 중궁이 비록 '가' 자가 '겨우 괜찮다'라는 뜻임은 깨닫지 못했지만 능히 그 숨은 뜻을 말없이 맞추어 거경과 거간의 차이를 분별했으니, 공자께서는 그 때문에 깊이 인정하셨다.

【집주】

○程子曰 子桑伯子之簡 雖可取而未盡善 故 夫子云 可也 仲弓因言 內主於敬而簡 則爲要直 內存乎簡而簡 則爲疏略 可謂得其旨矣 又曰 居敬 則心中無物 故 所行自簡

정자가 말했다. 자상백자의 간결함은 비록 취할 만하나 완전히 선하지는 않다. 그래서 공자께서 '괜찮다'라고 말씀하신 것이다. 중궁이 이어 말하기를 '(마음) 안으로는 경을 주로 삼으면서 (바깥의 일에 대해서는) 간결하면 요직(핵심적인 것을 직접적으로 함, 즉 군더더기 없이 간결함)하게 되고, 안으로 간결함에 마음을 두면서 (바깥으로 또) 간결하면 소략(대충대충함)하게 된다'라 했으니 가히 그 뜻을 이해했다고 하겠다. 또 말했다. 경건함에 마음을 두면 마음에 다른 사물이 없다. 그래서 행하는 바가 저절로 간결해진다.

【세주】

雙峯饒氏曰 無物 以是 無私意 無私意 則能循理 所以 所行自簡

쌍봉 요씨가 말했다. 사물(마음으로 욕구하는 대상으로서의 사물)이 없기 때문에 사사로운 뜻이 없다. 사사로운 뜻이 없으면 능히 이치를 따를 수 있다. 그래서 행하는 바가 저절로 간결해진다.

【집주】

居簡 則先有心於簡 而多一簡字矣 故曰 太簡

간결함에 마음을 두면 먼저 간결함에 마음을 쓰게 되니 '간' 자가 하나 더 많다[간이간(簡而簡)이 된다]. 그래서 태간(지나치게 간결함)이라고 한다.

【세주】

問 集註 何不全用程說 朱子曰 程子 只說得敬中有簡底意 亦有自處以敬而所行不簡 却說不及聖人 所以曰居敬 曰行簡 二者 須是周盡 某 所以 不敢全用他說 又曰 程子說 自不相害 果能居敬 則理明心定 自是簡 又曰 世間有居敬而所行不簡者 如上蔡說 呂進伯 是箇好人極至誠 只是煩擾 便是請客也 須臨時兩三番換食次 又有不能居敬 而所行却簡易者 每事不勞擾 只從簡徑處行 如曹參之治齊 專尙淸靜 及至爲相 每日酣飮不視事 隔墻小吏歌呼 參 亦酣歌以和之 何有於居敬 據仲弓言 自是兩事 程子 作一事看了

물었다. 집주에서는 왜 오로지 정자의 설만을 채택하지는 않았습니까? 주자가 답했다. 정자는 다만 경건함 안에 간결함이 있다(경건하기만 하면 곧 간결해진다)는 생각을 말했을 뿐이지만, (실제로는) 또 경건함으로 자처하면서도 그 행하는 바는 간결하지 않은 경우도 있으니, 오히려 그 설명이 성인(의 뜻)에는 미치지 못했다. 거경(경건함에 마음을 둠)이라 하고, 또 행간(간결하게 행함)이라 한 까닭은 이 두 가지를 모름지기 두루 다하여야 한다는 것이다. 나는 그래서 감히 오로지 그(정자)의 설만을 쓰지는 않았다. 또 말했다. 정자의 설은 그 자체로 모순되지는 않는다. 만약 능히 거경할 수 있다면 이치에 밝아지고 마음이 안정되니, 그 자체가 간이다. 또 말했다. 세간에는 거경하되 행위가 간결하지 않은 자도 있으니, 가령 상채(사양좌)가 말한 것처럼, 여진백은 사람을 좋아해서 지성을 다하는 사람이었으나 다만 번잡스러웠을 뿐이다. 손님을 청하면 반드시 그때 두세 번씩 음식을 갈아 차렸다[거경하지만 행간하지는 않은 예]. 또 능히 거경하지는 못하면서도 그 행하는 바는 간략한 자도 있으니, (이런 자들은) 매사에 수고롭고 번잡하게 하지 않고 단지 간편한 것을 따라 행한다. 예컨대, 조참은 제나라를 다스리면서 오로지 청정함(깨끗함, 즉 도가적인 무위의 정치)만을 숭상하여 재상이 되어서는 술만 마시고 일은 보지 않았다. 담 넘어 아전이 노래해 부르자 조참 또한 술 마시고 노래하여 화답했으니(『한서』39, 「소하 조참열전」) 어찌 마음에 경건함이 있었겠는가[행간하기는 하지만 거경하지는 않은 예]. 중궁의 말에 의거하면 이것(경과 간)은 본디 두 가지 일인데, 정자는 하나의 일로 보고 말았다.

○此段 若不得仲弓下面更問一箇 人 只道可也簡 便道了 故 夫子 復之曰 雍之言然 這 亦見仲弓有可使南面之基 亦見得他深沈詳密處 論來 簡 已是

好資稟 較之 繁苛細細 使人難事 亦煞不同 然 是居敬以行之 方好

이 문단에서 만약 중궁이 아래쪽에서(뒤에) 또 질문을 하지 않았다면 사람들은 단지 '간결하니 괜찮다'는 것만 알고 다 알았다고 생각하게 되었을 것이다. 그래서 공자께서 다시 '옹의 말이 옳다'고 말씀하셨다. 이것은 또한 중궁이 임금을 시킬 만한 기초가 있음을 보여주고, 또 그의 깊고 은밀하고 상세한 곳을 보여준다. 논하자면 간결함이란 이미 자질이 좋은 것이니, 번잡하고 가혹하고 꼼꼼해서 사람들에게 일을 어렵게 하는 것과 비교하면 역시 전혀 다르다. 그러나 경건함에 마음을 두고 그것(간결함)을 행해야 비로소 옳다.

○問 仲弓之有人君之度 何以知其然耶 曰 以前篇不佞之譏 此章 居敬行簡之對 而有以知其然也 謝氏 以爲簡以臨之 莊以莅之 蓋 近之矣 然 其深厚廣博 宜在人上之意 則未之發也 然 此 曰南面 而不曰爲政 則疑其主於德而言也

물었다. 중궁이 임금의 도량이 있다 했는데, 어떻게 그러한지를 알 수 있습니까? 답했다. 전편(『논어』5, 「공야장」 4장)에서 (사람들이 중궁을) 말재주가 없다고 비판한 것과 이 장에서 거경행간이라고 대답한 것으로써 그가 그러하다는 것을 알 수 있다. 사씨는 (중궁이 임금이 될 만한 이유가) 간결함으로써 임하고 장중함으로써 자리했기 때문이라고 생각했는데, 대개 비슷하기는 하다. 그러나 (중궁이) 깊고 두터우며 넉넉하고 넓어서 마땅히 남의 위에 있어야 한다는 뜻은 드러내지 못했다. 그러나 여기서 남면(임금 노릇)이라고 말했지, 정치를 한다고는 말하지 않은 것은 아마도 (능력이 아니라) 덕을 위주로 말했기 때문인 듯하다.

○問 居敬居簡之不同 何也 曰 持身以敬 則心不放逸 而義理著明 故 其所以見於事者 自然操得其要 而無煩擾之患 若所以處身者 旣務於簡 而所以行之者 又一切以簡爲事 則是 民理準則 旣不素明於內 而綱紀法度 又無所持循於外也 大簡之弊 將有不可勝言者矣

물었다. 거경과 거간이 다른 것은 무엇입니까? 답했다. 경건함으로써 몸을 지키면 마음이 풀어지거나 늘어지지 않으니 의리가 밝게 드러난다. 그러므로 일에서 드러나는 것은[마음이 경건한 자가 실제 일을 할 때 나타나는 특성은] 사건의 요점을 파악함으로써 번거롭고 소란스러울 우려가 없다는 점이다. 만약 처신하는 바가 이미 간결함에 힘쓰면서도 행하는 바 또한 모두 간결함을 일삼는다면, 이는 안으로는 사람의 의리와 준칙이 마음에 밝지 않은 것이고 밖으로는 기강과 법도도 또 지켜지는 바가 없는 것이다. 지나친 간결함의 폐단은 이루 다 말할 수 없다.

○勉齋黃氏曰 居 謂身所自處 行 謂見於所行 觀其以居對行 則是 以處身對行事 明矣 居敬而後可以行簡

면재 황씨가 말했다. '거'는 몸이 스스로 처하는 것을 말하고, '행'은 소행에서 드러나는 것을 말한다. '거'를 '행'에 대비시킨 것을 보건대, 이는 '처신'을 '행사'에 대비시킨 것임이 분명하다. 거경한 이후에야 행간할 수 있다.

6.2 哀公問 弟子 孰爲好學 孔子對曰 有顔回者好學 不遷怒 不貳過 不幸短命死矣 今也則亡 未聞好學者也 好 去聲 亡 與無同

애공이 물었다. 제자 중에 누가 호학합니까? 공자께서 대답하셨다. 안회라는 자가 호학했는데 노여움을 옮기지 않고 (같은) 허물을 두 번 거듭하지 않았습니다. 불행히 단명하여 죽었으니 지금은 (호학하는 자가) 없습니다. (그 후론) 호학하는 자를 아직 들어보지 못했습니다.

【집주】

遷 移也 貳 復扶又反 下同也 怒於甲者 不移於乙 過於前者 不復於後 顔子克己之功 至於如此 可謂眞好學矣

'천'은 옮긴다는 뜻이고 '이'는 거듭한다는 뜻이다. 갑에게 노한 것을 을에게 옮기지 않고 전에 한 허물을 뒤에 거듭하지 않는 것, 안자의 극기공부의 효과가 이와 같은 데에 이르렀으니 진정 호학하는 자라고 할 수 있겠다.

【세주】

朱子曰 不遷怒貳過 是 顔子好學之符驗 如此 却不是只學此二事 其學 全在非禮勿視聽言動上 乃是做工夫處 不遷不貳 是成效處

주자가 말했다. 노여움을 옮기지 않고 허물을 거듭하지 않는다는 것, 이는 안자의 호학의 증거가 이와 같다는 것이지, 이 두 일만을 공부했다는 것은 아니다. 그 배움은 전적으로 '예가 아니면 보지도 듣지도 말하지도 움직이지도 말라'라는 데에 있었다. 이것이 곧 공부처(공부해야 할 곳)이고, 옮기지도 거듭하지도 않았다는 것은 효과를 거둔 것이다.

○怒與過 皆自己上來 不遷不貳 皆已克己上來

노여움과 허물은 자신으로부터 오는 것이고, 옮기지 않고 거듭하지 않는 것은 모두 이미 자신을 이겼음으로부터 오는 것(극기의 결과)이다.

○勉齋黃氏曰 存養之深 省察之明 克治之力 持守之堅 故 其未怒之初 鑑空

衡平 旣怒之後 氷消霧釋 方過之萌 瑕纇莫逃 旣知之後 根株悉拔 此 所以爲好學 而集註 以爲克己之功也

면재 황씨가 말했다. 존양(본성을 보존하고 기름)이 깊고 성찰이 밝고 극치(자신을 다스림)가 힘이 있고 지키는 것이 견고하므로, 노여워하기 전에는 빈 거울과 빈 저울 같고, 이미 노여워한 후에는 얼음 녹듯 안개가 풀리듯 사라지게 하고, 바야흐로 허물이 싹트려 할 때는 허물의 실마리를 숨기지 않고(허물을 짓게 되는 단서를 직시하고), 이미 허물임을 안 연후에는 (그 허물의) 뿌리와 줄기를 모조리 뽑아버린다. 이것이 호학이 되는 것인데, 집주에서는 그것을 극기의 공이라고 여겼다.

○慶源輔氏曰 眞好學 眞字 須子細看

경원 보씨가 말했다. '진호학(진정 호학한다)'에서 '진' 자를 자세히 보아야 한다.

○新安陳氏曰 人 惟不能克去己私 故 遷怒者 私意之執滯也 貳過者 私意之隱伏也 顔子之學 眞能克己 故 當怒 未嘗不怒 旣怒 則不遷 有過 未嘗不知 旣知 則不留 此 皆克己之功效 而好學之符驗也

신안 진씨가 말했다. 사람은 진정 자신의 사사로움을 이기지 못한다. 그런 까닭에 노여움을 옮기는 것은 사의(사사로운 뜻)에 집착해 막힌 것이고, 허물을 거듭하는 것은 사의가 은밀히 숨어 있는 것이다. 안자의 학문은 진실로 자신을 이길 수 있는 것이어서 마땅히 노해야 하면 노하지 않는 적이 없었고, 노한 다음에는 옮기지 않았다. 허물이 있으면 알지 못한 적이 없었고, 안 다음에는 (허물에) 머무르지 않았다. 이는 모두 극기의 효과이고, 또 호학의 증거이다.

【집주】

短命者 顔子三十二而卒也

단명이라고 한 것은 안자가 서른 둘에 죽었기 때문이다.

【세주】

家語 顔子 少孔子三十歲 年二十九而髮白 三十二而早卒

『(공자)가어』에 "안자는 공자보다 30세가 어렸고 29세에 백발이 되었고 32세에 일찍 죽었다"라 했다.

【집주】

旣云今也則亡 又言未聞好學者 蓋 深惜之 又以見眞好學者之難得也

이미 지금은 없다고 말씀하시고 또 호학하는 자를 아직 듣지 못했다고 말씀하신 것은 대개 깊이 안타까워하신 것이고, 또 그로써 진정 호학하는 자를 얻기가 어렵다는 것을 드러내신 것이다.

【세주】

厚齋馮氏曰 師有父兄之道 故 稱受敎者 爲弟子 當是時 曾子尙少 好學而可以傳道者 唯顔子一人而已 曰今也則亡 言好學者無存也 不曰不聞 而曰未聞 不敢以一已之聞見 厚誣天下之無人 又焉知來者之不如今也

후재 풍씨가 말했다. 스승에게는 부형(아버지나 형)의 도가 있다. 그러므로 가르침을 받는 자를 칭하여 제자(동생이나 아들)라고 한다. 이때에 증자는 아직 어려서 호학하여 도를 전할 수 있는 사람은 오직 안자 한 사람뿐이었다. '지금은 없습니다'라는 말은 호학하는 자가 없다는 말이다. '듣지 못했습니다'라고 하지 않고 '아직 듣지 못했습니다'라고 말한 것은 감히 나 한 사람의 견문으로써 천하에 그런 사람이 없다고 지나치게 과장하지 않은 것이고, 또 '(후학의) 장래가 지금만 못할 줄 어찌 알리오?(『논어』9, 「자한」 23장)'라는 뜻이다.

【집주】

○程子曰 顔子之怒 在物 不在己 故 不遷 有不善 未嘗不知 知之未嘗復行

정자가 말했다. 안자의 노여워함(노여움의 대상)은 외물에 있지 자기에게 있지 않기 때문에 옮기지 않았다. 불선한 것이 있으면 일찍이 알지 못한 적이 없었고, 알면 일찍이 다시 (같은 잘못을) 행한 적이 없었다.

【세주】

新安陳氏曰 二句 易繫辭文 乃孔子稱顔子語

신안 진씨가 말했다. 이 두 구절(집주에 인용된 정자의 말의 뒷부분, 즉 유불선 이하)은 『역』, 「계사(하전)」(5장)의 글인데, 이는 공자께서 안자를 칭찬하신 말이다.

【집주】

不貳過也

그래서 허물을 거듭하지 않았다.

【세주】

雲峯胡氏曰 程子 兼不遷怒不貳過說

운봉 호씨가 말했다. 정자는 (이 구절에서) '불천노(노여움을 옮기지 않음)'와 '불이과(허물을 거듭하지 않음)'를 겸하여 설명했다.

【집주】

又曰 喜怒在事 則理之當喜怒者也 不在血氣 則不遷 若舜之誅四凶也 可怒在彼 己何與音預焉 如鑑之照物 姸媸在彼 媸 赤之反 姸 美也 媸 醜也 隨物應之而已 何遷之有

또 말했다. 기쁨과 노여움은 일에 있으니(외부적 사태 때문에 기뻐하거나 노여워하는 것이니) 그 이치상 당연히 기뻐하고 노여워해야 하는 것이고, 혈기에 있지 않으니(나의 혈기 때문에 기뻐하거나 노여워하는 것이 아니니) 옮기지 않는다. 예컨대, 순이 사흉을 주살한 것은 노여워할 만한 것이 그들에게 있었을 뿐, 자신과 무슨 관계가 있었으리오. 예컨대 거울이 사물을 비춤에, 아름답고 추함이 그것(사물)에 있어서 <'연'은 아름답다는 뜻이고 '치'는 추하다는 뜻이다.> 사물에 따라 응할 뿐이니, 무슨 옮김이 있으리오.

【세주】

雲峯胡氏曰 專說不遷怒 怒 每自血氣而發 顔子之怒 在理而不在血氣 故不遷

운봉 호씨가 말했다. (집주의 정자의 이 부분의 말은) 오로지 '불천노'만 설명한 것이다. 노여움은 언제나 혈기로부터 나오는 것인데, 안자의 노여움은 이치에 있고 혈기에 있지 않았기 때문에 옮기지 않았다.

【집주】

又曰 如顔子地位 豈有不善 所謂不善 只是微有差失 纔差失 便能知之 纔知之 便更不萌作 張子曰 慊口簟反於己者 不使萌於再

또 말했다. 안자의 경지 같으면 어찌 불선이 있었겠는가? 이른바 불선이라는 것은 다만 약간의 잘못이 있는 것뿐이다. 약간이라도 잘못이 있으면 곧 능히 알았고, 알기만 하면 곧 다시 일어나지 않도록 했다. 장자가 말했다. 스스로에게 꺼림칙한 것은 다시는 싹트지 않도록 했다.

【세주】

朱子曰 慊於己 只是略有些子不足於心 便自知之 卽隨手消除 不復萌作

주자가 말했다. 자신에게 꺼림칙하다는 것은 단지 마음에 흡족하지 않은 약간의 사소한 점이 있다는 말이다. 스스로 그것을 알면 곧 손을 써서 없애고 다시 싹트지 않도록 했다.

○許氏曰 心過常小 身過常大 顔子 雖有心過 無身過 無身過 易 無心過難 要當制之於心而已

허씨가 말했다. 마음의 허물은 항상 작고 몸의 허물은 항상 큰데, 안자는 비록 마음의 허물은 있어도 몸의 허물은 없었다. 몸의 허물이 없기는 쉽고 마음의 허물이 없기는 어려우니, 마땅히 마음속에서 그것(허물)을 통제해야 할 뿐이다.

【집주】

或曰 詩書六藝 七十子 非不習而通也 而夫子 獨稱顔子爲好學 顔子之所好 果何學歟 程子曰 學以至乎聖人之道也

혹자가 물었다. 시서육예는 70 제자 모두 배워서 통하지 않은 사람이 없는데 공자께서는 다만 안자만을 호학한다고 칭찬하셨으니 안자가 좋아했다는 학문은 과연 어떤 학문입니까? 정자가 답했다. 배워서 성인에 이르는 방법이다.

【세주】

雙峯饒氏曰 道者 方法之謂 言學以至乎聖人底方法也 下文言學之道 與學之得其道 皆是此意

쌍봉 요씨가 말했다. '도'란 방법을 말하니, 배워서 성인에 이르는 방법이라는 말이다. 아래글에서 말하는 '학지도(배움의 길)'와 '학지득기도(배움에 그 길을 얻었다)'(에서의 도)는 모두 이 뜻이다.

【집주】

學之道 奈何 曰 天地儲精 得五行之秀者 爲人

(혹자가 물었다.) 배움의 방법은 무엇입니까? (정자가) 답했다. 천지에 쌓인 정기 중에 오행의 빼어난 것을 얻어 사람이 된다.

【세주】

問儲精 朱子曰 精氣 流通儲蓄 得二氣之精聚 故 能生出人物

'저정'에 대해 물었다. 주자가 답했다. 정기가 흐르고 모여 있는 중에 두(음양) 기의 정수의 모임을 얻은 까닭에 능히 사람을 만들어낼 수 있다.

【집주】

其本也 眞而靜 其未發也 五性具焉 曰仁義禮智信

그 근본은 참되고 고요하다. 아직 드러나기 전에 다섯 가지 성이 갖추어져 있으니 인·의·예·지·신이라고 한다.

【세주】

朱子曰 本 是本體 眞 是不雜人僞 靜 言其初未感物時 五性 便是眞 未發 便是靜

주자가 말했다. 근본이란 본체이다. 참됨이란 인위가 섞이지 않은 것이다. 고요함이란 처음에 아직 사물에 감응하지 않은 때를 말한다. 다섯 가지 성이 곧 참됨이고 드러나지 않은 것이 곧 고요함이다.

【집주】

形 旣生矣 外物 觸其形 而動於中矣 其中動 而七情出焉 曰喜怒哀懼愛惡去聲欲

형체가 이미 생겨남에, 외물이 형체를 건드려 중(아직 드러나지 않은 마음 안의 본성)이 움직인다. 그 중이 움직여 칠정이 나온다. 이것을 희·노·애·구·애·오·욕이라고 한다.

【세주】

慶源輔氏曰 心 是活物 故 外物觸之而動 上言其本靜 故 於此言動

경원 보씨가 말했다. 마음은 살아 있는 물건이다. 그러므로 외물이 건드리면 움직인다. 위에서는 근본의 고요함을 말했기 때문에 여기서는 움직임을 말했다.

【집주】

情 旣熾昌志反而益蕩 其性鑿矣

정이 이미 치열해지고 더욱 방탕해져 성이 뚫어진다(손상된다).

【세주】

朱子曰 性 固不可鑿 但 人 不循此理去 傷了他

주자가 말했다. 성이란 본디 뚫을 수 없는 것이다. 다만 사람이 이 이치를 따르지 않아 그것을 훼손해버렸다.

【집주】

故 覺者 約其情 使合於中 正其心 養其性而已 然 必先明諸心 知所往 然後力行以求至焉

그러므로 깨달은 자는 정을 단속함으로써 중에 합치하게 하여 마음을 바르게 하고 성을 기를 뿐이다. 그러나 반드시 먼저 마음에 밝혀서 갈 곳을 안 연후에 힘써 행하여 지극함을 구해야 한다.

【세주】

朱子曰 這一段緊要處 只在先明諸心上 明諸心 知所往 窮理之事 力行求至 踐履之事 知所往 如識路 力行求至 如行路

주자가 말했다. 이 단락의 중요한 부분은 단지 '먼저 마음에 밝힌다'는 말에 있다. '마음에 밝히고', '갈 곳을 아는' 것은 궁리의 일이고 '힘써 행하여 지극함을 구하는' 것은 실천의 일이다. '갈 곳을 아는' 것은 마치 길을 아는 것과 같고, '힘써 행하여 지극함을 구하는' 것은 길을 가는 것과 같다.

○雙峯饒氏曰 用工最緊要處 在約其情 使合於中 約 是工夫 中 是準則 四勿 便是約的工夫 禮 便是中的準則 能約其情 使合於中 則心 得其正而不蕩 性 得其養而不鑿

쌍봉 요씨가 말했다. 공부를 할 때 가장 긴요한 곳은 그 정을 단속하여 중에 합치시키는 데에 있다. '약(단속함)'은 공부(활동)이고 '중'은 준칙(준거)이니 '사물(네 가지의 하지 말라는 것, 즉 예가 아니면 보지도 듣지도 말하지도 움직이지도 말라)'이 곧 단속하는 공부이고 예가 곧 중의 준칙이다. 능히 그 정을 단속하여 중에 합치시키면 마음이 올바름을 얻어 방탕해지지 않으며 성은 기름을 얻어 뚫어지지 않는다.

○雲峯胡氏曰 程子此段議論 皆自周子太極圖說來 天地儲精 此精字 卽是二五之精 其本也眞而靜 眞字 卽是無極之眞 特周子 自太極說來 故 先眞而後精 程子 只自天地說起 故 先精而後眞 儲字 卽是凝字 自古言性 未嘗言五性 圖說謂 五行之生也 各一其性 故 此曰 五性具焉 圖說謂 五性感動 而善惡分 萬事出 此 則曰其中動而七情出焉 蓋 五性感動之後 有善有惡 至於情旣熾而益蕩 則全失其本來之善矣 圖說 定之以中正仁義而主靜 聖人立人極之事 此曰 約其情 使合於中 學者克己之事也

운봉 호씨가 말했다. 정자의 이 단락의 의론은 모두 주자(주돈이)의 『태극도설』에서 온 것이다. '천지저정(천지의 정수가 쌓임)'에서의 이 '정' 자는 즉 음양오행의 정수이다. '기본야진이정(그 근본은 참되고 고요하다)'에서의 '진' 자는 무극(형체가 없는 것으로서의 태극)의 참됨이다. 다만 주자(주돈이)는 태극을 설명했기 때문에 진을 앞세우고 정을 뒤로 했고, 정자는 다만 천지를 설명하는 데서 시작했기 때문에 정을 앞세우고 진을 뒤로 했다. '저' 자는 '응(뭉치다, 엉기다)' 자이다. 예로부터 성은 말했지만 일찍이 다섯 가지 성을 말하지는 않았는데, 『태극도설』에서는 '오행이 생겨남에 (각 행마다) 각각 하나의 성이 있다'고 말했다. 그런 까닭에 여기서(집주에서 정자가) '다섯 가지 성이 모두 갖추어졌다'고 말한 것이다. 『태극도설』에서는 '오성이 감동하여 선악이 나뉘고 만사가 생겨난다'고 했는데, 여기서는 '그 중이 움직여 칠정이 나온다'고 했다. 대개 다섯 가지 성이 감동(사물에 감응하여 움직임)한 후에 선이 있고 악이 있다. 정이 이미 치열해져 더욱 방탕함에 이르면 본래의 선을 완전히 잃게 된다. 『태극도설』에서는 '중정과 인의를 확립하시되 고요함을 주로 하셨다'라 했으니 (이는) 성인께서 인간의 최고의 표준을 세우시는 일이고, 여기서는 '그 정을 단속하여 중에 합치시킨다'라 했으니 (이는) 배우는 자의 극기하는 일이다.

【집주】

若顔子之非禮勿視聽言動 不遷怒貳過者 則其好之篤 而學之得其道也 然 其未至於聖人者 守之也 非化之也 假之以年 則不日而化矣

안자의 경우, 예가 아니면 보지도 듣지도 말하지도 움직이지도 않았고, 노여움을 옮기지 않고 허물을 거듭하지 않은 것은 좋아함(호학)이 독실한 것이고 배움이 그 (올바른) 방법을 얻은 것이다. 그러나 (안자가) 성인(의 경지)에 이르지 못한 것은 지켰을 뿐, 변화하지는 못했기 때문이다. 몇 년을 더했다면 어느 날엔가는 변화했을 것이다(안자가 몇 년 더 살았더라면 성인의 경지에 도달했을 것이다).

【세주】

雙峯饒氏曰 不遷不貳 皆是守而未化之事 若怒 自然不遷 心 無過可貳 則化而無事於守矣

쌍봉 요씨가 말했다. 노여움을 옮기지 않고 허물을 거듭하지 않는 것은 모두 지키기는 하지만 변화하지는 못한 일이다. 만약 노하더라도 (노력하지 않고도) 저절로 옮기지 않고, 마음에 (애초부터) 거듭할 만한 허물이 없다면, (이미) 변화한 것이니 지키는 것을 일삼을 필요가 없다.

【집주】

今人 乃謂聖本生知 非學可至 而所以爲學者 不過記誦文辭之間 其亦異乎顔子之學矣

요즈음 사람들은 성인은 본래 태어나면서부터 아시는 분이니 배워서 도달할 수 있는 것이 아니라고 하면서, 배움으로 삼는 것은 암송하고 문장 짓고 하는 것에 불과하니, 그것은 또한 안자의 학문과는 다르다.

【세주】

程子曰 小人之怒 在己 君子之怒 在物 小人之怒 出於心 作於氣 形於身 以及於物 以至於無所不怒 是 所謂遷也 怒在理 則無所遷 動乎血氣 則遷矣 舜誅四凶 蓋 因是人有可怒之事 而怒之 聖人之心 本無怒也 譬如明鏡好物來時 便見是好 惡物來時 便見是惡 鏡 何嘗有好惡也 世之人 固有怒於室而色於市

정자가 말했다. 소인의 노여움은 자신에게 있고 군자의 노여움은 사물에 있다. 소인의 노여움은 마음에서 나오고 기에 작용하고 몸에 형성되어 사물에 미치게 되니 노하지 않는 것이 없는 데까지 이른다. 이것이 소위 옮기는 것이다. 노여움이 이치에 있으면 옮길 곳이 없지만 혈기에서 움직이면 옮기게 된다. 순임금이 사흉을 주살한 것은 대개 그 사람들에게 노할 만한 일이 있어서 노한 것이지, 성인의 마음에는 본래 노여움이 없다. 비유하자면 밝은 거울에 좋은 물건이 오면 좋게 보이고 나쁜 물건이 오면 나쁘게 보이는 것과 같다. 거울에 어찌 일찍이 좋음과 나쁨이 있겠는가? 세상 사람들은 본디 집 안에서 노하고 장에 가서 성을 낸다.

○上蔡謝氏曰 顔子 不遷怒 不貳過 則其所好 乃克己之學也

상채 사씨가 말했다. 안자는 노여움을 옮기지 않고 허물을 거듭하지 않았으니 그 좋아하는 것이란 곧 극기의 학문이었다.

○朱子曰 顔子 因物之可怒而怒之 又安得遷 內有私意而至於遷怒者 志動氣也 有爲怒氣所動而遷者 氣動志也 或謂 不獨遷於他人爲遷 就其人而益之 便是遷 曰 此 却是不中節 非遷也

주자가 말했다. 안자는 외물이 노할 만해서 노한 것이니, 또 어찌 옮겼겠는가? 마음에 사의가 있어서 노함을 옮기기에 이른 자는 지(뜻, 의지)가 기를 움직인 것이고, 노기에 의해 움직여져서 옮긴 자는 기가 지를 움직인 것이다. 혹자는 다른 사람에게 옮기는 것만 옮기는 것이 아니고 그 사람[자신]에게 (노여움을) 더하는 것도 곧 옮기는 것이라고 했지만, 답하자면, 그것은 곧 절도에 맞지 않은 것이지 옮기는 것은 아니다.

○問 不遷怒 此 是顔子與聖人同處否 曰 不遷字 在聖人分上說便小 在顔子分上說便大 蓋 聖人無怒 何待於不遷 聖人無過 何待於不貳 所以 不遷不貳者 猶有意存焉 與願無伐善無施勞之意 同 猶今人所謂 願得不如此 是 固嘗如此 而今且得其不如此也 此 所謂守之 非化之也

물었다. '불천노(노여움을 옮기지 않음)' 이것은 안자와 성인의 동일한 점이 아닙니까? 답했다. '불천(옮기지 않음)'이라는 말은 성인의 경우에는 해당이 적고 안자의 경우에는 많이 해당된다. 대개 성인께서는 (애초에) 노여움이 없으시니 어찌 '불천'이 필요하겠는가? 성인께서는 (애초에) 허물이 없으시니 어찌 '불이(거듭하지 않음)'가 필요하겠는가? 그러므로 불천하는 자와 불이하는 자는 오히려 아직도 뜻(그렇게 노력하려는 의사)이 있는 것이니, '원컨대 선을 자랑하지 않고 공로를 자랑하지 않고자 한다(『논어』5, 「공야장」 25장)'는 말의 뜻과 같다(두 경우 모두 의도적인 노력이 있다는 점에서 같다). 이는 요즈음 사람들의 '그렇지 않기를 바랐다'는 말과 같은 것으로, 이 말은 '원래는 그랬는데 지금은 그렇지 않게 되었다'는 것이다. 이는 지키는 것이지 변화한 것은 아니다.

○問 人之義理未明 而血氣未曾消釋 物來觸著 則乘此 血氣之動 惟好惡之所之 怒不能得休歇 而至於有所移也 若顔子 則是磨得心地光明 而無一毫物事雜在其間 或喜或怒 皆是物之當喜當怒 隨其來 而應之 而在我初無容心 不以此動其血氣 而至於有所遷也 但 此 是顔子克己工夫 到後方如此 却不是以此方爲克己工夫也 曰 夫子當時 也是從他克己效驗上說 但克己

工夫未到時 也須照管 不成道 我工夫 未到那田地 而遷怒貳過 只聽之耶

물었다. 사람이 의리에 아직 밝지 않고 혈기가 아직 사라지지 않았는데 사물이 와서 건드리면 이것을 타고(계기로 하여) 혈기가 움직입니다. (그 움직임은) 오직 좋아하고 싫어하는 감정이 가는 대로여서 노여움은 사라지지 못하고 옮겨지기에 이릅니다. 안자의 경우는 심지를 밝고 빛나게 닦아서 털끝만 한 사물도 그 안에 섞여 있지 않습니다. 혹 기뻐하고 혹 노하는 것은 모두 당연히 기뻐하고 노해야 할 사물이 오는 것에 따라 응하는 것일 뿐, 나에게는 처음부터 (그 사물을 나의 것으로) 받아들이려는 마음이 없으므로 이것(사물) 때문에 그 혈기가 움직여 (노여움을) 옮기기에 이르지는 않습니다. 단, 이는 안자의 극기공부가 이른(경지에 도달한) 후에 비로소 이와 같이 된 것이지 이를 바야흐로 극기공부로 삼은 것은 아닙니다. 답했다. 공자께서 (이 말씀을 하신) 당시에도 그(안자)의 극기공부의 효과에 대해 말씀하신 것이지만, 그러나 극기공부가 아직 (경지에) 이르지 못했을 때에도 반드시 잘 살펴야 한다. "나는 공부가 아직 그러한 경지에 도달하지 못했으니 '천노이과(노여움을 옮기지 않고 허물을 거듭하지 않음)'는 듣기만 했다"라고 말해서는 안 된다. ['불천노불이과'를 단순히 공부의 결과로만 이해하는 것은 옳지 않다. 공부하는 과정에서의 원칙이기도 하다.]

○問 顔子不遷怒 亦見得克己工夫否 曰 固是 然 克己 亦非一端 如喜怒哀樂 皆當克 但 怒 是粗而易見者爾

물었다. 안자가 노여움을 옮기지 않은 것 또한 극기공부라고 볼 수 있습니까? 답했다. 물론 그렇다. 그러나 극기는 또한 (노여움을 극복하는) 한 가지만 있는 것이 아니다. 예컨대 희로애락도 모두 마땅히 극복되어야 하는 것이다. 다만 노여움은 거칠어서[조야한 것이어서] 겉으로 드러나기 쉬운 것일 따름이다.

○顔子 於念慮處 少差輒改 而今學者 未到顔子地位 且須逐事上檢點 過也不論顯微 如大雷雨 也是雨 些子雨 也是雨 無大小 都喚做過 只是晴明時節 青天白日 更無些子雲翳 這 是甚麽氣象

안자는 염려되는 곳에 대해서는 약간의 잘못이라도 있으면 번번이 고쳤으나, 요즈음의 배우는 자들은 안자의 경지에 도달하지 못했으므로 또 모름지기 일에 따라 점검해야 한다. 허물은 드러난 것이나 숨은 것이나를 막론하고, 마치 뇌성벽력이 치는 비도 비고 작은 비도 비인 것처럼, 대소와 상관없이 모두 허물이라 부른다. 맑게 갠 때란 청천백일(푸른 하늘 밝은 해)하고 조금의 구름도 없는 것이다(일절 허물이 없어야 비로소 허물이 없는 것이다). 이는 어떤 기상인가?

○問 喜怒發於當然者 人情之不可無者也 但不可爲其所動爾 過失 則不當然而然者 旣知其非 則不可萌於再 所謂頻復之吝也 二者 若不相類 而其向背 實相對 曰 聖人 雖未必有此意 但 能如此看 亦好

물었다. 기쁨과 노여움이 마땅히 그러해야 하는 데서 나온 것이라면 (이는) 사람의 마음에 없을 수 없는 것입니다. 다만 그것에 의해 흔들려서는 안 됩니다. 과실이란 마땅히 그러하지 않아야 하는데 그렇게 하는 것입니다. 이미 그것이 잘못인 줄 알았다면 두 번 다시 싹트게 해서는 안 되니, 이른바 '빈복지린(자주 거듭하니 부끄럽다)'이라는 것입니다. 이 두 가지[희로와 과실]는 서로 비슷하지 않은 것 같지만 그 향배(방향)는 실로 대응되는 것입니다. 답했다. 비록 성인께서 꼭 이런 뜻을 가지고 계신 것은 아니지만, 이처럼 볼 수 있다면 또한 괜찮다.

○顔子 只是見得箇道理透 見得道理透 自不遷不貳

안자는 다만 도리를 투철하게 알았을 뿐이다. 도리를 투철하게 알면 저절로 옮기지 않고 거듭하지 않게 된다.

○非禮勿視聽言動 是夫子告顔子 教他做工夫 要知緊要工夫 却只在這上 如無伐善無施勞不遷怒不貳過 是他到處 又曰 顔子到這裏 直是渾然 更無些子渣滓 不遷怒 如鏡懸水止 不貳過 如氷消凍釋 如三月不違 又是已前事 到這裏 已自渾淪 都是天理 是甚次第

예가 아니면 보지도 듣지도 말하지도 움직이지도 말라는 것은 공자께서 안자에게 알려주시어 그에게 공부하게 하신 것이니, 긴요한 공부는 여기에 있다는 것을 알아야 한다. 예컨대 '무벌선 무시로(선을 자랑하지 않고 공로를 내세우지 않음)', '불천노 불이과' 같은 것은 그가 (공부의 결과로) 도달한 곳이다. 또 말했다. 안자가 이 경지에 도달함에 곧 혼연하여 조금의 찌꺼기도 없었다. '불천노'는 거울이 걸려 있고 물이 (고요히) 머물러 있는 것과 같고, '불이과'는 얼음이 녹고 언 것이 풀리는 것과 같다. '(인을) 석달 동안 떠나지 않는다'는 것 또한 (이 경지에 도달하기) 이전의 일이다. 이(경지)에 도달하면 이미 저절로 혼륜하여(도와 구분되지 않는 한 덩어리가 되어) 모두 천리이니 이는 어떤 단계인가? [최고의 경지이다.]

○問 顔子之所學者 蓋 人之有生五常之性 渾然一心之中 未感物之時 寂然不動而已 而不能不感於物 於是 喜怒哀樂七情 出焉 旣發而易縱 其性 始鑿故 顔子之學 見得此理分明 必欲約其情以合於中 剛決以克其私 私欲旣去天理自明 故 此心虛靜 隨感而應 或有所怒 因彼之可怒 而己無與焉 怒 纔過而此心 又復寂然 何遷移之有 所謂過者 只是微有差失 張子 謂之慊於己只是略有些子不足於心 便自知之 卽隨手消除 更不復萌作 爲學工夫如此可謂眞好學矣 曰 所謂學者 只是學此而已 伊川所謂 約其情 大學所謂 明明德 中庸所謂 天命之謂性 皆是此理

물었다. 안자가 배운 것이란 (다음과 같은 것입니다.) 대개 사람이 나면서부터 가지고 있는 오상의 성은 혼연한 한마음의 '중(마음 안에 있는 진정한 본성)'입니다. (중, 즉 성이) 사물에 감응하지 않았을 때는 고요하여 움직이지 않을 뿐이지만 사물에 감응하지 않을 수는 없습니다. 이에 희로애락의 칠정이 나오게 됩니다. 이미 나오면(칠정이 표현되면) 제멋대로 되기 쉬워 그 성이 비로소 깨어집니다. 그러므로 안자의 학문은 이 이치를 분명하게 알았기에 반드시 그 정을 단속하여 '중'에 합치하도록 하고 굳건히 그 사사로움을 극복했습니다. 사욕이 이미 제거되니 천리가 자명해졌고, 그런 까닭에 그 마음은 텅 비고 고요해졌습니다. 감각에 따라 반응해 혹 노하는 일이 있다 하더라도, 이는 그것이 노할 만한 것이기 때문이지, 자신과는 아무 관계가 없었습니다. 노여움이 지나가기만 하면 이 마음은 또다시 고요해지니 무슨 옮김이 있었겠습니까? 이른바 허물이란 다만 조그마한 잘못이 있는 것이니, 장자(장재)는 그것을 '스스로에게 꺼림칙한 것'이라 했습니다. 단지 조금이라도 내 마음에 흡족하지 않은 것이 있으면 곧 스스로 그것을 알아서 손을 써 없애고 다시는 싹트지 못하게 했습니다. 이와 같이 배움의 공부를 한다면 진정한 호학이라 할 만합니다. 답했다. 이른바 배운다는 것은 이것을 배우는 것일 따름이다. 이천이 말한 '약기정(그 정을 단속함)', 『대학』에서 말하는 '명명덕(밝은 덕을 밝힘)', 『중용』에서 말하는 '천명지위성(하늘의 명을 성이라 함)'이 모두 이 이치이다.

○勉齋黃氏曰 論顔子之天資 則只是明與剛 論顔子之用功 則只是敬與義惟其明且敬也 故 幾纔動處 便覺 惟其剛且義也 故 纔覺 便與一刀兩段 旣明矣 又持之以敬 旣剛矣 又輔之以義 天資學力兩極 則血氣 豈能輕爲之動念慮 豈能再使之差 此 所以謂之不遠復也 所以謂之有不善未嘗不知 知之未嘗復行也 不遠 是覺得早 復 是斬斷得猛烈

면재 황씨가 말했다. 안자의 타고난 자질을 논한다면 (그것은) 단지 밝고 굳건하고, 안자의 공부를 논한다면 (그것은) 단지 경(경건함)과 의(올바름)이다. 오직 밝고 경건하기 때문에 조금이라도 움직이는 것이 있으면 곧 깨달았고, 오직 굳건하고 올바르기 때문에 깨닫기만 하면 곧 일도양단(단칼에 두 쪽으로 자름)했다. 이미 밝은데 또 경으로써 지켰으며, 이미 굳센데 또 의로써 보완해, 타고난 자질과 학력이 둘 다 최고 수준이니 혈기가 어찌 가벼이 움직이게 할 수 있으며, 염려가 어찌 두 번 다시 잘못하게 할 수 있겠는가. 이것이 '불원부(멀리가지 않으니 돌아온다. 『주역』, 「복 괘」 <초구>)'라고 하는 이유이며, 또 '불선이 있으면 일찍이 알아채지 못한 적이 없고 알면 다시 행한 적이 없다'고 하는 이유이다. '불원'은 (잘못을) 빨리 깨닫는 것이고 '부'는 맹렬하게 잘라내는 것이다.

○問 顔子之不遷怒 與喜怒哀樂皆中節 如何 潛室陳氏曰 當其怒時 見理而不見怒 故 怒所可怒 而不遷於他 此 克己陽剛工夫 峻潔之甚 其要 固歸於中節 但 以中節言顔子 無起發人意處

물었다. 안자의 '불천노'와 '희로애락이 모두 절도에 맞는다'는 것은 어떤 관계입니까? 잠실 진씨가 답했다. 노할 때를 당해서는 이치를 보지 노여움을 보지는 않았다. 그러므로 노할 만한 것에 노할 뿐, 다른 사람에게는 옮기지 않았다. 이것은 극기양강의 공부(자신을 극복하는 적극적이고 강건한 공부)가 매우 엄숙하고 정결한 것으로서, 그 요체는 본디 '절도에 맞음'으로 귀결된다. 단, 절도에 맞는 것으로써 안자를 말하는 것은(안자가 절도에 맞았다고 말하는 것은) 사람의 마음을 분발하게 하는 점이 없다. [반면, 노여움을 옮기지 않고 허물을 거듭하지 않았다고 말하는 것은 사람의 마음을 분발시킨다.]

○慶源輔氏曰 顔子不遷不貳 乃終身學力之所就 固非一旦收其放心 便能如此 亦非是學者克己之事 故 集註 以爲克己之功 必其平日 遇怒 則克不使之流蕩於外 以過於物 遇過 則克不使之伏藏於內 以爲之根 怒 不過於物則久久自然不遷 過 釐其根 則久久自然不貳

경원 보씨가 말했다. 안자의 '불천불이'는 평생토록 배우고 힘써서 성취한 것이다. 진실로 하루아침에 방심(흩어진 마음)을 거둔다고 곧 이와 같이 될 수 있는 것도 아니고, 또 배우는 자의 극기공부의 일도 아니다. 그래서 집주에서는 극기공부의 공(효과)이라고 했다. 반드시 평소에 노여워하는 사태를 만나게 되면 그것이 밖으로 넘쳐서 남에게 옮기지 않도록 극복하고, 실수하는 사태를 만나게 되면 그것이 안으로 뱃속에 숨어 뿌리를 내리지 않도록 극복해야 한다. 노여움은 남에게 옮기지 않는나면 서절로 오래오래 옮기지 않게 되고, 허물은 그 뿌리를 짓밟아버리면 저절로 오래오래 거듭하지 않게 된다.

○覺軒蔡氏曰 不遷怒 朱子謂 怒於甲者不移於乙 程子謂 在物不在己 不貳過 朱子謂 過於前者不復於後 程子謂 只是微有差失 便能知之 才知之便更不萌作 若不同矣 然 程子 是就怒初發念初萌而直言之也 朱子 是就怒已發念已萌而橫言之也 其理 則一 必兼之 方盡其義

각헌 채씨가 말했다. '불천노'에 대해서, 주자는 '갑에게서 노하고 을에게 옮기지 않는다'라고 했고, 정자는 '(노여움은) 외물에 있는 것이지 자기에게 있는 것이 아니다'라고 했다. '불이과'에 대해서 주자는 '전에 한 허물을 후에 반복하지 않는다'라고 했고, 정자는 '다만 약간이라도 잘못이 있으면 곧 능히 그것을 알고, 알기만 하면 곧 다시 일어나지 않게 한다'라고 했으니 같지 않은 것 같다. 그러나 정자는 노여움이 처음 일어나고 생각이 처음 싹틀 때에 관하여 종으로[한 사람 내부에서의 생각의 순서에 따라] 말한 것이고, 주자는 노여움이 이미 나타나고 생각이 이미 싹튼 다음에 관하여 횡으로[공간적으로 이 사람에서 저 사람으로, 또 시간적으로 이때에서 저때로] 말한 것이다. 그 이치인즉 하나이니 반드시 (정자와 주자의 설을) 겸해야 비로소 그 의미를 다할 수 있다.

○問 不遷怒 魯齋許氏曰 是 聖人境界之事也 如何便到得 且自忿思難 爲始

'불천노'에 관하여 물었다. 노재 허씨가 답했다. '이는 성인 경지의 일이다. 어떻게 하면 여기에 도달할 수 있겠는가' 하고 또 스스로 분해하며 어려움을 생각하는 것, 이것이 (공부의) 출발점이다.

6.3-1 子華 使於齊 冉子 爲其母請粟 子曰 與之釜 請益 曰 與之庾 冉子 與之粟五秉 使 爲 竝去聲

자화가 제나라에 심부름 갈 때, 염자가 그의 어머니를 위해 곡식을 청하자, 공자께서 말씀하셨다. 그에게 한 부를 주어라. 더 청하니, 말씀하셨다. 그에게 한 유를 주어라. 염자가 그에게 곡식 다섯 병을 주었다.

【집주】

子華 公西赤也 使 爲去聲孔子使也

자화는 공서적이다. '시'는 공자를 위해 심부름 가는 것이다.

【세주】

慶源輔氏曰 或使於他邑 或使於外國 不可知也 大夫無私交 此 必未爲大夫時事 又孔子 將之荊 先之以子路 申之以冉有 皆使之類也 又如蘧伯玉 使人於孔子 大夫 雖無私交 若此類 則無害也

경원 보씨가 말했다. 혹은 다른 읍에 심부름 갔는지 혹은 외국으로 심부름 갔는지 알 수 없다. 대부는 사적으로 외교를 할 수 없으니 이는 필시 대부가 되기 전의 일이다. 또 공자께서 장차 형나라에 가시려 했을 때 자로를 먼저 보내고 염유에게 신청하게 하셨으니 모두 심부름 보내는 종류의 일이다. 또 예컨대 거백옥이 공자에게 심부름꾼을 보내는 경우가 있었으니, 대부는 비록 사적 외교는 없다하나 이런 일 같은 것은 문제가 없다.

【집주】

釜 六斗四升 庾 十六斗 秉 十六斛

'부'는 6두(말) 4승(되)이고 '유'는 16두이고 '병'은 16곡(1곡은 10말)이다.

6.3-2 子曰 赤之適齊也 乘肥馬 衣輕裘 吾聞之也 君子周急 不繼富 衣 去聲

공자께서 말씀하셨다. 적이 제나라에 갈 때 살찐 말을 타고 가벼운 갖옷을 입었다. 내 듣건대, 군자는 궁핍한 자에게 보충해주기는 해도, 부유한 자에게 보태주지는 않는다.

【집주】

乘肥馬 衣輕裘 言其富也 急 窮迫也 周者 補不足 繼者 續有餘

살찐 말을 타고 가벼운 갖옷을 입었다는 것은 그가 부유하다는 말이다. '급'은 궁핍한 것이고 '주'는 부족한 것을 보충하는 것이고 '계'는 여유가 있는데 보태주는 것이다.

6.3-3 原思 爲之宰 與之粟九百 辭

원사를 (읍)재로 삼았는데, 그에게 곡식 구백을 주니 사양했다.

【집주】

原思 孔子弟子 名 憲 宋人 孔子爲魯司寇時 以思爲宰 粟 宰之祿也 九百 不言其量去聲 不可考

원사는 공자의 제자이고 이름은 헌이다. <송나라 사람이다.> 공자께서 노나라 사구가 되었을 때, 원사를 재로 삼았다. '속'은 재의 봉록이다. 구백은 그 양(의 단위)을 말하지 않았기 때문에 (얼마인지) 고찰할 수 없다.

【세주】

趙氏曰 司寇 有采邑 故 以思爲邑宰

조씨가 말했다. 사구는 채읍(봉록으로 받은 읍)이 있기 때문에, 원사를 (그 채읍의) 읍재로 삼은 것이다.

6.3-4 子曰 毋 以與爾隣里鄕黨乎

공자께서 말씀하셨다. (사양하지) 말라. (봉록을) 너의 이웃, 마을, 향당에 주어라.

【집주】

毋 禁止辭 五家爲隣 二十五家爲里 萬二千五百家爲鄕 五百家爲黨 言常祿不當辭 有餘 自可推之 以周貧乏 蓋 隣里鄕黨 有相周之義

'무'는 금지하는 말이다. 5가가 1린이 되고 25가가 1리가 되고 12,500가가 1향이 되고 500가가 1당이 된다. 정해진 봉록을 사양해서는 안 되고, 남는 것이 있으면 본디 양보해 궁핍한 자들에게 보충해주는 것이 옳다는 말씀이다. 대개 인리향당에는 서로 도와주는 의리가 있다.

○ 程子曰 夫子之使子華 子華之爲去聲 下爲之 同夫子使如字 義也 而冉有 乃爲之請 聖人寬容 不欲直拒人 故 與之少 所以示不當與也 請益 而與之亦少 所以示不當益也 求 未達而自與之多 則已過矣 故 夫子非之 蓋 赤 苟至乏 則夫子 必自周之 不待請矣 原思爲宰 則有常祿 思 辭其多 故 又敎以分諸隣里之貧者 蓋 亦莫非義也 張子曰 於斯二者 可見聖人之用財矣

정자가 말했다. 공자께서 자화를 심부름 보낸 것과 자화가 공자를 위하여 심부름 간 것은 의이다. 그런데 염유가 그를 위하여 청하니 성인께서는 관용하시어 곧바로 사람(의 청을)을 거부하려고 하지는 않으셨다. 그래서 그에게 조금만 주라 하셨는데, (이는) 주는 것이 부당함을 보여주시려는 것이다. 더 청했으나 또 조금만 더 주라고 하신 것은 또한 역시 더 주는 것이 부당함을 보여주시려는 것이다. (염)구가 깨닫지 못하고 스스로 많이 주었으니 심히 잘못된 것이다. 그러므로 공자께서 그를 나무라셨다. 대개 적이 만약 지극히 궁핍했다면 공자께서 반드시 스스로 보충해주셨을 것이고 청하기를 기다리지는 않으셨을 것이다. 원사가 읍재가 됨에 정해진 봉록이 있었는데 원사는

(봉록이) 많다고 사양했다. 그러므로 또 (남은 봉록을 가지고) 이웃과 마을의 가난한 사람들에게 나누어주라고 가르치셨다. 대개 이는 또한 의 아닌 것이 없다. 장자(장재)가 말했다. 이 두 가지에서 성인의 재물 쓰심(의 법도)을 볼 수 있다.

【세주】

朱子曰 冉子 與之粟五秉 聖人 亦不大段責他 而原思辭祿 又謂與爾隣里鄕黨者看來 聖人與處 却寬 於斯二者 可見聖人之用財 雖是小處也 莫不恰好 便是一以貫之處

주자가 말했다. 염자가 그에게 곡식 5병을 주었으나 성인께서는 또한 그를 크게 책하지는 않으셨고, 원사가 봉록을 사양하니 또 너의 인리향당에 주라고 말씀하신 것들을 보면, 성인께서는 주시는 것은 오히려 관대하시다. 이 두 가지에서 성인께서 재물 쓰시는 것을 볼 수 있으니, 비록 작은 곳에서도 딱 들어맞지 않은 경우가 없으시다. 이것이 곧 일이관지(하나의 원리로 모든 것을 꿰뚫음)하신 곳이다.

○問 冉子請粟 聖人不與之辨 而與之益之 曰 聖人寬洪 可以予 可以無予 予之 亦無害 但 不使傷惠耳

물었다. 염자가 곡식을 청하자 성인께서 주지 않아야 한다고 판단하시고도 주고 또 더 주고 하신 것은 왜 그러신 것입니까? 답했다. 성인께서는 관대하시니, 줄 수도 있고 주지 않을 수도 있는 경우는 주어도 또한 별 문제가 없다. 단, 은혜를 해치지 않게 하실 따름이다.

○南軒張氏曰 子華 爲夫子使於齊 使子華而有所不給 則夫子 固周之矣 而子華 無是之患也 其使也 爲師使 以義行之 夫 以義行而其資足以給 則可以無與也 冉有 爲其母請 疑可以與也 故 與之少 以見其義 而冉子 莫喩也 原思爲宰 宰有常祿粟 雖多不得而辭也 使原思 雖甚有餘 而其常祿 亦豈得而辭哉 故 聖人 於子華謂 周急不繼富 於原思謂 毋以與爾隣里鄕黨 其義可見矣 蓋 取與辭受 莫不有其則焉 天之理也 聖人 從容而不過 賢者 審處而不違 若以私意加之 則失其權度 或與其所不當與 爲傷惠 而或辭其所不當辭 亦反爲有害於廉矣

남헌 장씨가 말했다. 자화가 공자를 위해 제나라에 심부름 가는데, 만약 자화가 스스로 비용을 댈 만하지 못하면 공자께서 응당 보충해주셨을 것이지만 자화는 그럴 걱정은 없었다. 그가 심부름 가는 것은 스승을 위해 심부름 가는 것으로, 의리상 행하는 것이다. 무릇 의리상 행하는 경우에는 그 재산이 필요에 충분할 정도라면 주지 않아도 된다. 염유가 그의 어머니를 위해 청한 것은 주어도 되지 않을까 하고 생각했기 때문이다. 그래서 조금만 주라고 하심으로써 그 의리를 보여주셨는데 염자가 깨닫지 못했다. 원사가 읍재가 됨에, 읍재에게는 정해진 봉록이 있으니 비록 많다고 하더라도 사양할 수 없는 것이다. 설령 원사가 비록 매우 여유가 있다 하더라도 정해진 봉록을 또 어찌 사양할 수 있겠는가? 그러므로 성인께서는 자화에 대해서는 '궁핍한 자에게는 보충해주고 부유한 자에게는 보태주지 않는다'고 하셨고, 원사에 대해서는 '사양하지 말라. 너의 이웃과 마을과 향당에 나눠주어라'고 하셨으니, 그 의리를 가히 알 수 있다. 대개 받거나 주는 것, 사양하거나 받아들이는 것에는 그 법도가 없는 경우가 없으니, (이 법도는) 하늘의 이치이다. 성인께서는 조용히 허물이 없으시고(저절로 법도에 맞고) 현자는 상황을 헤아려 어기지 않는다. 만약 사사로운 뜻이 보태진다면 (그것은) 그 권도(시의적절한 판단)를 잃은 것이다. 혹 마땅히 주지 않아야 하는데 주는 것은 은혜를 상하게 하는 것이고, 마땅히 사양하지 않아야 하는 것을 사양하는 것도 거꾸로 청렴에 해가 된다.

○覺軒蔡氏曰 楊氏謂 君子之於辭受取予之際 苟非其義 一介不以予人 苟以其道 舜 受堯之天下 亦不爲泰 而士 或以嗇與爲吝 寡取爲廉者 皆不知此也 以冉求原思之賢 猶不免是 況世之紛紛者乎 朱子云 此說 固然 子華之富所不當繼也 而夫子於冉子之請 猶與之釜 猶與之分 不直拒之也 原思之辭所不當辭也 而夫子未嘗疾之 又敎之 以有餘 則當推之以及隣里 則聖人寬容崇奬廉退之意 亦略可見矣 然則學者 未得中行 不幸而過 寧與無吝 寧廉無貪 又不可不知也 模按 朱子 廣楊氏未盡之意 深有補於世敎 且使世之吝者 不得託於一介不與之說 以蓋其陋 貪者 不得託於舜受堯天下之說 以便其私 而輕財重義淸苦廉遜之人 亦將得以自見 故 併錄之 學者所宜深玩也

각헌 채씨가 말했다. 양씨가 말하기를 "군자가 사양하거나 받아들이고, 받거나 주는 경우에, 만약 의리가 아니면 남에게 한 개도 주지 않고, 만약 도리라면 예컨대 순임금이 요임금의 천하를 받은 것도 크다고 여기지 않는 것인데, 혹 선비들이 적게 주는 것을 인색한 것이라 생각하고 적게 받는 것을 청렴한 것이라 생각하는 것은 모두 이를 모르는 것이다. 염구와 원사의 현명함으로도 오히려 이를 면하지 못했으니 하물며 세상의 분분한 자들이랴"라 했다. 주자가 말하기를 "이 말은 진실로 그러하다. 자화의 부는 마땅히 보태주지 말아야 하는 것이다. 그런데도 공자께서 염자의 청에 대하여 오히려 한 부를 주라 하시고, 오히려 또 한 유를 주라 하셨으니 곧바로 거절하지 않으신 것이다. 원사의 사양함은 마땅히 사양하지 말아야 하는 것이다. 그런데도 공자께서는 일찍이 그를 책망하지 않으시고 나머지가 있으면 마땅히 양보해 이웃과 마을에 주라고 가르치셨으니 성인의 관용(너그럽고 포용적임)과 숭장(높이고 장려함)과 염퇴(청렴함과 사양함)의 뜻을 대략 알 수 있다. 그러니, 배우는 자가 아직 중행(법도에 맞는 행위)을 얻지 못하여 불행히 허물을 짓는다면, 주는 데 인색하지 않은 것이 오히려 낫고, 청렴하여 탐이 없는 것이 오히려 나으니 또한 (이를) 몰라서는 안 된다"라 했다. 모(각헌 채씨의 이름, 즉 내)가 살피건대, 주자는 양씨가 다하지 못한 뜻을 넓혔고, 세상의 가르침에 도움이 된 것이 매우 크다. 또한 세상의 인색한 자로 하여금 '한 개도 주지 말아야 한다'는 설에 의탁하여 자신의 누추함을 덮지 못하도록 했고, 또 탐욕스러운 자로 하여금 '순이 요의 천하를 받았다'는 설에 의탁하여 그 사사로운 뜻을 편히 여기지 못하도록 했다. 그리고 재물을 가벼이 여기고 의리를 중하게 여기는, 맑고 가난하고 겸손하고 청렴한 자가 장차 또한 저절로 드러나도록 했다. 그래서 (양씨와 주자의 설을) 아울러 기록했으니, 배우는 자가 마땅히 깊이 완미해야 할 것이다.

○厚齋馮氏曰 子華之使 原思之宰 非必同一時也 記者 以其辭受 可互相發明 故 係於此爾

후재 풍씨가 말했다. 자화가 심부름 간 것과 원사가 읍재가 된 것은 반드시 같은 때에 있었던 일은 아니다. 기록한 자가 그 사양함과 받음이 서로 (도리를) 밝혀 드러낼 수 있다고 여겼기에 여기에 연결시켰을 따름이다.

○新安陳氏曰 一義字 可斷盡此章 弟子爲師使 義也 自富而請粟請益 非義也 不繼富而與之少 亦義也 宰常祿當與 義也 有餘以周鄕隣 亦義也 夫子於赤 非吝 於思 非奢 辭受取予 惟視義之當否爾 冉求爲請 自多與以爲惠 原憲甘貧 辭常祿以爲廉 皆察義未精 故也

신안 진씨가 말했다. '의(올바름)' 한 글자는 이 장의 뜻을 단연코 다할 수 있다. 제자가 스승을 위하여 심부름 가는 것은 의이고, 원래 부유하면서도 곡식을 달라거나 더 달라고 청하는 것은 의가 아니다. 부유한 자에게는 보태주지 않고 조금 주는 것이 또한 의이다. 읍재의 정해진 봉록은 마땅히 주는 것이 의이다. 여유가 있으면 향과 이웃을 돕는 것이 또한 의이다. 공자께서 적에게 하신 것은 인색함이 아니고, 사에게 하신 것은 사치함이 아니다. 사양하거나 받아들이는 것, 받거나 주는 것은 다만 의에 마땅한지 아닌지만 볼 뿐이다. 염구가 청하면서 스스로 많이 주는 것을 은혜로 생각한 것이나, 원헌이 가난함을 감수하면서 정해진 봉록을 사양하는 것을 청렴이라고 생각한 것은 모두 그 의리를 정밀하게 살피지 못한 까닭이다.

6.4 子 謂仲弓曰 犂牛之子 騂且角 雖欲勿用 山川其舍諸 犂 利之反 騂 息營反 舍 上聲

공자께서 중궁에 대해 말씀하셨다. 얼룩소의 새끼가 붉고 또 뿔이 있으면, 비록 쓰지 않으려 하나 산천이 그 어찌 버리겠는가?

【집주】

犂 雜文 騂 赤色 周人尚赤 牲用騂 角 角周正完全端正 中去聲犧牲也

'여'는 얼룩무늬이고 '성'은 붉은색이다. 주나라 사람들은 붉은색을 숭상했기에 희생에는 붉은 소를 썼다. '각'이란 뿔이 주정<완전하고 단정함>하다는 것이니 희생에 적합하다.

【세주】

潛室陳氏曰 祭天地之牛 角繭栗 宗廟之牛 角握 賓客之牛 角尺 以其色既赤又且角 中程度也

잠실 진씨가 말했다. 천지에 제사지내는 소는 뿔이 누에고치나 밤톨만 한 것을 쓰고, 종묘의 소는 뿔을 한 손으로 잡을 만한 것을 쓰고, 빈객의(빈객을 대접하는) 소는 뿔 한 자짜리를 쓴다. 그 색이 이미 붉고 또 뿔이 정도에 맞다는 것이다.

【집주】

用 用以祭也 山川 山川之神也 言人雖不用 神必不舍也 仲弓父賤而行惡 故 夫子 以此譬之 言父之惡 不能廢其子之善 如仲弓之賢 自當見用於世也 然 此 論仲弓云爾 非與仲弓言也

'용'은 제사에 쓰는 것이다. '산천'은 산천의 신이다. 비록 사람들이 쓰지 않더라도 신은 반드시 버려두지 않을 것이라는 말이다. 중궁의 아버지는 천하고 행실이 나빴다. 그러므로 공자께서 이로써 비유하시어, 부모의 악 때문에 그 아들의 선을 버릴 수는 없는 것으로, 중궁같이 현명한 사람은 본디 마땅히 세상에 쓰여야 한다고 말씀하셨다. 그러나 이는 중궁을 논하여 말씀하신 것이시, 중궁에게 말씀해주신 것은 아니다.

○范氏曰 以瞽瞍爲父而有舜 以鯀爲父而有禹 古之聖賢 不係於世類 尙矣 子 能改父之過 變惡以爲美 則可謂孝矣

범씨가 말했다. 고수가 아버지인데도 순임금이 있었고, 곤이 아버지인데도 우임금이 있었다. 옛 성현들께서 세상의 분류(즉 신분)에 얽매이지 않으신 지는 이미 오래되었다. 아들이 부모의 허물을 고쳐서 악을 변화시켜 아름답게 만들 수 있다면 효라고 할 수 있다.

【세주】

問 子 謂仲弓曰 犂牛之子騂且角 伊川謂 多一曰字 意 以仲弓爲犂牛子也 考之家語 仲 生於不肖之父 其說 可信否 朱子曰 聖人 必不肯對人子說人父不善

물었다. '공자께서 중궁에 대해 말씀하셨다. 얼룩소의 새끼가 붉고 뿔이 아름답다'라는 구절에 대해, 이천은 "'왈(말씀하셨다)' 자 하나가 더 있는 것은 '중궁은 얼룩소의 새끼다'라는 뜻이다('왈' 자가 더 있는 것은 공자께서 중궁한테 직접 '너는 얼룩소의 새끼다. 운운'이라고 말씀하셨다는 뜻이다). 『가어』를 살펴보면 중궁은 못난 아버지에게서 태어났다"라고 했는데 그 설은 믿을 만합니까? 주자가 답했다. 성인께서는 남의 아들에게 그 아버지의 불선을 결코 말하려 하지 않으셨을 것이다.

○問 此章前後 作用人不以世類 南軒 以仲弓 言焉知賢才之故 故 孔子敎之用人 此說牽合 然 亦似有理脈 曰 橫渠言 大者苟立 雖小未純 人所不棄也 今 敬夫此說 無他 只是要回互 不欲說 仲弓之父不肖爾 何不虛心平氣與他看 古人 賢底 自賢 不肖底 自不肖 稱其賢 可以爲法 語其不肖 可以爲戒 或曰 恐是因仲弓之父不肖 而微其辭 曰 聖人 已是說了 此 亦何害 大抵人被人說惡不妨 但要能改過 過而能改 則前愆頓釋 昔日是不好底人 今日自好事 自不相干 何必要回互 然 又要除却曰字 此曰字 留亦何害 如子謂顏淵曰 吾見其進也 不成是與顏淵說 況此一篇 大率是論他人 不必是與仲弓說也 只蘇氏却說 此 乃是論仲弓之德 非是與仲弓言也

물었다. 이 장의 앞과 뒤는 사람을 쓸 때 세상의 분류 방식을 쓰지 않으셨다는 것을 말한 것인데, 남헌(장식)은 "중궁으로써(중궁을 예로 들어) 어진 인재인 까닭을 어떻게 알 수 있는지 말씀하신 것이다. 그러므로 (이 구절은) 공자께서 사람 쓰는 법을 가르치신 것이다"라고 했습니다. 이 설은 억지로 끌어 붙인 것 같지만 또 이치의 맥락에 맞는 것 같기도 합니다. 답했다. 횡거(장재)는 "큰 것(대원칙)이 진정 서 있다면 비록 작은 것(세세한 점)이 완전하지는 않더라도 사람들에게 버려지지는 않는다"고 말했다. 지금 장경부(장식)의

이 설은 다름 아니라 다만 빙빙 돌려(완곡하게) 말하려는 것으로, 중궁의 아버지가 못났다는 것을 말하지 않으려는 것이다. 무엇 때문에 허심탄회하게 그(중궁의 아버지)에 대해 보지 않는가? 옛사람 중에, 현명한 사람은 그 자체로 현명한 것이고 못난 사람은 그 자체로 못난 것이다. 현명하다고 칭찬하신 사람은 모범으로 삼을 만하고 불초하다고 말씀하신 사람은 경계로 삼을 만하다. 혹자가 말했다. 중궁의 아버지가 못난 것 때문에 그 말씀을 완곡하게 하신 것이 아닌가 생각됩니다. 답했다. 성인께서 이렇게 말씀하셨다고 해서 그것이 무슨 문제가 있겠는가? 대저 사람이 남들에게 악하다는 말을 듣는 것은 문제가 아니고, 다만 허물을 고칠 수 있어야만 한다. 만약 허물을 지었지만 그것을 능히 고친다면 앞서의 허물은 곧 사라지니 옛날에는 좋지 않던 사람이었던 것하고 지금 스스로 좋아진 일은 본디 서로 관계가 없다. 하필 빙빙 돌려 말할 필요가 있겠는가? 그리고 또 이 '왈' 자를 없애려 하지만, 이 '왈' 자를 그냥 둔들 무슨 문제가 있겠는가? 가령 "공자께서 안연에 대해 말씀하셨다. 나는 그의 진보함을 보았다(『논어』9, 「자한」 20장)"라는 구절을 예로 든다면, 그것('나는 그의 진보함을 보았다'라는 말)이 안연에게 (직접) 말씀해주신 것이라고 하는 것은 말이 안 된다. 하물며 이 한 편은 대개 다른 사람들을 논한 것이니 꼭 중궁에게 (직접) 말씀해주신 것이라 할 수는 없다. 오히려 오직 소씨만이 '이는 중궁의 덕을 논한 것이지 중궁에게 해주신 말씀은 아니다'라고 설명했다.

○慶源輔氏曰 犁牛 雜文 雖不堪作犧牲 然 其所生之子 其色則騂 其角則正 則必將取以爲犧牲用矣 固不可以其母之犁 而廢其子之騂也 雖欲勿用 人之私意也 山川其舍諸 理之所不容廢也

경원 보씨가 말했다. 얼룩소의 얼룩무늬로는 비록 희생이 되는 것을 감당할 수 없지만, 그 낳은 새끼가 색이 붉고 뿔이 바르면 장차 반드시 희생으로 삼아 쓸 수 있다. 진실로 그 어미의 얼룩무늬 때문에 그 새끼의 붉은색을 버릴 수는 없다. '수욕불용(비록 쓰지 않으려 하나)'이라는 구절은 사람의 사사로운 뜻(을 말하는 것)이고, '산천기사저(산천의 신이 어찌 버리겠는가)'라는 구절은 이치상 버리는 것이 용납되지 않는다(는 말이다).

6.5 子曰 回也 其心 三月不違仁 其餘 則日月至焉而已矣

공자께서 말씀하셨다. (안)회는 그 마음이 석 달 동안 인을 떠나지 않았다. 그 나머지는 날이나 달로 (인에) 이를 뿐이다.

【집주】

三月 言其久

'삼월'은 (그 기간이) 길다는 말이다.

【세주】

朱子曰 三月 只是言其久爾 非謂三月後必違也 古人三月無君則弔 去國三月則復 詩人以一日不見如三月兮 夫子聞韶三月不知肉味 皆久之意

주자가 말했다. 석 달은 단지 그 기간이 길다는 것을 말하는 것이지 석 달이 지난 후에는 꼭 떠났다는 말이 아니다. '옛사람들은 석 달 동안 주군이 없으면(즉, 벼슬을 못하면) 위문했다', '나라를 떠난 지 석 달이면 돌아온다', 시인의 '하루 못 만난 것이 석 달 같다'는 말, '공자께서 소 음악을 듣고 석 달을 고기 맛을 모르셨다'라는 말 등에서 (석 달이란) 모두 길다는 의미이다.

【집주】

仁者 心之德 心不違仁者 無私欲而有其德也 日月至焉者 或日一至焉 或月一至焉 能造七到反其域

인이란 마음의 덕이다. 마음이 인을 떠나지 않는다는 것은 사욕이 없고 그 덕이 있다는 것이다. 날이나 달로 이른다는 것은 혹 하루에 한 번 이르거나 한 달에 한 번 이른다는 것이니, 능히 그 영역에 이를 수는 있지만

【세주】

新安陳氏曰 造仁之域 如云入聖域

신안 신씨가 말했다. 인의 영역에 도달한다는 말은 성인의 영역에 들어간다는 말과 같다.

【집주】

而不能久也

오래 머물지는 못한다는 뜻이다.

【세주】

朱子曰 仁與心 本是一物 被私欲一隔心 便違仁去 却爲二物 若私欲旣無則心與仁 便不相違 合成一物 心猶鏡 仁猶鏡之明 鏡本來明 被塵垢一蔽遂不明 若塵垢一去 則鏡明矣 顔子 三箇月之久 無塵垢 其餘人 或日一次無塵垢 少間又暗 或月一次無塵垢 二十九日暗 亦不可知

주자가 말했다. 인과 마음은 본래 하나의 물건이다. 사욕에 의해 한 번 마음이 떨어지면 곧 인을 떠나 두 가지 물건이 된다. 만약 사욕이 없다면 마음과 인은 곧 서로 어긋나지 않아서 합쳐져 하나의 물건이 된다. 마음은 거울과 같고 인은 거울의 밝음과 같다. 거울은 본래 밝지만 먼지와 때로 한 번 가려지면 곧 밝지 못하다. 만약 먼지와 때가 없어지면 거울은 밝아진다. 안자는 석 달의 긴 시간 동안 먼지와 때가 없었다. 그 나머지 사람들은 하루에 한 번 먼지와 때가 없다가 얼마 안 있어 또 어두워지고, 혹은 한 달에 한 번 먼지와 때가 없고 29일 동안은 어두워져도 또한 알지 못한다.

○或問 顔子三月不違仁 是無纖毫私欲 則自餘門弟子 日至月至者 常爲私欲所汨乎 西山眞氏曰 欲字 有輕重 常人之心 無非私欲汨亂之時 若孔門弟子 日至月至者 雖未到無纖毫私欲之地 然 亦必皆寡欲矣 孟子 敎人只云養心 莫善於寡欲 周子 又進一步敎人曰 由寡以至於無 顔子三月不違者 已到無欲之地 自餘 則寡欲而已 所以 未如顔子也

혹자가 물었다. 안자가 석 달 동안 인에서 떠나지 않았다는 것은 털끝만한 사욕도 없는 것으로, 그렇다면 그 나머지 제자들은 날로 이르거나 달로 이르는 자이니 항상 사욕에 빠져 있다는 것입니까? 서산 진씨가 답했다. '욕' 자는 경중이 있다. 보통 사람들의 마음은 사욕에 골몰하지 않는 때가 없다. 공자의 제자의 경우는 날로 이르고 달로 이르는 자들이니 비록 사욕이 털끝만큼도 없는 경지에 도달하지는 못했지만 또한 틀림없이 모두 욕심은 적다. 맹자가 사람을 가르쳐 말하기를 다만 "마음을 기르는 데는 욕심을 적게 하는 것보다 좋은 것이 없다(『맹자』14, 「진심 하」 35장)"라고 했다. 주자(주돈이)는 한 걸음 더 나아가서 사람을 가르쳐 말하기를 "(욕심이) 적은 데로부터 (아예) 없는 데로 도달한다"고 했다. 안자가 석 달 동안 떠나지 않은 것은 이미 욕심이 없는 데에 이른 것이고 그 나머지는 욕심이 적은 것일 따름이니, 그래서 안자만 못한 것이다.

○趙氏曰 三月 姑借以言其久 日月 亦借以言其暫

조씨가 말했다. '석 달'은 잠시 (그 단어를) 빌려서 오래됨을 말한 것이고 '날과 달'도 빌려서 잠시임을 말한 것이다.

【집주】

○程子曰 三月 天道小變之節 言其久也 過此 則聖人矣 不違仁 只是無纖毫私欲 少有私欲 便是不仁

정자가 말했다. 석 달은 천도의 작은 변화의 단위이니 오래라는 말이다. 이를 넘어서면 성인이다. 인을 떠나지 않는 것은 단지 털끝만 한 사욕도 없는 것이니, 조금이라도 사욕이 있으면 곧 불인이다.

【세주】

程子曰 顔子 經天道之變 而爲仁如此 其能久於仁也 過此 則從心不踰矩 聖人也 故 孔子 惜其未止

정자가 말했다. 안자는 천도가 변하는 동안 이처럼 인을 행했으니 인에 오래 있을 수 있었다. 이것을 넘어서면 '종심불유구(마음을 따라도 법도에 어긋나지 않음)'이니 성인이다. 그러므로 공자께서는 (그의) 그치지 않았음을 아까워하셨다(안자는 그치지 않고 진보하는 사람이었는데 그만 죽어서 아까워하셨다).

○朱子曰 顔子三月不違 只是此心常存 無少間斷 自三月後 却未免有毫髮私意間斷在 顔子念慮之 間間有不善處 却能知之 而未嘗復行也

주자가 말했다. 안자가 석 달 동안 떠나지 않았다는 것은 다만 이 마음을 항상 보존하여 잠시의 끊어짐도 없었다는 것이다. 석 달 이후에는 오히려 털끝만 한 사욕에 의한 끊어짐이 있음을 면하지는 못했는데, 안자는 그것을 염려하여 간간이 선하지 않은 곳이 있으면 곧 그것을 알아내고, (그 잘못을) 다시 행한 적이 없었다.

○顔子 豈直恁虛空湛然 常閉門合眼靜坐 不應事不接物 然後爲不違仁也 顔子 有事 亦須應 須飮食 須接賓客 但只是無一毫私欲耳

안자가 어찌 쭉 그렇게 허공처럼 고요하게 항상 문 닫고 눈 감고 정좌하여 일에 응하지도 않고 사물에 접하지도 않은 연후에야 인을 떠나지 않았겠는가. 안자도 일이 있으면 또한 모름지기 응하고 모름지기 먹고 모름지기 손님을 맞았지만, 다만 오직 터럭만 한 사욕도 없었을 뿐이다.

【집주】

尹氏曰 此 顔子 於聖人 未達一間者也

윤씨가 말했다. 이는 안자가 성인에 비하여 아직 한 칸 미달한 점이다.

【세주】

新安陳氏曰 間 平聲 際也 如孟子 其間不能以寸 此語 本揚子問神篇 顔淵亦潛心 於仲尼矣 未達一間爾

신안 진씨가 말했다. '간'은 평성이고 사이라는 뜻으로, 예컨대 맹자의 "그 사이(차이)는 한 치도 안 된다(『맹자』8,「이루 하」7장)"라 할 때의 간(사이, 차이)과 같다. (윤씨의) 이 말은 양자(양웅)의 (『법언』)「문신」편의 말을 본받은 것이다. 안자 역시 잠심했으니 중니보다 한 칸 미달했을 따름이다.

【집주】

若聖人 則渾上聲然無間斷矣

성인의 경우는 혼연하여 끊어짐이 없다.

【세주】

間 去聲 斷 徒玩反 後凡言間斷 音同

'간'은 거성이고 '단'은 '도'와 '완'의 반절이다. 뒤에 '간단'이라 한 것은 모두 음이 같다.

○朱子曰 顔子 猶不能無違於三月之後 不是三月後一向差去 但只於道理久後略斷一斷 便接續去 若無這些子間斷 便是聖人 所以與聖人未達一間者 以此

주자가 말했다. 안자가 석 달 이후에도 떠나지 않을 수는 없었겠지만, 석 달이 지난 후에는 내내 어긋났다는 것은 아니다. 다만 도리에 있어서 오랜 후에 약간 끊어지면 곧 이어 나갔다. 만약 이러한 약간의 끊어짐도 없으면 곧 성인이다. 성인에 한 칸 미달한다는 것은 바로 이 때문이다.

○新安陳氏曰 心本仁也 心而違仁 私欲間斷之耳 日月至焉者 私欲間斷之時 多 天理純全之時 少 顔子 克去已私 爲仁漸熟 故 能三月之久 心 不違仁 然 猶未免三月之後 或至於違仁也 使過此 而能渾然無間斷 則與聖人之純亦不已者 一矣

신안 진씨가 말했다. 마음은 인에 근본을 두고 있다. 마음이 인을 떠나는 것은 사욕이 그것을 끊은 것일 뿐이다. 날로 이르고 달로 이르는 자는 사욕이 끊은 때가 많은 것이고 천리가 순전한(온전히 보존된) 때가 적은 것이다. 안자는 자신의 사욕을 극복하여 인을 행하는 것이 점차 익어갔다. 그런 까닭에 석 달이라는 오랫동안 마음이 인을 떠나지 않은 것이다. 그러나 석 달 후에는 혹시 인을 떠나게 되는 것을 면할 수는 없었다. 만약 이를 넘어서서 능히 혼연하여 끊어짐이 없다면, 성인의 '순수하여 그치지 아니함'과 마찬가지이다.

【집주】

張子曰 始學之要 當知三月不違 與日月至焉 內外賓主之辨 使心意勉勉循循而不能已 過此 幾非在我者

장자(장재)가 말했다. 배움의 첫 단계의 요체는 마땅히 '석 달을 떠나지 않음'과 '날로 달로 이름'을 알아 안과 밖, 손님과 주인(객체와 주체)을 구분함으로써 마음의 뜻으로 하여금 힘쓰고 힘써 순서를 따라 그칠 수 없게 하는 데 있다. 이 단계를 넘어서면 거의 나에게 달려 있지 않다(내가 어찌해볼 수 있는 것이 아니다, 즉 저절로 계속된다).

【세주】

朱子曰 三月不違者 仁在內 而我爲主也 日月至焉者 仁在外 而我爲客也 誠知辨此 則不安於客 而求爲主於內 必矣

주자가 말했다. 석 달을 떠나지 않는다는 것은 인이 안에 있어 내가 주인(주체)이 되는 것이고, 날로 달로 이르는 것은 인이 밖에 있어서 내가 손님(객체)이 되는 것이다. 진실로 이것을 분별하면, 틀림없이 손님이 되는 것을 편안히 여기지 않고 안으로 주인이 되기를 구하게 된다.

○三月不違底 是仁爲主 私欲爲客 日月至焉者 是私欲爲主 仁却爲客 然那客 亦是主人 只是以其多在外 故 謂之客 敬 則常不要出外 久之 亦是主人既是主人 自是出去時 少也 又曰 日月至焉底 便是我被那私欲挨出在外 是我勝那私欲不得

석 달을 떠나지 않는 것은 인이 주인이 되고 사욕이 손님이 되는 것이고, 날로 달로 이르는 것은 사욕이 주인이 되고 오히려 인이 손님이 되는 것이다. 그러나 이 손님 또한 주인으로, 다만 밖에 있는 경우가 많기 때문에 손님이라고 하는 것이다. 경건하면 (인이) 항상 밖으로 나가지 않으려고 하니, 오랫동안 그리하면 또한 (인이) 주인이 된다. 이미 주인이 되면 당연히 밖으로 나가는 경우가 드물다. 또 말했다. 날로 달로 이른다는 것은 곧 내가 저 사욕에 의해 떠밀려 밖으로 나가는 것이니 이는 내가 저 사욕을 이기지 못한 것이다.

○以屋喩之 三月不違者 心 常在內 雖間或有出時 然 終是在外 不穩 纔出便入 蓋 心 安於內 所以 爲主 日月至焉者 心 常在外 雖間或有入時 然 終是在內 不安 纔入便出 蓋 心 安於外 所以爲賓 日至者 一日一至此 月至者 一月一至此 自外而至也 不違者 心常存 日月至焉者 有時而存 此 無他 知有至未至 意有誠未誠 知至矣 雖驅使爲不善 亦不爲 知未至 雖軋勒 不爲 此意終迸出來 故 於見得透 則心意 勉勉循循 自不能已矣 過此幾非在我者 猶言過此以往 未之或知 言過此 則自家著力不得 待他自長進去 又曰 三月不違主 有時而出 日月至焉 賓 有時而入

집으로 비유하자면, 석 달을 떠나지 않는다는 것은 마음이 항상 안에 있어서 비록 간혹 밖으로 나가는 때가 있기는 하지만, 그러나 종내 밖에 있으면 마음이 편치 않아 나가자마자 곧 돌아오는 것이다. 대개 마음이 안에 있는 것을 편안히 여기는 것으로, 그래서 주인이 된다. 날로 달로 이른다는 것은 마음이 항상 밖에 있어서 비록 간혹 들어올 때가 있기는 하지만 종내 안에 있는 것이 편안하지 않아서 들어오자마자 곧 나가는 것이다. 대개 마음이 밖에 있는 것을 편안히 여기는 것으로, 그래서 손님이 된다. 날로 이르는 자는 하루에 한 번 여기에 이르고 달로 이르는 자는 한 달에 한 번 여기에 이르니, (손님처럼) 밖으로부터 들어오는 것이다. 떠나지 않는 자는 마음이 항상 보존되어 있고, 날로 달로 이르는 자는 어떤 때만 있을 뿐이다. 이는 다름 아니라 앎이 지극한가 아닌가, 뜻이 참된가 아닌가의 차이이다. 앎이 지극하면 비록 불선을 하라고 강요하더라도 또한 하지 않고, 앎이 지극하지 않으면 재갈을 물려 (선으로) 끌고 가려고 하더라도 하지 않는다. 이 뜻이 마침내 솟아 나오기 때문에 앎이 투철해지고, 그러면 마음의 뜻이 순서에 맞게 힘쓰고 힘써 스스로 그칠 수 없게 된다. '이 단계를 넘어서면 거의 나에게 달려 있지 않다'라는 것은 이를 넘어 가면 얼마 안 되어 혹 알게 된다는 말로, 이를 넘어서면 스스로는 힘쓸 수 없고 그것(인)이 저절로 길게 진보하기를 기다린다는 말이다. 또 말했다. 석 달을 떠나지 않는 것은 주인이

(되어) 때때로 밖으로 나가는 것이고 날로 달로 이른다는 것은 손님이 (되어) 때때로 들어오는 것이다.

○問 過此幾非在我者 曰 這 只說循循勉勉 便自住不得 便自不由己 只是這箇關難過 纔過得 自要住不得 所謂欲罷不能 如水漲船行 更無着力處

'이 단계를 넘어서면 거의 나에게 달려 있지 않다'라는 말에 관해 물었다. 답했다. 이것은 다만 순서에 따라 힘쓰고 힘써 저절로 그만둘 수 없다는 말이고, 본디 자신(의 노력)으로 말미암지 않는다는 말이다. 이는 다만 넘기 어려운 관문일 뿐이다. 넘기만 하면 저절로 그만두려 해도 그만둘 수 없다. 이른바 '그만두려 해도 그럴 수 없다'는 것이다. 마치 물이 들면 배가 가니 더 힘쓸 곳이 없는 것과 같다.

○幾非在我 如種樹一般 初間栽培灌漑 及旣成樹了 自然抽枝長葉 何用人力 問 莫是過此則聖人之意否 曰 不然 蓋 謂工夫到此 則非我所能用其力而自然不能已 如車已推而勢自去 如船已發而纜自行 若不能辨內外賓主不能循循不已 則有時而間斷矣 孟子所謂 夫仁亦在乎熟之而已矣 此語 說得盡了 又云 學者 無他 只是要理會這道理 此心 原初自具萬物萬事之理須是理會得分明

'거의 나에게 달려 있지 않다'라는 것은 나무 심는 것과 마찬가지인데, 처음에는 심고 북주고 물을 주지만 이미 큰 나무가 되면 자연히 가지를 뻗고 잎이 자라니 인력이 무슨 소용이겠는가? 물었다. 이것을 넘어서면 성인이라는 뜻 아닙니까? 답했다. 그렇지 않다. 대개 공부가 여기에 도달하면 내가 힘을 쓸 수 있는 것이 아니면서도 자연히 멈추지 않게 된다는 말이니, 마치 수레가 이미 밀리면 그 힘으로 저절로 가고, 마치 배가 이미 출발하여 닻줄을 올리면 저절로 가는 것과 같다. 만약 안과 밖, 손님과 주인을 구분하지 못하고, 순서를 따라 그치지 아니하지 못한다면 끊어질 때가 있다. 맹자가 말한바, "무릇 인 또한 익음에 있을 따름이다(『맹자』 11, 「고자 상」 20장)"라는 말, 이 말은 완전한 설명이다. 또 말했다. 배우는 자는 다름 아니라 다만 이 도리를 이해해야 한다. 이 마음은 원래부터 스스로 만물과 만사의 이치를 갖추고 있으니 모름지기 분명히 이해해야 한다.

○勉齋黃氏曰 仁 人之安宅也 以宅譬之 三月不違 則心爲主 在仁之內 如身爲主而在宅之內也 日月至焉 則心爲賓 在仁之外 如身爲賓在宅之外也

면재 황씨가 말했다. 인은 사람의 편안한 집이니 집을 가지고 비유한 것이다.

석 달을 떠나지 않는다는 것은 마음이 주인이 되어서 인 안에 있는 것이니, 마치 몸이 주인이 되어 집 안에 있는 것과 같다. 날로 달로 이르는 것은 마음이 손님이 되어서 인의 밖에 있는 것이니 마치 몸이 손님이 되어 집 밖에 있는 것과 같다.

○北溪陳氏曰 張子內外賓主之辨 蓋 起於夫子至之一辭 知內外賓主之辨 常在天理內而爲主 不逐人欲於外而爲賓 非眞知而足目俱到者 不能到此田地 主勢日伸 賓勢日屈 其進進自不能已 過此 如車輪運轉 自然不停 非吾力所能與 此 卽日進無疆地位也

북계 진씨가 말했다. 장자(장재)의 내외빈주(안과 밖, 손님과 주인)의 구분은 대개 공자의 '지(이르다)'라는 한마디 말에서 비롯된 것이다. 내외빈주의 구분을 알면 항상 천리의 안에 있어서 주인이 되고, 밖에서 인욕을 좇아 손님이 되지 않는다. 진정으로 알아 발[실천]과 눈[지식]이 모두 여기에 도달한 자가 아니라면 이러한 경지에 도달할 수 없다. 주인의 세는 날로 펴지고, 손님의 세는 날로 작아지니, 나아가고 나아가서 저절로 그칠 수 없게 된다. 이를 넘어서면 마치 수레바퀴가 굴러서 자연히 서지 않는 것처럼, 나의 힘으로 (어찌)할 수 있는 바가 아니다. 이것이 곧 날로 나아가 끝이 없는 경지이다.

○潛室陳氏曰 提出張子此語 正欲學者於此猛省 若是爲客乍入復出 則爲無家之人 後來必大可哀

잠실 진씨가 말했다. (집주에서) 장자(장재)의 이 말을 제시한 것은 바로 배우는 자로 하여금 이에 대해 맹렬히 반성하게 하려는 것이다. 만약 손님이 되어 잠시 들어왔다가 다시 나가게 된다면 집 없는 사람이 되는 것이니 나중에는 반드시 크게 슬플 것이다.

○新安倪氏曰 內外賓主之辨 朱子有二說 定宇陳氏 嘗論此 以後說爲優 北溪謂 內外賓主之辨 起於夫子至之一辭 的是如此 所謂至焉者 至於仁也 勉齋仁宅之說 尤精到 以此觀之 朱子或問 初說也 語錄 乃後來定說也 故今編 存或問之說于前 而列語錄及黃陳之說 在後 俾觀者 卽見優劣 一遵先師之意云

신안 예씨가 말했다. 내외빈주의 구분에 대한 주자의 설에는 두 가지 설(마음을 주인으로 보는 설과 인을 주인으로 보는 설)이 있다. 정우 진씨(신안 진씨, 즉 진력)는 일찍이 이것을 논하면서 후설이 낫다고 했다. 북계(진순)는 "내외빈주의 구분은 공자의 '지(이른다)'라는 한마디 말에서 비롯되었다"고 했는데, 적실하게 그러하니, 이른바 '이른다'는 것은 '인에 이른다'는 말이다. 면재의 인택(인의 집)의 설은 더욱 정밀한 데에 이르렀다. 이것으로 보면 주자의 『(논어)혹문』의 설은 초기의 설이고 『어록(주자어류)』은 나중의 정설이다. 그러므로 지금 편집하면서 『혹문』의 설을 앞에 두고, 『어록』 및 황(면재 황씨)과 진(북계 진씨와 잠실 진씨)의 설을 뒤에 열거했다. 자세히 보는 자는 곧 우열을 알 수 있으니 하나같이 옛 스승들을 따르려는 뜻이다.

6.6 季康子問 仲由 可使從政也與 子曰 由也 果 於從政乎 何有 曰 賜也 可使從政也與 曰 賜也 達於從政乎 何有 曰 求也 可使從政也與 曰 求也藝 於從政乎 何有

계강자가 물었다. 중유(자로)는 정치에 참여하게 할 만합니까? 공자께서 답하셨다. 유는 과감하니 정치에 참여하는 데 무슨 어려움이 있겠습니까? 물었다. 사(자공)는 정치에 참여하게 할 만합니까? 답하셨다. 사는 통달하니 정치에 참여하는 데 무슨 어려움이 있겠습니까? 물었다. 구(염구)는 정치에 참여하게 할 만합니까? 답하셨다. 구는 다재다능하니 정치에 참여하는 데 무슨 어려움이 있겠습니까?

【집주】

從政 謂爲大夫

'종정(정치에 참여함)'은 대부가 되는 것을 말한다.

【세주】

問 從政 例爲大夫 果何所據 然則子游爲武城宰 仲弓爲季氏宰之類 皆不可言政歟 朱子曰 冉子退於季氏之朝 夫子曰 其事也 如有政 雖不吾以 吾其與聞之 亦自可見

물었다. 정치에 참여하는 것이 예컨대 대부가 되는 것이라 했는데, 과연 무슨 근거가 있습니까? 그렇다면 자유가 무성의 재가 되고 중궁이 계씨의 재가 된 것 같은 것은 모두 정치라고 말할 수 없는 것 아닙니까? 주자가 답했다. 염자(염유)가 계씨의 조정에서 퇴근했을 때 공자께서 말씀하시기를 '그것은 (정치가 아니라) (집안)일이다. 만약 정사였다면 비록 나를 (현직의 대부로) 쓰지는 않지만 나도 (전직 대부로서) 참여해 들었을 것이다(『논어』 13, 「자로」 14장)'라고 하셨으니, 역시 저절로 알 수 있다(종정이 아니다).

○胡氏曰 由求爲季氏宰 久矣 此問從政 謂可使爲大夫否也 蓋 宰 有家事而

已 大夫 則與聞國政 然 康子 卒不能與三子同升諸公 此 魯之所以不競也

호씨가 말했다. 유와 구는 계씨의 가재가 된 지 오래되었으니 여기서 종정을 물은 것은 대부를 시킬 만한지의 여부를 물은 것이다. 대개 재는 (업무에) 집안일이 있을 따름이고 대부는 국정을 참여해 듣는다. 그러나 (계)강자는 끝내 세 사람(중유, 사, 구)을 같이 공(노나라 제후)에게 올릴 수(추천해 대부가 되게 할 수) 없었다. 이것이 노나라가 강성하지 못한 이유이다.

【집주】

果 有決斷都玩反 達 通事理 藝 多才能

'과'는 결단력이 있는 것이고, '달'은 사리에 통달한 것이고 '예'는 재능이 많은 것이다.

【세주】

雙峯饒氏曰 求也 旅泰山不能救 伐顓臾不能止 是 不果也 由也 以正名爲迂 是 不達也 唯子貢 達於事理 占得地步却闊 使其從政 必不肯爲季氏聚斂 爲衛輒死難

쌍봉 요씨가 말했다. 구는 태산에서 여제를 지내는 것을 막지 못했고 전유를 정벌하는 것을 막지 못했으니 이는 '과(과감함)'가 아니다. 유는 정명(이름을 바로잡음)을 우활하다 여겼으니 이는 '달(통달함)'이 아니다. 오직 자공만이 사리에 통달하여 차지한 지위가 오히려 넓었다. 정치에 참여하도록 했다면 틀림없이 계씨를 위해 세금걷기를 즐겨 하지는 않았을 것이고(염구와 같은 잘못을 저지르지 않았을 것이고), 위나라의 첩(출공)을 위해 난에서 죽지도 않았을 것이다(자로와 같은 잘못을 저지르지 않았을 것이다).

【집주】

○程子曰 季康子 問三子之才 可以從政乎 夫子 答以各有所長 非惟三子 人各有所長 能取其長 皆可用也

정자가 말했다. 계강자가 세 사람의 재능이 정치에 참여할 만한가를 물으니, 공자께서는 각각의 장점으로 대답하셨다. 비단 세 사람만이 아니라 사람은 각기 장점이 있으니 만약 그 장점을 취할 수 있다면 모두 쓸 수 있다.

【세주】

朱子曰 求也藝 於細微事 都理會得 緣其才如此 故 用之於聚斂 必有非他人

所及者 惜乎 其有才而不善用之也

주자가 말했다. 구는 재능이 있었으니 세밀하고 섬세한 일을 모두 이해했다. 그 재능이 이와 같았기 때문에 세금 걷는 데 쓰이게 되었으니, 필시 다른 사람이 미치지 못하는 것이 있었을 것이다. 애석하도다, 그 재능은 있는데 잘 쓰이지 못했음은.

○南軒張氏曰 此 可見聖人之用才也 三子者 各有所長 故 皆可以從政

남헌 장씨가 말했다. 여기서 성인께서 인재 쓰시는 것을 볼 수 있다. 세 사람은 각기 장점이 있으므로 모두 정치에 참여할 수 있다.

○勉齋黃氏曰 程子言 人各有所長 意則大矣 然 如三子之達果藝 而可以從政 則恐亦非凡人之所可能也

면재 황씨가 말했다. 정자가 사람은 각기 장점이 있다고 했으니 그 뜻이 크다. 그러나 이 세 사람처럼 통달하고 과단하고 다재다능하면 정치에 참여할 만하지만, 또한 보통 사람들도 가능한 것은 아닌 듯하다.

○潛室陳氏曰 冉求 有爲政之才 聖人 屢許之 且以政事名 想有可觀者 但義理 不勝利欲之心 過失處 多耳

잠실 진씨가 말했다. 염구는 정치를 할 재주가 있어 성인께서 거듭 인정하셨다. 또 정사로 이름이 있었으니 아마도 뭔가 볼 만한 것이 있었을 것이다. 다만 의리가 이욕의 마음을 이기지 못하여 잘못한 곳이 많았을 뿐이다.

○問 孔子 以政事稱冉求 比用於季氏 僅能聚斂而已 不知夫子於何取之 曰 只以政事稱 便於學問上 有欠闕 所以 孔子常攻其短

물었다. 공자께서 정사로써(정사의 능력이 있다고) 염구를 칭찬하셨지만 계씨에게 쓰인 것에 비교해보면 겨우 세금 걷는 데 능했을 뿐입니다. 공자께서 무슨 근거로 인정하셨는지 모르겠습니다. 답했다. 단지 정사로써 칭찬하셨을 뿐이고, 학문상으로는 결함이 있었다. 그래서 공자께서 항상 그 단점을 비판하셨다.

○慶源輔氏曰 子路 資稟剛勇 故 能有決斷 子貢 知識高明 故 通達事理 冉求 雖進道不力 然 在政事之科 故 多才能

경원 보씨가 말했다. 자로는 성품이 강건하고 용감했기에 능히 결단함이 있었고, 자공은 지식이 고명했기에 사리에 통달했다. 염구가 비록 도로 나아가는 데는 힘쓰지 않았으나 (공문 4과 중) 정사의 과에 있었으므로 재능이 많았다.

○齊氏曰 季桓子 垂歿有遺言 召孔子 而康子 止召冉求 然則其先問由賜也 意故在求 而假之以發端爾

제씨가 말했다. 계환자가 죽을 때 유언으로 공자를 부르라고 했는데, (계)강자는 그저 염구를 부르는 데 그쳤다. 그러니 먼저 유와 사를 (어떤지) 물은 것은 그 의도가 원래 구에게 있으면서도 그것을 빌려 말을 시작한 것일 뿐이다.

○吳氏曰 善用人者 如醫之用藥 雖烏喙甘遂 猶有可取 況其才之美者乎

오씨가 말했다. 사람을 잘 쓰는 것은 마치 의사가 약을 쓰는 것과 같아서, 비록 오훼 감수(독약)라 하더라도 오히려 쓸 수 있으니, 하물며 재능이 아름다운 자이리오.

6.7 季氏 使閔子騫 爲費宰 閔子騫曰 善爲我辭焉 如有復我者 則吾 必在汶上矣 費 音秘 爲 去聲 復 扶又反 汶 音問

계씨가 민자건을 비읍의 읍재로 삼으려 하자 민자건이 말했다. 나를 위해 잘 말해 사양하게 해주십시오. 다시 나를 부르는 사람이 있다면 내 필시 문강 위에 있겠습니다.

【집주】

閔子騫 孔子弟子 名 損 魯人 費 季氏邑 汶 水名 在齊南魯北竟與境同上 閔子 不欲臣季氏 令平聲使去聲者善爲己辭 言若再來召我 則當去之齊

민자건은 공자 제자로 이름은 손이다. <노나라 사람이다.> '비'는 계씨의 읍이다. '문'은 강 이름인데 제나라 남쪽 노나라 북쪽 경계에 있다. 민자는 계씨의 가신이 되고 싶지 않아서 사자에게 나를 위해 잘 말해 사양하게 해달라고 했다. 만약 다시 와서 나를 부르면 마땅히 제나라로 떠나가겠다는 말이다.

【세주】

新安陳氏曰 始言善爲我辭 辭之之言 雖婉 終言去之汶上 絶之之意 甚決 眞有德行者 審於進退之言也

신안 진씨가 말했다. 처음에 나를 위해 잘 말해 사양하게 해달라고 한 것은 사양하는 말로서 비록 완곡하지만, 나중에 문강으로 떠나겠다고 말한 것은 거절하는 뜻이 매우 굳은 것이다. 진정 덕행이 있는 자는 진퇴의 말에는 신중하다.

【집주】

○程子曰 仲尼之門 能不仕大夫之家者 閔子曾子數人而已

정자가 말했다. 중니의 문하에 능히 대부의 집에 (가신의) 벼슬을 하지 않을 수 있는 자는 민자 증자를 비롯한 몇 사람뿐이다.

【세주】

朱子曰 仕於大夫家爲僕 家臣 不與大夫齒 那上等人 自是不肯做 若論當時

侯國 皆用世臣 自是無官可做 不仕於大夫 除是 終身不出 如曾閔方得

주자가 말했다. 대부의 집에 벼슬하는 것은 하인이 되는 것이다. 가신은 대부와 동렬이 될 수 없으니, 저 높은 수준의 사람들은 본디 하고자 하지 않는다. 당시 상황을 논하자면 제후국은 모두 세신(세습적인 대부)을 썼고 그 때문에 할 만한 벼슬이 없었다. 대부에게 벼슬하지 않는 것, 그것 말고, (어떤 벼슬이 되었든 아예) 종신토록 나가지 않는 것은 증자나 민자건이라야 할 수 있다.

○南軒張氏曰 門人 記閔子此事 於問由賜求之後 其相去 可見矣

남헌 장씨가 말했다. 문인들이 민자의 이 일을 유와 사와 구에 대해 물은 구절(즉 앞의 장) 다음에 기록했으니, 서로의 거리(양자의 차이)를 알 수 있다.

【집주】

謝氏曰 學者 能少知內外之分 皆可以樂音洛道 而忘人之勢 況閔子 得聖人 爲之依歸 彼 其視季氏不義之富貴 不啻犬彘 又從而臣之 豈其心哉

사씨가 말했다. 배우는 자가 능히 조금이라도 내외의 구분을 알 수 있다면 모두 도를 즐기고 남의 세력을 잊을 수 있는데, 황차 민자건은 성인(의 가르침)을 얻어 귀의해 그는 계씨의 불의의 부귀를 개나 돼지만도 못하게 보았으니, 또 따라다니며 신하 노릇을 하는 것이 어찌 그의 마음이리오?

【세주】

朱子曰 謝氏 說得麤 若不近聖賢氣象也 可以警那懦底人 若常記得這樣在心下 則可以廉頑立懦

주자가 말했다. 사씨의 말은 거칠어서 성현의 기상에 가깝지 않은 것 같기는 하지만, 가히 저 유약한 사람을 경계할 수 있다. 만약 항상 이렇게 마음속에 기억한다면 둔한 자는 예리하게 하고 유약한 자는 (뜻을) 세우게 할 수 있을 것이다.

【집주】

在聖人 則有不然者 蓋 居亂邦 見惡人 在聖人 則可 自聖人以下 剛 則必取禍 柔 則必取辱 閔子 豈不能早見而豫待之乎 如由也

不得其死 求也 爲去聲季氏附益 夫 豈其本心哉 蓋 旣無先見之知去聲 未仕時 又無克亂之才旣仕時 故也 然則閔子其賢乎

성인의 경우는 그렇지 않은 점이 있다. 대개 어지러운 나라에 거처하고 악인을 만나면, 성인의 경우에는 괜찮지만, 성인 이하인 자라면 굳센 자는 반드시 화를 당하게 되고, 유약한 자는 반드시 욕을 당하게 된다. 민자건이 어찌 일찍 알아채 미리 대비하지 못했으리오? 유의 경우는 그 (올바른) 죽음을 얻지 못했고, 구는 계씨를 위해 이익을 불렸으나, 무릇 어찌 그 본심이리오? 대개 <벼슬하기 전에는> 선견지명이 없었고, <벼슬한 후에는> 난을 극복하는 재능이 없었기 때문이다. 그러니 민자건은 그 얼마나 현명한가?

【세주】

慶源輔氏曰 閔子心 雖不欲臣季氏 而不遽形於言 姑令使者善爲己辭 此 與人爲善意也 又言若再來召我 則當去之齊 以示其必不從之意 其與人處己兩盡其道 如此 謝氏 說由求之事 曰 是豈其本心哉 却說得好 剛者 必取禍 謂子路 柔者 必取辱 謂冉求 聖人 道全德備 應用無窮 其於先見之知 克亂之才 蓋 兼有之 故 於天下 無不可爲之時 亦無不可爲之事 若未至於聖人 而欲早見豫待 以擬方來之變 則於轇轕紛沓之際 未有不失其本心者 此 閔子所以爲賢也

경원 보씨가 말했다. 민자의 마음은 계씨의 신하가 되려 하지 않았지만 급히 말로 표현하지 않고, 잠시 사자로 하여금 나를 위해 사양하도록 잘 말해달라고 했다. 이것은 남과 잘 지내려는 뜻이다. 또 만약 다시 나를 부르러 오면 제나라로 떠나갈 것이라고 말해 반드시 따르지 않을 뜻을 보였다. '여인(남과 더불어 삼)'과 '처기(자신의 처신)'의 두 도를 완전히 다한 것이 이와 같았다. 사씨는 유와 구의 일을 설명하면서 '어찌 그 본심이리오?'라고 했으니 잘 설명했다. '굳센 자는 반드시 화를 당한다'는 것은 자로를 두고 말한 것이고, '나약한 자는 반드시 욕을 당한다'는 것은 염구를 두고 말한 것이다. 성인께서는 도가 완전하고 덕이 갖추어져 있고 응용이 무궁해서 그 선견지명과 난을 극복하는 재능을 모두 겸하고 있으시다. 그러므로 천하에 할 수 없는 때가 없고 할 수 없는 일이 없으시다. 만약 성인에 이르지 못한 자가 먼저 보고 미리 대비해 앞으로 올 변고를 헤아리려 하는 경우, 시끄럽고 소란한 때에 그 본심을 잃지 않는 자가 없다. 이것이 민자가 현명한 이유이다.

6.8 伯牛 有疾 子 問之 自牖 執其手曰 亡之 命矣夫 斯人也 而有斯疾也 斯人也 而有斯疾也 夫 音扶

백우가 병이 있자 공자께서 그에게 문병을 가 남쪽 창 너머로 그 손을 잡고 말씀하셨다. (그럴 리가) 없는데, 운명이로다. 이 사람이 이런 병이 있다니, 이 사람이 이런 병이 있다니.

【집주】

伯牛 孔子弟子 姓 冉 名 耕 魯人 有疾 先儒以爲癩音賴也

백우는 공자의 제자이다. 성은 염이고 이름은 경이다. <노나라 사람이다.> 병이 있다는 것에 대해, 선유들은 (그 병이) 나병이라 여겼다.

【세주】

朱子曰 伯牛之癩 以淮南子而言耳 其信否 則不可知

주자가 말했다. 백우의 나병은 『회남자』를 근거로 말한 것인데, 믿을 만한 것인지는 알 수 없다.

【집주】

牖 南牖也 禮 病者居北牖下 君視之 則遷於南牖下 使君得以南面視己

'유'는 남쪽 창이다. 예에, 병자는 북쪽 창 아래에 거처하지만 임금이 그를 보러 오면 남쪽 창 아래로 옮김으로써 임금이 남면해서 자기를 볼 수 있도록 한다.

【세주】

喪大記 疾病 外內皆掃 君大夫徹縣音玄 士去琴瑟 寢東首於北牖下 疏曰 病者雖恒在北牖下 若君來視之時 則暫時移向南牖下東首 令君得南面而視之

(『예기』) 「상대기」에, "병이 깊으면 밖과 안을 모두 청소한다. 군과 대부는 현을 거둔다. 사는 금슬을 치운다. 머리를 동쪽으로 하고 북창 아래에 잔다"라 했고, 소에는 "병자는 비록 항상 북창 아래에 있지만 임금이 와서 볼

때에는 잠시 남쪽 창 아래로 옮기고 머리는 동쪽으로 두어 임금으로 하여금 남면하여 볼 수 있도록 한다"라 했다.

【집주】

時 伯牛家 以此禮尊孔子 孔子 不敢當 故 不入其室 而自牖執其手 蓋 與之永訣也

이때 백우의 집에서 이 예로서 공자를 존대했다. 공자께서는 (그 존대를) 감히 감당할 수 없었기에 그 방에 들어가지 않고 남쪽 창 너머 그 손을 잡으셨는데, 대개 그와 영결한 것이다.

【세주】

慶源輔氏曰 不入其室 避過奉之禮 義也 自牖執手 致永訣之意 仁也 此 聖人 從容中禮處

경원 보씨가 말했다. 그 방으로 들어가지 않은 것은 지나친 존경의 예를 피하려는 것이니 의이다. 남쪽 창 너머로 손을 잡은 것은 영결의 뜻을 다한 것이니 인이다. 이는 성인께서 조용히 예에 맞은 사례이다.

【집주】

命 謂天命 言此人不應平聲有此疾 而今乃有之 是乃天之所命也 然則非其不能謹疾 而有以致之 亦可見矣

'명'은 천명을 말한다. '이 사람이 응당 이 병이 있어야 하는 것이 아닌데도 지금 이 병이 있으니 이는 곧 하늘의 명이다'라는 말씀이다. 그러니 병을 조심하지 못해서 그것(병)을 불러들인 것이 아님을 또한 알 수 있다.

【세주】

問 命者 何也 朱子曰 有生之初 氣稟 有一定 而不可易者 孟子所謂 莫之致而至者也

물었다. 명이란 무엇입니까? 주자가 답했다. 애초에 태어날 때 부여받은 기품은 일정하여 바꿀 수 없는 것이다. (명이란) 맹자가 말한바, "오게 하지 않았는데 오는 것(『맹자』9, 「만장 상」 6장)"이다.

○南軒張氏曰 如顔冉之死 乃可謂命 於顔曰 短命 於冉曰 命矣夫 蓋 其修身盡道 謹疾 又無憾 而止於是 則曰 命而已 若有取死召疾之道 則是 有以致之

而至 非天命之正矣

남헌 장씨가 말했다. 안자와 염백우의 죽음의 경우에는 운명이라고 할 수 있다. 안자에게는 단명이라고 하셨고 염백우에게는 운명이라고 하셨다. 대개 몸을 닦아 도를 다하고 유감없이 병을 삼갔는데도 이 지경에 그치면 운명일 뿐이라고 한다. 만약 죽음을 부르고 병을 부르는 짓이 있었다면 이것은 불러들여서 온 것이니 바른 천명이 아니다.

○慶源輔氏曰 伯牛 非有致疾之道 有以致疾 則非正命矣 伯牛 非其不能謹而有以致之 故 夫子嘆其命矣夫 然 天 旣與之以是德 而復使之有是疾 則於栽培之理 蓋 亦不得其常者矣

경원 보씨가 말했다. 백우는 병들 만한 짓을 한 것이 없었다. (그런 짓이) 있어서 병들면 바른 운명이 아니다. 백우가 삼가지 못해 병을 불러들인 것이 아니기 때문에 공자께서 운명이라고 탄식하신 것이다. 그러나 하늘이 이미 그에게 이 덕을 주시고 또 이 병을 있게 하셨으니 대개 재배하는 이치(만물을 심고 기르는 하늘의 이치)라는 점에서는 또한 상도(일반적인 법칙)를 얻지 못한 것이다(예외적 사태이다).

【집주】

○侯氏曰 伯牛 以德行去聲稱 亞於顔閔 故 其將死也 孔子 尤痛惜之

후씨가 말했다. 백우는 덕행으로 칭해졌고 안연과 민자건에 버금갔다. 그러므로 그가 죽게 되자 공자께서 더욱 아프게 안타까워하셨다.

6.9 子曰 賢哉 回也 一簞食 一瓢飮 在陋巷 人 不堪其憂 回也 不改其樂 賢哉 回也 食 音嗣 樂 音洛

공자께서 말씀하셨다. 현명하구나, 안회여. 한 바구니의 밥과 한 바가지의 물로 누추한 집에 사는구나. 사람들은 그 근심을 감당하지 못하는데 안회는 그 즐거움을 고치지 않으니, 현명하구나, 안회여.

【집주】

簞 竹器 食 飯也 瓢 瓠音胡也 顔子之貧 如此 而處上聲之泰然 不以害其樂 故 夫子再言 賢哉回也 以深嘆美之

'단'은 대나무 그릇이다. '사'는 밥이다. '표'는 바가지이다. 안자의 가난함이 이와 같았으나 태연하게 처하여 그 즐거움을 해치지 않았으므로 공자께서 두 번이나 '현명하구나 안회여'라고 말씀하시어 깊이 탄미하셨다.

○程子曰 顔子之樂 非樂簞瓢陋巷也 不以貧窶郡羽反累其心 而改其所樂也 故 夫子 稱其賢

정자가 말했다. 안자의 즐거움이란 단표누항(한 바구니 밥과 한 바가지 물과 누추한 집, 즉 가난 그 자체)을 즐기는 것이 아니다. 가난함이 그 마음에 누를 끼쳐서 그 즐기는 바를 고치지는 않았으니 그런 까닭에 공자께서 그 현명함을 칭찬하셨다.

【세주】

朱子曰 顔子 胸中自有樂 故 貧窶而亦不以累其心 不是將那不以貧窶累其心底 做樂

주자가 말했다. 안자는 가슴속에 원래 즐거움이 있었다. 그러므로 가난하면서도 (그 가난이) 역시 그 마음에 누가 되지 않았던 것이지, 가난이 마음에 누를 끼치지 않는 것을 즐거움으로 삼은 것은 아니다.

【집주】

又曰 簞瓢陋巷 非可樂 蓋 自有其樂爾 其字 當玩味 自有深意

또 말했다. (안자에게는) '단표누항'이 즐길 만한 것이 아니고, 대개 원래의 그 즐거움이 있었다. '기(그)' 자는 마땅히 감상해야 하니, 그 자체로 깊은 의미가 있다.

【세주】

朱子曰 自有其樂 自字 對簞瓢陋巷言 其字 當玩味 是元有此樂

주자가 말했다. '자유기락(원래 그 즐거움이 있다)'에서 '자(원래)' 자는 단표누항에 대립해서 말한 것이다(단표누항과 상관없이 원래의 즐거움이 있다). '기' 자는 마땅히 감상해야 하니 원래 그 즐거움이 있었다는 말이다.

【집주】

又曰 昔 受學於周茂叔 每令尋仲尼顔子樂處 所樂何事

또 말했다. 옛적에 주무숙(주돈이)에게 수학할 적에 (스승인 주무숙이) 매번 중니와 안자가 즐거워한 곳을 찾게 했으니, 그 즐긴 바는 어떤 일인가?

【세주】

雲峯胡氏曰 欲問顔子所樂何事 當先問顔子所好何學

운봉 호씨가 말했다. 안자가 즐긴 바가 어떤 일인지를 묻고자 한다면, 먼저 안자가 좋아한 바가 어떤 배움인지를 물어야 한다.

【집주】

愚按 程子之言 引而不發 蓋 欲學者深思而自得之 今 亦不敢妄爲之說 學者 但當從事於博文約禮之誨 以至於欲罷不能而竭其才 則庶乎有以得之矣

내가 살피건대, 정자의 말은 (활을) 당기되 쏘지는 않은 것(가장 중요한 마지막 결론은 의도적으로 말해주지 않음)이니, 대개 배우는 자가 깊이 생각해서 스스로 얻기를 바란 것이다. 지금 (나 또한) 역시 감히 망령되이 말하지 않겠다. 배우는 자가 단지 마땅히 박문약례의 가르침에 종사해서 '그만두고 싶어도 그만두지 못하고 그 재주를 다하는' 경지에 이르면 아마도 얻는 것이 있을 것이다.

【세주】

程子曰 所處在貧賤 未嘗不樂 不然 雖富貴 亦常歉然不自得 故曰 莫大於理

莫重於義

정자가 말했다. 빈천에 처해서도 일찍이 즐거워하지 않은 적이 없다. 그렇지 않다면, 비록 부귀하더라도 항상 불만스러워 하면서 스스로 (즐거움을) 얻지 못한다. 그러므로 '이(理)보다 더 큰 것이 없고, 의(義)보다 더 중한 것이 없다'고 한다.

○問 顔子在陋巷而不改其樂 與貧賤而在陋巷者 何以異乎 曰 貧賤而在陋巷者 處富貴則失乎本心 顔子在陋巷 猶是 處富貴 猶是

물었다. 안자가 누추한 집에 살면서도 즐거움을 고치지 않았다는 것과 빈천해서 누추한 집에 사는 것과는 어떻게 다릅니까? 답했다. 빈천해서 누추한 집에 사는 자는 부귀에 처하면 곧 그 본심을 잃어버린다. 안자는 누추한 집에 살아도 그렇고, 부귀에 처해도 또 그러하다.

○鮮于侁問 顔子 何以不改其樂 伊川曰 君謂其所樂者 何也 曰 樂道而已 曰 使顔子以道爲樂而樂之 則非顔子矣

선우신이 물었다. 안자는 어찌하여 그 즐거움을 고치지 않았습니까? 이천이 말했다. 자네가 말하는 그 즐기는 바란 무엇인가? 답했다. 도를 즐길 뿐입니다. (이천이) 말했다. 만약 안자가 도를 즐거움 삼아서 즐겼다면, 그것은 안자가 아니다.

○問 程子意謂 顔子之心 無少私欲 天理渾然 是以 日用動靜之間 從容自得 而無適不樂 不待以爲可樂而後樂也 朱子曰 謂非以道爲樂 到底所樂 只是道 蓋 非道與我爲二物 但熟後便自樂也

물었다. 정자가 말한 뜻은 안자의 마음은 조금의 사욕도 없이 천리의 혼연함이어서, 매일 움직이고 머무르는 동안 조용히 자득(스스로 깨우쳐 자신의 것으로 함)하고, 어디를 가도 즐거워하지 않은 적이 없었으니, (도를) 즐길 만하다고 여긴 후에 (비로소) 즐길 필요는 없었다는 것입니다. 주자가 답했다. (정자의 말은) 도를 즐거움으로 삼은 것이 아니라는 말이다. 결국 즐기는 바란 단지 도일 뿐이다. 대개 도와 내가 두 가지 물건이 아니니, 다만 완숙해진 연후에는 곧 저절로 즐거워하게 된다.

○問 伊川 以爲若以道爲樂 不足爲顔子 又却云 顔子所樂者 仁而已 不知道與仁 何辨 曰 非是樂仁 唯仁 故 能樂爾 是 他有這仁 日用間無些私意 故 能樂也 而今却不要如此論 須求他所以能不改其樂者 是如何 緣能非禮勿

視 非禮勿聽 非禮勿言 非禮勿動 這四事 做得實頭工夫透 自然至此

물었다. 이천은 만약 도를 즐거움으로 삼았다면 안자라고 하기에 부족하다고 생각했고, 또 안자가 즐긴 것은 인일 뿐이라고 했는데, 도와 인은 어떻게 구분되는지 모르겠습니다. 답했다. 인을 즐긴 것이 아니라, 오로지 인하기 때문에 능히 즐거워할 수 있었던 것이다. 이는 그(안자)가 이 인을 가지고 있어서 일상에 조금의 사욕도 없었기 때문에 능히 즐거워할 수 있었던 것이다. 그런데 지금 이런 논의를 할 필요는 없고, 오히려 모름지기 그가 그 즐거움을 고치지 않은 까닭이 무엇인지를 탐구해야 한다. '예가 아니면 보지도 듣지도 말하지도 움직이도 말라'는 이 네 가지 일을 능히 함으로써 실질적인 공부를 투철하게 해내면 자연히 이에 이르게 된다.

○問 程子云 周茂叔 令尋顔子仲尼樂處 所樂何事 竊意 孔顔之學 固非若世俗之著於物者 但以爲孔顔之樂在於樂道 則是 孔顔與道 終爲二物 要之 孔顔之樂 只是私意淨盡 天理昭融 自然無一毫繫累耳 曰 然 但 今人 說樂道說得來淺了 要之 說樂道 亦無害 又曰 程子云 人能克己 則心廣體胖 仰不愧俯不怍 其樂 可知 有息 則餒矣

물었다. 정자는 '주무숙은 안자와 중니가 즐긴 것이 어떤 일인지를 찾게 했으니, 그 즐긴 바란 어떤 일인가?'라고 했는데, 제(질문자)가 가만히 생각건대, 공자와 안자의 학문은 진실로 세속에서 사물에 집착하는 것과는 다릅니다. 다만 공자와 안연의 즐거움이 도를 즐기는 데 있다고 한다면, 공자나 안연과 도는 마침내 두 개의 사물이 되고 맙니다. 요컨대, 공자와 안자의 즐거움은 다만 사욕이 완전히 깨끗해지고 천리에 완전히 융화되어서, 저절로 터럭만큼의 잘못도 연루되지 않는 것일 뿐입니다. 답했다. 그렇다. 단, 지금 사람들이 '도를 즐긴다'고 하는 것은 얕게(낮은 차원에서) 말하는 것이다. 요컨대 도를 즐긴다고 말해도 문제가 없다. 또 말했다. 정자는 "사람이 자신(의 사욕)을 이기면, 마음이 넓어지고 몸이 넉넉해져 우러러보아도 부끄러움이 없고 굽어보아도 부끄러움이 없으니, 그 즐거움은 가히 알 수 있다. 멈춤이 있으면 곧 (본성이) 굶주린다(손상된다)(『근사록』5, 「극기」)"라 했다.

○人心 各具此理 但是 人 不見此理 這裏 都黑 窣窣地一得富貴 便極聲色之娛 窮四體之奉 一遇貧賤 則憂戚無聊 所謂樂者 非其所可樂 所謂憂者 非其所可憂也 聖人之心 直是表裏精粗 無不昭徹 方其有所思 都是這裏流出 所謂德盛仁熟 從心所欲不踰矩 形骸 雖是人 其實 是一塊天理 又焉得而不樂

사람의 마음은 각기 이 이치를 갖추고 있지만, 단지 사람들이 이 이치를 보지 못하여 거기가 모두 캄캄하다. 갑자기 한 번 부귀를 얻으면, 곧 성색(소리와 색채, 즉 감각)의 즐거움을 다하고 신체의 봉양(먹고 마시는 것)을 다하다가, 반대로 한 번 빈천을 만나면 염려와 걱정이 끝이 없다. (이런 사람들에게 있어서의) 이른바 즐거움이란 즐길 만한 것이 아니고, 이른바 걱정이라는 것도 걱정할 만한 것이 아니다. 성인의 마음은 본디 겉과 속, 정밀한 것과 거친 것 모두가 환하고 투철하지 않은 것이 없어, 바야흐로 생각하는 바가 있으면 그것은 모두 여기서 흘러나오는 것으로, 이른바 덕이 성대하고 인이 난숙하여 마음이 원하는 바를 따라도 법도에 어긋남이 없는 것이다. 몸뚱이는 비록 사람이지만, 기실 한 덩이 천리이니, 또 어찌 즐겁지 않겠는가?

○顏子 是孔子稱他樂 他 不曾自說道我樂 人自說樂時 便已是不樂了

공자가 안자를 칭찬하여 즐거워한다고 말한 것이지, 그(안자)가 스스로 '내가 즐겁다'라고 말한 것이 아니다. 사람이 스스로 즐겁다고 말할 때에는, 이미 곧 즐기는 것이 아니다.

○問 顏子 不改其樂 莫是樂箇貧否 曰 顏子 私欲克盡 故 樂 却不是專樂箇貧 須知他不干箇貧 事 元自有箇樂 始得 又曰 道理 在天地間 須是直窮到底至纖至悉 十分透徹 無有不盡 則與萬物爲一 無所窒礙 胸中泰然 豈有不樂

물었다. 안자가 그 즐거움을 고치지 않았다는 것은 그 가난함을 즐겼다는 것은 아니지 않습니까? 답했다. 안자는 사욕을 완전히 극복했기에 즐거워한 것이지 오로지 그 가난을 즐긴 것은 아니다. 모름지기 그가 그 가난을 염두에 두지 않았다는 점을 알아야 한다. 모든 일은 원래 그 자체로 즐거운 점이 있어야 비로소 즐길 수 있다. 또 말했다. 도리는 천지간에 있으니, 모름지기 곧바로 끝까지 궁구하여 지극히 세밀한 모든 것에 완전히 투철해 남김이 없으면, 만물과 하나 되어 막히는 바가 없어 가슴속이 태연하게 될 것이다. 어찌 즐겁지 아니하겠는가?

○問 不改其樂 與不能改其樂 如何分別 曰 不改其樂者 僅能不改其樂而已 不能改其樂者 是自家有此樂 他 無奈自家何 以此見得聖賢地位

물었다. 그 즐거움을 고치지 않는다는 것과 그 즐거움을 고칠 수 없다는 것은 어떻게 구별됩니까? 답했다. 그 즐거움을 고치지 않는다는 것은 겨우 그 즐거움을 고치지 않을 수 있을 뿐인 것이고, 반면 그 즐거움을 고칠 수 없다는 것은 스스로 이 즐거움이 있다는 것이니 그러한 자는 스스로를 어떻게 할 수 없다(즐기고 싶지 않아도 저절로 즐기게 된다). 이로써 성인과 현인의 경지가 무엇인지(어떻게 다른지) 알 수 있다.

○問 顔子在陋巷 而顔路甘旨有闕 則人子 不能無憂 曰 此重 則彼自輕 別無方法 別無意思也 要尋樂處 只是自去尋 却無不做工夫 自然樂底道理 而今做工夫 只是平常恁地理會 不要把做差異了去做 簞瓢陋巷 實非可樂之事 顔子 不幸遭之 而能不以人之所憂改其樂耳 若其所樂 則固在乎簞瓢陋巷之外也 故 學者 欲求顔子之樂 而卽其事以求之 則有沒世而不可得者此 明道之說 所以爲有功也

안자는 누추한 집에 살았는데, 안로(안회의 아버지)가 좋아하는 것이 모자라면 남의 자식으로 걱정이 없을 수 없습니다. 답했다. 이것이 무거우면 저것이 저절로 가벼워지니 별다른 방법이 없고, 별다른 수가 없다. 즐거운 곳을 찾으려면 다만 스스로 찾아가는 것뿐이니, 언제나 공부해 나가는 것이 자연스레 즐기는 방법이다. 지금 공부하는 것이란 단지 평상시에 그렇게 이해해 나가는 것이지, 무언가 다른 방식으로 하려 해서는 안 된다. '단표누항'은 실로 즐길 만한 일이 못 된다. 안자는 불행히도 그것(단표누항, 즉 가난)에 마주쳤지만, 남들이 걱정하는 것을 가지고 그 즐거움을 고치지는 않을 수 있었다. 그 즐긴 바란 진실로 단표누항의 바깥에 있는 것이다. 그러므로 배우는 자가 안연의 즐거움을 구하려고 할 때, 만약 그 일(단표누항)을 가지고 구하면 죽어도 얻을 수 없는 것이다. 이는 명도(정호)의 설인데, 공로가 될 만한 것이다(이 구절의 이해에 기여한 바 있다).

○或謂 夫子之樂 雖在飯疎食飮水之中 而忘其樂 顔子 不以簞瓢陋巷 改其樂 是外其簞瓢陋巷 曰 孔顔之樂 大綱相似 難就此分淺深 唯是顔子 止說不改其樂 聖人却云 樂亦在其中 不改字上 恐與聖人略不相似 亦只爭些子 聖人 自然是樂 顔子 僅能不改

혹자가 말했다. 공자의 즐거움은 비록 거친 밥을 먹고 물을 마시면서도 그 즐거움을 잊은[가난을 다 잊고 즐거워한] 것이고, 안자는 단표누항 때문에 그 즐거움을 고치지는 않았으니 (그 즐거움은) 단표누항 밖에 있는 것입니다. 답했다. 공자와 안자의 즐거움은 대체로 서로 비슷하여 이에 대해 깊고 얕음을 나누기는 어렵다. 다만, 안자는 단지 '그 즐거움을 고치지 않는다'고 말하는 데 그쳤고, 성인께서는 오히려 '즐거움이 그 안에 있다'고 하셨으니, '고치지 않는다'는 점에 있어서는 (안자가) 성인과 약간 다른 것 같지만 역시 다만 약간의 차이일 뿐이다. 성인께서는 저절로 즐거우신 것이고, 안자는 겨우 능히 고치지 않을 수 있었다.

○顔子之樂 亦如曾點之樂 但 孔子只說 顔子是恁地樂 曾點 却說許多樂底事來 點之樂 淺近而易見 顔子之樂 深微而難知 點 只是見得如此 顔子 是工

夫到那裏了 從本原上看 方得

안자의 즐거움도 또한 증점의 즐거움과 같은 것이다. 단, (안자의 경우) 공자께서 안자가 그렇게 즐거워한다고 말씀하셨을 뿐이고, 증점은 오히려 (스스로) 수많은 즐거운 일들이 있다고 말했으니, (그 점에서 본다면) 증점의 즐거움은 얕고 가까워서 쉽게 알 수 있는 것인 반면 안자의 즐거움은 깊고 미묘하여 알기 어려운 것이다. 증점은 다만 그렇게 알았던 것뿐이고, 안자는 공부가 그곳(경지)에 도달한 것이다. 근본적인 점에서 보아야 알 수 있다.

○顏子之樂 平淡 曾點之樂 勞攘

안자의 즐거움은 편안하고 담담하고, 증점의 즐거움은 수고롭고 어수선하다.

○南軒張氏曰 顏子 非樂簞食瓢飮也 言簞食瓢飮之貧 人所不堪 而不足以累其心 而改其樂耳 然則其樂 果何所樂哉 安乎天理而已矣 學者 要當從事於克己而後 顏子之所樂 可得而知也

남헌 장씨가 말했다. '안자는 단사표음(한 바구니 밥과 한 바가지 물)을 즐긴 것이 아니다'라는 말(집주에 인용된 정자의 말)은 '단사표음의 가난함은 보통 사람은 감당하기 어려운 것이지만, (안자의 경우는) 그 마음에 누가 되어 그 즐거움을 고치기에는 부족했다'라는 말이다. 그렇다면 그 즐거움은 과연 무엇을 즐긴 것인가? 천리에 편안해 하는 것일 뿐이다. 배우는 자는 마땅히 극기공부에 종사한 연후에야 안자가 즐거워한 바를 가히 알 수 있다.

○勉齋黃氏曰 顏樂之說 集註 以爲從事於博文約禮 或問 以爲無少私欲天理渾然 二說不同 何也 或問 博文約禮 顏子所以用其力於前 天理渾然 顏子所以收其功於後 博文 則知之明 約禮 則守之固 凡 事物當然之理 旣無不洞曉 而窮通得喪 與凡可憂可戚之事 擧不足以累其心 此 其所以無少私欲天理渾然 蓋 有不期樂而自樂者矣

면재 황씨가 말했다. 안자의 즐거움에 관한 설 중에, 집주에서는 (그 즐거움이) 박문약례에 종사하는 것이라고 보았고, 『혹문』에서는 조금의 사욕도 없고 천리가 혼연한 것이라고 보았다. 두 설이 서로 같지 않은데 왜 그런가? (답하자면) 『혹문』에서는 박문약례를 안자가 먼저 힘쓴 것으로, 천리혼연을 안자가 나중에 (박문약례의 공부의 결과로) 효과를 거둔 것으로 보았기 때문이다. 박문하면 앎이 밝고, 약례하면 지키는 것이 견고하다. 무릇 사물의 마땅한 이치에 대해서는 누루 깨닫지 못한 것이 없으면서, 궁함과 통함,

얻음과 잃음, 그리고 근심할 만한 일이나 걱정할 만한 일, 그 모두 그 마음에 누를 끼칠 수 없었다. 이는 조금의 사욕도 없고 천리가 혼연하기 때문이니, 대개 즐거워하려고 하지 않아도 저절로 즐거운 것이다.

○潛室陳氏曰 所樂在道 以道爲樂 此 固學道者之言 不學道之人 固不識此滋味 但 已得道人 則此味與我兩忘 樂處 卽是道 固不待以彼之道樂我之心也 孔顏之心 如光風霽月 查滓渾化 從生至死 都是道理 順理而行 觸處是樂 行乎富貴 則樂在富貴 行乎貧賤 則樂在貧賤 夷狄患難 觸處而然 蓋 行處卽是道 道處 卽是樂 初非以道爲可樂而樂之也 又曰 心廣體胖 無入而不自得 所樂 卽是道也 若但以孔顏之樂 不可形容 而不知其所樂何事 則將有耽空嗜寂之病 聖賢着實工夫 豈是欲人懸空坐悟 所以 濂溪 必令二程尋孔顏所樂何事

잠실 진씨가 말했다. '즐거워하는 바가 도에 있고 도를 즐거움으로 삼는다', 이는 진실로 도를 배우는 자의 말이다. 도를 배우지 않는 사람은 진실로 이 맛을 알지 못한다. 단 이미 도를 얻은 사람은 이 맛과 그 자신 둘 다 잊어버린다. 즐거워하는 것이 곧 도이니, 본디 저 도를 가지고 내 마음을 즐겁게 할 필요가 없다. 공자와 안자의 마음은 비 갠 뒤의 바람과 달처럼 찌꺼기가 다 녹아 없어져, 태어나서부터 죽을 때까지 모두 도리이다. 이치에 따라서 행하니, 닿는 곳이 곧 즐거움이다. 부귀에 처하면 즐거움이 부귀에 있고(부귀하면서 즐겁고), 빈천에 처하면 즐거움이 빈천에 있다(빈천하면서 즐겁다). 오랑캐 사회나 환란에 접하더라도 닿는 곳마다 또한 그러하다. 대개 행하는 것이 곧 도이고, 도를 행하는 것이 곧 즐거움이니, 애당초 도가 즐길 만한 것이라고 여겨서 즐기는 것이 아니다. 또 말했다. 마음이 넓고 몸이 넉넉하여 (지식이나 도가 몸 안으로) 들어가면 자득하지 않는 것이 없으니 즐기는 바가 곧 도이다. 만약 단지 공자와 안자의 즐거움은 형용할 수 없다고 여기고 그 즐긴 바가 어떤 일인지 모른다면, 장차 공허함에 탐닉하고 적막함을 즐기는 잘못이 있게 된다. 성현의 착실한 공부가 어찌 사람들로 하여금 마음을 허공에 띄워두고 좌선해서 깨닫게 하려는 것이겠는가? 그래서 염계(주돈이)는 이정(정호와 정이)으로 하여금 공자와 안자가 즐긴 바가 어떤 일인지를 찾게 한 것이다.

○西山眞氏曰 集註所引程子三說 其一曰 不以貧窶改其樂 二曰 蓋自有其樂 三曰 所樂何事 皆不說出顏子之樂是如何樂 其末 却令學者於博文約禮上用功 博文約禮 亦有何樂 程朱二先生 若有所隱 而不以告人者 其實 無所隱 而告人之深也 有人謂 顏子所樂者 道 程先生 以爲非 由今觀之 所樂者道之言 豈不有理 而程先生 乃非之 何也 蓋 道 只是當然之理而已 非有一物可

以玩弄而娛悅也 若云 所樂者道 則吾身與道 各爲一物 未到渾融無間之地 豈足以語聖賢之樂哉 顔子工夫 乃是博文約禮上用力 博文者 言於天下之理無不窮究而用功之廣也 文者 言凡物 皆有自然之條理也 博者 廣也 如伊川之論格物 自一身性情之理 與一草一木之理 無不講究 是也 約禮者 言以理檢束其身而用功之要也 如視聽言動 必由乎禮 常置此身於準繩規矩之中 而無一毫放逸恣縱之意 是也 博文者 格物致知之事也 約禮者 克己復禮之事也 內外精粗 二者竝進 則此心此身 皆與理爲一 從容游泳於天理之中 雖簞瓢陋巷 不知其爲貧 萬鍾九鼎 不知其爲富 此 乃顔子之樂也 程朱二先生 恐人只想像顔子之樂 而不知實用其功 雖日談顔子之樂 何益於我 故 程子 全然不露 只使人自思而得之 朱先生 又恐人無下手處 特說出博文約禮四字 今學者 從此用力 眞積力久 自然有得 至於欲罷不能之地 則顔子之樂 可以庶幾矣

서산 진씨가 말했다. 집주에서 인용한 정자의 설은 셋인데, 첫째는 '가난함 때문에 그 즐거움을 고치지는 않았다'라 했고, 둘째는 '대개 원래 그 즐거움이 있었다'라 했고, 셋째는 '즐긴 바는 어떤 일인가'라 했다. 이 세 가지는 모두 안자의 즐거움이 어떤 즐거움인지를 말하지는 않았다. (집주의) 그 마지막에 가서야 (주자가) 배우는 자들에게 박문약례에 힘쓰게 했으니, 박문약례는 또 어떤 즐거움이 있는가? 정자와 주자 두 선생은 무엇인가 감추고 사람들에게 알려주지 않는 것 같지만, 실제로는 감추지 않고 사람들에게 깊이 알려주었다. 어떤 사람은 안자가 즐긴 것이 도라고 했는데, 정 선생은 이것이 틀렸다고 했다. 오늘날 보건대, 즐기는 것이 도라는 말이 어찌 이치에 맞지 않겠느냐마는, 그러나 정 선생이 틀렸다고 한 것은 무슨 이유인가? 대개 도는 당연한 이치일 따름이니, 가지고 놀고 재미있어 할 수 있는 물건이 아니다. 만약 즐기는 바가 도라고 한다면, 나의 몸과 도가 각각 하나의 (별개의) 물건이 되어서 한 덩어리로 녹아 틈이 없는 경지에 이르지 못한 것이니, 어찌 그로써 성현의 즐거움을 설명하기에 족하겠는가? 안자의 공부는 곧 박문약례에 힘을 쓰는 것이다. 박문은 천하의 이치에 대해 궁구하지 않는 것이 없는 것으로 공부의 범위가 넓음을 말한다. <(박문약례에서) '문'이란 모든 사물에 모두 자연의 조리가 있음을 말한다. '박'이란 넓은 것이다. 이천이 '격물'을 논하면서 '내 한 몸의 성정의 이치로부터 풀 한 포기의 이치에 이르기까지 탐구하지 않는 것이 없다'고 한 것이 이것(박문)이다.> 약례란 이치로써 그 몸을 단속하는 것으로 공부가 요체 있음을 말한다. <보고 듣고 말하고 움직이는 것이 반드시 예로 말미암고, 항상 이 몸을 법칙과 규율의 가운데에 두어 터럭만큼의 안일하거나 방자한 뜻이 없는 것이 이것(약례)이다.> 박문은 격물치지(사물을 깨우쳐 앎에 도달함)의 일이고 약례는 극기복례(자신을 이겨 예를 회복함)의 일이다. 안과 밖, 정밀한 것과 거친 것 두 가지가 나란히 나아가면 이 마음과 몸이 모두 이치와 더불어 하나가 된다. 조용히 천리의 가운데서 헤엄치니, 비록 단표누항이라고 하더라도 그 가난함을 알지 못하고, 만종구정(많은 양의 봉록)이라고 하더라도 그 부귀함을 모른다. 이것이 곧 안자의 즐거움이다. 정자와 주자 두 선생은 사람들이 다만 안자의 즐거움을 (멋대로) 상상하기만 하고 실지로는 어떻게 힘을 쓸지 몰라, 비록 매일 안자의 즐거움을 말한다 한들 자신에게 무슨 얻는 바가 있을까 우려했다. 그래서 정자는 (안자가 즐긴 바가 어떤 것이었는지) 전혀 드러내지 않고, 사람들로 하여금 스스로 생각해 얻도록 했다. 또 주 선생(주자)은 사람들이 어디서부터 손을 대야 할지 모를까 걱정해, 특별히 박문약례 네 글자를 내놓았다. 지금 배우는 자가 이를 따라 힘을 쓰고, 참됨이 쌓이고 힘씀이 오래되어 자연히 얻는 것이 있어 그만두고 싶어도 그만둘 수 없는 경지에 이르게 되면, 안자의 즐거움을 거의 얻을 수 있으리라.

○雙峯饒氏曰 人之常情 莫不樂富貴 而憂貧賤 今 孔顔之樂 不在於高堂數仞 榱題數尺 食前方丈 侍妾數百人 而乃在於疏食飮水曲肱而枕 簞食瓢飮居於陋巷之際 夫 疏水曲肱簞瓢陋巷 豈可樂之事哉 是 其爲樂 固非富貴之謂 而亦非貧賤之云 要必超乎二者之外 而別有所謂樂也 謂之亦在其中者 言雖當如是之時 而吾之所樂 亦未嘗不在於此 謂之不改其樂者 言雖處如是之地 而吾之所樂 亦不以此而改爾 非謂疏水曲肱簞瓢陋巷之爲可樂也 周子 於此 每令人尋其所樂者何事 而程子 述之 其所以發人之意 深矣

쌍봉 요씨가 말했다. 사람의 보통 마음은 부귀를 즐기고 빈천을 근심하지 않는 경우가 없다. 지금 공자와 안자의 즐거움은 몇 길의 높은 집, 몇 자나 되는 서까래, 잘 차려진 밥상, 시첩 수백 인에 있지 않고, 거친 밥을 먹고 물을 마시고 팔을 구부려 베개 삼거나 한 바구니 밥과 한 바가지 물을 먹고 누추한 집에 거주하는 것에 있다고 했지만, 무릇 거친 밥과 물과 팔베개와 한 바구니 밥과 한 바가지 물과 누추한 집이 어찌 즐길 만한 일이리오. 이는 그 즐거움이 본디 부귀에 있지 않다는 말이지만 또한 빈천을 가리켜 말하는 것도 아니니(빈천에 있다는 말도 아니니), 요컨대 이 두 가지(빈부)를 넘어 이른바 즐거움이라는 것이 따로 있다는 것이다. '역재기중(또한 그 안에 있다)'이라는 말은 비록 이와 같은 때를 당하더라도 나의 즐거움은 또한 일찍이 여기에 있지 않음이 없다는 말이고, '불개기락(그 즐거움을 고치지 않는다)'이라는 말은 비록 이와 같은 곳에 처한다고 하더라도 내가 즐기는 것을 또한 그 때문에 고치지는 않는다는 말이니, 거친 밥과 물과 팔베개와 한 바구니 밥과 한 바가지 물과 누추한 집이 즐길 만한 것이라는 말은 아니다. 주자(주돈이)가 이에 매번 사람들로 하여금 그 즐긴 바가 무엇인지를 찾아보라고 했고, 정자가 이를 기술했으니, 사람의 뜻을 일으키는 바가 깊다.

○博文約禮 是仲尼之所以教 顔子之所以學處 於此用功 則孔顔之樂 可尋矣

박문약례는 중니가 가르친 바이고 안자가 배운 바이니, 여기에 힘쓰면 공자와 안자의 즐거움을 찾을 수 있다.

○鄭舜擧曰 道在吾身 日由乎道 則安而樂矣 若以道爲可樂而樂之 則身與道爲二 非所謂樂之者也

정순거가 말했다. 도가 내 몸에 있어서 매일 도로 말미암는다면 편안하고 즐겁다. 만약 도를 즐길 만한 것이라고 생각해서 그것을 즐긴다면 내 몸과 도가 둘이 되니, 이른바 '즐기는 자'가 아니다.

6.10 冉求曰 非不說子之道 力不足也 子曰 力不足者 中道而廢 今 女畫 說 音悅 女 音汝

염구가 말했다. 선생님의 도를 기뻐하지 않는 것은 아니지만 힘이 부족합니다. 공자께서 말씀하셨다. 힘이 부족한 자는 중도에 그만둔다. 지금 너는 한계를 긋고 있다.

【집주】

力不足者 欲進而不能

힘이 부족한 자는 나아가고자 하지만 그럴 수 없고,

【세주】

慶源輔氏曰 心欲進 而力有所不及也

경원 보씨가 말했다. 마음은 나아가고자 하지만 힘이 미치지 못하는 바가 있다.

【집주】

畫者 能進而不欲

한계를 긋는 자는 나아갈 수는 있으나 원하지 않는다.

【세주】

新安陳氏曰 力能進 而心有所不肯也

신안 진씨가 말했다. 힘은 능히 나아갈 수 있지만 마음은 기꺼워하지 않는 바가 있다.

【집주】

謂之畫者 如畫地以自限也

한계를 긋는다고 하는 것은 마치 땅에 금을 그어서 스스로 한계 짓는 것과 같다.

○胡氏曰 夫子 稱顏回不改其樂 冉求 聞之 故 有是言 然 使求說

夫子之道 誠如口之說芻豢音患 則必將盡力以求之 何患力之不足哉 畫而不進 則日退而已矣 此 冉求之所以局於藝也

호씨가 말했다. 공자께서 안회는 그 즐거움을 고치지 않는다고 칭찬하셨는데, 염구가 그것을 들은 까닭에 이 말을 했다. 그러나 만약 염구가 공자의 도를 기뻐하기를 진정 입이 맛있는 고기를 기뻐하는 것처럼 했다면 반드시 장차 힘을 다해서 구했을 것이니, 어찌 힘이 부족한 것을 걱정하리요. 한계를 긋고 나아가지 않으면 날로 퇴보할 따름이다. 이것이 염구가 기예에 국한된 까닭이다.

【세주】

朱子曰 力不足者 中道而廢 廢 是好學而不能進之人 或是不會做工夫 或是材質不可勉者 今女畫 畫 是自畫 乃自謂材質不敏 而不肯爲學者

주자가 말했다. '힘이 부족한 자는 중도에 그만둔다'는 말에서 그만두는 것은 공부를 좋아하지만 나아갈 수 없는 사람이니, 공부를 할 수 없거나 혹은 재질이 힘쓸 만하지 못한 자이다. '지금 너는 한계를 긋고 있다'라고 할 때 한계를 긋는 것은 스스로 한계를 긋는 것이니, 스스로 나의 자질은 불민하다고 말하면서 공부하기를 기꺼워하지 않는 자이다.

○問 力不足者 非無志否 曰 雖非志 而志 亦在其中 所見不明 氣質昏弱 皆力不足之故 冉求 乃自畫耳

물었다. 힘이 부족한 자는 뜻이 없지는 않은 것 아닙니까? 답했다. 비록 뜻이 아니더라도[잘못된 뜻이라 해도] 뜻이 또한 그 안에 있다[전혀 뜻이 없는 것은 아니다]. 아는 것이 명확하지 않고 기질이 어둡고 약한 것은 모두 힘이 부족한 까닭이다. 염구는 곧 스스로 한계를 그었을 뿐이다.

○問 自畫與自棄 如何 曰 也只是一般 只自畫 是就進上說 到中間自住了 自棄 是全不做

물었다. 자획(스스로 한계를 그음)과 자기(스스로를 포기함)는 어떠합니까? 답했다. 또한 마찬가지일 뿐이다. 다만 자획은 나아가는 것에 관한 말로서 중간에 스스로 멈추는 것이고, 자기는 전혀 하지 않는 것이다.

○雙峯饒氏曰 力不足者 是氣質弱甚 天理不能勝人欲 中道而廢者 如人擔重擔行遠路 行到中途氣匱力竭 十分去不得 方始放下 如此 方謂之力不足 冉求 未嘗用力 便說力不足 如季氏旅泰山 且須救他 便說不能 此 是畫處

쌍봉 요씨가 말했다. 힘이 부족한 것은 기질이 매우 약해 천리가 인욕을 이길 수 없는 것이고, 중도에 그만두는 것은, 예컨대 사람이 무거운 짐을 지고 먼 길을 가다가 중도에 이르러서 기력이 다하여 끝까지 가지 못하고 바야흐로 내려놓기 시작하는 것 같은 것으로, 이래야 비로소 힘이 부족하다고 말할 수 있다. 염구는 일찍이 힘을 쓰지 않고서는 곧 힘이 부족하다고 말했으니, 예컨대 계씨가 태산에 여제사를 지낼 때 반드시 막았어야 하는데도 할 수 없다고 말한 것, 이것이 한계를 그은 곳이다.

○新安陳氏曰 語首章 集註云 說之深 而不已焉耳 說貴乎深 說苟深 必欲罷不能 豈有自畫之患 畫而不進 說之不深 故也 求 局定於藝 而不能充拓其弊原於畫以自限耳

신안 진씨가 말했다. 『논어』 첫 장의 집주에 말하기를 "깊이 기뻐하여 그치지 않는다"고 했으니, 기쁨은 깊은 것을 귀히 여긴다. 기쁨이 진정 깊다면 필시 그만두려고 해도 그만둘 수 없을 것이니, 어찌 스스로 한계를 그을 걱정이 있으리오. 한계를 긋고 나아가지 않는 것은 기쁨이 깊지 않은 까닭이다. 염구가 기예에 국한되고 그 폐단을 개척하지 못한 것은 금을 그어 스스로 한계지은 데에 기인한다.

6.11 子 謂子夏曰 女 爲君子儒 無爲小人儒

공자께서 자하에게 말씀하셨다. 너는 군자유가 되고 소인유가 되지 말아라.

【집주】

儒 學者之稱 程子曰 君子儒去聲 下同 爲己 小人儒 爲人

'유'는 배우는 자의 호칭이다. 정자가 말했다. 군자유는 위기(자신을 위해 공부함)하고 소인유는 위인(남을 위해 공부함)한다.

○謝氏曰 君子小人之分 義與利之間而已 然 所謂利者 豈必殖貨財之謂 以私滅公 適己自便 凡可以害天理者 皆利也 子夏 文學雖有餘 然 意其遠者大者 或昧焉 故 夫子語音御之以此

사씨가 말했다. 군자와 소인의 구분은 의(의리)와 이(이익)의 차이일 따름이다. 그러나 이익이라고 하는 것이 어찌 반드시 돈을 버는 것만을 말하겠는가? 사로써 공을 멸하고 자기에게 맞추어 스스로 편한 대로 하는 것 등, 대개 천리를 해칠 수 있는 것은 다 이익이다. 자하는 문학에는 비록 남는 것이 있었으나 멀고 큰 것(심원한 것)에는 간혹 어두웠던 것 같다. 그래서 공자께서 이 말씀을 해주셨다.

【세주】

朱子曰 聖人 爲萬世立言 豈專爲子夏說 此處 正要見得義利分明 人 多於此含糊去了 不分界限 今自己會讀書 看義理做文字 便道別人不會 便謂强得人 此 便是小人儒 毫釐間便分君子小人 豈謂子夏 決不如此

주자가 말했다. 성인께서는 만세를 위하여 말씀을 세우셨으니 어찌 오로지 자하만을 위하여 말씀하셨겠는가? 이곳이 바로 의리와 이익을 분명하게 (구별해) 알아야 하는 곳이다. 사람들은 대부분 이에 대해 모호하게 지나치고 경계를 나누지 못한다. 지금 자신은 글을 읽을 수 있어 의리를 알고 문자를 쓴다고 해서 다른 사람은 할 수 없다고 말하는 사람, (이런 사람을) 꽉 막힌 사람이라 하니, 이것이 곧 소인유이다. 털끝만 한 차이로 군자와 소인이 나누어지는 것이니 어찌 자하는 결코 그렇지 않다고 말할 수 있는가?

○君子儒小人儒 同爲此學者也 若不就己分上做工夫 只要說得去 以此欺

人 便是小人儒

군자유와 소인유는 모두 이 공부를 하는 사람이다. 만약 자신에 대해(자신을 위해) 공부하지 않고, 다만 말을 하여 그로써 다른 사람을 속이려고 한다면 이것이 곧 소인유이다.

○子夏 是箇細密謹嚴底人 中間忒細密 於小小事上 不肯放過 便有委曲周旋人情 投時好之弊

자하는 세밀하고 근엄한 사람이다. 그 중간에 지나치게 세밀하여 소소한 일에서도 그냥 놓아두려 하지 않아서, 곧 인정에 맞추려 자세하게 주선하고 당시 사람들이 좋아하는 것에 영합하는 폐단이 있었다.

○慶源輔氏曰 子夏 資質純固 但欠遠大之見 而有近小之蔽 恐或溺於私與利也 故 以是告之 然 此 必子夏始見時事 至其言切問近思 仁在其中 聖人之道 有始有卒之說 則必不至此矣

경원 보씨가 말했다. 자하의 자질은 순수하고 강고하지만 먼 것을 보는 데는 결점이 있어서 가깝고 작은 (것을 중시하는) 폐단이 있었기에 혹시 사사로움과 이익에 빠질 염려가 있었다. 그런 까닭에 이와 같이 알려주셨다. 그러나 이것은 필시 자하가 (공자를) 처음 뵐 때의 일이지, “절문근사(절실하게 묻고 가까이 생각함)하면 인이 그 안에 있다(『논어』19, 「자장」 6장)”고 말하거나 “성인의 도는 시작과 끝이 있다(『논어』19, 「자장」 12장)”는 설을 말함에 이르러서는 필시 이(소인유)에 이르지는 않았을 것이다.

6.12 子游 爲武城宰 子曰 女 得人焉爾乎 曰 有澹臺滅明者 行不由徑 非公事 未嘗至於偃之室也 女 音汝 澹 徒甘反

자유가 무성의 읍재가 되자 공자께서 말씀하셨다. 너는 사람을 얻었느냐? (자유가) 답했다. 담대멸명이라는 자가 있습니다. 그는 지름길로 다니지 않고, 공사가 아니면 저의 방에 온 적이 없습니다.

【집주】

武城 魯下邑 澹臺 姓 滅明 名 字 子羽 徑 路之小而捷者 公事 如飮射讀法之類

무성은 노나라의 하읍이다. 담대는 성이고 멸명은 이름인데 자는 자우이다. '경'은 좁지만 빠른 길이다. 공사는 향음주례, 향사례, 독법례(법을 읽고 위법자를 처벌하는 의례) 같은 것이다.

【세주】

朱子曰 焉爾乎三字 是語助 聖人之言 寬緩不急迫

주자가 말했다. '언이호' 세 글자는 어조사이다. 성인의 말씀은 관대하고 완만하여 급박하지 않으시다.

○胡氏曰 言魯下邑 非大夫之采邑也 飮 謂鄕飮酒 周禮 鄕大夫 賓賢能 飮國中賢者能者 州長 習射 黨正 蜡祭 皆行鄕飮酒禮 射 謂鄕射 周禮 鄕大夫 以五物 詢衆庶 一曰和 二曰容 三曰主皮 四曰和容 五曰興舞 州長 春秋以禮會民 皆行鄕射禮 讀法 則州長 於正月之吉 黨正 於四時孟月吉日 族師於月吉 閭胥於旣比 皆行讀法禮 以是 知爲邑宰者 亦然也 其他 則凡涉乎公家者 皆是也

호씨가 말했다. 노의 하읍이라고 한 것은 대부의 채읍(봉록으로 받는 읍)이 아니라는 말이다. '음'은 향음주례를 말한다. 『주례』(「지관사도」 <향대부>조, <주장>조, <당정>조)에 보면, 향대부가 현자와 능자를 초청하고, 국중의 현사와 능사에세 술을 내접한다. 주장이 습사(활쏘기 연습)할 때와 당정이 사제(납제사)할 때 모두 향음주례를 행한다. '사'는 향사례를 말한다. 『주례』(「지관사도」 <향대부>조, <주장>조, <당정>조, <족사>조, <여서>조)에 보면, 향대부가 오물[활쏘기의 다섯 가지 덕목]을 가지고 여러 사람들에게 물으니, 첫째는 화요, 둘째는 용이고, 셋째는 주피(가죽을 꿰뚫음)이고, 넷째는 화용이고, 다섯째는 흥무이다. 주장이 춘추에 예로써 백성들을 모으는데, 모두 향사례를 행한다. 독법의 경우는 주장이 정월의 길일에, 당정은 사시(춘하추동)의 맹월(첫달, 즉 봄은 1월, 여름은 4월 등) 길일(초하루)에, 족사는 매월 길일(초하루)에, 여서는 기비에[그믐마다, 혹은 매월 16일에] 모두 독법례를 행한다. 이로써 읍재 또한 그렇다는 것을 알 수 있다. 그 외에 공가에 관련된 것도 모두 이것(공사)이다.

【집주】

不由徑 則動必以正 而無見小欲速之意 可知 非公事 不見邑宰 則其有以自守 而無枉己徇人之私 可見矣

지름길로 다니지 않는다고 했으니, 반드시 정도로써 움직이고 작은 것에 관심을 가지고 빨리 하려고 하는 뜻이 없음을 알 수 있다. 공사가 아니면 읍재를 만나지 않는다고 했으니, 스스로 지키는 것이 있어 자신을 굽혀 남을 따르는 사사로움이 없음을 볼 수 있다.

【세주】

胡氏曰 動必以正 則非但於行路而已 有以自守 則非但不私謁而已 故 又以可知可見 總言之 因小以明大 因兩端以見全體

호씨가 말했다. 반드시 정도로써 움직이니 단지 길 가는 것만 그런 것이 아니다. 스스로 지키는 것이 있으니 단지 사적으로 만나지 않는 것만 그런 것이 아니다. 그러므로 알 수 있고 볼 수 있는 것을 가지고 종합해서 말한 것이니, 작은 것으로써 큰 것을 밝히고, 양쪽 끝을 근거로 해서 전체를 드러내었다.

【집주】

○楊氏曰 爲政 以人才爲先 故 孔子 以得人爲問 如滅明者 觀其二事之小 而其正大之情 可見矣 後世 有不由徑者 人 必以爲迂 不至其室 人 必以爲簡 非孔氏之徒 其孰能知而取之

양씨가 말했다. 정치는 인재를 우선으로 삼는다. 그런 까닭에 공자께서는 사람을 얻었는지 물으셨다. 멸명이라는 자의 두 가지 작은 일을 보면 바르고 큰 심정을 알 수 있다. 후세에는, 지름길로 다니지 않는 자가 있으면 사람들이 필시 우활하다 여기고, 그 방에 오지 않으면 사람들이 반드시 소홀하다 여긴다. 공자의 제자가 아니면 그 누가 그를 알아보고 쓰리요.

【세주】

問 楊氏謂 爲政 以人才爲先 如子游 爲武城宰 縱得人 將焉用之 似說不通 朱子曰 古者 士人爲吏 恁地說也 說得通 更爲政而得人講論 此 亦爲政之助 恁地說也 說得通

물었다. 양씨가 정치는 인재를 우선으로 삼는다고 했는데, 자유의 경우에는 무성의 읍재가 되었으니, 설령 사람을 얻는다고 해도 장차 어찌 쓰겠습니까? 말이 안 되는 듯합니다[자유는 읍재에 불과하니 이 구절을 정치에서의 사람 씀으로 해석해서는 안 된다]. 주자가 답했다. 예전에는 사인(선비)이 서리가 되기도 했으니 그렇게 말해도 말은 된다. 더욱이 정치에서의 사람 얻음을 논한다면 이 또한 정치에 도움은 되는 것이니 그렇게 말해도 말은 된다.

○問 觀其二事之小 而正大之情 可見矣 非獨見滅明如此 亦見得子游胸懷也恁地開廣 故 取得這般人 曰 子游 意思高遠 識得大體

물었다. 그 두 가지 작은 일을 보면 바르고 큰 심정을 알 수 있다고 했는데, 단지 멸명이 이와 같다는 것을 알 수 있을 뿐만 아니라 자유의 마음도 그처럼 넓게 열려 있었기에 그런 사람을 얻을 수 있었음을 알 수 있습니다. 답했다. 자유는 뜻이 높고 멀고, 대체를 깨달았다.

【집주】

愚謂 持身 以滅明爲法 則無苟賤之羞 取人 以子游爲法 則無邪媚之惑

내가 생각건대, 몸가짐은 멸명으로 모범을 삼으면 구차하고 천한 부끄러움이 없고, 사람 쓰는 것은 자유를 모범으로 삼으면 사특한 아첨에 미혹됨이 없다.

【세주】

雙峯饒氏曰 持身者 不以苟賤爲羞 則枉己徇人 無所不至 取人者 苟爲邪媚所惑 則賢否邪正 皆不復能辨矣

쌍봉 요씨가 말했다. 몸가짐에 있어서 구차하고 천한 것으로 부끄러움을 삼지 않는다면 자기를 굽혀 남을 따라 이르지 않는 곳이 없게 되고, 사람을 씀에 있어서 만약 사특한 아첨에 미혹되면 현명한 사와 그렇지 못한 자,

사악한 자와 올바른 자 모두 다시는 구분할 수 없게 된다.

○雲峯胡氏曰 苟賤之羞 邪媚之惑 八字 與正大之情 四字 相反 然 非子游自持身正大者 未必取人如滅明之正大也

운봉 호씨가 말했다. '구천지수 사미지혹(구차하고 천한 부끄러움과 사특한 아첨에 미혹됨)' 여덟 글자와 '정대지정(바르고 큰 심정)' 네 글자는 서로 반대된다. 그러나 자유같이 스스로 몸을 바르고 크게 지키는 자가 아니라면 반드시 멸명과 같이 바르고 큰 자를 쓰는 것은 아니다.

6.13 子曰 孟之反 不伐 奔而殿 將入門 策其馬 曰 非敢後也 馬不進也 殿 去聲

공자께서 말씀하셨다. 맹지반은 자랑하지 않았다. 도망갈 때 뒤에 있었는데, 장차 문에 들어서면서 그 말을 채찍질하며 말하기를 "감히 뒤에 있으려 한 것이 아니라 말이 나아가지 않았기 때문이다"라 했다.

【집주】

孟之反 魯大夫 名 側 胡氏曰 反 卽莊周所稱 孟子反者 是也

맹지반은 노나라 대부로 이름은 측이다. 호씨가 말했다. '반'은 곧 장주가 말한 맹자반이라는 자, 그 사람이다.

【세주】

朱子曰 莊子所謂孟子反 蓋 聞老氏懦弱謙下之風 而悅之者也

주자가 말했다. 장자(장주)가 말한 맹자반은 대개 노씨(노자)의 유약하고 겸손한 기풍을 듣고 기뻐한 자이다.

【집주】

伐 誇功也 奔 敗走也 軍後 曰殿 策 鞭也 戰敗而還音旋 以後爲功 反 奔而殿 故 以此言 自掩與掩同其功也 事在哀公十一年

'벌'은 공을 자랑하는 것이다. '분'은 패하여 달아나는 것이다. 군대의 뒤쪽을 '전'이라 한다. '책'은 채찍질하는 것이다. 패전한 후 돌아올 때는 뒤에 있는 것을 공으로 친다. 반은 도망갈 때 뒤에 있었다. 그런 까닭에 이 말로 스스로 자신의 공을 가린 것이다. 이 일은 애공 11년에 있었다.

【세주】

左傳 哀公十一年 齊 國書 帥師伐我 孟孺子洩 帥右師 冉求 帥左師 師及齊師戰于郊 右師奔 齊人從之 孟之側 後入 以爲殿 抽矢策其馬 曰 馬不進也

『(춘추)좌전』에 보면 다음과 같이 나와 있다. 애공 11년에 제의 국서가 군대를 이끌고 우리나라(노)를 쳤다. 맹유자 설이 우사(우측 부대)를 이끌고 염구가 좌사를 이끌었는데 군대가 제나라 군대에 다가가 교외에서 싸웠다. 우사가 도망치는데 제나라 사람들이 좇아 왔다. 맹지측은 나중에 들어왔으므로 늦게 후퇴한 것이 되었다. 화살을 뽑아 말을 채찍질하면서 '말이 나아가지 않는다'라고 말했다.

○朱子曰 這 便是克伐怨欲不行 與顏子無伐善底意思 相似

주자가 말했다. 이것은 곧 극벌원욕(남을 이기려 하고 자랑하고 원망하고 욕심부림)을 행하지 않았다는 것으로, 안자가 선을 자랑하지 않았다는 뜻과 비슷하다.

○南軒張氏曰 奔而爲殿 固已難能 及將入門 是國人屬耳目時也 反 非惟不自有其功 又自掩其功 深自抑損如此 故 聖人 有取焉 爲學之害 矜伐居多 聖人 取之 以教門人也

남헌 장씨가 말했다. 도망갈 때 뒤에 있는 것은 본래 매우 하기 어려운 일이다. 장차 문에 들어가려 할 때는 나라 사람들의 이목이 집중되는 때인데도, 맹지반은 스스로 공이 있다고 생각하지 않았을 뿐만 아니라 또 스스로 그 공을 가렸으니, 깊이 스스로를 누르고 겸손한 것이 이와 같았던 까닭에 성인께서 취하셨다. 공부에 방해가 되는 것은 뽐내고 자랑하는 데 있는 경우가 많기 때문에 성인께서는 그것(맹지반의 사례)을 취해 문인들을 가르치셨다.

【집주】

○謝氏曰 人 能操平聲無欲上人之心 則人欲日消 天理日明 而凡可以矜己誇人者 皆無足道矣 然 不知學者 欲上人之心 無時而忘也 若孟之反 可以爲法矣

사씨가 말했다. 사람이 남의 위에 서지 않으려는 마음을 지킬 수 있으면 인욕은 날로 줄고 천리는 날로 밝아진다. 그러니 무릇 가히 자신을 뽐내고 남에게 자랑할 만한 것은 모두 말할 필요조차 없다(다 없어진다). 그러나 배움을 모르는 자는 남의 위에 서려는 마음을 한시도 잊을 때가 없다. 맹지반의 경우는 가히 모범으로 삼을 만하다.

【세무】

朱子曰 欲上人之心 便是私欲 聖人 四方八面 提起向人說 只要去得私欲 孟之反 他事 不可知 只此一事 便可爲法

주자가 말했다. 남의 위에 서려는 마음은 곧 사욕이다. 성인께서는 사방팔방으로(여러 군데서) 사람들에게 제기해 말씀하셨으니, 다만 사욕을 없애라고 하셨다. 맹지반의 다른 일은 알 수 없지만 이것만으로도 곧 모범을 삼을 만하다.

○問 人之伐心 固難克然 若非先知得是合當做底事 則臨事時 必消磨不去 諸葛孔明所謂 此 臣所以報先帝 而忠陛下之職分也 若知凡事皆其職分之所當爲 只看做得甚麽樣大功業 亦自然無伐心矣 曰 也不是恁地 只是箇心地平底人 故 能如此 若使其心地不平 有矜伐之心 則雖十分知是職分之所當爲 少間自是走從那一邊去 遏捺不下 少間便說 我却盡職分 你却如何不盡職分 便自有這般心 孟之反 只是箇心地平 所以 消磨容得去

물었다. 사람의 자랑하려는 마음은 진실로 이기기 어렵습니다. 만약 그것이 마땅히 해야 할 일이라는 것을 먼저 알지 못한다면 일에 임했을 때에 (자랑하려는 마음을) 반드시 없애지 못합니다. 제갈공명은 "이것이 신이 선제께 보답하는 것이고 폐하께 충성하는 직분입니다"라고 했는데, 만약 모든 일이 직분에 마땅히 해야 할 바임을 안다면 단지 '그게 무슨 큰 공로냐'라고 간주하게 될 것이니 또한 저절로 자랑하려는 마음이 없어질 것입니다. 답했다. 또한 그렇지 않다. 다만 심지가 너른 사람인 까닭에 능히 그렇게 할 수 있는 것이지, 만약 심지가 너르지 않아서 자랑하려는 마음이 있다면 직분상 마땅히 해야 할 일이라는 것을 충분히 알면서도 얼마 안 있어 저절로 저쪽으로 달려가 (자랑하려는 마음을) 억누르지 못하고, 얼마 안 있어 또 '나는 직분을 다했는데 너는 어째서 직분을 다하지 못했는가'라고 말하게 되니, 이는 곧 본디 그런 마음이 있는 것이다. 맹지반은 심지가 너른 사람이어서 (그런 마음을) 없앨 수 있었다.

○孟之反不伐 與馮異之事 不同 蓋 軍敗 以殿爲功 殿於後 則人皆屬目歸他 若不恁地說 便是自承當這箇殿後之功 若馮異 乃是戰時有功 到後來事定 諸將皆論功 他 却不自言也

맹지반이 자랑하지 않은 것과 풍이의 일은 같지 않다. 대개 군이 패할 때에는 뒤에 있는 것이 공이니 뒤에 있으면 사람들이 모두 돌아오는 것을 주목하게 된다. 만약 그가 그렇게 말하지 않았다면 곧 스스로 나중에 후퇴한 공을 자부하는 것이다. 풍이의 경우에는 싸울 때에 공이 있었는데도 그 후 일이 마무리되어 여러 장수들이 모두 공을 논할 때 그는 오히려 스스로 (자신의 공을) 말하지 않았다.

○雙峯饒氏曰 人所以矜伐 只爲好勝之心 蔽了天理 有些小功能 自視不勝其大 容着不得 只管矜伐 若能捺伏此心 則私意消 天理明 便是有莫大功業亦只如一點浮雲 何足矜伐哉 上蔡 平時用力去箇矜字 所以 說得如此痛切

쌍봉 요씨가 말했다. 사람이 뽐내고 자랑하는 까닭은 이기는 것을 좋아하는 마음이 천리를 가렸기 때문이다. 약간의 공이나 능력이 있으면 스스로 그것이 큰 것이라고 여기기를 이기지 못해 못 참고 다만 자랑할 뿐이다. 만약 이 마음을 억누를 수 있다면 사의가 없어지고 천리가 밝아져서 곧 막대한 공업이 있다고 하더라도 또한 다만 하나의 뜬구름처럼 여기게 되니 어찌 족히 자랑하리요. 상채(사양좌)는 평시에 이 '긍' 자에 힘을 썼기 때문에 이처럼 통절하게 말할 수 있었다.

6.14 子曰 不有祝鮀之佞 而有宋朝之美 難乎免於今之世矣 鮀 徒河反

공자께서 말씀하셨다. 축타의 말재주와 송조의 아름다움이 있지 않으면 지금 세상에 면하기 어려울 것이다.

【집주】

祝 宗廟之官 鮀 衛大夫 字 子魚 有口才 朝 宋公子 有美色 言衰世好去聲諛悅色 非此 難免 蓋 傷之也

축은 종묘 담당 관리이다. 타는 위나라 대부인데 자는 자어이고 말재주가 있었다. 조는 송나라 공자인데 미색이 있었다. 쇠퇴한 세상은 아첨을 좋아하고 미색을 기뻐하니 이것이 아니면 (고난을) 면하기 어렵다는 말이다. 대개 마음 아파하신 것이다.

【세주】

問 謝氏 疑而字爲不字 朱子曰 當從伊川說 謂無鮀之巧言 與朝之美色 難免於今 必見憎疾也

물었다. 사씨는 '이' 자는 '불' 자로 해야 한다고 의심했는데 어떠합니까? 주자가 답했다. 마땅히 이천의 설을 따라야 한다. 타의 교묘한 말과 조의 미색이 없으면 요즈음 세상에 면하기 어렵고 반드시 미움을 받게 된다는 것이다.

○南軒張氏曰 必有巧言令色 而後可以免於世 則世衰道微 可知 中人以下以利害存心者 鮮不爲之變易矣 此 聖人所以嘆也

남헌 장씨가 말했다. 반드시 교언영색(교묘한 말과 아부하는 낯빛)이 있은 이후에야 세상에서 면하게 된다 하니 세상이 쇠하고 도가 사라졌음을 알 수 있다. 중인 이하의 사람으로서 이익과 손해를 그 마음의 기준으로 가지고 있는 자는 그 때문에 (마음을) 바꾸지 않는 자가 드물다. 이것이 성인께서 탄식하신 까닭이다.

○雙峯饒氏曰 世敎明 則人 知善之可好 而不好諛 知德之可悅 而不悅色矣

쌍봉 요씨가 말했다. 세상의 가르침이 밝으면 사람들은 선이 가히 좋아할 만한 것임을 알아서 아첨을 좋아하지 않고, 덕이 기뻐할 만한 것을 알아서 미색을 기뻐하지 않는다.

6.15 子曰 誰能出不由户 何莫由斯道也

공자께서 말씀하셨다. 누가 문으로 말미암지 않고(문을 경유하지 않고) 능히 나갈 수 있겠는가? 왜 이 도로 말미암지 않으려는가?

【집주】

言人不能出不由戶 何故 乃不由此道耶 怪而歎之之辭

'사람은 문으로 말미암지 않고는 나갈 수 없는데 무슨 까닭에 이 도로 말미암지 않으려는가'라는 말씀이니, 괴상히 여겨 탄식하신 말씀이다.

【세주】

厚齋馮氏曰 莫 不肯也

후재 풍씨가 말했다. '막'은 기꺼워하지 않는다는 말이다.

○雙峯饒氏曰 何字中 有深意

쌍봉 요씨가 말했다. '하' 자에 깊은 뜻이 있다.

【집주】

○洪氏曰 人 知出必由戶 而不知行必由道 非道遠人 人自遠爾

홍씨가 말했다. 사람들은 나가는 것은 반드시 문으로 말미암아야 한다는 것은 알면서도 행하는 것은 반드시 도로 말미암아야 한다는 것은 모르니 도가 사람을 멀리하는 것이 아니라 사람이 스스로 (도를) 멀리할 따름이다.

【세주】

朱子曰 但纔不合理處 便是不由道

주자가 말했다. 단지 조금이라도 이치에 합치하지 않으면 곧 도로 말미암지 않는 것이다.

○何莫之云 猶何莫學夫詩耳 若直以出不能不由戶 譬夫行之不能不由道 則世之悖理犯義 而不由於道者 爲不少矣 又何說以該之邪

‘하막(왜 아니)’이라는 말은 ‘왜 시를 배우지 않는가’라고 할 때의 ‘하막’과 같다. 이처럼 곧바로 ‘나가는 것은 문으로 말미암지 않으면 안 된다’는 말씀을 가지고 ‘행하는 것은 도로 말미암지 않으면 안 된다’는 것을 비유하셨으니, 세상에 이치를 어기고 의를 범하여 도로 말미암지 않는 자가 적지 않다는 말씀이다. 또 무슨 설명을 더해야 하겠는가?

○南軒張氏曰 卽父子 而父子在所親 卽君臣 而君臣在所嚴 夫婦之有別 朋友之有信 以至於一飮食起居之間 莫不有道焉 故曰 誰能出不由戶 何莫由斯道也 謂未有出而不由戶者 何事而不由於道乎 道不可離 如此 是以 君子 敬以持之 顚沛必於是 造次必於是 而惟恐其或失也

남헌 장씨가 말했다. 아버지와 아들이 되어서는 부자의 도리가 친함에 있고 임금과 신하가 되어서는 군신의 도리가 엄함에 있고 부부는 구분이 있고 붕우는 신뢰가 있다. (그런 것에서부터) 음식 먹고 평소 기거하는 것에 이르기까지 도가 없는 경우는 없다. 그래서 ‘누가 문으로 말미암지 않고 능히 나갈 수 있겠는가? 왜 이 도로 말미암지 않으려는가?’라고 말씀하셨으니, 이는 ‘문으로 말미암지 않고는 나갈 수 없는데 무슨 일로 도로 말미암지 않으려는가?’라는 말씀이다. 도를 떠날 수 없음이 이와 같으니 그런 까닭에 군자는 경건하게 그것을 지켜, 넘어지고 엎어지는 순간에도 반드시 이에 근거하고 잠시 사이에도 이에 근거해 다만 혹시 잃을까 염려할 뿐이다.

○西山眞氏曰 事親事長 人人之所同也 然 必事親孝 事長弟 然後謂之道 不然 則非道矣 此 嘆世人 但能知出必由戶 而不知行必由道 欲人知行不可以不由道也

서산 진씨가 말했다. 부모를 모시는 것과 윗사람 모시는 것은 사람마다 모두 같은 것이다. 그러나 반드시 부모를 효도로 모시고 윗사람을 공손히 모신 다음에야 도라고 할 수 있고, 그렇지 않으면 도가 아니다. 이 말씀은 세상 사람들이 나가는 것은 반드시 문으로 말미암아야 함은 알면서도 행하는 것은 반드시 도로 말미암아야 함은 알지 못하는 것을 탄식하신 말씀으로, 사람들에게 행하는 것은 도로 말미암지 않을 수 없음을 알게 하고자 하신 것이다.

○新安陳氏曰 夫子 怪嘆時人 蓋 曉人以道之當必行 亦以見道之本不難行 也 與孟子 夫道 若大路然 人病不求之意 相似

신안 진씨가 말했다. 공자께서 당시 사람들을 괴이히 여겨 탄식하셨으니 대개 사람들에게 도가 마땅히 행해야 하는 것임을 깨우쳐주시고 또한 도는 본디 그렇게 행하기 어려운 것이 아님을 보이신 것이다. 맹자가 "무릇 도는 큰 길과 같은데 사람들이 구하지 않는 것이 문제다(『맹자』12, 「고자 하」 2장)"라고 한 말의 뜻과 비슷하다.

6.16 子曰 質勝文 則野 文勝質 則史 文質彬彬 然後君子

공자께서 말씀하셨다. 질이 문을 이기면 촌사람이고 문이 질을 이기면 문서리이다. 문과 질이 조화된 연후라야 군자이다.

【집주】

野 野人 言鄙略也 史 掌文書 多聞習事 而誠或不足也

'야'는 촌사람이니, 비루하고 소략한 것을 말한다. '사'는 문서를 담당하는 서리이니 들은 것은 많고 일에는 익숙하지만 성의가 혹 부족하다.

【세주】

朱子曰 史 掌文籍之官 如二公及王 乃問諸史 幷周禮 諸屬 各有史幾人

주자가 말했다. '사'는 문적을 담당하는 관리이다. 예컨대 "이공과 왕은 제사(여러 서리들)에게 묻는다(『서경』, 「주서 금등」 5장)"라 했고, 아울러 『주례』에 보면 여러 소속(관속)에 각각 사 몇 사람이 있다.

○慶源輔氏曰 史 如周官太史小史之屬 太史 掌邦之六典 小史 掌邦國之志 所謂多聞也 太史小史 皆掌喪禮賓客會同朝覲軍旅之事 所謂習事也 先王盛時 史 雖多聞習事 而誠實 固無不足者 世衰道微 習於外者 多遺其內 故多聞習事之史 或有誠實不足者 下一或字 其義 備矣

경원 보씨가 말했다. '사'는 예컨대 『주관(주례)』(「춘관 종백」)의 태사나 소사 같은 것이다. 태사는 나라의 육전을 담당하고 소사는 나라의 지(기록)를 담당한다. 그래서 소위 다문(들은 것이 많음)이라 한다. 태사와 소사는 모두 상례, 빈객(사신 접대), 회동(외교 모임), 조근(제후의 조회 참여), 군려(군대)의 일을 담당하니 그래서 소위 습사(일에 익숙함)라 한다. 선왕이 성대했던 시기에는 사가 비록 들은 것이 많고 일에 익숙했어도 성실함은 본디 부족하지 않았으나, 세상이 쇠퇴하고 도가 사라지니 밖의 것에 익숙한 자는 안을 내버려두는 경우가 많았다. 그래서 들은 것이 많고 일에 익숙한 사 중에는 혹 성실함이 부족한 자가 있었다. (집주의 끝 부분에) '혹'이라는 한 글자를 쓴 것은 이 뜻(혹시 부족한 자가 있다는 뜻)이 갖추어져 있다.

【집주】

彬彬 猶斑斑 物相雜而適均之貌 言學者 當損有餘 補不足 至於成德 則不期然而然矣

'빈빈'은 반반과 같으니 사물이 서로 섞여서 적절하게 균형을 이룬 모습이다. 배우는 자가 마땅히 남는 것은 덜고 부족한 것은 보충하여 덕의 완성에 이르면 그렇게 하고자 하지 않아도 그렇게 된다는 말씀이다.

【세주】

新安陳氏曰 先有質而後有文 文 所以文其質也 文 得其中 方與質稱 文不及 則爲野 文太過 則爲史 故 文 可損益 而質 無損益 學者 損史之有餘 補野之不足 使文質相稱 則有彬彬之氣象矣 集註 分學者與成德而言 蓋 始焉損有餘補不足 乃勉而爲之 到成德之境 則自然純熟 不待損之補之 而後文質 始相稱也

신안 진씨가 말했다. 먼저 질이 있고 후에 문이 있다. 문은 그 질을 꾸미는 것이다. 문이 그 중정함을 얻어야 비로소 질과 균형을 이룬다. 문이 부족하면 촌사람이 되고 문이 지나치면 문서리가 된다. 그러므로 문은 덜고 더함이 있지만 질은 덜고 더함이 없다. 배우는 자가 사의 남은 것을 덜고 야의 부족함을 보충하여 문과 질이 균형을 이루도록 하면 빈빈한 기상이 있게 된다. 집주에서 배우는 자와 성덕(덕을 이룬 자)을 나누어 말한 것은 대개 처음에는 남은 것을 덜고 부족한 것을 보충하지만, 힘써 행하여 성덕의 경지에 도달하면 자연히 완전하고 완숙해져서, 덜고 보완하기를 기다리지 않고도 문질이 바야흐로 균형을 이룬다는 말이다.

【집주】

○楊氏曰 文質 不可以相勝 然 質之勝文 猶之甘可以受和去聲 白可以受采也 文勝而至於滅質 則其本亡矣 雖有文 將安施乎 然則與其史也 寧野

양씨가 말했다. 문과 질은 서로 이겨서는 안 된다. 그러나 질이 문을 이기는 것은, 비유하자면 단맛이 조미를 받아들일 수 있고, 흰색이 채색을 받아들일 수 있는 것과 같다. 문이 이겨서 질을 멸하는 데 이르면 그 근본이 없어진 것이다. 비록 문이 있더라도 장차 어디에 베풀겠는가. 그러니 문서리보다는 차라리 촌사람이 오히려 낫다.

【세주】

程子曰 君子之道 文質得其宜也

정자가 말했다. 군자의 도는 문질이 그 마땅함을 얻는 것이다.

○朱子曰 文質 是不可以相勝 纔勝 便不好 夫子言 文質彬彬 自然停當恰好 不少了些子意思 若子貢 文猶質 質猶文 便說得偏了

주자가 말했다. 문질은 서로 이겨서는 안 된다. 이기기만 하면 곧 좋지 않다. 공자께서 말씀하신 '문질빈빈'은 자연히 딱 좋은 데에서 멈추어야지 약간이라도 모자라서는 안 된다는 뜻이다. 예컨대 자공이 "문은 질이고 질은 곧 문이다(『논어』12「안연」 8장)"라고 한 것은 곧 치우치게 말한 것이다.

○慶源輔氏曰 質勝文則野 則質有餘 而文不足 文勝質則史 則文有餘 而質不足 學者 能於其不足者補之 於其有餘者損之 至於成德 則文質班班然 相雜而適相稱 有不期然而然者矣 夫 然後 可以謂之君子 又曰 野 猶近本 史則徇末矣

경원 보씨가 말했다. 질이 문을 이기면 촌사람이라는 것은 질이 남고 문이 부족한 것이다. 문이 질을 이기면 문서리라는 것은 문이 남고 질이 부족한 것이다. 배우는 자가 부족한 것은 보충하고 남은 것은 덜 수 있어서 성덕에 이르면 문질이 반반하여 서로 적절하게 섞여서 서로 균형을 이루니 그러려 하지 않아도 그렇게 되는 것이다. 무릇 그런 연후에야 가히 군자라고 할 수 있다. 또 말했다. 야가 오히려 근본에 가깝고 사는 말을 좇는 것이다.

6.17 子曰 人之生也 直 罔之生也 幸而免

공자께서 말씀하셨다. 사람의 삶이란 곧은 것인데, 곧지 않으면서 사는 것은 요행히 면한 것이다.

【집주】

程子曰 生理本直 罔 不直也 而亦生者 幸而免耳

정자가 말했다. 삶의 이치는 본디 곧은 것이다. '망'은 곧지 않은 것이니 그러고도 산다는 것은 요행히 면한 것일 따름이다.

【세주】

龜山楊氏曰 人之生也直 是以 君子 無所往而不用直 直 則心得其正矣 古人於幼子常視毋誑 所以養其直也 所謂直者 公天下之好惡 而不爲私焉耳

구산 양씨가 말했다. 사람의 삶이란 곧은 것이다. 그러므로 군자는 어디를 가나 곧음으로써 하지 않는 경우가 없다. 곧으면 마음이 그 올바름을 얻는다. 옛사람들은 어린 자제들에게 항상 속이지 않는 것을 보여주었으니 그 곧음을 기르기 위한 것이다. 이른바 곧음이라는 것은 천하의 호오(좋아하고 싫어함)를 공으로써(공적인 기준에 맞게) 하고 사사로이 하지 않는 것이다.

○朱子曰 罔之生也之生 與上面生字 微有不同 此生字 是生存之生 人之絶滅天理 便是合死之人 今而不死 蓋 幸免也

주자가 말했다. '망지생야(곧지 않으면서 산다)'에서의 '생' 자와 위쪽의 '생' 자는 약간 다른 점이 있다. 이(아래쪽의) '생' 자는 살아남는다는 의미의 생이다. 사람이 천리를 끊어 없애면 곧 마땅히 죽어야 할 사람이니, 지금 죽지 않은 것은 대개 요행히 면한 것이다.

○天地生生之理 只是直 纔直 便是有生生之理 不直 則是枉天理 宜自屈折也 而亦得生 是幸而免耳

천지의 모든 살아가는 이치는 다만 곧음일 뿐이다. 곧기만 하면 곧 살아가는 이치가 있는 것이고, 곧지 않으면 천리를 굽힌 것이니 당연히 스스로 (자신의 삶의 원리를) 굽히고 꺾는 것이다. 그러고도 살아남으면 요행히 면한 것일 따름이다.

○罔 只是脫空作僞 做人不誠實 以非爲是 以黑爲白 如不孝於父 却與人說我孝 不弟於兄 却與人說我弟 此 便是罔 據此等人 合當用死 却生於世 是幸而免耳 生理本直 如耳之聽 目之視 鼻之齅 口之言 心之思 是自然用如此 若纔去這裏著 些屈曲支離 便是不直矣 又云 其粗 至於以鹿爲馬也 是不直 其細 推至一念之不實 惡惡不如惡惡臭 好善不如好好色 也是不直

'망'이란 단지 거짓말을 하고 거짓된 행동을 하는 것으로, 사람됨이 불성실해서 틀린 것을 옳은 것이라 하고 흑을 백이라고 하는 것이다. 예컨대 부모에게 효도하지 않으면서 오히려 남에게 나는 효도한다고 말하고, 형제들과 우애롭지 않으면서 오히려 남에게는 나는 우애롭다고 말하는 것, 이것이 곧 '망'이다. 이러한 사람들의 경우, 마땅히 죽어야 하지만 도리어 세상에 사는 것은 요행히 면한 것일 뿐이다. 삶의 이치는 본디 곧은 것으로, 마치 귀가 듣고 눈이 보고 코가 냄새 맡고 입이 말하고 마음이 생각하는 것처럼, (곧음은) 저절로 그렇게 쓰이는 것이다. 만약 이곳(곧음의 원리)을 떠나 조금이라도 (원칙을) 굽히고 흐지부지하기만 한다면 곧 곧지 않은 것이다. 또 말했다. 거칠게(대강) 본다면 이록위마(사슴을 말이라고 거짓말함)하는 것이 곧지 않은 것이지만, 엄밀히 본다면 단 하나의 생각이라도 진실하지 못한 것까지도 (곧지 않음이라고) 미루어 말할 수 있으니, 악을 싫어하기를 악취를 싫어하는 것처럼 하지 않고, 선을 좋아하기를 미색을 좋아하는 것처럼 하지 않는 것도 곧지 않음이다.

○如水有源 便流 這 只是流出來 無阻滯處 如見孺子將入井 便有箇惻隱之心 見一件可羞惡底事 便有箇羞惡之心 這 都是本心自然發出來 若順這箇行 便是直 若是見入井而不惻隱 見可羞惡而不羞惡 這 便是罔

마치 물이 원천이 있으면 곧 흐르는 것처럼, 이것[본성에 따르는 삶]은 다만 흘러내려 막히거나 고이지 않는 것이다. 예컨대 어린아이가 우물에 빠지려고 하는 것을 보면 곧 측은지심이 있게 되고, 하나의 부끄러워할 만한 일을 보면 곧 수오지심이 생긴다. 이것은 모두 본심이 저절로 발휘되어 나온 것이다. 만약 이를 따라 행하면 곧 곧은 것이고, 만약 우물에 빠지는 것을 보고도 측은해 하지 않고 부끄러워할 만한 것을 보고도 부끄러워하지 않으면 이것이 곧 '망'이다.

○此章之說 程伯子之言 約而盡矣 兩生字 雖若不同 而義實相足 蓋曰 天生是人也 實理自然 初無委曲 彼 乃不能順是 而猶能保其生焉 是其免 特幸而已耳

이 장의 설에서 정백자(정호)의 말은 간략하면서도 그 의미를 다했다. 두

'생' 자가 비록 같지 않은 듯하지만 그 뜻은 실로 서로 보완한다. 대개 '하늘이 이 사람을 내심에 자연의 진실한 이치는 애초에 이지러짐이 없는데, 그가 이를 따르지 못하면서도 오히려 능히 그 목숨을 보존했다면 그 면함은 다만 요행일 뿐이다'라는 말이다.

○如木方生 被人折了 便不直 多應是死 到得不死 幸然如此耳

예컨대 나무가 자라려고 하는데 사람에게 꺾이면 곧 곧지 못하게 되니, 응당 죽는 경우가 많다. 죽지 않게 되면 이처럼 요행일 뿐이다.

○南軒張氏曰 天理本直 在人 則順其性而不違 所謂直也 直者 生之道 循理而行 雖命之所遭 有不齊焉 而莫非生道也 罔 則昧其性冥行而已 是與遊魂爲變者 相去幾何 其生 特幸免耳

남헌 장씨가 말했다. 하늘의 이치는 본디 곧으니, 사람의 경우에는 그 본성을 따르고 어기지 않는 것이 이른바 곧음이다. 곧음은 삶의 도리이니 이치를 따라 행하면 비록 운명으로 만난 바가 혹시 고르지 못한 것이 있더라도 삶의 도리가 아닌 것이 없다. '망'은 그 본성에 어두워 어둡게 행동하는 것일 뿐이니, 이것과 혼령이 떠돌아 변고가 되는 것(『주역』, 「괘사상전」 4장)과 그 거리가 얼마나 되겠는가(무슨 차이가 있겠는가)? 그 사는 것은 다만 요행히 면한 것일 뿐이다.

○雙峯饒氏曰 罔 無也 謂滅盡此直道

쌍봉 요씨가 말했다. '망'은 없다는 뜻이니, 이 곧은 도를 완전히 없애버린 것을 말한다.

6.18 子曰 知之者 不如好之者 好之者 不如樂之者 好去聲 樂 音洛

공자께서 말씀하셨다. 아는 것은 좋아하는 것만 못하고 좋아하는 것은 즐기는 것만 못하다.

【집주】

尹氏曰 知之者 知有此道也 好之者 好而未得也 樂之者 有所得而樂之也

윤씨가 말했다. 안다는 것은 이 도가 있음을 아는 것이고, 좋아한다는 것은 좋아하지만 아직 얻지는 못한 것이고, 즐긴다는 것은 얻은 바가 있어서 즐기는 것이다.

○張敬夫曰 譬之五穀 知者 知其可食者也 好者 食而嗜之者也 樂者 嗜之而飽者也 知而不能好 則是知之未至也 好之而未及於樂 則是好之未至也 此 古之學者 所以自强而不息者與

장경부가 말했다. 오곡에 비유하자면 안다는 것은 그것이 먹을 수 있다는 것을 아는 것이고, 좋아한다는 것은 먹어보고 좋아하는 것이고, 즐긴다는 것은 좋아해 배불리 먹는 것이다. 알면서도 좋아하지 못하는 것은 앎이 지극하지 못한 것이다. 좋아하면서도 즐김에 이르지 못하는 것은 좋아함이 지극하지 못한 것이다. 이것이 옛날의 배우는 자들이 스스로 노력하여 그치지 않은 까닭이리라.

【세주】

程子曰 學至於樂 則成矣 篤信好學 未如自得之爲樂

정자가 말했다. 배움이 즐기는 단계에 이르면 완성된 것이다. 독실하게 믿어 배움을 좋아하는 것은 자득하여 즐거움이 되는 것만 못하다.

○知之者 我知之也 好之者 雖篤而未能有之 至於樂之 則爲己之所有

아는 것은 내가 아는 것이다. 좋아하는 것은 비록 독실한 것이기는 하지만 능히 소유하지는 못한 것이다. 즐기는 것에 이르면 자기의 소유가 된 것이다.

○朱子曰 知之者 不如好之者 人之生 便有此理 然 被物欲昏蔽 故 知此理者 已少 好之者 是知之已至 分明見得此理可愛可求 故 心誠好之 樂之者 是好之已至 而此理 已得之於己 凡天地萬物之理 皆具足於吾身 則樂莫大焉

주자가 말했다. 아는 것은 좋아하는 것만 못하다. 사람이 나면 곧 이 이치가 갖추어져 있지만 물욕에 가려진 까닭에 이 이치를 아는 자가 매우 적다. 좋아한다는 것은 앎이 이미 지극하여 이 이치가 사랑할 만하고 구할 만하다는 것을 분명히 안 까닭에 마음으로 진정 그것을 좋아하는 것이다. 즐기는 것은 좋아하는 것이 이미 지극하여 이 이치를 이미 얻어 자신이 가지게 된 것이다. 무릇 천지 만물의 이치가 모두 내 몸에 갖추어졌으니 (이보다) 더 큰 즐거움이 없다.

○問 不如樂之者 此樂字 與顔子之樂 意思差異否 曰 較其大概 亦不爭多 但 此樂之者之字 是指物而言 是有得乎此道 從而樂之也 猶樂斯二者之樂 樂循理之樂 如顔子之樂 又較深 是安其所得 後與萬物爲一 泰然無所窒礙 非有物可玩而樂之也

물었다. '즐기는 것만 못하다'고 할 때의 '낙(즐거움)' 자와 '안자의 즐거움'이라고 할 때의 '낙' 자는 의미의 차이가 있습니까? 답했다. 그 대강을 비교해보면 역시 차이가 많지는 않다. 단, 이 '낙지자(그것을 즐기는 것)'라 할 때의 '지(그것)' 자는 사물(대상)을 가리켜서 말하는 것으로, 이 도리를 얻어 그것을 따라 즐기는 것이니 '이 두 가지를 즐긴다'라고 할 때의 낙이고 '순리(이치 따르기)를 즐긴다'고 할 때의 낙이다(아직 대상이 있는 즐거움이다). 안자의 즐거움의 경우는 또한 더 깊은 것이니 그 얻은 것을 편안히 여긴 후에 만물과 하나 되어 가로막히는 것이 없이 태연한 것을 말하는 것이지 즐길 만한 물건이 있어서 즐기는 것은 아니다(대상이 없는, 대상과 하나 된 즐거움이다).

○此章 當求所知所好所樂爲何物 又當玩知之好之樂之三節意味是如何 又須求所以知之好之樂之之道 方於己分上 有得力處

이 장에서는 마땅히 아는 바, 좋아하는 바, 즐기는 바가 무엇인지를 알아야 하고, 또한 알고 좋아하고 즐긴다는 이 세 단계의 의미가 어떠한지를 감상해야 하고, 또한 모름지기 알고 좋아하고 즐기는 방법이 무엇인지를 구해야만 비로소 자신에게 힘이 되어주는 것이 있게 된다.

○慶源輔氏曰 尹氏之說 卽張氏之說 食而知其味 故 嗜之 嗜 卽所謂好也

然 其未至於樂者 則雖嗜之 而未能得飽滿饜足 蓋 猶有嗜好之意焉 至於樂 則飽滿饜足 自得於心 有不可以語人者矣 張氏 以人之食五穀爲喩 其曉人 尤更明切 故 其載之 然則知而不能好 未能知其味也 好之而未能樂 未能與之爲一也 纔到樂處 則無息無二 學者 苟未至於樂 則當益鞭 其後 自强不息 以求之 必期至於自得而樂之之地 則不能自已耳

경원 보씨가 말했다. 윤씨의 설은 곧 장씨의 설에 의거한 것으로, 먹어서 그 맛을 알기에 그것을 '기(기호함)'한다는 것이다. '기'는 곧 소위 '호(좋아함)'이다. 그러나 아직 즐기는 단계에 이르지 못한 자는 비록 좋아하지만 배불리 실컷 먹지는 못한 것으로, 대개 기호하는 의사는 아직 있는 것이다. 즐기는 데에 이르면 배불리 실컷 먹어 마음에 스스로 얻은 것이 있지만 남에게 말해줄 수는 없다. 장씨는 사람이 오곡을 먹는 것에 비유했으니 사람을 깨우쳐주는 것이 또한 더욱 명백하고 절실하기 때문에 (집주에 그 설을) 실었다. 그러니 알면서도 좋아하지 못하는 것은 아직 그 맛을 알지 못하는 것이다. 좋아하면서도 즐기지 못하는 것은 아직 그것과 하나 되지 못하는 것이다. 즐기는 경지에 이르기만 하면 그치지도 않고 둘이 되지도 않는다. 배우는 자가 만약 즐기는 경지에 이르지 못했다면 마땅히 더욱 채찍질하고, 그다음 스스로 쉬지 않고 애써 노력하여 구해 반드시 자득하여 즐기는 경지에 이르기를 기약하면 저절로 그칠 수 없게 된다.

○雙峯饒氏曰 論地位 則知不如好 好不如樂 論工夫 則樂原於好 好原於知 大學物格知至 是知之者 誠意如好好色 是好之者 意誠而心正身脩 則心廣體胖而樂矣

쌍봉 요씨가 말했다. 수준을 논한다면 아는 것은 좋아하는 것만 못하고 좋아하는 것은 즐기는 것만 못하다. 공부를 논한다면 즐기는 것은 좋아하는 것에 기원하고 좋아하는 것은 아는 것에 기원한다. 『대학』의 '격물치지'는 아는 것이다(지지자에 해당된다). '성의(뜻을 참되게 함)하기를 미색을 좋아하는 것처럼 하는 것'은 좋아하는 것이다(호지자에 해당된다). '의성 심정 신수(뜻이 참되어 마음이 바르고 몸이 닦임)'는 마음이 넓고 몸이 넉넉해져 즐거운 것이다(낙지자에 해당된다).

○雲峯胡氏曰 知不如好 知之深 自能好 好不如樂 好之深 自能樂 好 在未有所得之先 樂 在旣有所得之後

운봉 호씨가 말했다. 아는 것은 좋아하는 것만 못하지만 아는 것이 깊으면 저절로 좋아할 수 있다. 좋아하는 것은 즐기는 것만 못하지만 좋아함이 깊으면 저절로 즐길 수 있다. 좋아하는 것은 아직 얻기 전의 일이고 즐기는 것은 이미 얻고 난 이후의 일이다.

○新安陳氏曰 學者之於道 當自知之而始 又必好且樂之 而後爲至 非眞知之 不能好 然 旣知之 必當求進於好之 非篤好之 不能得之而樂 然 旣好之 必當求進於樂之 果能樂之 則所知所好者 方實得於己 其樂 有不可以語人者矣 所謂自强不息者 蓋 如此

신안 진씨가 말했다. 배우는 자는 도에 대해 마땅히 '지지(아는 것)'로부터 시작하여 또 반드시 좋아하고 또 즐기게 되어야 하니, 그런 후에야 지극한 것이다. 진정으로 알지 않으면 좋아할 수 없다. 그러나 이미 알았으면 반드시 마땅히 좋아하는 경지로 나아가기를 구해야 한다. 독실히 좋아하지 않으면 얻어서 즐길 수 없다. 그러나 이미 좋아했으면 반드시 즐기는 경지로 나아가기를 구해야 한다. 과연 능히 즐길 수 있다면, 아는 것과 좋아하는 것(알고 좋아하는 대상)을 실제로 자신이 얻어 가지게 된 것으로, 그 즐거움은 남에게 말해줄 수 없다. 이른바 '자강불식(스스로 힘써 쉬지 아니함)'이라는 것은 대개 이와 같다.

6.19 子曰 中人以上 可以語上也 中人以下 不可以語上也 以上之上 上聲 語 去聲

공자께서 말씀하셨다. 중간 이상의 사람이면 높은 것을 말해줄 수 있다. 중간 이하의 사람이면 높은 것을 말해줄 수 없다.

【집주】

語 告也 言敎人者 當隨其高下 而告語之 則其言 易去聲入 而無躐等之弊也

'어'는 말해주는 것이다. 남을 가르치는 사람은 마땅히 (배우는 사람의 자질의) 고하에 따라 말해주어야 하니 (그리하면) 그 말이 쉽게 (머리에) 들어가고 단계를 뛰어넘는 폐단이 없다는 말이다.

○張敬夫曰 聖人之道 精粗 雖無二致 但其施敎 則必因其材而篤焉 蓋 中人以下之質 驟而語之太高 非惟不能以入 且將妄意躐等而有不切於身之弊 亦終於下而已矣 故 就其所及而語之 是 乃所以使之切問近思 而漸進於高遠也

장경부가 말했다. 성인의 도에 정밀함과 거침의 두 가지가 있는 것은 아니지만, 단 그 가르침을 베푸시는 것은 반드시 그 재질에 근거해서 독실하게 하셨다. 대개 중인 이하의 재질인 경우, 성급히 지나치게 높은 것을 말해주면 단지 들어가지 않을 뿐 아니라 또 장차 망령된 생각으로 단계를 뛰어넘으려 하여 그 자신에게 절실하지 못하게 되는 폐단이 있게 되니, 역시 아래(단계)에서 그치게 되고 말 뿐이다. 그러므로 그 미칠 수 있는 것에 대해 말씀해주셨으니, 이는 곧 그로 하여금 절실하게 묻고 가까이 생각해 점차 높고 먼 것으로 나아가게 하시려는 것이다.

【세주】

或問 中人上下 是資質否 朱子曰 且不裝定恁地 或是他工夫如此 或是他資質如此 聖人 只說中人以上中人以下時 便都包得在裏面了 聖人 說中人以下 不可將那高遠底說與他 怕他時下無討頭處 若是就他地位說時 理會得一件 便是一件 庶幾漸漸長進 一日 强似一日 一年 强似一年 不知不覺 便也解到高遠處

혹자가 물었다. 중인 이상이나 이하라는 것은 자질을 말하는 것입니까? 주자가 답했다. 또 꼭 그렇다고 단정할 수는 없다. 혹은 그의 공부가 그렇다는 것일 수도 있고 혹은 그의 자질이 그렇다는 것일 수도 있다. 성인께서 단지 중인 이상과 중인 이하라고만 말씀하셨을 때에는 (자질과 공부의 경지) 모두 그 안에 포함되어 있다(고 보아야 한다). 성인께서는 중인 이하의 경우 저 높고 먼 것을 그에게 설명해줄 수 없다고 하셨으니 그가 그 당시에 탐구를 시작할 곳이 없을까 걱정하셨기 때문이다. 만약 그의 (자질이 아니라 공부의) 수준에 대해 말하는 경우라면, 한 가지를 이해하면 곧 한 가지를 얻어 차츰차츰 오랫동안 진보해, 하루 또 더 낫게 하루, 일 년 또 더 낫게 일 년, 이렇게 하면 아마도 또한 저도 모르는 사이에 또한 높고 먼 곳에 도달할 것이다.

○問 聖人敎人 不問智愚高下 未有不先之淺近 而後及其高深 今 中人以上之資 遽以上焉者語之 何也 曰 他 本有這資質 又須有這工夫 故 聖人 方以上者語之

물었다. 성인께서 사람을 가르치심에 머리가 좋은지 나쁜지, 자질이 높은지 낮은지를 묻지 않고, 얕고 가까운 것을 먼저 하시고 그런 후에야 높고 먼 것에 이르지 않으신 적이 없습니다. 지금 중인 이상의 자질인 자에게 성급히 높은 것을 말씀해주신다 함은 무슨 까닭입니까? 답했다. 그가 본래 그러한 자질이 있고 또 반드시 그러한 공부를 했기 때문에 성인께서 비로소 높은 것을 말씀해주시는 것이다.

○理 只是一致 譬之水也 有把與人少者 有把與人多者 隨其質之高下 而告之 非謂理有二致也 又曰 正如告顔淵 以克己復禮 告仲弓 以持敬行恕 告司馬牛 以言之訒 蓋 淸明剛健者 自是一様 恭默和順者 自是一様 有病痛者 自是一様 皆 因其所及 而語之也

'이(理)'는 한 가지일 뿐이다. 물에 비유하자면 어떤 경우는 사람에게 조금 주는 경우가 있고 많이 주는 경우가 있다[그래도 다 물을 주는 것이지 다른 것을 주는 것은 아니다]. 그 자질의 높고 낮음에 따라 알려주시는 것이지 이가 두 가지가 있다는 말은 아니다. 또 말했다. 예컨대 안연에게는 '극기복례(자신의 사사로움을 이기고 예로 돌아감, 『논어』12, 「안연」 1장)'를 알려주시고 중궁에게는 '지경행서(경건한 태도를 견지하고 자신을 미루어 남에게 미침, 『논어』12, 「안연」 2장)'를 알려주시고 사마우에게는 '언지인(말하기를 어렵게 여김, 『논어』12, 「안연」 3장)'을 알려주신 것이 바로 그 예이다. 대개 (기질이) 청명하고 강건한 자도 원래 마찬가지이고 공손하고 말이 없으며 화순한 자도 원래 마찬가지이고 병통이 있는 자도 원래 마찬가지이니, 모두 그 도달한 바(수준)에 따라 말씀해주시는 것이다.

○西山眞氏曰 道德性命者 理之精也 事親事長灑掃應對之屬 事之粗也 能盡其事親事長之道 則道德性命 不外乎此矣 中人以下 若驟然告以道德性命 彼 將何所從入 想像億度 反所以害道 不若且從分明易知處告之 以事親事長灑掃應對之屬 如此 則可以循序而用力 不期而至於高遠之地 此 聖門教人之要法也 使學者 外問於人 內思於心 皆先其切近者 則一語 有一語之益 一事 有一事之功 不比汎然馳騖於外 而初無補於身心也

서산 진씨가 말했다. 도덕과 성명은 '이(理)'의 정밀한 것(정수)이고 부모를 모시고 어른을 모시고 쇄소응대(마당 쓸고 손님 맞기)하는 일 같은 것은 일 가운데 거친(얕은 수준의) 것이다. 능히 부모를 모시고 어른을 모시는 도리를 다할 수 있으면 도덕과 성명은 그것 밖에 있는 것이 아니다. 중간 이하의 사람에게 만약 성급하게 도덕과 성명을 말해주면 그가 장차 어디로부터 들어가겠는가? 멋대로 상상하고 억측해 거꾸로 도를 해치게 되니 부모를 모시고 어른을 모시고 쇄소응대하는 것 같은 분명하고 알기 쉬운 것을 알려주는 것만 못하다. 이렇게 하면 순서를 따라 힘을 써서 어느 틈엔가 높고 먼 경지에 도달하게 된다. 이것이 성인 문하의 사람 가르치는 요령이다. 배우는 자로 하여금 밖으로는 남에게 묻고 안으로는 마음으로 생각하게 하되 모두 절실하고 가까운 것을 먼저 하게 하면 한마디 말은 한마디 말의 이익이 있고 하나의 일은 하나의 일의 효과가 있을 것이니, 두루뭉술하게 바깥으로 치달아 처음부터 몸과 마음에 아무 도움이 안 되는 것과는 비교할 수 없다.

○李氏曰 中人以上 雖未及於上智 而於上智爲近 故 可以語上 中人以下 則於上智爲遠 驟語以上 則將妄意躐等 非徒無益 而反有害矣

이씨가 말했다. 중인 이상은 비록 상지(가장 높은 수준의 지혜로운 자)에 미치지는 못하지만 상지에 가깝다. 그러므로 높은 것을 말해줄 수 있다. 중인 이하는 상지와 멀어 성급히 높은 것을 말해주면 장차 망령된 생각으로 단계를 뛰어넘으려 할 것이니 단지 이익이 없을 뿐만 아니라 오히려 해로움이 있다.

○雙峯饒氏曰 中人以下 非是終不可以語上 且使之切問近思 由下以進於中 則亦漸可以語上矣

쌍봉 요씨가 말했다. 중인 이하라고 해서 끝까지 높은 것을 말해줄 수 없는 것은 아니다. 또한 그로 하여금 절실하게 묻고 가까이 생각하게 해 낮은 단계로부터 중간으로 나아가게 하면 역시 점차 높은 것을 말해줄 수 있다.

○新安陳氏曰 道無精粗 教有等級 資之近上者 可教以精深 資之凡下者 且當教之以淺近 苟遽以精深語之 則無入精深之漸 終爲凡下之歸而已 孰若且語之以淺近 使由淺近而漸進於精深哉

신안 진씨가 말했다. 도는 정밀하고 거친 것(의 구별)이 없지만 가르침에는 등급이 있다. 자질이 위에 가까운 자는 정밀하고 깊은 것으로 가르칠 수 있고 자질이 평범하고 낮은 자는 또 마땅히 얕고 가까운 것으로 가르친다. 만약 성급하게 정밀하고 깊은 것을 말해주면 정밀하고 깊은 것으로 점차 들어갈 수가 없어 마침내는 평범하고 낮은 수준으로 귀착되고 말 뿐이다. 무엇이 또 얕고 가까운 것을 말해주어 얕고 가까운 것으로부터 점차 정밀하고 깊은 것으로 나아가게 하는 것만 하리오.

6.20 樊遲 問知 子曰 務民之義 敬鬼神而遠之 可謂知矣 問仁 曰 仁者 先難而後獲 可謂仁矣 知遠 皆去聲

번지가 앎에 대해 묻자 공자께서 답하셨다. 사람의 의로움에 힘쓰고 귀신을 공경하되 멀리한다면 안다고 할 만 한다. 인에 대해 묻자 답하셨다. 인자는 어려움을 먼저로 하고 얻는 것은 나중으로 하니 인이라고 할 만하다.

【집주】

民 亦人也 獲 謂得也 專用力於人道之所宜 而不惑於鬼神之不可知 知者之事也

'민'은 또한 사람이다. '획'은 얻는 것을 말한다. 오로지 사람의 도리의 마땅한 바에 힘을 쏟고, 귀신의 불가지함(알 수 없는 신비로움)에 미혹되지 않는 것이 지자의 일이다.

【세주】

朱子曰 常人之所謂智 多求人所不知 聖人之所謂智 只知其所當知而已 自常人觀之 此兩事 若不足以爲智 然 果能專用力於人道之宜 而不惑於鬼神之不可知 却眞箇是知

주자가 말했다. 보통 사람들이 말하는 지혜로움이란 사람이 알지 못하는 것을 구하는 것을 말하는 경우가 많다. 성인께서 말씀하신 지혜로움이란 단지 마땅히 알아야 하는 것을 아는 것일 따름이다. 보통 사람의 입장에서 보면 이 두 가지 일은 지혜로움이 되기에 부족한 듯하지만, 그러나 과연 오로지 인도의 마땅함에 힘을 기울이고 귀신의 불가지함에 미혹되지 않을 수 있다면, (그것이) 진정한 앎이다.

○或問 所謂鬼神 非祀典之正 何以使人敬之 以爲祀典之正 又何以使人遠之 曰 聖人所謂鬼神 無不正也 曰遠者 以其處幽 故 嚴之而不瀆耳 若其非正則聖人 豈復謂之鬼神哉 在上 則明禮以正之 在下 則守義以絶之 固不使人敬而遠之 然 亦不使人褻而慢之也

혹자가 물었다. 이른바 귀신이라고 하는 것이 제사 전례의 올바른 대상이 아니라면 어째서 사람으로 하여금 공경하게 합니까? 제사 전례의 올바른 대상이라면 또 어째서 사람으로 하여금 멀리하게 합니까? 답했다. 성인께서 말씀하신 귀신은 올바르지 않은 것이 없다. 멀리한다고 말씀하신 것은 (귀신은) 어두운 곳에 처하는 까닭에 그것을 존경하고 모독하지 않는다는 것이다. 만약 그것이 바르지 못한 것이라면 성인께서 어찌 그것을 또 귀신이라고 일컬으셨겠는가? 위에 있으면(임금은) 예를 밝혀서 바르게 하고 아래에 있으면(백성은) 의를 지켜서 끊으니, 본디 사람으로 하여금 공경하되 멀리하게 하신 것은 아니다. 그러나 또한 사람으로 하여금 모욕하고 태만히 하게 하신 것도 아니다.

○雙峯饒氏曰 務民義 敬鬼神而遠之 兩句 當合看 如未病謹疾 旣病醫藥 人事所宜也 不務此 而專禱鬼神 不知也 爲善去惡 人道所宜也 不務爲善 而專媚神以求福 不務去惡 而專媚神以免禍 皆不知也

쌍봉 요씨가 말했다. 사람의 의로움에 힘쓰고 귀신을 공경하되 멀리한다는 이 두 구절은 마땅히 합쳐서 보아야 한다. 예컨대 아직 병이 나지 않았을 때는 병날까 삼가고 이미 병이 있으면 의사와 약을 쓰는 것이 사람의 일의 마땅한 바인데 이에 힘쓰지 않고 오로지 귀신에게 기도하는 것은 무지함이다. 선을 행하고 악을 멀리하는 것은 사람의 도리의 마땅한 바인데 선에 힘쓰지 않고 오로지 귀신에게 아첨하여 복을 구하려는 것, 악을 멀리하는 데 힘쓰지 않고 오로지 귀신에게 아첨하여 화를 면하려고 하는 것, 이는 모두 무지함이다.

【집주】

先其事之所難 而後其效之所得 仁者之心也 此 必因樊遲之失而告之

그 일의 어려움을 먼저로 하고, 그 결과로서의 소득은 나중으로 하는 것이 인자의 마음이다. 이는 틀림없이 번지의 잘못 때문에 알려주신 것이다.

【세주】

朱子曰 董子所謂 仁人者 正其義不謀其利 明其道不計其功 正謂此也 然 正義 未嘗不利 明道 豈必無功 但不先以功利爲心耳 樊遲 蓋 有先獲之病 故 夫子 旣告以此 又以先事後得告之 警之至矣

주자가 말했다. 동자(동중서)가 말한바, “인인은 그 의를 바르게 하고 이익을 도모하지 않고, 그 도를 밝히고 그 공은 계산하지 않는다(『춘추번로』32)”라는 말이 바로 이 말이다. 그러나 의를 바르게 하는 것은 일찍이 이익이 아님이 없다. 또 도를 밝히는 것이 어찌 공로가 없겠는가? 단지 공리를 앞세우는 것으로 마음을 삼지 않을 뿐이다. 번지는 대개 먼저 얻으려고 하는 병통이 있는 까닭에 공자께서 이미 이 말씀을 알려주시고, 또 일을 먼저로 하고 얻는 것을 뒤로 하라는 말씀을 알려주셨으니, 그 경계하시는 뜻이 지극하다.

○問 知之事 仁之心 曰 務義敬神 是就事上說 先難後獲 是就處心積慮上說 事 也從心裏做出來 然 仁字 說較近裏 知字 說較近外

앎의 일(지자의 일)과 인의 마음(인자의 마음)에 대해 물었다. 답했다. 의에 힘쓰고 귀신을 존경하라는 것은 일에 관한 말이다. 어려움을 먼저로 하고 얻는 것을 나중으로 하라는 것은 마음을 두고 생각을 모으는 것에 관한 말이다. 일이라는 것도 마음속으로부터 나오는 것이다. 그러나 '인' 자는 비교적 안에 가깝게 말하는 것(마음에 관한 것)이고, '지' 자는 비교적 바깥에 가깝게 말하는 것(일에 관한 것)이다.

【집주】

○程子曰 人 多信鬼神 惑也 而不信者 又不能敬 能敬能遠 可謂知矣

정자가 말했다. 사람들은 귀신을 많이 믿지만, 이것은 미혹된 것이다. (역으로) 안 믿는 자는 또 공경할 줄 모른다. 능히 공경하면서도 멀리할 수 있어야 안다고 말할 수 있다.

【세주】

程子曰 務人之義 乃知也 鬼神不敬 則是不知 不遠 則至於瀆 敬而遠之 所以爲知

정자가 말했다. 사람의 올바름에 힘쓰는 것이 곧 앎이다. 귀신을 공경하지 않으면 무지함이고, 멀리하지 않으면 (신을) 모독하기에 이른다. 공경하되 멀리하는 것이 앎이 되는 것이다.

○慶源輔氏曰 能敬 則知人與鬼神二 而一之不可瀆 能遠 則知人與鬼神一 而二之不可褻 是 可不謂之知乎

경원 보씨가 말했다. 능히 공경할 수 있으면 사람과 귀신이 둘이어서 하나로 섞을 수 없다는 것을 아는 것이고, 능히 멀리할 수 있으면 사람과 귀신이 하나여서 둘로 나누어 더럽힐 수 없다는 것을 아는 것이다. 이것을 어찌 앎이라고 하지 않을 수 있겠는가?

【집주】

又曰 先難 克己也 以所難爲先 而不計所獲 仁也

또 말했다. 어려움을 먼저로 하는 것, 이것은 극기(자신의 사욕을 극복함)이다. 어려움을 먼저로 하고 얻을 것을 계산하지 않는 것, 이것은 인이다.

【세주】

問 旣曰仁者 則安得有己私 而更須克己耶 朱子曰 仁者 雖已無私 然 安敢自謂已無私乎 克己 正是要克去私心 若又計其效之所得 乃私心也 只此私心便是不仁

물었다. 이미 인자라고 했는데, (인자라면) 어찌 자신의 사사로움이 있어서 또 반드시 자신을 극복해야 한다는 것입니까? 주자가 답했다. 인자는 비록 자신의 사사로움은 이미 없지만, 어찌 감히 스스로 이미 사사로움이 없다고 말할 수 있겠는가? 극기라는 것은 바로 사사로운 마음을 극복해 나가는 것이니, 만약 또 그 얻게 될 결과를 계산한다면 이는 결국 사심이다. 다만 이러한 사심이 곧 불인이다.

○新安陳氏曰 先難所包者 闊 本不但言克己 程子謂克己 是於所難之中又擧甚者言之 而求仁之功 莫先焉

신안 진씨가 말했다. 어려움을 먼저로 한다는 말은 내포된 의미가 넓으니, 본디 단지 극기만을 말한 것이 아니다. 정자가 말한 극기는 그 어려운 일들 중에서도 가장 어려운 것을 들어서 말한 것이니, 인을 구하려는 노력은 이보다 더 앞서는 것이 없다.

【집주】

呂氏曰 當務爲急 不求所難知 力行所知 不憚所難爲

여씨가 말했다. 마땅히 힘써야 할 일을 급하게 여겨야 하니, 알기 어려운 것을 구하지 말며, 안 것은 힘써 행해야 하니, 하기 어려운 일을 꺼리지 말라.

【세주】

朱子曰 人之於鬼神 自當敬而遠之 若見得那道理分明 則須著如此 又如卜

筮 自伏犧堯舜以來 皆用之 是有此理矣 今人 若於事有疑 敬以卜筮決之 有何不可 如義理合當做底事 却又疑惑 只管去問於卜筮 亦不能遠也 蓋 人自有人道所當爲之事 今 若不肯自盡 只管去諂事鬼神 便是不智 又曰 夫子所答樊遲問仁知一段 正是指中間一條正當路與人 人 於所當做者 却不肯去做 纔去做時 又便生箇計獲之心 皆是墮於一偏 人 能常以此提撕 則心常得其正矣

주자가 말했다. 사람은 귀신에 대해 본디 마땅히 공경하면서 멀리해야 하니, 만약 이러한 도리를 분명하게 알았다면 반드시 이와 같이 해야 한다. 또 예컨대 점치는 것은 복희씨와 요순 이래로부터 모두 그것을 사용하여 왔으니, 그 이치가 있다. 요즈음 사람들이 일에 의심스러운 점이 있을 때 경건하게 점쳐 결정한다면 무슨 불가함이 있겠는가? 의리상 마땅히 해야 하는 일인 경우에도 오히려 또 의심해서 다만 점쳐 물어보려 하니 (이는) 또한 멀리하지 못하는 것이다. 대개 사람에게는 본디 사람의 도리에 따라 마땅히 해야 할 일이 있다. 지금 만약 스스로 (사람으로서의 노력을) 다하려 하지 않고 단지 귀신에게 아첨해 모시면 이는 지혜롭지 않은 것이다. 또 말했다. 공자께서 번지가 인과 지를 물은 데 대답하신 이 한 단락은 바로 한가운데의 한 줄기 정당한 길을 사람들에게 가리켜주신 것이다. 사람들은 마땅히 해야 할 일에 대해 오히려 하기를 기꺼워하지 않고, 겨우 하려고 하더라도 또다시 그 얻을 것을 먼저 계산하는 마음부터 가지니, 이는 모두 한쪽으로(이익으로) 치우침에 떨어지는 것이다. 사람이 능히 항상 이로써 제어할 수 있다면, 곧 마음이 항상 그 바름을 얻을 수 있다.

○民者 人也 義者 宜也 如詩所謂 民之秉彝 卽人之義也 此 則人之所宜爲者 不可不務也 此而不務 而反求之幽冥不可測識之間 而欲避禍以求福 此 豈謂之智者哉

'민'이란 사람이다. '의'란 마땅함이다. 예컨대『시경』에서 '민지병이(사람이 지켜야 할 떳떳함)'라고 한 것은 바로 사람의 의로움이다. 이는 곧 사람이 마땅히 해야 할 바이니 힘쓰지 않을 수 없다. 이에 힘쓰지 않고 거꾸로 어둡고 깊어 헤아릴 수 없는 곳에서 구해서 화를 면하고 복을 구하려 한다면, 이를 어찌 지혜로운 자라 하겠는가?

○此鬼神 是指正當合祭祀者 且如宗廟山川 是合當祭祀底 亦當敬而不可褻近泥著 纔泥著 便不是 且如卜筮用龜 所不能免 臧文仲 却爲山節藻梲之室 以藏之 便是不知也

여기서의 귀신은 정당하게 제사지내 마땅한 것을 가리킨다. 또 예컨대,

종묘 산천의 귀신은 합당한 제사의 대상이니, 또한 마땅히 공경해야지 더럽히고 가까이해서는 안 된다. 가까이하기만 하면 곧 옳지 않다. 또 예컨대, 점칠 때 거북을 쓰는 것은 피할 수 없는 것이지만, 장문중이 산 그림과 마름 무늬를 그린 방을 만들어서 거북을 보관한 것은 곧 무지함이다.

○先難後獲 仁者之心 如是 故 求仁者之心 亦當如是

어려움을 먼저로 하고 얻는 것을 나중으로 하는 것, 인자의 마음은 이와 같기 때문에 인을 얻으려는 자의 마음도 이와 같아야 한다.

○獲 有期望之心 學者之於仁工夫 最難 但先爲人所難爲 不必有期望之心可也

'획(얻음)'은 (무엇인가) 바라는 마음이 있다는 것으로, 이는 배우는 자의 인의 공부에 있어서 가장 어려운 점이다. 다만 남들이 하기 어려워하는 것을 먼저 하더라도, 꼭 바라는 마음을 가지지는 않는 것이 옳다.

○後 如後其君 後其親之意 哭死而哀 非爲生者 經德不回 非以干祿 言語必信 非以正行 這 是熟底先難後獲 是得仁底人 君子行法以俟命 是生底先難後獲 是求仁底人

'후(나중으로 함)'는 '후기군(그 임금을 나중으로 함)', '후기친(그 부모를 나중으로 함)'이라고 할 때의 '후'와 같은 뜻이다. "죽음에 곡하고 슬퍼하는 것은 산 사람을 위한 것이 아니고, 떳떳한 덕을 굽히지 않는 것은 봉록을 구하기 때문이 아니고, 말에 반드시 믿음이 있는 것은 행동을 바로잡기 위한 것이 아니다(『맹자』14, 「진심 하」 33장)"라는 이 말은 익은 '선난후획(어려움을 먼저로 하고 얻는 것을 나중으로 함)'이니 이는 인을 얻은 사람의 경우이고, "군자는 법을 행하여 명을 기다린다(『맹자』, 같은 장)"는 것은 날 것의 '선난후획'이니 인을 구하는 사람의 경우이다.

○問 上蔡所說先難 謂如射之有志 若跣之視地 若臨深 若履薄 皆其心不易之謂 曰 說得是 先難 是心只在這裏 更不做別處去 如上嶺高峻處 不能得上 心心念念 只在要過這處 更不思量別處去 過這難處未得 便又思量得某處這 便是求獲

물었다. 상채가 말한 '선난'이라고 하는 것은 가령 활을 쏘는 데에 뜻이 있는 경우에 밟아서 땅을 고르듯 하고, 또 깊은 물에 임하듯 하고, 살얼음을 밟듯이 하여, 그 마음이 모두 쉽게 여기지 않음을 말하는 것입니다. 답했다.

그 말이 옳다. '선난'이라는 것은 마음이 단지 여기에 있어서 다시 다른 곳으로 가지 않는 것이다. 예컨대, 높고 험준한 곳을 올라갈 때 올라갈 수 없으면 온 마음과 생각이 이곳을 넘어가려고 하는 데만 있을 뿐, 다른 곳으로 가려 생각하지는 않는 것이다. 이 어려운 곳을 넘지 못했는데 문득 또 다른 곳을 생각하는 것, 이것이 곧 얻을 것을 구하는 것이다.

○雲峯胡氏曰 集註言 知者之事 便見務民之義一句 務字 最重 仁者之心 便見先難二字 先字 最要 務者 事之所當爲 先者 心之所當急

운봉 호씨가 말했다. 집주에서 말한 지자의 일은 '무민지의' 이 한 구절에서 드러나는데, (그중에서) '무' 자가 가장 중요하고, 인자의 마음은 '선난' 이 두 글자에서 드러나는데, '선' 자가 가장 중요하다. '무(힘씀)'란 마땅히 해야 할 일을 뜻하고, '선(먼저)'이란 마음이 마땅히 급한 것으로 여겨야 할 것을 뜻한다.

○又曰 義者 人之所宜爲 鬼神 在幽隱之間 務其所宜爲 而不惑於幽隱之間 知者之事也 仁者之心 純乎天理 不可有爲而爲之 一有所爲而爲 則非仁者之心矣

또 말했다. '의'란 사람이 마땅히 해야 하는 바이고 귀신은 어둡고 가려진 곳에 있으니, 그 마땅히 해야 하는 바에 힘쓰고 어둡고 가려진 곳에 미혹되지 않는 것이 지자의 일이다. 인자의 마음은 순수한 천리여서, 의도가 있어서 하려는 것이어서는 안 된다. 하나라도 의도하는 바가 있어서 하는 것은 인자의 마음이 아니다.

6.21 子曰 知者樂水 仁者樂山 知者動 仁者靜 知者樂 仁者壽 知 去聲 樂 上二字 竝五敎反 下一字 音洛

공자께서 말씀하셨다. 지자는 물을 좋아하고, 인자는 산을 좋아한다. 지자는 동적이고, 인자는 정적이다. 지자는 즐겁고, 인자는 오래 산다.

【집주】

樂 喜好去聲也 知者 達於事理 而周流無滯 有似於水 故 樂水 仁者 安於義理 而厚重不遷 有似於山 故 樂山 動靜 以體言

'요'는 기뻐하고 좋아하는 것이다. 지자는 사리에 달통하여 두루 흘러 막힘이 없으니 물과 비슷하다. 그러므로 물을 좋아한다. 인자는 의리에 편안하여 두텁고 무거워 옮기지 않으니 산과 비슷하다. 그러므로 산을 좋아한다. '동'과 '정'은 몸에 관한 말이다.

【세주】

慶源輔氏曰 此體字 乃形容仁知之體段 非體用之體

경원 보씨가 말했다. 이 '체' 자는 인자와 지자의 몸을 형용한 것이지, '체용(본체와 작용, 몸체와 쓰임)'이라고 할 때의 체는 아니다.

【집주】

樂壽 以效言也 動而不括 故 樂

'낙'과 '수'는 효과에 관한 말이다. 움직여서 매이지 않기 때문에 즐겁다.

【세주】

新安陳氏曰 動而不括 出易繫辭下 註 括 結也 動而無結閡礙同之患也

신안 진씨가 말했다. '움직여서 매이지 않는다'는 말은 『주역』, 「계사 하」에 나오는데, 그 주에 '괄'은 '결(묶음)'이라 했다. 움직이니 얽매이고 막힐 우려가 없다.

【집주】

靜而有常 故 壽

고요하여 변함이 없기 때문에 오래 산다.

【세주】

朱子曰 此 不是兼仁知而言 是各就其一體而言 世自有一般渾厚底人 一般通曉底人 各隨其材 有所成就 如顔子之徒 是仁者 子貢之徒 是知者 是 泛說天下有此兩般人耳

주자가 말했다. 이것은 인과 지를 겸해서 말한 것이 아니라, 각각(인자와 지자) 그 하나의 몸에 대해 말한 것이다. 세상에는 원래 혼후한 종류의 사람이 있고, 두루 잘 아는 종류의 사람이 있으니 각각 그 재질에 따라서 성취하는 바가 있다. 가령 안자의 무리는 인자이고 자공의 무리는 지자이다. 이는 천하에 이 두 종류의 인간이 있음을 포괄적으로 말한 것이다.

○或謂 寂然不動爲靜 非也 此言仁者之人 雖動亦靜 喜怒哀樂 皆是動 仁者豈無此數者 蓋 於動中 未嘗不靜 靜 謂無人欲之紛擾 而安於天理之自然耳 若謂仁者靜而不動 則知者 亦豈動而不靜乎

혹자는 고요하여 움직이지 않은 것을 '정(靜)'이라 했는데, 이는 잘못이다. 여기서 말하는 인자인 사람은 비록 움직인다 하더라도 역시 고요하다. 희로애락은 모두 움직임인데 인자에게 어찌 이런 것들이 없을 수 있겠는가? 대개 움직이는 가운데 일찍이 고요하지 않음이 없는 것이다. '정'이란 인욕이 뒤흔들어 분란을 일으키는 바가 없고, 천리의 자연스러움 안에서 편안한 것을 말할 뿐이다. 만약 '인자는 고요하여 움직이지 않는다'고 한다면, 지자는 또 어찌 '움직여서 고요하지 않다'라고 하겠는가? ('인자는 고요하여 움직이지 않는다'고 한다면 '지자는 움직여서 고요하지 않다'라고 해야 하는데, 그것은 틀린 말이다. 즉, 고요하다고 해서 움직이지 않는 것은 아니며 움직인다고 해서 고요하지 않은 것은 아니다.)

○知者 動意思常多 故 以動爲主 仁者 靜意思常多 故 以靜爲主 今夫 水 淵深不測 是靜也 及滔滔而流日夜不息 故 主於動 山 包藏發育之意 是動也 而安重不遷 故 主於靜 故 知仁動靜 是體段模樣意思如此

지자는 움직이려는 의사가 항상 많다. 그래서 움직임을 위주로 한다. 인자는 고요히 있으려는 의사가 항상 많다. 따라서 고요함을 위주로 한다. 지금 물은 수심이 깊어서 헤아릴 수 없으니 고요함이지만, 그러나 도도히 흘러 밤낮으로 멈추지 않는 까닭에 움직임이 주가 된다. 산은 감싸 안아서 키우는 뜻이 있으니 움직임이지만, 편안하고 무거워서 움직이지 않는 까닭에 고요함이 주가 된다. 그러므로 지자와 인자가 동적이고 정적이라는 것은 몸의 모습과 의사가 이와 같다는 뜻이다.

○仁 自有壽之理 不可以顔子來揷看 如罔之生 幸而免 罔 亦是有死之理

인에는 본디 오래 사는 이치가 있다. 안자(인자가 장수하지 못한 예)를 가지고 끼워 맞추어보아서는 안 된다. '곧지 않으면서도 사는 것은 요행히 면한 것일 뿐'이라는 구절(『논어』6, 「옹야」 17장)에서처럼, '망(곧지 않음)'에는 역시 죽음의 이치가 있다.

○仁者 雖有動時 其體 只自靜 知者 雖有靜時 其體 只自動

인자는 비록 움직일 때가 있지만 그 몸은 다만 원래 정적이고, 지자는 비록 고요할 때가 있지만 그 몸은 다만 원래 동적이다.

○仁 主發生 知 周事物 仁者 一身混然 全是天理 故 靜而樂山且壽 壽是悠久之意 知者 周流事物之間 故 動而樂水且樂 樂 是處得當理而不擾之意

인은 발생시키는 것을 주로 하는 것이고, 지는 사물을 두루 이해하는 것이다. 인자는 몸 전체가 혼연하여 모두가 천리이다. 그러므로 정적이고 산을 좋아하며 또한 장수한다. '수(오래 삶)'는 유구하다는 뜻이다. 지자는 만물의 사이를 두루 흐른다. 그러므로 동적이고 물을 좋아하며 또한 즐거워한다. '낙(즐거워함)'은 이치에 합당하게 처해 흔들리지 않는다는 뜻이다.

○雲峯胡氏曰 集註 事理義理四字 理一而已 一事 各具一理 故曰 事理在物爲理 處物爲義 故曰 義理 事無定用 含動意 義有定則 含靜意

운봉 호씨가 말했다. 집주의 '사리', '의리' 이 네 글자는 결국 다 '이' 하나일 뿐이다. 하나의 일은 각각 하나의 이치를 갖추고 있다. 그래서 '사리(일의 이치)'라 한다. (이가) 사물에 내재하면 이가 되고, 사물에 대처함에 있어서는 의가 된다. 그래서 '의리(올바름의 이치)'라 한다. 일에는 정해진 쓰임이 없기에 움직임의 뜻이 내포되어 있고, 의에는 정해진 원칙이 있기에 고요함의 뜻이 내포되어 있다.

【집주】

○程子曰 非體仁知之深者

정자가 말했다. 인과 지를 깊이 체득한 자가 아니라면,

【세주】

朱子曰 體仁 謂人在那仁裏 做骨子

주자가 말했다. 체인(인을 체득함)이란 사람이 그 인 안에서 뼈대를 형성한 것(잔뼈가 굵어진 것)이다.

○雙峯饒氏曰 體仁 是以身體之 如君子體仁之體 夫子 體仁知之深者

쌍봉 요씨가 말했다. 체인은 몸으로 체현한 것이니, 예컨대 군자가 체인한다고 할 때의 체이다. 공자는 인과 지를 깊이 체득한 자이다.

【집주】

不能如此形容之

이처럼 형용할 수 없다.

【세주】

程子曰 知 如水之流 仁 如山之安 動靜 仁知之體也 動則自樂 靜則自壽

정자가 말했다. '지'는 물의 흐름과 같고, '인'은 산의 편안함과 같다. 움직임과 고요함은 인(자)과 지(자)의 몸(에 관한 말)이다. 움직이면 저절로 즐겁고, 고요하면 저절로 오래 산다.

○知者樂水 仁者樂山 言其體動靜如此 知者樂 所運用處皆樂 仁者壽 以靜而壽 仁 可以兼知 知不可以兼仁 如人之身 統而言之 則只謂之身 別而言之 則有四支

지자는 물을 좋아하고 인자는 산을 좋아한다는 말은 그 몸의 움직임과 고요함이 이와 같음을 말한다. 지자가 즐겁다는 것은 움직이는 곳이 모두 다 즐겁다는 것이고, 인자가 오래 산다는 것은 고요하기 때문에 오래 산다는 것이다. 인은 지를 겸할 수 있지만 지는 인을 겸할 수 없다. 예컨대 사람의 몸을 통틀어 말한다면 다만 몸(인)이라고 하지만, 나누어서 말하자면 사지(인의예지)가 있는 것과 같다.

○朱子曰 惟聖人 兼仁知 故 樂山樂水 皆兼之 自聖人而下 成就 各有偏處

주자가 말했다. 오로지 성인만이 인과 지를 겸하셨기 때문에 산과 물을 다 좋아하셨다. 성인 이하는 성취한 것에 치우침이 있다.

○仁靜知動 易中說 仁者 見之陽也 知者 見之陰也 這樣物事 大抵 有兩樣 仁配春 知配冬 中庸說 成己 仁也 成物 知也 仁在我 知在物 孟子說 學不厭 知也 教不倦 仁也 又却知在我 仁在物 見得這樣物事 皆有動靜 自仁之靜知之動而言 則是成己 仁也 成物 知也 自仁之動知之靜而言 則是學不厭 知也 教不倦 仁也 仁者 敦厚和粹 安於義理 故 靜 知者 明徹疎通 達於事變 故 動 但 詳味仁知二字氣象 自見得動靜處 非但可施於文字而已

인은 정적이고 지는 동적이다. 『주역』에서는 "인자는 그것을 보니 양이고, 지자는 그것을 보니 음이다(『주역』, 「계사 상」 5장에 유사한 의미의 구절이 있음)"라고 했으니, 이러한 일에는 대개 두 가지 양상이 있어서 인은 봄과 짝이 되고 지는 겨울과 짝이 된다. 『중용』(25장)에서는 "나를 이루는 것은 인이고 사물을 이루는 것은 지이다"라 했으니, 인은 나에게 있고, 지는 사물에 있다. 맹자는 "배움에 싫증 내지 않는 것이 지이고 가르침에 게으르지 않은 것이 인이다(『맹자』4, 「공손추 상」 2장)"라고 했으니 또한 거꾸로 인은 남에게 있고 지는 나에게 있다. (이러한 말들을 통해서 보면) 이러한 일에는 모두 동과 정이 있음[인에도 동과 정이 있고 지에도 동과 정이 있음]을 알 수 있으니, 인의 정적 측면과 지의 동적 측면에서 말하자면 나를 이루는 것이 인이고 사물을 이루는 것이 지이고, 인의 동적 측면과 지의 정적 측면에서 말하자면 배움에 싫증을 내지 않는 것이 지이고 가르침에 게으르지 않은 것이 인이다. 인자는 돈후하고 온화하고 순수하여 의리에 편안한 까닭에 정적이고, 지자는 명철하고 소통하여 사물의 변화에 통달한 까닭에 동적이다. 단, 인과 지 두 글자의 기상을 자세하게 음미해보면 동적인 것과 정적인 것을 저절로 알 수 있으니, 단지 문자에 베풀 수 있는 것(이론적인 것)만은 아니다.

○知 便有箇快活底意思 仁 便有箇長遠底意思

지는 곧 쾌활한 뜻이 있고, 인은 유장한 뜻이 있다.

○知者動 然 他 自見得許多道理分明 只是行其所無事 其理甚簡 以此見得 雖曰動 而實未嘗不靜也 仁者靜 然 其見得天下萬事萬理 皆在吾心 無不相關 雖曰靜 而未嘗不動也 動 不是恁地勞擾紛擾 靜 不是恁地塊然死守 這與樊遲問仁知章 相連 自有互相發明處 問 此 是如何 曰 專去理會人道之所當行 而不惑於鬼神之不可知 便是見得日用之間 流行運轉 不容止息 胸中曉然無疑 這 便是知者動 處心下專在此事 都無別慮繫絆 見得那是合當做底事 只恁地做將去 是先難後獲 便是仁者靜

지자는 동적이다. 그러나 그는 스스로 허다한 도리를 분명히 알아서 다만 그 일없는 바(자연스러운 일)를 행할 뿐이니 그 이치가 매우 간명하다. 이로써 비록 동적이라고 하지만 그 실제는 일찍이 정적이지 않음이 없음을 알 수 있다. 인자는 정적이다. 그러나 천하의 만 가지의 일과 만 가지 이치가 모두 내 마음에 있어서 서로 관계되지 않은 것이 없음을 아니 비록 정적이라고는 하지만 일찍이 동적이지 않음이 없다. '동'이라는 것은 그렇게 수고롭고 어지럽고 분란하고 시끄러운 것이 아니고, '정'이라는 것은 그렇게 흙덩이처럼 죽어서 꼼짝 않는 것이 아니다. 이 장과 번지가 인과 지를 물은 장(앞 장)과는 서로 이어져서, 각자 서로 밝혀주는 바가 있다. 물었다. 그것(이 장과 번지가 인과 지를 물은 장의 연관성)은 어떤 것입니까? 답했다. 오로지 사람의 도리의 마땅히 해야 할 바만 이해해 나가고 귀신의 불가지함에 미혹되지 않는 것은 곧 평소의 삶에서 흘러가고 이리저리 움직여 그치거나 쉬는 것이 용납되지 않는다는 것을 알아 가슴속이 환하게 의심이 없는 것이니, 이것이 곧 지자의 '동'이다. 마음을 오로지 이 일에만 두어 다른 모든 것에는 얽매이지 않고, 그것이 마땅히 해야 할 일임을 알면 다만 그렇게 행해 나가는 것은 선난후획(어려움을 먼저로 하고 얻는 것을 나중으로 함)이니, 곧 인자의 '정'이다.

○問 體字 只作形容仁知之體段 則可 若作體用之體 則不可 仁之體 可謂之靜 則知之體 亦可謂之靜 所謂體者 但形容其德耳 曰 所論體用 甚善

물었다. '체' 자는 다만 인자와 지자의 몸을 형용할 때 쓴다면 괜찮지만, 체용의 체(본체의 의미)로 쓴다면 안 됩니다. 인의 본체가 고요한 것이라고 할 수 있다면, 지의 본체도 고요한 것이라고 할 수 있습니다(따라서 인자가 정적이고 지자가 동적이라는 것은 인과 지의 본체에 대한 말이 아니다). 소위 체라고 하는 것은 그 덕을 형용하는 것일 뿐입니다. 답했다. 체용을 논의한 것은 매우 좋다.

○南軒張氏曰 動靜者 仁知之體 樂水樂山 言其體則然也 動則樂 靜則壽 行所無事 不其樂乎 常永貞 固不其壽乎 雖然 知之體動 而理各有止 靜 固在其中矣 仁之體靜 而周流不息 動 亦在其中矣 仁知之義 非深體者 莫能識也

남헌 장씨가 말했다. 동정이란 인과 지의 본체(에 관한 말)이다. 산을 좋아하고 물을 좋아한다는 말은 그 몸이 그러하다는 말이다. 동적이면 즐겁고, 정적이면 오래 산다. 일없는 바를 행하니 즐겁지 아니하리오. 항상 오래 곧으니 진정 오래 살지 아니하리오. 비록 그러하나, 지의 본체는 동적이지만 이치에는 각기 그침이 있어 고요함이 원래 그 가운데 있다. 인의 본체는 정적이지만 두루 흘러 그치지 않으니 움직임이 또한 그 가운데 있다. 인과 지의 뜻을 깊이 체득한 자가 아니면 능히 알 수 없다.

○慶源輔氏曰 知者通達 故 周流委曲 隨事而應 各當其理 未嘗或滯於一隅 其理與氣 皆與水相似 故 心所喜好者 水 仁者安仁 故 渾厚端重 外物不足以遷移之 其理與氣 皆與山相似 故 心所喜好者 山 知者 隨事處宜 無所礙滯 故 其體段常動 仁者 心安於理 無所歆羨 故 其體段常靜 樂壽 以效言 效謂功效 此 所以言其功效也 括 結礙也 動而無所結礙 故 其效 樂 常 悠久也 靜而悠久不變 故 其效 壽

경원 보씨가 말했다. 지자는 통달하다. 그러므로 세세한 곳도 두루 흘러 일에 따라 각각 그 마땅한 이치로 대응하여 일찍이 한 모퉁이도 막히지 않으니, 그 이치와 기상이 모두 물과 서로 비슷하다. 그런 까닭에 마음이 좋아하는 것이 물이다. 인자는 안인(인을 편안히 여김)한다. 그러므로 혼후하고 단정 중후하여 바깥의 사물이 (그 뜻을) 옮기기에 부족하니, 그 이치와 기상이 산과 서로 비슷하다. 그런 까닭에 마음이 좋아하는 것이 산이다. 지자는 일에 따라서 마땅하게 대처해 막히는 바가 없으니, 그래서 그 몸이 항상 동적이다. 인자는 그 마음이 이치에 편안하고, 선망하고 부러워하는 바가 없으니, 그 몸이 항상 정적이다. 낙과 수(즐거워함과 오래 삶)는 그 효과를 말하는 것이다. 효과란 공효(성과)를 의미하니 이것(낙과 수)은 그 공효를 말한 것이다. '괄'은 매이는 것이다. 움직여서 매인 바가 없으니, 그런 까닭에 그 효과는 즐거움이 된다. '상'은 유구함이다. 고요하되 유구하여 변하지 않는 까닭에 그 효과는 오래 사는 것이 된다.

○新安陳氏曰 夫子 以知者仁者分言 程子 以仁知合言 所謂體仁知之深者 蓋 指孔子也 全體仁知 渾然兼全 仁中有知 知中有仁 動而無動 靜而無靜 固得其壽 亦樂其天 豈偏於知與偏於仁者 各得其一端而已哉

신안 진씨가 말했다. 공자께서는 지자와 인자를 나누어 말씀하셨고, 정자는 지자와 인자를 합하여 말했다. 인과 지를 깊이 체득한 자란 대개 공자를 가리키는 것이다. (공자는) 인과 지를 온전히 체득하여 혼연히 모두 겸했으니, 인 가운데 지가 있고, 지 가운데 인이 있고, 움직이되 움직이지 않고, 고요하되 고요하지 않아서 진정 오래 살 수 있었고 또 하늘(의 운명)을 즐길 수 있었다. 어찌 지에 편중되고 인에 편중된 자가 각각 그 한쪽만을 얻은 것일 뿐이랴(공자는 겸전한 성인이지 편중된 사람이 아니다).

6.22 子曰 齊一變 至於魯 魯一變 至於道

공자께서 말씀하셨다. 제나라가 일변하면 노나라에 이르고, 노나라가 일변하면 도에 이른다.

【집주】

孔子之時 齊俗 急功利 喜夸詐 乃覇政之餘習 魯 則重禮敎 崇信義 猶有先王之遺風焉

공자의 시대에 제나라의 풍속은 공리에 급급하고 과장과 거짓을 좋아했으니 패도정치의 남은 습속이다. 노나라는 예교를 중시하고 신의를 숭상했으니 아직도 선왕의 유풍이 있었다.

【세주】

雙峯饒氏曰 俗 由於政 桓公 富國强兵 故 其俗 急功利 假借仁義 故 其俗 喜夸詐 魯 周公之後 周禮盡在 其重禮法 可知 至漢初 猶爲項羽城守不下 其崇信義 可知

쌍봉 요씨가 말했다. 풍속은 정치로부터 말미암는다. (제) 환공이 부국강병을 했기 때문에 그 습속이 공리에 급급했고, 거짓으로 인의를 빌렸기 때문에 그 습속이 과장과 거짓을 좋아했다. 노나라는 주공의 후예로, 주례(주나라의 의례)가 모두 그곳에 있었으니, 예법을 중시했음을 알 수 있다. 한초에 이르러서는 항우를 위하여 성을 지켜 함락되지 않았으니, 신의를 숭상했음을 알 수 있다.

【집주】

但 人亡政息 不能無廢墜耳 道 則先王之道也 言二國之政俗 有美惡 故 其變而之道 有難易

단, 사람은 사라지고 정치는 그쳤으니, 쇠퇴하고 추락함이 없을 수 없었다. '도'는 곧 선왕의 도이다. 두 나라의 정치와 풍속은 아름다움과 추악함(의 차이)이 있으니, 그런 까닭에 변해서 도로 나아가는 데는 어려움과 쉬움(의 차이)이 있다는 말이다.

【세주】

慶源輔氏曰 廢其法而衰替者 易復 更其法而富强者 難變 俗以政革 政以道

恊 政有美惡 故 俗有醇疵 至於變而之道 則盡善盡美 無以復加矣

경원 보씨가 말했다. 그 법이 해이해져서 쇠퇴한 자는 쉽게 회복할 수 있다. 그 법을 바꾸고 부강해진 자는 변하기 어렵다. 풍속은 정치에 의해 변혁되고, 정치는 도에 의해 적합하게 된다. 정치에 아름다움과 추악함이 있는 까닭에 풍속에 순후함과 흠결이 있다. 변하여 도로 나아감에 이르면 완전히 선하고 완전히 아름다워 다시 더 보탤 것이 없다.

○雲峯胡氏曰 先儒云 王伯之辨 莫如孟子 不知夫子 此章所以辨王伯者嚴矣 道 王道也 當孔子之時 齊 有伯政之餘習 變而之王道 極難 變而僅可如孔子之時之魯耳 魯 則猶有先王之遺風 一變可至於道 集註 政俗有美惡 美者 先王之遺風 惡者 伯政之餘習 卽此 可見尊王賤伯之意

운봉 호씨가 말했다. 선유들이 왕도와 패도의 분별은 맹자만 한 것이 없다고 했지만, 그러나 공자께서 이 장에서 왕도와 패도를 분별한 것이 엄격하다는 것을 몰라서 그런 소리를 한 것이다. (여기서 말하는) '도'는 왕도이다. 공자 당시에 제나라는 패도정치의 남은 습속이 있었으니 변하여 왕도에 이르는 것은 지극히 어려웠고, 변하면 겨우 공자 시대의 노나라 정도가 될 수 있었을 뿐이다. 노나라는 아직도 선왕의 유풍이 남아 있었으니 한 번 변하면 도에 이를 수 있었다. 집주에서는 정치와 습속에 아름다움과 추악함이 있다고 했는데, 아름다움이란 선왕의 유풍이고 추악함이란 패도정치의 남은 습속이다. 이에 의거하여 왕도를 높이고 패도를 천하게 여긴 뜻을 알 수 있다.

【집주】

○程子曰 夫子之時 齊强魯弱 孰不以爲齊勝魯也 然 魯 猶存周公之法制 齊 由桓公之霸 爲從簡尙功之治去聲 **太公之遺法 變易盡矣**

정자가 말했다. 공자 당시에 제나라는 강하고 노나라는 약했으니, 누가 제나라가 노나라보다 낫다고 생각하지 않았겠는가. 그러나 노나라는 아직도 주공의 법제를 보존했고, 제나라는 환공의 패도로 말미암아 간략함을 좇고 공리를 숭상하는 정치를 했으니 태공이 남긴 법은 모두 다 변해버렸다.

【세주】

魯齋王氏曰 閔元年 齊仲孫湫 謂桓公曰 魯 猶秉周禮 哀十一年 季孫 欲用田賦 使冉有訪諸仲尼 仲尼曰 且子季孫欲行而法 則周公之典在 昭二年 晉韓宣子 適魯 見易象與魯春秋 曰 周禮盡在魯矣 吾 乃今知周公之德 與周之所

以王 此 所謂猶存周公之法制也 國語 管仲爲政 制國爲二十一都 註云 此非周制 不立卒伍 不脩甲兵 作內政而寄軍令 則可速得志於天下 註云 內政國政也 此 所謂從簡也 桓公 令官長期而書伐 蓋 期年報功 此 所謂尙功者也

노재 왕씨가 말했다. 민공 원년에 제나라 중손추가 환공에게 "노나라는 아직도 주례를 지키고 있다"고 했다. 애공 11년 계손씨가 전부(토지에 근거한 세금제도)를 쓰려고 염유로 하여금 공자를 방문케 했는데, 공자께서 "만약 계손이 (무엇인가를) 모범으로 삼아 행하려 한다면 주공의 법전이 있다"라고 하셨다. 소공 2년에 진나라 한선자가 노나라에 와서 역상과 노나라 춘추를 보고 "주례가 노나라에 다 있구나. 내가 지금 주공의 덕과 주나라가 왕 노릇 한 까닭을 알겠다"라고 했다. 이것이 이른바 아직도 주공의 법제가 남아 있다는 것이다. 『국어』(6, 「제어」)에 보면 "관중이 정치를 하면서 나라의 제도를 21도로 했다"고 했는데, (이에 대한) 주석에서는 "이것은 주의 제도가 아니다"라 했고, "졸오(군대의 편제)를 세우지 않고, 갑병(무장한 병사)을 닦지 않고, 내정을 하면서 군령에 의존하면 속히 천하에 그 뜻을 얻을 수 있다"라고 했는데 주석에서는 "내정이란 곧 국정이다"라 했다. 이것이 이른바 간략함을 좇았다는 것이다. 환공이 관장(지방관)들에게 명하여 기한을 두고 공로를 기록하게 했는데, 이것은 대개 한 해를 기간으로 하여 공을 보고하게 한 것이니, 이것이 이른바 공리를 숭상했다는 것이다.

【집주】

故 一變 乃能至魯 魯 則修擧廢墜而已 一變 則至於先王之道也 愚謂 二國之俗 惟夫子 爲能變之而不得試 然 因其言以考之 則其施爲緩急之序 亦略可見矣

그러므로 일변하면 곧 노나라에 이를 수 있다. 노나라는 쇠퇴하고 추락한 것을 닦고 일으키기만 하면 되니, 일변하면 선왕의 도에 이르게 된다. 내가 생각건대 두 나라의 풍속은 오직 공자만이 능히 그것을 변화시킬 수 있지만 시도해보지 못하셨다. 그러나 그 말씀에 근거해 생각해보면, 또한 그 시행의 완급의 순서를 대략 알 수 있다.

【세주】

朱子曰 齊 經小白 法度盡壞 今須一變 方可至魯 又一變 方可至道 魯 却不曾變壞 但典章廢墜而已 若得人以脩擧之 則可以如王道盛時也

주자가 말했다. 제나라는 소백의 시기를 지나면서 법도가 완전히 무너졌으니, 지금 모름지기 한 번 변해야 비로소 노나라에 이를 수 있고, 또 한 번 변해야 비로소 도에 이를 수 있다. 노는 오히려 아직 변하여 무너지지는 않았고, 단지 법과 제도가 해이해졌을 뿐이니, 만약 (마땅한) 사람을 얻어 닦고 일으킨다면 왕도가 번성했을 때와 같아질 수 있을 것이다.

○太公之封於齊也 擧賢而尙功 孔子曰 後世必有篡弑之臣 周公治魯 親親而尊尊 孔子曰 後世寖微矣 齊 自太公初封 已自做得不大段好 至後桓公管仲出來 乃大變亂拆壞一番 魯 雖是衰弱不振元舊底 却不大段改換 欲變齊則須先整理已壞了底 方始如魯 方可以整頓起來 這 便隔了一重 變魯 只是扶衰振弱而已 若論魯 如左傳所載有許多不好事 只是恰不曾被人拆壞 恰似一間屋 其規模只在 齊 則已經拆壞了 這 非獨是聖人要如此損益 亦是道理合當如此

태공이 제나라에 봉해짐에 현자를 등용하고 공을 숭상했으니, 공자께서 말씀하시기를 "후세에 반드시 찬탈하고 시해하는 신하가 있을 것이다"라 하셨고, 주공이 노나라를 다스림에 친한 자를 친애하고 존귀한 자를 존숭했으니, 공자께서 말씀하시기를 "후세에 쇠약해질 것이다"라고 하셨다. 제나라는 태공이 처음 봉해졌을 때부터 이미 본래 대단히 잘해내지는 못했다. 그 후에 환공과 관중이 나옴에 이르러서는 마침내 크게 변란을 일으켜 (법도가) 한 번 완전히 무너졌다. 노나라는 비록 쇠약하여 원래의 옛것을 떨치지는 못했으나, 오히려 크게 바꾸지는 않았다. 제나라를 변화시키고자 한다면, 모름지기 이미 무너진 것을 정리해야 비로소 노나라와 같아져 비로소 정돈하기 시작할 수 있다. 이것은 곧 두 단계가 떨어져 있는 것이다. 노나라를 변화시키는 것은 단지 쇠약한 것을 부축하고 약한 것을 떨치게 하는 것뿐이다. 노나라를 논한다면, 『좌전』에 기록되어 있는 수많은 좋지 않은 일들이 있지만, 일찍이 사람들에게 파괴당하지는 않은 것 같으니 마치 한 칸 집이 그 규모는 아직 남아 있는 것과 비슷하다. (반면) 제나라는 이미 완전히 무너져버렸다. 이것은 성인께서 단지 이처럼 덜고 더하시려는 것일 뿐만 아니라, 또한 이렇게 해야 도리에 합당하다는 것이다.

○齊魯 初來氣象已自不同 桓公管仲 不能遵守齊之初政 却全然變易了 一向盡在功利上 魯 畢竟先世之遺意尙存 如哀公用田賦 猶使人來問孔子 他若以田賦爲是 更何暇問 惟其知得前人底是 所以 來問 若桓公管仲 却無這意思 自道他底是了 一向做去不顧

제와 노는 처음부터 기상이 이미 서로 같지 않았다. 환공과 관중은 제나라의 처음 정치를 준수하지 못하고 오히려 완전히 바꾸어 버렸는데, (그 관심이) 쭉 공리에 있었다. 노는 필경 선조 세대가 남긴 뜻이 아직도 남아 있었다.

예컨대 애공이 전부(토지에 근거한 세금제도)를 쓰려 할 때 오히려 사람을 보내 공자께 물었는데, 만약 그가 전부를 시행하는 것이 옳다고 생각했다면 무슨 틈에 (공자께) 그것을 물었겠는가? 단지 옛사람의 제도가 옳은 것인 줄 알고 있었기에 와서 물었던 것이다. 환공과 관중의 경우에는 전혀 그럴 뜻이 없어 스스로 자신의 것이 옳다고 말하면서 쭉 그대로 해 나가 돌아보지 않았다.

○以地言之 則齊險而魯平 以財言之 則齊厚而魯薄 以勢言之 則齊强而魯弱 以信言之 則齊尙夸詐而魯習禮義 蓋 其風氣 本不同矣 是以 自其本而言之 則雖太公之盛時 已必一變 而後可以至於周公伯禽之王道 自其末而言之 則齊俗益壞之後 又必一變 而後可以及魯之衰也 然 當是時 非夫子之得邦家 亦孰能成此一變之功哉

땅으로 말한다면 제나라는 험하고 노나라는 평탄하다. 재정으로 말한다면 제나라는 두텁고 노나라는 박하다. 세력으로 말한다면 제나라는 강하고 노나라는 약하다. 믿는 것(어떤 것을 좋다고 여기는 신념)으로 말한다면 제나라는 자랑하고 속이기를 숭상하고, 노나라는 예의에 익숙하다. 그러니 대개 그 기풍이 본래 같지 않다. 그러므로 그 근본으로 말하자면 (제나라는) 비록 태공의 성세라 하더라도 이미 반드시 한 번 변한 후에야 (노나라의) 주공과 백금의 왕도정치에 이를 수 있다. 그 말단으로 말하자면 제나라의 풍속은 더욱 붕괴된 후이니, 또한 한 번 변해야 (겨우) 노나라의 쇠퇴한 수준에 이를 수 있다. 그러나 이 당시에 공자께서 나라를 얻지 못하셨으니 또 누가 능히 이 일변의 공을 이룰 수 있었으리오.

○問 施爲緩急之序 如何 曰 如齊功利之習 所當變 魯紀綱 所當振 便是急處 變齊則至魯 在所急 而至道 在所緩 至魯 則成箇璞了 就上出光采

물었다. 시행의 완급의 순서는 어떠합니까? 답했다. 예컨대 제나라의 공리를 숭상하는 습속은 마땅히 변해야 하는 것이고, 노나라의 기강은 마땅히 진흥시켜야 하는 것이니 이것이 곧 급한 곳이다. 제가 변해 노에 이르는 것은 급한 일에 해당되고, 도에 이르는 것은 천천히 해도 되는 일이다. 노에 이르면 바탕을 이룬 것이니 곧 올라가 광채를 내게 된다.

○潛室陳氏曰 王道 猶人之元氣 齊魯之初 均有此元氣 只緣中間 元氣 各受些病 齊求速安 不於元氣調養 便以烏喙投之 一時却得康强 不知元氣已被此壞了 魯 未曾用藥 元氣却未壞 聖人 與調理出 便自渾然本來箇人 齊 元氣已耗於烏喙 醫欲治之 定須先去了烏喙一段毒 始下得調理方法 齊魯 俱是

聖賢之後 本都是王道 但 魯 則中間廢壞 不曾脩葺 不曾改易周公法制 故 聖人 變魯一番 便可復王道之舊 齊 自桓公以來 一反爲功利之習 把太公遺 法一齊變了 設若變齊 須除去許多功利了 重新脩葺一番 始可復王道之舊 故 變魯 只用一許多氣力 變齊 須用兩許多氣力

잠실 진씨가 말했다. 왕도는 사람의 원기와 같다. 제나라나 노나라의 초기에는 모두 이 원기가 있었다. 그러나 중간에 원기가 약간의 병을 얻었기 때문에 제나라는 빨리 편안해지기를 구하여 원기를 조섭하여 기르지 않고 오훼(독약)를 투약했으니, 일시적으로는 강건해졌지만 원기가 이것 때문에 이미 파괴되었다는 것은 몰랐다. 노나라는 약을 사용한 적이 없어서 원기가 오히려 아직 파괴되지 않았으니, 성인께서 참여해 병을 치료해내시면 곧 당연히 혼연한 본래의 사람이 된다. 제나라는 원기가 이미 오훼에 의해 소모되어서 의사가 이를 치료하려면 반드시 먼저 오훼의 독 한 덩이를 제거해야 비로소 치료방법을 쓸 수 있다. 제와 노는 모두 성현의 후예이니, 본래는 모두 왕도였다. 단, 노나라는 중간에 해이해졌는데 수선하지 않았을 뿐, 주공의 법제를 고쳐버린 것은 아니기 때문에 성인께서 한 번 노나라를 변화시킨다면 가히 왕도의 옛 모습을 회복할 수 있다. 제나라는 환공 이래로 한 번 뒤집어져 공리(추구)의 습속이 되어 태공의 유법을 모조리 바꾸어 버렸다. 만약 제나라를 변화시키려고 한다면 모름지기 허다한 공리를 제거하고, 거듭 새로이 수리를 한 번 해야 비로소 다시 왕도의 옛 모습을 회복할 수 있다. 그러므로 노를 변화시키는 것은 다만 한 번 많은 기력을 쓰면 되지만, 제를 변화시키는 것은 반드시 두 번 많은 기력을 써야 한다.

○新安陳氏曰 魯 有變易之資 聖人 有能變之道 亦嘗用於魯矣 而道 終不得行 所以深可爲魯惜也

신안 진씨가 말했다. 노나라는 바꿀 수 있는 밑천이 있었고, 성인께서는 바꿀 수 있는 방도가 있으셨고, 또 일찍이 노나라에 쓰인 적도 있으셨다. 그런데도 도는 끝내 행해지지 못했으니, 노나라를 위해 깊이 애석해 할 만한 일이다.

6.23 子曰 觚 不觚 觚哉 觚哉 觚 音孤

공자께서 말씀하셨다. 고가 모나지 않으면 고이랴, 고이랴.

【집주】

觚 棱也 或曰 酒器

'고'는 모난 것이다. 혹자는 술잔이라고 하고

【세주】

厚齋馮氏曰 觚 酒器 一升 曰爵 二升 曰觚 觚 物之有楞者也

후재 풍씨가 말했다. 고는 술 담는 그릇인데, 한 되짜리는 작이라고 하고 두 되짜리는 고라고 한다. 고는 모서리가 있는 물건이다.

○洪慶善曰 古者 獻以爵 而酬以觚 此 夫子 因獻酬之際 有所感也

홍경선이 말했다. 옛날에 잔을 올릴 때는 작으로 했고, 술잔을 돌릴 때는 고로 했다. 이는 공자께서 헌수할 때에 느낀 바가 있어 (이렇게 말씀하신 것이다).

【집주】

或曰 木簡

혹자는 목간이라고 하는데,

【세주】

厚齋馮氏曰 顔師古曰 學書之牘 或以記事 削木爲之 其形 或六面 或八面 皆可書 孔子嘆 卽此也 竊謂 觚爲酒器 見於禮經 爲木簡 見於漢急就章 則謂爲簡屬者 秦漢以後之稱 非孔子所謂也 木簡之觚 今文從簱

후재 풍씨가 말했다. 안사고는 "글 배우는 목간은, 혹 일을 기록하기도 하는데, 나무를 깎아 만든다. 그 형태는 혹은 6면, 혹은 8면이니 모두 글을 쓸 수 있다. 공자께서 탄식하신 것은 이것(목간)이다"라 했다. 내가 가만히 생각건대, 고를 술그릇이라고 한 예는 예경에 보이고, 목간이라고 한 예는 한대의

『급취장』에 보이니, 그렇다면 목간이라고 하는 것은 진한 이후에 그렇게 부른 것이고, 공자께서 말씀하신 것은 아니다. 목간으로서의 고는 요즈음 글에서는 '고(觚)'를 따른다.

【집주】

皆器之有稜者也

모두 기구로서 모가 있는 것이다.

【세주】

朱子曰 古人之器 多有觚 如酒器 便如今花瓶 中間有八角者 木簡 似界方而六面 卽漢所謂操觚之士者也 古人所以恁地 方時 緣是頓得穩

주자가 말했다. 옛날 사람들의 그릇은 모난 것이 많았다. 주기의 경우에는 마치 지금의 화병처럼 중간에 팔각이 있었다. 목간은 경계가 네모나면서 면은 여섯이니, 즉 한나라 때 '조고지사(고를 다루는 선비, 즉 학자)'라 할 때의 고이다. 옛사람들이 그렇게 한 까닭은 각이 졌을 때라야 이로 인하여 놓아두어도 넘어지지 않기 때문이다.

【집주】

不觚者 蓋 當時失其制 而不爲稜也 觚哉觚哉 言不得爲觚也

'불고(모나지 않음)'라 함은 대개 당시 그 제도를 잃어서 모나지 않았기 때문이다. '고이랴, 고이랴'라 하신 것은 (규격을 잃어) 고라고 할 수 없다는 말씀이다.

○程子曰 觚而失其形制 則非觚也正意 擧一器 而天下之物 莫不皆然

정자가 말했다. 고가 그 형태의 제도를 잃으면 고가 아니다. <(경문) 본래의 뜻이다.> 그릇 하나를 들어 말한 것이지만, 천하의 사물이 모두 그렇지 않은 것이 없다.

【세주】

新安陳氏曰 此下 及范說 皆是推廣夫子言外餘意

신안 진씨가 말했다. 이 이하와 범씨의 설은 모두 공자 말씀의 남은 뜻(숨은 뜻)을 미루어 넓혀 해석한 것이다.

【집주】

故 君而失其君之道 則爲不君 臣而失其臣之職 則爲虛位 范氏曰 人而不仁 則非人 國而不治去聲 則不國矣

그러므로 임금이 임금의 도리를 잃으면 임금이 아니게 되고, 신하가 신하의 직분을 잃으면 헛된 자리가 된다. 범씨가 말했다. 사람이 인하지 않으면 사람이 아니고, 나라가 다스려지지 못하면 나라가 아니다.

【세주】

朱子曰 夫子之意 本爲觚發 而推之 則天下之物 皆然也 上觚 指其器 下觚 語其制 觚哉觚哉 嘆器之失其制也

주자가 말했다. 공자의 뜻은 원래 고 때문에 나온 것이지만, 그것을 미루어보면 천하의 모든 것이 다 그러하다. 위의 고는 그 그릇을 가리킨 것이고, 아래의 고는 그 제도를 말한 것이다. '고이랴, 고이랴'라고 한 것은 그릇이 그 제도를 잃어버린 것을 탄식하신 것이다.

○南軒張氏曰 物 必有則 苟失其則 實已非矣 其得謂是名哉 聖人 重嘆於觚 意所包涵 遠矣

남헌 장씨가 말했다. 사물에는 반드시 법칙이 있으니, 그 법칙을 잃어버리면 실지로는 이미 그것이 아니다. 그러니 그것이 어찌 그 이름으로 불릴 수 있겠는가? 성인께서 거듭 고에 대해 탄식하신 것은 그 포함된 의미가 심원하다.

6.24 宰我問曰 仁者 雖告之曰 井有仁焉 其從之也 子曰 何爲其然也 君子 可逝也 不可陷也 可欺也 不可罔也

재아가 물었다. 인자는 비록 우물에 사람이 있다고 알려 주더라도 따라 들어갈 것입니다. 공자께서 답하셨다. 어찌 그렇겠느냐? 군자는 가게 할 수는 있어도 빠지게 할 수는 없고, 속일 수는 있어도 우롱할 수는 없다.

【집주】

劉聘君曰聘君 名 勉之 字 致中 號 草堂 建安人 文公婦翁 有仁之仁 當作人 今從之 從 謂隨之於井而救之也 宰我 信道不篤 而憂爲仁之陷害 故 有此問 逝 謂使之往救 陷 謂陷之於井 欺 謂誑古況反之以理之所有 罔 謂昧之以理之所無 蓋 身在井上 乃可以救井中之人 若從之於井 則不復扶又反能救之矣 此理 甚明 人所易去聲曉 仁者 雖切於救人 而不私其身 然 不應平聲如此之愚也

유빙군은<빙군은 이름은 면지이고 자는 치중이며 호는 초당이다. 건안인이며 문공(주희)의 장인이다.> '유인(有仁)'에서의 인(仁)은 마땅히 인(人)으로 써야 한다고 했는데, 지금 그 설을 따랐다. '종'은 우물에 따라 들어가서 구해낸다는 말이다. 재아는 도를 믿는 것이 돈독하지 못하여 인 때문에 손해에 빠지는 것에 대해 걱정했다. 그런 까닭에 이런 질문을 한 것이다. '서'는 그로 하여금 가서 구하게 하는 것을 말하고, '함'은 그를 우물에 빠뜨리는 것을 말한다. '기'는 이치에 맞는 것을 가지고 속이는 것을 말한다. '망'은 이치에 맞지 않는 것을 가지고 우롱하는 것을 말한다. 대개 몸이 우물 위에 있어야 우물 안의 사람을 구할 수 있다. 만약 우물 안에 따라 들어간다면, 다시는 구할 수 없다. 이 이치는 매우 명백해서 사람들이 쉽게 깨달을 수 있는 것이다. 인자는 비록 사람 구하기에 절박하여 그 몸을 돌보지는 않겠지만, 그러나 응당 이처럼 어리석지는 않다.

【세주】

或問 可欺 是繼可逝而言 不可罔 是繼不可陷而言否 朱子曰 也是如此 但可逝不可陷 是就這一事說 可欺不可罔 是總說 不特此事如此 他事 皆然

혹자가 물었다. '가기(속일 수 있다)'라고 하는 것은 '가서(가게 할 수 있다)'와 이어서 하는 말씀이고, '불가망(우롱할 수 없다)'이라는 것은 '불가함(빠뜨릴 수 없다)'과 이어서 하는 말씀 아닙니까? 주자가 답했다. 또한 그렇다. 단, 가게 할 수는 있지만 빠지게 할 수는 없다는 것은 이 일 하나에 관해 말씀하신 것이고, 속일 수는 있지만 우롱할 수는 없다는 것은 포괄적으로 말씀하신 것이니, 단지 이 일에서만 그렇다는 것이 아니라 다른 일도 모두 그렇다는 말이다.

○問 欺罔之別 其詳 復有可得而言者乎 曰 欺者 乘人之所不知而詐之也 罔者 掩人之所能知而愚之也 夫 人之墜井 世有此理 而其有無 則非君子所能必知 故 雖或未必眞有 而可欺使往視之也 自入井中而可以救人 則其無是理也 蓋 不待智者而知之矣 又安得以此罔之 而使陷於井中哉 孟子之論舜子産事 亦引此語以彼證之 則明白矣 曰 往視而 井實有人 則如之何 曰 蘇氏之說 所以處於輕重緩急之間者 密矣 蘇氏云 拯溺 仁者之所必爲也 殺其身 無益於人 仁者之所必不爲也 惟君父在險 則臣子 有從之之道 然 猶挾其具 不徒從也 事迫而無具 雖徒從可也 其餘 則使人拯之 要以窮力所至

물었다. '기(속임)'와 '망(우롱함)'의 구분에 관해 다시 또 더 상세하게 말할 수 있겠습니까? 답했다. '기'라고 하는 것은 사람의 무지함을 틈타 사기를 치는 것이고, '망'이라는 것은 사람이 알 수 있는 것을 숨겨서 우롱하는 것이다. 무릇 사람이 우물에 빠지는 것은 세상에 있을 법한 일이지만, (실제 그런 일이) 있는지 없는지는 군자라고 꼭 알 수 있는 것은 아니다. 그러므로 비록 반드시 진짜로 그러한 일이 있지는 않다 하더라도, (군자를) 속여서 거기까지 가보게 할 수는 있다. 스스로 우물 안에 들어가서 사람을 구하는 것은 그런 이치가 없다(가능하지 않다). 대개 (이것의 불가능성은) 굳이 지혜로운 자가 아니라도 알 수 있는 것인데 어찌 이것으로 (군자를) 우롱해 우물 안에 빠지게 할 수 있겠는가? 맹자가 순임금과 자산에 대하여 논의할 때에도 이 말을 인용하여 그것을 증명했으니, (이는) 명백하다. 또 물었다. 가서 보았더니 우물에 실제로 사람이 있다면 어떻게 합니까? 답했다. 소씨의 설에서 말한 경중완급의 사이에 대처하는 방법은 자세하다. 소씨는 말하기를 "물에 빠진 사람을 구하는 것은 인자가 반드시 해야 할 일이고, 자신은 죽이면서 남에게는 아무 도움을 주지 못하는 행동은 인자가 절대로 해서는 안 되는 일이다. 다만 임금이나 아버지가 위험에 빠지면 신하와 자식은 쫓아가야 한다는 법이 있다. 그러나 도구를 가지고 가야지, 맨손으로 쫓아가서는 안 된다. 사태는 절박하고 도구는 없다면, 비록 맨손이라도 쫓아가도 된다. 그 나머지 경우에는 다른 사람으로 하여금 그를 구하도록 한다. 요컨대 자라는 데까지 힘을 다해야 한다"라 했다.

○雲峯胡氏曰 愛 不足以盡仁 仁者 必能愛 覺 不可以名仁 仁者 必能覺 然則仁者之愛也 可欺之使之往救 仁者之覺也 不可罔之使陷於井也

운봉 호씨가 말했다. 사랑이 인의 모든 것이라고 하기에는 부족하지만, 인자는 반드시 능히 사랑한다. 지각 있음을 인이라고 이름할 수는 없지만, 인자는 반드시 능히 지각 있다. 그러니 인자의 사랑 때문에 속여서 구하러 가게 할 수는 있지만, 인자는 지각이 있기 때문에 우롱하여 우물에 빠지게 할 수는 없다.

○新安陳氏曰 好仁 不好學 其蔽 固愚 然 徒有切於救人之心 而不察所以救人之理 仁者 不當如是其愚 是故 貴夫學也

신안 진씨가 말했다. 인을 좋아하면서도 배움을 좋아하지 않는 것의 폐단은 고루하고 어리석어지는 것이다. 그러니 헛되이 사람을 구하려는 마음에만 절실하고 사람을 구하는 이치를 살피지는 못한다. 인자는 당연히 이렇게 어리석지 않다. 그런 까닭에 무릇 배움을 귀하게 여기는 것이다.

6.25 子曰 君子 博學於文 約之以禮 亦可以弗畔矣夫

夫 音扶

공자께서 말씀하셨다. 군자가 문(지식)을 널리 배우고 예로써 요약하면, 또한 (도에) 위배되지 않을 수 있으리라.

【집주】

約 要去聲也 畔 背音佩也 君子 學欲其博 故 於文無不考 守欲其要 故 其動必以禮 如此 則可以不背於道矣

'약'은 요약하는 것이고, '반'은 위배되는 것이다. 군자는 배움에 있어서는 넓기를 바라기 때문에 문에 대해 고찰하지 않는 것이 없고, 지킴에 있어서는 요약하기를 바라기 때문에 그 행동은 반드시 예로써 한다. 이처럼 하면 도에 위배되지 않을 수 있다.

【세주】

朱子曰 聖人之教 學者之學 不越博文約禮兩事 博文 是道問學之事 於天下事物之理 皆欲其知之 約禮 是尊德性之事 於吾心固有之理 無一息而不存

주자가 말했다. 성인께서 가르치신 것과 배우는 자가 배우는 것은 '박문(문을 널리 배움)'과 '약례(예로써 요약함)' 이 두 가지를 넘지 않는다. 박문은 '도문학(묻고 배우는 것을 길로 삼음)'의 일이니 천하 사물의 이치에 대해 모두 알고자 하는 것이다. 약례는 '존덕성(덕성을 존중함)'의 일이니 내 마음이 본래부터 가지고 있는 이치를 한순간도 보존하지 않음이 없도록 하는 것이다.

○博文 所以驗諸事 約禮 所以體諸身 如此用工 則博者 可以擇中而居之不偏 約者 可以應物而動皆有則 內外交相助 而博 不至於泛濫無歸 約 不至於流遁失中矣

박문은 일에 증험하는 것이고, 약례는 자신의 몸에 체득하는 것이다. 이와 같이 공부하면, 넓음은 가히 중정한 것을 택해 편중되지 않게 자리할 수 있게 하고, 요약함은 가히 사물에 응하여 움식임에 모두 법칙이 있게 한다. (그리하여) 내외가 서로 도와, 넓음이 (지나쳐서) 범람하여 돌아갈 곳이 없는 사태에 이르지 않고, 요약함이 (지나쳐서) 은둔으로 흘러 그 중정함을 잃게 되는 사태에 이르지 않는다.

○禮字 不可只作理字看 是持守有節文處

(여기에서의) '예' 자는 단지 '이' 자로 보아서는 안 되니[이론적으로 정리, 요약한다는 뜻으로 해석해서는 안 되니], 지킴에 절문(규범)이 있는 것이다.

○非博學 則無以約禮 不約禮 則博學爲無用 約禮云者 前之博 而今約之使就於禮耳 看博約字 與之以字 有一貫意

박학하지 않으면 약례할 것이 없고, 약례하지 않으면 박학은 쓸모가 없다. 약례라고 말한 것은 전에는 넓었지만 지금은 요약해서 예로 나아가게 한다는 뜻이다. '박' 자와 '약' 자를 '이(以)' 자와 함께 보면(박문과 약례를 '이' 자로 연결시켜보면), 일관(하나로 꿰뚫음)의 뜻이 있다.

○勉齋黃氏曰 博文約禮語 兩言之 以博對約 則約當爲要 然 約之謂爲要之已覺不順 若謂約我爲要我 則尤非文理 故 或以約爲束 文義順矣 又非博約相對之義 嘗思之 博 謂泛而取之以極其廣 約 謂反而束之以極其要 則於文義 庶皆得之

면재 황씨가 말했다. 박문과 약례라는 말은 두 가지를 말하는 것이다. 박을 약과 대립되는 것으로 본다면, 약은 요(요약하다)가 되어야 한다. 그러나 '약지'라는 말을 '요지(요약한다)'로 본다면 의미가 순조롭지 않음을 느끼게 된다. (약을 요로 해석해) 예컨대 '약아'를 '요아'라고 한다면, 더욱 문리에 맞지 않는다[본 장과 유사한 구절로 '박아이문 약아이례(博我以文 約我以禮: 나를 문으로 넓혀주시고 예로 제약하셨다. 『논어』9, 「자한」 10장)'라는 구절이 있는데 거기서의 '약아'를 '요아'로 보면 문리에 맞지 않는다]. 그러므로 혹시 '약' 자를 '속(단속함, 제약함)' 자로 해석한다면 글의 의미는 순조롭다. (그렇기는 하지만) 또 박과 약이 서로 상대된다는 의미는 없어진다. 일찍이 생각건대, 박은 넓게 취하여 그 넓음을 극대화한다는 의미로 보고, 약은 돌이켜 단속해 요약함을 극대화한다는 의미로 보면 글의 의미가 거의 모두 통한다[박을 넓음과 넓힘의 두 의미의 통합으로, 약을 요약함과 제약함의 두 의미의 통합으로 해석하면 의미가 통한다].

【집주】

○程子曰 博學於文 而不約之以禮 必至於汗漫 博學矣 又能守禮

而由於規矩 則亦可以不畔道矣

정자가 말했다. 문을 널리 배우면서도 예로써 요약하지 못한다면, 반드시 방만함에 이른다. 널리 배우고 또 예를 지켜 규범으로 말미암을 수 있다면(규범에 입각해 행동할 수 있다면), 또한 가히 도에 위배되지 않을 수 있다.

【세주】

朱子曰 博學於文 考究時 自是頭項多 到得行時 却只是一理 所以爲約 若博學而不約之以禮 安知不畔於道 徒知要約而不博學 則所謂約者 未知是與不是 亦或不能不畔於道也

주자가 말했다. 문을 널리 배워 연구할 때는 당연히 여러 항목을 공부하지만, 행함에 이르러서는 다만 하나의 이치일 뿐이므로 요약함이 된다. 만약 널리 배우면서 예로써 요약하지 않는다면, 도에 위배되는지 아닌지 어찌 알겠는가? 단지 요약하는 것만 알고 널리 배우지 않는다면, 이른바 요약한 것이 옳은지 그른지 알 수 없으니, 또한 혹시 도에 위배되지 않을 수 없다.

○博學 條目多 事事著去理會 禮 却只是一箇道理 如視 也是這箇禮 聽 也是這箇禮 言 也是這箇禮 動 也是這箇禮 若博文而不約之以禮 便是無歸宿處 便是離畔於道也

박학은 조목이 많으니 여러 가지 일들을 이해해 나가는 일이다. 예는 단지 하나의 도리이니, 보는 것도 이 예이며, 듣는 것도 이 예이며, 말하는 것도 이 예이며, 움직이는 것도 이 예이다. 만약 박문하면서도 예로써 요약하지 않으면 곧 돌아가 머물 곳이 없는 것이고, 또한 도에 위배되는 것이다.

○博文約禮 是古之學者常事 孔子敎顔子 亦只是如此 且如行夏之時 如何做得 須是平時曾理會來 若非禮勿視等處 方是約之以禮

박문약례는 옛 학자에게는 늘 하는 일이었다. 공자께서 안자를 가르치신 것도 단지 이와 같은 일이었다. 예컨대, 하나라의 책력을 행하려면 어떻게 해야 되는가와 같은 것은 모름지기 일찍이 평상시에 이해해야 하는 것이고, '비례물시(예가 아니면 보지 말라)' 같은 것이라야 비로소 '약지이례'에 해당된다.

○問 博學於文約之以禮 與博我以文約我以禮 固有淺深不同 曰 聖人之言 本無輕重 但 人所造 自有淺深 若只是博學於文 能約之以禮 則可以弗畔於

道 雖是淺底 及至顔子做到欲罷不能工夫 亦只是這箇博文約禮 如梓匠輪輿 但能斲削者 只是這斧斤規矩 及至削鐻之神斲輪之妙者 亦只是此斧斤規矩

물었다. '박학어문 약지이례'와 '박아이문 약아이례'는 본디 (수준의) 얕고 깊음이 같지 않습니다. 답했다. 성인의 말씀은 본래 경중이 없다. 그러나 사람이 성취한 것에는 각각 얕고 깊음이 있다. 만약 단지 문을 널리 배우고 예로써 요약할 수 있어서 도에 위배되지 않을 수 있을 뿐이라면 그것은 비록 낮은 수준이기는 하지만,(박문약례이다.) 그러나 안자의 '그만두고 싶어도 그럴 수 없는 수준의 공부'에 도달했다 하더라도 그것도 또한 단지 박문약례일 뿐이다. 예컨대, 목수나 수레바퀴 장인이 단지 깎을 수 있을 뿐이라 하더라도, 이것도 또한 이 도끼와 자로 하는 일이고, 악기걸이를 깎거나 바퀴를 깎는 신묘함에 이르게 되더라도, 그것도 다만 이 도끼와 자를 가지고 하는 일일 뿐이다.

○博學 是致知 約禮 則非徒知而已 乃是踐履之實 侯氏謂 博文 是致知格物 約禮 是克己復禮 極分曉

박문은 치지(앎에 이름)이다. 약례란 단순히 아는 것만이 아니라, 실제로 실천하는 것이다. 후씨(후중량)는 박문은 치지격물(사물을 깨우쳐 앎에 이름)이고 약례는 극기복례(자신의 사사로움을 이기고 예로 돌아감)라 했는데, 극히 분명하다.

○或問 君子博學於文約之以禮 與孟子 博學而詳說之 將以反說約也 意相似否 潛室陳氏曰 博學 必約之以禮 是重在約禮 博學 正將以反說約 是重在博學 蓋 博 固不可不反於約 然 非博 亦不能遽反於約 二者 合而後備 乃互相發也

혹자가 물었다. (이 장의 말씀인) "군자 박학어문 약지이례"와 맹자의 "널리 배우고 자세하게 논설하는 것은 장차 돌이켜 요약하여 설명하려는 것이다(『맹자』8, 「이루 하」 15장)"라는 말은 그 뜻이 비슷합니까? 잠실 진씨가 답했다. (이 장의 말씀처럼) 박학은 반드시 예로써 요약해야 한다는 것은 약례에 중점이 있는 것이다. (반면) 박학은 바로 장차 돌이켜 요약해 설명하려는 것이라 한다면 박학에 그 중점이 있다. 대개 '박(넓음)'이라고 하는 것은 본디 '약(요약함)'으로 돌아가지 않을 수 없는 것이지만, 그러나 박하지 않으면 성급히 약으로 돌아갈 수 없으니, 이 두 가지가 합쳐져야 완비된 것으로, (박과 약은) 서로가 서로(의 의미)를 드러낸다.

○雙峯饒氏曰 知欲博 守欲約 人能如此用工 縱所得淺 亦當不畔於道 由此深入 雖與道爲一 可也 豈止弗畔而已 又曰 詳味此言 一博一約 相爲開闔 恐人墮於一偏也 因其所博 從而約之 恐人之離爲二也 由博而約 次有先後 恐人之失其序也 蓋 必博而能約 則無泛濫支離之失 而博 不失之雜 約而能博 則無偏狹固滯之病 而其約 不失之陋 此 博約之所以貴於兼盡也 然 君子之博學 正欲貫通此理 以爲反約之地耳 豈博自博 而約自約哉 此 博約之所以相爲用也 然 所以爲之之序 則必由博而反約 使事物之理有未究 而遽執吾所自得者 以爲據依 則所止者 未必天下之至善 所執者 未必天下之時中 而以非禮之禮爲禮者 有之矣 何以能不畔於道哉 此 不博而徑約之過也

쌍봉 요씨가 말했다. 앎(지식의 획득)은 넓기를 바라고, 지킴(몸가짐을 바로 함)은 요약되기를 바란다. 사람이 이와 같이 공부할 수 있다면, 비록 얻은 바가 얕다고 하더라도 또한 당연히 도에 위배되지 않을 것이다. 여기로부터 깊은 곳으로 들어간다면, 비록 도와 하나 되는 것(과 같은 높은 경지)이라 하더라도 가능하다. 어찌 위배되지 않는 것에만 그치겠는가? 또 말했다. 이 말을 자세히 음미해보면, 한 번 넓히고 한 번 요약하여 (박과 약이) 서로 엶과 닫음의 관계(동전의 앞뒷면과 같은 관계)가 되게 한 것은, 사람이 한쪽으로 치우치는 데 떨어질 것을 염려하여 그런 것이고, 그 넓음에 근거하여 요약하게 한 것은 사람이 (박과 약을 완전히 다른 일로) 나누어 둘로 여길까봐 염려하여 그런 것이고, 넓음으로부터 요약함으로 나아가는 차례의 선후가 있는 것은 사람이 그 순서를 잃을까봐 염려하여 그런 것이다. 대개 반드시 넓으면서 능히 요약할 수 있다면 넘치고 지리멸렬해지는 폐단이 없으니, 넓음이 잡다함이 되는 잘못이 없게 된다. 요약하면서도 넓을 수 있다면 편협하고 고루한 병통이 없어서, 그 요약이 고루함이 되는 잘못이 없게 된다. 이것이 넓음과 요약함에 있어서 두 가지를 다 완전하게 하는 것을 귀하게 여기는 이유이다. 그러나 군자의 박학은 바로 이 이치를 꿰뚫는 것(즉, 박학의 본질)을 돌이켜 요약하는 근거로 삼으려는 것이니, 어찌 박이 그 자체로 박이고 약이 그 자체로 약이겠는가(박과 약이 서로 무관한 별개의 두 가지 일이라)? 이것이 넓음과 요약이 서로(가 서로에게) 쓰임이 되는 이유이다. 그러나 그 공부하는 순서를 그렇게 정한 것은 반드시 박으로부터(박을 먼저하고) 약으로 돌아가라는 것이다. 만약 사물의 이치를 아직 완전히 궁구하지 않고 성급히 내가 자득한 것에 집착하여 근거로 삼는다면 그 머무르는 바가 반드시 천하의 지선(지극한 선)일 수 없고, 그 고집하는 것이 반드시 천하의 시중(시의의 적실함)이 될 수 없어서 예 아닌 예를 예라고 여기는 경우가 있게 된다. 어찌 도에 위배되지 않을 수 있겠는가? 이는 박학하지 않고 서둘러 요약하는 잘못이다.

○新安陳氏曰 徒博文而不約禮 固務博而陷於支離 不博文而欲約禮 亦徑約而流於狂妄 博文屬知 約禮屬行 交勉竝進 始可以弗畔於道矣

신안 진씨가 말했다. 단지 박문만 하고 약례하지 않는 것은 본디 박에만 힘써서 지리멸렬함에 빠지는 것이다. 박문하지 않고서 약례하고자 하는 것은 또한 서둘러 요약하여 미친 망령됨에 흘러버리는 것이다. 박문은 앎에 속하고 약례는 행동에 속하니, 둘 다 힘써서 같이 나아가야 비로소 도에 위배되지 않을 수 있다.

6.26 子 見南子 子路 不說 夫子 矢之曰 予所否者 天厭之 天厭之 說 音悅 否 方九反

공자께서 남자를 만나자 자로가 기뻐하지 않았다. 공자께서 맹세코 말씀하셨다. 내가 맹세코 잘못한 것이 있다면 하늘이 이를 싫어할 것이다, 싫어할 것이다.

【집주】

南子宋女 子姓 衛靈公之夫人 有淫行去聲 孔子至衛 南子請見 孔子辭謝 不得已而見之

남자<송나라 여자로, 자씨 성이다.>는 위 영공의 부인인데 음행이 있었다. 공자께서 위에 이르러 남자가 뵙기를 청하자 공자께서는 사양했지만, 어쩔 수 없이 만났다.

【세주】

厚齋馮氏曰 孔子至衛 南子 使人謂孔子曰 四方之君子 不辱欲與寡君爲兄弟者 必見寡小君 寡小君願見 孔子辭謝 不得已而見之 夫人 在絺帷中 孔子入門 北面稽首再拜 環佩璆然 子曰 吾鄕爲不見 見之禮答焉 史之所記 如此

후재 풍씨가 말했다. 공자께서 위나라에 이르자, 남자는 사람을 시켜 공자께 말하기를 "사방의 군자로서 나의 남편과 형제가 되려는 것을 욕되게 생각하지 않는 자는 꼭 과소군(제후의 부인의 겸칭, 즉 남자 자신)을 만나니 과소군이 뵙기를 원한다"고 했다. 공자께서는 사양했으나 어쩔 수 없이 만났다. 부인은 갈포 장막 안에 있고 공자께서는 문으로 들어가 북면하여 계수재배(머리를 조아려 두 번 절함)했는데 패옥을 둘러 소리가 아름다웠다. 공자께서는 "내 고향에서는 (먼저) 찾아뵙지는 않고, (부르면) 답례로 뵙는다"라 하셨다. 『사기』의 기록이 이와 같다.

○齊氏曰 南子 嘗以車聲轔轔 止而復作 知其爲蘧伯玉之賢 況於夫子乎 其欲見之也 秉彝好德之天也

제씨가 말했다. 남자는 일찍이 마차 삐걱거리는 소리를 듣고, (마차를) 세우고 일어나 거백옥의 현명함 때문에 그런 것임을 알았는데, 하물며 공자께 대해서이랴? 공자를 만나려고 한 것은 떳떳한 도리를 지키고 덕을 좋아하는 하늘의 본성 때문이다.

【집주】

蓋 古者 仕於其國 有見其小君之禮

대개 옛날에는 그 나라에서 벼슬을 할 때에는 그 소군(군주의 부인)을 만나뵙는 예가 있었다.

【세주】

春秋 莊公二十四年八月丁丑 夫人姜氏 入戊寅 大夫宗婦 覿用幣 哀姜 齊襄公女 宗婦 同姓大夫之婦 禮 小君至 大夫 執贄以見 莊公 欲奢誇夫人 故 使大夫宗婦 同贄俱見

『춘추』 장공 24년 8월 정축조에 다음과 같이 나와 있다. 부인 강씨가 무인일에 들어왔고 대부와 종부들이 폐백을 가지고 뵈었다. <애강은 제나라 양공의 딸이다. 종부는 동성대부의 부인이다. 예에는 소군이 이르면 대부가 폐백을 가지고 뵙는다. 장공이 부인에게 자랑하려고 대부와 종부로 하여금 같은 폐백을 가지고 함께 만나 뵙게 했다.>

○或問 見其小君 禮歟 朱子曰 是 於禮無所見 穀梁子 以爲大夫不見其夫人 而何休 獨有郊迎執贄之說 不知何所考也 然 記云 陽侯殺繆侯 而竊其夫人 故 大饗 廢夫人之禮 則大夫見夫人之禮 疑亦久矣不行 而靈公南子特擧之耳

혹자가 물었다. 그 소군을 뵙는 것이 예입니까? 주자가 답했다. 이는 예에는 보이지 않는다. 곡량자는 대부는 그 부인을 뵙지 않는 것이라고 했는데, 하휴 혼자 교외에서 폐백을 가지고 영접한다는 설을 주장했다. 그러나 그 근거가 무엇인지는 잘 모르겠다. 그러나 『예기』(30, 「방기」)에서 "양후가 무후를 죽이고, 그 부인을 훔쳤다. 그래서 큰 잔치를 벌이고 부인의 예는 폐했다"고 했으니, 아마도 대부가 부인을 뵙는 예가 행해지지 않은 지 오래된 듯한데, 영공과 남자가 특별히 거행한 것 같다.

【집주】

而子路 以夫子見此淫亂之人爲辱 故 不悅 矢 誓也 所 誓辭也

그런데 자로는 공자께서 이 음란한 사람을 만나는 것을 욕되게 여겨 기뻐하지 않았다. '시'는 맹세하는 것이고, '소'는 맹세의 말이다.

【세주】

朱子曰 矢誓 聲相近 盤庚所謂 矢言 亦憤激之言 而近於誓者也

주자가 말했다. '시'와 '서'는 서로 소리가 비슷하다. 반경이 말한 '시언(맹세의 말)' 또한 분격해서 하는 말이니 맹세하는 것에 가깝다.

【집주】

如云所不與崔慶者之類

예컨대 "맹세코 최와 경이라는 자와는 함께하지 않겠다"라고 (맹세)하는 말 같은 것이다.

【세주】

左傳 襄公二十五年 齊 崔杼 弑莊公 立景公 而相之 慶封 爲左相 盟國人於大音泰宮曰 所不與崔慶者 晏子 仰天嘆曰 嬰 所不唯忠於君 利社稷是與 有如上帝 乃歃 盟書云 所不與崔慶者 有如上帝 讀書未終 晏子 抄答 易其辭 因自歃

『좌전』 양공 25년 (춘 정축)조에 보면, 제나라 최무가 장공을 시해하고, 경공을 세우고 재상이 되었고, 경봉은 좌상이 되었다. (경공이) 태궁에서 나라 사람들에게 맹세하기를, "맹세코 최나 경과는 함께하지 않겠다"고 하니, 안자(안영)가 하늘을 우러러 탄식하며 "영이 다만 임금에게 충성하지 못했을 뿐 아니라 사직을 이롭게 하지 못했구나. 하느님이 계신데"라 하고는 곧 입술을 찔렀다. <맹세하는 글에 '맹세코 최와 경과는 함께하지 않겠다. 하느님이 계신데'라 했는데, 그 글을 다 읽기도 전에 안자가 그 말을 (살짝) 바꾸어 베껴 답하고는 이어 스스로 입술을 찔렀다.>

【집주】

否 謂不合於禮 不由其道也

'부'는 예에 맞지 않고 그 도로 말미암지 않은 것을 말한다.

【세주】

雙峯饒氏曰 禮 是先王之制 道 是天下事物當然之理

쌍봉 요씨가 말했다. 예는 선왕의 제도이고, 도는 천하사물의 당연한 이치이다.

【집주】

厭 棄絶也 聖人 道大德全 無可不可 其見惡人 固謂在我有可見之禮 則彼之不善 我何與音預焉 然 此 豈子路所能測哉 故 重平聲言以

誓之 欲其姑信此 而深思以得之也

'염'은 버리고 끊는 것이다. 성인께서는 도가 위대하고 덕이 완전하시니 가, 불가(꼭 해야 되는 것이나 꼭 하지 말아야 하는 것)가 없다. 악인을 만나신 것은 (결국 다음과 같은 말씀이다.) "나로서는 만날 수 있는 예법이 있는데 그의 불선이 나에게 무슨 관계가 있겠는가?" 그러나 이것을 자로가 어찌 능히 헤아리겠는가? 그래서 거듭 말하여 맹세하셨으니 (자로가) 일단 이를 믿고 깊이 생각하여 깨닫기를 바라신 것이다.

【세주】

程子曰 古者 大享夫人 有見賓之禮 南子 雖妾 靈公 旣以夫人處之 使孔子見於是時 豈得不見

정자가 말했다. 옛날에는 정실부인의 경우 손님을 만나는 예가 있었다. 남자는 비록 첩이지만 영공이 이미 부인으로 대우했으니, 설사 공자가 뵈었다고 하더라도, 그 당시로서는 어찌 뵙지 않을 수 있으랴?

○孔子之見南子 禮 當見之也 南子之欲見孔子 亦其善心也 聖人 豈得而拒之

공자께서 남자를 만난 것은 예법상 당연히 만나야 하는 것이다. 남자가 공자를 보고자 한 것도 또한 그 착한 마음에서이다. 성인께서 어찌 그것을 거절할 수 있겠는가?

○朱子曰 仕於其國 有見其小君之禮 當夫子時 想是無人行 所以 子路疑之 若有人行時 子路 也不疑了 孟子說 仲尼不爲已甚 這樣處 便見

주자가 말했다. 그 나라에 벼슬을 하면 그 부인을 뵙는 예가 있다. 공자 당시에는 아마도 그 예를 아무도 행하지 않아서 자로가 의심한 것 같다. 만약 사람들이 그 예를 행하는 때였더라면 자로도 의심하지 않았을 것이다. 맹자가 말하기를, "중니께서는 매우 심한 일은 하지 않으셨다(『맹자』8, 「이루 하」 10장)"라 했는데, (그런 점을) 이런 곳에서 곧 볼 수 있다.

○問 夫子 欲見南子 而子路 不悅 何發於言辭之間如此之驟 曰 這般所在難說 如聖人須要見南子 是如何 想當時亦無必皆見之理 如衛靈公問陳時也且可以款款與他說 又却明日便行 齊景公 欲以季孟之間待之 也且從容不妨 明日又便行 季桓子 受女樂 也且可以教他不得受 明日又便行 看聖人這般所在 其去甚果 不知於南子須欲見之 到子路不說 又費許多說話 又如

此指誓 只怕當時如這般去就 自是時宜 聖人 旣以爲可見 恐是道理必有合如此 可與立未可與權 吾人 見未到聖人心下 這般所在 都難說

물었다. 공자께서 남자를 만나려 하시자 자로가 그것을 기뻐하지 않았다 해서 어찌 말투에 이토록 급하게 드러내 말씀하셨습니까? 답했다. 이런 곳은 말하기 어렵다. 예컨대 성인께서 반드시 남자를 만나야 했던 것은 어째서인가? 아마도 당시에는 꼭 모두 만나야 하는 법은 없었던 것 같다. 예컨대, 위령공이 (군대의) 진치는 법을 물었을 때, 유유히 그에게 말해줄 수도 있었으나 그다음날 곧 떠나셨고, 제나라 경공이 계와 맹의 중간으로 대우하려 하자 별 문제는 없는 것 같은데도 곧 떠나셨고, 계환자가 여악을 받았을 때 받지 말도록 할 수도 있었으나 다음날 또 곧 떠나셨다. 성인의 이런 곳을 보면 그 떠남은 심히 과감하셨다. (그런데도) 남자에 대해서는 왜 꼭 만나려 하셨는지, 자로가 기뻐하지 않자 또 허다한 말씀을 소비하시고 또 이처럼 맹세하셨는지는 잘 모르겠다. 아마도 당시로서는 이런 거취가 본래 시의에 맞는 것인 듯하다. 성인께서 이미 만날 수 있다고 생각하셨다면 아마도 틀림없이 그처럼 도리에 맞는 바가 있었을 것이다. '같이 설 수는 있어도 같이 권도를 행할 수는 없다'라는 말씀처럼, 우리가 성인의 마음속에 도달해보지 못했으니 이런 곳은 모두 말하기 어렵다.

○此 是聖人出格事 而今莫要理會他 向 有人 問尹彦明 今有南子 子亦見之乎 曰 不敢見 曰 聖人 何爲見之 曰 能磨不磷涅不緇 則見之不妨

이것은 성인의 파격적인 일이니 지금 그것을 이해해야 할 필요는 없다. 예전에 어떤 사람이 윤언명에게 "지금 남자가 있다면 선생도 만나시겠습니까?"라고 묻자 (윤언명이) 답하기를 "감히 만날 수 없다"고 했다. "성인께서는 왜 만나셨을까요?"라고 다시 묻자, "갈아도 얇아지지 않고, 검게 염색해도 검어지지 않을 수 있다면 만나도 무방하다"라고 답했다.

○慶源輔氏曰 道大 則善惡無所不容 德全 則雖磨涅 而不能使之磷緇也 故 無可無不可 義之與比而已 彼人雖惡 然 在我或當見之 則亦行吾之義而已 豈懼彼之能汚我哉 聖人之行 非常人所能測識 子路學識 不足以知聖人 想其於所不悅 必有過甚之辭 故 夫子重言以誓之 曰 我之所爲 若不合於禮不由於道 則天必厭之 而棄絶我矣 是 其至誠惻怛之意 所以感切子路者 至矣 蓋 欲啓子路之信 以致其思 而使之自有得於心耳

경원 보씨가 말했다. 도가 위대하면 선하거나 악하거나 용납되지 않음이 없고, 덕이 완전하면 비록 갈고 검게 염색해도 닳게 하거나 검게 만들 수 없다. 그러므로 꼭 해야 한다거나 꼭 안 해야 한다는 것이 없고, 다만 의를 따를 뿐이다. 그 사람이 비록 악하다고 하더라도, 나로서는 그를 만나는 것이 마땅하다면 또한 나의 의(마땅한 도리)를 행할 뿐이지, 어찌 그 사람이 나를 오염시킬까 두려워하랴? 성인의 행위는 보통 사람이 능히 헤아려 알 수 있는 것이 아니다. 자로의 학식을 가지고는 성인을 알기에 부족하다. 아마도 기뻐하지 않았기 때문에 틀림없이 지나치게 심한 말이 있었던 것 같다. 그렇기 때문에 공자께서 거듭 말씀하셔서 맹세하기를 '나의 행위가 예에 부합하지 않고 도로 말미암지 않은 것이라면 하늘이 반드시 나를 싫어하셔서 나를 끊어버리실 것이다'라고 하신 것이다. 이는 지극한 정성으로 측은히 여기시는 뜻이니, 자로로 하여금 절실히 느끼도록 하신 바가 지극하다. 대개 자로의 (잘못된) 신념을 깨우쳐 그 생각을 다하게 함으로써 그로 하여금 마음속에 스스로 얻는 바가 있도록 하시려는 것뿐이다.

○西山眞氏曰 居亂邦 見惡人 惟聖人爲可 蓋 聖人 道大德宏 可以輔亂而爲治 化惡而爲善 孔子 於南子 則見之 於陽貨 亦見之 而公山不狃之召 佛肸之召 皆欲往焉 若大賢以下 則危邦不入 亂邦不居 小人 則遠之 蓋 就之未必能有所濟 而或以自汚焉 故 子路 仕孔悝 不得其死 冉求 仕季孫 無改於其德 顔子閔子 終身不仕 蓋 以此也 子路不悅者 蓋 以己之力量觀聖人也

서산 진씨가 말했다. 어지러운 나라에 거처하고 악인을 만나는 것은 오직 성인만이 할 수 있다. 대개 성인께서는 도가 위대하고 덕이 넓으셔서, 어지러운 것을 도와 다스려지게 하실 수 있고, 악을 변화시켜서 선으로 만드실 수 있다. 공자께서는 남자를 만나셨고, 양화도 만나셨고, 공산불유의 부름과 필힐의 부름에도 모두 가고자 하셨다. 만약 대현 이하라면, 위태로운 나라에는 들어가지 말고, 어지러운 나라에는 거처하지 말고, 소인은 멀리해야 한다. 대개 가더라도 반드시 해낼 수 있는 것도 아니고, 혹 스스로 오염될 뿐이다. 그러므로 자로는 공회에게 벼슬해서 그 올바른 죽음을 얻지 못했고, 염구는 계손씨에게 벼슬해서 (계손씨가) 덕으로 (개과천선하도록) 고치지 못했다. 안자와 민자가 종신토록 벼슬하지 않은 것은 대개 이 때문이다. 자로가 기뻐하지 않은 것은 대개 자신의 역량으로써 성인을 보았기 때문이다.

○雙峯饒氏曰 子路 氣粗見偏 卒未易回 巽言 則不入 故 與之矢言 欲姑信此而思得之

쌍봉 요씨가 말했다. 자로는 기질이 조잡하고 안목이 편벽해서, 졸지에 되돌리기는 쉽지 않다. 부드러운 말로 하면 그 말이 먹혀들지 않기 때문에, 그에게 맹서하셔서 잠시 이 말씀을 믿고 생각해서 깨우치기를 바라셨다.

○厚齋馮氏曰 君子之於小人 非禮不見 故 小人之欲見君子 必依乎禮 則君子 雖欲辭焉 而不可得已 如陽貨南子 夫子 固不得而絶之也

후재 풍씨가 말했다. 군자는 소인에 대해 예가 아니라면 만나지 않는다. 그러므로 소인이 군자를 만나고 싶으면 반드시 예에 의거하니, 군자가 비록 사양하고 싶어도 그럴 수가 없다. 양화나 남자의 경우, 공자께서는 본디 거절할 수가 없으셨던 것이다.

6.27 子曰 中庸之爲德也 其至矣乎 民鮮 久矣 鮮 上聲

공자께서 말씀하셨다. 중용의 덕 됨은 지극하다. 백성에게 (이 덕이) 적어진 지 오래되었다.

【집주】

中者 無過不及之名也 庸 平常也 至 極也 鮮 少也 言民少此德今已久矣

'중'이란 과불급(지나치거나 미치지 못함)이 없는 것을 이르는 이름(개념)이다. '용'은 평상(평소에 늘 그러함)이라는 뜻이다. '지'는 극진하다는 뜻이고, '선'은 적다는 뜻이다. 백성들에게 이 덕이 적어진 것이 지금 이미 오래되었다는 말이다.

【세주】

慶源輔氏曰 集註初本 併不偏不倚言中 後去之 蓋 喜怒哀樂未發之中 至子思 始著於書 程子 因發中一名而含二義之說 若孔子之敎 只是卽事以明理故 集註 直以無過不及言中 又況已有程子不偏之說於後乎

경원 보씨가 말했다. 집주의 초본에는 치우치지도 않고 기울어지지도 않음을 아울러 '중'이라 했는데, 나중에는 뺐다. 대개 희로애락이 발현되지 않았을 때의 '중'(미발지중)은 자사에 이르러서 비로소 책에 쓰였고, 정자가 이어서 '중'은 하나의 이름(개념)이지만 두 가지 뜻이 포함되어 있다는 설을 내놓았다. (이 장의) 공자의 가르침의 경우는 단지 일에 근거해서 이치를 밝힌 것이니, 그런 까닭에 집주에서는 곧바로 과불급이 없음을 '중'이라고 했다. 하물며 정자의 '(중은) 치우치지 않음이라는 설'을 뒤에 써 놓았음에라.

【집주】

○程子曰 不偏之謂中 不易之謂庸 中者 天下之正道 庸者 天下之定理

정자가 말했다. 치우치지 않음을 '중'이라 한다. 바뀌지 않음을 '용'이라 한다. 중은 천하의 바른 도이고, 용은 천하의 정해진(바뀌지 않는) 이치이다.

【세주】

朱子曰 不偏者 明道體之自然 卽無所倚著之意 言平常 則不易在其中 惟其

平常 所以 不易 但 不易二字 則是事之已然者 自後觀之 則見此理之不可易 若平常 則日用平常者 便是

주자가 말했다. '불편(치우치지 않음)'이라는 것은 도의 본체의 자연(원래의 모습)을 밝힌 것이니, 곧 치우친 바가 없다는 뜻이다. '평상(평소에 늘)'이라고 하면, 바뀌지 않는다는 뜻이 그 안에 있다. 오직 평소에 늘 그렇기 때문에 바뀌지 않는다. 단, '불역' 두 글자는(평상이라는 말 없이 불역이라고만 하면) 일이 이미 그렇게 된 것(변하지 않은 것)을 나중에 가서 보고 이 이치가 바뀔 수 없음을 알게 된다는 의미가 있다. '평상'의 경우에는 일상에서 늘 그렇다는 것이다.

【집주】

自世教衰 民不興於行去聲 少有此德 久矣

세상의 가르침이 쇠퇴한 이래로 백성은 행동을 흥기하지 못했으니, (백성이) 이 덕을 적게 가지게 된 것이 오래되었다.

【세주】

朱子曰 中庸之爲德 此處 無過不及之意 多 庸 是依本分不爲怪異之事 堯舜孔子 只是庸 夷齊所爲 都不是庸了

중용의 덕 됨이란 여기서는 과불급이 없다는 뜻이 훨씬 많다. '용'은 본분에 의거하여 괴이한 일을 하지 않는 것이다. 요순과 공자(가 한 일)는 단지 용이지만, 백이와 숙제가 한 일은 모두 용이 아니다.

○中庸之中 是指那無過不及底說 如中庸曰 君子之中庸也 君子而時中 時中 便是那無過不及之中 本章之意 是如此

중용의 중은 과불급이 없는 것을 가리켜 말한 것이다. 예컨대 『중용』(2장)에서는 "군자의 중용이란 군자로서의 시중(시의에 적절함)이다"라고 했으니, 이때의 시중(에서의 중)이란 과불급이 없다는 뜻의 중이다. 본 장의 뜻이 이와 같다.

○問 中者 天下之正道 庸者 天下之定理 恐道 是總括之名 理 是道裏面又有許多條目 如天道 又有日月星辰陰陽寒暑之條理 人道 又有仁義禮智君臣父子之條理 曰 這二句 緊要在正字與定字上 蓋 庸 是箇當然之理 萬古萬世不可變易底 中 只是箇恰好道理 爲見不得是亘古今不可變易底 故 更著箇庸字

물었다. 중이란 천하의 바른 도이고 용이란 천하의 정해진 이치입니다. 아마도 도는 포괄적인 이름이고, 이치는 도 안에 있는 허다한 조목이 아닌가 합니다. 예컨대, 하늘의 도에는 또 일월성신음양한서의 조리가 있고, 사람의 도에는 또 인의예지군신부자의 조리가 있습니다. 답했다. 이 두 구절의 핵심은 '정(正)' 자와 '정(定)' 자에 있다. 대개 '용'은 당연한 이치이니, 만고만세에 바뀔 수 없는 것이다. '중'은 단지 이치에 꼭 맞는 것일 뿐이니, 예나 지금이나 바뀔 수 없는 것이라고는 볼 수 없기 때문에 곧 ('중' 자에) '용' 자를 덧붙인 것이다.

○雙峯饒氏曰 此章與中庸之文 大同小異 此章 有之爲德也四字 以中庸之德言也 中庸 無之爲德也四字 以中庸之道言也 以德言 則不消言能 而能在其中 故 此章下句 無能字 以道言 則有能知與不能知能行與不能行 故 中庸下句 不可無能字 此章 言民鮮此德 是 以世教之衰 民不興行而然 中庸 言民鮮能此道 是 以氣質之異 有過不及而然 意 此 是夫子本語 彼 是子思櫽括語

쌍봉 요씨가 말했다. 이 장과 『중용』의 글은 대동소이하다. 이 장에는 '지위덕야'라는 네 글자가 있는데, 중용의 덕을 말했기 때문이다. 『중용』에는 '지위덕야'라는 네 글자가 없는데, 중용의 도를 말했기 때문이다. 덕으로써 말한다면, '능(할 수 있음)'이라고 말할 필요가 없고, '능'은 이미 그 안에 있는 것이다. 그래서 이 장의 아래 구절에는 '능' 자가 없다. 도로써 말한다면, 능히 알 수 있음과 능히 할 수 있음, 능히 알 수 없음과 능히 할 수 없음이 있으니 그런 까닭에 『중용』의 아래 구절에는 '능' 자가 없을 수 없다. 이 장은 백성들에게 이 덕이 적어지게 된 것은 세상의 가르침이 쇠퇴하고 백성들이 행동을 흥기하지 못해서 그렇다는 말이다. 『중용』은 백성들 중에 이 도에 능한 자가 드문 것은 기질이 서로 다르고 과불급이 있어서 그렇다는 말이다. 생각건대, 이것(이 장)은 공자의 본래 말씀이고, 저것(『중용』의 말)은 자사가 교정해 놓은 말인 듯하다.

○雲峯胡氏曰 書 言中 不言庸 後世以中爲難行 故 夫子 加以庸之一字 然則庸者 常行之理也 而民固有 鮮能行之者 何哉

운봉 호씨가 말했다. 『서경』에는 '중'은 말했지만 '용'은 말하지 않아서, 후세 사람들이 '중'을 행하기 어려운 것이라고 여겼다. 그런 까닭에 공자께서 '용' 한 글자를 덧붙이신 것이다. 그러니 '용'이란 일상적 행위의 이치로서 백성이 원래 가지고 있는 것이다. (그런데도 백성들 중에) 행할 수 있는 자가 드문 것은 웬일인가?

6.28-1 子貢曰 如有博施於民 而能濟衆 何如 可謂仁乎 子曰 何事於仁 必也聖乎 堯舜 其猶病諸 施 去聲

자공이 말했다. 백성에게 널리 베풀고, 능히 뭇사람을 구제할 수 있다면 어떻습니까? 인이라고 할 만합니까? 공자께서 답하셨다. 그것이 인이 되는 데 무슨 일이 있겠는가? 필시 '성'이 아닐까? 요순도 오히려 그것을 걱정하셨다.

【집주】

博 廣也

'박'은 넓은 것이다.

【세주】

新安陳氏曰 玩文意 當是博施於民而又能所濟者衆 蓋 博施 自我之施恩澤而言 濟衆 自衆人之被吾恩澤者而言 濟衆 難於博施 是 進步說 有雖博施而衆不皆被其澤者

신안 진씨가 말했다. 글의 뜻을 감상해보면, 당연히 백성에게 널리 베풀고 또 능히 구제받은 사람이 많다는 뜻이다. 대개 '박시(널리 베푼다)'란 내가 은택을 베푸는 것에 대한 말이고, '제중(뭇사람을 구제한다)'이란 뭇사람들이 나의 은택을 입는 것에 대한 말이다. 뭇사람을 구제하는 것은 널리 베푸는 것보다 어려우니, 이것(제중)은 한 단계 더 발전된 것을 말한다. 비록 널리 베풀더라도 뭇사람이 그 은택을 다 입지는 못하는 경우가 있다.

【집주】

仁 以理言 通乎上下 聖 以地言 則造七到反其極之名也

'인'은 이(이치)에 관한 말이니, 상하에(높은 수준이나 낮은 수준이나) 두루 통한다(다 인이라 할 수 있다). '성'은 경지에 관한 말이니, 그 지극한 경지에 도달했음을 의미하는 이름(개념)이다.

【세주】

朱子曰 仁 是通上下而言 有聖人之仁 有賢人之仁 有衆人之仁 一事之仁

也是仁 全體之仁 也是仁 仁字直 聖字橫

주자가 말했다. 인은 상하를 두루 통해 말하는 것이다. 성인의 인이 있고, 현인의 인이 있고, 뭇사람들의 인도 있으니, 한 사례에 있어서의 인도 인이고, 전체로서의 인도 인이다. (그 점에서 보면) 인은 수직적이고(고하가 있고), 성은 수평적이다(고하가 없다).

○仁 以道理言 是箇徹頭徹尾物事 聖 以地位言 也不是離了仁而爲聖 聖只是行仁到那極處 仁 便是這理 聖 便是充這理到極處 不是仁上面 更有箇聖

인은 도리에 관한 말이니, 철두철미한 것이다. 성은 경지에 관한 말이니, 또한 인을 떠나서 성이 되는 것은 아니다. 성은 단지 인을 행하는 것이 저 지극한 경지에 이른 것일 뿐이다. 인은 곧 이 이치이고, 성은 이 이치를 꽉 채워서 지극한 경지에 이른 것이니, '인' 위에 '성'이라는 또 다른 단계가 있는 것이 아니다.

○仁 就心上說 聖 却是積累得到這田地 索性仁了

인은 마음에 관한 말이고, 성은 쌓아나가 이 경지에 도달한 것이니, 차라리 인이다.

【집주】

乎者 疑而未定之辭

'호'는 의심스러워 확정하지 못할 때 쓰는 말이다.

【세주】

乎字 以含下一句意

'호' 자는 아래 한 구절의 뜻을 함축하고 있다.

【집주】

病 心有所不足也 言此何止於仁 必也聖人能之乎 則雖堯舜之聖 其心 猶有所不足於此也 以是求仁 愈難而愈遠矣

'병'은 마음으로 부족한 바가 있다는 뜻이다. '이것이 어찌 인에 그치겠는가? 필시 성인이라야 할 수 있지 않을까? 그러니 요순 같은 성인도 그 마음에 오히려 이에 대해 부족한 바가 있었다'는 말씀이다. 이(박시제중)를 가지고 인을 구하려 하면 더욱 어렵고 더욱 멀어질 뿐이다.

【세주】

朱子曰 言博施濟衆之事 何止於仁 必是行仁極致之人 亦有不能盡 堯舜 也做不了 蓋 仁者之心 雖無窮 而仁者之事 則有限 自是無可了之理

주자가 말했다. '박시제중의 일이 어찌 인에 그치겠는가? 필시 인을 행함이 극치에 이른 자도 역시 다할 수 없는 것이 있으니, 요순도 다하지 못했다'라는 말씀이다. 대개 인자의 마음은 비록 무궁하지만 인자의 일은 한계가 있으니, 당연히 다할 수 있을 리가 없다.

○博施濟衆 此 固是仁 然 不是人人皆能做底事 必有聖人之德 又有天子之位 而後可以當此 若必以爲聖人能之 則堯舜 亦尙以此爲病 此 非言堯舜不能盡仁 蓋 勢有所不能耳

널리 베풀고 뭇사람을 구제함, 이는 본디 인이다. 그러나 사람마다 모두 다할 수 있는 일은 아니다. 반드시 성인의 덕이 있고 천자의 지위가 있은 뒤에라야 가히 이것을 감당할 수 있다. 반드시 성인은 능히 그것을 할 수 있다고 생각하겠지만, 요순 또한 오히려 그것을 걱정으로 삼았다. 이는 요순이 인을 다하지 못했다는 말이 아니라, 대개 형편상 할 수 없는 바가 있었다는 것이다.

○或問 必聖人而後能之乎 曰 此 正謂雖聖人 亦有所不能爾 必也聖乎 蓋以起下文堯舜猶病之意

혹자가 물었다. 반드시 성인이라야 능히 할 수 있습니까? 답했다. 이것은 바로 비록 성인이라도 할 수 없는 것이 있음을 말씀하신 것이다. '필야성호(필시 성이 아닐까)'라는 말은 대개 아래글의 '요순도 오히려 그것을 걱정했다'는 뜻을 일으키기 위한 말이다.

○問 博施濟衆 如何分別 曰 博施 是施之多 施之厚 濟衆 是及之廣

물었다. 박시와 제중은 어떻게 구별됩니까? 답했다. 박시는 많이 베풀고 두터이 베푸는 것이고, 제중은 널리 미치는 것이다.

○博施濟衆 固仁之極功 譬如東大洋海 同是水 但不必以東大洋海之水 方爲水 只瓶中傾出來底 亦便是水 博施濟衆 固是仁 但那見孺子將入井時 有怵惕惻隱之心 亦便是仁 此處 最好看

박시제중은 진실로 인의 지극한 공효(인이 이루어 낸 성과)이다. 비유컨대, 동쪽 큰 바다도 같은 물이지만, 그러나 꼭 동쪽의 큰 바다의 물이라야 비로소 물이 되는 것은 아니다. 한갓 호리병 중에서 쏟아져 흘러나온 것도 물은 물이다. 박시제중은 본디 인이지만, 그러나 어린아이가 장차 우물에 빠지려는 것을 보았을 때, 놀랍고 슬퍼하고 측은히 여기는 마음이 있는 것 또한 인이니, 여기서(측은지심에서) (인을) 가장 잘 볼 수 있다.

○必也聖乎 堯舜其猶病諸 此兩句 當連看 蓋云 便是聖人 也有做不得處 且云 堯舜 雖曰比屋可封 然 在朝 亦有四凶之惡 又如孔子設敎 從游者甚衆 孔子 豈不欲人人至於聖賢之極 然而人人 亦各自皆有病痛

'필시 성이 아닐까? 요순도 그것을 걱정하셨다'라는 이 두 구절은 반드시 이어서 보아야 한다. 대개 성인이라도 또한 하지 못하는 것이 있다는 말이고, 또 요순은 비록 '집집마다 (덕행 있는 자가 있어) 봉할 수 있다'고 하지만 조정에는 역시 사흉의 악이 있었고, 또 공자께서 가르침을 베푸심에 따라 노니는 자가 많았는데, 공자께서 어찌 모든 사람이 성현의 지극한 경지에 이르기를 바라지 않으셨겠는가마는, 사람들은 본디 모두 각각 병통(문제점)이 있다는 말이다.

6.28-2 夫仁者 己欲立 而立人 己欲達 而達人 夫 音扶

무릇 인자는 자신이 서고자 하면 남을 서게 하고, 자신이 달하고자 하면 남을 달하게 한다.

【집주】

以己及人 仁者之心也 於此觀之 可以見天理之周流而無間去聲矣 狀仁之體 莫切於此

자신으로써 남에게 미치는 것은 인자의 마음이다. 이 구절에서 보건대, 천리가 두루 흘러 (나와 남의) 틈이 없다는 것을 알 수 있다. 인의 본체를 형용한 것 중에 이보다 절실한 것이 없다.

【세주】

朱子曰 立字達字之義 皆兼內外而言 謂如在此而住得穩 便是立 如行要到 便是達 如身要成立 亦是立 學要通達 亦是達 事事皆然 若必以博施而後爲仁 則終身有不得仁者矣

주자가 말했다. ‘입’ 자와 ‘달’ 자의 뜻은 모두 내외를 겸해서 말하는 것이니, 예컨대 여기에 편안히 머무는 것이 ‘입’이고, 가서 도달하려는 것이 곧 ‘달’이고, 몸을 이루어 서려는 것(출세)도 ‘입’이고 공부를 해서 통달하려는 것도 ‘달’이라는 말이다. 모든 일이 다 그러하니, 만약 널리 베푼 연후에야 인이라고 한다면, 죽을 때까지 인을 얻을 수 없는 자가 있게 된다.

○子貢所問 只就事上說 却不就心上說 夫子 所以 就心上指仁之本體 而告之

자공의 질문은 단지 일에 대해 말한 것이지, 마음에 대해 말한 것은 아니다. 그래서 공자께서는 마음과 관련해서 인의 본체를 가리켜 알려주신 것이다.

○問 立達二字 以字推之 如何 曰 立 是安存底意思 達 是發用底意思

물었다. ‘입’과 ‘달’ 이 두 글자를 글자(의 의미)만을 가지고 미루어 본다면 어떻게 됩니까? 답했다. ‘입’은 편안히 있는다는 뜻이고, ‘달’은 나가 쓰인다는 뜻이다.

○問 欲立 謂欲自立於世 立人 謂扶持培殖 使之有以自立也 欲達 謂欲自遂其志 達人 謂無遏塞沮抑 使之得以自達也 曰 此說 是

물었다. 서고자 한다는 것은 스스로 세상에 서려는 것이고, 남을 서게 한다는 것은 부축하고 길러서 그로 하여금 스스로 서게 하는 것입니다. 달하고자 한다는 것은 스스로 그 뜻을 이루려는 것이고, 남을 달하게 한다는 것은 꽉 막히고 꽉 눌린 것을 없애서 그로 하여금 스스로 달하게 하는 것입니다. 답했다. 이 설이 옳다.

○問 立字達字之義 曰 此 是兼麤細說 立 是自家有可立 達 是推將去 聖人所謂 立之斯立 綏之斯來 動之斯和 亦是這箇意也

‘입’ 자와 ‘달’ 자의 뜻에 대해 물었다. 답했다. 이는 거친 것과 세밀한 것을 겸한 말이다. ‘입’은 스스로 가히 설 수 있다는 것이고, ‘달’은 밀고 나가는 것이다. 성인께서 말씀하신 “세우면 곧 서고, 편안하게 하면 곧 오고, 움직이게 하면 곧 호응한다(『논어』19, 「자장」 25장)”는 것도 또한 이 뜻이다.

○問 欲立立人 欲達達人 苟有此心 便是博施濟衆底功用 曰 博施濟衆 是無了期底事 故曰 堯舜其猶病諸 然 若得果無私意 已有此心 仁 則自心中流出來 隨其所施之大小 自可見矣

물었다. 서고자 하면 남을 서게 하고, 달하고자 하면 남을 달하게 하는 것, 만약 이런 마음이 있다면 곧 박시제중의 공효입니다(박시제중의 성과를 이룰 수 있습니다). 답했다. 박시제중은 완전히 기약할 수 있는 일이 아니다. 그래서 말씀하시기를 '요순도 오히려 그것을 걱정하셨다'고 하셨다. 그러나 만약 전혀 사사로운 뜻이 없고 이미 이 마음을 가지고 있다면, 인은 마음 가운데로부터 흘러나와 그 베푸는 바의 크고 작음에 따라 저절로 드러날 수 있다.

6.28-3 能近取譬 可謂仁之方也已

능히 가까이서 취하여 (미루어) 깨닫는 것은 인의 방도라 할 수 있다.

【집주】

譬 喩也 方 術也 近取諸身 以己所欲 譬之他人 知其所欲 亦猶是也 然後推其所欲 以及於人 則恕之事 而仁之術也 於此勉焉 則有以勝其人欲之私 而全其天理之公矣

'비'는 (미루어) 깨닫는 것이고, '방'은 방도이다. 가까이 자신에게서 취해, 자신이 바라는 것을 가지고 남에게 미루어보면, 남이 바라는 것 또한 이와 같다는 것을 알게 된다. 그런 연후에, 그 바라는 바를 미루어서 남에게 그것을 미치면 이는 곧 서(恕)의 일이고, 인의 방도이다. 이것에 힘쓰면, 인욕의 사(사사로움)를 이기고 천리의 공(공공성)을 온전히 할 수 있다.

【세주】

朱子曰 夫子 分明說夫仁者 則是言仁之道如此 可謂仁之方 則是言求仁當如此 夫仁者 與可謂仁之方 正相對說

주자가 말했다. 공자께서 분명히 '무릇 인자는'이라고 말씀하신 것은 인의 도가 이와 같다는 말씀이고, '인의 방도라 할 수 있다'라고 말씀하신 것은 인을 구하려면 마땅히 이처럼 해야 한다는 말씀이다. '무릇 인자란'과 '인의 방도라 할 수 있다'는 구절은 바로 상대되는 말이다.

○此章 是三節 前面 說仁之功用 中間 說仁之體 後面 說仁之方

이 장은 세 절로 되어 있다. 전면에서는 인의 공효를, 중간에서는 인의 본체를, 후면에서는 인의 방도를 설명하고 있다.

○或問 凡己之欲 卽以及人 不待推以譬彼而後施之者 仁也 以己之欲 譬之於人 知其亦必欲此而後施之者 恕也 此 其從容勉强 固不同矣

혹자가 물었다. 무릇 자신이 바라는 바를 곧 남에게 미치는 것이지, 미루어 남이 어떤지 깨달은 다음에야 비로소 그것을 베푸는 것이 아니라면, 그것은 인입니다. 자기가 바라는 것을 남에게 미루어 깨달아 그도 반드시 그것을 바란다는 것을 안 다음에야 베푸는 것, 그것은 '서(恕)'입니다. (답했다.) 그 (인의) 종용함(편안하고 자연스러움)과 (서의) 애써 노력함은 본디 같지 않다.

○新安陳氏曰 博施濟衆 聖人所難能也 立人達人 仁也 安行此仁 學者未易能也 能近取譬 恕也 强恕求仁 學者所可能也 子貢 以聖人所難能者 爲仁 愈難而愈遠 夫子 敎其以學者所可能者求仁 切近而可進

신안 진씨가 말했다. 박시제중은 성인께서도 능히 하기 어려운 것이다. 남을 서게 하고 남을 달하게 하는 것은 인이다. 이 인을 편안히 여겨 행하는 것은 배우는 자들이 쉽게 할 수 있는 일이 아니다. 가까이서 취하여 미루어 깨닫는 것은 '서'이다. 애써 '서'하여 인을 구하는 것은 배우는 자가 능히 할 수 있는 일이다. 자공은 성인께서도 능히 할 수 없는 것을 인이라고 여겼으니, 더욱 어렵고 더욱 멀어질 뿐이다. 그래서 공자께서는 배우는 자가 능히 할 수 있는 것을 가지고 인을 구하도록 가르치셨으니, 가깝고 절실하여 나아갈 수 있다.

【집주】

程子曰 醫書 以手足痿痺 爲不仁 痿 於危反 痺 音卑 冷濕病也 **此言 最善名狀 仁者 以天地萬物爲一體 莫非己也 認得爲己 何所不至**

정자가 말했다. 의학 서적에서는 수족 마비<(위비는) 냉하고 습한 병이다.>**를 불인이라고 했는데, 이 말은 (인의 모습을) 가장 잘 이름 짓고 그려낸 것이다. 인자는 천지만물을 일체로 여겨 내가 아닌 것이 없으니, (만물이) 나임을 깨달으면 어딘들 이르지 않으랴.**

【세주】

新安陳氏曰 仁者之心 視人物 卽己身也 體認得人物皆爲己 則此心之仁 周流貫通 何所往而不至乎

신안 진씨가 말했다. 인자의 마음은 남이나 사물을 곧 자신으로 본다. 남과 사물이 모두 자신이라는 것을 몸으로 깨달으면, 이 마음의 인이 두루 흘러 관통하니 어디 간들 이르지 못하리오.

【집주】

若不屬己 自與己不相干

만약 나에게 속하지 않으니 본디 나와는 아무 상관이 없다고 한다면,

【세주】

新安陳氏曰 又反言之 若視人物爲人物 而不屬於己 自不相干

신안 진씨가 말했다. 또 뒤집어 말한 것이니, 남과 사물을 남과 사물일 뿐이라고 보고 나에게 속하지 않아서 본디 상관이 없다고 여긴다(는 말이다).

【집주】

如手足之不仁 氣已不貫 皆不屬己

수족의 불인처럼 기가 이미 통하지 않아 모두 나에게 속하지 않는 것이 된다.

【세주】

新安陳氏曰 雖是己身 然 其氣 旣不周流貫通 則手足 亦自不屬己矣

신안 진씨가 말했다. 비록 자신의 몸이라 하더라도 그 기가 두루 흘러 관통하지 않는다면 수족도 당연히 나에게 속한 것이 아니다.

【집주】

故 博施濟衆 乃聖人之功用 仁 至難言 故 止曰 己欲立而立人 己欲達而達人 能近取譬 可謂仁之方也已 欲令平聲如是觀仁 可以得仁之體

그러므로 박시제중은 결국 성인의 공효(성인이 이루는 성과)이다. 인은 지극히 말하기 어렵다. 그래서 다만 '내가 서고자 하면 남을 서게 하고, 내가 달하고자 하면 남을 달하게 한다. 능히 가까이서 취하여 미루어 깨닫는 것은 가히 인의 방도라 할 수 있다'고 말씀하셨을 따름이다. 이처럼 인을 보게 하여 인의 본체를 얻을 수 있기를 바라셨다.

【세주】

問 程子 作一統說 集註 作三段說 是如何 朱子曰 程子之說 如大屋一般 某說 如在大屋下 分別廳堂房室一般

물었다. 정자는 통합설을 말했고, 집주에서는 삼단계설을 말했는데, 왜 그렇습니까? 주자가 답했다. 정자의 설은 마치 커다란 집과 같다. 나의 설은 마치 큰 집 아래 청, 당, 방을 구분해 놓은 것과 같다.

○程子 合而言之 上下 似不相應 不若分兩截看 惟仁者之心如此 故 求仁之術 必如此也

정자는 합쳐서 말했는데 상하가 서로 상응하지 않는 듯 보이니, 두 부분으로 나누어서 보는 것만 못하다. 오직 인자의 마음이 이와 같으므로 인을 구하는 방도도 반드시 이와 같아야 하는 것이다.

○勉齋黃氏曰 或 以爲痿痺者不識痛痒之謂也 如此 則覺者爲仁 仁 其可以覺言乎 曰 所謂仁者 當於氣已不貫上求之

면재 황씨가 말했다. 혹자는 마비란 아픔과 가려움을 깨닫지 못하는 것을 말한다고 생각한다. 그렇다면 깨달음이 인이 되는데, 인은 깨달음이라고 말할 수 있는가? 답하자면, 인이라고 하는 것은 마땅히 '기이불관(기가 이미 통하지 않는다)'이라는 구절로부터 그 의미를 찾아야 하는 것이다.

○齊氏曰 手足不屬己 氣之不貫也 天地萬物不屬己 心之不貫也 身與手足一體也 外邪間之 故 與氣不相貫 己與天地萬物 一體也 人欲間之 故 與心不相貫 通身與手足之間者 醫必有方 通我與天地萬物之間者 聖人亦必有方 然則恕者 聖人示學者以去間之方也

제씨가 말했다. 수족이 나에게 속하지 않는 것은 기가 관통하지 않은 것이다. 천지만물이 나에게 속하지 않는 것은 마음이 관통하지 않은 것이다. 몸과 수족은 한 몸인데, 외부의 사악한 기운이 그 사이에 끼어들었기 때문에 기가 서로 통하지 않게 된다. 나와 천지만물은 한 몸인데, 인욕이 끼어들었기 때문에 마음이 서로 통하지 않게 된다. 몸과 수족의 사이에 끼어든 것을 통하게 하는 데는 의술에 반드시 처방이 있고, 나와 천지만물 사이에 끼어든 것을 통하게 하는 데는 성인 또한 반드시 처방이 있으시다. 그러므로 '서'란 성인께서 배우는 자들에게 그 끼어든 것을 제거하는 처방으로 보여주신 것이다.

【집주】

又曰 論語 言堯舜其猶病諸者 二 夫音扶博施者 豈非聖人之所欲 然 必五十乃衣去聲下同帛 七十乃食肉 聖人之心 非不欲少去聲者亦衣帛食肉也 顧其養有所不贍時艷反爾贍足也 此 病其施之不博也 濟衆者 豈非聖人之所欲 然 治不過九州 聖人 非不欲四海之外亦兼濟也 顧其治有所不及爾 此 病其濟之不衆也 推此以求 修己以安百姓 則爲病可知 苟以吾治去聲已足 則便不是聖人

또 말했다.『논어』에서 '요순도 오히려 그것을 걱정했다'고 말한 것이 두 번이다(본 장과『논어』14,「헌문」45장). 무릇 널리 베푸는 것이 어찌 성인께서 바라시는 바가 아니겠는가? 그러나 반드시 50세라야 비단옷을 입고 70세라야 고기를 먹는다고 하셨는데, 성인의 마음이 어린아이가 또한 비단옷 입고 고기 먹는 것을 바라지 않으신 것이 아니라 그 공급이 충분하지 않은 것을 고려하셨던 것뿐이다. 이는 널리 베풀지 못함을 걱정하신 것이다. 뭇사람을 구제하는 것이 어찌 성인께서 바라시는 바가 아니겠는가? 그러나 다스리는 것이 구주(중국 본토)를 넘지 못했으니, 성인께서 사해 바깥의 백성들 역시 같이 구제하기를 바라지 않으신 것이 아니라 그 다스림이 미치지 못하는 것을 고려하셨던 것뿐이다. 이는 뭇사람을 구제하지 못함을 걱정하신 것이다. 이를 미루어 찾아보건대, 나를 닦아 백성을 편안하게 하는 것이 걱정거리임을 알 수 있다. 만약 나의 다스림으로 충분하다 여긴다면 곧 성인이 아니다.

【세주】

新安陳氏曰 仁之功用 無窮 聖人之心 亦與之相爲無窮

신안 진씨가 말했다. 인의 공효는 무궁하다. 성인의 마음도 역시 그와 더불어 서로 무궁하다.

【집주】

呂氏曰 子貢 有志於仁 徒事高遠

여씨가 말했다. 자공은 인에 뜻이 있었지만 헛되이 고원한 것을 일삼았을 뿐,

【세주】

謂博施濟衆

(고원한 것이란) 박시제중을 말한다.

【집주】

未知其方 孔子 教以於己取之 庶近而可入

그 방도를 알지는 못했다. 공자께서는 자신에게서 취하는 것(자신이 어떠한지 살펴 그것을 기준으로 채택함)을 가르치시어 가까워서 들어갈 수 있기를 기대하셨다[알기 쉬운 일이라 쉽게 이해되리라 기대하셨다].

【세주】

新安陳氏曰 呂說 次就取譬上 說恕字分曉

신안 진씨가 말했다. 여씨의 설명은 차례로 '취'와 '비'(의 의미)에 입각해 '서' 자를(서의 의미를) 분명하게 설명했다.

【집주】

是 乃爲仁之方 雖博施濟衆 亦由此進

이것이 곧 인을 행하는 방도이다. 비록 박시제중이라 하더라도 또한 이로부터 나아가는 것이다.

【세주】

程子曰 聖 則無大小 至於仁 兼上下大小而言之 博施濟衆 亦仁也 愛人 亦仁也 堯舜其猶病諸者 猶難之也 博 則廣而無極 衆 則多而無窮 聖人 必欲使天下無一人之惡 無一物不得其所 然 亦不能 故曰 病諸

정자가 말했다. 성은 대소가 없지만, 인에 이르러서는 상하 대소를 겸해 말하는 것으로, 박시제중도 또한 인이고 사람을 사랑하는 것도 또한 인이다. 요순도 오히려 그것을 걱정했다는 것은 그것을 어렵게 여겼다는 뜻이다. '박'은 넓어서 끝이 없는 것이고, '중'은 많아서 끝이 없는 것이다. 성인께서는 반드시 천하에 한 사람의 악인도 없기를 바라셨고, 하나의 사물도 그 원하는 바를 얻지 못함이 없기를 바라셨다. 그러나 또한 그럴 수 없었다. 그런 까닭에 '그것을 걱정했다'라고 한다.

○問 仁與聖 何以異 曰 人 只見孔子言何事於仁必也聖乎 便謂仁小而聖大 殊不知 此言 是孔子見子貢問博施濟衆 問得來事大 故曰 何止於仁必也聖乎 蓋 仁 可以通上下言之 聖 則其極也 聖人 人倫之至 倫 理也 旣通人理之極 更不可以有加 若今 人 或一事是仁 亦可謂之仁 至於盡仁道 亦謂之仁 此 通上下言之也 如曰 若聖與仁 則吾豈敢 此 又却仁與聖 俱大也 大抵

盡仁道者 卽是聖人 非聖人 則不能盡得仁道 又曰 此 子貢未識仁 故 測度而設問也 惟聖人 爲能盡仁 然 仁在事 不可以爲聖 又問 堯舜其猶病諸 果乎曰 誠然也 聖人 惟恐所及不遠不廣 四海之治也 孰若兼四海之外亦治乎 是嘗以爲病也 博施濟衆 事大 故 仁 不足以名之 博施濟衆 非聖不能 何曾干仁事 故 特曰 夫仁者 立人達人 取譬 可謂仁之方而已 使人求之自反 便見得也 雖然 聖人 未有不盡仁 然 敎人不得 如此指殺

물었다. 인과 성은 어떻게 다릅니까? 답했다. 사람들은 다만 공자께서 '그것이 인이 되는 데 무슨 일이 있겠는가? 필시 성이 아닐까?'라고 말씀하신 것을 보고, 인은 작고 성은 큰 것이라고 하는데, 이는 전혀 잘못 안 것이다. 이 말씀은 공자께서 자공이 박시제중을 묻는 것을 보고 그 묻는 바가 매우 커서 '어찌 인에 그치겠는가? 필시 성이 아닐까?'라고 답하신 것이다. 대개 인은 상하를 통해(높은 수준과 낮은 수준을 다 겸해) 말할 수 있고, 성은 그 극치이다. 성인은 인륜의 지극함이고, (인륜의) '윤'은 이치이다. 이미 사람의 이치의 극단에 통했으니 다시 더할 것이 없다. 가령 지금 어떤 사람이 하나의 일에 인하다면 이 또한 인이라고 할 수 있고, 인의 도를 다하는 것에 이르러서도 또 인이라고 하니, 이것이 상하를 통해 말하는 것이다. "성과 인이라면 내 어찌 감히 감당하리오"라고 말씀하신 경우, 이는 또 오히려 인과 성이 모두 큰 것이라는 뜻이다. 대저 인의 도를 다하는 자는 성인이고, 성인이 아니라면 인의 도를 다할 수 없다. 또 말했다. 이것은 자공이 아직 인을 알지 못한 까닭에 짐작하여 물어본 것이다. 오직 성인만이 인을 다할 수 있다. 일에 있어서의 인[실천으로서의 인]은 성이라고는 할 수 없다. 또 물었다. 요순도 오히려 그것을 걱정했다는데 과연 그렇습니까? 답했다. 진실로 그러하다. 성인께서는 오직 미치는 바가 멀고 넓지 못한 것을 걱정하셨으니, 사해를 다스리는 것이 어찌 사해의 바깥까지 겸해 다스리는 것만 하겠는가? 이것이 일찍이 걱정으로 삼으신 것이다. 박시제중은 일이 큰 것인 까닭에 인으로는 이름 붙이기에 부족하다. 박시제중은 성인이 아니고는 할 수 없는 것이니, (박시제중이) 어찌 인을 구하는 일이겠는가? 그런 까닭에 특별히 "무릇 인자는 남을 서게 하고 달하게 한다. '취비'는 가히 인의 방도라 할 수 있다"라고 말씀하심으로써 사람으로 하여금 찾아 스스로 돌이켜보아 알 수 있게 하셨다. 비록 그러하나, 성인께서는 인을 다하지 않은 적이 없지만 사람들에게 가르칠 수 없어 이처럼 감쇄하여(수준을 낮추어) 가리키셨다.

○語仁 而曰可謂仁之方也已者 蓋 若便以爲仁 則反使不識仁 只以所言爲仁也 故 但曰 仁之方 則使自得之以爲仁也

인에 관해 말씀하시면서 '인의 방도라고 할 만하다'고 하셨던 것은, 대개 만약 곧 (그것이) 인이라고 말씀하면 도리어 인을 깨닫지 못하고 그저 말씀하신 바를 인이라고 생각할까봐 단지 인의 방도라고만 말씀하신 것이다. 그러니, 인이 됨(무엇이 인이 되는지)을 스스로 깨닫도록 하신 것이다.

○朱子曰 子貢所問爲仁 便使中天下而立 定四海之民 如堯舜 也做不得 何況蓽門圭竇之士 聖人 所以提起 夫仁者 己欲立而立人 己欲達而達人 正指仁之本體 蓋 己欲立 則思處置他人也立 己欲達 則思處置他人也達 放開眼目 推廣心胸 此 是甚氣象 如此 安得不謂仁之本體 若能近取譬者 以我之欲立而知人之亦欲立 以己之欲達而知人之亦欲達 如此 則止謂之仁之方而已 此爲仁 則同 但己欲立而立人 欲達而達人 是已到底 能近取譬 是未到底 其次第 如此

주자가 말했다. 자공이 물은 바의 인은 곧 천하 가운데에 서서 사해의 백성을 안정시키는 것이니 요순 같아도 할 수 없는 것인데 어찌 하물며 시골 오두막의 선비임에랴? 성인께서는 그런 까닭에 '무릇 인자는 내가 서고자 하면 남을 서게 하고, 내가 달하고자 하면 남을 달하게 한다'고 제시하셨으니, 이는 바로 인의 본체를 가리키신 것이다. 대개 자신이 서고자 하면 남도 서려 한다는 것에 생각이 (저절로) 두어지고, 자기가 달하고자 하면 남도 달하려 한다는 것에 생각이 두어지는, 열린 눈과 넓은 마음, 이는 무슨 기상인가? 이 같은 것을 어찌 인의 본체라고 하지 않을 수 있는가? 능근취비(능히 가까이 취하여 미루어 깨달음)하는 자의 경우에는 자신이 서고자 한다는 것을 가지고 남도 서고자 한다는 것을 알고, 자신이 달하고자 한다는 것을 가지고 남도 달하고자 한다는 것을 안다. 이 같은 것은 다만 인의 방도라고 할 수 있을 뿐이다. 이것이 인이 되는 것은 마찬가지이지만, 다만 자기가 서고자 하면 남을 서게 하고 자기가 달하고자 하면 남을 달하게 하는 것은 이미 (경지에) 도달한 것이고, 능근취비는 아직 도달하지 못한 것이니, 그 순서(위계)가 이와 같다.

○博施濟衆 這箇 是盡人之道 極仁之功 非聖人不能 然 聖人 亦有所不足 在仁 固能博施濟衆 然 必得時得位 方做得這事 然 堯舜 雖得時得位 亦有所不足

박시제중, 이는 사람의 도를 다하는 것이고 인의 공효의 극치이니 성인이 아니면 할 수 없다. 그러나 성인도 또한 부족한 바가 있었다. (성인의) 인으로만 보자면, 본디 박시제중할 수 있었을 것이다. 그러나 반드시 때를 얻고 지위를 얻어야 비로소 이 일을 할 수 있다. 그러나 요순은 비록 때도 얻고 지위도 얻었으나, 또한 부족한 바가 있었다.

○何事於仁必也聖乎 不是聖大似於仁 仁 只是一條正路 聖 是行到盡處 欲立欲達 是仁者之心 如此 能近取譬 是學做仁底 如此 深淺不同 但 克去己私復得天理 便是仁 何必博施而後爲仁 若必待如此 則有終身不得仁者矣 孔顔不得位 不成做不得仁 欲立欲達 卽絜矩之義 子貢 凡三問仁 聖人 三告之以推己度物 想得子貢高明 於推己處 有所未盡

'인이 되는 데 무슨 일이 있겠는가? 필시 성이 아닐까?'라는 말은 성이 인보다 더 큰 것 같다는 말이 아니다. 인은 단지 한 줄기 바른 길이고, 성은 지극한 곳에 도달한 것이다. '서고자 하면, 달하고자 하면 운운'하는 말은 인자의 마음이 이와 같다는 것이고, '능히 가까이서 취하여 미루어 깨닫는다'라는 말은 인 배우는 것이 이와 같다는 말이다. 그 (수준의) 깊고 얕음은 같지 않지만 단, 자기의 사욕을 이겨 제거해 천리를 회복하는 것이 곧 인이니, 하필 널리 베푼 다음에야 인이 되리오. 만약 반드시 이러하기(박시제중)를 기다려야 한다면(그런 다음에야 비로소 인을 얻을 수 있다면) 종신토록 인을 얻지 못하는 자가 있을 것이다. 공자와 안자는 그 지위를 얻지 못했지만, 인을 얻지 못했다는 것은 말이 안 된다. '서고자 하면, 달하고자 하면 운운'은 곧 혈구(나를 미루어 남에게 미침)의 뜻이다. 자공이 무릇 인을 세 번 묻고, 성인께서 세 번 추기탁물(자신을 미루어 남을 판단함)로써 가르쳐주셨으니, 자공은 고명하다고는 할 수 있겠지만, 자신을 미룸에 있어서는 미진한 바가 있었던 듯하다.

○問 博施濟衆 恐是子貢 見孔子說仁多端 又不曾許一箇人是仁 故 揀箇大底來說否 曰 然 然而夫子 答子貢曰 己欲立而立人 己欲達而達人 至於答顔子 則曰 克己復禮爲仁 分明一箇仁 說兩般 諸公試說 這兩般說是如何 或曰 一爲心之德 一爲愛之理 曰 是如此 但 只是一箇物事 有時說這一面 又有時說那一面 人 但要認得是一箇物事 一云 孔子 向顔子說 則以克己爲仁 此處 又以立人達人爲仁 一自己上說 一自人上說 須於這裏看得一般 方可 如己欲立而立人 己欲達而達人 便有那克己復禮底意思 克己復禮 便包那己欲立而立人 己欲達而達人底意思 只要人自分別而已 然 此 亦是因子貢所問而說

물었다. 박시제중은 자공이 공자께서 인을 여러 가지 방식으로 말씀하시고, 또 한 사람도 인이라고 인정하신 적이 없으셨음을 보았기 때문에 큰 것을 골라서 말한 것 아닙니까? 답했다. 그렇다. 그렇기는 하지만, 공자께서 자공에게는 '내가 서고자 하면 남을 서게 하고 내가 달하고자 하면 남을 달하게 한다'라고 답하셨고, 안자에게 답할 때에는 '극기복례가 인이 된다'고 말씀하셨으니, 분명 하나인 인을 두 가지 방식으로 말씀하신 것이다. 여러분들은 이 두 가지 방식의 설명이 어떠한지에 대해서 설명해보라. 혹자가 말했다. “하나는 마음의 덕이고, 또 하나는 사랑의 이치가 됩니다.” (주자가) 답했다. 그렇기는 하다. 단, 이것은 하나의 사물일 뿐이니, 어떤 때는 이 한 면을 말하고, 또 어떤 때는 저 한 면을 말하지만 사람들은 이것이 하나의 사물임을 알아야만 한다. <어떤 데는 다음과 같이 나와 있다. 공자께서 안자에게는 극기가 인이 된다고 말씀하시고, 여기서는 또 남을 서게 하고 남을 달하게 하는 것이 인이 된다고 하셨으니, 전자는 자신으로부터(그 사람 본인을 중심으로) 말씀하신 것이고, 후자는 남으로부터(남을 중심으로) 말씀하신 것이다. 모름지기 여기서 같은 것(두 설에 일관되는 공통의 것)을 알아야 비로소 옳다.> ‘내가 서고자 하면 남을 서게 하고 내가 달하고자 하면 남을 달하게 한다’라는 것은 곧 저 극기복례의 뜻이 있고, 극기복례는 곧 ‘내가 서고자 하면 남을 서게 하고 내가 달하고자 하면 남을 달하게 한다’의 뜻을 가지고 있으니, 다만 사람들이 스스로 분별해야 할 따름이다. 그러나 이 또한 자공이 물은 것 때문에 말씀하신 것이다.

○立人達人 卽子貢所謂欲無加諸人 仁之事也 能近取譬 求仁之方 卽孔子所謂勿施於人 恕之事也 博施濟衆之問 與無加諸人之說 其先後不可考 疑却因能近取譬之言 用力有功 而後有無加諸人之說也

‘남을 서게 하고 남을 달하게 한다’는 것은 자공이 말한 ‘(내게 가해지지 말았으면 하는 것을) 남에게 가하지 않고자 한다’는 것이니, 인의 일이다. ‘능히 가까이서 취해 미루어 깨닫는 것이 인을 구하는 방도이다’라는 것은 공자께서 말씀하신 ‘(내가 원하지 않는 것을) 남에게 베풀지 말라’는 것이니 ‘서(恕)’의 일이다. 박시제중의 질문과 ‘남에게 가하지 않고자 한다’는 말의 선후(어떤 말이 먼저 한 것이고 나중 한 것인지)는 고찰할 수 없다. 아마도 ‘능근취비’라는 말씀으로 말미암아 힘써 노력해 효과를 거둔 다음에 ‘남에게 가하지 않고자 한다’는 말을 했던 것 같다.

○問 博施濟衆 與脩己以安百姓 乃堯舜儘做得底 夫子 猶以爲病 如何 潛室陳氏曰 堯舜在上 保得天下 無窮民否 天地之大人 猶有所憾 見得道理無盡期 聖賢 亦未有盡處 安得不反躬自責

물었다. 박시제중과 ‘나를 닦아 백성을 편안하게 함’은 곧 요순께서 모두 다 해내신 것인데, 공자께서 ‘오히려 걱정하셨다’고 하신 것은 왜입니까? 잠실 진씨가 답했다. 요순은 임금의 자리에 있으면서 천하를 보유하셨지만 곤궁한 백성이 없도록 하지는 못하셨으니, 천지의 대인도 오히려 유감스럽게 생각하는 바가 있었다. 그러니 도리를 다하기를 기약할 수 없음과 성현도 또한 아직 완전하지 못한 점이 있음을 알겠다. 어찌 자신을 반성하여 자책하지 않을 수 있으랴?

○覺軒蔡氏曰 謂此章論仁 子貢 是就仁之功效及人處說 夫子 是就仁之本體心上說 就功效及人上說 則仁之名 雖大 而脈絡不貫 就本體心上說 則仁之實雖小 而周流莫禦 故 子貢問 如有博施於民而能濟衆 功效普博如此 而後可以謂之仁乎 夫子答 此 何但是仁 必也聖人方能之乎 然 聖如堯舜 猶且病諸 夫仁者 就己上發出 己欲立卽立人 己欲達卽達人 此 仁者之事也 若未能便至於仁 而能近取譬 以己之欲立 譬之 他人亦欲立而立之 以己之欲達譬之 他人亦欲達而達之 如此 則雖未卽至於仁 而亦可謂求仁之方也已 夫既以仁之本體告之 又以求仁之方術告之 庶乎學者循序 而得夫用工之要 回視子貢功效籠罩之說 茫乎無所措手 苟志於仁者 是可不深思而靜體之哉

각헌 채씨가 말했다. 이 장에서 인을 논한 것에 대해 말하자면, 자공은 인의 공효가 남에게 미치는 것에 관해 말한 것이고, 공자께서는 인의 본체에 관하여 마음의 관점에서 말씀하신 것이다. 공효가 남에게 미친다는 말에 대해 말하자면, 인이라는 이름(개념)이 비록 크지만, 맥락이 관통하지는 못한다. 본체와 마음이라는 말에 대해 말하자면, 인의 실질은 비록 작으나 두루 흘러서 막을 수 없다. 그런 까닭에, 자공이 '백성에게 널리 베풀고 뭇사람을 구제해 그 공효가 이처럼 넓은 후에야 인이라고 할 수 있습니까?' 라고 물은 데 대해, 공자께서는 '어찌 이것이 단지 인이겠는가? 필시 성인이라야 비로소 할 수 있지 않겠는가? 그러나 요순과 같은 성인도 그것을 걱정하셨다. 무릇 인이란 자기로부터 나오는 것이니, 내가 서고자 하면 남을 서게 하고 내가 달하고자 하면 남을 달하게 한다. 이것이 인자의 일이다. 만약 아직 인에 도달하지는 못했지만 가까이서 취하여 미루어 깨달을 수 있어, 내가 서고자 한다는 것을 가지고 남도 역시 서고자 한다는 것을 깨달아 그를 세워주고, 내가 달하고자 한다는 것을 가지고 남도 역시 달하고자 한다는 것을 깨달아 그를 달하게 해준다면, 비록 곧 인에 도달한 것은 아직 아니더라도 역시 인을 구하는 방도라고는 할 수 있다'라고 답하셨던 것이다. 무릇, 이미 인의 본체를 알려주시고, 또 인을 구하는 방도도 알려주셨으니, 아마도 배우는 자가 순서를 따라하면 공부의 요체를 얻을 수 있으리라. 자공의 (줄줄 새는) 바구니나 그물 같은 공효설을 둘러보면, 망망하여 손 쓸 곳이 없다. 진정 인에 뜻을 둔 자라면, 깊이 생각하여 가만히 체득하지 않아서 되겠는가?

述而第七

【집주】

此篇 多記聖人謙己誨人之辭 及其容貌行事之實 凡三十七章

이 편은 성인께서 스스로 겸손히 하신 말씀과 사람을 깨우치는 말씀 및 그 모습과 행사의 실제를 많이 기록했다. 모두 37장이다.

7.1 子曰 述而不作 信而好古 竊比於我老彭 好 去聲

공자께서 말씀하셨다. 나는 서술하되 지어내지 않고, 옛것을 믿고 좋아하니, 가만히 우리 노팽에 비교해본다.

【집주】

述 傳舊而已 作 則創始也 故 作 非聖人不能 而述 則賢者可及

'술'은 옛것을 전하는 것일 뿐이고, '작'은 창시하는 것이다. 그러므로 '작(지어냄)'은 성인이 아니면 불가능한 것이고, '술(서술함)'은 현자가 미칠 수 있는 것이다.

【세주】

記曰 作者之謂聖 述者之謂明

『예기』(19,「악기」)에 말하기를, "짓는 자를 일러 성하다(성스럽다) 하고, 서술하는 자를 일러 명하다(밝다) 한다"라 했다.

【집주】

竊比 尊之之辭 我 親之之辭 老彭 商 賢大夫 見賢遍反大戴禮

'절비'는 그를 높이는 말이고, '아'는 그를 친하게 여기는 말이다. 노팽은 상의 현명한 대부인데『대대례』에 나온다.

【세주】

虞德篇 有商老彭之語 包氏註云 商賢大夫

「우덕」편에 '상의 노팽'이라는 말이 있는데, 포씨의 주에는 상의 현명한 대부라 했다.

【집주】

蓋 信古而傳述者也 孔子 刪詩書 定禮樂 贊周易 修春秋 皆傳先王之舊 而未嘗有所作也 故 其自言如此 蓋 不惟不敢當作者之聖 而亦不敢顯然自附於古之賢人 蓋 其德愈盛 而心愈下 不自知其辭之謙也

(노팽은) 대개 옛것을 믿어 서술해 전한 자이다. 공자께서는 『시경』과 『서경』을 정리하시고, 예악을 정하시고, 『주역』을 찬술하시고, 『춘추』를 편수하셨으니, 모두 선왕의 옛것을 전한 것이지, 일찍이 지어내신 바는 없다. 그런 까닭에 스스로 이와 같이 말씀하셨다. 대개 지어내는 자로서의 성인에 감히 자신을 해당시키지 않으셨을 뿐만 아니라, 또한 감히 드러내놓고 스스로를 옛 현인에게 갖다 붙이지도 않으셨다. 대개 그 덕이 성하면 성할수록 마음은 더욱 겸손해지는 법이니, 스스로는 그 말씀의 겸손함을 모르셨다.

【세주】

朱子曰 孔子 賢於堯舜 非老彭之所及 自不須說 但其謙退不居 而反自比焉 且其辭氣謙遜 而又出於誠實 所以爲盛德之至也

주자가 말했다. 공자께서는 요순보다도 현명하셨으니, 노팽이 미칠 바가 아님은 당연히 말할 필요도 없다. 그러나 겸손히 물러나 스스로 자부하지 않고, 오히려 스스로 (노팽에) 비교하셨다. 또 그 말의 기운이 겸손하고 또 성실함에서 나왔으니, 성덕의 지극함이 되는 것이다.

【집주】

然 當是時

그러나 이때에

【세주】

新安陳氏曰 此以下 推廣餘意

신안 진씨가 말했다. 이 이하는 남은 뜻(숨은 뜻)을 미루어 넓힌 것이다.

【집주】

作者略備 夫子 蓋 集群聖之大成 而折衷之 其事 雖述 而功 則倍於作矣 此 又不可不知也

지은 것들이 대충은 갖추어져 있었지만, 공자께서 대개 여러 성인들이 크게 이루어 놓은 것들을 모으고 절충하셨으니, 그 일은 비록 서술이지만 그 공은 지어내는 것에 배가 된다. 이 점 또한 알지 않으면 안 된다.

【세주】

問 述而不作 如何 程子曰 此 聖人 不得位 止能述而已

물었다. '술이부작(서술하되 지어내지 않음)'은 어떤 것입니까? 정자가 답했다. 이는 성인께서 지위를 얻지 못해 단지 서술만 할 수 있었다는 것이다.

○問 聖人 不得時不得位 只如此 聖人 得時得位時 更有制作否 朱子曰 看聖人告顔子四代禮樂 只是恁地 恐不大段更有制作 亦因四代有此禮樂而因革之 亦未是作處

물었다. 성인께서 때와 지위를 얻지 못하여 이러하셨을 따름이지만, 만약 성인께서 때와 지위를 얻었다면 또 제작하신 바가 있었을까요? 주자가 답했다. 성인께서 안자에게 4대의 예악을 알려주신 것이 단지 그러한 것을 보면, 아마도 크게 제작하시지는 않을 것 같다. 역시 4대에 이런 예악이 있음으로 말미암아 이어받아 고치신 것이니 또한 지어내신 것은 아니다.

○問 春秋 恐是作否 曰 其事 則齊桓晋文 其文 則史 其義 則丘竊取之矣 看來 是 寫出魯史 中間微有更改爾

물었다. 『춘추』는 아마도 지어내신 것 아닐까요? 답했다. (『춘추』의) 그 일은 제 환공, 진 문공의 일이고, 그 글은 곧 역사이고, 그 뜻은 '내(공자)가 가만히(마음속으로) 취한 것'이다. 이로 보건대, 이 일은 노나라 역사를 그려낸 것이고, 중간에 약간 고친 것이 있을 뿐이다.

○問 信而好古 曰 旣信古又好古 今人 多信而不好 或 好而不信 如好之者 他 也且恁地說 信之者 雖知有箇理恁地 畢竟是有了箇篤好底意思

'신이호고(옛것을 믿고 또 좋아함)'에 대해 물었다. 답했다. 이미 옛것을 믿고 또 옛것을 좋아하는 것이다. 요즘 사람들은 믿지만 좋아하지는 않거나, 좋아하지만 믿지는 않는 경우가 많다. [그렇기는 하지만] 좋아하는 자의 경우, 그 또한 그렇다고(믿고 또 좋아한다고) 하겠고, 믿는 자는 비록 그렇게 이치가 있다는 것을 아는 것(뿐)이기는 하지만, 필경 독실하게 좋아하려는 의사가 들어 있다[좋아하는 것은 믿는 것을 포함하고, 믿는 것은 좋아하는 것을 포함한다].

○楊氏曰 孔子自謂 述而不作 孟子言 孔子作春秋 春秋 雖孔子作 然 其事則桓文 其文 則史 孔子自謂 其義則某竊取之 是 亦述而已

양씨가 말했다. 공자께서는 스스로 '술이부작'이라 하셨지만, 맹자는 '공자께서 『춘추』를 지으셨다'라 했다. 그런데 『춘추』는 비록 공자께서 지으셨지만, 그 일은 환공과 문공의 일이고, 그 글은 역사이고, 공자께서 스스로

'그 뜻은 내(공자)가 가만히 취한 것'이라 하셨으니, 이는 또한 서술일 따름이다.

○慶源輔氏曰 作者略備 觀諸經可見 集大成而折衷之 亦於諸經見之 然群聖所作 因時制宜 以成一代之制 夫子 折衷參互訂正 以垂萬世之法 夫子賢於堯舜者 在是

경원 보씨가 말했다. '작자약비(지은 것들이 대충은 갖추어짐)'는 여러 경전을 보면 알 수 있다. '집대성이절충지(집대성하여 절충했음)'도 또한 여러 경전에 드러난다. 그러나 여러 성인들이 지으신 것은 당시(의 상황)에 맞추어 그 마땅한 것을 만듦으로써 한 시대의 제도를 이룬 것이고, 공자께서는 절충하고, 참고하고, 정정하여 만세의 법을 드리우셨으니, 공자께서 요순보다 현명한 것은 바로 이 점에 있다.

○雙峯饒氏曰 春秋 雖因魯史而修之 然 實却是作 蓋 賞罰 天子之事 時王不能正其賞罰 故 春秋 爲之褒善貶惡 以誅亂賊於旣死之後 是 以匹夫而代天子 行賞罰也 此事 前古所無 孔子 始創爲之 故 雖述而實作 集大成者詳見孟子集註 書 述政事 詩 道性情 禮 以正行 樂 以養德 各是一事 如樂之小成 夫子 合六經而折衷之 如樂之集衆小成 而爲大成

쌍봉 요씨가 말했다. 『춘추』는 비록 노의 역사에 근거하여 찬수한 것이지만, 그러나 실지로는 오히려 창작이다. 대개 상벌은 천자의 일이지만 당시의 왕은 상벌을 바로 할 수 없었다. 그래서 『춘추』는 이 때문에 선을 칭찬하고 악을 폄하함으로써 이미 죽은 난신적자를 붓으로 처형했으니, 이는 필부로서 천자를 대신하여 상벌을 행하신 것이다. 이러한 일은 옛날에는 없었고, 공자께서 처음으로 창시해 행하신 것이다. 그러므로 비록 서술이라 하지만, 실지로는 창작하신 것이다. '집대성'이라고 하는 것은 『맹자집주』(10, 「만장하」 1장)에 상세히 보인다. '서'는 정사를 서술하고, '시'는 성정을 말하고, '예'는 행동을 바로잡고, '악'은 덕을 기르는 것이니, 각각이 하나의 일로서 음악의 소성과 같다. 공자께서는 육경을 합해 절충하셨으니 마치 음악의 여러 소성들을 모아 대성을 이룬 것과 같다.

○新安陳氏曰 諸家 說此章 多於述作二事着意 信而好古一句 則忽略之 夫信而好古 乃述而不作之本 夫子 嘗自謂好古敏以求之 又謂不如某之好學 常人之所以不知好古不能好學 皆信道不篤故爾 惟能篤於信道 所以 深好古道 惟篤信好古 所以 惟述古 而不敢自我作古焉 此 朱子 今人多信而不好或好而不信一條 所以不可無也

신안 진씨가 말했다. 여러 학자들이 이 장을 설명하면서 '술(서술)'과 '작(창작)' 두 가지 일에 대해서만 뜻을 두는 경우가 많고, '옛것을 믿고 또 좋아한다'는 구절은 소홀히 취급한다. 무릇 '옛것을 믿고 좋아하는 것'은 '서술하되 지어내지 않음'의 근본이다. 공자께서는 일찍이 스스로 '옛것을 좋아하여 민첩하게 그것을 구한다'고 하셨고, 또 말씀하시기를 '나만큼 호학하지는 못한다'라고 하셨는데, 보통 사람이 옛것을 믿거나 좋아하지 못하고 호학하지 못하는 것은 모두 도를 믿는 것이 독실하지 않기 때문이다. 오직 도를 믿음에 독실할 수 있어야 옛 도를 깊이 좋아할 수 있고, 오직 옛것을 독실히 믿고 좋아해야만 옛것을 서술하되 감히 스스로 옛것을 지어내지 않을 수 있다. 이것이 주자의 '요즘 사람들은 믿지만 좋아하지는 않거나, 좋아하지만 믿지는 않는 경우가 많다'는 한 구절이 없어서는 안 되는 이유이다.

7.2 子曰 默而識之 學而不厭 誨人不倦 何有於我哉

識 音志 又如字

공자께서 말씀하셨다. 말없이 기억하고, 배움에 싫증 내지 않고, 사람을 가르침에 게을리하지 않는 것, (이들 중) 어떤 것이 나에게 있겠는가?

【집주】

識 記也 默識 謂不言而存諸心也

'지'는 기억하는 것이다. '묵지'는 말없이 마음에 새겨두는 것이다.

【세주】

朱子曰 非是聽人說後記得 是得於心自不能忘 拳拳服膺而勿失也

주자가 말했다. (묵지란) 남의 말을 들은 후에 기억하는 것이 아니라, 마음으로 얻었기에 저절로 잊을 수 없어 열심히 지키고 잃어버리지 않는 것이다.

○雙峯饒氏曰 默識與道聽塗說者 相反 道聽塗說 更不復留爲身心受用 默識 則其所得者深 而所存者固矣 詩云 中心藏之 何日忘之 易曰 默而成之 不言而信 存乎德行 皆是此意

쌍봉 요씨가 말했다. '묵지'와 '도청도설(오며가며 듣고 말함)'은 상반된다. 도청도설은 다시 남아 있지 않아 몸과 마음에 수용되지 않은 것이고, 묵지는 얻은 것이 깊고 그 보존되는 것이 단단한 것이다. 『시』(「소아 도인사」 <습상>)에서 말하기를 "마음속에 간직하니 어느 날엔들 잊으리오"라 했고, 『역』(「계사상전」)에서 말하기를 "묵묵히 이루고 말없이 믿어 덕행을 보존한다"라 했으니, 모두 이 의미이다.

○勿軒熊氏曰 先言默識者 聖門之學 以沈潛淵默爲本

물언 웅씨가 말했다. 먼저 묵지를 말한 것은 성인 문하의 학문이 깊이 잠기어 조용히 침묵하는 것을 근본으로 삼기 때문이다.

【집주】

一說 識 知也 不言而心解也 前說 近是

일설에는 '식[識: 이 경우 '식'으로 읽는 것이 적절함]'은 아는 것이니 말없이 마음으로 이해하는 것이라 했는데, 앞의 설이 더 옳다.

【세주】

新安陳氏曰 不言而存諸心者 其功 實 不言而心解者 其意 玄

신안 진씨가 말했다. 말없이 마음에 보존한다는 것(설)은 그 공(효과)이 실질적이고, 말없이 마음으로 이해한다는 것(설)은 그 뜻이 현묘하다.

【집주】

何有於我 言何者能有於我也 三者 已非聖人之極至 而猶不敢當 則謙而又謙之辭也

'하유어아'는 '(이들 중에) 어떤 것이 나에게 있겠는가'라는 뜻이다. 세 가지는 이미 성인의 지극함(지극한 성인이라야만 할 수 있는 일)이 아닌데도 오히려 감히 감당할 수 없다 하셨으니, 겸손하고 또 겸손한 말씀이다.

【세주】

朱子曰 默而識之 至誨人不倦 是三者 雖非聖人之極至 在學者亦難 如平時講貫 方能記得 或因人提撕 方能存得 若默而識之 乃不言而存諸心 非心與理契 安能如此 學不厭 在學者 久亦易厭 視人與己若無干涉 誨之 安能不倦 此三者 亦須是心無間斷 方皆如此 又曰 今學者 須是將此三句 時時省察 我還能默識否 我學還不厭否 我教還不倦否 如此乃好

주자가 말했다. '묵이지지(말없이 기억함)'부터 '회인불권(사람을 가르침에 게을리하지 않음)'까지의 이 세 가지는 비록 성인의 지극함은 아니지만, 배우는 자에게는 역시 어려운 일이다. 가령 평소에 꿰뚫어 공부해야 비로소 능히 기억할 수 있고, 혹 남이 이끌어주어야 비로소 보존할 수 있다. '묵이지지'의 경우에는 말없이 마음에 보존하는 것이니, 마음과 이치가 결합되지 않았다면 어찌 그럴 수 있겠는가? '학불염(배움에 싫증 내지 않음)'의 경우, 배우는 자로서는 오래되면 또한 쉽게 싫증을 내게 된다. 남을 나와 아무런 관련이 없는 것으로 본다면, 가르침에 어찌 게을리하지 않을 수 있겠는가? 이 세 가지는 역시 모름지기 마음에 끊어짐이 없어야 비로소 이와 같이할 수 있는 것이다. 또 말했다. 지금 배우는 자들은 모름지기 이 세 구절을 가지고서 때때로 성찰해야 하니, 나는 또 말없이 기억할 수 있는가? 나는 또 배움에 싫증 내지 않는가? 나는 또 가르침에 게을리하지 않는가? 이렇게 해야 잘하는 것이다.

○默而識之 便是得之於心 學不厭 便是更加講貫 誨不倦 便是施於人也

'묵이지지'는 곧 마음에 얻는 것이고, '학불염'은 꿰뚫어 공부하기를 더욱 더 하는 것이고, '회불권(가르침에 게을리하지 않음)'은 남에게 베푸는 것이다.

○問 何有於我哉 曰 此語 難說 聖人 是自謙言 我不曾有此數者 聖人 常有慊然不足之意 衆人 雖見他 是仁之至熟 義之至精 他 只管自見得有欠闕處

'하유어아재'에 관해 물었다. 답했다. 이 말은 설명하기 어렵다. 성인께서는 스스로 겸양하셔서 '내가 아직 이 몇 가지를 가지지 못했다'고 말씀하셨다. 성인께서는 언제나 흡족하지 않아 불만족한 뜻이 있으셨다. 뭇사람들은 그(공자)가 인이 지극히 무르익었고 의가 지극히 정밀하다고 보지만, 그는 단지 모자라고 빠진 곳이 있음을 스스로 아셨다.

○此 必因人稱聖人有此 聖人 以謙辭承之 記者 失却上一節 只做聖人自話記了

이는 틀림없이 남들이 성인께서는 이런 것들을 가지고 있을 것이라고 칭찬하자 성인께서 겸손한 말씀으로 받으신 것일 것이다. 기록한 자가 위 한 구절을 잃어버리고는 성인께서 혼자 말씀하신 것으로 기록해버린 것이다.

○南軒張氏曰 默識 非言意所可及 蓋 森然於不睹不聞之中者也 在己 則學不厭 施諸人 則教不倦 成己成物之不息也 此 亦是作知識說

남헌 장씨가 말했다. 묵지는 말의 뜻(언어의 의미)이 미칠 수 있는 것이 아니고, 대개 보고 듣지 않는 사이에 울창하게 들어차는 것이다. 나로서는 배움에 싫증 내지 않고, 남에게 베풂에 있어서는 가르침에 게을리하지 않으니, 자신을 완성시키고 남을 완성시키기를 그치지 않는 것이다. 이것 역시 지식설(지식론)을 지으신 것이다.

○雲峯胡氏曰 學貴自得 故 在默識 自得而不自以爲得 故 學而不厭 自得而必欲人之同得 故 教而不倦

운봉 호씨가 말했다. 배움은 자득(스스로 깨우쳐 얻음)을 귀히 여기기 때문에 말없이 기억하고 있는 것이다. 자득했으되 스스로는 얻었다고 생각하지 않기 때문에 배움에 싫증 내지 않는 것이다. 자득했으되 반드시 남도 똑같이 얻기를 바라기 때문에 가르침에 게을리하지 않는 것이다.

7.3 子曰 德之不修 學之不講 聞義不能徙 不善不能改 是 吾憂也

공자께서 말씀하셨다. 덕을 닦지 않는 것, 학문을 연구하지 않는 것, 의를 듣고도 옮겨가지 못하는 것, 불선을 고치지 못하는 것, 이런 것이 나의 근심거리이다.

【집주】

尹氏曰 德 必修而後成

윤씨가 말했다. 덕은 반드시 닦은 이후에야 완성되고,

【세주】

勉齋黃氏曰 修 治也 謂去其疵纇 而全其善也

면재 황씨가 말했다. '수'는 닦는 것이니, 그 흠결을 제거하여 그 선을 온전히 하는 것을 말한다.

【집주】

學 必講而後明

학문은 반드시 연구한 후에야 밝아지며,

【세주】

上蔡謝氏曰 學 須是熟講 學不講 用盡工夫 只是舊時人

상채 사씨가 말했다. 학문은 모름지기 익히 연구해야 한다. 학문을 연구하지 않고 공부를 다했다고 하면 단지 구시대 사람일 뿐이다.

【집주】

見善能徙 改過不吝 此四者 日新之要也 苟未能之 聖人猶憂 況學者乎

선을 보고는 능히 옮겨가고, 허물 고치기에 인색하지 않는 것, 이 네 가지는 '일신(날로 새롭게 함)'공부의 요체이다. 만약 그렇게 하지 못한다면, 성인께서도 오히려 근심하셨는데 하물며 배우는 자임에랴?

【세주】

朱子曰 修德 是本 如有害人之心 便是仁不修 有穿窬之心 便是義不修 德是理之得於吾心者 已是我有底物事了 更日日磨礲 勿令間斷 徙義 改不善須與分別 義 是事之宜 我做這事 覺未甚合宜 須徙 令合宜 此 却未有不善處不善 便是過惡 須速全體改之 始得有輕重之別

주자가 말했다. 덕을 닦는 것이 근본이다. 예컨대 남을 해치려는 마음이 있으면 곧 인을 닦지 않은 것이고, 문을 뚫으려는(도둑질하려는) 마음이 있으면 의를 닦지 않은 것이다. 덕은 이치가 내 마음에 얻어진 것이니, 이미 내가 가지고 있는 물건이지만 다시 매일매일 갈고 닦아 끊어짐이 없도록 해야 한다. 의로 옮겨가는 것과 불선을 고치는 것은 반드시 구별해야 한다. 의는 일의 마땅함이니, 내가 이 일을 하는 것이 매우 마땅하지는 않다는 것을 깨달으면, 반드시 옮겨가서 합당하게 만들어야 한다. 여기에는 오히려 불선한 것은 없다[의로 옮겨가는 것은 의, 불의의 문제이지 선, 불선과는 상관없다]. 불선은 곧 허물이고 악이니, 모름지기 빨리 다 고쳐야 한다. (그래야) 비로소 경중의 구별을 한 것이다[불선을 고치는 것이 더 급한 일이다].

○須實見得是如何 德 是甚麼物事 如何喚做修 如何喚做不修 人而無欲害人之心 這是德得之於吾心也 然 害人之心 或有時而萌者 是不能修者也 德者 道理得於吾心之謂 修者 好好修治之謂 更須自體之 須把這許多說話 做自家身上說 不是爲別人說

모름지기 실지로 이것이 무엇인지 알아야 한다. 덕이 어떤 물건인지, 무엇을 '닦음'이라고 부르는지, 무엇을 '닦지 않음'이라고 부르는지를 알아야 한다. 사람이 남을 해치려는 마음이 없는 것, 이것이 덕이 내 마음에 얻어진 것이다. 그러나 남을 해치려는 마음이 혹 때때로 일어나는 것은 닦지 못한 것이다. 덕은 도리가 내 마음에 얻어진 것을 말하고, '닦음'은 잘 닦았음을 말하니, 또 모름지기 스스로 체득해야 한다. 모름지기 저 허다한 말들을 자기 자신상의 말(자신을 위한 말)로 여겨야 하는 것이지, 다른 사람을 위한 말이 아니다.

○問 德之不修 可以包下三句否 曰 若恁地 夫子 但說一句便了 何用更說四句 徙義改過 略似修德裏面事 然 也別是箇頭項 講學 自是講學 修德 自是修德 如致知格物 是講學 誠意正心修身 是修德 博學審問愼思明辨 是講學篤行 是修德 又曰 不善 自家做得淫邪非僻底事 徙義 是雖無過惡 然 做得未恰好 便是不合義 若聞人說如何方是恰好 便當徙而從之 聖人 說這幾句 淺

深輕重 盡在裏面 聞義不能徙底罪 小 不善不能改底罪 大 但 聖人不分細大 都說在裏面 學者 皆當著工夫

물었다. '덕을 닦지 않음'은 아래 세 구절을 다 포함하는 것 아닙니까? 답했다. 만약 그렇다면 공자께서 단지 한 구절만 말씀하고 말지, 어찌 또 네 구절을 말씀하셨겠는가? 의로 옮겨가는 것과 허물을 고치는 것은 대략 덕을 닦는 일에 포함되는 듯 보이지만, 그러나 또한 다른 항목이다. 강학(학문 연구)은 그 자체로 강학이고, 수덕(덕을 닦음)은 그 자체로 수덕이다. 예컨대, 치지격물은 강학이고, 성의·정심·수신은 수덕이고, 박학·심문·신사·명변은 강학이고, 독행은 수덕이다. 또 말했다. 불선은 자신이 스스로 음란하고 사악하고 그릇되고 바르지 못한 일을 하는 것이다. 의로 옮겨가는 것은, 비록 허물이나 악은 없다 하더라도 딱 들어맞지는 않아서 곧 의와 합치되지는 않은 것에 대해, 만약 사람들이 어떻게 하면 딱 들어맞는지 말해주는 것을 들으면, 마땅히 옮겨가서 그것을 따르는 것이다. 성인께서 말씀하신 저 몇 구절은 얕고 깊음과 가볍고 무거움이 그 안에 다 들어 있다. 의를 듣고도 옮겨가지 못하는 죄는 작고, 불선을 고치지 못하는 죄는 크다. 단, 성인께서는 큰 것과 작은 것을 나누지 않으시고 모두 그 안에 포함하여 말씀하셨으니, 배우는 자들은 마땅히 모두 다 공부해야 한다.

○問 先知德不可不修 方知學不可不講 能講學 方能徙義 能徙義 方能改不善 如此看 如何 曰 修德 是本 脩德 恰似說入則孝 出則弟 謹而信 汎愛衆而親仁 學不可不講 恰似說行有餘力 則以學文 遷善改過 是修德中緊要事 蓋只脩德 而不遷善改過 亦不能得長進

물었다. '먼저 덕을 닦지 않으면 안 된다는 것을 알아야, 비로소 학문을 연구하지 않으면 안 된다는 것을 알게 되고, 학문을 연구할 수 있어야 비로소 능히 의로 옮겨갈 수 있고, 의로 옮겨갈 수 있어야 비로소 불선을 고칠 수 있다', 이렇게 보는 것은 어떨까요? 답했다. 덕을 닦는 것은 근본이다. 덕을 닦는다는 것은 흡사 '집에 들면 효도하고 나가서는 공손하고 삼가되 믿음이 있고 널리 뭇사람을 사랑하되 어진 이와 친하라'라는 말과 같고, 학문을 연구하지 않으면 안 된다는 것은 흡사 '(그렇게) 행하고도 남은 힘이 있으면 문을 배우라(『논어』1, 「학이」 6장)'는 말과 같다. '천선개과'는 덕 닦는 일 가운데 긴요한 일이다. 대개 수덕만 하고 천선개과하지 않으면 길게 진보할 수 없다.

○德之不脩 至是我憂也 這 雖是聖人以此教人 然 學不厭之意 多見於此 使有一毫自以爲聖任其自爾 則雖聖 而失其聖矣 此 是聖人自憂也 聖人 固

無是四者之憂 所以然者 亦自貶以敎人之意

'덕지불수'부터 '시아우야'까지(이 장의 말씀 전체), 이것은 비록 성인께서 이로써 사람을 가르치신 것이지만, 여기(이 장의 말씀)에는 '배움에 싫증 내지 않는다'는 뜻이 많이 드러나 있다. 만약 터럭만큼이라도 스스로 성인이라 여겨 자임하셨다면, 비록 성인이라 할지라도 그 성스러움을 잃어버린 것이다. 이것은 성인께서 스스로 근심하신 것으로, 성인께서는 본디 이 네 가지의 근심이 없는데도 그렇게 하신 까닭은 역시 스스로 낮추어서 사람들을 가르치시려는 뜻 때문이다.

○南軒張氏曰 夫德不修 則無以有諸躬 學不講 則無以明夫善 聞義不能徙 則何有於義 不善不能改 則安於不善而已 是 豈不可憂乎

남헌 장씨가 말했다. 무릇 덕을 닦지 않으면 자신에게 (덕이) 있게 할 수 없고, 학문을 연구하지 않으면 선을 밝힐 수 없고, 의를 듣고도 옮겨가지 못하면 의에 무엇이 있겠으며(의롭다고 할 만한 것이 무엇이 있겠으며), 불선을 고치지 않으면 불선에 안주할 뿐이다. 이것을 어찌 걱정하지 않을 수 있겠는가?

○勉齋黃氏曰 德以修而日新 學以講而日明 徙義 則善日益 改不善 則過日損 四者 修身之大要也 不此之務 可無憂乎

면재 황씨가 말했다. 덕을 닦아 날로 새로워지고, 학문을 연구해 날로 밝아진다. 의로 옮겨가면 선이 날로 늘어나고, 불선을 고치면 허물이 날로 줄어드니, 이 네 가지는 수신의 대요이다. 이에 힘쓰지 않는 것을 근심하지 않아서 되겠는가?

○雲峯胡氏曰 德 必修而後新 學 以講而益新 徙與改 皆是自新 故 尹氏以爲日新之要

운봉 호씨가 말했다. 덕은 반드시 닦은 후에 새로워지고, 학문은 연구함으로써 더욱 새로워지며, 옮겨가는 것과 고치는 것은 모두 스스로 새로워지는 것이니, 그런 까닭에 윤씨는 (이 네 가지 일이) 일신(날로 새로워지는 공부)의 요체라고 여겼다.

○新安陳氏曰 修德 而繼以講學 如尊德性而道問學 是也 脩德 爲大本 講學爲實功 徙義改不善 修德之條目 而講學之效驗也 修德而能講學 則行己應事 始能知其孰爲義 孰爲非義 孰爲善 孰爲不善 必徙之改之 始可以爲修德

始無負於講學矣 不然 德之不修自若也 學亦徒虛言之講耳 聖人不自聖 猶以是爲憂 此 聖所以益聖 常人 不知憂聖人之憂 此 愚所以益愚也

신안 진씨가 말했다. 덕을 닦고 나서 강학으로 그다음을 잇는 것은 예컨대 '덕성을 존중하되 학문의 길을 간다'는 것이 그것이다. 수덕은 큰 근본이고, 강학은 실질적인 노력이다. 의로 옮겨가고 불선을 고치는 것은 수덕의 조목이고 강학의 효험이다. 덕을 닦고 능히 학문을 연구할 수 있으면, 스스로 행동함과 일에 대응함에 있어서 비로소 능히 어떤 것이 의이고, 어떤 것이 의 아니고, 어떤 것이 선이고, 어떤 것이 선 아닌지를 알 수 있게 된다. 반드시 옮겨가고 고쳐야만 비로소 수덕이라고 할 수 있고, 비로소 학문을 저버리지 않는 것이다. 그렇지 않으면, 덕을 닦지 않고도 아무렇지도 않게 되고, 학문도 다만 헛된 말 공부에 불과하게 된다. 성인께서는 성인을 자부하지 않으시고 오히려 이것을 근심거리로 삼으셨으니, 이것이 성인께서 더욱 성인이 되는 까닭이다. 보통 사람들은 성인께서 근심하신 것을 근심할 줄 모르니, 이것이 바보가 더욱 바보가 되는 까닭이다.

7.4 子之燕居 申申如也 夭夭如也

공자께서 한가로이 계실 적에는 느긋한 듯하시고, 유쾌한 듯하셨다.

【집주】

燕居 閒音閑暇無事之時 楊氏曰 申申 其容舒也 夭夭 其色愉也

'연거'란 한가하고 아무 일도 없는 때를 말한다. 양씨가 말했다. '신신'이란 그 모습이 느긋하다는 뜻이고, '요요'란 그 안색이 유쾌하다는 뜻이다.

【세주】

胡氏曰 申 有展布之意 夭 有和悅之意 惟身可言舒布 故 知以容言 惟顔貌可言和悅 故 知以色言

호씨가 말했다. '신'에는 펴져 있다는 뜻이 있다. '요'에는 온화하고 즐겁다는 뜻이 있다. 오직 몸에만 '서포(느긋이 펴져 있음)'라는 말을 쓸 수 있으니 용모를 말한 것임을 알 수 있다. 오직 얼굴 모양에만 '화열(온화하고 즐거움)'이라는 말을 쓸 수 있으니 안색을 말한 것임을 알 수 있다.

○洪氏曰 易 於形容所不能言者 必曰如 至鄕黨 一言之不足 則復言之 與此義同

홍씨가 말했다. 말하기 어려운 것을 형용할 때는 『역』에서는 항상 '여(如)'라고 말했고('여' 자를 붙였고), 「향당」편에서는 한마디만으로 부족하면 두 번 거듭했으니, 이 구절과 그 뜻이 같다.

【집주】

○程子曰 此 弟子 善形容聖人處也 爲申申字 說不盡 故 更著陟略反 作着非 下同夭夭字 今人 燕居之時 不怠惰放肆 必太嚴厲 嚴厲時 著此四字不得 怠惰放肆時 亦著此四字不得 惟聖人 便自有中和之氣

정자가 말했다. 이것은 제자들이 성인을 잘 형용한 곳이다. '신신'이라고 말하는 것만으로는 부족하기 때문에 '요요' 자를 쓴 것이다. 요즈음 사람들은 한가로이 지낼 때에는 늘어져 있거나 제멋대로 굴고, 그렇지 않으면 반드시

지나치게 엄숙하다. 엄숙할 때는 이 네 글자를 쓸 수 없다. 늘어져 있거나 제멋대로 굴 때도 이 네 글자를 쓸 수 없다. 오직 성인만이 저절로 중화(중정한 조화로움)의 기상이 있으시다.

【세주】

上蔡謝氏曰 善觀聖人者 可以得之於儀刑 蓋 周旋中禮者 必其盛德之至 是以 二三子 無時不觀省於斯焉 燕居 非鞠躬如不容之時 是以 其容申申 非踧踖屛氣之時 是以 其色夭夭 此之謂中節

상채 사씨가 말했다. 성인을 잘 관찰하는 자는 (성인의) 몸가짐에서도 (무엇인가를) 얻을 수 있다. 대개 움직임이 언제나 예에 맞는 자는 필시 성덕이 지극한 것이니, 그러므로 몇몇 사람들이(제자 몇몇이) 이 점에 관하여 보고 관찰하지 않은 적이 없었다. '연거(한가로이 있음)'란 국궁하여 마치 용납되지 않는 듯이 하는 때(조정에 있을 때)가 아니기 때문에 그 용모가 느긋한 것이다. 조심스레 걸으면서 기운을 억압하는 때(의례에 참석할 때)가 아니기 때문에 그 안색이 유쾌한 것이다. 이것을 일러 '중절(절도에 맞음)'이라고 한다.

○朱子曰 申申 是言其不局促 是心廣體胖後恁地 所謂色愉 只是和悅底意思 但 此 只是燕居如此 在朝及接人 又不然

주자가 말했다. '신신'은 급박하지 않은 것을 말하는 것이니 이는 마음이 넓고 몸이 넉넉한 후에야 그러한 것이다. 이른바 '색유(안색이 유쾌함)'라는 것은 다만 온화하고 즐겁다는 뜻이다. 단, 이것은 단지 한가로이 계실 때 그러했다는 것뿐이지, 조정에 있을 때나 사람을 대할 때에는 또 그렇지 않으셨다.

○問 申申夭夭 聖人得於天之自然 若學者 有心要收束 則入於嚴厲 有心要舒泰 則入於放肆 惟理義以養其氣 養之久 則自然到此否 曰 亦須稍嚴肅則可 不然 則無下手處 又曰 但 得身心收斂 則自然和樂 不是別有一箇和樂纔整肅 則自和樂

물었다. '신신요요'는 성인께서 하늘의 자연(하늘이 낸 원래의 그러함, 즉 천연)으로부터 얻은 것입니다. 배우는 자의 경우는, 단속하려는 마음이 있으면 엄숙함에 빠지고, 느긋하고 편안히 하려는 마음이 있으면 제멋대로 구는 데에 빠지게 됩니다. 오직 이(理)와 의(義)로써 그 기를 길러 그 기름이 오래되면 자연히 여기에 도달하게 되는 것 아닙니까? 답했다. 역시 모름지기 약간 엄숙하려 하는 것은 괜찮다. 그렇지 않으면 손쓸 곳이 없다. 또 말했다. 단, 몸과 마음을 잘 단속하면 자연히 화락(온화하고 즐거움)해지는 것이지 별도로 다른 어떤 화락함이 있는 것이 아니다. 정숙하기만 하면 저절로 화락해진다.

○胡氏曰 程子 以怠惰放肆對嚴厲而言 於嚴厲上加太字 蓋 嚴厲 亦不可無 太嚴厲 則不可耳

호씨가 말했다. 정자는 '태타방사(늘어져 있고 제멋대로 굶)'를 '엄려(엄숙함)'에 대응시켜서 말했는데, 엄려에 '태(지나치게)' 자를 붙였다. 대개 엄려도 없어서는 안 되는 것이지만 지나치게 엄려해서는 안 된다.

○南軒張氏曰 燕居時 在衆人 易以怠肆 君子 則未免矜持 安有此氣象

남헌 장씨가 말했다. 한가로이 지낼 때, 뭇사람들로서는 늘어져 있거나 제멋대로 굴기 쉽고, 군자는 잘난 척하기를 면하기 어려우니, 어찌 이 기상이 있겠는가?

○慶源輔氏曰 燕居 閒暇無事之時 故 其容儀 得以遂其舒緩 而無迫遽之意 其顏色 得以全其愉怡 而無勃如之變 申申夭夭 聖人燕居 容色自然之符也

경원 보씨가 말했다. 연거는 한가로이 일이 없을 때이다. 그러니 그 몸가짐이 부드럽고 느긋함을 다하셔서 급박한 뜻이 없으셨고, 그 안색이 유쾌하고 즐거움을 온전히 하시어 화난 얼굴색으로 표변함이 없으셨다. '신신요요'는 성인께서 한가로이 계실 때 그 용모와 안색에서 저절로 나타난 징표이다.

○新安陳氏曰 雖閒居時 其德容 亦自然中和如此 此 所以爲聖人也 聖人閒居 中和之氣 乃德性中和之符 程子所謂 自有中和之氣 自 自然也

신안 진씨가 말했다. 비록 한가로이 계실 때에도 그 덕스러운 모습이 자연히 이처럼 중화하시니, 이는 (공자께서) 성인이신 까닭이다. 성인께서 한가로이 계실 때의 중화의 기운은 곧 덕성이 중화하다는 징표이다. 정자가 말한 '저절로(自) 중화의 기상이 있다'라는 말에서 자(自)는 '자연히'라는 뜻이다.

7.5 子曰 甚矣 吾衰也 久矣 吾不復夢見周公 復 扶又反

공자께서 말씀하셨다. 깊구나, 나의 쇠약함이여. 오래되었구나, 내가 꿈에서 주공을 다시 뵙지 못한 지가.

【집주】

孔子盛時 志 欲行周公之道 故 夢寐之間 如或見之 至其老 而不能行也 則無復是心 而亦無復扶又反 下同是夢矣 故 因此而自歎其衰之甚也

공자께서 한창 때에는 주공의 도를 행하려는 뜻이 있었기 때문에 몽매간에 혹여 뵙기도 한 듯하다. 늙어서 행할 수 없게 되자 이 마음이 다시 없으셨고, 이 꿈도 또한 다시 없으셨다. 그래서 이로 말미암아 심히 쇠약해졌음을 스스로 탄식하신 것이다.

【세주】

朱子曰 據文勢 甚矣吾衰也 是一句 久矣吾不復夢見周公 是一句 惟其久不夢見 所以 見得是衰

주자가 말했다. 어조로 보면, '깊구나, 나의 쇠약함이여'가 하나의 구절이고, '오래되었구나, 내가 꿈에서 주공을 다시 뵙지 못한 지가'가 또 하나의 구절이다. 다만 오랫동안 뵙지 못하셨기 때문에 쇠약해졌음을 아시게 된 것이다.

○新安陳氏曰 此 亦道不行之符兆 自見於吾身者

신안 진씨가 말했다. 이 또한 도가 행해지지 않은 징표가 내 몸에 저절로 드러난 것이다.

【집주】

○程子曰 孔子盛時 寤寐常存行周公之道 及其老也 則志慮衰 而不可以有爲矣 蓋 存道者 心 無老少之異 而行道者 身 老則衰也

정자가 말했다. 공자께서 한창 때에는 오매 간에 항상 주공의 도를 행하려는 마음을 가지셨다. 그 늙음에 이르러서는 의지와 사려가 쇠하여 어찌할 수가 없으셨다. 대개 도를 (행하려는 마음을) 가지는 것은 마음이니 노소간의 차이가 없지만, 도를 행하는 것은 몸이니 늙으면 쇠퇴해진다.

【세주】

朱子曰 夫子 夢寐周公 正是聖人至誠不息處 然 時止時行 無所凝滯 亦未嘗不灑落也 故 及其衰 則不復夢 亦可見矣 若是合做底事 則豈容有所忽忘耶

주자가 말했다. 공자께서 몽매간에 주공을 생각하셨던 것은 바로 성인께서 지극히 참되어서 쉬지 않았던 점이다. 그러나 때론 그치고 때론 행하여 막힌 바가 없었으니, 역시 일찍이 초연하지 않으셨던 적이 없었다. 그러니 쇠약해져서는 다시 꿈꾸지 못하셨던 것도 알 만하다. 만약 마땅히 해야 할 일이라면, 어찌 소홀히 하여 잊으실 수가 있었겠는가?

○問 伊川 以爲不是夢見人 只是夢寐常存行周公之道耳 集註 則以爲如或見之 不知果是如何 曰 想是有時而夢見 旣分明說 夢見周公 全道不見 恐亦未安 程子之意 蓋 嫌於因思而夢者 故 爲此說 其義 則精矣 然 恐非夫子所言之本意也

물었다. 이천은 사람을 꿈에 못 뵈었다는 것이 아니라, 다만 자나 깨나 주공의 도를 행하려는 마음을 가지셨을 뿐이라고 했는데, 집주에서는 혹여 뵈었을 것이라고 했으니 과연 어떠한지 잘 모르겠습니다. 답했다. 아마도 때때로 꿈에서 뵈었던 것 같다. 이미 분명히 주공을 꿈속에서 뵈었다고 말씀하셨으니, 완전히 본 적이 없다고 말하는 것은 역시나 편안하지 않은 듯하다. 정자의 뜻은 대개 생각으로 인하여 꿈꾸었다고 말하는 것을 꺼려한 것이니, 그래서 이 설을 만들었던 것이다. 그 뜻은 정묘하지만, 그러나 공자께서 말씀하신 본뜻은 아닌 듯하다.

○問 孔子夢周公 若以聖人欲行其道而夢之耶 則是心猶有所動 若以壯年道有可行之理而夢之耶 則又不應虛有此眹兆也 曰 聖人 曷嘗無夢 須看他與周公契合處如何 不然 又不見別夢一箇人也 聖人之心 自有箇勤懇惻怛不能自已處 自有箇脫然 無所繫累處 要亦正是以此卜吾之盛衰

물었다. 공자께서 주공을 꿈꾸셨는데, 만약 성인께서 그 도를 행하고자 하셨기 때문에 꿈꾸셨다고 한다면, 오히려 그 마음이 흔들린 바가 있었다는 뜻이 됩니다. 만약 젊었을 때 도가 행할 만한 이치가 있는 것이어서 꿈꾸셨다고 한다면, 또 헛되이 이러한 조짐(꿈에 주공을 만나지 못함)이 있었다는 것도 부당합니다[노년이 되어서도 주공의 도는 행할 만한 것이고, 따라서 노년의 꿈에도 나타나야 한다]. 답했다. 성인께서 어찌 일찍이 꿈을 꾸지 않으셨겠는가? 모름지기 그(공자)와 주공의 결합점(일치하는 점)이 어떠한지를 보아야 한다. 그렇지 않으면(일치하지 않으면), 한 사람을 따로 꿈에서 보지는 않는다. 성인의 마음은 원래 근면, 간절하시고 측은히 여기시어 스스로 그칠 수 없는 바가 있으셨고, 원래 초탈하시어 구애받는 바가 없으셨다. 요컨대, 역시 바로 이로써 자신의 성쇠를 헤아리신 것이다.

○問 夢周公 是眞夢否 曰 當初思欲行周公之道時 必亦是曾夢見 曰 恐涉於心動否 曰 心 本是箇動物 怎敎他不動 夜之夢 猶晝之思也 思 亦是心之動處 但無邪思 可矣 夢得其正 何害 心存這事 便夢這事

물었다. 주공을 꿈꾸었다는 것이 진짜로 꿈꾸었다는 것입니까? 답했다. 당초 주공의 도를 행하려고 생각하셨을 때에는 역시 틀림없이 일찍이 꿈에 뵈었을 것이다. 물었다. 아마도 마음의 흔들림과 관련된 것 아니겠습니까? 답했다. 마음은 본래 움직이는 것이니, 어찌 그것을 움직이지 않게 하겠는가? 밤의 꿈은 낮의 생각과 같다. 생각 역시 마음의 움직임이다. 다만 사특한 생각이 없으면 된다. 올바른 것을 꿈꾸었다면 무슨 문제가 있겠는가? 마음에 이 일이 있으면 곧 그 일을 꿈꾸게 되는 것이다.

○問 夫子 未嘗識周公 烏得而夢之 曰 今有人 夢見平生所不識之人 云是某人者 蓋 有之

물었다. 공자께서 일찍이 주공을 직접 뵙지 못했는데 어찌 꿈꾸실 수 있겠습니까? 답했다. 지금 어떤 사람이 평생 면식 없던 사람을 꿈꾸고서는, '누구누구더라'라고 말하는 경우가 있다.

○不是孔子衰 是時世衰 聖人與天地相應 若人要用孔子 必不敎他衰 如武王太公 皆八九十歲

공자께서 쇠약하신 것이 아니라 당시의 세상이 쇠퇴한 것이다. 성인과 천지는 상응하니, 만약 사람들이 공자를 쓰려고 했다면, 필시 그를 쇠약하게 하지 않았을 것이다. 예컨대 무왕과 태공은 모두 팔, 구십 세였다.

○戴少望謂 顔淵死 聖人觀之人事 鳳不至圖不出 聖人察之天理 不夢周公 聖人驗之吾身 然後知斯道之果不可行 而天之果無意於斯世也 這意思 也好

대소망(대계)이 말하기를 "안연의 죽음은 (도가 행해지지 않을 것임을) 성인께서 인사에서 관찰하신 것이고, 봉황이 이르지 않고 하도가 나오지 않은 것은 성인께서 천리에서 관찰하신 것이고, 주공을 꿈꾸지 못한 것은 성인께서 내 몸으로 체험하신 것이니, 그런 연후에 이 도가 과연 행해지지 않고, 하늘이 과연 이 세상에 뜻이 없음을 아셨다"라 했는데, 이 뜻 또한 좋다.

○吾不復夢見周公 自是箇證兆如此 當聖人志慮 未衰 天意 雖定八分 猶有兩分運轉 故也 做得周公事 遂夢見之 非以思慮也 要之 聖人精神血氣 與時運相爲流通 到鳳不至 圖不出 明主不興 其證兆 自是恁地

'내 다시 꿈에 주공을 뵙지 못했다'라는 말씀은 본디 징조가 이와 같다는 것이다. 당연히 성인의 의지와 사려는 아직 쇠하지 않으셨고, 비록 하늘의 뜻이 8푼이 정해졌다 하더라도 오히려 2푼은 움직여볼 여지가 있기 때문이다. 주공의 일을 하면 드디어 꿈에 뵙게 되는 것이니, 사려 때문이 아니다. 요컨대, 성인의 정신과 혈기는 시대의 운명과 서로 통하는 것이다. 봉황이 이르지 않고 하도가 나타나지 않고 밝은 임금이 일어나지 않음에 이르러, 징조가 본디 그러한 것이다.

○胡氏謂 聖人 誠存 則其夢治 他人 思慮紛擾 則所夢亦亂 或邪或正 與旦晝之所爲等爾 善學者 旣謹其言動 而又必驗諸夢寐之間也

호씨는 "성인께서는 참됨을 보존하시니, 그 꿈도 질서 있다. 다른 사람들은 사려가 어지러우니, 그 꿈꾸는 바 또한 어지럽다. (꿈이) 혹 사특하거나 혹 바르거나 한 것은 낮에 한 일과 같다"고 했다. 잘 배운 자는 이미 그 언동을 삼가게 되고 또 반드시 몽매간에 증험하게 된다.

○南軒張氏曰 夫子夢見周公之心 周公思兼三王之心也

남헌 장씨가 말했다. 꿈에 주공을 뵌 공자의 마음은 삼왕을 함께 생각한 주공의 마음이다.

7.6-1 子曰 志於道

공자께서 말씀하셨다. 도에 뜻을 두고,

【집주】

志者 心之所之之謂

'지'란 마음이 가는 바를 말한다.

【세주】

新安陳氏曰 所之 之 往也

신안 진씨가 말했다. (집주의) '소지(가는 바)'에서 '지'는 간다는 뜻이다.

【집주】

道 則人倫日用之間所當行者 是也

'도'란 인륜으로서 일상생활에서 마땅히 행해야 할 것, 그것이다.

【세주】

朱子曰 志道 如講學力行 皆是

주자가 말했다. 도에 뜻을 둔다는 것은 예컨대 강학(학문의 연구), 역행(힘써 실천함)이 모두 그것이다.

【집주】

知此 而心必之焉 則所適者 正 而無他岐之惑矣

이것을 알고서 마음이 반드시 (도로) 가면, 가는 곳이 바르고 다른 갈림길로 갈 우려가 없다.

【세주】

朱子曰 志於道 志字 如有向望求索之意 大學 格物致知 卽其事也 又曰 志於道 不是只守箇空底 須是至誠懇惻念念不忘 所謂道者 只是日用當然之理 事親必要孝 事君必要忠 以至事兄而弟 與朋友交而信 皆是道也 志於道者 正是謂志於此也

주자가 말했다. '지어도(도에 뜻을 둠)'에서 '지(뜻을 두다)'는 바라고 찾는다는 의미가 있으니, 『대학』의 '격물치지'가 곧 이 일이다. 또 말했다. 도에 뜻을 둔다는 것은 단지 공허하게 지키는 것(그냥 지키는 것)이 아니라, 모름지기 지성으로 간절하게 생각하고 생각해 잊지 않는 것이다. 소위 도란 단지 일상생활의 당연한 이치일 뿐이다. 부모를 모심에 반드시 효도해야 하는 것, 임금을 모심에 항상 충성해야 하는 것에서부터 형을 모심에는 우애하고, 벗들과 사귐에는 믿음이 있어야 하는 것까지, 이것들이 모두 도이다. 도에 뜻을 둔다는 것은 바로 이런 것들에 뜻을 둔다는 말이다.

○胡氏曰 道 猶路也 故 適字 他岐字 皆自路言之

호씨가 말했다. 도는 길과 같으니, 그러므로 '적(가다)' 자와 '타기(다른 갈림길)' 자는 길에 비유해 말한 것이다.

○新安陳氏曰 知此二字 是朱子說志道以前事 必知道 而後志向在道 卽知止 而後有定 知至善之所在 而後志有定向也

신안 진씨가 말했다. '지차(이를 알고)'라는 이 두 글자는 주자가 도에 뜻을 두기 이전의 일을 설명한 말이다. 반드시 도를 안 다음에야 뜻이 도 있는 곳으로 향하는 것이니, 곧 멈출 곳을 안 다음에야 머무름이 있고, 지선(지극한 선)이 있는 곳을 안 이후에야 뜻이 일정한 방향이 있게 된다.

7.6-2 據於德

덕에 근거하고,

【집주】

據者 執守之意 德 則行道而有得於心者也 得之於心 而守之不失 則終始惟一 而有日新之功矣

'거'란 붙들어 지킨다는 뜻이다. 덕은 도를 행하여 마음에 얻게 된 것이다. 마음에 이를 얻고, 그것을 지켜서 잃지 않으면, 처음부터 끝까지 오직 한결같으면서 또 나날이 새로워지는 공효가 있다.

【세주】

朱子曰 德 是得這物事於我 故 事親必孝 必不至於不孝 事君必忠 必不至於

不忠 若今日孝 明日又不孝 今日忠 明日又不忠 是未有得於我 不可謂之德 惟德 是有得於我者 故 可據守之也 若是未有得於我 則亦無可據者

주자가 말했다. 덕은 이 물건을 내 안에 얻어가진 것이다. 그러므로 부모를 모시면 반드시 효도하고, 반드시 불효에 이르지 않는다. 임금을 섬기면 반드시 충성하고, 반드시 불충에 이르지 않는다. 만약 오늘은 효도하지만 내일은 또 불효하고, 오늘은 충성하지만 내일은 또 불충하면, 내 안에 얻어가진 것이 아니니 그것을 덕이라고는 할 수 없다. 오직 덕은 내 안에 얻어가진 것이니, 그러므로 근거하여 지킬 수 있다. 만약 내 안에 얻어가진 것이 아니라면, 역시 근거로 삼을 수 없는 것이다.

○問 據於德 曰 如孝 便是自家元得這孝道理 非從外旋取來 據於德 乃是得這基址在這裏

덕에 근거함에 대해 물었다. 답했다. 예컨대 효란, 곧 자신이 원래부터 이 효의 도리를 가지고 있는 것이지, 밖으로 돌아다니다가 가져오는 것이 아니다. 덕에 근거하는 것은 곧 여기에[마음속에] (덕이라는) 이 터(기초, 근거지)를 얻는 것이다.

○德 是心得此道 如欲爲忠而得此忠 欲爲孝而得此孝 旣得之 亦會失了 須當照管不要失了

덕은 마음이 이 도를 얻은 것이다. 예컨대 충성하려고 한다면 이 충성을 얻고, 효도하려 한다면 이 효도를 얻는다. 이미 얻었더라도 또한 잃어버릴 수 있으니, 모름지기 잘 살펴서 잃어버리지 않도록 해야 한다.

○新安陳氏曰 未得之 志在必得之 旣得之 方有可據守 但又在守之固耳

신안 진씨가 말했다. 아직 얻지 못했으면 뜻을 반드시 얻으려는 데 두어야 하지만, 이미 얻었으면 바야흐로 근거해 지킬 수 있다. 단, 또 (뜻을) 견고히 지키는 데 두어야 한다.

7.6-3 依於仁

인에 의거하며,

【집주】

依者 不違之謂 仁 則私欲盡去 而心德之全也 工夫至此 而無終食之違 則存養之熟 無適而非天理之流行矣

'의'란 떠나지 않는다는 뜻이다. 인은 사욕이 완전히 제거되어 심덕이 온전한 것이다. 공부가 이에 이르러 밥 한 끼 다 먹는 (짧은) 동안에도 (인에서) 떠남이 없으면, 존양함이 무르익어서 어디를 가든 천리의 흐름이 아님이 없다.

【세주】

朱子曰 依 如依乎中庸之依 相依而不捨之意 此心常在 不令少有走作 無物欲之累 而純乎天理 道 至此亦活 德 至此亦活

주자가 말했다. '의'는 중용에 의거한다고 할 때의 '의'처럼 서로 의존하여 버리지 않는다는 뜻이다. 이 마음이 항상 있어서 조금이라도 도망가지 않게 하면, 물욕의 폐단이 없고 천리가 완전하다. 도는 이(단계)에 이르러 또한 살아 움직이고, 덕도 이에 이르러 또한 살아 움직인다.

○德 是逐件上理會底 得寸守寸 得尺守尺 仁 是全體大用 常依靠處 志道據德 而有一息之不仁 便間斷了

덕은 각각의 일에 따라 이해하는 것이니, 한 치를 얻으면 한 치를 지키고, 한 자를 얻으면 한 자를 지킨다. 인은 전체로서의 큰 쓰임이니 항상 의거해야 하는 것이다. 도에 뜻을 두고 덕에 근거하더라도, 잠시라도 불인함이 있으면 곧 끊어져버린다.

○據德 是因事發見 如因事父有孝 因事君有忠 依仁 是本體不可須臾離底 又是據於德底骨子

덕에 근거하는 것은 일에 따라서 발현되는 것이니, 예컨대 부모를 섬김으로 말미암아 효가 있는 것이고, 임금을 섬김으로 말미암아 충이 있는 것이다. 인에 의거한다는 것은 본체(로부터) 잠시라도 떨어질 수 없다는 것이다. 또한 이것(인에 의거함)은 '거어덕(덕에 근거함)'의 골자이다.

○陳氏曰 志道 是一心向聖人路上行 據德 是志道工夫成 向之所志者 今皆實得於己 如有物可執據 依仁 則據德工夫熟 天理與心爲一矣 據 如手執杖 依 如身着衣 杖 容有時而離手 衣 則不容須臾離身 一節 密一節也

진씨가 말했다. 도에 뜻을 둔다는 것은 한마음으로 성인을 향해 길을 가는 것이다. 덕에 근거한다는 것은 도에 뜻을 두는 공부가 성숙하여 전에 뜻했던 바가 지금 모두 실제로 나에게 얻어진 것이니, 마치 잡고 근거로 할 수 있는 물건이 있는 것과 같다. 인에 의거한다는 것은 덕에 근거하는 공부가 익어서 천리와 내 마음이 하나가 된 것이다. '거'는 손이 지팡이를 잡는 것과 같다. '의'는 몸이 옷을 입는 것과 같다. 지팡이는 때에 따라 손에서 떨어질 수 있지만, 의복은 잠시도 몸에서 떨어질 수 없다. 한 구절, (그다음) 한 구절, 점차 세밀해진다.

○西山眞氏曰 道者 衆理之總名 德 則行衆理而得於心者 仁 則心之全德也 志乎道而弗他 可謂知所嚮矣 仁 則歸宿之地 而用功之親切處也

서산 진씨가 말했다. 도는 여러 이치의 총칭이다. 덕은 여러 이치를 행하여 마음에 얻은 것이다. 인은 마음의 완전한 덕이다. 도에 뜻을 두고 다른 것에는 뜻을 두지 않으면, 향해야 할 바를 안다고 할 수 있다. 인은 돌아가 머물 곳이고, 공부에 있어서의 가장 가깝고 절실한 곳이다.

7.6-4 游於藝

예에서 노닌다.

【집주】

游者 玩物適情之謂

'유'란 사물을 완상하여 마음에 드는 것(즉, 즐기는 것)을 말한다.

【세주】

胡氏曰 玩物 本非美辭 然 以六藝爲物而玩之 非喪志之物也

호씨가 말했다. '완물(물건을 가지고 놂)'은 본래는 좋은 말이 아니다. 그러나 (여기서의 완물은) 육예를 물건으로 삼아 즐기는 것이니, '상지(뜻을 잃음)'하는 그 물건은 아니다.

○陸氏曰 游 如人之游觀 有時而爲之

육씨가 말했다. '유(노님)'는 마치 사람이 노닐며 구경하는 것처럼 때때로 하는 것이다.

【집주】

藝 則禮樂之文 射御書數之法 皆至理所寓 而日用之不可闕者也 朝夕游焉 以博其義理之趣 則應務有餘 而心亦無所放矣

'예'란 예악의 문(지식)이고 사어서수(활쏘기, 마차 몰기, 글자 쓰기, 셈하기)의 방법이니, 모두 지극한 이치가 깃든 곳이고 일상생활에 없을 수 없는 것들이다. 조석으로 노닐어 그 의리의 취향을 넓히면, 일에 대응함에 여유가 있으면서도 마음 또한 풀어지는 바가 없다.

【세주】

胡氏曰 藝 亦日用之不可無者 乃是理之妙 散於日用間 苟有未通 亦爲全體之累

호씨가 말했다. 예는 역시 일상에 없을 수 없는 것이고, 또 이치의 오묘함이 일상 속에 산재한 것이니, 만약 아직 통달하지 못했다면 역시 전체(모든 것을 다 체현함)라고 하기에는 누가 된다.

【집주】

○此章 言人之爲學 當如是也 蓋 學 莫先於立志 志道 則心存於正而不他 據德 則道得於心 而不失 依仁 則德性常用 而物欲不行

이 장은 사람의 배움이 마땅히 이와 같아야 함을 말한 것이다. 대개 배움에 있어서 뜻을 세우는 것보다 먼저 해야 할 일은 없다. 도에 뜻을 두면 마음이 바른 곳에 있지 다른 곳에 있지 않다. 덕에 근거하면 도가 마음에 얻어져 잃어버리지 않게 되고, 인에 의거하면 덕성이 항상 쓰여서 물욕이 행해지지 않는다.

【세주】

慶源輔氏曰 天理人欲 不兩勝 一盛 則一衰也

경원 보씨가 말했다. 천리와 인욕은 양립 불가능하니, 하나가 성하면 나머지 하나는 쇠한다.

【집주】

游藝 則小物不遺 而動息有養

예에 노닐면 작은 사물도 놓치지 아니하니, 움직이든 쉬든 길러지는 것이 있다.

【세주】

慶源輔氏曰 不外物以求理 而常玩物理以養性

경원 보씨가 말했다. 외부의 사물을 가지고서 이치를 구하는 것이 아니라, 언제나 사물의 이치를 완상하여 성을 기르는 것이다.

【집주】

學者 於此有以不失其先後之序 輕重之倫焉 則本末兼該 內外交養 日用之間 無少間去聲隙乞逆反 而涵泳從七容反容 忽不自知其入於聖賢之域矣

배우는 자가 이에 선후의 순서와 경중의 차례(중요도에 따른 구분)를 잃지 않으면, 본말을 함께 갖추고 내외를 같이 길러 일상생활에 조금의 끊어진 틈도 없이 조용히 푹 젖어 헤엄치게 되니, 홀연히 자신도 모르게 성현의 영역에 들어가게 된다.

【세주】

慶源輔氏曰 先後之序 謂道德仁藝之序 輕重之倫 謂志據依游之倫 先者重後者輕也 本與內 謂道德仁 末與外 謂藝 在彼之序 雖有先後 在我之倫 雖有輕重 而未嘗偏廢 所謂兼該而交養也 日用之間 如是用功無少間隙 涵泳從容於義理事物之間 則將優游饜飫 而忽不知其入於聖賢之域矣

경원 보씨가 말했다. (집주에서의) 선후의 순서란 '도', '덕', '인', '예'의 순서를 말하고, 경중의 차례란 '지', '거', '의', '유'의 차례를 말한다. 앞의 것은 중요하고 뒤의 것은 가볍다. '본'과 '내'는 '도', '덕', '인'을 말하고, '말'과 '외'는 '예(藝)'를 말한다. 그것의 순서에 비록 선후가 있고, 나에게 있어서의 차례에 비록 경중이 있지만, 일찍이 치우치거나 폐할 수 없으니, 이른바 '함께 갖추고 같이 기른다'는 것이다. 일상생활에 이처럼 공부해 조금의 틈도 두지 않고, 의리와 사물의 사이에 조용히 푹 젖어 헤엄치면, 장차 편안히 노닐고 실컷 먹어 홀연히 저도 모르는 사이에 성현의 영역에 들어가게 된다.

○朱子曰 志於道 方是要去做 方是事親 欲盡其孝 事兄 欲盡其弟 方是恁地至據於德 則事親 能盡其孝 事兄 能盡其弟 便自有這道理了 却有可據底地

位 雖然如此 此 只是就事上逐件理會 若不依於仁 則不到那事時 此心 便沒頓放處 依於仁 則自朝至暮 此心 無不在這裏 連許多德 總攝貫穿都活了 雖然 藝 亦不可不去理會 如禮樂射御書數 一件事理會不得 此心 便覺滯礙 惟是一一去理會這道理 脈絡方始一一流通 無那箇滯礙 因此又却養得這道理 以此知 大則道無不包 小則道無不入 小大精粗 皆無滲漏 皆是做工夫處 故曰 語大天下莫能載 語小天下莫能破

주자가 말했다. '지어도'는 이제 막 해 나가려는 것이니, 바야흐로 부모를 섬김에 그 효도를 다하려 하고 그 형을 섬김에 우애를 다하려 하여 바야흐로 그렇게 하는 것이다. '거어덕'의 경우는 부모를 모심에 능히 효도를 다할 수 있고, 형을 섬김에 능히 우애를 다할 수 있게 된 것으로, 스스로 그 도리를 가지게 된 것이니, 근거할 만한 것이 있는 경지이다. 비록 그렇기는 하지만, 이것은 단지 각각의 일에 따라 이해한 것이고, 만약 인에 의거하지 않는다면, 그런 일들이 생기지 않았을 때에는 그 마음을 곧 편히 둘 곳이 없게 된다. 인에 의거하면 아침부터 저녁까지 이 마음이 여기에 없을 때가 없고, 허다한 덕마저도 모두 다 포괄하여 꿰뚫어 모두 살아 움직이게 된다. 비록 그렇지만, 예 역시 이해해 나가지 않을 수 없으니, 예컨대 예·악·사·어·서·수 중에 하나의 일이라도 이해하지 못하면 이 마음은 막혀 있음을 느끼게 된다. 오직 하나하나 이 도리를 이해해 나가야 맥락이 비로소 하나하나 유통되어 막힘이 없게 된다. 이로 인해 또 오히려 이 도리를 기를 수 있기도 하다. 이로써 크게는 도에 포함되지 않는 것이 없고 작게는 도가 들어오지(이해되지) 않는 것이 없도록, 작은 것과 큰 것, 정밀한 것과 거친 것 모두 빠트리지 않고 모두 공부해야 할 것임을 알 수 있다. 그런 까닭에 "큰 것으로 말하자면 천하로도 실을 수가 없고, 작은 것으로 말하자면 천하로도 깨뜨릴 수 없다(『중용』 12장)"라 한다.

○志者 心之所之 道者 當爲之理 爲君 有君之理 爲臣 有臣之理 志於道 留心於此理而不忘也 德者 得也 旣得之 則當據守而弗失 仁者 人之本心也 旣有所據守 又當依於仁而不違 如所謂君子無終食之間違仁 是也 游於藝一句 比上三句稍輕 然 不可大段輕說 如上蔡云 有之不害爲小人 無之不害爲君子 則是太輕了 古人 於禮樂射御書數等事 皆至理之所寓 游乎此 則心無所放 日用之間本末具擧 而內外交相養矣

뜻은 마음이 가는 바이고, 도는 당연히 해야 할 이치이다. 임금이면 임금의 도리가 있고, 신하면 신하의 도리가 있다. 도에 뜻을 둔다는 것은 이 이치에 마음을 머물게 하여서 잊지 않는 것이다. 덕이란 얻는다는 것이니, 이미 얻었다면 마땅히 근거해 지켜서 잃지 않아야 한다. 인이란 사람의 본심이다.

이미 근거해 지키는 바가 있고, 또 마땅히 인에 의거하여 떠나지 말아야 한다. 예컨대, 이른바 "군자는 밥 한 끼 다 먹는 동안에도 인을 떠나지 않는다(『논어』4, 「이인」 5장)"는 것이 바로 이것이다. '유어례(예에 노닌다)', 이 한 구절은 위 세 구절과 비교해 (그 중요성이) 약간 가볍다. 그러나 대단히 가볍게 말해서는 안 된다. 가령 상채는 "있다고 해도 소인이 되는 데는 아무 지장이 없고, 없다 해도 군자가 되는 데 아무 지장이 없다"라 했는데, 이는 지나치게 가볍게 말한 것이다. 옛사람들은 예·악·사·어·서·수의 일에 모두 지극한 이치가 깃들어 있다고 보았다. 이에 노닐면, 마음이 풀어진 바가 없어 일상생활에 본말이 모두 갖추어지고, 내외가 함께 길러진다.

○自志道至依仁 是從粗入精 自依仁至游藝 是自本兼末

'지도'로부터 '의인'에 이르는 것은 거친 것으로부터 정밀한 것으로 들어가는 것이고, '의인'으로부터 '유예'에 이르는 것은 본으로부터 시작해 말을 겸하는 것이다.

○藝 是小學工夫 若論先後 則藝爲先 三者爲後 若論本末 則三者爲本 而藝爲末 習藝之功 固在先 游者 從容潛玩之意 又當在後 文中子云 聖人 志道據德依仁 而後藝可游也 此說得自好

예(藝)는 소학공부이다. 만약 선후를 논하자면 예가 먼저고 세 가지(도, 덕, 인)가 나중이 되고, 본말로 논하자면 세 가지가 본이 되고 예가 말이 된다. 예를 익히는 노력은 본디 앞에 있는 것이지만, 노님은 조용히 잠겨 즐긴다는 뜻이니 또한 당연히 나중에 있는 것이다. 문중자(왕통)가 말하기를 "성인께서는 '지도', '거덕', '의인'한 이후에 예가 가히 노닐 만한 것이 된다(고 하셨다)"라 했으니, 이 설은 본디 좋다.

○問 道爲義理之總名 何也 曰 道 以人所共由而得名 若父子之仁 君臣之義者 是也 曰 德者 己之所自得 何也 曰 若爲父子而得夫仁 爲君臣而得夫義者是也 曰 其志之據之 何也 曰 潛心在是 而期於必至者 志也 旣以得之 而謹守不失者 據也 曰 不違仁者 奈何 曰 吾 於顔子之事 旣言之矣 敢聞六藝之目與所以游之之說 曰 五禮 吉凶軍賓嘉也 六樂 雲門 大咸 大韶 大夏 大濩 大武也 五射曰 白矢 參連 剡注 襄尺 井儀也 五馭 鳴和鸞 逐水曲 過君表 舞交衢 逐禽左也 六書 象形 會意 指事 轉注 假借 諧聲也 九數 方田 粟米 差分 少廣 商功 均輸 方程 贏不足 旁要也 是其名物度數 皆有至理存焉 又皆人所日用 而不可無者 游心於此 則可以盡乎物理 周於世用 而其雍容涵泳之間 非僻之心 亦無自而入之矣 蓋 志據依游 人心之所必有 而不能無

者也 道德仁藝 人心所當志據依游之地 而不可易者也 以先後之次言之 則志道而後德可據 據德而後仁可依 依仁而後藝可游 以疎密之等言之 則志道者 未如德之可據 據德者 未如仁之可依 依仁之密乎內 又未盡乎游藝之周於外也 詳味聖人此語 而以身體之 則其進爲之序 先後疎密 皆可循序以進 而日用之間 心思動作 無復毫髮之隙漏矣

물었다. '도는 의리의 총칭이다'라는 말은 무슨 말입니까? 답했다. 도란 사람이 함께 말미암는 바이기 때문에 그 이름을 얻은 것이다. 가령 아버지와 아들 간의 인이나 군신 간의 의가 바로 이것이다. 물었다. '덕은 자기가 스스로 얻은 것이다'라는 말은 무슨 말입니까? 답했다. 가령 아버지와 아들 간이 되어서는 인을 얻고, 군신 간이 되어서는 의를 얻은 것이 바로 이것이다. 물었다. '지지(뜻을 둠)'와 '거지(근거함)'란 무슨 뜻입니까? 답했다. 마음을 여기에 잠그고 반드시 거기에 이르기를 기약하는 것이 지(뜻을 둠)이고, 이미 얻어 삼가 지켜 잃지 않는 것이 '거(근거함)'이다. 물었다. '인을 떠나지 않는다'는 것은 어떻게 하는 것입니까? 답했다. 내가 안자의 일을 설명하면서 이미 말했다. (물었다.) 감히 6예의 조목과 그것에 노닐어야 하는 까닭에 대한 설명을 듣고자 합니다. 답했다. 5례는 길례(제례), 흉례(상례), 군례(군대의례), 빈례(외교의례), 가례(혼례)이다. 6악은 운문, 대함, 대소, 대하, 대호, 대무이고, 5사(활쏘기)는 백시, 참련, 섬주, 양척, 정의이다. 5어(마차 몰기)는 명화련, 축수곡, 과군표, 무교구, 축금좌이다. 6서는 상형, 회의, 지사, 전주, 가차, 해성이다. 9수는 방전, 속미, 차분, 소광, 상공, 균수, 방정, 영부족, 방요이다. 이것은 명칭, 사물, 법칙, 계량이니 모두 지극한 이치가 그 안에 있고 또 모두 사람들이 매일 쓰는 것으로, 없을 수 없는 것이다. 이것들에 마음이 노닐면 가히 물리(사물의 이치)를 다할 수 있고 세상의 용도를 두루 갖출 수 있어서, 그것에 편안히 잠기어 헤엄치는 사이에 잘못되고 어긋난 마음이 또한 (밖으로부터) 들어오지 않는다. 대개 지·거·의·유는 사람의 마음에 꼭 있어야 하는 것이고, 없어서는 안 되는 것이다. 도·덕·인·예는 사람의 마음이 마땅히 지·거·의·유해야 할 곳이니 바뀔 수 없는 것이다. 선후의 순서로 말하자면 도에 뜻을 둔 후에 덕에 근거할 수 있고, 덕에 근거한 후에 인에 의거할 수 있고, 인에 의거한 후에 예에 노닐 수 있다. 소략한 것과 정밀한 것의 등급으로 말하자면 도에 뜻을 두는 것은 덕에 근거할 수 있는 것만 못하고, 덕에 근거하는 것은 인에 의거할 수 있는 것만 못하다. 안으로 인에 의거함이 정밀하다 해도 또 밖으로 두루 예에 노니는 것은 미진할 수 있다. 성인의 이 말씀을 자세히 맛보아 몸으로 체득하면 그 나아가고 행하는 순서의 선후와 소략함과 정밀함을 모두 순서에 따라 나아갈 수 있고, 일상생활에서 마음의 사려와 (몸의) 동작이 다시는 털끝만 한 간격이나 빠트림도 없을 것이다.

○勉齋黃氏曰 道者 義理之總名 德者 吾身所學而有得之善 仁者 本心之德 藝者 六藝之事 是四者 皆人所不可不留意者 但 三者最重 而藝稍輕 四者之序 則志者 向之而不忘 據者 守之而不失 依者 隨之而不離 是三者 皆不可須臾捨也 游 則若用力若不用力而已 上三者 則互擧竝行 而不相悖 游藝 則有不必專心致志耳

면재 황씨가 말했다. 도란 의리의 총칭이요, 덕은 몸소 배워서 얻은 바의 선이다. 인은 본심의 덕이고 예는 6예의 일이다. 이 네 가지는 모두 사람이 유의하지 않을 수 없는 것이다. 단, 세 가지(도, 덕, 인)가 가장 중요하고 예는 다소 가볍다. 이 네 가지의 순서를 보자면, '지(뜻을 둠)'란 지향하여 잊지 않는 것이고, '거(근거함)'란 지켜서 잃지 않는 것이며, '의(의거함)'는 따르며 떠나지 않는 것이니, 이 세 가지는 모두 잠시도 버릴 수 없는 것인 반면, '유(노님)'란 힘을 쓸 수도 있고 안 쓸 수도 있는 것일 뿐이다. 위 세 가지는 서로 병행하여도 모순되지 않는다. 예에 노니는 것은 반드시 온 마음 온 뜻을 다할 필요는 없다.

○問 志於道一章 古者 八歲 卽敎之以六藝之事 明爲學之所當先也 今於此章末言之 而朱子 復以爲學者於此當求其先後之序 輕重之倫 似以藝爲可後 抑志道據德依仁 是大學之事 而游藝乃大學之極功耶 潛室陳氏曰 此却有首尾本末 與前章別 敎之六藝 小學之初事 游於藝 又成德之餘功 小學之初 習其文 成德之游 適於意 生熟滋味逈別

물었다. '지어도' 이 한 장(에 대해 말하자면,) 옛날에는 8세가 되면 곧 6예의 일을 가지고 가르쳤으니, (6예는) 명백히 배움에 있어서 마땅히 먼저 해야 하는 것입니다. 그런데 지금 이 장에서는 마지막에 말했고, 다시 주자는 배우는 자는 여기서 마땅히 그 선후의 순서와 경중의 차례를 구해야 한다고 했으니, 마치 예가 나중이 될 수 있는 것 같습니다. 그렇다면 지도(도에 뜻을 둠), 거덕(덕에 근거함), 의인(인에 의거함)은 대학의 일인데 (유예가 나중이라면) 유예(예에 노님)는 대학의 가장 최고 단계의 공부가 되고 마는 것 아닙니까? 잠실 진씨가 답했다. 이 장에는 오히려 수미(처음과 끝)와 본말이 있으니, 앞 장과는 다르다. 6예를 가르치는 것은 소학의 처음 일이고, 예에 노니는 것은 덕을 이룬 사람의 여공[여가 할 일]이다. 소학의 처음에는 그 문을 배우는 것이고 덕을 이룬 사람이 노니는 것은 뜻에 맞는 대로 하는 것이니, 생숙자미(날것과 익은 것, 그리고 그 맛)가 완전히 다르다.

○胡氏曰 道德仁 所當先 藝 可以少後 志據依 所當重 游 可以少輕 務本而不廢其末 事內而不忽乎外 以其先後輕重之倫序而言 固不無差別 以其本末兼該 內外交養而言 則又未嘗不相資也

호씨가 말했다. 도, 덕, 인은 마땅히 우선해야 하고, 예는 다소 뒤에 할 수 있다. 지(뜻을 두기), 거(근거하기), 의(의거하기)는 마땅히 중시해야 하지만, 유(노닐기)는 다소 가벼이 할 수 있다. 근본에 힘쓰되 그 말을 폐하지 않고, 안을 일삼되 밖에 대해 소홀히 하지 않는다. 그 선후, 경중의 순서로 말하자면 본디 차별이 없을 수 없지만, 그 본말을 겸하여 갖추는 것과 안과 밖을 서로 기르는 것으로 말하자면 또 일찍이 서로 도움이 되지 않는 것이 없다.

○雙峯饒氏曰 志道 如人行路 據德 如行路而有宿泊處 依仁 則又就宿泊處漸漸立得家計成 却安居了 游藝 如居家有時出遊也 須游於藝 若游從別處去 則出乎道德仁之外 而爲放心矣

쌍봉 요씨가 말했다. '지도'란 사람이 길을 가는 것과 같다. '거덕'이란 길을 가다가 숙박할 곳이 있는 것과 같다. '의인'은 숙박하는 곳에서 점점 살림을 일으켜 이루어 편안히 거주하는 것과 같고, '유예'는 집에 살다가 때로 나가 노니는 것과 같다. 모름지기 예에 노닐어야 하니, 만약 다른 곳(예 아닌 곳)에 나가 노닐면 도, 덕, 인의 밖으로 나가서 마음을 놓치게 된다.

○新安陳氏曰 志道 據德 而依於仁 則本之立於內者 既粹 由此而復游於藝 則末之該於外者 不遺 能深用功於本 而以餘功及其末 則內外交養 而體用益貫矣

신안 진씨가 말했다. '지도', '거덕'하고 인에 의거하면 안으로 근본이 확립된 것이 이미 순수(완전)하고, 이로 말미암아 다시 예에 노닐면 밖으로 말단이 갖추어진 것이 남김(빠뜨린 것)이 없다. 능히 깊이 근본에 힘쓰고 또 남은 힘으로써 그 말단에 미치면, 내외가 같이 길러지고 체용이 더욱 관통한다.

7.7 子曰 自行束脩以上 吾 未嘗無誨焉

공자께서 말씀하셨다. 속수 이상의 예를 행하면 내가 일찍이 가르치지 않은 적이 없다.

【집주】

脩 脯也 十脡他鼎反爲束 古者相見 必執贄以爲禮

‘수’는 포(말린 고기)이다. 10정이 1속이 된다. 옛날에는 서로 만날 때 반드시 폐백을 올리는 것을 예로 삼았다.

【세주】

禮曲禮下 凡摯與贄同 天子鬯 諸侯圭 卿羔 大夫鴈 士雉 庶人之摯匹鄭氏 音木匹 卽鶩也 童子委摯 而退 摯之言 至也 童子委摯而退 不與成人爲禮也 野外軍中無摯 以纓拾矢可也 纓 馬繁纓也 拾 射鞲也 婦人之摯 椇榛脯脩棗栗

『예기』, 「곡례 하」에 다음과 같이 나와 있다. 무릇 폐백은 천자는 창(울창주)으로 하고 제후는 규(옥)로 하고 경은 새끼 양으로 하고 대부는 기러기로 하고 선비는 꿩으로 하고 서인의 폐백은 집오리로 한다. <정씨(정현)는 ‘음은 목필이니 곧 집오리이다’라 했다.> 동자는 폐백을 맡기고 물러난다. <‘지’의 말뜻은 ‘이른다’이다. ‘동자는 예물을 맡기고 물러난다’는 것은 어른과 예를 함께하지 않는다는 것이다.> 야외나 군중에서는 폐백(할 물건)이 없으니, 말 묶는 끈이나 깍지나 화살로 해도 된다. <‘영’은 말을 묶는 끈이다. ‘습’은 활 쏘는 깍지이다.> 부인의 폐백은 개암이나 육포나 대추나 밤으로 한다.

【집주】

束脩 其至薄者

‘속수’는 그 가운데 지극히 박한 것이다.

【세주】

胡氏曰 在禮 無以束脩爲贄 惟記檀弓曰 束脩之問 不出境 少儀曰 其以乘壺酒束脩一犬 穀梁傳曰 束脩之問 不行境中 則是亦有以此爲禮 不但婦人用脯脩爲贄也 然 比羔鴈爲薄 故曰 至薄

호씨가 말했다. 예에는 속수로 폐백을 삼는 경우는 없다. 오직 『예기』, 「단궁」

에서 말하기를 "속수의 폐백으로 문안하는 것은 (나라의) 경계를 넘지 않는다"라고 했고, 「소의」에는 "승호주와 개 한 마리의 육포로 한다"라 했고, 『(춘추)곡량전』에는 "속수의 문안은 경계 안에서는 행하지 않는다"라고 했다. (따라서) 역시 이로써 예를 삼는 경우가 있었으니 단지 부인만이 포로 폐백을 하는 것은 아니다. 그러나 새끼 양과 기러기에 비한다면 박한 것이다. 그래서 지극히 박하다고 한 것이다.

○邢氏曰 此 禮之薄者 厚則有玉帛之類 故云 以上以包之

형씨가 말했다. 이는 예 가운데 박한 것이다. 후한 경우는 옥과 백(비단) 같은 것으로 하는 경우가 있다. 그러므로 (본문에서는) '(속수) 이상'이라는 말로 (후한 경우까지를) 포괄했다.

○齊氏曰 漢諸王 致禮於其傅 猶曰 束脩 蓋 古禮也

제씨가 말했다. 한의 여러 왕들이 그 사부(스승)에게 예를 행할 때는 속수라고 했는데, 이는 대개 고례(를 따른 것)이다.

【집주】

蓋 人之有生 同具此理 故 聖人之於人 無不欲其入於善 但 不知來學 則無往敎之禮

대개 사람이 태어남에 이 이치를 같이 갖추고 있다. 그러므로 성인께서는 사람들에게 선에 들어가기를 바라지 않으신 적은 없지만, 단, 와서 배울 줄 모른다면 가서 가르치는 예는 없다.

【세주】

記曰 禮聞來學 不聞往敎

『예기』(「곡례 상」)에 말하기를 "예에, 와서 배우는 것은 허락해도 가서 가르치는 것은 허락하지 않는다"라 했다.

【집주】

故 苟以禮來 則無不有以敎之也

그러므로 만약 예를 갖추어 오면 가르치지 않으신 경우가 없었다.

【세주】

問 束脩 始相見之禮也 人 苟以禮來 聖人 未嘗不誨之 蓋 辭氣容色之間

何莫非誨也 固不保其往耳 朱子曰 誨之一字 恐未說到辭氣容色之間 亦未有不保其往之意 恐不應於此遽及之也 當詳玩之

물었다. 속수는 첫 상견의 예입니다. 사람이 만약 예를 갖추어 온다면 성인께서 가르치지 않으신 경우는 없습니다. 대개 어조와 안색에 어찌 가르침이 아닌 것이 있겠습니까? 본디 지나간 일은 문제 삼지 않습니다. 주자가 답했다. '회(가르치다)'라는 한 글자는 아마도 어조나 안색에 대해서 말한 것은 아닌 듯하고, 또 지나간 일은 문제 삼지 않는다는 뜻도 없는 것 같다. 아마도 (그런 의미를) 이 구절에 성급히 갖다 붙이려 하는 것은 부당한 것 같다. 마땅히 자세히 감상해야 한다.

○胡氏曰 人之有生 同具此理 雖以氣稟物欲之累 而趨於惡 然 皆可反而之善 聖人 仁天下之心 曷嘗不欲啓其爲善之塗哉 惟自暴自棄 在聖人 亦無如之何 故 有不往敎之禮 執贄而來 禮 雖至薄 意則可取 故 未嘗不敎之也

호씨가 말했다. 사람이 태어남에 모두 이 이치를 같이 갖추고 있으니 비록 기품과 물욕의 누 때문에 악으로 쏠리기는 하지만 그러나 모두 되돌려 선으로 가게 할 수 있다. 성인의 천하를 어질게 대하시는 마음에, 어찌 일찍이 선을 행하는 길을 깨우쳐주려 하지 않으셨겠는가? 오직 자포자기자의 경우는 성인으로서도 또한 어쩔 수가 없다. 그래서 가서 가르치지는 않는 예법이 있는 것이다. 폐백을 올리고 (배우려) 오면 예가 지극히 박하더라도 그 뜻은 취할 만하므로 일찍이 가르치지 않는 경우가 없는 것이다.

○慶源輔氏曰 聖人之敎 雖不輕棄人 亦不苟授人 仁義竝行 而不相悖也 但 聖人之心 其愛人也 終無窮已 而其責人也 終不至於太甚爾

경원 보씨가 말했다. 성인의 가르침은 비록 가볍게 사람을 버리지 않으셨지만, 또한 구차스럽게 사람에게 (가르침을) 주시지도 않았으니, 인과 의를 병행하시되 서로 모순이 되지 않았다. 다만, 성인의 마음이 사람을 사랑하시는 것은 끝내 그침이 없으셨고, 사람을 꾸짖는 것은 끝내 지나치게 심한 데 이르지는 않으셨다.

7.8 子曰 不憤不啓 不悱不發 擧一隅 不以三隅反 則不復也 憤 房粉反 悱 芳匪反 復 扶又反

공자께서 말씀하셨다. 괴로워하지 않으면 열어주지 않고, 답답해하지 않으면 드러내게[말로 표현하게] 하지 않는다. 한 모퉁이를 들어주었는데 나머지 세 모퉁이를 돌이키지 못하면 다시 반복하지 않는다.

【집주】

憤者 心求通而未得之意 悱者 口欲言而未能之貌

'분'이란 마음으로 통하기를 구하지만 아직 얻지 못했다는 뜻이고, '비'란 입은 말하고자 하지만 아직 그렇게 하지 못하는 모습이다.

【세주】

慶源輔氏曰 心求通而未得通 則其意 憤然而不能自已 憤 有鬱懣之意 口欲言而未能言 則其貌 悱然而不能自伸 悱者 屈抑之貌

경원 보씨가 말했다. 마음으로 통하기를 구하지만 아직 통하지 못했다면 그 뜻이 분연하여 스스로 그만두지 못한다. '분'에는 답답하고 괴롭다는 뜻이 있다. 입은 말하고자 하나 말할 수 없다면 그 모습은 답답하여 스스로 펴지지 않는다. '비'란 굽고 억눌린 모습이다.

【집주】

啓 謂開其意 發 謂達其辭

'계'는 그 의미(의 단서)를 열어주는 것을 말하고, '발'은 말로 표현하게 하는 것을 말한다.

【세주】

雙峯饒氏曰 啓 如啓戶略開之也 發 如弩之張而爲之發其機

쌍봉 요씨가 말했다. '계'는 창을 두드려 살짝 열어주는 것과 같다. '발'은 쇠뇌를 당겨서 그 기계가 발사되도록 하는 것과 같다.

【집주】

物之有四隅者 擧一 可知其三 反者 還以相證之義 復 再告也

어떤 물건에 네 모퉁이가 있는데, 하나를 들어주면 나머지 셋은 알 수 있다. '반'이란 돌이켜서 서로 증명한다는 뜻이다. '부'는 다시 알려주는 것이다.

【세주】

華陽范氏曰 憤 則其慮也深 悱 則其進也勇 因而啓發之 則其人 必自得矣 孟子曰 君子之所以敎者 五 有如時雨化之者 顔子是也 有成德者 有達材者 有答問者 憤悱之類 是也 有私淑艾者 擧一隅之類 是也

화양 범씨가 말했다. 괴로워하면 그 사려가 깊은 것이고, 답답해하면 그 나아감이 용맹스러운 것이다. 이로 인하여 열어주고 드러내게 해주면 그 사람은 반드시 자득(스스로 깨우침)할 것이다. 맹자가 말하기를 "군자가 가르치는 방식에는 다섯 가지가 있다(「진심 상」 40장)"라 했는데, (맹자가 말한 방식 중) 때맞춰 오는 비에 변화하는 것과 같은 방식은 안자가 그에 해당되고, 성덕(덕을 이루게 함)과 달재(재주를 다하게 함)와 답문(물음에 답함)은 괴로워하고 답답해하는 자들이 그에 해당되고, 저 혼자(스승 모르게) 스승을 삼아 공부하는 것은 한 모퉁이를 들어주는 자들이 그에 해당된다.

○朱子曰 悱 非全不曉也 曉得三五分 只是說不出 學者 至憤悱時 其心已略略通曉 但 心已喩而未甚信 口欲言而未能達 故 聖人於此 啓發之 擧一隅 其三隅 須是學者自去理會 擧一隅 而不能以三隅反 是不能自用力者 夫子 所以不再擧也

주자가 말했다. '비'는 완전히 깨닫지 못한 것은 아니고, 삼푼 내지 오푼 정도는 알지만 단지 말이 나오지 않는 것이다. 배우는 자가 괴로워하고 답답해하는 단계에 이르렀을 때에는 그 마음은 이미 대충은 통하고 깨우친 상태이다. 그러나 마음은 이미 깨달았지만 완전히 믿지는 못하고 입으로는 말하려고 하나 능히 다 표현하지는 못하니, 그런 까닭에 이에 성인께서 열어주고 표현하게 해주시는 것이다. 한 모퉁이를 들면 (그 나머지) 세 모퉁이는 모름지기 배우는 자 스스로 이해해 나가야 한다. 한 모퉁이를 들어주었는데 세 모퉁이를 돌이키지(이해하지) 못하면 스스로 힘을 쓸 수 없는 자이니, 공자께서는 그런 까닭에 다시 들어주지 않으셨다.

○南軒張氏曰 此 聖人敎人之方也 學貴於思 思而後有得 憤悱者 思慮積久 鬱而未暢 誠意懇切 形於外也 憤 則見於辭氣 悱 則見於顔色 於是 而啓其端

發其蔽 則庶幾其聽之之專 而感之之深也 然 告之 亦擧一隅耳 必待其以三隅反而後復之 此 古之教者 所以爲從容而使人繼其志之道也 若不以三隅反 則是未能因吾言而推類 苟遽以復之 則於彼亦無力矣

남헌 장씨가 말했다. 이것은 성인께서 사람을 가르치신 방법이다. 배움은 생각하기를 귀히 여기니, 생각한 이후에야 얻는 것이 있다. 괴로워하고 답답해하는 것은 사려가 오래 쌓여서 답답하고 펴지지 못한 것으로, 성의의 간절함이 겉으로 드러난 것이다. 괴로움은 말투에서 드러나고 답답함은 안색에서 드러난다. 이에 단서를 알려주시고 가려진 것을 드러내주시면 거의 그 들은 것은 전일해지고 느낀 것은 깊어진다. 하지만 알려주시는 것은 또한 한 모퉁이일 뿐이며, 세 모퉁이를 돌이키는 것을 기다린 후에야 다시 알려주신다. 이것은 옛 교사의 '조용히 함(침착하고 편안하게 함)으로써 사람으로 하여금 그 뜻을 잇게 하는 방법'이다. 만약 세 모퉁이를 돌이키지 않았다면 아직 내 말로 말미암아 유추하지 못한 것이니, 만약 성급하게 다시 말해주더라도 그에게는 아무런 효과가 없다.

【집주】

上章 已言聖人誨人不倦之意 因幷去聲記此 欲學者勉於用力 以爲受教之地也

앞 장에서 이미 성인께서 사람을 가르침에 게으르지 않으신다는 뜻을 말했는데, 이어서 이것을 병기한 것은 배우는 자로 하여금 부지런히 노력하여 가르침을 받아들일 기반으로 삼을 것을 바란 것이다.

【세주】

新安陳氏曰 聖人 固不倦於教 亦不輕於教 學者 無受教之地 教之必不入也

신안 진씨가 말했다. 성인께서는 본디 가르침에 게으르지 않으셨고 또한 가벼이 가르치시지도 않으셨다. 배우는 자가 가르침을 받을 기반이 없으면 가르쳐도 반드시 들어가지 않는다.

【집주】

○程子曰 憤悱 誠意之見賢遍反於色辭者也顏色辭氣 待其誠至而後告之 旣告之 又必待其自得以三隅反 乃復告爾

정자가 말했다. 괴로워하고 답답해하는 것은 성의가 안색과 어투에 드러난 것이다. 그 성의가 지극해지기를 기다린 후에야 알려주고, 이미 알려주었으면 또 반드시 자득하기를 기다린 후에야 다시 알려준다.

【세주】

朱子曰 憤悱 便是誠意到 不憤悱 便是誠不到

주자가 말했다. 괴로워하고 답답해하는 것은 성의(뜻이 간절해짐)에 이른 것이고, 괴로워하지 않고 답답해하지 않는 것은 성의에 이르지 않은 것이다.

【집주】

又曰 不待憤悱而發 則知之不能堅固 待其憤悱而後發 則沛然矣

또 말했다. 괴로워하고 답답해하기를 기다리지 않고 말하게 하면 알더라도 (그 앎이) 견고할 수 없고, 괴로워하고 답답해하기를 기다린 후에 말하게 하면 시원해진다.

【세주】

問 程子云 待憤悱而後發 則沛然矣 如何有沛然底意思 朱子曰 此 正所謂時雨之化 譬如種植之物 人力隨分已加 但正當那時節 欲發生 未發生之際 却欠了些子雨 忽然得這些子雨來 生意豈可禦也

물었다. 정자가 말하기를 괴로워하고 답답해하기를 기다려 말하게 하면 시원해진다고 했는데 어째서 시원해진다는 뜻이 있습니까? 주자가 답했다. 이것이 바로 이른바 때맞춰 내리는 비에 의해 변화한다는 것이니, 비유컨대 무엇인가를 심고서 사람의 힘은 분수에 따라(쓸 만큼) 이미 썼는데 그러나 마땅히 그때쯤에는 싹트려 해야 하는데도 아직 싹트지 않았을 때에는 비가 약간 모자라는 것이다. 홀연히 약간의 비가 오면 그 살아나려는 뜻을 어찌 막을 수 있겠는가.

○慶源輔氏曰 不待憤悱而發 是强聒之耳 必待憤悱而發 則猶水之流 壅遏於此 有以決之 則沛然而往 莫能禦矣

경원 보씨가 말했다. 괴로워하고 답답해하기를 기다리지 않고 말하게 하는 것은 억지로 떠들게 하는 것이다. 반드시 괴로워하고 답답해하기를 기다린 후에 말하게 하면, 마치 물의 흐름이 여기 막혀 있다가 그것을 터주면 시원하게 뚫려 내려가 막을 수 없는 것과 같다.

○新安陳氏曰 不憤悱則不啓發 不以三隅反則不復 朱子 作兩節對說 程子只作一串說

신안 진씨가 말했다. 괴로워하고 답답해하지 않으면 열어주지 않고 말하게 하지 않는다는 것과 세 모퉁이를 돌이키지 않으면 다시 말해주지 않는다는 것에 대해, 주자는 두 구절로 나누어 설명했고, 정자는 단지 하나로 꿰뚫어 설명했다.

7.9-1 子 食於有喪者之側 未嘗飽也

공자께서는 상을 당한 사람의 곁에서 식사하실 때에는 일찍이 배불리 드신 적이 없었다.

【집주】

臨喪 哀 不能甘也

상에 임해서는 슬프니 (음식이) 맛있을 수 없다.

【세주】

朱子曰 未嘗飽 有食不下咽之意

주자가 말했다. 일찍이 배불리 드신 적이 없다는 것은 먹어도 잘 삼켜지지 않는다는 뜻이 있다.

○厚齋馮氏曰 檀弓記此 蓋 古禮然也 是書所記禮儀 多合禮經 當世不行而夫子擧行之 故 門人以爲記耳

후재 풍씨가 말했다. (『예기』) 「단궁」편에 이런 기록이 있는데, 대개 옛 예가 그러했다는 것이다. 이 책(『논어』)에 기록한 바의 예의는 예경(의례에 관한 경전)에 합치하는 것이 많다. 당시에는 행해지지 않았지만 공자께서 그것을 거행하셨기에 문인들이 기록한 것이다.

7.9-2 子 於是日哭 則不歌

공자께서는 이 날 곡하셨으면 (이 날은) 노래하지 않으셨다.

【집주】

哭 謂弔哭 一日之內 餘哀未忘 自不能歌也

'곡'은 조상하는 곡을 말한다. 하루 동안에는 남은 슬픔이 잊히지 않으니,

본디 노래할 수 없는 것이다.

【세주】

朱子曰 聖人 不成哭了便驟去歌 如四時也 須漸漸過去 聖人之心 如春夏秋冬 不遽寒燠 故 哭之日 自是不能遽忘

주자가 말했다. 성인께서 곡을 마치신 후에 곧바로 노래하신다는 것은 있을 수 없는 일이다. 마치 4계절이 반드시 점차 지나가는 것처럼, 성인의 마음은 춘하추동처럼 급히 추워지거나 따듯해지지 않는다. 그래서 곡한 날에는 (그 슬픔을) 본디 금방 잊을 수는 없는 것이다.

○子 於是日哭 則不歌 不要把一箇誠字包 却須要識得 聖人 自然重厚不輕浮底意思

공자께서 이 날에 곡하시면 (이 날은) 노래하지 않으셨다는 것에 대해 굳이 '성(진심으로)' 자를 포함시킬 필요는 없다. 오히려 모름지기 성인께서는 저절로 중후하여 경박하지 않으시다는 뜻을 깨달아야 한다.

○南軒張氏曰 臨喪則哀 食何由飽 哭者 哀之至 歌者 樂之著 一日之間 二者 不容相襲 若此也 學者 法聖人而勉之 亦足以養忠厚之心也

남헌 장씨가 말했다. 상에 임하면 슬프니 무슨 까닭에 배불리 먹겠는가? 곡하는 것은 슬픔이 지극한 것이고 노래하는 것은 즐거움이 드러난 것이다. 하루 사이에 이 두 가지가 서로 연이어질 수 없음이 이와 같다. 배우는 자가 성인을 본받아 힘쓴다면 또한 충후한 마음을 기르기에 족하다.

【집주】

○謝氏曰 學者 於此二者 可見聖人情性之正也 能識聖人之情性 然後可以學道

사씨가 말했다. 배우는 자는 이 두 가지에서 성인의 성정의 바름을 볼 수 있다. 능히 성인의 성정을 안 다음에야 도를 배울 수 있다.

【세주】

慶源輔氏曰 在聖人分上 二者 皆自然安行 其情性之正 莫非道也 識之者 可以學道

경원 보씨가 말했다. 성인의 입장에서는 이 두 가지는 모두 저절로 편안히 여겨 행하시는 것이니 그 정성의 바름은 도 아닌 것이 없다. 그것을 깨달은 자라야 도를 배울 수 있다.

○新安陳氏曰 是日歌 或遇當哭 哀不能已也 是日哭 縱或遇歌 樂可以已也

신안 진씨가 말했다. 이 날 노래했는데, 혹여 (그 날) 곡할 일을 만나게 되면 슬퍼하기를 그만둘 수는 없다(곡은 해야 한다). 이 날 곡했는데 혹여 (그 날) 노래할 일을 만나게 되면 즐거워하기는 그만둘 수 있다(노래하지 말아야 한다).

7.10-1 子 謂顏淵曰 用之則行 舍之則藏 惟我與爾有是夫 舍 上聲 夫 音扶

공자께서 안연에게 말씀하셨다. 쓰이면 행세하고 버려지면 숨는 것, 오직 나와 너만이 이럴 수 있다.

【집주】

尹氏曰 用舍 無與音預於己

윤씨가 말했다. 쓰이고 버려지는 것은 나에게 달린 것이 아니고

【세주】

朱子曰 用舍 由在別人 不由得我

주자가 말했다. 쓰이고 버려지는 것은 다른 사람으로부터 말미암는 것이지 나로부터 말미암는 것이 아니다.

【집주】

行藏 安於所遇

행세하거나 숨는 것은 맞닥뜨린 사태를 편안히 여기는 것이니

【세주】

新安陳氏曰 遇用我 則安於行 遇舍我 則安於藏 無固必也

신안 진씨가 말했다. 내가 쓰이는 사태를 만나면 행세함을 편안히 여기고 내가 버려지는 사태를 만나면 숨는 것을 편안히 여기니, 반드시 그리해야 하는 것(고정된 방식)은 없다.

【집주】

命 不足道也

운명은 말할 필요가 없다.

【세주】

朱子曰 命 只是尹氏添此一脚 本文 非有此意

주자가 말했다. 운명이라는 것, 이는 윤씨가 이 구절을 첨가했을 뿐이지 본문에는 이러한 뜻이 없다.

【집주】

顔子 幾平聲於聖人 故 亦能之

안자는 거의 성인에 가까운 까닭에 또한 그렇게 할 수 있다.

【세주】

程子曰 孔子 謂顔淵曰 用之則行 舍之則藏 惟我與爾有是夫 君子所性 雖大行不加焉 雖窮居不損焉 不爲堯存 不爲桀亡者也 用之則行 舍之則藏 皆不累於己爾

정자가 말했다. 공자께서 안연에게 말씀하시기를 '쓰이면 행세하고 버려지면 숨는 것, 오직 너와 나만이 이럴 수 있다'고 하셨는데, 군자의 본성은 비록 크게 행세하더라도 더해질 수 있는 것이 아니고 궁벽하게 거처하더라도 덜어질 수 있는 것이 아니니, 요임금 때문에 보존되는 것도 아니고 걸 때문에 없어지는 것도 아니다. 쓰이면 행세하고 버려지면 숨는 것은 모두 자신에게 누가 되지 않는다.

○朱子曰 用之則行 舍之則藏 此八字 極要人玩味 若他人 用之 則無可行 舍之 則無可藏 惟孔子與顔淵 先有此事業 在己分內 若用之 則見成 將出來行 舍之 則藏了 他人 豈有是哉 故 下文云 惟我與爾有是夫 有是二字 當如此看 用舍 無預於己 行藏 安於所遇 命不足道也 蓋 只看義理如何 都不問那命了 雖使前面做得去 若義去不得 也只不做 所謂殺一不辜 行一不義 而得天下 有所不爲 若中人之情 則見前面做不得了 方休 方委之於命 若使前面做得 他定不肯已 所謂不得已而安之命者也 此 固賢於世之貪冒無恥者 然 實未能無求之之心也 聖人 更不問命 只看義如何 貧富貴賤 惟義所在 謂安於所遇也 如顔子之安於陋巷 他 那曾計較命如何

주자가 말했다. 쓰이면 행세하고 버려지면 숨는다는 이 여덟 글자는 극히 사람들로 하여금 완상하게 한다. 다른 사람 같으면 쓰이면 행세할 수 없고 버려지면 숨을 수 없다. 오직 공자와 안연만이 먼저 이러한 일이 자기 안에 있어서, 만약 쓰이면 드러나서 장차 나아가 행세하고, 버려지면 숨어버린다. 다른 사람 같으면 어찌 이럴 수 있으리오. 그렇기 때문에 아래 구절에 '오직 너와 나만이 이럴 수 있다'고 말씀하신 것이다. '유시(이럴 수 있다)'라는 이 두 글자는 마땅히 이와 같이 보아야 한다. '쓰이고 버려지는 것은 자기에게 달린 것이 아니고 행세하고 숨는 것은 맞닥뜨린 사태에 편안히 여기는 것이니 운명은 말할 필요가 없다'는 것은 대개 의리가 어떠한가를 볼 뿐 결코 그 운명에 대해서는 묻지 않는다는 것이다. 비록 설사 앞으로 잘 될 것 같아도 의리에 맞지 않는다면 행하지 않을 뿐이니, 이른바 "한 사람의 무고한 자를 죽이고 하나의 불의를 행해서 천하를 얻는다고 하더라도 그렇게 하지 않는다(『맹자』3, 「공손추 상」 2장)"라는 것이다. 보통 사람의 마음의 경우, 앞으로 잘 안 될 것처럼 보이면 바야흐로 그만두고 운명으로 돌려버리고, 만약 앞으로 일이 잘된다면 그는 결코 그만두려고 하지 않는다. (이런 사람은) 이른바 '어쩔 수 없어서 운명을 편안히 여기는 자'이다. 이런 사람은 본디 세상의 탐욕스럽고 부끄러움을 모르는 자보다는 현명하지만 그러나 실로 구하려는 마음이 없을 수는 없다. 성인께서는 또 운명을 묻지 않고 다만 의가 어떠한가를 보실 뿐이고 빈부귀천에 대해서는 다만 의가 있을 곳을 선택하실 뿐이니, (이것을) 일러 '맞닥뜨린 사태를 편안히 여기는 것'이라 한다. 예컨대 안자가 누항(더러운 거처)을 편안히 여기는 것 같은 것이니, 그가 어찌 일찍이 운명이 어떠한지를 계산했겠는가.

○問 用之則行 舍之則藏 竊意漆雕曾閔 亦能之 曰 舍之則藏 易 用之則行難 若開用之 未必能行也 聖人 規模大 藏時 不止藏他一身 煞藏了事 譬如大船 有許多器具寶貝 撑去 則許多物 便都藏了 衆人 便沒許大力量 然 聖人行藏 自是脫然 無所係累 救世之心 雖切 然 得做便做 做不得便休 他人 使有此若未用時 則切切於求行 舍之 則未必便藏 耿直之向 有書云 三代禮樂制度盡在聖人 所以 用之 則有可行 某謂 此 固其可行之具 但 本領 更全在無所係累處 有許大本領 則制度 點化出來 都成好物 故 在聖人 則爲事業 衆人沒那本領 雖盡得他禮樂制度 亦只如小屋 收藏器具 窒塞都滿 運轉都不得

물었다. 쓰이면 행세하고 버려지면 숨는다는 것, 이는 제가 가만히 생각건대 칠조개나 증자나 민자건 또한 능히 할 수 있는 일 같습니다. 답했다. 버려지면 숨는 것은 쉽고 쓰이면 행세하는 것은 어렵다. 만약 칠조개가 쓰인다면 꼭 잘 행세할 수 있다고 할 수는 없다. 성인께서는 규모가 크시니 숨을 때는 다만 그 한 몸만 숨기시는 것이 아니고 모든 일도 다 숨기신다. 비유컨대 마치 큰 배가 허다한 기물과 보화를 싣고 떠나가면 그 허다한 물건도 곧 모두 숨어버리는 것과 같다. 뭇사람은 (그러한) 큰 역량은 없다. 그러나 성인의 행세하고 숨음은 본디 탈연(구애되지 않음)하시어 매인 바가 없으니, 세상을 구하려는 마음이 비록 절실하지만 할 수 있으면 하시고 할 수 없으면 곧 그치신다. 다른 사람이 만약 이(세상을 구하려는 마음)를 가지고 있으면, 쓰이지 않을 때에는 절절하게 행세하기를 구하고 버려지면 꼭 숨지는 못하고 고지식하게 나아간다. 어떤 책에 "3대(하은주)의 예악과 제도가 모두 성인께 있기 때문에 쓰이면 행세하실 수 있다"라고 했는데, 내가 생각건대 이(3대의 예악 제도)는 본디 행세할 수 있게 하는 도구이기는 하지만 그러나 본질은 오로지 매인 바가 없다는 점에 있다. 위대한 본질이 있으면 제도는 저절로 만들어져 나와 모두 좋은 사물을 이루어낸다. 그러므로 성인께는 (그것이) 사업이 된다. 뭇사람은 그러한 본질이 없으니 비록 그 예악 제도를 모두 다 얻더라도 역시 마치 작은 집에 (허다한) 기물을 빽빽하게 갖추어 움직일 수조차 없게 되는 것과 같다.

○此章 專在兩箇則字上 如可以仕則仕 可以止則止之類 孔顔 於用舍行藏之間 如霽則行 潦則止

이 장은 오직 두 '즉' 자 위에 (그 핵심이) 있으니, 예컨대 '벼슬할 만하면 벼슬하고 그만둘 만하면 그만둔다'라는 것과 같다. 공자와 안자는 쓰이고 버려지고, 행세하고 숨는 데 있어서 마치 날이 맑으면 가고 궂으면 머무는 것처럼 하신다.

○常人 用之則行 乃所願 舍之則藏 非所欲 舍之則藏 是自家命恁地不得已不奈何 聖人 無不得已不奈何底意 何消更言命 到得無可奈何處 始言命 聖人說命 只爲中人以下說 如道之將行將廢 命也 此 爲子服景伯說 得之不得曰有命 是 爲彌子瑕說 下一等人 不知有命 又一等人 知有命 猶自去計較 中人以上 便安於命 到聖人 便不消言命矣

보통 사람에게 '쓰이면 행세한다'는 것은 곧 바라는 바이지만 '버려지면 숨는다'는 것은 바라지 않는 바이니, 이는 스스로 운명이 그처럼 어쩔 수 없기 때문에 어쩌지 못하는 것일 뿐이다. 성인께서는 어쩔 수 없어 어쩌지 못하는 뜻이 없는데 왜 또 운명을 말씀하실 필요가 있겠는가? 어쩔 수 없는 것이 있어야 비로소 운명을 말하는 것이다. 성인께서 운명을 말씀하신 것은 다만 보통 이하의 사람을 위해 말씀하신 것뿐이다. 예컨대 "도가 장차 행해질 것인지, 폐해질 것인지, 이는 운명이다(『논어』14, 「헌문」 38장)"라는 말씀은 자복경백을 위해 하신 말씀이고, '얻느냐 얻지 못하느냐, 이는 운명이 있다'는 말씀은 미자하를 위해 하신 말씀이다. 낮은 수준의 사람은 운명이 있음을 모르고, 또 어떤 사람은 운명이 있는 줄 알지만 오히려 (이를 면하려) 스스로 꾀를 쓴다. 보통 사람 이상은 곧 운명에 편안해 하니 성인의 경우에는 곧 운명을 말할 필요가 없다.

○厚齋馮氏曰 道 本期於用 非獨善其身而已也 然 時不我用 則有退藏而已

用之而欲藏 不仁也 舍之而欲行 不智也 是時 欲扶世立功名者 知行而不知藏 欲潔身遺世者 知藏而不知行 此 夫子 所以旁觀一世 惟子淵與己同也 說者 乃謂淵不願仕 是 以其迹而不知其心也 爲邦之問 槪可見矣

후재 풍씨가 말했다. 도는 본래 쓰이기를 기대하는 것이지 다만 자신의 몸을 선하게 하려는 것만이 아니다. 그러나 시대가 나를 쓰지 않으면 물러나 숨을 뿐이니, 쓰이는데도 숨으려 하는 것은 불인이고, 버려지는데도 행하려 하면 지혜롭지 못한 것이다. 이때 세상을 붙들어 공명을 세우려 하는 자는 행세하는 것만 알고 숨는 것은 몰랐고, 몸을 깨끗이 하여 세상을 버리려는 자는 숨는 것만 알고 행세하는 것은 몰랐다. 이것이 공자께서 세상을 곁에서 바라보시면서 다만 안연과 자신만이 같다고 여기신 까닭이다. (어떤) 설명하는 자가 안연은 벼슬하기를 원하지 않았다고 말하지만, 이는 (안연의) 그 행적만을 보고 한 말이지 그 마음은 알지 못한 것이다. (안연이) 나라 다스리는 것에 대해 질문한 것을 보면 대개 (안연이 벼슬할 뜻이 있었음을) 알 수 있다.

○勉齋黃氏曰 用之舍之 存乎人 則行則藏 應乎己 則無意無我 可見矣 用之行矣 至舍之 則藏 舍之藏矣 至用之 則行 則無必無固 可見矣

면재 황씨가 말했다. 쓰이고 버려지는 것은 남에게 달렸지만 행세하거나 숨는 것은 스스로 응하는 것이니, 의도도 없고 아집도 없음을 알 수 있다. 쓰여서 행세하다가 버려짐에 이르러서는 숨고, 버려져 숨어 있다가 쓰임에 이르러서는 행세하니, 꼭 그래야 하는 일도 없고 꼭 고집하는 일도 없음을 알 수 있다.

○雲峯胡氏曰 用行舍藏 玩集註及語錄 一 當就有字上看 常人 未必有此也 二 當就則字上看 用舍在人 而聖人無所必也 三 當合兩句互看 徇物者 忘義徇祿 用之雖行 而舍之未必藏 絶物者 潔身亂倫 舍之雖藏 而用之未必行

운봉 호씨가 말했다. 쓰이면 행세하고 버려지면 숨는 것에 대해, 집주와 어록(『주자어류』)을 감상해보면, 첫째, 마땅히 '유' 자에 대해 보아야 하니, 보통 사람은 꼭 이런 일이 있지는 않다. 둘째, 마땅히 '즉' 자에 대해 보아야 하니, 쓰이고 버려지는 것은 남에게 달렸고 성인께서 꼭 그렇게 해야 하는 것은 없었다. 셋째, 마땅히 두 구절을 합하여 함께 보아야 하니, 사물(외부의 것)을 따르는 자는 의를 잊고 녹을 따르기에 쓰이면 비록 행세하기는 하지만 버려지면 꼭 숨는 것은 아니고, 사물을 끊는 자는 몸을 깨끗이 하면서 윤리를 어지럽히기에 버려지면 비록 숨기는 하지만 쓰이면 꼭 행세하는 것은 아니다.

7.10-2 子路曰 子 行三軍 則誰與

자로가 말했다. 선생님께서는 3군을 운용하실 때 누구와 함께하시겠습니까?

【집주】

萬二千五百人 爲軍 大國三軍 子路 見孔子 獨美顔淵 自負其勇 意夫子 若行三軍 必與己同

12,500인이 (1)군이 된다. 큰 나라는 3군이 있다. 자로는 공자께서 오직 안연만을 찬미하시는 것을 보고, 그 용감함을 자부하여 공자께서 만약 3군을 운용하신다면 꼭 자기와 함께하실 것으로 여겼다.

【세주】

朱子曰 子路此問 雖無私意 然 猶有固必之心

주자가 말했다. 자로의 이 질문은 비록 사의는 없지만 오히려 꼭 그렇게 하려는 마음은 있는 것이다.

7.10-3 子曰 暴虎馮河 死而無悔者 吾 不與也 必也 臨事而懼 好謀而成者也 馮 皮冰反 好 去聲

공자께서 말씀하셨다. 맨손으로 호랑이를 잡고 맨발로 강을 건너다가 죽어도 후회하지 않는 자는 내가 함께하지 않겠다. (함께하고 싶은 자는) 반드시 일에 임해서는 두려워하고 잘 계획해서 이루는 자이다.

【집주】

暴虎 徒搏 馮河 徒涉

'포호'는 맨손으로 (호랑이를) 잡는 것이고, '빙하'는 맨발로 걸어서 (강을) 건너는 것이다.

【세주】

新安陳氏曰 徒 徒手而無所持也

신안 진씨가 말했다. '도'란 맨손으로 아무것도 지니지 않은 것이다.

【집주】

懼 謂敬其事 成 謂成其謀 言此 皆以抑其勇上三句**而敎之**下二句 **然行師之要 實不外此 子路 蓋 不知也**

'구'는 그 일을 경건히 하는 것을 말하고, '성'은 그 계획을 이루는 것을 말한다. 이렇게 말씀하신 것은 모두 그 용맹을 억제함으로써 <위 세 구절에 해당된다.> **가르치신 것이다.** <아래 두 구절에 해당된다.> **그러나 군대 운용의 핵심은 실로 이 이외의 것이 아닌데, 대개 자로는 알지 못했다.**

【세주】

問 子行三軍 則誰與 朱子曰 三軍 要勇 行三軍者 要謀 旣好謀 然 須要成事 蓋 人 固有好謀 而事不成者 却亦不濟事 又問 謀在先 成在後 成 非勇亦不能決 曰 然

물었다. 공자께서 3군을 운용하신다면 누구와 함께하시겠습니까? 주자가 답했다. 3군은 용맹을 필요로 하고, 3군을 운용하는 것은 지모를 필요로 한다. 이미 잘 계획했더라도 반드시 일을 이루어야만 한다. 대개 사람이 본디 잘 계획하기는 하지만 일을 이루지 못하면 오히려 역시 일을 완수하지 못한다. 또 물었다. 계획은 앞에 있고 이룸은 뒤에 있습니다. 이루는 것은 용맹이 아니면 또한 해결되지 않습니다. 답했다. 그렇다.

○子 行三軍 則誰與 宜作相與之與 非許與之與 好謀而成 人 固有好謀者 然 疑貳不決 往往無成者 多矣 孔子 行三軍 其所與共事者 必臨事而懼 好謀而成者也

'공자께서 3군을 운용하실 때 누구와 함께하시겠는가'라고 할 때의 ('여' 자는) 마땅히 '상여(서로 더불다)'라고 할 때의 '여'로 보아야지, '허여(인정하다)'라고 할 때의 '여' 자가 아니다. 잘 계획해 (일을) 이루는 것(에 대해 말하자면), 사람이 본디 잘 계획하기는 하지만 의심이 많아 결정을 잘 못 내려 왕왕 이루지 못하는 자가 많다. 공자께서 3군을 운용하실 때 함께 일할 자는 반드시 일에 임해 두려워하고 잘 계획해서 이루는 자일 것이다.

○好謀而成 旣謀了 須是果決去做敎成 若徒謀而不成 何益於事 所謂作舍

道旁三年不成者也 臨事而懼 是臨那事時 又須審一審 蓋 閑時已自思量 都是了 都曉得了 到臨事時 又更審一審 這懼字 正如安而後能慮底慮字相似此 本爲行三軍而發 故 就行師觀之 尤見精密

잘 계획해서 이룬다는 것(에 대해 말하자면), 이미 계획을 했으면 반드시 과감히 결단하여 해 나가 이루도록 해야 한다. 만약 헛되이 계획하기만 하고 이루지 못하면 일에 무슨 이익이 있으리오. 이른바 길 옆에 집을 지으면서 3년이 되어도 이루지 못하는 자이다. 일에 임해서 두려워한다는 것(에 대해 말하자면), 어떤 일에 임했을 때 또 모름지기 헤아리고 또 헤아리는 것이니 대개 일 없을 때 이미 스스로 생각하고 헤아려 모두 다 옳고 모두 다 깨우쳤는데도 일에 임해서는 또다시 헤아리고 헤아리는 것이다. 이 '구(두려움)' 자는 바로 '편안한 후에 능히 사려할 수 있다'라고 할 때의 '려' 자와 비슷하다. 이(말씀)는 본래 3군을 운용하는 것 때문에 나온 것이니만큼 군대의 운용에 관해 살펴보면 더욱 정밀하게 알 수 있다.

○南軒張氏曰 臨事而懼 戒懼於事始 則所以爲備者 周矣 好謀者 或失於寡斷 好謀而成 則思慮審 而其發也 必中矣 敬戒周密如此 古之人 所以能成天下之事 而不失也 豈獨可行三軍而已哉

남헌 장씨가 말했다. 일에 임해 두려워한다는 것은 일의 시작점에서 경계하고 두려워하면 준비되는 바가 주도(빠뜨리는 것이 없음)하다는 것이다. 잘 계획하는 자는 혹 과단성이 없다는 점에서 실수를 범할 수 있으니, 잘 계획해서 이룬다는 것은 사려는 정밀하고 그 행함은 반드시 들어맞는 것이다. 경건하고 조심하고 주도면밀하기가 이와 같았기에 옛사람들은 능히 천하의 일을 이루고 잃지 않았던 것이다. 어찌 다만 3군을 운용할 수 있는 것뿐이겠는가.

○勉齋黃氏曰 臨事而敬懼 則有持重謹畏之心 好謀而圖成 則有周悉萬全之計 敬其事 則無忽心無惰氣 臨事必能 戒懼 非怯懦而恐懼也 成其謀 則不妄動不亟取 於事 必有一定之謀 既成而不愆 於素 自無僥倖速成之弊也 無非抑其血氣之勇 而教之以義理之勇焉

면재 황씨가 말했다. 일에 임하여 경건하고 두려워하는 것은 진중하고 삼가고 두려워하는 마음이 있는 것이고, 잘 계획해서 도모해 이루는 것은 주도면밀한 만전의 계책이 있는 것이다. 그 일을 경건히 한다는 것은 소홀한 마음이 없고 게으른 기운이 없어 일에 임해 반드시 해내는 것이니, 조심하고 두려워하는 것은 비겁하고 유약해서 두려워하는 것이 아니다. 그 계획을 이룬다는 것은 망동하지 않고 급히 취하지(급히 성과를 거두려 하지) 않는 것이니,

일에 있어서는 반드시 일정한 지모가 있고 이미 이루어진 다음에는 지나치지 않는 것이며, 평소에는 원래 요행을 바라고 급히 이루려는 폐단이 없는 것이다. (공자의 이 말씀은) 혈기의 용맹을 억누르고 의리의 용맹을 가르치시려 함이 아닌 것이 없다.

【집주】

○謝氏曰 聖人 於行藏之間 無意無必 其行 非貪位 其藏 非獨善也 若有欲心 則不用而求行 舍之而不藏矣

사씨가 말했다. 성인께서는 행세하고 숨는 데 있어서 의도하는 것도 없고 꼭 그리하려는 것도 없으셨다. 그 행세함은 지위를 탐해서가 아니고 그 숨음은 홀로 선하고자 함이 아니다. 만약 욕심이 있으면 쓰이지 않아도 행세하기를 구하고 버려져도 숨지 않는다.

【세주】

雙峯饒氏曰 用之不行 是好遯底人 舍之不藏 是好進底人 自有兩樣 謝氏謂不用求行 舍之不藏 只說得一邊

쌍봉 요씨가 말했다. 쓰이는데도 행세하지 않는 것은 숨기를 좋아하는 자이고 버려지는데도 숨지 않는 자는 나서기를 좋아하는 자이니, 원래 두 가지 양상이 있다. 사씨는 쓰이지 않는데도 행세하기를 구하고 버려지는데도 숨지 않는다고 했는데, (이는) 다만 한 면만을 설명한 것이다(은둔을 좋아하는 경우는 설명하지 않았다).

【집주】

是以 惟顏子 爲可以與音預 於此 子路 雖非有欲心者 然 未能無固必也 至以行三軍爲問 則其論 益卑矣

이런 까닭에 오직 안자만이 이 일에 함께할 수 있는 자가 된다. 자로는 비록 욕심이 있는 자는 아니지만, 꼭 그렇게 하려는 마음이 없지는 못했다. 3군을 운용하는 것을 질문함에 이르러서는 그 논의가 더욱 비천하다.

【세주】

胡氏曰 子路 勇不自遏 故 有是問 乃不用而求行 舍之而不藏者

호씨가 말했다. 자로는 용맹해서 스스로 그칠 줄 모르는 자이다. 그래서 이런 질문을 했다. 그러니 쓰이지 않는데도 행세하기를 구하고 버려지는데도 숨지 않는 자이다.

【집주】

夫子之言 蓋 因其失而救之 夫音扶不謀無成 不懼必敗 小事尚然 而況於行三軍乎

공자의 말씀은 대개 그 잘못으로 인해 그것을 구제하려 하신 것이다. 무릇 계획하지 않으면 이룰 수 없고 두려워하지 않으면 반드시 실패한다. 작은 일도 오히려 그러한데 하물며 3군을 운용하는 데 있어서이랴?

7.11 子曰 富而可求也 雖執鞭之士 吾亦爲之 如不可求 從吾所好 好 去聲

공자께서 말씀하셨다. 부유함이 구할 수 있는 것이라면 비록 집편지사라도 나는 또한 하겠다. 만약 구할 수 없는 것이라면 내가 좋아하는 것을 따르겠다.

【집주】

執鞭 賤者之事

'집편(말채찍을 잡음)'은 천한 자의 일이다.

【세주】

新安倪氏曰 太史公云 假令晏子尙在 願爲之執鞭 其言 本此

신안 예씨가 말했다. 태사공(사마천)이 말하기를 "가령 안자(안평중)가 아직도 살아 있다면 원컨대 그를 위해 말채찍을 잡고 싶다"라 했는데, 이 말은 이 구절을 본뜬 것이다.

【집주】

設言富若可求 則雖身爲賤役以求之 亦所不辭 然 有命焉 非求之可得也 則安於義理而已矣 何必徒取辱哉

'부유함이 만약 구할 수 있는 것이라면 비록 몸소 천한 역을 해서 구하는 것 또한 사양하지 않는 바이지만, 그러나 운명이 있기에 구해서 얻을 수 있는 것이 아니니, 의리에 편안해 할 뿐이지 하필 헛되이 치욕을 취하리오'라고 가설적으로 말씀하신 것이다.

【세주】

陳氏曰 此章 爲中人以下 假設言之耳 命 所以安中人 義 所以責君子

진씨가 말했다. 이 장은 보통 수준 이하의 사람을 위해 가설적으로 말씀하신 것뿐이다. (집주의) '명(운명)'은 보통 수준의 사람들을 편안하게 하려는 것이고 '의'는 군자를 책하려는 것이다.

【집주】

○蘇氏曰 聖人 未嘗有意於求富也 豈問其可不可哉 爲此語者 特以明其決不可求爾 楊氏曰 君子 非惡去聲富貴而不求 以其在天無可求之道也

소씨가 말했다. 성인께서는 일찍이 부유함을 구하려는 데 뜻이 없으셨으니, 어찌 (구할 수) 있는지 없는지를 물으셨겠는가? 이 말씀을 하신 것은 다만 그것이 결코 구할 수 없는 것임을 밝히시려는 것이었다. 양씨가 말했다. 군자는 부귀를 싫어해서 구하지 않는 것이 아니다. 그것은 하늘에 달려 있는 것이라 구할 도리가 없기 때문이다.

【세주】

朱子曰 上句 是假設之辭 下句 方是正意 下句 說從吾所好 便見上句執鞭之士 非所好矣 更味而字 雖字 亦字 可見文勢重在下句也 須要仔細看 富而可求也一句 上面自是虛意 言而可求 便是富本不可求矣 此章 最見得聖人言語渾成底氣象 須要識得

주자가 말했다. 위 구절은 가설적인 말씀이고 아래 구절이 곧 바른 뜻이다. 아래 구절에서 내가 좋아하는 것을 따르겠다고 하셨으니 곧 위 구절의 집편지사는 좋아하는 것이 아님을 알 수 있다. '이' 자와 '수' 자와 '역' 자를 다시 감상해보면 어조가 아래 구절에 중점이 있음을 알 수 있으니, 모름지기 자세히 보아야 한다. '부유함이 구할 수 있는 것이라면'이라는 한 구절에서, 위쪽(부유함)은 본디 의미가 없고, '구할 수 있는 것이라면'이라는 말은 곧 부유함은 본래 구할 수 없다는 것이다. 이 장은 성인의 말씀의 포괄적인 기상을 가장 잘 알 수 있으니 모름지기 (그 기상을) 깨달아야만 한다.

○南軒張氏曰 夫子謂 富不可求者 正於義不可 故耳 言使其於義而可 則雖執鞭之事 亦有時而可爲矣 其如義不可 求何 則姑從吾所好而已 吾所謂好者 義 是也 然則所安以義 而命 蓋有不言者矣

남헌 장씨가 말했다. 공자께서 부유함이 구할 수 없는 것이라고 말씀하신 것은 바로 의리상 할 수 없는 것이기 때문이다. '만약 의리상 할 수 있는 것이라면 비록 집편의 일이라도 또한 때로는 할 수 있지만, 만약 의리상 할 수 없는 것이라면 무엇을 구할 것인가? 곧 내가 좋아하는 것을 따를 뿐이다'라는 말씀으로, 내가 소위 좋아하는 것이란 의리 그것이다. 그런즉 의리에 편안해 하는 바이지, 운명은 대개 말하지 않는 것이다.

○慶源輔氏曰 蘇氏 發得此章語脈分明 楊氏 又說得聖賢所以不求富貴之理確實 二說相須 其義始備

경원 보씨가 말했다. 소씨는 이 장의 말씀의 맥락을 분명히 드러내었고, 양씨는 또 성현께서 부귀를 구하지 않는 까닭을 확실하게 설명해내었다. 두 설을 같이 보아야만 그 뜻이 비로소 갖추어진다.

7.12 子之所愼 齊 戰 疾 齊 側皆反

공자께서 신중히 하신 것은 재(재계)와 전(전쟁)과 질(질병)이었다.

【집주】

齊之爲言 齊如字 下同也 將祭 而齊其思慮之不齊者 以交於神明也

'재'의 말뜻은 가지런히 함이다. 장차 제사를 지냄에, 생각이 가지런하지 못한 것을 가지런히 함으로써 신명과 교접하는 것이다.

【세주】

禮祭統 及時將祭 君子 乃齊側皆反 齊之爲言 齊如字 下同也 齊不齊 以致齊者也

『예기』, 「제통」편에 "때맞추어 장차 제사를 지냄에 군자는 곧 재계한다. '재'의 말뜻은 가지런히 함이다. 가지런하지 않은 것을 가지런히 함으로써 치재한다"라 했다.

【집주】

誠之至與不至 神之享與不享 皆決於此 戰 則衆之死生 國之存亡 繫焉 疾 又吾身之所以死生存亡者 皆不可以不謹也

정성의 지극함과 지극하지 못함, 신이 누림과 누리지 않음, (이것들은) 모두 이(재계)에 따라 결정된다. 전쟁은 여러 사람의 생사와 나라의 존망이 달려 있는 것이고, 질병은 또 내 몸의 생사존망의 원인이 되는 것이니 모두 삼가지 않을 수 없는 것이다.

【세주】

楊氏曰 夫子 齊 必變食 行三軍 必臨事而懼 康子 饋藥未達 不敢嘗 觀此 則其愼可見

양씨가 말했다. 공자께서는 재계하실 때는 반드시 음식을 바꾸셨고, 3군을 운용하실 때는 반드시 일에 임해 두려워하셨고, 계강자가 약을 보냄에 (약이 자신의 병에) 듣는지 모르자 감히 맛보지 않으셨다(『논어』10, 「향당」 11장). 이를 보면 그 신중하심을 가히 알 수 있다.

【집주】

○尹氏曰 夫子 無所不謹 弟子 記其大者耳

윤씨가 말했다. 공자께서는 삼가지 않으신 것이 없지만 제자들이 그 큰 것만을 기록해두었을 뿐이다.

【세주】

慶源輔氏曰 聖人之心 不待操而常存 豈有不謹之時不謹之事哉 特於此三者 尤致謹 故 弟子 記以垂教

경원 보씨가 말했다. 성인의 마음은 붙들지 않아도 항상 보존되는 것이니, 어찌 삼가지 않는 때와 삼가지 않는 일이 있으리오? 특히 이 세 가지에 대해서는 더욱 삼감을 다하셨다. 그러므로 제자들이 기록하여 가르침을 전한 것이다.

7.13 子 在齊聞韶 三月不知肉味 曰 不圖爲樂之至於斯也

공자께서 제나라에 계시면서 소악(순임금의 음악)을 들으시고 석 달 동안 고기 맛을 모르셨다. (그리고) 말씀하셨다. 음악이 이(경지)에 이를 줄은 생각지도 못했다.

【집주】

史記 三月上 有學之二字

『사기』에는 '석 달' 앞에 '학지(그것을 배우다)' 두 글자가 있다.

【세주】

新安陳氏曰 學之三月 學之久 因以忘味之久 否則三月字連下文 無意味矣

신안 진씨가 말했다. 석 달 동안 그것(소악)을 배웠다면 (그것은) 오랫동안 배운 것이니, 그로 인해 맛을 잊은 지 오래된 것이다. 그렇지 않다면 '석 달'은 뒷구절에 이어지는 것인데, (그 경우) 의미가 없다.

【집주】

不知肉味 蓋心 一於是 而不及乎他也 曰 不意舜之作樂至於如此之美 則有以極其情文之備

'고기 맛을 모르셨다'는 것은 대개 마음이 이것 하나에만 집중해 다른 것에는 미치지 않았다는 것이다. 말씀하시기를 '순임금이 음악을 지으심에 이처럼 아름다운 경지에 이르렀을 줄은 생각지 못했다'라 하셨으니, (그 음악이) 그 정서와 형식을 완전하게 갖추고 있어서

【세주】

記曰 知禮樂之情者 能作 識禮樂之文者 能述

『예기』(19, 「악기」)에, "예악의 정을 아는 자는 능히 (예악을) 지을 수 있고, 예악의 문을 아는 자는 능히 (예악을) 기술할 수 있다"라고 했다.

○慶源輔氏曰 文 聲音也 情 實也

경원 보씨가 말했다. '문'은 (음악의) 소리(곡조)[표현의 형식]이고 '정'은 (음악의) 실제(내용)[표현하려는 정서]이다.

【집주】

而不覺其歎息之深也 蓋 非聖人 不足以及此

(스스로) 깊이 탄식하는 줄도 깨닫지 못하신 것이다. 대개 성인이 아니면 이(경지)에 미칠 수 없다.

○范氏曰 韶 盡美又盡善 樂之無以加此也 故 學之三月 不知肉味 而歎美之如此 誠之至 感之深也

범씨가 말했다. '소'는 아름다움을 다하고 또 선을 다했으니 음악으로서는 이에 더할 것이 없다. 그러므로 석 달 동안 배우면서 고기 맛을 모르시고 이처럼 탄미하셨으니, 정성의 지극함이요, 감동의 깊음이다.

【세주】

朱子曰 子 聞韶音 學之三月 不知肉味 學之一節 不知如何 今正好看其忘肉味處 這裏 便見得聖人之樂 如是之美 聖人之心 如是之誠 又曰 聖人 聞韶 須是去學 不解得 只恁休了 學之 亦須數月方熟 三月 大約 只是言其久 不是眞箇足頭九十日 至九十一日 便知肉味 想見韶樂之美 是 能感動人 是 能使人視端而行直 某嘗謂 今世人 有目不見先王之禮 有耳不得聞先王之樂 此大不幸也

주자가 말했다. '공자께서 소 음악을 들으시고 석 달 동안 그것을 배우시면서 고기 맛을 모르셨다'라 했는데, '그것을 배웠다'라는 한 구절은 어떠한지 잘 모르겠지만 지금 그 고기 맛을 잊으셨다는 것만큼은 정녕 잘 알 수 있다. 여기서 곧 성인의 음악이 이처럼 아름다우며 성인의 마음이 이처럼 정성스럽다는 것을 알 수 있다. 또 말했다. 성인께서도 소악을 들으시면 반드시 배워나가셔야 한다. 이해가 되지 않으면 곧 그만두시고 (이해하기 위해) 배우시기를 또한 반드시 몇 달이나 하신 후에 비로소 익숙해지셨다. 석 달이란 대략을 말한 것이니 다만 그 기간이 길다는 말이지 진짜로 꼭 시작부터 끝까지 90일 만이고 91일에 이르러 곧 고기 맛을 아셨다는 것은 아니다. 소악의 아름다움을 생각해보면, 이는 능히 사람을 감동시킬 수 있고 또 능히 사람으로 하여금 눈빛이 단정하고 곧게 행동하게 할 수 있을 것 같다. 내가 일찍이 '요즈음 세상의 사람들은 눈이 있어도 선왕의 예를 보지 못하고 귀가 있어도 선왕의 음악을 듣지 못하니 이는 큰 불행이다'라고 말한 바 있다.

○問 孔子聞韶 學之三月 不知肉味 聖人 殆亦固滯不化 當食之時 又不免心不在焉之病 若何 曰 主一無適 是學者之功 聖人行事 不可以此求之也 更是舜之樂 盡善盡美 而孔子 聞之 深有所契於心者 所謂得志行乎中國 若合符節 是以 學之三月 而不自知其忘味也

물었다. 공자께서 소악을 들으시고 석 달을 배우시면서 고기 맛을 모르셨다 하는데, 성인께서도 거의 역시 막히어 소화되지 않으시고 식사 때에는 또 마음이 (식사에) 있지 아니하는 병을 면치 못하셨으니 어쩐 일입니까? 답했다. '주일무적(마음을 하나로 하여 다른 데로 가지 아니함)'은 배우는 자의 공부이니, 성인의 일은 그것(주일무적)을 가지고 구할(이해할) 수는 없다. 게다가 순임금의 음악은 선을 다하고 아름다움을 다한 것이기에 공자께서 들으시고 마음에 꼭 드시는 바가 있었으니, 이른바 '뜻을 얻어 중국에 시행하기를 마치 부절이 꼭 들어맞는 것 같다(『맹자』8, 「이루 하」 1장)'는 것이다. 이런 까닭에 석 달 동안 배우시면서도 스스로는 맛을 잊었다는 것조차 모르셨다.

○問 心不在焉 則食而不知其味 是 心 不得其正也 然 夫子聞韶 三月 何故不知肉味 曰 也有時如此 所思之事 大 而飮食 不足以奪其心也 且如發憤忘食 吾嘗終日不食 皆非常事 以其所憤所思之大 自不能忘也

물었다. 마음이 있지 않으면 먹어도 그 맛을 모릅니다. 이는 마음이 그 바름을 얻지 못한 것입니다. 그런데 공자께서 소악을 들으시고 석 달 동안 무슨 까닭에 고기 맛을 모르셨습니까? 답했다. 또한 어떤 때는 이처럼 생각하는 일이 커서 음식이 그 마음을 빼앗기 부족할 때가 있다. 또, 예컨대 '분발하여 먹기를 잊는다(『논어』7 , 「술이」 18장)', ' 내가 일찍이 종일토록 먹지 아니했다(『논어』15, 「위령공」 30장)'는 경우는 모두 비상한 일이니, 그 분발하고 생각하는 바가 크기 때문에 저절로 잊을 수가 없는 것이다.

○問 程子 改三月爲音字 如何 曰 彼 以一日聞樂 而三月忘味 聖人 不當固滯如此 故爾 然 以史記考之 則習之三月 而忘肉味也 旣有音字 又自有三月字 則非文之誤矣 蘇氏說 亦得之 蘇氏曰 孔子之於樂 習其音 知其數 得其志 知其人 其於文王也 見其穆然而深思 見其高望而遠志 見其黯然而黑 頎然而長 其於舜也 可知 是以 三月而不知肉味

물었다. 정자는 '삼월(석 달)'을 고쳐 '음' 자로 바꾸었는데, 어떠합니까? 답했다. 그(정자)는 '하루 음악을 듣고 석 달 동안 맛을 잊었다'는 것에 대해 성인께서는 당연히 이처럼 막히지는 않으실 것이라 생각했기 때문이다. 그러나 『사기』로써 고찰해보면, 석 달 동안 익히면서 고기 맛을 잊으신 것이다. 이미 '음' 자가 있고[소(韶)라는 글자 안에 음(音)자가 포함되어 있고] 또 따로 '삼월'이라는 글자가 있으니 글이 잘못된 것은 아니다. 소씨(소식)의 설 또한 (이치를) 얻었으니, 소씨는 (다음과 같이) 말했다. 공자께서는 음악에 대해 그 소리를 익히시고 그 수를 아시고 그 뜻을 얻으시고 그 사람을 아셨으니 문왕에 대해서는 (문왕의 음악을 듣고) 그 고요함을 보고 깊이 생각하심을 아셨고, 높이 바라봄을 보고 그 뜻이 원대하심을 아셨고, 어둠을 보고 (안색이) 검으심을 아셨고, 헌걸참을 보고 키 크심을 아셨다(『사기』, 「공자세가」). 순에 대해서도 알 수 있으셨으니 이 때문에 석 달이나 고기 맛을 모르셨다.

○慶源輔氏曰 夫子之學韶樂 非但有以極其聲容節奏而已 併當與大舜無不幬載之德 當時 雍熙平成之治 所謂盡善盡美之實 而得之不趐 如身有其事 親歷其時也 則其誠意之深 而見於歎息者如此 誠非聖人 不足以及 是固非常情之所能測也

경원 보씨가 말했다. 공자께서 소악을 배우신 것은 다만 그 소리와 모습과 곡조만을 다한 것이 아니고 당연히 대순(순임금)의 포용하지 않음이 없는 덕 또한 배우신 것이다. 당시 화목하고 균평한 다스림[순임금의 아름다운 통치]의 이른바 진선진미의 실질을 얻으셨지만 나서지 않으시고 마치 몸소 그 일이 있는 듯, 몸소 그 시대를 겪으시는 듯 하셨으니 그 성의의 깊음이 이처럼 탄식에 드러난 것이다. 참으로 성인이 아니면 미칠 수 없는 것으로, 이는 본디 보통 사람의 마음으로는 헤아릴 수 없는 것이다.

○厚齋馮氏曰 舜之後 封於陳 爲之後者 得用先代之樂 自陳敬仲奔齊 而韶樂有傳 當是時 魯 具四代之樂 然 恐不無差舛 韶之來 最遠 而獨得其傳於今夫子 故曰 韶 盡美矣又盡善也 殆謂是歟 季札 在魯觀韶 雖極稱贊 未必如在齊之善 夫子 是以 學之 而忘味之久

후재 풍씨가 말했다. 순임금의 후손은 진나라에 봉해졌는데, 그 후예들은 선대의 음악을 쓸 수 있었다. 진경중이 제나라로 도망간 이래 소악이 (제나라로) 전해졌다. 이때, 노나라도 4대의 음악을 갖추고 있었지만 아마도 틀리고 훼손된 것이 없지는 않았던 것 같다. 소악의 연원이 가장 멀지만 그것만이 당시에까지 전해졌다. 그래서 공자께서 '소악은 아름다움을 다했고 또 선을 다했다'라 하셨으니, 아마도 이를 말함이리라. 계찰이 노나라에서 소악을 보고 비록 극찬했지만 꼭 제나라에 있는 것(소악)만큼 좋지는 못했다. 그래서 공자께서 그것(제나라의 소악)을 배우시고 오랫동안 맛을 잊으신 것이다.

○新安陳氏曰 舜 以上聖之德 當極治之時 作爲韶樂 群聖之樂 無以加於此者 故 夫子 聞其音 而樂之忘味 而深歎美如此 想如親見虞舜之聖身 在雍熙之時 契之以心 而非徒聞之以耳也 又按論語 於韶凡三言之 意者 聞韶而學之 最先 謂盡美盡善 次之 告顔子以韶舞 其最後歟

신안 진씨가 말했다. 순임금은 가장 성스러운 덕으로 완전한 통치의 시대를 이루시고 소악을 지으셨으니 여러 다른 성인들의 음악은 이(소악)에 더할 것이 없다. 그러므로 공자께서 그 음을 듣고 즐기시느라 맛을 잊으시고 이처럼 깊이 탄미하신 것이다. 생각건대 마치 순임금의 성스러운 몸을 옹희의 시대(순임금의 치세)에 몸소 뵙는 듯이 하셨으리니, 마음으로 느끼신 것이지 단지 귀로 들으신 것만은 아니리라. 또 살피건대, 『논어』에서 소악에 대해 모두 세 번 말씀하신 것은 아마도 (이 장의) '소악을 듣고 배웠다'는 것이 가장 먼저이고, '아름다움을 다했고 선을 다했다'는 것이 그다음이고, 안자에게 소무(소악의 춤)를 알려주신 것이 마지막이다.

7.14-1 冉有曰 夫子 爲衛君乎 子貢曰 諾 吾將問之 爲去聲

염유가 말했다. 선생님께서는 위군을 도우실 것인가? 자공이 답했다. 그러마. 내가 여쭈어보겠다.

【집주】

爲 猶助也 衛君 出公輒也 靈公 逐其世子蒯苦怪反聵五怪反 公薨 而國人 立蒯聵之子輒 於是 晋 納蒯聵 而輒 拒之 時 孔子居衛 衛人以蒯聵得罪於父 而輒嫡孫當立 故 冉有 疑而問之 諾 應辭也

'위(爲)'는 돕는다는 뜻이다. 위군은 출공 첩이다. 영공이 그 세자 괴외를 내쫓았는데 공(영공)이 죽자 나라 사람들이 괴외의 아들 첩을 세웠다. 이에 진나라가 괴외를 돌려보내려 했으나 첩이 거부했다. 이때 공자께서는 위나라에 계셨는데 위나라 사람들은 괴외가 그 아버지에게 죄를 지었고 첩은 적손이니 마땅히 즉위해야 한다고 생각했다. 그래서 염유가 궁금해 물어본 것이다. '낙'은 응낙하는 말이다.

【세주】

朱子曰 子 以兵拒父 是多少不順 自不須疑而問 冉有 疑夫子爲衛君者 以嫡孫承重之常法言之 則輒 於義或當立也 故 疑夫子助之

주자가 말했다. 아들이 군대를 동원해 아버지를 거부한 것은 꽤나 불순한 것이니 본디 꼭 궁금해 물어볼 필요는 없다. 염유가 공자께서 위군을 도울 것인지 궁금해 한 것은 적손이 왕위를 계승하는 통상적인 법으로 말하자면 첩이 의리상 혹 마땅히 즉위해야 하는 것이 아닌가 생각했기 때문이다. 그래서 공자께서 도우실 것인지 궁금해 했다.

7.14-2 入曰 伯夷叔齊 何人也 曰 古之賢人也 曰 怨乎 曰 求仁而得仁 又何怨 出曰 夫子 不爲也

(자공이) 들어가 여쭈었다. 백이와 숙제는 어떤 사람입니까? (공자께서) 답하셨다. 옛 현인이다. 여쭈었다. 원망이 있었습니까? 답하셨다. 인을 구해 인을 얻었으니 또 무슨 원망이 있었으리오. (자공이) 나와 말했다. 선생님께서는 (위군을) 돕지 않으실 것이다.

【집주】

伯夷叔齊 孤竹君之二子 其父 將死遺命 立叔齊 父卒 叔齊 遜伯夷 伯夷曰 父命也 遂逃去 叔齊 亦不立而逃之 國人 立其中子 其後 武王 伐紂 夷齊 扣馬而諫 武王滅商 夷齊 恥食周粟 去隱于首陽山 遂餓而死

백이와 숙제는 고죽군의 두 아들이다. 그 아버지가 장차 죽음에 이르러 숙제를 세우라고 유언했다. 아버지가 죽자 숙제는 백이에게 양보했는데, 백이가 '아버지의 명이다'라 하고 드디어 도망갔다. 숙제 또한 즉위하지 않고 도망갔다. 나라 사람들이 그 가운데 아들을 세웠다. 그 후 무왕이 주(은의 마지막 임금)를 정벌하자 백이와 숙제는 말을 두드리며 간언했다. 무왕이 상(은)을 멸하자 백이와 숙제는 주나라의 곡식 먹는 것을 부끄러워하여 수양산에 숨어들어가 마침내 굶어죽었다.

【세주】

史記 武王 載木主 號爲文王 東伐紂 伯夷叔齊 叩馬而諫曰 父死不葬 爰及干戈 可謂孝乎 以臣弑君 可謂仁乎 左右欲兵之 大公曰 此 義人也 扶而去之 武王 已平殷亂 天下宗周 而伯夷叔齊 恥之 義不食周粟 隱於首陽山 卽雷首山之陽 在河中府 河東縣 采薇而食之 遂餓而死

『사기』에 다음과 같이 나와 있다. 무왕이 나무 신주를 싣고 문왕이라 부르면서 동쪽으로 주를 정벌했다. 백이와 숙제는 말을 두드리며 간하기를 '아버지가 죽었는데 장례는 치르지 않고 지금 전쟁을 벌이니 효라고 할 수 있는가? 신하로서 임금을 정벌하니 인이라 할 수 있는가?'라 하자 좌우의 신하들이 죽이려 했다. 태공이 '이는 의로운 사람이다'라 하고, 부축해 보냈다. 무왕이 이미 은의 혼란을 평정하자 천하는 주나라를 종주로 삼았는데 백이와 숙제는 이를 부끄러워하여 주의 곡식을 먹지 않는 것이 옳다고 생각하고 수양산 <뇌수산의 양지쪽이다. 하중부 하동현에 있다.>에 숨어 고사리를 캐 먹다가 마침내 굶어죽었다.

【집주】

怨 猶悔也 君子 居是邦 不非其大夫 況其君乎

'원'은 후회한다는 뜻이다. 군자가 이 나라에 거주하면 그 (나라의) 대부도 비난하지 않는 것인데, 하물며 그 임금이겠는가?

【세주】

荀子 子道篇 子路問曰 魯大夫 練而牀 禮耶 練小祥也 孔子曰 吾 不知也 子路 出謂子貢曰 吾 以夫子爲無所不知 夫子 徒有所不知 由 問魯大夫練而牀禮耶 夫子曰 吾 不知也 子貢曰 吾 將爲汝問之 問曰 練而牀 禮耶 孔子曰 非禮也 子貢 出謂子路曰 夫子 無所不知 汝問 非也 禮 居是邑 不非其大夫

『순자』, 「자도」편에 다음과 같이 나와 있다. 자로가 여쭈었다. '노나라 대부가 소상에 침상에서 잤는데 (이것이) 예입니까?' <'연'은 소상이다.> 공자께서 답하셨다. '나는 모른다.' 자로가 나와서 자공에게 말했다. '나는 선생님께서 모르는 것이 없는 줄 알았는데 선생님도 마냥 모르시는 것이 있구나. 내가 노 대부가 소상에 침상에서 잔 것이 예인지 여쭈자 선생님께서 나는 모른다고 하셨다.' 자공이 '내가 너를 위해 여쭈어보겠다'라 하고 공자께 여쭈었다. '소상에 침상에서 사는 것이 예입니까?' 공자께서 답하셨다. '예가 아니다.' 자공이 나와 자로에게 말했다. '선생님께서는 모르시는 것이 없다. 너의 질문이 잘못된 것이다. 예에, 이 읍에 거주하면서 그 (읍의) 대부를 비난하지 않는 것이다.'

【집주】

故 子貢 不斥衛君 而以夷齊爲問 夫子 告之如此 則其不爲衛君可知矣

그래서 자공은 위군을 배척(비난)하지 않으면서 백이와 숙제로써 여쭈어본 것이다. 공자께서 이처럼 알려 주셨으니 위군을 돕지 않으실 것임을 알 수 있다.

【세주】

南軒張氏曰 子貢 微其辭 以測聖人之旨 可謂善爲辭矣

남헌 장씨가 말했다. 자공은 그 어조를 완곡하게 하여 성인의 뜻을 짐작했으니 가히 말을 잘한다 하겠다.

【집주】

蓋 伯夷 以父命爲尊 叔齊 以天倫爲重 其遜國也 皆求所以合乎天理之正 而卽乎人心之安

대개 백이는 아버지의 명을 존중했고 숙제는 천륜을 중시했으니 나라를 양보한 것은 모두 천리의 올바름에 합치하고 인심의 편안함에 자리하기를 구한 것이다.

【세주】

雙峯饒氏曰 兼此兩句 方說得仁字盡

쌍봉 요씨가 말했다. 이 두 구절을 겸해야 비로소 '인' 자를 완전히 설명할 수 있다.

【집주】

旣而各得其志焉 則視棄其國 猶敝蹝所爾反爾 何怨之有 若衛輒之據國拒父 而唯恐失之 其不可同年而語 明矣

이미 각각이 그 뜻을 얻어, 나라 버리는 것을 마치 헌신짝 버리듯 보았으니 무슨 원망이 있었으리오. 위나라 첩(출공)이 나라를 차지하고 아버지를 거부하면서 다만 (나라를) 잃을까 걱정한 일 같은 것은 같은 해에 말할 수 없음(같은 종류의 일로 비교할 수 없음)이 분명하다.

【세주】

問 二子之遜 使無中子 二子 不成委先君之國而棄之 必有當立者 朱子曰 伊川說 叔齊當立 看來 叔齊 雖以父命 終非正理 恐只當立伯夷 曰 伯夷終不肯立 奈何 曰 國有賢 大臣 必請於天子 而立之 不問其情願矣 看來二子立得都不安 以正理論之 伯夷 稍優

물었다. 두 사람의 사양함에 대해 말하자면, 만약 가운데 아들이 없었다면 두 사람이 아버지의 나라를 맡아야 하는데도 버린다는 것은 안 되는 일이니 반드시 마땅히 즉위하는 사람이 있어야 합니다. 주자가 말했다. 이천이 설명하기를 숙제가 마땅히 즉위해야 한다고 했다. 보면, 숙제(가 즉위하는 것)는 비록 아버지의 명이기는 하지만 결국 바른 도리가 아니니 아마도 단지 백이가 즉위하는 것이 마땅한 듯하다. 물었다. 백이가 끝내 즉위하지 않으려 하면 어찌합니까? 답했다. 나라에 현인이 있으면 대신이 반드시 천자께 청하여 즉위케 하는 것이고, (그 즉위 대상자가) 바라는지 아닌지는 묻지 않는다. 보면, 두 사람이 즉위하는 것은 모두 편안하지 않는 것이지만, 바른 이치로써 논하자면 백이가 (즉위하는 것이) 약간 낫다.

○以天下之公義裁之 則天倫重 而父命輕 以人子之分言之 則又不可分輕重 但 各認取自家不利便處 退一步 便是夷齊得之矣

천하의 공의로써 판단하자면 천륜이 중하고 아버지의 명은 가볍다. 아들의 분수로써 말하자면 또 그 경중을 구분할 수 없다. 단, 각자가 스스로 불리하거나 불편한 것을 취하여 한 걸음 물러났으니 이것이 곧 백이와 숙제의 장점이다.

○蒯聵與輒 若有一人 識道理 各相避就去了 今 蒯聵欲入 子以兵拒父 是多少不順 議者 以爲當立公子郢 不知郢不肯做 蓋 知其必有紛爭也 使夫子爲政 必上告天王 下告方伯 拔郢立之 斯爲得正 輒之逃 當在靈公薨 而夫人欲立之之時

괴외와 첩 중에 만약 어느 한 사람이 도리를 알았다면 각자 서로 피해 나갔을 것이다. 지금 괴외가 (위나라로) 들어가려는데 아들이 군대를 동원해 아버지를 거부했으니 이는 꽤나 불순한 일이다. 의논하는 자가 마땅히 공자 영을 세워야 한다고 했는데 영이 그렇게 하려 하지 않았는지는 모르겠다. 대개 반드시 분쟁이 있을 줄 알았을 것이다. 만약 공자로 하여금 정치를 하시게 한다면 반드시 위로는 천왕께 고하고 아래로는 방백(제후)에게 고하여 영을 택해 즉위케 하셨을 것이다. 이렇게 하는 것이 올바른 것이다. 첩이 도망간 것은 당연히 영공이 죽고 (영공의) 부인이 그(공자 영)를 세우려 했을 때이다.

○求仁得仁 只得不傷其本心而已 二子 不交讓 則心不安 心本仁 纔傷著本心 則不仁矣

인을 구해 인을 얻었다는 것은 단지 그 본심을 다치지 않았다는 것이다. 두 사람이 서로 사양하지 않았다면 마음이 편치 않았을 것이다. 마음은 인을 근본으로 하니, 만약 본심을 다치기만 하면 곧 불인이다.

○雙峯饒氏曰 仁者 天地生物之心 人得之 而爲不忍之心 若伯夷以父命爲

尊 是不忍違其父 叔齊以天倫爲重 是不忍先其兄 若輒之拒蒯聵 則是忍於抗其父矣 是可忍也 孰不可忍也 如何安得

쌍봉 요씨가 말했다. 인이란 천지가 만물을 생성하는 마음이다. 사람이 그것을 얻으면 '차마 그러지 못하는 마음'이 된다. 백이가 아버지의 명을 존중한 것은 차마 아버지의 명을 어기지 못한 것이고, 숙제가 천륜을 중시한 것은 차마 형을 앞서지 못한 것이다. 첩이 괴외를 거부한 것은 감히 아버지에게 항거한 것이다. 이런 일을 감히 할 수 있다면 무슨 일인들 감히 하지 못하리오. 어찌 편안할 수 있으랴.

○雲峯胡氏曰 人心 誰無天理 能合乎天理之正 方可 卽乎人心之安 乃謂之仁 伯夷 以父命爲重 是 伯夷之心 合乎天理而後 伯夷之心 方安 叔齊 以天倫爲重 是 叔齊之心 合乎天理而後 叔齊之心 方安 集註 下一安字 便見夷齊不怨 若怨 則不安矣 輒之拒父 全無人心天理 於心安乎

운봉 호씨가 말했다. 사람 마음에 누가 천리가 없으리오마는 능히 천리의 올바름에 합치해야 비로소 옳은 것이다. 인심의 편안함에 근거하는 것을 곧 인이라 한다. 백이는 아버지의 명을 중시했으니 이는 백이의 마음이 천리에 합치한 후에야 백이의 마음이 비로소 편안했던 것이다. 숙제는 천륜을 중시했으니 이는 숙제의 마음이 천리에 합치한 후에야 숙제의 마음이 비로소 편안했던 것이다. 집주에서 '안(편안함)' 한 글자를 썼으니 백이 숙제가 원망하지 않았음을 알 수 있다. 만약 원망했다면 곧 편안하지 않은 것이다. 첩이 아버지를 거부한 것은 인심과 천리가 전혀 없는 것이니 마음에 편안했겠는가?

【집주】

○程子曰 伯夷叔齊 遜國而逃 諫伐而餓 終無怨悔

정자가 말했다. 백이와 숙제는 나라를 사양해 도망가고 정벌을 간언하다가 굶었으면서도 끝내 원망과 후회가 없었기에

【세주】

新安陳氏曰 兼諫伐 言所以廣其不悔之實

신안 진씨가 말했다. 정벌을 간언한 것을 겸해 말한 것은 그 후회하지 않은 실제(내용)를 확대해 말한 것이다.

【집주】

夫子 以爲賢 故 知其不與輒也

공자께서 현명하다고 여기셨다. 그러므로 (공자께서) 첩(위군)을 돕지 않으실 것임을 알았다.

【세주】

問 子貢 問衛君事 朱子曰 若使子貢 當時徑問輒事 不唯夫子 或不答 便做答時 亦不能如此詳盡 若只問伯夷叔齊何人也 曰 古之賢人也 亦未見分曉 所謂賢人 如君子而不仁者有矣 亦如何便見得出處一時皆當 豈無怨悔處 只再問怨乎 便見得子貢善問 纔說道求仁而得仁 又何怨 便見得夷齊兄弟所處 無非天理 蒯輒父子所向 無非人欲 二者相去 奚啻碔砆美玉 直截天淵矣

자공이 위군의 일을 여쭌 일에 관해 물었다. 주자가 답했다. 만약 자공이 당시에 곧바로 첩(위군)의 일을 여쭈었다면 공자께서는 혹 대답하지 않으시려 했을 것일 뿐 아니라 대답하시더라도 또한 이처럼 상세하게 다 말씀하실 수는 없었을 것이다. 만약 단지 백이 숙제가 어떤 사람이냐고만 여쭈었다면 옛 현인이라 답하셨을 것이지만, (그것만 가지고는) 명백하지 않은 점이 있다. 소위 현인이라 하더라도, 마치 군자이면서도 인하지 않은 자가 있을 수 있는 것처럼, 뛰어난 점이 일시에 (모든 현인에게) 같이 해당되어 어찌 원망하고 후회하는 바가 없는지 어떻게 알 수 있겠는가. 단지 다시 '원망이 있었습니까'라고 여쭌 것에서 자공이 질문을 잘한다는 것을 알 수 있다. '인을 구해 인을 얻었으니 또 무슨 원망이 있으리오'라고 말씀하시었기에 비로소 백이와 숙제 형제의 처한 바가 천리 아님이 없고 괴외와 첩 부자가 지향한 바가 인욕 아님이 없다는 것을 알 수 있다. 두 경우의 차이가 어찌 자갈과 아름다운 옥돌의 차이에 불과하리오, 진정 하늘과 못(땅)의 차이이다.

○問 子貢 欲知爲衛君 何故 問夷齊 曰 一箇 是父子爭國 一箇 是兄弟讓國 此是 則彼非可知 問 何故 又問怨乎 曰 此 又審一審所以夫子言求仁得仁是 就身上本原處說 凡 讓 出於不得已 便有怨 夷齊之讓 是合當恁地 乃天理之當然 又何怨 大綱 衛君底 固爲不是 到此 越見得衛君沒道理 又問 子欲正名 是公子郢否 曰 此 又是第二節事 第一節 須先正輒父子之名 問 輒尙在 則如何正 曰 上有天子 下有方伯 他 不當立 如何不正

물었다. 자공은 위군을 도우실 것인지 알고 싶었는데 무슨 까닭에 백이 숙제의 일을 물었습니까? 답했다. 하나는 아버지와 아들의 나라 쟁탈전이고 하나는 형제간의 나라 사양이다. 이것이 옳으면 저것이 잘못인 줄 알 수 있다. 물었다. 무슨 까닭에 또 원망했는지 물었습니까? 답했다. 이는 또 공자께서 '인을 구해 인을 얻었다'고 말씀하신 까닭을 살펴보아야 한다. 이는 신상의 근본이 되는 곳에 대해 말씀하신 것이다. 무릇 사양이 부득이해서 나온 것이면 곧 원망이 있다. 백이와 숙제의 사양은 그처럼 합당한 것으로, 곧 천리의 당연함이니 무슨 원망이 있으리오. 대개 위군의 경우는 본디 옳지 않지만 이에 이르러 더욱 더 위군이 도리가 없음을 알 수 있다. 또 물었다. 공자께서 정명(이름을 바로잡음)을 하시려면 공자 영(을 세우는 것)이 옳지 않습니까? 답했다. 이는 또 2차적인 일이고, 1차적으로는 모름지기 첩 부자의 명분을 바로잡아야 한다. 물었다. 첩은 아직도 재위하고 있으니 어떻게 바로잡습니까? 답했다. 위로는 천자가 계시고 아래로는 방백(제후)이 있다. 그가 부당하게 즉위했는데 어찌 바로잡지 못하리오.

○問 子貢有怨乎之問 何也 曰 夫子謂 夷齊 是賢人 恐賢者 亦有過之者 於是 問以決之 看這事 是義理合如此否 如其不必讓而讓之 則未必無怨悔之心矣 夫子 告以求仁而得仁者 謂是合恁地 若不恁地 是去仁而失仁矣 若衛君事 則大不然矣 子貢 所以 其必不爲也

물었다. 자공의 '원망이 있었습니까'라는 질문은 무엇입니까? 답했다. 공자께서는 백이 숙제가 현인이라고 답하셨는데, 아마도 현인 또한 허물이 있을 수 있지 않을까 생각하여 이에 (그런) 질문을 드려 해결하려 한 것이다. 이 일이 의리에 이처럼 합당한지 아닌지를 보아야 한다. 만약 꼭 사양하지 않아도 되는데 사양했다면 원망하고 후회하는 마음이 꼭 없다고 할 수는 없다. 공자께서 '인을 구해 인을 얻었다'라고 알려주신 것은 그렇게 합당하다는 말씀이다. 만약 그렇지 않다면 이는 인에서 떠나 인을 잃어버린 것이다. 예컨대 위군의 일은 전혀 그렇지 않다. 그래서 자공은 반드시 돕지 않으실 것임을 알았다.

○問 伯夷 不敢安嫡長之分 以違君父之命 叔齊 不敢從父兄之命 以亂嫡庶之義 這 便是求仁 伯夷 安於逃 叔齊 安於讓 而其心 擧無隉杌之慮 這 便是得仁否 曰 然 衛君 便是不能求仁耳

물었다. 백이는 감히 적장자의 분수를 편안히 여겨 아버지의 명을 어기지는 않았고, 숙제는 감히 아버지와 형의 명을 따라 적서의 의리를 어지럽히지는 않았으니 이것이 곧 인을 구한 것이고, 백이는 도망가는 것을 편히 여기고 숙제는 사양하는 것을 편히 여기면서도 그 마음에는 모두 위태로운 생각이 없었으니 이것이 곧 인을 얻은 것 아닙니까? 답했다. 그렇다. 위군은 인을 구할 수 없다.

○問 夫子 以夷齊爲賢 則其不爲衛君之意 明矣 而子貢 復有怨乎之問 至聞得仁之語 然後知夫子之不爲 何耶 曰 夷齊之賢 天下孰不知之 子貢 蓋 不待夫子之言 而知之矣 然 意二子雖賢 而其所爲 或出於激發過中之行 而不能無感慨不平之心 則衛君之爭 猶未爲甚得罪於天理也 故 問怨乎 以審其趣 而夫子 告之如此 則子貢之心 曉然知夫 二子之爲 是非其激發之私 而無纖芥之憾矣 持是心 以燭乎衛君父子之間 其得罪於天理 而見絶於聖人 尙何疑哉 故 其所以 必再問 而後知所決也

물었다. 공자께서 백이와 숙제를 현명하다 하셨으니 위군을 돕지 않으실 뜻이 분명한데, 자공이 다시 '원망이 있었습니까'라고 여쭈고, '인을 얻었다'는 말씀을 들은 후에야 공자께서 돕지 않으실 것을 안 것은 왜 그렇습니까? 답했다. 백이와 숙제의 현명함을 천하에 누가 모르리오? 자공은 아마도 공자의 말씀을 듣지 않아도 알았을 것이다. 그러나 (자공이) 생각건대 두 사람이 비록 현명하지만 그 소행이 혹시 (마음이) 분격하여 적정함을 잃어버린 행위에서 나온 것이어서 분개하고 불평하는 마음이 없지 않은 것이라면 위군의 (나라) 다툼 또한 천리에 매우 심히 죄를 지은 것이 아닐 수 있다. 그러므로 원망이 있었는지 여쭈어보아 그 의의를 살펴본 것인데, 공자께서 이처럼 알려주시자 자공의 마음은 두 사람(백이와 숙제)의 행위가 분격함에서 나온 사사로움이 아니고 터럭만큼의 유감도 없었음을 확실하게 알았다. 이 마음을 가지고 위군 부자의 일에 비추어보면, 천리에 죄를 지어 성인께 배격당했음을 알 수 있으니, 또 무슨 의문이 있으리오. 그래서 그 이유를 꼭 다시 여쭌 후에야 명확하게 안 것이다.

○慶源輔氏曰 世俗 知其一 不知其二 見其一節之或得 而於其大義之乖 則不知察也 蒯聵 固得罪於父矣 而以輒言之 則子 獨可以拒父乎 輒 嫡孫 固在所當立矣 然 上 不稟命於天王 下 不受命於君父 又豈可以擅有其國乎 是故 爲國家者 不可無君子之論 而世俗之說 未可遽以爲信也

경원 보씨가 말했다. 세속에서는 하나만 알고 둘은 모른다. 하나의 규정에 맞는다는 것만 보고 그것이 대의에 어그러지는 것임은 살필 줄 모른다. 괴외는 본디 아버지에게 죄를 지었지만 첩으로 말하자면 아들이 어찌 아버지를 거부할 수 있으리오. 첩은 적손이니 본디 마땅히 즉위해야 하는 것이지만, 그러나 위로는 천왕께 명을 품신하지 않았고 아래로는 임금인 아비지의 명을 받지 않았으니 또 어찌 그 나라를 제멋대로 가질 수 있으리오. 이런 까닭에 나라를 다스리는 것에 대해서는 군자의 논의가 없을 수 없고, 세속의 설은 선불리 믿을 만한 것이 못 된다.

○齊氏曰 父子也 兄弟也 君臣也 人之倫也 三才之所以立也 二子之交讓也 所失者 國 而所得者 父子弟兄之紀 其非武王而餓以死也 所舍者 生 而所取者 君臣之義 是 皆脫然有見於富貴貧賤死生之外 而一毫私己不與焉 謂非仁乎 冉求 有見於夷齊之仁 必有見夫輒之不仁 知夷齊於人紀爲有功 必知輒爲名敎之所不容

제씨가 말했다. 부자, 형제, 군신이란 인륜이며 삼재(천지인)가 (바로) 서는 까닭이다. 두 사람이 서로 사양한 것에 대해 말하자면 잃은 것은 나라이고 얻은 것은 부자 형제의 기강이다. 무왕을 비판하고 굶어 죽은 것에 대해 말하자면 버린 것은 생명이고 얻은 것은 군신의 의리이다. 이는 모두 부귀, 빈천, 사생의 밖으로 초월해서 본 것으로서 털끝만 한 사사로운 이기심도 관련이 없었으니 인이 아니라 하겠는가? 염구는 백이와 숙제의 인을 알게 되었으니 반드시 첩의 불인을 알게 되었을 것이며, 백이와 숙제가 인륜에 공이 있음을 알게 되었으니 반드시 첩이 명교(명분의 가르침, 즉 유교)에 용납되지 못함을 알게 되었을 것이다.

7.15 子曰 飯疏食 飮水 曲肱而枕之 樂 亦在其中矣 不義而富且貴 於我如浮雲 飯 扶晩反 食 音嗣 枕 去聲 樂 音洛

공자께서 말씀하셨다. 소찬을 먹고 물을 마시고 팔을 굽혀 베더라도 즐거움이 또한 그 안에 있다. 의롭지 않으면서 부유하고 귀한 것은 내게는 뜬구름과 같다.

【집주】

飯 食之也 疏食 麤飯也 聖人之心 渾去聲然天理 雖處困極 而樂亦無不在焉

'반'은 먹는다는 뜻이다. '소사(소찬)'는 거친 식사이다. 성인의 마음은 혼연히 천리여서 비록 극도의 곤궁함에 처하더라도 또한 즐거움이 없는 경우가 없다.

【세주】

新安陳氏曰 他人 視爲困極 聖人 樂無不在 自不知其困極

신안 진씨가 말했다. 다른 사람이 보기에는 극도의 곤궁이지만 성인께서는 즐거움이 없는 경우가 없으니 스스로는 극도로 곤궁한 줄 알지 못하셨다.

【집주】

其視不義之富貴 如浮雲之無有 漠然無所動於其中也

불의의 부귀를 마치 뜬구름의 덧없음처럼 보시니 편안하시어 마음속으로 흔들리는 바가 없으셨다.

【세주】

朱子曰 聖人 表裏精粗 無不昭徹 其形骸 雖是人 其實 只是一團天理 所謂從心所欲不踰矩 左來右去 盡是天理 如何不快活

주자가 말했다. 성인께서는 표리와 정조(정밀하고 거침)가 밝고 통철하지 않음이 없으시니 그 몸체는 비록 사람이나 그 실체는 다만 한 덩어리 천리일 뿐이다. 이른바 '마음이 원하는 바를 따라도 법도에 어긋남이 없다'는 것이다. 왼쪽으로 가시든 오른쪽으로 가시든 모두 천리이니 어찌 쾌활하지 않으시리오.

○樂亦在其中 此樂 與貧富自不相干 是別自有樂處 如氣壯底人 遇熱 亦不怕 遇寒 亦不怕 氣虛 則爲所動矣

'즐거움이 또한 그 안에 있다'라 할 때의 이 즐거움은 빈부와는 서로 상관없이 따로 그 자체로 있는 즐거움이다. 예컨대 기가 장한 사람은 더위를 만나도 겁내지 않고 추위를 만나도 겁내지 않지만, 기가 허한 사람은 흔들리게 된다.

○樂字在先 理會得樂後 方見不義而富貴 於我如浮雲

'낙(즐거움)' 자가 앞에 있으니 '낙' 자를 먼저 이해한 후에야 비로소 불의의 부귀가 내게 뜬구름과 같다는 것을 알 수 있다.

【집주】

○程子曰 非樂疏食飮水也 雖疏食飮水 不能改其樂也 不義之富貴 視之輕 如浮雲然 又曰 須知所樂者 何事

정자가 말했다. 소찬을 먹고 물을 마시는 것을 즐기는 것이 아니라, 비록 소찬을 먹고 물을 마시더라도 (그 곤궁이) 그 즐거움을 바꿀 수 없다는 것이니, 불의의 부귀를 가볍게 보기를 마치 뜬구름처럼 하는 것이다. 또 말했다. 반드시 즐기는 바가 무엇인지를 알아야 한다.

【세주】

朱子曰 聖人之心 無時不樂 如元氣 流行天地之間 無一處之不到 無一時之或息也 豈以貧富貴賤之異 而有所輕重於其間哉 夫子言此 蓋 卽當時所處 以明其樂之未嘗不在乎此 而無所慕於彼耳 記此者 列此以繼衛君之事 其亦不無意乎

주자가 말했다. 성인의 마음은 즐겁지 아니하신 때가 없으니, 마치 원기가 천지의 사이에 흘러 도달하지 않는 곳이 하나도 없고 한순간도 쉬는 때가 없는 것과 같다. 그러니 어찌 빈부귀천의 차이에 대해 가볍게 여기시거나 중하게 여기시거나 하는 것이 있겠는가? 공자께서 이 말씀을 하신 것은 대개 당시의 처지에 근거하여 그 즐거움이 일찍이 여기(빈궁함)에 있지 아니함이 없고 저기(부귀)에 대해 사모하는 바가 없다는 것을 밝히신 것일 뿐이다. 이(말씀)를 기록한 자가 이를 위군의 일에 이어 배열한 것이 또한 그 어찌 뜻이 없으랴.

○富貴 非指天位天職而言 但言勢位奉養之盛耳 此等物 若以義而得 則聖人 隨其所遇 若固有之 無鄙厭之心焉 但以不義而得 則不易我飯疎飮水之樂耳

부귀는 천위 천직(하늘이 내린 지위나 직책)을 가리켜 하는 말이 아니고 다만 위세 있는 지위나 봉급의 성대함을 말하는 것일 뿐이다. 이러한 것들(위세 있는 지위나 봉급)이 만약 의로써 얻은 것이라면 성인께서는 그 맞닥뜨린 사태에 따라 마치 본래부터 가지고 계시던 듯이 하시지 더럽게 여기시거나 싫어하시는 마음은 없으시다. 다만 불의로 얻은 것이라면 소찬을 먹고 물을 마시는 나의 즐거움을 바꾸지 않으신다.

○如浮雲 只說不義之富貴 視之如浮雲 不以彼之輕 易我之重 若義而得富貴 便是當得 如何掉脫得 如舜禹有天下 固說道不與 亦只恁地安處之 又如所以長守貴也 所以長守富也 義當得之 亦自當恁地保守 堯 命舜云 天之歷數在爾躬 允執其中 四海困窮 天祿永終 豈是不要保守

'뜬구름과 같다'는 것은 다만 불의의 부귀를 뜬구름처럼 보아 그 가벼운 것을 가지고 나의 중요한 것을 바꾸지 않는다는 말일 뿐이다. 만약 의로써 부귀를 얻었다면 그것은 곧 마땅히 얻어야 하는 것이니 어찌 털어버릴 수 있겠는가. 예컨대 순임금과 우임금이 천하를 소유함에 본디 상관하지 않는다고 말했지만 역시 다만 그렇게 편안히 처하셨을 뿐이다. 또 귀함을 오래 지키는 것이나 부를 오래 지키는 것이나, 의에 (비추어보아) 마땅히 얻어야 하는 것이라면 또한 본디 마땅히 그렇게 지켜야 하는 것이다. 요임금이 순에게 명하여 '하늘의 역수(운수)는 너의 몸에 있으니 진정 그 중정함을 지켜라. 사해가 곤궁하면 천록이 영원히 끊기리라(『논어』20,「요왈」1장)"라고 하셨으니, 어찌 지키지 않을 수 있으랴.

○孔顏之樂 不必分 不改 是從這頭說入來 在其中 是從那頭說出來

공자와 안자의 즐거움은 굳이 구분할 필요가 없다. '고치지 않는다'는 것은 이쪽 끝에서 말해 들어간 것이고 '그 안에 있다'는 것은 저쪽 끝에서 말해 나온 것이다.

○南軒張氏曰 崇高 莫大乎富貴 富貴 本非可以浮雲視也 惟其非義 則浮雲耳

남헌 장씨가 말했다. 고귀한 것으로 치면 부귀보다 더 큰 것이 없으니 부귀는 본래 뜬구름처럼 볼 수 있는 것이 아니다. 다만 의롭지 않으면 뜬구름일 뿐이다.

○陳氏曰 欲知樂之實味 須到萬理明徹 私欲淨盡後 胸中灑然 無纖毫窒礙 而無入不自得處 庶幾 有以得之矣 又曰 樂在其中 與不改其樂 誠有間 但 程子 於此 却用不改字 主意全別 其添一能字 而又繫於疎食飮水之下者 是 雖疎食飮水 亦不能改聖人之樂 便見本然渾然之樂 元不曾動 比之顔子不 改 繫之回也之下 是 回 不爲簞瓢陋巷所改 語意輕重 自不同矣

진씨가 말했다. 즐거움의 진정한 맛을 알고자 한다면, 반드시 만 가지 이치에 명철하고 사욕이 완전히 깨끗해진 연후 가슴속이 시원하게 터럭만큼도 막힌 데가 없어 들어가는 것이 자득함이 아닌 것이 없어야 거의 그럴 수 있다. 또 말했다. '즐거움이 그 안에 있다(공자의 경우-본 장)'는 것과 '그 즐거움을 고치지 않는다(안자의 경우-『논어』6,「옹야」 9장)'는 것은 진정 차이가 있다. 그러나 정자는 여기서 오히려 '불개(바꾸지 않는다)'라는 글자를 썼지만[공자의 경우는 '그 안에 있다'라 해야 하는데 오히려 안자의 경우처럼 '바꾸지 않는다'라는 말을 썼지만], 그 주요한 뜻은 전혀 다르다. '능' 한 글자를 첨가한 것과, 또 (그 '능' 자가) '소찬을 먹고 물을 마신다'라는 말의 다음에 붙어 있는 것은 비록 소찬을 먹고 물을 마시더라도 (그러한 곤궁이) 역시 능히 성인의 즐거움을 바꿀 수 없다는 말이니 본연의 혼연한 즐거움은 원래 일찍이 흔들리지 않는다는 것을 보여준다. 비교해본다면, 안자의 경우 '바꾸지 않는다'는 말이 '안회는'이라는 말 다음에 붙어 있으니, 이는 안회는 단표누항(곤궁)에 의해 바뀌지는 않는다는 뜻으로, 말뜻의 경중이 서로 다르다.

○雙峯饒氏曰 樂 是聖人之所固有 富貴貧賤 是時之適然 人 不處富貴 則處 貧賤 聖人之樂 處富貴 則在富貴中 處貧賤 則在貧賤中 然 樂 在富貴中 見得不分曉 在貧賤中 方別出 故 多於貧賤處說

쌍봉 요씨가 말했다. 즐거움은 성인께서 본래 가지고 계신 것이고 부귀빈천은 때가 마침 그러한 것이다. 사람들은 부귀에 처하지 않으면 곧 빈천에 처한다. 성인의 즐거움은 부귀에 처하면 부귀 중에 (즐거움이) 있고, 빈천에 처하면 빈천 중에 있다. 그러나 즐거움은 부귀 중에 있을 때는 분명하게 드러나지 않고 빈천 중에 있을 때 비로소 확실히 드러난다. 그러므로 빈천의 경우에 대해 말한 것이 많다.

○新安陳氏曰 孔顔所樂 何事 及自有其樂 程子之引而不發者也 從事於博 文約禮 庶得其所以樂 朱子 發程子之未發者也 必於顔子樂處言 而不於孔

子樂處言之者 知顔子之樂 而後可知孔子之樂 故 以孔所以誘顔 顔所以學孔之工夫 於顔樂處言之也 在中之云 不求樂 而樂在其中 見其樂之安焉 不以貧窶累其心 而改其所樂 微見其樂之勉焉

신안 진씨가 말했다. '공자와 안자가 즐긴 것이 무엇인가'라는 말과, 또 '원래 그 즐거움이 있다'라는 말은 정자가 '인이불발(당기기는 하지만 쏘지는 않음, 즉 핵심이 되는 것은 직접 밝혀주지 않음)'한 것이다. '(안자는) 박문약례하는 일에 종사해 아마도 그 즐긴 바를 얻었으리라'라는 말은 주자가 정자가 밝히지 않은 것을 밝힌 것이다. 반드시 안자의 즐긴 바만 말하고 공자의 즐긴 바에 대해서는 말하지 않은 것은 안자의 즐거움을 안 연후에야 공자의 즐거움을 알 수 있기 때문이다. 그래서 공자께서 안자를 이끄신 것(박문약례)과 안자가 공자께 배운 공부를 가지고 안자의 즐긴 바를 말한 것이다. '그 가운데 있다'는 말(공자의 경우)은 즐거움을 구하지 않아도 즐거움이 그 가운데 있다는 것이니 그 즐거움이 편안한 것임을 보여준다. '가난이 그 마음에 누를 끼쳐 그 즐기는 바를 바꾸지는 않는다'는 것(안자의 경우)은 그 즐거움이 힘써야 하는 것임을 은근히 보여준다.

7.16 子曰 加我數年 五十以學易 可以無大過矣

공자께서 말씀하셨다. 나에게 몇 년을 더하게 하여 50세에 『역』을 배운다면 큰 허물은 없을 수 있을 것이다.

【집주】

劉聘君 見元城劉忠定公名 安世 字 器之 大名府 元城人 自言 嘗讀他論 加作假 五十作卒 蓋 加 假 聲相近 而誤讀 卒 與五十字相似 而誤分也 愚按 此章之言 史記 作假我數年若是 我 於易 則彬彬矣 加 正作假 而無五十字 蓋 是時 孔子年 已幾平聲七十矣 五十字誤 無疑也

유빙군이 원성의 유 충정공<이름은 안세이며 자는 기지이다. 대명부 원성인이다.>을 뵙고 나서 스스로 말하기를 "일찍이 그의 논설을 읽었는데, (그의 논설에는) '가(加)'는 '가(假)'로 바꾸고 '오십(五十)'은 '졸(卒)'로 바꾸었다. 대개 가(加)와 가(假)는 소리가 비슷해서 잘못 읽은 것이고 졸(卒)은 오십(五十)과 비슷해서 잘못 구분한 것이다"라 했다. 내가 살펴보건대, 이 장의 말씀을 『사기』에서는 '만약 내가 몇 년을 이처럼 한다면 나는 『역』에 대해 밝아질 것이다'라 했으니 가(加)는 가(假)로 바로잡았고 '오십'이라는 글자는 없다. 대개 이때 공자의 연세가 이미 거의 70세였으니 '오십' 자가 잘못인 것은 틀림없다.

【세주】

孔子世家 孔子 晩而喜易 序彖繫象說卦文言 讀易韋編三絶 曰 假我數年若是 我 於易則彬彬矣

(『사기』) 「공자세가」에 다음과 같이 나와 있다. "공자께서는 만년에 『역』을 즐기셔서 「단전」, 「계사전」, 「상전」, 「설괘전」, 「문언전」을 서술하셨고 가죽끈이 세 번 끊어지도록 『역』을 읽으시면서 말씀하시기를 '만약 내가 몇 년을 이처럼 한다면 나는 『역』에 대해 밝아질 것이다'라 하셨다."

【집주】

學易 則明乎吉凶消長去聲之理 進退存亡之道

『역』을 배우면 길흉소장(길함과 흉함, 쇠퇴함과 번성함)의 이치와 진퇴존망(나아가고 물러나며 살아남고 망함)의 도리에 밝아진다.

【세주】

胡氏曰 吉凶消長 以卦體言 進退存亡 以人事言

호씨가 말했다. '길흉소장'은 괘의 형태에 대한 말이고 '진퇴존망'은 인간사에 대한 말이다.

【집주】

故 可以無大過 蓋 聖人 深見易道之無窮 而言此以敎人 使知其不可不學 而又不可以易去聲而學也

그러므로 큰 허물이 없을 수 있다. 대개 성인께서 『역』의 도리의 무궁함을 깊이 아시고 이 말씀으로써 사람들을 가르치셨으니, 그것(역)이 배우지 않을 수 없으며 또 쉽게 배울 수 없는 것임을 알게 하신 것이다.

【세주】

朱子曰 聖人一生學問 未嘗自說無過 至此境界 方言無大過 猶似有小過在 雖是謙辭 然 道理 眞實無窮盡期 說者 當看此等爲聖人氣象

주자가 말했다. 성인께서는 평생의 학문에 대해 일찍이 스스로 허물이 없다고 말씀하신 적은 없다. 이 경지에 이르러 비로소 큰 허물이 없다고 말씀하셨으니, 오히려 마치 작은 허물은 있는 것 같다(같이 느껴진다). 비록 이 말씀은 겸손의 말씀이지만, 도리는 진실로 무궁하여 끝이 없다. 설명하는 자는 마땅히 이러한 것들(겸손의 말씀들)이 성인의 기상임을 알아야 한다.

○所謂大過 如當潛不潛 當見不見 當飛不飛 皆是過 乾卦純陽 固好 大亨之中 須利於貞正 非正 則過矣 又如坤六二 須知履霜 有堅氷之漸 要人恐懼脩省 不知恐懼脩省 則過矣 無大過者 爲自謙之辭 以敎學者深以見易道之無窮 又曰 無大過 是聖人不自足之意

이른바 큰 허물이라는 것은 예컨대 마땅히 숨어야 하는데도 숨지 않는 것, 마땅히 드러나야 하는데도 드러나지 않는 것, 마땅히 날아야 하는데도 날지 않는 것 등으로, 이런 것들이 모두 허물이다. (『주역』) 건괘의 순양함(순수하게 양의 기운임)은 본디 좋지만 크게 형통한 중에도 반드시 정정함(바르고 굳음)에 힘써야 한다. 바르지 않으면 허물이 된다. 또 예컨대 곤괘의 6 2효의 경우에는, 서리를 밟음에 단단한 얼음이 점차 녹는 것처럼, 사람으로 하여금 두려워하고 살펴보게 하려는 것임을 반드시 알아야 한다. 두려워하고 살펴볼 줄 모르면 곧 허물이 된다. '큰 허물이 없다'는 말씀은 이 스스로 겸양하는 말씀을 하심으로써 배우는 자로 하여금 『역』의 도의 무궁함을 깊이 깨닫도록 하시려는 것이다. 또 말했다. '큰 잘못이 없다'는 것은 성인께서 스스로 만족하지 않으신다는 뜻이다.

○聖人學易 於天地萬物之理 吉凶悔吝進退存亡 皆見得盡 自然無差失 聖人說此數句 非是謾然且恁地說 聖人 必是見得是如此 方如此說

성인께서 『역』을 배우심에 천지만물의 이치와 길흉회린(후회해서 길해지는 것과 주저해서 흉해지는 것)과 진퇴존망에 대해 모두 완전히 아시어 자연히 허물이 없으셨다. 성인께서 이 몇 구절을 말씀하신 것은 만연히 그냥 그렇게 말씀하신 것이 아니고, 성인께서 반드시 이와 같은 것을 깨달으셔서 비로소 이처럼 말씀하신 것이다.

○覺軒蔡氏曰 進退存亡之正 易之道也 知進退存亡不失其正 學易之道也 聖人 雖曰生知 亦必有驗乎易 蓋 聖人之道 卽易之道也 聖人 進退存亡 不失其正 所謂先天而天弗違 後天而奉天時者也 豈有過差乎 夫子 謂加我數年 則於學易也 不敢易 謂可以無大過 則合於易也 無甚差 皆不敢當之謙辭也 謂無甚差 則爲無差矣

각헌 채씨가 말했다. 진퇴와 존망의 올바름은 『역』의 도리이다. 진퇴존망에 그 올바름을 잃지 않음을 아는 것은 『역』을 배우는 도리이다. 성인께서는 비록 생지(나면서부터 아심)라 하나 또한 반드시 『역』에 증험함이 있으셨다. 대개 성인의 도는 곧 『역』의 도이다. 성인께서는 진퇴존망에 그 바름을 잃지 않으시니 이른바 "하늘보다 먼저 해도 하늘이 어기지 않으며 하늘보다 나중에 해도 하늘의 때를 받든다(『주역』, 「건괘 문언전」)"라는 것이다. 어찌 허물이나 차이가 있으랴. 공자께서 '나에게 몇 년을 더하게 한다'라 하신 것은 『역』을 배움에 감히 쉽게 여기지 않는다는 말씀이고, '큰 허물은 없을 수 있다'라 하신 것은 『역』과 합치함에 큰 차이는 없을 것이라는 말씀이니, 모두 감히 감당할 수 없다는 겸양의 말씀이다. 큰 차이가 없다는 것은 차이가 없다는 것이다.

○聖人學易 明乎天理之吉凶消長 所以 進退存亡而不失其正 而人與天合矣 尙何過之可言 要之 聖人所以謙辭者 非是自以爲聖 而有意於謙 蓋 亦眞見易道之無窮 而有俛焉孳孳之意 又因以敎人 使人知易道之不可以不學 而又不可以易學

성인께서 『역』을 배우심에, 천리의 길흉소장에 밝으시어 진퇴존망에 있어서 그 올바름을 잃지 않으시고 사람과 하늘이 합일하셨으니 어찌 오히려 말할 만한 허물이 있으리오. 요컨대 성인께서 겸손의 말씀을 하신 까닭은,

스스로 성인이라 생각하면서 일부러 겸손을 떨려는 뜻이 있었기 때문이 아니라, 대개 역시 진정 『역』의 도의 무궁함을 아시고 열심히 힘쓰려는 뜻이 있었기 때문이다. 또 이로 말미암아 사람을 가르쳐 사람으로 하여금 『역』의 도가 배우지 않을 수 없는 것임과 또 쉽게 배울 수 없는 것임을 알게 하시려는 것이다.

○慶源輔氏曰 易道無窮 皆自然而然 非年高德邵 心與理協 默識神會 未易學也 人之處世 履於憂患之塗 又不可以不學易 故 抑揚其辭 以垂敎如此 學者 察乎二者之間 則知易固不可不學 且以夫子之德與年 而尙欲假之以數年 則又見其不可以輕易而學耳

경원 보씨가 말했다. 『역』의 도의 무궁함은 모두 저절로 그러한 것이니, 나이가 많고 덕이 높아 마음과 이(理)가 일치되어 말없이 알고 신령스럽게 이해하는 사람이 아니면 쉽게 배울 수 없는 것이다. 사람이 세상을 살아감에 우환의 진흙탕을 밟게 되어 있으니 또한 『역』을 배우지 않을 수 없다. 그러므로 그 어조를 누르고 띄우고 하시어 이처럼 가르침을 베푸셨다. 배우는 자가 둘(누르고 띄움) 사이를 살피면 본디 『역』이 배우지 않을 수 없는 것임을 알게 될 것이다. 또 공자의 덕과 연세로서도 오히려 몇 년을 더 하시기를 바라셨으니, 또한 그것이 쉽게 배울 수 없는 것임을 알 것이다.

○西山眞氏曰 聖人作易 不過推明陰陽消長之理而已 陽長 則陰消 陰長則陽消 一消一長 天之理也 人而學易 則知吉凶消長之理 以陰陽對言 則陽爲善爲吉 陰 爲惡爲凶 獨言陽 則陽 自有吉有凶 蓋 陽得中 則吉 不中 則凶陰 亦然 以天理言 則爲消息盈虛 以人事言 則爲存亡進退 蓋 消則虛 長則盈如日中則昃 月盈則虧 暑極則寒 寒極則暑 此 天道所不能已也 人 能體此則 當進而進 當退而退 當存而存 當亡而亡 如此 則人道得而與天合矣 故孔子 可以進 則進 可以退 則退 可以久 則久 可以速 則速 用之 則行 舍之則藏 此 孔子之身 全體皆易也

서산 진씨가 말했다. 성인께서 『역』을 지으신 것은 음양의 줄어듦과 늘어남의 이치를 밝히신 것뿐이다. 양이 늘어나면 음이 줄어들고 음이 늘어나면 양이 줄어든다. 한 번 줄고 한 번 느는 것은 하늘의 이치이다. 사람이 『역』을 배우면 길흉소장의 이치를 알게 된다. 음양을 대비해 말하자면 양은 선하고 길하며 음은 악하고 흉하다. 양만 말하자면 양은 그 자체로 길함이 있고 흉함이 있다. 대개 양이 중정함을 얻으면 길하고, 중정하지 못하면 흉하다. 음도 또한 그러하다. 천리로써 말하자면 '소식영허(줄어들고 쉬고 차고 빔)'가 되고, 인간사로써 말하자면 '존망진퇴'가 된다. 대개 줄어들면 비고 늘어나면 찬다. 예컨대 해가 중천하면 기울고, 달이 차면 이지러지고, 더위가 극성하면 추워지고, 추위가 극성하면 더워진다. 이는 하늘의 도가 그칠 수 없는 것이다(것이기 때문이다). 사람이 이를 능히 체현하면, 마땅히 나아가야 하면 나아가고, 마땅히 물러서야 하면 물러서고, 마땅히 살아남아야 하면 살아남고, 마땅히 망해야(죽어야) 하면 마땅히 망하니, 이러하면 인도(사람의 도리)를 얻어 하늘과 합치한다. 그러므로 공자께서는 나아갈 만하면 나아가셨고, 물러설 만하면 물러서셨고, 오래 할 만하면 오래 하셨고, 급히 할 만하면 급히 하셨고, 쓰이면 행세하셨고, 버려지면 숨으셨다. 이는 공자의 몸 전체가 모두 『역』이기 때문이다.

○雲峯胡氏曰 朱子謂 夫子言此以教人 使人知夫子老且學易 所謂無大過者 易占辭 於吉凶悔吝之外 屢以無咎言之 大要 只欲人無過 故曰 無咎者 善補過也 悔 則過能改 而至於吉 吝 則過不改 而至於凶 使人人皆知學易 則皆可以無大過 此 夫子教人之深意也

운봉 호씨가 말했다. 주자가 말하기를 '공자께서 이 말씀으로 사람을 가르치신 것은 사람으로 하여금 공자께서 늙어서도 역을 배우셨다는 것을 알게 하시려는 것이었다'라 했다. 소위 '큰 허물이 없다'는 것은 역의 점사(점괘의 말)인데, '길흉회린'이라는 말 외에도 누차 '무구(흠 없음)'라 말했으니, 그 요점은 사람으로 하여금 허물이 없도록 하려는 것이다. 그러므로 '흠 없는 자는 허물을 잘 보완한다(『주역』, 「괘사전 상」)'고 했다. 후회하면 능히 허물을 고쳐 길함에 이를 수 있고, 주저하면 허물을 고치지 못해 흉함에 이른다. 사람마다 모두 『역』을 배워 알게 하면 모두 큰 허물이 없을 수 있다. 이것이 공자께서 사람을 가르치신 깊은 뜻이다.

○新安陳氏曰 加我數年 味我之一辭 則所謂無大過者 夫子自謂之辭耳

신안 진씨가 말했다. '나에게 몇 년을 더하게 한다'는 말에서 '나'라는 한마디를 음미해보면, 소위 '큰 허물이 없다'는 것은 공자께서 스스로에게 하신 말씀일 뿐이다.

7.17 子所雅言 詩書執禮 皆雅言也

공자께서 항상 말씀하시는 것은 시와 서와 집례였으니, 모두 항상 말씀하셨다.

【집주】

雅 常也 執 守也 詩 以理情性

'아'는 '항상'이다. '집'은 지키는 것이다. 시는 정성(내면의 성과 그 발현으로서의 정)을 다스리는 것이고,

【세주】

新安陳氏曰 治之 使情性得其正

신안 진씨가 말했다. 그것(시)을 공부해 정성이 그 올바름을 얻게 한다.

【집주】

書 以道政事

서는 정사를 서술하는 것이고,

【세주】

述帝王之政事

(서는) 제왕의 정사를 서술한다.

【집주】

禮 以謹節文 皆切於日用之實 故 常言之 禮獨言執者 以人所執守而言 非徒誦說而已也

예는 절문(성문화된 규정)을 삼가 행하는 것이니, 모두 일상생활의 실제에 절실한 것들이다. 그래서 항상 말씀하셨다. 예만 '집'이라 한 것은 사람이 지켜야 할 바라는 의미에서 한 말이니, (예란) 헛되이 외우고 말하는 것이기만 한 것은 아니다.

【세주】

朱子曰 詩書 尙是口說得底 惟禮 要當執守 執禮 亦是當時自有此名

주자가 말했다. 시와 서는 오히려 말로 설명할 수 있는 것이지만, 오직 예만은 마땅히 지켜야 한다. '집례'(라는 말)는 역시 당시에 따로 이런 이름(어휘)이 있었다.

○雙峯饒氏曰 禮 有五禮 夫子所常言者 只是言人日用所常執守之禮不可闕者爾 若宗廟郊社朝覲會同 非常所用者 則講之有時 亦不常及之也

쌍봉 요씨가 말했다. 예에는 5례가 있지만, 공자께서 항상 말씀하신 것이란 단지 사람이 일상생활에서 항상 지켜야 할 예로서 빠트릴 수 없는 것을 말할 뿐이다. 예컨대 종묘, 사직, 조근(조정의 조회), 회동(외교적 모임) 등 늘상 쓰이지는 않는 것(예)은 때에 따라 강학하셨으니, 역시 항상 언급하시는 것은 아니었다.

○雲峯胡氏曰 誦說屬知 執守屬行

운봉 호씨가 말했다. 외우고 말하는 것은 지(앎)에 속하고 지키는 것은 행에 속한다.

【집주】

○程子曰 孔子雅素之言 止於如此 若性與天道 則有不可得而聞者 要在默而識之也

정자가 말했다. 공자께서 평소에 하신 말씀은 이 같은 것에 그쳤다. 예컨대 성과 천도의 경우에는 얻어 듣지 못한 자도 있었으니, 핵심은 말없이 깨우치는 데 있다.

【세주】

識 音式 謂不言而自得之

'식'은 음이 식이다. 말하지 않고도 스스로 얻는(깨우치는) 것을 말한다.

【집주】

謝氏曰 此 因學易之語 而類記之

사씨가 말했다. 이(구절)는 역을 배운다는 말씀에 이어서 비슷한 것을 기록한 것이다.

【세주】

朱子曰 古之儒者 只是習詩書禮樂 言執禮 則樂在其中 如易 則掌於太卜

春秋 掌於史官 學者 兼通之 不是正業 只這詩書 大而天道之精微 細而人事之曲折 無不在其中 禮 則節文度數 聖人教人 亦只是許多事

주자가 말했다. 옛날의 유자는 단지 시와 서와 예와 악을 익혔을 뿐이다. '집례'라 하면 음악이 그 안에 포함된다. 『역』의 경우는 태복이 관장하고 춘추는 사관이 관장하는 것이니 배우는 자는 (그것들을) 겸하여 통하는 것일 뿐, 정업(원래의 과업)은 아니다. 다만 이 시와 서는 크게는 천도의 정미함, 작게는 인간사의 세세함이 그 안에 포함되지 않는 것이 없고, 예는 절문도수(규정과 법도와 횟수)이니, 성인께서 사람에게 가르치신 것은 (시서예를 말씀하셨다 해서 조금만 가르치신 것이 아니라) 역시 여러 가지 일이다.

○慶源輔氏曰 詩 所以吟咏情性 故 誦之者 可以理情性 理 猶治也 書 所以紀載政事 故 誦之者 可以道政事 道 猶述也 禮 所以著天理之節文 故 執之者 可以謹節文 謹 謂毫釐有所必計也 情性 在內者 政事節文 在外者 政事節文 雖在外 而又有廣狹之殊 然 皆切於日用之實 故 夫子 常言之 又曰 詩書 雖假誦讀 然後能知其義 而達諸用 禮 則全在人執守而行之 故 禮 獨言執也 然 詩書 雖始假於誦讀 然後亦必須見於所行 禮 固在於執守而行之 然 始亦不可不講讀之也

경원 보씨가 말했다. 시는 정성을 읊는 것이기에 외우는 자는 정성을 다스릴 수 있다. '이'는 다스린다는 뜻이다. 서는 정사를 기록하는 것이기에 외우는 자는 정사를 서술할 수 있다. '도'는 서술한다는 뜻이다. 예는 천리의 절문을 드러내는 것이기에 지키는 자는 절문을 삼가 행할 수 있다. '근(삼감)'은 터럭만 한 것이라도 반드시 헤아리는 것을 말한다. 정성은 안(마음)에 있는 것이고 정사와 절문은 밖에 있는 것이다. 정사와 절문은 비록 밖에 있고 또 넓고 좁음의 차이가 있지만 그러나 모두 일상생활의 실제에 절실한 것이다. 그러므로 공자께서 항상 말씀하셨다. 또 말했다. 시와 서는 비록 독송(외우고 읽음)을 빌린 연후에야 그 뜻을 알아 실용에 이를 수 있지만, 예는 오로지 사람이 지켜 행하는 데 (그 의미가) 있으니 예에 대해서만 '집'이라 말한 것이다. 그러나 시와 서가 비록 처음에는 독송(의 힘)을 빌리지만 그런 다음에는 또한 반드시 행하는 바(행위)에 드러나야 하는 것이고, 예가 본디 지켜서 행하는 데 (그 의의가) 있지만 그러나 처음에는 또한 강독하지 않을 수 없는 것이다.

○厚齋馮氏曰 易道精微 春秋紀變 樂在有司 非所常言也 詩 可以興觀群怨 以事君父 書 乃齊家治國平天下之常道 禮 又朝夕之所從事者 皆切於日用常行之實 故 常言之

후재 풍씨가 말했다. 『역』의 도는 정미하고, 『춘추』는 변고를 기록하고, 악은 유사에게 있으니 항상 말하는 바가 아니다. 시는 흥하고(일어나고, 즉 의지를 일으키고) 관하고(관찰하고) 군하고(무리를 짓고, 즉 집단에 속하고) 원하게(원망하게) 할 수 있어 임금과 부모를 모실 수 있게 하고(『논어』17, 「양화」 9장), 서는 곧 제가, 치국, 평천하의 상도이고, 예는 또 조석으로 종사해야 하는 것이니 모두 일상생활에서 항상 행하는 실제에 절실한 것이다. 그러므로 항상 말씀하셨다.

○勿軒熊氏曰 詩 卽樂也 孔子言 興於詩 立於禮 成於樂 語伯魚學詩學禮 可見平日常言 不過如此 前章學易 則其晩年也

물헌 웅씨가 말했다. 시는 곧 악이다. 공자께서 말씀하시기를 "시에서 일어나고 예에서 서며 악에서 이루어진다(『논어』8, 「태백」 8장)"라 하셨고, 백어(공자의 아들)에게 시를 배우고 예를 배우라고 하셨으니(『논어』16, 「계씨」 13장) 평소에 항상 말씀하신 것이 이 같은 것에 불과함을 알 수 있다. 앞 장의 '『역』을 배움'은 그 만년의 일이다.

7.18-1 葉公 問孔子於子路 子路不對 葉 舒涉反

섭공이 자로에게 공자에 대해 물었다. 자로가 대답하지 않았다.

【집주】

葉公 楚 葉縣尹 沈諸梁 字 子高 僭稱公也

섭공은 초나라 섭현의 윤(장관) 심제량인데 자는 자고이다. (윤에 불과한데도) 공을 참칭했다.

【세주】

新安陳氏曰 楚子僭王 其臣皆僭

신안 진씨가 말했다. 초자(초나라의 제후)가 왕을 참칭하니 그 신하들도 모두 참칭했다.

【집주】

葉公 不知孔子 必有非所問而問者 故 子路不對 抑 亦以聖人之德 實有未易去聲名言者與音余

섭공은 공자를 모르기에 틀림없이 묻지 말아야 할 것을 물은 것이 있었으리라. 그래서 자공이 대답하지 않았을 것이다. 아니면 역시 성인의 덕은 실로 이름 붙이기 어려운 것이 있기 때문인가?

【세주】

○新安陳氏曰 一 則葉公 不足以知聖人 一 則子路 自難以言語形容聖人

신안 진씨가 말했다. 하나는 섭공이 성인을 알기에 부족했기 때문이고 하나는 자로가 스스로 말로써 성인을 형용하기 어려웠기 때문이다.

7.18-2 子曰 女奚不曰 其爲人也 發憤忘食 樂以忘憂 不知老之將至云爾

공자께서 말씀하셨다. 너는 어찌 '그 사람됨은 발분하여 먹기를 잊고, 즐거워하여 시름을 잊어, 장차 늙음이 오는 것도 알지 못한다'라고 말하지 않았느냐?

【집주】

未得 則發憤而忘食 已得 則樂之而忘憂 以是二者 俛焉日有孶孶音茲 而不知年數之不足 但自言其好去聲學之篤爾

얻지 못했으면 발분하여 먹기를 잊고 이미 얻었으면 그것을 즐겨 시름을 잊는다. 이 두 가지로 매일 열심히 노력하여, 햇수가 모자라는 것(살 날이 많이 남지 않은 것)도 모른다. (이는) 단지 그 호학의 독실함을 스스로 말씀하신 것일 뿐이다.

【세주】

禮 表記 小雅曰 高山仰止 景行行止 子曰 詩之好仁 如此 鄕道而行 中道而廢 忘身之老也 不知年數之不足也 俛焉日有孶孶 斃而後已

『예기』, 「표기」에 다음과 같이 나와 있다. (『시경』) 「소아」(<상호 차할>장)에서 말하기를 "높은 산을 우러러 보네, 큰 길을 달려가네"라고 했는데, (이에 대해) 공자께서 말씀하시기를 "시에서 인을 좋아하는 것이 이와 같다. 도를 향해 나아가 도에 맞은 후에 그만두니 몸이 늙는 것도 잊고 햇수가 모자라는 것도 모른다. 매일매일 열심히 노력하여 죽은 다음에 그친다"라 하셨다.

○朱子曰 聖人 未必有未得之事 且如此說 若聖人 有這般事 他 便發憤做將去

주자가 말했다. 성인께서는 알지 못한 일이 꼭 있는 것은 아닌데도 또 이처럼 말씀하셨다. 만약 성인께서 이런 일(모르는 일)이 있으면 그는 곧 발분해 해나가셨으리라.

○忘食忘憂 是逐事上說 一憤一樂 循環代至 非謂終身只此一憤一樂也 逐

事上說 故 可遂言不知老之將至 而爲聖人之謙辭 若作終身說 則憤短樂長 不可幷連下句 而亦不見聖人自貶之意矣

먹기를 잊고 시름을 잊는 것은 일에 따라(어떤 일이 일어나느냐에 따라) 하는 말이니, 한 번 발분하고 한 번 즐거워하고 하는 것은 순환해 교대로 일어나는 것으로, 종신토록 다만 이렇게 한 번 발분하고 한 번 즐거워하셨다는 말은 아니다. 일에 따라 말한 까닭에 '장차 늙음이 오는 것도 모른다'고 말씀하실 수 있었고, (그래서 이 말은) 성인의 겸손의 말씀이 된다. 만약 '종신토록 그리하셨다'라는 의미라고 설명한다면, 발분함은 짧고 즐거워하심은 기니 아래 구절과 연결될 수 없고, 또 성인께서 스스로를 겸양하는 뜻도 보이지 않는다.

【집주】

然 深味之 則見其全體至極 純亦不已之妙 有非聖人不能及者 蓋凡夫子之自言 類如此 學者 宜致思焉

그러나 깊이 음미해보면 그 '전체로서의 지극함'과 또 '순수하여 그치지 않는(『중용』 26장) 오묘함'을 볼 수 있으니 성인이 아니면 미칠 수 없는 것이 있다. 대개 공자께서 스스로 하신 모든 말씀은 이와 유사하니 배우는 자는 마땅히 생각을 다해야 할 것이다.

【세주】

朱子曰 發憤忘食 樂以忘憂 不知老之將至云爾 泛說 若是謙辭 然 聖人之爲人 自有不可及處 直要做 到底不做箇 半間不界底人 非是有所因 眞箇或有所感 發憤而至於忘食 所樂之至 而忘憂 蓋 有不知其然 而不自知其老之將至也 又如好古敏以求之 自是謙辭 學不厭敎不倦 亦是謙辭 當時 如公西華子貢 自能窺測聖人不可及處 蓋 聖人處己之謙 若平易 而其所以不可及者亦在其中矣

주자가 말했다. '발분하여 먹기를 잊고 즐거워하여 시름을 잊어 장차 늙음이 오는 것도 알지 못한다'는 것은 일반적인 말씀으로 마치 겸손의 말씀 같다. 그러나 성인의 사람됨은 당연히 미칠 수 없는 바가 있으니, 진정 하려고 해도 도저히 할 수 없는, 반 칸도 다가갈 수 없는 사람이다. 원인(동기나 목적)이 있어서가 아니라 진정 혹 느끼는 바가 있어 발분하여 먹기를 잊음에 이르고 즐기는 바가 지극하여 시름을 잊으면, 대개 그런 줄도 모른 채 늙음이 이르는 것도 스스로 알지 못하게 된다. 또 '옛것을 좋아하여 민첩하게 구한다(『논어』7, 「술이」 19장)'는 말씀도 당연히 겸손의 말씀이며 '배움에 싫증 내지 않고 가르침에 게을리하지 않는다(『논어』7, 「술이」 33장)'는 말씀도 겸손의 말씀이다. 당시에 공서화나 자공 같은 사람들은 (그런 겸손의 말씀 속에서) 스스로 능히 미칠 수 없는 성인의 경지를 엿볼 수 있었다. 대개 성인께서 스스로의 처신에 겸손해 하신 것들(민이호고, 학불염, 교불권 등)은 마치 평이한 일인 듯하지만 그 미칠 수 없는 바는 또한 그 가운데 있다.

○發憤忘食 是發憤便能忘食 樂以忘憂 是樂便能忘憂 更無些小係累 無所不用其極 但見義理之無窮 不知身世之可憂 歲月之有變也 衆人 縱如何發憤 也有些無緊要心在 雖如何樂 終有些係累乎其中 不怨天 不尤人 樂天安土 安於所遇 無一毫之私意 聖人 便是天 聖人 有此理 天 亦有此理 故 其妙處 獨與之契合

'발분하여 먹기를 잊는다'는 것은 발분하면 곧 먹기를 잊을 수 있다는 것이고, '즐거워하여 시름을 잊는다'는 것은 즐거워하면 곧 시름을 잊을 수 있다는 것이다. 또 조금의 얽매임도 없고 그 지극한 것까지 쓰지 않음이 없지만, 다만 의리의 무궁함을 알 뿐, 신세가 걱정할 만함을 알지 못하고 세월이 변하는지도 알지 못하는 것이다. 뭇사람들은 설령 어떻게 해서 발분하더라도 긴요히 여기지 않는 마음이 약간 있고, 비록 어떻게 해서 즐거워하더라도 끝내는 약간의 얽매임이 그 가운데에 있다. '하늘을 원망하지 않고 사람을 허물하지 않으며(『논어』14, 「헌문」 37장)', '하늘을 즐기고 땅을 편안히 여기고(『예기』27, 「애공문」)', '맞닥뜨린 바를 편안히 여겨' 털끝만 한 사의도 없으니, 성인은 곧 하늘이시고, 성인께서 이 이치를 가지고 계시니 하늘 또한 이 이치를 가지고 있다. 그러므로 그 오묘한 바가 홀로 그것(하늘 또는 이치)과 딱 들어맞는다.

○聖人 直是脫灑 私欲 自惹不著 這兩句 雖無甚利害 細看來 見得聖人超出乎萬物之表

성인께서는 진정 초탈하시니 사욕이 저절로 흩어져 드러나지 않는다. 이 두 구절은 비록 큰 이익이나 손해는 없으나 자세히 보면 성인께서 만물의 겉모습으로부터 초월해 계심을 알 수 있다.

○南軒張氏曰 子路 以葉公不知聖人 且欲擬其形容 而未知所對也 夫子之意 則以爲卽其近者告之 斯可矣 夫子所言 發憤忘食 樂以忘憂 不知老之將至者 亦好學之至者也 然則聖人之所以異於人者 果獨在於好學耶 蓋 生知而好學 則是其所爲生知者 固亦莫掩矣 謂聖人所以異於人者 在於好學 亦豈不可乎

남헌 장씨가 말했다. 자로는 섭공이 성인을 모르기에 그(성인의) 모습을 그려보려 했으나 대답할 말을 몰랐다. 공자의 생각으로는, 그 비근한 것에 근거해 말해주면 된다고 생각하셨다. 공자께서 말씀하신바, '발분하여 먹기를 잊고 즐거워하여 시름을 잊어 장차 늙음이 오는 것도 모른다'는 것은 또한 호학의 지극함이다. 그렇다면 성인께서 보통 사람과 다른 것은 과연 다만 호학하신다는 것에 있는가? 대개 생지(나면서부터 아심)이면서도 호학하신 것이 생지자임을 진실로 또한 가릴 수 없으니, 성인께서 보통 사람과 다른 것이 호학에 있다고 말하는 것이 또 어찌 불가하겠는가?

○雙峯饒氏曰 憤與樂 相反 聖人 發憤便至忘食 樂便至忘憂 是兩邊各造其極 如寒到寒之極 暑到暑之極 故曰 全體至極 兩者 循環不已 所以 不知老之將至 此 是聖人之心 純乎天理 別無他嗜好 所以 自然學之不厭 故曰 純亦不已 全體 說憤樂 至極 說忘食忘憂 純亦不已 說不知老之將至

쌍봉 요씨가 말했다. 발분하는 것과 즐거워하는 것은 서로 반대된다. 성인께서는 발분하여 먹기를 잊음에 이르시고 즐거워하여 시름을 잊기에 이르셨으니 이는 두 방면에서 그 지극함에 도달하신 것이다. 마치 추위가 추위의 극점에 이르고 더위가 더위의 극점에 이른 것과 같으니 그래서 '전체로서의 지극함'이라고 한다. 두 가지가 순환하여 그치지 않으니 그래서 장차 늙음이 오는 것도 모른다. 이는 성인의 마음이 순수하게 천리여서 따로 좋아하는 것이 없었기 때문으로, 그렇기에 저절로 배움에 싫증 내지 않으셨다. 그래서 '순수하여 그치지 않는다'고 한다. 전체는 발분함과 즐거워함을 말하고, 지극함은 먹기를 잊고 시름을 잊는 것을 말하고, 순수하여 그치지 않는다는 것은 늙음이 오는 것도 모른다는 것을 말한다.

7.19 子曰 我 非生而知之者 好古 敏以求之者也 好 去聲

공자께서 말씀하셨다. 나는 나면서부터 아는 자가 아니다. 옛것을 좋아하여 민첩하게 구하는 자이다.

【집주】

生而知之者 氣質淸明 義理昭著 不待學而知也 敏 速也 謂汲汲也

나면서부터 아는 자란 기질이 청명하고 의리에 밝아 배움을 기다리지 않고도 아는 것이다. '민'은 빠르다는 뜻이니, 급급함을 말한다.

○尹氏曰 孔子 以生知之聖 每云好學者 非惟勉人也 蓋 生而可知者 義理爾 若夫音扶禮樂名物古今事變 亦必待學 而後有以驗其實也

윤씨가 말했다. 공자께서는 나면서부터 아시는 성인으로서 매번 호학한다고 말씀하셨는데, 단지 사람들을 면려하시기 위한 것만은 아니다. 대개 나면서부터 알 수 있는 것은 의리일 뿐이고, 예컨대 예악, 명물(사물의 이름이나 개념), 고금의 사변(역사) 같은 것은 또한 반드시 배움을 기다린 이후에야 그 실제를 증험할 수 있다.

【세주】

朱子曰 聖人此等語 皆是移向下以教人 亦是聖人 看得地步闊 自視猶有未滿足處 所以 其言如此 非全無事實 而但爲設辭也

주자가 말했다. 성인의 이러한 말씀은 모두 아래쪽을 향해 사람들을 가르치시려는 것이니, 역시 성인께서는 경지가 넓음을 알 수 있다. 스스로 보시기에 오히려 아직도 만족하지 못하는 것이 있기에 그래서 그 말씀이 이와 같았다. (생이지지자가 아니라는 말씀이) 전혀 사실이 아닌 것은 아니고, 다만 가설적인 말씀이다.

○好古敏以求之 聖人 是生知而學者 然 其所謂學 豈若常人之學也 聞一知十 不足以盡之

'옛것을 좋아하여 민첩하게 구한다'는 것은 성인께서는 나면서부터 아시면서도 배우는 자라는 말이다. 그러나 그 소위 배운다는 것이 어찌 보통 사람의 배움과 같겠는가? 하나를 들으면 열을 안다는 것으로도 다할 수 없다(그 경지를 다 표현할 수 없다).

○聖人 於義理合下便恁地 固天縱之將聖 又多能也 敏求 則多能之事耳 其義理 完具 禮樂等事 便不學 也自有一副當 但 力可及 故 亦學之

성인께서는 의리에 있어서는 당연히 이와 같으셨으니(의리는 나면서부터 아셨으니), '진실로 하늘이 풀어놓으신 거의 성인 같은 분이시고 또 다재다능하시다(『논어』9, 「자한」 6장)'라 했는데, 민첩하게 구하신 것은 다능의 일[여러 가지 실제적 재능이 필요한 일]일 뿐이다. 그 의리는 완전히 갖추셨고, 예악 등의 일은 배우지 않으셔도 또한 저절로 부응하는 것이 있으셨다. 다만, 힘이 미칠 수 있기에 또한 배우셨던 것이다.

○聖人 雖是生知 然 也事事理會過 無一之不講 這道理 不是只就一件事上理會 見得便了 學時 要無所不學 理會時 却是逐件上理會去

성인께서는 비록 나면서부터 아시지만 또한 일일이 이해해 나가시어 하나라도 공부하지 않은 것이 없으셨다. 이 (공부의) 도리는 다만 하나의 일에 대해서 이해해 알게 되면 마는 것이 아니라 배울 때는 배우지 않는 바가 없도록 하고 이해할 때는 건건이 좇아 이해해 나가야 하는 것이다.

○南軒張氏曰 門人 見夫子之聖 謂生而知之 不可跂及也 故 夫子 以是告之 使果能好古敏以求之 則是聖人亦豈不可希 玩味辭氣 其循循然善誘 可謂至矣

남헌 장씨가 말했다. 문인들이 공자의 성스러움을 뵙고 '나면서부터 아시는 분이니 따라갈 수 없다'고 생각했기에 공자께서 이렇게 알려주신 것이다. 만약 과연 능히 옛것을 좋아하여 민첩하게 구할 수 있다면 이 성인 또한 어찌 바랄 수 없는 것이랴. 어조를 감상해보면, 그 '순서에 맞게 잘 이끌어주심(『논어』9, 「자한」 10장)'이 가히 지극하다 하겠다.

○勉齋黃氏曰 聖人 雖生知義理 然 其爲道廣大無窮 故 未嘗有自足之心 亦必博學審問 參之古人 不能自已 此 其所以爲聖人也

면재 황씨가 말했다. 성인께서는 비록 나면서부터 의리를 아시지만 그러나 그 도 됨[도의 성격, 본질]은 광대하고 무궁하기 때문에 일찍이 스스로 만족하는 마음이 없으셨다. (그래서) 또한 널리 배우고 살펴 묻고 옛사람을 참고하기를 스스로 그칠 수 없으셨다. 이것이 바로 (성인이) 성인인 까닭이다.

○慶源輔氏曰 孔子 以生知之聖 每云好學者 諸家 多以爲勉人之辭 故 尹氏辨之 以爲生而可知者 自然昭著之義理爾 若夫禮樂名物古今事變 亦必待學 而後有以驗其實也 又曰 好古敏求 非生知者 不能 旣知其義理 則自然敏於學 以驗其實也 故 生而知之者 義理也 好古敏求者 事實也 理與事一貫 知與行相資

경원 보씨가 말했다. 공자께서는 나면서부터 아시는 성인으로서 매번 (스스로를) 호학하는 자라 하셨는데, 여러 학자들은 (이 말씀을) 사람을 면려하기 위한 말씀으로 생각하는 경우가 많았다. 그래서 윤씨는 판단하기를, 나면서부터 알 수 있는 것은 저절로 밝게 드러나는 의리일 뿐이고 예악이나 명물, 고금의 사변 등의 경우에는 역시 반드시 배움을 기다린 후에야 그 실제를 증험할 수 있다고 생각했다. 또 말했다. '옛것을 좋아하여 민첩하게 구함'은 나면서부터 아는 자가 아니면 불가능하다. 이미 그 의리를 알면 자연히 배움에 민첩하게 되어 그 실제를 증험하게 된다. 그러므로 나면서부터 아는 것은 의리이고 옛것을 좋아해 민첩하게 구하는 것은 사실이다. 의리와 사실은 일관되고, 지와 행은 서로 도움이 된다.

○雙峯饒氏曰 生知 是合下知得此理 好古敏求 是又於事物上參究此理

쌍봉 요씨가 말했다. '나면서부터 앎'은 당연히 이 이치를 아는 것이고 '옛것을 좋아하여 민첩하게 구함'은 사물에 대해 이 이치를 참구하는 것이다.

○勿軒熊氏曰 信而好古 好古敏以求之 信字 敏字 當玩

물헌 웅씨가 말했다. '옛것을 믿고 좋아한다', '옛것을 좋아하여 민첩하게 구한다'라 할 때의 '신(믿음)' 자와 '민(민첩함)' 자는 마땅히 완미하여야 한다.

7.20 子 不語怪力亂神

공자께서는 괴이함과 힘과 어지러움과 귀신에 대해서는 말씀하지 않으셨다.

【집주】

怪異 勇力 悖音佩亂之事 非理之正 固聖人所不語 鬼神 造化之迹

괴이함과 용맹한 힘(물리적인 힘)과 패란(윤리를 어지럽힘)의 일은 바른 이치가 아니니 본디 성인께서 말씀하실 바가 아니고, 귀신은 조화의 자취이니

【세주】

雙峯饒氏曰 造化之迹 指其屈伸往來之可見者 言也 天地造化之妙 不可得而見 所可見者 其屈伸往來之迹耳

쌍봉 요씨가 말했다. 조화의 자취란 그 굴신하고 왕래하는 것으로서 볼 수 있는 것을 가리키는 말이다. 천지의 조화의 묘함은 볼 수가 없다. 볼 수 있는 것은 그 굴신하고 왕래하는 자취일 뿐이다.

【집주】

雖非不正 然 非窮理之至 有未易去聲明者 故 亦不輕以語音御人也

비록 바르지 않은 것은 아니지만, 궁리가 지극하지 않으면 쉽게 밝힐 수 없는 것이기에 또한 가벼이 사람들에게 말씀하지 않으셨다.

【세주】

新安陳氏曰 神與怪 不同 故 以怪力亂總言 表神而出之

신안 진씨가 말했다. 귀신과 괴이한 것은 같지 않다. 그러므로 (집주에서는) '괴(괴이함)', '력(물리적인 힘)', '난(어지러움)'은 한꺼번에 말하고 '신(귀신)'은 드러내어 따로 빼 놓았다.

【집주】

○謝氏曰 聖人 語常而不語怪 語德而不語力 語治去聲而不語亂 語人而不語神

사씨가 말했다. 성인께서는 정상적인 것은 말씀하시고 괴이한 것은 말씀하지 않으셨고, 덕은 말씀하시고 힘은 말씀하지 않으셨고, 다스림은 말씀하시고 어지러움은 말씀하지 않으셨고, 사람에 대해서는 말씀하시고 귀신에 대해서는 말씀하지 않으셨다.

【세주】

或問 夫子 於春秋 紀災異戰伐簒亂 於易禮 論鬼神 今曰 不語 何也 朱子曰 聖人 平日常言 蓋 不及是 其不得已而及之 則於三者 必有訓戒焉 於神 則論其理 以曉當世之惑 非若世人之徒語 而反以惑人也 然 其及之亦鮮矣

혹자가 물었다. 공자께서는『춘추』에서는 재이(재앙과 변괴)와 전벌(전쟁과 정벌)과 찬란(찬역과 반란)에 대해 기록하셨고『역』과『예』에서는 귀신을 논하셨는데 지금 말씀하지 않으셨다 하니 어째서입니까? 주자가 답했다. 성인께서 평소에 항상 하시는 말씀에서는 이런 것들에 대해 언급하지 않으셨고, 그 혹시 부득이해서 언급하시는 경우에는 이 세 가지에 대해 반드시 훈계함이 있으셨다. 귀신에 대해서는 그 이치를 논하여 당시의 미혹을 밝히셨으니 세상 사람들이 헛되이 말해 오히려 사람을 미혹하는 것과는 다르다. 그러나 그 언급하시는 것 또한 드물었다.

○問 子 不語怪力亂神 集註言 鬼神之理 難明易惑 而實不外人事 鬼神之理 在人事中 如何見得 曰 鬼神 只是二氣之屈伸往來 就人事中言之 如福善禍淫 便可以見鬼神道理 論語中 聖人 不曾說此 問 如動靜語默 亦是此理否 曰 固是聖人 全不曾說這話與人 這處無形無影 亦自難說 所謂敬鬼神而遠之 只恁地說

물었다. '공자께서는 괴이함과 힘과 어지러움과 귀신에 대해서는 말씀하지 않으셨다'고 했는데, 집주에서는 귀신의 이치는 밝히기는 어렵고 미혹되기는 쉽지만 기실은 인간사의 밖에 있는 것은 아니라고 했습니다. (그렇다면) 귀신의 이치는 인간사 중에서는 어떻게 알 수 있습니까? 답했다. 귀신은 다만 2기(음양)가 굴신하고 왕래하는 것일 뿐이다. 인간사 중에서 말하자면 예컨대 복과 선, 화와 악(을 통해) 귀신의 이치를 알 수 있다.『논어』중에는 성인께서 이에 대해 말씀하신 적이 없다. 물었다. 예컨대 동정(움직임과 멈춤)과 어묵(말함과 침묵함) 또한 이 (귀신에 관한) 이치입니까? 답했다. 본디 성인께서는 일찍이 이런 이야기를 사람들과 더불어 말씀하신 적이 전혀 없다. 이 형체도 없고 그림자도 없는 곳에 대해서는 또한 당연히 말하기 어려우니 소위 '귀신을 존경하되 멀리한다(『논어』6,「옹야」20장)'고 다만 그렇게 말씀하셨을 뿐이다.

○南軒張氏曰 聖人 一語一默之間 莫不有敎存焉 語怪 則亂常 語力 則妨德 語亂 則損志 語神 則惑聽 故 聖人之言 未嘗及此 然 就是四者之中 鬼神之情狀 聖人 亦豈不言之乎 特明其理 使人求之於心而已 若其事 未嘗言之也

남헌 장씨가 말했다. 성인께서는 한 번 말씀하시고 한 번 침묵하시는 사이에 가르침이 있지 않은 적이 없었다. 괴이함을 말하면 정상적인 것을 어지럽히고 힘을 말하면 덕에 방해가 되고 어지러움을 말하면 뜻을 손상시키고 귀신을 말하면 귀를 미혹시킨다. 그러므로 성인의 말씀은 일찍이 이를 언급하신 적이 없다. 그러나 이 네 가지 중에 귀신의 정상(실제의 모습과 성질)에 대해서는 성인께서 어찌 말씀하지 않았으리요. 다만 그 이치를 밝혀 사람들로 하여금 마음에서 그것(귀신의 이치)을 구하게 하셨을 뿐, 그 (귀신의) 일에 대해서는 일찍이 말씀하신 적이 없다.

○慶源輔氏曰 異 非常也 勇力 非德也 悖亂 非治也 三者 皆非正理 而聖人之心 廣大光明 隱惡揚善 自然不語及此 至於鬼神 雖非不正 然 乃造化之迹 二氣之良能 其理幽深 非格物致知者 而驟以語之 則反滋其惑 故 亦不輕以語人 然 能知所以爲人 則知所以爲鬼神矣

경원 보씨가 말했다. 괴이함은 비정상적인 것이다. 용력은 덕이 아니다. 패란은 다스려지지 못한 것이다. 이 세 가지는 모두 올바른 이치가 아닌 것으로, 성인의 마음은 넓고 밝으며 악을 숨겨주고 선을 드높이시니 저절로 이에 대해서는 언급하지 않으셨다. 귀신의 경우에는 비록 올바르지 않은 것은 아니지만 그러나 그 조화의 흔적은 2기(음양)의 양능(본유적 능력)으로 그 이치는 유현하여 격물치지자(사물의 이치를 깨우쳐 앎에 지극해진 자)가 아니면 급히 말해주어야 오히려 그 미혹만 키울 뿐이다. 그래서 또한 사람들에게 가벼이 말씀해주지 않으셨다. 그러나 능히 (사람이) 사람이 되는 까닭을 안다면 (이는 곧 귀신이) 귀신이 되는 까닭을 아는 것이다.

○齊氏曰 索隱行怪 吾 弗爲之 故 不語怪 好勇過我 無所取裁 故 不語力 身爲不善 君子不入 故 不語亂 務民之義 敬而遠之 故 不語神

제씨가 말했다. "편벽한 이치를 찾고 괴이한 일을 하는 것, 나는 그런 일을 하지 않는다(『중용』 11장)"라 하셨으니 괴이함을 말씀하지 않으신 것이고, "(자로는) 용맹을 좋아함이 나보다 더하지만 헤아려 취하는 바가 없구나(『논어』5, 「공야장」 6장)"라 하셨으니 힘을 말씀하지 않으신 것이고, "몸으로 불선을 행하는 자에게 군자는 (그런 자가 다스리는 곳에) 들어가지 않는다(『논어』17, 「양화」 7장)"라 하셨으니 어지러움을 말씀하지 않으신 것이고, "사람의 의로움에 힘쓰고 (귀신을) 존경하되 멀리한다(『논어』6, 「옹야」 20장)"라 하셨으니 귀신을 말씀하지 않으신 것이다.

○問 孔子所不語 而春秋所紀 皆悖亂非常之事 陳氏曰 春秋 經世之大法 所以懼亂臣賊子 當以實書 論語 講學之格言 所以正天典民彝 故 所不語

물었다. 공자께서는 말씀하지 않으셨다고 하지만 『춘추』에 기록된 것은 모두 패란하고 비정상적인 일입니다. 진씨가 답했다. 『춘추』는 세상을 경영하는 대법으로 난신적자를 두렵게 하려는 것이니 마땅히 사실대로 써야 한다. 『논어』는 연구해야 할 격언으로 하늘의 법칙과 사람의 상도(떳떳한 도리)를 바로잡으려는 것이니 그래서 (『논어』에서는) 말씀하지 않으신 것이다.

7.21 子曰 三人行 必有我師焉 擇其善者而從之 其不善者而改之

공자께서 말씀하셨다. 세 사람이 가면 (그 가운데) 반드시 내 스승이 있다. 그 선한 자를 선택해 따르고, 그 불선한 자를 보고는 (내 불선을) 고친다.

【집주】

三人同行 其一 我也 彼二人者一善一惡 則我 從其善而改其惡焉 是二人者 皆我師也

세 사람이 같이 가는데, 그중 하나는 나고 나머지 두 사람 중 하나는 선하고 하나는 악하다고 하면, 나는 그 (선한 자의) 선을 따르고 (악한 자를 보고 나의) 악을 고친다. 그러니 이 두 사람은 모두 나의 스승이다.

【세주】

朱子曰 人 若以自脩爲心 則擧天下萬物 凡有感乎 前者 無不足以發吾義理之正善者 固可師 見不善者 便恐懼脩省 亦吾師也

주자가 말했다. 사람이 만약 스스로를 닦는 것을 마음으로 삼으면 천하의 만물에 대해 모두 느끼는 바가 있다. 전사(선한 사)는 나의 의리의 올바른 선을 발휘하게 하기에 부족함이 없으니 진실로 스승으로 삼을 만하지만, 불선자를 보면 (나를) 두렵게 해 닦고 반성하게 하니 또한 나의 스승이다.

○雙峯饒氏曰 此 姑以一善一惡對言 以見善惡皆吾師 或兩人皆善 則皆當從兩人 皆惡 則皆當改 便是與一人行 亦有我師 此 則言外之意 南軒張氏云 一人之身 有善有不善 亦莫非吾師也

쌍봉 요씨가 말했다. 이는 잠시 선한 자 하나와 악한 자 하나를 대비시켜 말함으로써 선한 자와 악한 자가 모두 내 스승임을 보여준 것이지만, 혹시 두 사람이 모두 선하면 모두 당연히 두 사람 다를 따라야 하고 (두 사람) 모두 악하면 모두 당연히 고쳐야 한다. 만약 한 사람과 같이 간다 해도 역시 내 스승이 있다. 이는 이 말씀 밖에 숨어 있는 뜻이다. 남헌 장씨가 말하기를 "한 사람의 몸에도 선한 것이 있고 불선한 것이 있으니 또한 내 스승이 아님이 없다"라 했다.

【집주】

○尹氏曰 見賢思齊 見不賢而內自省 則善惡皆我之師 進善 其有窮乎

윤씨가 말했다. 현명한 자를 보면 같아질 것을 생각하고 현명하지 못한 자를 보면 안으로 스스로를 살펴본다(『논어』4, 「이인」 17장). 그러니 선한 자와 악한 자는 모두 나의 스승이다. 선으로 나아감에 끝이 있으랴.

【세주】

汪氏炎昶曰 尹氏 以見賢思齊章 合此章說 蓋 取思齊自省 可足此章之義也 善 固當從 然 不思與之齊 未必能從 不善 固當改 然 不內自省 則己有不善 未必能改

왕염창이 말했다. 윤씨는 <견현사제>장(「이인」 17장)을 이 장과 같이 합쳐 말했는데, 대개 '사제자성(같아질 것을 생각하고 스스로를 살펴봄)'의 의미를 취해 이 장의 의미를 충족시킬 수 있었다. 선한 자는 본디 마땅히 따라야 하는 것이지만 그러나 그것(선한 자)과 더불어 같아지기를 생각하지 않는다면 꼭 능히 따를 수 있다고는 할 수 없다. 불선한 자는 본디 마땅히 고쳐야 하는 것이지만 그러나 안으로 스스로를 살펴보지 않는다면 자신이 가지고 있는 불선을 꼭 고칠 수 있다고는 할 수 없다.

7.22 子曰 天 生德於予 桓魋 其如予何

공자께서 말씀하셨다. 하늘이 나에게 덕을 주셨으니 환퇴가 나를 어찌하겠느냐.

【집주】

桓魋 宋司馬向式亮反**魋也 出於桓公 故 又稱桓氏 魋 欲害孔子 孔子言 天旣賦我以如是之德 則桓魋 其奈我何 言必不能違天害己**

환퇴는 송 사마 상퇴이다. 환공에게서 나왔기에 또 환씨라 부른다. 퇴가 공자를 해치려 하자 공자께서 '하늘이 이미 나에게 이러한 덕을 부여하셨으니 환퇴가 나를 어쩌겠느냐'라고 말씀하신 것으로, 결코 하늘을 거슬러 나를 해치지는 못할 것이라는 말씀이다.

【세주】

程子曰 天生德於予 此 聖人 極斷制以理

정자가 말했다. 하늘이 나에게 덕을 주셨다는 이 말씀은 성인께서 극히 결연하게 이치로써 제압하신 것이다.

○問 聖人 見其事勢不可害己 還以理度其不可耶 朱子曰 若以勢論 則害聖人 甚易 唯聖人 自知其理 有終不能害者

물었다. 성인께서 그 사세가 자기를 해치지 못할 것임을 아신 것입니까, 아니면 그것(자기를 해치는 것)이 불가능함을 이치로써 헤아리신 것입니까? 주자가 답했다. 만약 사세로써 논한다면 성인을 해치는 것은 매우 쉽다. 다만 성인께서는 그 이치상 마침내는 해칠 수 없는 것임을 스스로 아셨다.

○史記 孔子適宋 與弟子習禮 大樹之下 魋 伐其樹 孔子去之 弟子曰 可以速矣 子曰 天生德於予 桓魋 其如予何 遂之鄭 疑遭伐樹 遂微服去之 弟子欲其速行 而以此語之也 聖人 雖知其不能害己 然 避患未嘗不深 避患 雖深 而處之未嘗不閒暇 所謂竝行而不悖也

『사기』(「공자세가」)에 보면 "공자께서 송나라에 가셨을 때 제자들과 더불어 큰 나무 아래서 예를 강습하셨는데, 환퇴가 그 나무를 베자 공자께서 떠나셨다. 제자들이 말하기를 '빨리 가는 것이 좋겠습니다'라 하자 공자께서

'하늘이 나에게 덕을 주셨으니 환퇴가 나를 어찌하겠느냐'라 말씀하시고 드디어 정나라로 가셨다"라 했다. 아마도 나무를 베는 사태를 당하시자 드디어 미복으로 떠나셨는데 제자들이 빨리 가고자 하니 이 말씀을 해주셨던 것 같다. 성인께서는 비록 자기를 해치지 못할 것임을 아셨지만 환란을 피하는 것은 일찍이 심각하게 여기지 않음이 없으셨고, 환란을 피하기를 심각하게 여기시면서도 대처하심에 일찍이 한가롭지 않음이 없으셨으니, 소위 '[모순되는 듯이 보이는 행동을] 동시에 행하지만 모순되지 않음'이다.

○問 桓魋 其如予何 此 便是聖人樂天知命處 見定志確 斷然以理自信 絶無疑忌顧慮之意 曰 是 聖人 自處處驗之已然 而知其決不能害己也 又問 聖人旣知天生德於我 決無可害之理矣 而避患 又必周詳謹密者 何耶 曰 患之當避 自是理合如此 衆人亦然 不必聖人爲然也

물었다. '환퇴가 나를 어찌하겠느냐'라는 이 말씀은 곧 성인께서 하늘을 즐기시고 천명을 아시는 것이니 식견이 단단하고 의지가 확연하여 단연코 이치로써 자신하시어 결코 의심하고 꺼리고 이것저것 고려하는 마음이 전혀 없으신 것입니다. 답했다. 옳다. 성인께서는 스스로 여러 곳에서 이미 그러한 것을 경험하셨으니 결코 자기를 해칠 수 없다는 것을 아셨다. 또 물었다. 성인께서는 이미 하늘이 나에게 덕을 주셨으니 결코 해칠 수 있는 이치가 없다는 것을 아셨는데도 난을 피하심에는 또 반드시 주도면밀하게 하신 것은 왜 그렇습니까? 답했다. 환란을 당하면 마땅히 피하는 것은 본디 이처럼 이치에 부합하는 것으로서, 뭇사람도 또한 그러하니 꼭 성인이라야 그리하는 것은 아니다.

○吳氏曰 夫子 平日未嘗以聖自居 及遭匡人桓魋之難 則曰 天生德於予 文不在茲乎 辭氣毅然 無復退託推讓之意 蓋 至是 亦不能掩其聖矣 一以德言 一以道言 有此德 則能任此道 其實一而已矣

오씨가 말했다. 공자께서는 평소 일찍이 스스로 성인으로 자부하신 적은 없지만, 광인(匡人: 광 지방의 사람들, 『논어』9, 「자한」 5장)과 환퇴의 환란을 만나셨던 때에는 '하늘이 나에게 덕을 주셨다', '문이 여기 있지 아니하냐'라 말씀하셨으니, 그 어조가 의연하시어 결코 다시 물러나거나 사양하는 뜻이 없으셨다. 대개 여기에 이르러 또한 그 성인임을 숨길 수 없었던 것이다. 하나는 덕으로 말씀하셨고 하나는 도로 말씀하셨지만 이 덕이 있으면 이 도를 능히 맡을 수 있는 것이니, 기실 (도와 덕은) 하나일 뿐이다.

○其如命何 聽命於天也 其如予何 則天命在己 而己與天爲一矣 故 其論公

伯寮也 猶以廢興不可知之辭 道之 若匡人桓魋 則爲斷斷然自信之說

'그 명을 어찌하겠는가(『논어』14, 「헌문」 38장)'라는 것은 하늘로부터 명을 받았다는 말이고 '나를 어찌하겠는가'라는 것은 천명이 나에게 있으니 나와 하늘은 하나라는 말이다. 그러므로 공백료를 논하시면서는 (도의) 흥폐는 알 수 없는 것이라는 말씀으로 이끌어주셨지만, 광인이나 환퇴의 경우에는 단연코 자신 있게 말씀하셨다.

7.23 子曰 二三者 以我爲隱乎 吾 無隱乎爾 吾 無行而不與二三子者 是 丘也

공자께서 말씀하셨다. 너희 몇몇은 내가 숨긴다고 생각하느냐? 나는 숨기는 것이 없다. 나는 너희 몇몇과 같이 하지 않은 적이 없다. 이것이 곧 나다.

【집주】

諸弟子 以夫子之道高深 不可幾平聲及 故 疑其有隱 而不知聖人作止語默 無非敎也 故 夫子 以此言曉之 與 猶示也

여러 제자들은 공자의 도가 높고 깊어 따라갈 수 없었기에 숨기는 것이 있다고 의심했는데, (이는) 성인께서 움직이고 멈추고 말하고 침묵하고 하시는 것이 모두 가르침이 아닌 것이 없다는 것을 몰랐기 때문이다. 그래서 공자께서 이 말씀으로 밝혀주셨다. '여'는 보여준다는 뜻이다.

【세주】

朱子曰 要緊 只在吾無行不與二三子處 須仔細認 聖人 無不與二三子 處在那裏 凡日用飮食間 皆要認得

주자가 말했다. 핵심은 다만 '나는 너희 몇몇과 같이하지 않은 적이 없다'는 곳에 있으니, 모름지기 자세히 깨달아야 한다. 성인께서는 어디에 계시든 그 몇몇과 같이하지 않으신 적이 없으니 무릇 매일매일의 일상생활에서 모두 깨달아야 한다.

○所謂吾無隱乎爾者 居鄕黨 便恂恂 在宗廟 便便便 與上大夫言 便誾誾 與下大夫言 便侃侃 自有許多實事

소위 '나는 숨기는 것이 없다'는 것은 향당(마을)에 거처할 때는 곧 순순(신실함)하시고 종묘에서는 곧 편편(명백하게 말함)하시고 상대부와 말할 때는 곧 은은(온화함)하시고 하대부와 말할 때는 곧 간간(강직함)하신 것이니(『논어』10, 「향당」 1,2절) 각각 허다한 실제의 사례가 있다.

○新安陳氏曰 作止語默四字 所包甚闊 作與語之爲敎 人 易知之 止與默之亦爲敎 所難知也

신안 진씨가 말했다. '작지어묵(움직이고 멈추고 말하고 침묵함)' 네 글자는 그 포함하는 바가 매우 넓다. 움직이고 말하는 것이 가르침이라는 것은 사람들이 쉽게 알 수 있지만 멈추고 침묵하는 것 또한 가르침이라는 것은 알기 어려운 것이다.

【집주】

○程子曰 聖人之道 猶天然 門弟子 親炙而冀及之 然後知其高且遠也 使誠以爲不可及 則趨向之心 不幾於怠乎 故 聖人之教 常俯而就之如此 非獨使資質庸下者 勉思企及 而才氣高邁者 亦不敢躐易去聲而進也

정자가 말했다. 성인의 도는 마치 하늘과 같아서 문하의 제자들은 직접 가르침을 받아 따라가려 한 연후에야 그것이 높고 먼 것임을 알게 된다. 만약 진정으로 따라갈 수 없다고 생각한다면 (성인의 도를) 향해 좇아가려는 마음이 거의 게을러지지 않겠는가? 그러므로 성인의 가르침은 항상 이처럼 낮추어 접근하시니 다만 자질이 용렬하고 낮은 자로 하여금 애써 생각해 따라가려 노력하게 하시려는 것일 뿐만 아니라 재기가 고매한 자 또한 감히 건너뛰고 쉽게 여겨 나아가지 못하게 하시려는 것이다.

【세주】

問 伊川言 聖人教人 常俯就 若是掠下一著教人 是 聖人有隱乎爾 何也 朱子曰 道 有大小精粗 大者精者 固道也 小者粗者 亦道也 觀中庸言 大哉 聖人之道 洋洋乎發育萬物 峻極於天 此 言道之大處 優優大哉 禮儀三百威儀三千是 言道之小處 聖人教人 就其小者近者教人 便是俯就 然 所謂大者精者亦只在此 初無二致 要在學者 下學上達 自見得耳 在我 則初無所隱也

물었다. 이천이 말하기를 성인께서 사람을 가르치실 때는 항상 낮추어 접근하신다고 했는데 만약 아래로 한 단계 낮추어 사람을 가르치신다면 이는 성인께서 숨기는 것이 있는 셈입니다. 왜 그렇습니까? 주자가 답했다. 도에는 크고 작음과 정밀하고 거침이 있다. 큰 것과 정밀한 것은 본디 도이지만 작은 것과 거친 것 또한 도이다. 『중용』의 말을 보면, "크도다, 성인의 도여. 양양하게 만물을 발육시키니 높음이 하늘에 다했다(『중용』 27장)"라 했는데 이는 도의 큰 것을 말한 곳이고, "넉넉히 크도다. 예의 3백 가지와 위의 3천 가지여(『중용』 27장)"라고 한 것은 도의 작은 것을 말한 곳이다. 성인께서 사람을 가르치심에, 작은 것과 가까운 것에 대해 가르치신 것이 곧 낮추어 접근하시는 것이다. 그러나 소위 큰 것과 정밀한 것 또한 다만 여기에(작은 것과 가까운 것 안에) 있으니 애초부터 두 가지 방식이 따로 있지 않다.

요컨대 배우는 자로서는 하학상달하여 스스로 깨달아야 하는 것일 뿐, 나(공자)로서는 애초부터 숨기는 것이 없었던 것이다.

○慶源輔氏曰 庸下者 失之不及 易以懈怠而止 高邁者 失之過 易以陵躐而進 懈怠者 病在苦其難 陵躐者 病在忽其易 今 夫子 自以爲無隱 且曰 無行而不與二三子 則庸下者 不至病其難 而發勉思企及之志 高邁者 不敢忽其易而致謹重密察之功 在我者 一施之 在彼者 各以其資之高下 而有益焉 是卽聖道如天垂象昭然 而有目者 莫不見之驗也 豈終於高遠 而不可冀及邪

경원 보씨가 말했다. 용렬한 자는 따라가지 못한다는 것 때문에 잘못을 저지르니 해이해져서 그만두기 쉽다. 고매한 자는 지나치다는 것 때문에 잘못을 저지르니 단계를 건너뛰어 나가기 쉽다. 해이한 자의 병은 그 어려움을 괴로워한다는 점에 있고 건너뛰는 자의 병은 그 쉬운 것을 소홀히 한다는 점에 있다. 지금 공자께서는 스스로 감추는 것이 없다고 하시고 또 말씀하시기를 너희 몇몇과 같이하지 않은 적이 없다고 하셨으니, 용렬한 자는 그 어려운 것을 괴롭게 여기는 데 이르지 않게 되어 애써 생각해 따라가려 노력하는 뜻을 발휘하게 되고, 고매한 자는 감히 그 쉬운 것을 소홀히 하지 않게 되어 삼가고 진중하여 세밀히 살피는 노력을 다하게 된다. 나(공자)로서는 똑같이 베풀었지만 그들(제자들)로서는 각각 그 자질의 고하에 따라 유익함이 있다. 이는 곧 성인의 도가 마치 하늘이 상(운수의 상징)을 환하게 가르쳐주는 것처럼 눈 있는 자는 보지 못하는 경우가 없다는 증거이다. 어찌 끝내 높고 멀어서 따라갈 수 없는 것이랴.

【집주】

呂氏曰 聖人 體道無隱 與天象昭然 莫非至敎 常以示人 而人自不察

여씨가 말했다. 성인께서는 도를 체현하시어 감추는 것이 없으니 하늘의 상이 환한 것처럼 지극한 가르침이 아닌 것이 없다. 항상 사람들에게 보이시되 사람들이 제 스스로 살피지 못할 뿐이다.

【세주】

延平李氏曰 孔子之示人 其道昭然 常存乎動靜俛仰視聽嚬笑謦欬之間 而未嘗隱也 彼見之者 自有淺深

연평 이씨가 말했다. 공자께서 사람들에게 보이신 그 도는 환하여, 움직이거나 고요하거나, 숙이거나 우러르거나, 보거나 듣거나, 찡그리거나 웃거나,

기침하거나 하는 사이에도 항상 있어서 일찍이 감추시는 것이 없지만, 저 보는 자들은 각각 얕고 깊음(의 차이)이 있다.

○朱子曰 夫子嘗言 中人以下 不可以語上也 而言性與天道 則不可得而聞 想是不曾得聞者 疑其有隱 而不知夫子之坐作語默 無不是這箇道理 風霆流形庶物露生 無非敎也 聖人 雖敎人灑掃應對 這道理 也在裏面

주자가 말했다. 공자께서 일찍이 말씀하시기를 "중인 이하는 높은 것(도)을 말해줄 수 없다(『논어』6, 「옹야」 19장)"라 하셨고, (자공은) "성과 천도에 대해 말씀하시는 것은 얻어 들을 수 없었다(『논어』5, 「공야장」 12장)"라고 했으니, 아마도 일찍이 얻어 듣지 못한 자는 숨기시는 것이 있는지 의심하고, 공자의 일어남과 앉음, 말함과 침묵함 모두 이 도리가 아님이 없다는 것과 바람과 번개가 운행하여[자연이 운행하여] 만물이 삶의 은혜를 입는 것이 가르침이 아님이 없다는 것(『예기』29, 「공자한거」)을 알지 못했을 것이다. 성인께서 비록 쇄소응대(청소하고 사람과 응대하는 일상사)로써 사람을 가르치시더라도 이 도리는 또한 그(쇄소응대) 안에 있다.

○范陽張氏曰 天何言哉 四時行焉 百物生焉 使天徒頹然在上 何足以爲天 惟其不言 而四時行 百物生 故 凡春生夏長 根荄枝葉 一皆天理之所寓 孔子於日用間 視聽言動 出入起居 無非道之所在 群弟子 由而不知 習而不察 所以 疑聖人爲隱 故 夫子 指之曰 吾 無行而不與二三子者 是 丘也 觀是丘之一言 則知夫子平日機栝 盡於此 而決之 當時群弟子 自夫子一指之後 皆知用意以觀聖人 故 鄕黨所載 上而朝廷 下而衣服飮食 莫不屢書 特書者 正謂此爾

범양 장씨가 말했다. "하늘이 무슨 말을 하는가? 사계절이 운행하고 만물이 태어난다(『논어』17, 「양화」 19장)"라 하셨으니 만약 하늘이 괜히 일없이 위에 있기만 한다면 어찌 족히 하늘이 되겠는가? 다만 말이 없으면서도 사계절이 운행하고 만물이 태어나는 까닭에 무릇 봄에 태어나고 여름에 자라는 것, 뿌리와 가지와 잎이 하나같이 모두 천리가 깃들인 것이다. 공자께서는 일상생활에서 보고 듣고 말하고 행동하고 들고 나고 나서고 머무르심에 도가 있지 않은 것이 없다. 여러 제자들은 따르되 알지 못하고 익히되 살피지 못했기 때문에 성인께서 숨기신다고 의심했다. 그러므로 공자께서는 이를 가리켜 말씀하시기를 '나는 너희 몇몇과 같이하지 않은 적이 없다. 이것이 곧 나다'라 하셨으니 '이것이 나다'라는 이 말씀을 보면 공자의 평소의 가르침이 여기에 다 결정되어 있음을 알 수 있다. 당시의 여러 제자들은 공자께서 한 번 가리키신 후로부터는 모두 주의 깊게 성인을 관찰할 줄 알게 되었다. 그래서 「향당」편에 기재된바, 위로는 조정에서부터 아래로는 의복과 음식에 이르기까지, 번번이 쓰지 않은 것이 없으니 특서(특필함)란 바로 이를 말함이리라.

○新安陳氏曰 體道 與鬼神體物而不可遺之體同 道 無形體可見 聖人一身渾然此道 動靜語默之間 無非此道之所呈露 無形體之道 於聖人身上形見出來 是 所謂與道爲體而無所隱於人也

신안 진씨가 말했다. 도를 체현한다고 할 때의 '체'는 귀신이 사물을 체현하되 형체를 남기지 않는다고 할 때의 '체'와 같으니, 도는 볼 수 있는 형체가 없다. 성인의 일신은 혼연히 이 도여서 움직이고 고요하고 말하고 침묵하는 동안 이 도가 드러나지 않는 바가 없다. 형체가 없는 도가 성인의 몸을 통해 그 모습을 드러내는 것이다. 이것이 이른바 '도와 더불어 한 몸이 되어 사람들에게 숨기는 것이 없다'는 것이다.

○汪氏曰 鄕黨一篇 是門人有得於此言 故 記得詳密如此

왕씨가 말했다. 「향당」편은 문인들이 이 말씀을 듣고 깨우친 바가 있었던 까닭에 그처럼 자세하게 기록할 수 있었던 것이다.

7.24 子以四教 文行忠信 行 去聲

공자께서는 네 가지로써 가르치셨으니, 문과 행과 충과 신이다.

【집주】

程子曰 教人以學文修行 而存忠信也 忠信 本也

정자가 말했다. 사람들에게 문을 배우고 행을 닦고, 충과 신을 보존할 것을 가르치셨다. 충과 신은 근본이다.

【세주】

朱子曰 教不以文 無由入 說與事理 便是文 詩書六藝 皆文也 如講說如何是孝弟 只是文 行 所謂孝弟 方是行 又恐行之未誠實 故 又教以忠信 到得爲忠爲信時 全在學者 自去做 方是實事

주자가 말했다. 문으로써 가르치지 않으면 좇아 들어갈 길이 없다. 일의 이치를 설명하는 것이 곧 문이니 시·서·육예가 모두 문이다. 예컨대 어떻게 하는 것이 효제인지 설명하는 것은 다만 문일 뿐이다. 행은 소위 효제(효도와 우애) 같은 것이니 [설명하는 것이 아니라 그렇게 행동해야] 비로소 행이다. 또 (그것을) 행함에 성실하지 못할까 염려하시어 다시 충과 신을 가르치셨는데, 충하고 신하게(진실하고 신실하게) 되는 때는 오로지 배우는 자에게 달렸으니, 스스로 해나가야 비로소 (그것이) 실질적인 일이 된다.

○此 是表裏互說 教人之道 自外約入向裏去 故 先文後行 而忠信者 又立行之方也

이는 외면과 내면을 같이 설명하신 것이다. 사람을 가르치는 방법은 밖으로부터 요약해 안으로 향해 들어가는 것이다. 그러므로 문을 앞으로 하고 행을 뒤로 했다. 충과 신은 또 행을 세우는 방도이다.

○文行忠信 如說事親是如此 事兄是如此 雖是行之事也 只是說話在 須是自家體此而行之 方是行 蘊之於心 無一毫不實處 方是忠信 可傳者 只是這文 若行忠信 乃是在人自用力始得 雖然 若不理會得這箇道理 不知是行箇甚麽 忠信 是箇甚麽 所以 文爲先 又曰 其初須是講學 講學旣明 而後脩於行 所行雖善 然 更須反之於心無一毫不實處 乃是忠信

문·행·충·신에 대해 말하자면 사친(부모 모심)은 이런 것이고 사형(형 모심)은 이런 것이라고 설명하는 것은 비록 행의 일에 대한 것이기는 하지만 다만 설명하고 있을 뿐으로, 모름지기 스스로 이를 체현해 행해야만 비로소 행이다. 마음에 축적하여 조금이라도 진실하지 못한 것이 없어야 비로소 충신이다. 전달할 수 있는 것은 다만 이 문일 뿐으로 행이나 충이나 신의 경우에는 사람이 스스로 힘을 써야 얻을 수 있는 것이다. 비록 그러하나, 이 도리를 이해하지 못하면 행이 무엇인지 충신이 무엇인지 알 수 없다. 그래서 문이 먼저이다. 또 말했다. 처음에는 모름지기 학문을 공부해야 하니, 학문공부가 밝아진 후에 행을 닦아야 한다. 행하는 바가 비록 선하더라도 모름지기 다시 마음으로 반성하여 조금이라도 진실하지 못한 곳이 없어야 비로소 충신이다.

○問 子以四教 何以有四者之序 曰 文 便是窮理 豈可不見之於行 然 既行矣 又恐行之有未誠實 故 又教之以忠信也 所以伊川言以忠信爲本 蓋 非忠信則所行不誠 故耳 因問 行有餘力 則以學文 何也 曰 彼 將教子弟 而使之知大概也 此 則教學者深切用工也 問 然則彼正合小學之事歟 曰 然 文行忠信是從外做向內 則以學文 是從內做向外 聖人言此類者 多 要人逐處自識得

물었다. '공자께서 네 가지로써 가르치셨다'고 했는데, 왜 네 가지의 순서가 있습니까? 답했다. 문은 곧 이치를 궁구하는 것이니 어찌 행에 드러나지 않을 수 있으랴? 그러나 이미 행했더라도 그 행함에 혹시 성실하지 못한 곳이 있지 않을까 우려하신 까닭에 또 충신을 가르치셨다. 이천(정이)이 충신이 근본이 된다고 말한 까닭은 대개 충신이 아니면 행하는 바가 성실하지 못하기 때문이다. 연이어 물었다. "행하고 남은 힘이 있으면 문을 배우라(『논어』1, 「학이」 6장)"라는 말씀은 무슨 뜻입니까? 답했다. 그것(행유여력 즉이학문)은 자제를 가르침에 그 대략을 알게 하시려는 것이고 이(이 장의 말씀)는 배우는 자에게 깊고 절실히 공부할 것을 가르치신 것이다. 물었다. 그렇다면 그것(행유여력 즉이학문)은 바로 소학의 일에 합치되는 것입니까? 답했다. 그렇다. 문·행·충·신은 밖으로부터 안으로 공부해 가는 것이고, '즉이학문'은 안으로부터 밖으로 공부해 가는 것이다. 성인께서 이런 방식으로 말씀하신 것이 많은데, 사람들로 하여금 처지에 따라 스스로 깨닫게 하시려는 것이다.

○西山眞氏曰 行有餘力 則以學文 是以力行爲先 子以四教 文行忠信 文者講學之事 主乎知 忠信者 脩身之事 主乎行 此 又以知爲先 此二章 實相表裏 正當合而觀之 大抵 致知力行二者 不可闕一 旣知其理 不可不行其事 旣行

其事 不可不知其理 二者 竝進 則爲學之功 至矣

서산 진씨가 말했다. '행하고 남은 힘이 있으면 문을 배우라'의 경우는 역행(힘써 행함)을 먼저로 한 것이다. '공자께서는 네 가지로 가르치셨으니 문과 행과 충과 신이다'라는 말씀에 있어서 문이란 학문을 공부하는 일이니 앎을 위주로 하고, 충신이란 몸을 닦는 일이니 행을 위주로 한다. 이(장의 말씀)는 또 앎을 먼저로 한 것이다. 이 두 장은 실로 서로 표리가 되니 마땅히 합해서 보아야 한다. 대저 치지와 역행 두 가지는 하나라도 빠트릴 수 없다. 이미 그 이치를 알았다면 그 일을 행하지 않을 수 없고, 이미 그 일을 행했으면 그 이치를 알지 않을 수 없다. 두 가지를 병행해 나아가면 공부하는 노력이 지극한 것이다.

○雙峯饒氏曰 聖人施敎之序 且先使學者讀書講明義理 故 先之以文 旣曉得義理 然後可以使之脩行 故 次之以行 行 是外面行底 外面能行 然後方可責其裏面誠 若外面顯見處 尙未能行 況裏面隱微之地乎 故 忠信 是結合處 中庸 先說智仁勇 而後終之誠 亦是此意

쌍봉 요씨가 말했다. 성인께서 가르침을 베푸신 순서는 또 먼저 배우는 자로 하여금 책을 읽어 의리를 강명하게 하셨으니 그런 까닭에 문을 먼저로 하셨고, 이미 의리를 환하게 안 다음에야 행을 닦게 할 수 있으므로 행을 그다음으로 하셨다. 행은 외면으로 행하는 것이니, 외면으로 능히 행한 다음에야 비로소 그 내면의 진정함을 요구할 수 있는 것이다. 외면으로 드러나는 것조차 오히려 아직 능히 행하지 못한다면, 황차 내면의 은밀한 곳이겠는가? 그러므로 충신은 [외면과 내면의] 결합처[연결고리]가 된다. 『중용』(20장)에서 먼저 지·인·용을 말한 후에 성으로 끝맺은 것 또한 이 뜻이다.

○陳氏曰 學文 所以窮理 脩行 所以體是理於身 存忠信 所以萃是理於心

진씨가 말했다. 문을 배우는 것은 이치를 궁구하는 것이고, 행을 닦는 것은 이 이치를 몸에 체현하는 것이고, 충신을 보존하는 것은 이 이치를 마음에 축적하는 것이다.

○勿軒熊氏曰 忠 是實心 就己上看 信 是實理 就事物上看

물헌 웅씨가 말했다. 충이란 진실한 마음이니 자신에 대해 보아야 하고, 신이란 진실한 이치이니 사물에 대해 보아야 한다.

○雲峯胡氏曰 教以學文脩行 知行 當俱盡也 教以存忠信 表裏 當俱實也

운봉 호씨가 말했다. 문을 배울 것과 행을 닦을 것을 가르치셨으니 지와 행(의 공부)을 당연히 모두 완전히 갖추었고, 충신을 보존할 것을 가르치셨으니 외면과 내면(의 공부)을 당연히 충실하게 갖추었다.

○新安陳氏曰 學文者 致知之事 脩行者 力行之事 存忠信 所以誠實於力行 而忠其體 信其用也 所以 謂之四教

신안 진씨가 말했다. 문을 배운다는 것은 앎을 다하는 일이고 행을 닦는다는 것은 힘써 행하는 일이다. 충신을 보존하는 것은 역행에 성실한 것이니, 충은 그 체이고 신은 그 용이다. 그래서 네 가지 가르침이라 한다.

7.25-1 子曰 聖人 吾 不得而見之矣 得見君子者 斯可矣

공자께서 말씀하셨다. 성인은 내가 만나보지 못했으니 군자라도 만나보았으면 좋겠다.

【집주】

聖人 神明不測之號 君子 才德出衆之名

성인은 신령하여 헤아릴 수 없는 존재를 부르는 이름이다. 군자는 재주와 덕이 출중한 사람을 부르는 이름이다.

【세주】

朱子曰 有德而有才 方見於用 如有德而無才 則不能爲用 亦何足爲君子

주자가 말했다. 덕이 있고 재주가 있어야 비로소 쓰일 수 있다. 만약 덕은 있지만 재주가 없으면 쓰일 수 없으니 역시 어찌 족히 군자라 하겠는가.

7.25-2 子曰 善人 吾 不得而見之矣 得見有恒者 斯可矣

恒 胡登反

공자께서 말씀하셨다. 선인은 내가 만나보지 못했으니 항상성이 있는 자라도 만나보았으면 좋겠다.

【집주】

子曰字 疑衍文 恒 常久之意 張子曰 有恒者 不二其心 善人者 志於仁而無惡

'자왈'이라는 글자는 아마도 연문(불필요한 말)인 듯하다. '항'은 항상 오래 그러하다는 뜻이다. 장자가 말했다. 항상성이 있는 자는 그 마음이 둘이 아니고 선인은 인에 뜻을 두어 악이 없다.

【세주】

朱子曰 善人 是資質好底人 自然無惡 有恒 只是把捉得定 又未到善人自然

好處在 然 善人有恒 皆未知學問者也

주자가 말했다. 선인은 자질이 좋은 사람이니 자연히 악이 없다. 항상성이 있는 사람은 다만 꽉 붙들어 흔들리지 않는 사람으로, 선인처럼 자연히 좋은 곳이 있는 수준에는 미치지 못한다. 그러나 선인이나 항상성이 있는 자 모두 학문을 알지 못하는 자이다.

○問 善人 是資質大段粹美 其心 常在於善道 所以 自不至於有惡 有常者 則是箇確實底人否 曰 是有常底 也不到事事做得是 只是有志於爲善 而不肯爲惡耳 善人 則從來恁地好 事事依本分 但 人多等級 善人 雖是資質好 雖是無惡 然 不踐迹 亦不入於室 緣不甚曉得道理 不可以道聖人 只是恁地便住了

물었다. 선인은 자질이 대단히 순수하고 아름다워서 그 마음이 항상 선한 도에 있으니 그래서 저절로 악에 이르지 않는 자이고 항상성이 있는 자는 확실한 자 아닙니까? 답했다. 이 항상성이 있는 자라 해도 일마다 모두 올바르게 해내는 데는 이르지 못하고 다만 선을 행하는 데 뜻이 있어 악을 즐겨 행하지 않을 뿐이다. 선인은 본래부터 그렇게 (자질이) 좋아 일마다 모두 본성에 의거해 행한다. 단, 사람은 여러 등급이 있어, 선인은 비록 자질이 좋아 악이 없다고는 하여도 그러나 궤적(성현들이 이루어 놓은 따라야 마땅한 길)을 밟지 않고 또한 방 안(학문의 높은 영역)으로 들어가지 못한다(『논어』11,「선진」20장). 이 때문에 도리를 명확히 깨닫지 못하고, 또 성인을 따를 수 없다. 다만 그렇게 그것으로 그만이다.

○此 但爲思其上者 而不可得 故 思其次之意

이 말씀은 다만 그 상위 수준의 자를 생각하지만 만날 수 없는 까닭에 그다음 수준의 자를 생각한다는 뜻이다.

○雙峯饒氏曰 聖人 是天生底 君子 是學而成底 善人 是氣質好底 有恒 是有常守底 次乎聖人者 爲君子 次乎善人者 爲有恒

쌍봉 요씨가 말했다. 성인은 하늘이 내시는 것이고 군자는 배워서 이루어지는 것이다. 선인은 기질이 좋은 자이고 항상성이 있는 자란 항상 지키는 것이 있는 자이다. 성인 다음가는 자는 군자이고 선인 다음가는 자는 항상성이 있는 자이다.

7.25-3 亡而爲有 虛而爲盈 約而爲泰 難乎有恒矣 亡讀爲無

없으면서도 있는 척하고, 비었으면서도 찬 척하고, 곤궁하면서도 부유한 척하면 항상성을 가지기 어렵다.

【집주】

三者 皆虛夸之事 凡若此者 必不能守其常也

세 가지는 모두 거짓으로 과장하는 일이다. 무릇 이러한 자는 반드시 그 항상성을 지킬 수 없다.

【세주】

問 亡而爲有 朱子曰 正謂此 皆虛夸之事 不可以久 是以 不能常 非謂此便是無常也

없으면서도 있는 척하는 것에 대해 물었다. 주자가 답했다. 이는 모두 거짓으로 과장하는 일로, 오랫동안 그렇게 할 수 없기 때문에 항상 그럴 수는 없다는 말이다. 이것이 곧 무상함이라는 말은 아니다.

○以亡爲有 以虛爲盈 以約爲泰 則不能常 謂如我窮約 却欲作富底擧止 縱然 時暫做得 將來無時又做不得 如此 便是無常 亡 對有而言 是全無 虛是有但少 約 是就用度上說

'없으면서도 있는 척하고 비었으면서도 찬 척하고 곤궁하면서도 부유한 척하면 항상 그럴 수가 없다'는 말은, 예컨대 내가 궁핍하면서도 오히려 부자인 척 행동하려는 것이어서 설사 일시적으로 잠시 그럴 수는 있지만 장래에는 무시로(언제나) 그럴 수는 없다는 말이다. 이런 것이 곧 무상함이다. '망'은 '유'에 대비해 하는 말로서, 전혀 없다는 뜻이다. '허'는 있기는 하되 조금만 있다는 것이고 '약'은 용도(씀씀이)에 관한 말이다.

【집주】

○張敬夫曰 聖人君子 以學言 善人有恒者 以質言

장경부가 말했다. 성인과 군자는 배움으로써(학문의 차원에서) 하는 말이고 선인과 항상성이 있는 자는 기질로써(기질의 차원에서) 하는 말이다.

【세주】

新安陳氏曰 以學言者 兼乎質 以質言者 則未學者也

신안 진씨가 말했다. 배움으로써 말한 자(성인, 군자)는 기질을 겸하는 것이지만 기질로써 말한 자(선인, 유항자)는 아직 배우지 않은 자이다.

【집주】

愚謂 有恒者之與聖人 高下 固懸絶矣 然 未有不自有恒 而能至於聖者也 故 章末 申言有恒之義 其示人入德之門 可謂深切而著明矣

내가 생각건대, 항상성이 있는 자와 성인은 (그 경지의) 높고 낮음이 본디 현격하지만, 그러나 항상성을 가지는 것에서 출발하지 않고도 성인의 경지에 이를 수 있는 자는 없다. 그래서 이 장의 끝에 항상성이 있다는 것의 의미를 거듭 말씀하셨으니 사람들에게 덕으로 들어가는 문을 보여주심이 가히 깊고 절실하여 밝게 드러났다고 하겠다.

【세주】

朱子曰 聖人也 只是這箇道理 但是 他 理會得爛熟後 似較聖樣 其實 只是這道理 君子 是事事做得去 所謂君子不器 善人 則又不及君子 只是知得有善有惡 肯爲善而不肯爲惡耳 有常者 又不及善人 只是較依本分

주자가 말했다. 성인이란 다만 이 도리일 뿐이다. 다만 그(성인)는 난숙하게 이해한 후에 성인다운 모습을 갖게 되는 것 같지만, 기실은 다만 이 도리일 뿐이다. 군자는 일마다 모두 해내니 이른바 '군자는 그릇이 아니다.' 선인은 또 군자에 미치지 못하니 다만 선이 있고 악이 있다는 것을 알아서 즐겨 선을 행하고 즐겨 악을 행하지 않으려는 것뿐이다. 항상성이 있는 자는 또 선인에 미치지 못하니 다만 대략 본성에 의존하는 것뿐이다.

○問 此章 曰 吳氏曾氏說 亦得之 吳氏曰 君子 蓋 有賢德 而又有作用者 特不及聖人爾 若善人 則粗能嗣守成緖 不至於爲惡而已 非若君子之能有爲也 曾氏曰 當夫子時 聖人 固不可得而見 豈無君子善人有恒者乎 而夫子云然者 蓋 其人少 而思見之也 及其見 則又悅而進之曰 君子哉 若人 凡此類 當得意而忘言 善人 明乎善者也 有恒 雖未明乎善 亦必有一節 終身不易者 若本無一長 而爲有之狀 未能充實 而爲盈之狀 貧約 而爲泰之狀 此 亦妄人而已矣 孟子所謂 雨集溝澮 皆盈 其涸 可立而待也 烏能久矣 曰 有無虛實約泰之分 奈何 曰 無 絶無也 虛 則未滿之名耳 二者 兼內外 學之所至 事之所

能而言 約之與泰 則貧富貴賤之稱耳 爲之云者 作爲如是之形 作爲如是之事者也 爲而無以繼 則雖欲爲有恒 不可得矣

이 장에 대해 물었다. 답했다. 오씨와 증씨의 설 또한 (이치를) 얻었다. 오씨가 말하기를 "군자는 대개 어진 덕이 있으면서 또 작용(유능하게 해냄)이 있는 자로서 다만 성인에 미치지 못할 뿐이다. 선인의 경우는 대충 능히 이어받아 지키고 단서(그 분야의 출발점, 끄트머리)를 이룰 수 있어서 악을 행하는 데 이르지는 않을 뿐이니 군자가 유능한 것과는 같지 않다"라 했다. 증씨는 말하기를 "공자 당시에 성인은 본디 만나 볼 수 없겠지만 어찌 군자나 선인, 항상성이 있는 자가 없었으리요. 그런데도 공자께서 그렇게 말씀하신 것은 대개 그런 사람이 적어서 만나보기를 바란다는 말씀이다. 만났을 때에는 또 기뻐하시어 치켜세우시기를 '군자로다, 이런 사람은'이라 하셨으니 무릇 이런 말씀들은 뜻을 얻음에 말씀을 잊은 것이다. 선인은 선에 밝은 자이다. 항상성이 있는 자는 비록 선에 밝지는 못하나 역시 반드시 하나의 절조가 있어 종신토록 바꾸지 않는 자이다. 만약 본래 하나의 장점도 없으면서 있는 것 같은 모습을 하고, 가득 차지 않았으면서 가득 찬 모습을 하고, 빈궁하면서 부유한 모습을 하는 것은 또한 남을 속이는 것일 뿐이다. 맹자가 말한바, '빗물이 모여 고랑을 모두 (금방) 채우지만 그 마르는 것은 서서 기다릴 수 있다(금방 말라버린다)(『맹자』8, 「이루 하」 18장)'라 했듯이 어찌 오래 가겠는가?"라 했다. 물었다. 유와 무, 허와 실, 약과 태는 어떻게 구분됩니까? 답했다. 무는 전혀 없는 것이고 허는 가득 차지는 않았다는 말일 뿐이다. 이 두 가지(유무, 허실)는 안과 밖을 겸한 것으로, 배움이 도달한 바와 일의 능한 바를 말하는 것이다. 약과 태는 빈부와 귀천을 일컫는 말이다. '위지(그런 척 함)'라는 말은 그런 모습을 지어내고 그런 일을 지어 한다는 말이다. 그렇게 하기는 하지만 계속할 수는 없으니 비록 항상성이 있으려 하더라도 그럴 수 없다.

○南軒張氏曰 聖人者 肖天地者也 君子者 具其體 而未能充實者也 故 聖人 不得而見 得見君子 斯可矣 善人 資稟醇篤無惡之稱 有恒者 則能謹守常分而已 故 善人 不得而見 得見有恒者 斯可矣 以善人之資 而進學不已 聖 蓋可幾 有恒而力加勉焉 亦足以有至也 若夫 已無而以爲有 已虛而以爲盈 在約而以爲泰 則是 驕矜虛浮不務實者 其能以有恒乎 未能有恒 況可言學乎

남헌 장씨가 말했다. 성인이란 천지와 닮은 자이다. 군자란 그 체(틀)는 갖추었으나 다 채우지는 못한 자이다. 그러므로 성인을 만나볼 수 없으니 군자라도 만나볼 수 있다면 좋겠다는 것이다. 선인은 자품이 순후하고 독실하여 악이 없는 것을 지칭하고, 항상성이 있는 자란 능히 삼가 떳떳한 분수를 지키는 자일 뿐이다. 그러므로 선인을 만나볼 수 없으니 항상성이 있는 자라도 만나볼 수 있으면 좋겠다는 것이다. 선인의 자질로써 배움으로 나아가 그치지 않으면 대개 성인에 이를 수 있다. 항상성이 있으면서 힘써 노력을 가하면 또한 족히 도달할 바가 있을 것이다. 만약 없으면서도 있는 척하고 비었으면서도 찬 척하고 곤궁하면서도 부유한 척하면, 이는 교만하고 뻐기고 헛되이 부화해서 실질에 힘쓰지 않는 자이니 항상성이 있을 수 있겠는가? 항상성마저도 없는데, 하물며 배움을 말할 수 있겠는가?

○勉齋黃氏曰 亡爲有 虛爲盈 約爲泰 三者 誇大欺妄之意 不實之謂也 人惟實也 則始終如一 故 能有常 今 其人不實如此 又豈敢望其有常哉 夫子稱聖人君子善人 不可得見 而卒及乎此 又以明夫有恒者之亦不可見也

면재 황씨가 말했다. 없으면서도 있는 척, 비었으면서도 찬 적, 궁핍하면서도 부유한 척하는 이 세 가지는 과장하고 속인다는 뜻이니 부실한 것을 말한다. 사람이 진정 충실해야 시종이 여일하기 때문에 능히 항상성이 있을 수 있다. 지금 그 사람됨이 부실하기가 이와 같은데 또 어찌 감히 항상성이 있기를 바라리오. 공자께서 성인과 군자와 선인을 일컬으시면서 만나볼 수 없다 하시고 급기야 이(항상성이 있는 자)에 이르렀으니 또 이로써 무릇 항상성이 있는 자 또한 만나볼 수 없음을 명확히 하신 것이다.

○慶源輔氏曰 學至於聖人 則造乎極而無以復加矣 君子 雖未及乎聖人 然其才德 超出於衆 則其爲學 亦以成矣 善人 雖未必知學 然 其資質之美 自然至於善 而不至於惡 至於有恒者 則資質 又有不及善人 但亦純固而不務虛誇 守其一端 則終身不易者也

경원 보씨가 말했다. 배움이 성인에 이르면 그 지극함에 도달한 것이니 다시 더할 것이 없다. 군자는 비록 성인에 미치지는 못하나 그 재주와 덕은 뭇사람을 뛰어넘으니 그 배움 또한 이루어진 것이다. 선인은 비록 꼭 학문을 안다고는 할 수 없으나 그 자질의 아름다움은 자연히 선에 이르고 악에는 이르지 않는다. 항상성이 있는 자에 이르러서는 자질 또한 선인에 미치지 못하지만 다만 순수하고 단단하여 헛된 과장에 힘쓰지 않고 하나의 단서를 지키니 종신토록 바꾸지 않는 자이다.

○新安陳氏曰 入德 有門戶 進德 有閫奧 自有恒而入 學而充之 以造於極 有至聖域之理 虛誇無恒者 尙無入德之門戶 況敢望進德造於閫奧乎 末三句 言不常之失 以明有恒之義 學者 以希聖爲標準 而能以有恒爲入門 其庶

幾焉

신안 진씨가 말했다. 덕으로 들어가는 데는 문호가 있고 덕이 진보하는 데는 곤오(문지방과 방 안, 즉 학문의 높은 영역)가 있다. 항상성이 있는 것으로부터 들어가 배워서 채워 그 지극한 것을 이루면 성인의 영역에 이르는 이치가 있다. 거짓으로 과장하고 항상성이 없는 자는 오히려 덕으로 들어갈 문이 없는 것이니 하물며 감히 덕이 진보해 곤오에 이를 것을 바랄 수 있으리오. 끝 부분의 세 구절은 항상성이 없는 잘못을 말씀해 두심으로써 항상성이 있다는 것의 의미를 밝히신 것이니, 배우는 자는 성인되기를 희구하는 것으로 표준(목표)을 삼되, 능히 항상성이 있는 것을 입문으로 삼는다면 거의 그럴 수 있을 것이다.

7.26 子 釣而不綱 弋不射宿 射 食亦反

공자께서는 낚시질은 하시되 그물질은 하지 않으셨고 주살질하실 때는 자는 것은 쏘지 않으셨다.

【집주】

綱 以大繩屬音燭網 絶流而漁者也 弋 以生絲繫矢而射也 宿 宿鳥

‘강’은 큰 밧줄로 그물을 엮어 물 흐름을 끊어 고기를 잡는 것이다. ‘과’는 생사(명주실)를 화살에 묶어 쏘는 것이다. ‘숙’은 자는 새이다.

【세주】

勿軒熊氏曰 多能鄙事 此 亦可見

물헌 웅씨가 말했다. 여러 가지 비천한 일에 능하셨음을 여기서 또한 알 수 있다.

【집주】

○洪氏曰 孔子 少去聲貧賤 爲養竝去聲與祭 或不得已而釣弋 如獵較音角 是也 然 盡物取之絕流而漁 出其不意射宿 亦不爲也 此 可見仁人之本心矣

홍씨가 말했다. 공자께서는 어려서 빈천하시어 봉양과 제사를 위해 혹 부득이하게 낚시질하고 주살질하셨으니 예컨대 사냥 경쟁 같은 것이 그것이다. 그러나 물건을 몽땅 취하거나<흐름을 끊어 고기 잡기> 뜻밖에 공격하는 일<자는 새 쏘기>은 또한 하지 않으셨다. 여기서 인인의 본심을 알 수 있다.

【세주】

慶源輔氏曰 不曰聖人之本心 而曰仁人之本心 據此事 只可謂之仁 然 曰本心 則聖人 亦不能加毫末於此矣

경원 보씨가 말했다. 성인의 본심이라고 하지 않고 인인의 본심이라고 한 것은 이 일만을 두고 볼 때는 다만 [성이 아니라] 인이라고만 부를 수 있기 때문이다. 그러나 본심이라고 했으니 성인은[성인이 되는 데에는] 또한 여기에 털끝만큼이라도 더 보탤 것이 없다.

○新安陳氏曰 於取物之中 有愛物之仁 於此 可見其本心

신안 진씨가 말했다. 물건을 취하는 중에도 물건을 아끼는 인이 있으니 여기서 그 본심을 알 수 있다.

【집주】

待物如此 待人可知 小者如此 大者可知

물건을 대우하는 것도 이와 같았으니 사람을 대우함이 어떠할지 알 수 있다. 작은 것에 대해서 이와 같았으니 큰 것에 대해서는 어떠할지 알 수 있다.

【세주】

南軒張氏曰 聖人之心 天地生物之心也 其親親而仁民 仁民而愛物 皆是心之發也 然 於物也 有祭祀之須 有奉養賓客之用 則其取之也 有不得免焉 於是 取之有時 用之有節 若夫子之不絶流不射宿 則皆仁之至 義之盡 而天理之公也 使夫子之得邦家 則王政行焉 鳥獸魚鼈 咸若矣 若夫 窮口腹以暴天物者 則固人慾之私也 而異端之敎 遂至於禁殺茹蔬 殞身飼獸 而於其天性之親 人倫之愛 反恝然其無情也 則亦豈得爲天理之公哉 故 梁武之不以血食祀宗廟 與商紂之暴殄天物事 雖不同 然 其咈天理以致亂亡 則一而已

남헌 장씨가 말했다. 성인의 마음은 천지가 사물을 살리는 마음이다. 그 친친(부모를 친히 함)하고 인민(백성에게 어질게 함)하며 인민하고 애물(사물을 아까워하는 것이 아니라 사랑하고 아낌)하는 것은 모두 이 마음의 발로이다. 그러나 물건의 경우에는 제사의 필수품과 봉양과 손님 접대에 써야 하는 물건이 있으면 취하는 것을 피할 수 없으셨다. 이에 (취하기는 하셨지만) 취함에는 때가 있으셨고 씀에는 절도가 있으셨다. 공자께서 물 흐름을 끊지 않으시고 자는 것을 쏘지 않으신 것은 모두 인의 지극함이고 의의 완전함이고 천리의 공이다. 만약 공자로 하여금 국가를 얻게 했다면 왕정(왕도의 정치)이 행해졌을 것이고 날짐승과 길짐승, 물고기와 자라가 모두 그대로였을[자연의 이치에 따라 순조로이 번성했을] 것이다(『서경』, 「상서 이훈」 1장). 만약 입과 배의 욕망을 추구해 하늘이 내린 물건을 함부로 한다면 그것은 본디 인욕의 사사로움이지만, 이단의 가르침은 드디어 살생을 금지하고 푸성귀만 먹으라고 하거나 시신으로 짐승을 먹이라고 하면서 하늘의 본성인 친함과 인륜의 사랑에 대해서는 거꾸로 소홀하여 무정하게 하니 또한 어찌 천리의 공이라 할 수 있으랴. 그러므로 양 무왕이 종묘의 제사에 희생을 쓰지 않은 것과 상(은)의 주임금이 하늘이 내신 사물을 함부로 한 것은 비록 같은 일은 아니지만 그러나 천리를 어겨 혼란과 멸망에 이른 것은 마찬가지일 뿐이다.

7.27 子曰 蓋 有不知而作之者 我無是也 多聞 擇其善者 而從之 多見而識之 知之次也 識 音志

공자께서 말씀하셨다. 대개 알지도 못하면서 짓는 자가 있지만, 나는 이런 일이 없다. 많이 듣고 그 선한 것을 택하여 따르고, 많이 보고 기억하는 것, 그것은 앎에 버금간다.

【집주】

不知而作 不知其理而妄作也

알지 못하면서 짓는 것은 그 이치를 모르면서 함부로 짓는 것이다.

【세주】

厚齋馮氏曰 桑柔詩云 予 豈不知而作 古有此語

후재 풍씨가 말했다. (『시경』의) 상유 시(「대아 탕」 <상>편)에 '너는 어찌 모르면서 짓는가'라 했으니 옛날에 이런 말이 있었다.

【집주】

孔子 自言未嘗妄作 蓋 亦謙辭 然 亦可見其無所不知也 識 記也 所從 不可不擇 記 則善惡 皆當存之 以備參考 如此者 雖未能實知其理 亦可以次於知之者也

공자께서는 스스로 일찍이 망령되이 짓지 않았다고 말씀하셨지만 대개 이 또한 겸손의 말씀이다. 그러나 또한 그 모르는 것이 없으심을 알 수 있다. '지'는 기억하는 것이다. 따를 바(무엇을 따를지)는 택하지 않을 수 없고, 기억해두면 선악이 모두 당연히 보존되어 참고로 할 수 있다. 이러한 자는 비록 아직 그 이치를 실제로 알지는 못하지만 또한 아는 자에 버금갈 수 있다.

【세주】

朱子曰 知 以心言 得於聞見者 次之 聞見 皆欲求其多 否則聞見孤寡 不足以爲學矣 擇字 生於從字 識 則未便有從意 故 不言擇善 聞見 亦是互相發明

不可泥看

주자가 말했다. 지(앎)는 마음에 관한 말이다. 견문을 통해 얻는 자는 버금간다. 견문은 모두 많기를 바라는 것으로, 그렇지 않으면 듣고 본 것이 얼마 안 되어 배움으로 삼기에 부족하다. '택' 자는 '종(따름)' 자로부터 (그 의미가) 나오는 것인데, '지(識)' 자에는 아직 따른다는 뜻은 없다. ('다견이지지', 즉 많이 보고 기억하는 것의 경우에는) 그래서 '선을 택한다'고 말하지 않는 것이다. 견과 문은 또한 서로 밝혀주는 것이니 (견과 문을 구분하느라) 구애되어 보아서는 안 된다(굳이 구분해볼 필요가 없다).

○多聞 已聞得好話了 故 從中 又揀擇 多見 只是平日見底事 都且記放這裏

다문(많이 들음)이란 이미 좋은 이야기를 많아 들은 까닭에 그 가운데서 또 (선한 것을) 선택한다는 것이고 다견(많이 봄)은 다만 평소에 본 일들을 모두 기억해 여기에 놓아두는 것이다.

○問 不知而作 作 是述作 或只是凡所作事 曰 只是作事 又曰 聞見 大略爭不多 較所聞 畢竟多 聞 須別識善惡而從 見 則見得此爲是 彼爲非 則當識之 他日行去不差也

물었다. '부지이작(알지도 못하면서 짓는다)'이라 할 때의 '작'은 술작(기술함)이라는 뜻입니까, 아니면 다만 모든 짓는(창작하는) 일을 뜻합니까? 답했다. 다만 짓는 일을 뜻한다. 또 말했다. 듣는 것과 보는 것은 대개 큰 차이는 없지만, 듣는 것은 필경 비교적 많기 마련이니 듣는 것의 경우는 모름지기 선악을 구별해 알고 따라야 하고, 보는 것의 경우는 이것이 옳고 저것이 틀렸으면 마땅히 기억해두어야 다른 날 행할 때 잘못이 없다.

○未擇時 則未辨善惡 擇了 則善惡別矣 譬如一般物 好惡 夾雜在此 須是擇出那好底 擇去那惡底 擇來擇去 則自見得好惡矣

아직 (선한 것을) 택하기 전에는 선악을 구분하지 않은 것이고, 택한 다음에는 선악이 구별된 것이다. 비유하자면 보통의 물건의 경우 좋고 나쁜 것이 여기 뒤섞여 있으면 반드시 그 좋은 것은 골라 뽑아내고 나쁜 것은 골라 제거해야 한다. 골라서 뽑아내고 골라서 제거하면 저절로 좋고 나쁨을 알게 된다.

○聞 是聞前言往行 從之 是擇其尤善者而從之 見 是泛泛見得 雖未必便都從他 然 也記著他終始首尾得失

문(들음)은 앞의 말과 지나간 행동에 대해 듣는 것이고 '종지(따름)'는 그 가운데 더 선한 것을 골라 따르는 것이다. 견(봄)은 범범하게(주의하지 않고 대충) 보는 것이어서 비록 꼭 그것 모두를 따르는 것은 아니지만, 그러나 또한 그것의 처음과 마지막, 시작과 끝, 이익과 손해를 기억하는 것이다.

○南軒張氏曰 天下之事 莫不有所以然 不知其然 而作焉 皆妄而已 聖人之動 無非實理也 其有不知而作者乎 雖然 知 未易至也 故 又言知之次者 使學者 有所持循 由其序而至焉 多聞 擇善而從 多見 而識其善 雖未及乎知之至然 知之次也 擇焉識焉而不已 則其知將日新矣

남헌 장씨가 말했다. 천하의 일은 그러한 까닭이 없는 경우가 없다. 그런 것을 모르고 짓는 것은 모두 망령된 것일 뿐이다. 성인의 움직임은 진실한 이치가 아닌 것이 없으니 알지 못하면서 지으시는 일이 있겠는가? 그렇기는 하나 앎은 쉽게 지극해질 수 없다. 그러므로 또 '앎에 버금간다'고 말씀하심으로써 배우는 자로 하여금 지키고 따르는 바가 있어 그 순서에 따라 지극해지도록 하셨다. 많이 듣고 선한 것을 골라 따르고 많이 보고 그 선한 것을 기억하면 비록 앎의 지극함에는 미치지 못하지만 앎에 버금가는 것이다. 고르고 기억해 그치지 않으면 그 앎은 장차 날로 새로워지리라.

○慶源輔氏曰 夫子言此 雖是謙辭 然 於無所不通之聖 自有不可掩者

경원 보씨가 말했다. 공자의 이 말씀은 비록 겸손의 말씀이지만 그러나 통하지 않는 바가 없는 성인께는 본디 가릴 수 없는 것이 있다.

○新安陳氏曰 集註 全不說聞見二字 其不可拘泥 明矣 學干祿章 亦只總之云 多聞見者 學之博 未嘗拘拘分別聞與見也

신안 진씨가 말했다. 집주에서 견과 문의 두 글자에 대해 전혀 말하지 않았으니, (문과 견을 굳이 구별하느라) 구애되어서는 안 된다는 것은 분명하다. (주자는) <학간록>장(『논어』2, 「위정」 18장)에서도 또한 다만 합쳐서 많이 듣고 보는 것이 넓게 배우는 것이라 했으니, 일찍이 구구하게 듣는 것과 보는 것을 구별한 적이 없다.

7.28-1 互鄕 難與言 童子見 門人惑 見 賢遍反

호 향의 사람들은 더불어 말 나누기 어려운데 (호 향 사람인) 동자가 (공자를) 뵈오니 문인들이 의혹을 가졌다.

【집주】

互鄕 鄕名 其人 習於不善 難與言善 惑者 疑夫子不當見之也

호 향은 향의 이름이다. 그 사람들은 불선에 습관이 되어 더불어 선을 말하기 어려웠다. '혹'이란 공자께서 마땅히 만나지 말아야 하는 것은 아닌가 하고 의혹을 가졌다는 것이다.

7.28-2 子曰 與其進也 不與其退也 唯何甚 人 潔己以進 與其潔也 不保其往也

공자께서 말씀하셨다. 그 나옴(나를 만나러 옴)을 인정하는 것이지 그 물러나서의 일을 인정하는 것은 아니다. 어찌 심하게 하겠는가? 사람이 자신을 깨끗이 하여 나오면 그 깨끗함을 인정하는 것이지 지난 일은 염두에 두지 않는다.

【집주】

疑此章有錯簡 人潔至往也十四字 當在與其進也之前 潔 脩治也 與 許也 往 前日也 言人潔己而來 但許其能自潔耳 固不能保其前日所爲之善惡也 但許其進而來見耳 非許其旣退而爲不善也 依改正次序 釋五句 蓋 不追其旣往 不保其往 不逆其將來 不與其退 以是心至 潔己以進 斯受之耳 與潔 與進 唯字上下 疑又有闕文 唯字 全無意 大抵亦不爲已甚之意

아마도 이 장은 착간(죽간의 순서 착오)이 있는 듯하다. '인결'에서 '왕야'까지의 14글자는 마땅히 '여기진야' 앞에 있어야 한다. '결'은 (자신을) 닦고 다스리는 것이다. '여'는 인정하는 것이다. '왕'은 지난날(의 일)이다. 사람이 자신을 깨끗이 하여 오면 다만 그 능히 자신을 깨끗이 한 것을 인정하는 것뿐이지, 본디 지난날의 소행의 선악을 염두에 둘 수는 없다는 말씀이고, 다만 그 나와 뵈러 옴을 인정할 뿐이지 물러나서 불선을 행하는 것까지 인정하는 것은 아니라는 말씀이다. <고친 순서에 따라 다섯 구절을 해석했다.> 대개 지난 일을 추궁하지 않고 <'불보기왕'의 해석이다.> 미래의 일을 추측하지 않고 <'불여기퇴'의 해석이다.> 이 마음을 가지고 오면 <'결기이진'의 해석이다.> 다만 받아들일 뿐이다. <'여결', '여진'의 해석이다.> '유' 자의 앞뒤에 또 빠진 글이 있는 듯하다. <'유' 자는 아무런 뜻이 없다.> 대저 또한 매우 심하게는 하지 않는다는 뜻이다.

○程子曰 聖人待物之洪 如此

정자가 말했다. 성인께서 남을 대우하는 관대하심이 이와 같다.

【세주】

南軒張氏曰 以互鄕之俗惡 而童子 又非得與先生長者抗禮者 而夫子 見之 故 門人惑焉 夫子謂 其進之志 則善 與其進而志善也 而不與其退而不善也 若於進而志善之時 以其退而不善 而拒之 則何甚也 聖人之心 天也 其有已甚者乎 則又反復言之 謂凡人潔己以進 則當與其潔耳 固不可保其往也 此所謂顯比王用三驅至公之心也

남헌 장씨가 말했다. 호향의 풍속이 악하여 동자 또한 선생(선배)이나 장자(손윗사람), 동배(대등한 자)들의 인정을 받지 못했는데도 공자께서 만나보시니 그런 까닭에 문인들이 의혹을 가졌다. 공자께서는 '(나를 만나러) 나온 뜻은 선하니 그 선한 뜻을 가지고 나오는 것은 인정하지만 그 물러나 불선한 것을 인정하는 것은 아니다. 만약 선한 뜻을 가지고 나올 적에 물러나 불선한 것을 가지고 거부한다면 너무 심한 것이 아니겠는가'라고 말씀하셨다. 성인의 마음은 하늘이시니 너무 심한 일이 있겠는가? 그래서 또 반복해 말씀하시기를 '무릇 사람이 자신을 깨끗이 해 나오면 마땅히 그 깨끗함을 인정해야 할 뿐, 본디 그 지난 일을 염두에 두어서는 안 된다'고 하셨다. 이것이 이른바 '친밀함을 드러낸다. 왕은 (도망갈 수 있도록 한쪽은 틔워주고) 세 면으로만 (짐승을) 몬다(『주역』, 「비괘」 <9 6 상전>)'는 지공(지극히 공정함)의 마음이다.

○慶源輔氏曰 人 前日爲不善 而今日向善 未可知 今日向善 而後日爲不善 亦未可知 若追其旣往 又逆其方來 則已甚 而待人 狹隘矣

경원 보씨가 말했다. 사람이 지난날에는 불선을 행했는데 오늘날 선을 향할지는 알 수 없다. 오늘날 선을 향하고 있지만 또 후일 불선을 행할지는 또한 알 수 없다. 만약 그 지난 일을 추궁하고 또 그 미래의 일을 추측한다면 너무 심한 것이고 사람을 대우하는 방식이 좁은 것이다.

○厚齋馮氏曰 童子 年少 未嘗深染於其習俗而不可轉移 聖人 何忍遽絶之 孟子 不爲已甚之說 蓋 出於此

후재 풍씨가 말했다. 동자는 나이가 어려 아직 그 습속에 깊이 물들어 바꿀 수 없는 것은 아니니, 성인께서 무슨 까닭에 차마 급히 거절하시리오. 맹자의 '(공자께서는) 너무 심한 일은 하지 않으셨다(『맹자』8, 「이루 하」 10장)'는 설은 대개 여기서 나왔다.

7.29 子曰 仁 遠乎哉 我欲仁 斯仁至矣

공자께서 말씀하셨다. 인이 멀리 있는가? 내가 인을 바라면 이에 인은 (내게) 온다.

【집주】

仁者 心之德 非在外也 放而不求 故 有以爲遠者 反而求之 則卽此而在矣 夫音扶豈遠哉

인이란 마음의 덕이니 밖에 있는 것이 아니다. 놓치고서는 구하지 않기 때문에 멀리 있다고 생각하는 자가 있지만, 돌이켜 구하면 바로 여기에 있다. 어찌 멀리 있겠는가?

○程子曰 爲仁由己 欲之 則至 何遠之有

정자가 말했다. 인을 행하는 것은 자신으로부터 말미암는 것이니 바라면 온다. 어찌 멀리 있겠는가?

【세주】

朱子曰 欲 有好底 如我欲仁 可欲之謂善 不是情欲之欲

주자가 말했다. 욕(바람)에도 좋은 것이 있으니, 예컨대 '내가 인을 바란다', '바랄 만한 것을 선이라 한다(『맹자』14, 「진심 하」 25장)'라고 할 때의 욕은 정욕의 욕이 아니다.

○仁 本固有 欲之 則至 志之所至 氣 亦至焉

인은 본래 가지고 있는 것이니 바라면 온다. 뜻이 이르는 곳에 기 또한 이른다.

○問 斯仁至矣 至 若來至之意 曰 昔者 亡之 今 忽在此 如自外而至耳 如易言 來復 實非自外而來也

물었다. '이에 인이 온다'라고 할 때의 '지(옴)'는 (밖에서) 들어온다는 뜻입니까? 답했다. 전에는 없었는데 지금 홀연히 여기 있으니 마치 밖에서 들어온 것 같을 뿐이다. 『역』에서 '와서 회복한다'고 한 것처럼, 실로 밖에서 들어온 것은 아니다.

○孔門許多弟子 聖人 竟不曾以仁許之 雖以顏子之賢 而尙或違於三月之後 而聖人乃曰 我欲斯至 蓋 亦於日用體驗 我若欲仁 其心如何 仁之至 其意又如何 又如非禮勿視聽言動 蓋 欲每事省察 何者爲禮 何者爲非禮 而吾又何以能勿視勿聽 若每日如此讀書 庶幾看得道理 自我心而得 不爲徒言也

공자 문하의 허다한 제자들에 대해 성인께서는 끝내 인을 인정하지 않으셨으니, 비록 안자처럼 현명한 자도 오히려 3개월이 지난 다음에는 (인에서) 떠났다. 그런데도 성인께서 말씀하시기를 '내가 바라면 이에 온다'고 하셨으니, 대개 또한 내가 만약 인을 바란다면 그 마음은 어떠한지, 인이 온다함은 또 무슨 뜻인지, 일상의 생활에서 체험해야 한다. 또 예컨대 '예가 아니면 보지도 듣지도 말하지도 행동하지도 말라'고 하는 경우 대개 무엇이 예인지, 무엇이 예가 아닌지, 또 나는 어떻게 해야 보지도 듣지도 않을 수 있는지 매사를 성찰하려 해야 한다. 만약 매일 이처럼 독서한다면 아마도 도리를 알 수 있을 것이니, 내 마음으로부터 얻는다는 말이 헛된 말이 되지 않을 것이다.

○南軒張氏曰 仁 豈遠於人乎 患人不欲之耳 欲之斯至 不曰 至仁 而曰 斯仁至矣 蓋 仁 非有方所 而可往至之也 欲仁而仁至 我固有之也

남헌 장씨가 말했다. 인이 어찌 사람에게서 멀리 있으랴. 사람이 바라지 않는 것이 문제일 뿐이니, 바라면 이에 온다. '지인(인에 도달한다)'이라 하지 않고 '사인지의(이에 인이 온다)'라고 한 것은 대개 인은 (있는) 장소가 있어서 가서 도달할 수 있는 것이 아니기 때문이다. 인을 바라면 인이 오는 것은 내가 본디 가지고 있는 것이기 때문이다.

○覺軒蔡氏曰 時人 皆以仁道遠而難爲 故 夫子 以工夫之切近者勉而進之 謂仁豈遠乎哉 我欲仁斯仁至矣 蓋 仁者 心之德 纔一收斂 則此心 便在 所以甚言其近且易 不待他求也

각헌 채씨가 말했다. 당시 사람들은 모두 인의 도는 멀고 행하기 어렵다고 생각했다. 그래서 공자께서는 절실하고 가까운 공부로써 면려해 진보하도록 하시고자 '인이 어찌 멀리 있겠는가? 내가 인을 바라면 이에 인은 온다'고 말씀하셨다. 대개 인이란 마음의 덕이니 한 번 거두어들이기만 하면 곧 이 마음이 있게 된다. 그래서 '그것이 매우 가깝고 쉬운 것이어서 달리 구할 필요가 없다'고 강조해 말씀하셨다.

○慶源輔氏曰 仁者 心之德 我 固有之 非在外也 如手之執 足之履 目之視

耳之聽 不假外求 欲之 則至 何遠之有 而人 不知反求 而病其遠 此 夫子所以發此論也

경원 보씨가 말했다. 인이란 마음의 덕이니 내가 본래 가지고 있는 것이지 밖에 있는 것이 아니다. 마치 손이 잡고, 발이 밟고, 눈이 보고, 귀가 듣는 것처럼 밖으로 구하기를 빌리지 않더라도 바라면 오니 어찌 멀리 있겠는가? 그런데도 사람들은 돌이켜 구할 줄 모르고 멀리 있다고 걱정하니, 이것이 공자께서 이 논의를 하신 까닭이다.

○雙峯饒氏曰 欲仁仁至 其至也 固易 其去也 亦易 須於旣至之後 常加操存之功 方能不違仁也

쌍봉 요씨가 말했다. 인을 바라면 인이 온다. 그 오는 것은 본디 쉽지만 그 가는 것 또한 쉽다. 모름지기 이미 온 후에는 항상 붙잡아 보존하는 노력을 더해야 비로소 인을 떠나지 않을 수 있다.

○新安陳氏曰 斯字 甚緊 如時人斯其惟皇之極之斯 卽此二字 貼斯字

신안 진씨가 말했다. '사(이에)' 자는 매우 긴요하다. '이 사람이 이에 황의 극(크고 바른 도)을 주리라(『서경』, 「주서 홍범」 6장)'라는 말에서의 '사(이에)'와 같은 것으로 '즉차(이에 곧)' 두 글자의 의미가 '사' 자에 붙어 있다.

7.30-1 陳司敗問 昭公 知禮乎 孔子曰 知禮

진 사패가 물었다. 소공은 예를 압니까? 공자께서 답하셨다. 예를 압니다.

【집주】

陳 國名 司敗 官名 卽司寇也 昭公

진은 국명이다. 사패는 관직명이니 곧 사구이다. 소공은

【세주】

胡氏曰 左氏傳註 陳楚 名司寇爲司敗

호씨가 말했다. 『(춘추)좌씨전』의 주에 "진나라와 초나라에서는 사구를 이름하여 사패라 한다"고 했다.

【집주】

魯君 名 稠音疇 習於威儀之節 當時以爲知禮 故 司敗 以爲問 而孔子 答之如此

노나라의 군주로 이름은 주이다. 위의(위엄 있는 의례)의 예절에 익숙하여 당시에는 예를 안다고 여겼다. 그래서 사패가 질문했고, 공자께서 이처럼 대답하셨다.

7.30-2 孔子退 揖巫馬期 而進之曰 吾聞 君子不黨 君子亦黨乎 君取於吳 爲同姓 謂之吳孟子 君而知禮 孰不知禮 取 七住反

공자께서 물러나자, (사패가) 무마기에게 읍하고 나서서 말했다. 내가 듣건대 군자는 아당(아첨하여 한편이 됨)하지 않는다 하는데 군자도 아당합니까? 임금(소공)은 오나라에서 (부인을) 얻었는데 같은 성이어서 오맹자라 했으니 임금이 예를 알면 누가 예를 모르겠습니까?

【집주】

巫馬 姓 期 字 孔子弟子 名 施魯人 司敗 揖而進之也 相助匿非曰黨 禮 不取同姓 而魯與吳 皆姬姓 謂之吳孟子者 諱之 使若宋女子姓者然

무마는 성이고 기는 자이다. 공자의 제자로서 이름은 시이다. <노나라 사람이다.> 사패가 읍하고 나선 것이다. 서로 도와서 잘못을 숨겨주는 것을 당이라 한다. 예에, 같은 성을 처로 얻지 않는 것인데 노나라와 오나라는 모두 (같은) 희성이었다. 오맹자라 부른 것은 그것(동성임)을 꺼린 것으로, 마치 송나라 여자의 자성인 것처럼 했다.

【세주】

禮坊記 取妻 不取同姓 以厚別也 故 買妾 不知其姓 則卜之 以此防民 魯春秋 猶去夫人之姓 曰吳 其死 曰孟子卒

『예기』, 「방기」편에 다음과 같이 나와 있다. "처를 얻음에 동성을 취하지 않으니 구별을 두터이 하는 것이다. 그러므로 첩을 사올 때 그 성을 모르면 점을 쳐 정함으로써 백성(의 비난)을 막았다. 노 춘추에는 부인의 성을 빼고 '오'라 했고 죽었을 때는 '맹자가 죽었다'고 했다."

○厚齋馮氏曰 古者 男子稱氏 辨其族也 女子稱姓 厚其別也 故 制字 姓從女 百世而婚姻不通者 周道也 稱孔子 時 孔子 在陳 蓋 記於陳也

후재 풍씨가 말했다. 옛날에 남자는 씨를 칭했으니 그 종족을 구별하는 것이고 여자는 성을 칭했으니 그 구별을 두터이(엄격히) 하는 것이다. 그러므로 글자의 제작에서 '성'은 '여' 자에 딸린다. 백세가 지나도 혼인을 통하지 않는 것이 주의 법도이다. (본문에서 다른 구절처럼 '자'라 하지 않고) '공자'라 칭한 것은 당시 공자께서 진나라에 계셨는데 대개 (이 내용을) 진나라 측에서 기록했기 때문이다.

○慶源輔氏曰 婦人稱姓 周女 曰姬 宋女 曰子 齊女 曰姜 楚女 曰芊 是也

경원 보씨가 말했다. 부인은 성을 칭하는 것이니, 주나라 여자(주 제후의 딸)를 희라 하고 송나라 여자를 자라 하고 제나라 여자를 강이라 하고 초나라 여자를 간이라 한 것이 그 예이다.

○吳氏曰 諱者 何人諱之 春秋哀十二年 書孟子卒 不書葬 疑謂之孟子者 魯人諱之 而謂之吳孟子者 當時譏誚之語也

오씨가 말했다. '위(불렀다)'라는 것은 누가 불렀다는 것인가? 『춘추』 애공 12년 (하 오월 갑신) 조에는 '맹자가 졸했다(죽었다)'라고 쓰고 '장(장사지냈다)'이라고는 쓰지 않았으니, 아마도 맹자라고 부른 것은 노나라 사람들이 꺼려서 그런 것이고, 오맹자라고 부른 것은 당시 이를 비난했던 말인 것 같다.

○新安陳氏曰 不稱姬 而冠之以吳 終有不可掩者

신안 진씨가 말했다. '희'라고 부르지 않고 '오'라고 앞에 붙였지만, 종내 숨길 수는 없는 것이었다.

7.30-3 巫馬期 以告 子曰 丘也 幸 苟有過 人 必知之

무마기가 (이를) 고하자 공자께서 말씀하셨다. 구(나)는 다행이구나. 만약 허물이 있으면 남들이 반드시 알려주는구나.

【집주】

孔子 不可自謂諱君之惡 又不可以取同姓爲知禮 故 受以爲過 而不辭

공자께서는 임금의 악을 숨겼다고 스스로 말할 수도 없었고 또 동성의 여자를 취하는 것이 예를 아는 것이라고 할 수도 없었다. 그래서 허물이 되는 것(공자 자신의 잘못으로 됨)을 받아들이고 사양하지 않았다.

○吳氏曰 魯 蓋夫子父母之國 昭公 魯之先君也 司敗 又未嘗顯言其事 而遽以知禮爲問 其對之宜如此也 及司敗 以爲有黨 而夫子受以爲過 蓋 夫子之盛德 無所不可也

오씨가 말했다. 노나라는 대개 공자의 부모의 나라이고 소공은 노나라의 전 임금이다. 사패 또한 일찍이 그 일을 드러내어 말한 것은 아니고 문득 예를 아는지 물었을 뿐이니 그 대응은 마땅히 이와 같아야 한다. 사패가 (공자가) 아당한다고 생각하는데도 공자께서는 (변명하지 않고) 허물이 되는 것을 받아들이셨으니 대개 공자의 성대한 덕으로서는 불가한 것이 없다.

【세주】

慶源輔氏曰 且以有過而人知爲幸 又可垂敎 以警夫護疾忌醫者

경원 보씨가 말했다. 또 허물이 있는데 남들이 알려주는 것을 다행이라고 생각하셨으니 또한 가히 가르침을 베풀어 병을 숨겨 의원을 기피하는 자를 경계할 수 있으셨다.

【집주】

然 其受以爲過也 亦不正言其所以過 初若不知孟子之事者 可以爲萬世之法矣

그러나 허물이 되는 것을 받아들이신 것은 또한 그 허물을 짓게 된 이유를 바로 말씀하지 않으시고 애초부터 맹자의 일을 모르는 듯이 하신 것이니, 만세의 법으로 삼을 만하다.

【세주】

問 昭公取同姓之事 若天王擧法 則如何斷 朱子曰 此 非昭公故爲之也 當時吳盛强 中國無伯主 以齊景公猶云 旣不能令 又不受命 涕出而女於吳 若昭公 亦是藉其勢 不得已之故 非貪其色而然也 天王擧法 則罪固不免 亦須原情自有處置 況不曰孟姬 而曰吳孟子 則昭公 亦已自知其非矣

물었다. 소공이 동성의 부인을 얻은 일에 대해 만약 천자가 법을 적용한다면 어떻게 처리될까요? 주자가 답했다. 이는 소공이 고의적으로 한 일은 아니다. 당시에 오나라는 강성하고 중국에는 패자가 없어서 제 경공으로서도 오히려 '이미 (남에게) 명령할 수 없으니 또한 (남의) 명령을 받지 않을 수 없다'고 하면서 눈물을 흘리며 그 딸을 오나라에 시집보냈다(『맹자』7, 「이루상」 7장). 소공의 경우 또한 그 세력에 눌려 어쩔 수 없었던 까닭이지 색을 탐해서 그랬던 것은 아니었다. 천자가 법을 적용한다면 그 죄는 본디 면할 수 없는 것이지만 또한 반드시 그 실정을 확인하여 응당한 조치가 있어야 한다. 하물며 맹희라고 하지 않고 오맹자라고 했으니 소공 또한 이미 그 잘못을 알고 있었음에랴.

○ 南軒張氏曰 他國之大夫 問吾國之君知禮與否 則但可告之以知禮而已 及巫馬期 以司敗之言告 則又豈可謂娶同姓爲知禮乎 若言爲君隱之意 則淺露已甚 而失前對之本意矣 故 但引己之過而已 然而娶同姓之爲非禮 其義 固已在其中矣 聖人辭氣之間 其天地造化與

남헌 장씨가 말했다. 다른 나라의 대부가 내 나라 임금이 예를 아는지 여부를 물으면 다만 예를 안다고 말해줄 수 있을 뿐이다. 무마기가 사패의 말을 (공자께) 고함에, 또 어찌 동성의 부인을 취한 것이 예를 아는 것이라고 말할 수 있으셨겠는가? 임금을 위해 숨기려는 의도였다고 말한다면 매우 노골적인 것이고 앞의 대답의 본뜻을 잃은 것이다. 그러므로 다만 자신의 잘못이라고 인정하셨을 뿐이다. 그러나 동성의 부인을 얻는 것이 예가 아니라는 그 뜻은 본디 이미 그 가운데 있다. 성인의 어조에는 천지의 조화가 있도다.

○吳氏曰 夫子 受以爲過 則昭公 不得爲知禮 可知 隱諱者 臣子之私 是非者 天下之公 夫子答司敗與期 可謂兩盡其旨矣 葉公 以證父之惡爲直 司敗 以隱君之惡爲黨 彼 蓋知直之爲公 黨之爲私 而於父子君臣之義 蔑如也 微夫子 大道 其隱乎

오씨가 말했다. 공자께서 허물이 되는 것을 받아들이셨으니 소공이 예를 안다고 할 수 없음을 알 수 있다. 숨기고 꺼리는 것은 신하의 사사로움이고 옳고 그름은 천하의 공이다. 공자께서 사패와 기에게 답하신 것은 가히 그 두 측면의 뜻을 다했다고 할 수 있다. 섭공은 아버지의 악을 증언하는 것이 정직한 것이라고 여겼고 사패는 임금의 악을 숨기는 것이 아당하는 것이라고 여겼지만 그들은 대개 정직함이 공이고 아당이 사라는 것만 알았지 부자와 군신의 의리에 대해서는 전혀 무지했다. 공자가 없다고 대도가 숨으랴[공자께서 이 사태에 이렇게 대답했다고 해서 대도가 사라지는 것은 아니다].

○雲峯胡氏曰 使夫子而直指君之非 則自無君臣之禮 使夫子而不自引己之過 則遂無婚姻之禮 何以爲萬世之法哉

운봉 호씨가 말했다. 만약 공자께서 곧바로 임금의 잘못을 지적했다면 스스로 군신의 예가 없는 것이고, 만약 공자께서 자신의 허물이라고 스스로 인정하지 않았다면 마침내 혼인의 예법이 없는 것이니 어찌 만세의 법이 되리오.

7.31 子 與人歌而善 必使反之 而後和之 和 去聲

공자께서는 남과 더불어 노래하실 때 (그 사람이) 잘하면 반드시 반복하게 하신 후에 화답하셨다.

【집주】

反 復也 必使復歌者 欲得其詳而取其善也 而後和之者 喜得其詳而與其善也

'반'은 반복하는 것이다. 반드시 다시 노래하게 하신 것은 그 상세한 것을 얻어 좋은 것을 취하려 하신 것이다. 그런 후에 화답하신 것은 그 상세함을 얻은 것을 기뻐하시고 그 좋은 것을 인정하신 것이다.

【세주】

朱子曰 子 與人歌而善 必使反之 而後和之 今 世間人 與那人說話 那人正說得好 自家便從中截斷 如云已自理會得 不消說之類 以此類看 聖人 是甚氣象 與人歌 且教他自歌一終了 方令再歌 而後和之 不於其初歌便和 恐混雜他不盡其意 此 見聖人與人爲善

주자가 말했다. 공자께서는 남과 더불어 노래하실 적에 잘하면 반드시 반복하게 하신 후에 화답하셨다. 지금 세상 사람들은 어떤 사람과 이야기할 적에 그 사람이 바로 잘 말하면 스스로 곧 가운데를 뚝 자르면서 이미 자기가 잘 이해했으니 말할 필요가 없다고 하는 경우가 많다. 이런 사람들과 비교해보면 성인께서는 어떤 기상이신가? 남과 더불어 노래하실 적에 또 그로 하여금 스스로 노래 한 곡을 끝까지 다 부르게 하시고 다시 부르게 하신 후에야 화답하셨으니 처음 노래 부를 때 화답하시지는 않았다. (이는) 끼어들어서 그를 혼란스럽게 해 그 뜻을 다하지 못할까 우려하셨기 때문이다. 이는 성인께서 남의 잘하는 것을 인정하셨음을 보여준다.

○若不待其反而後和 則他 有善 亦不得而知 今 必使之反之 而後和之 便是聖人不掩人善處

만약 그 반복하는 것을 기다린 다음에야 화답하시지 않으면 그가 잘하는 것이 있어도 또한 알 수 없다. 지금 반드시 반복하게 한 후 화답하신 것은 곧 성인께서 남의 좋은 점을 가리지 않으신 것이다.

○慶源輔氏曰 詳 謂首尾節奏之備

경원 보씨가 말했다. '상(상세함)'은 처음부터 끝까지 절주가 갖추어졌음을 말한다.

○雙峯饒氏曰 子與人歌 是與之同歌 反者 使之自歌 和 則己之自歌也

쌍봉 요씨가 말했다. '공자께서 남과 노래하신다'는 것은 그와 더불어 같이 노래하는 것이고 반복함이란 그로 하여금 스스로 노래하게 하는 것이고 화답함이란 자기(공자) 스스로 노래하는 것이다.

○新安陳氏曰 集註 取與二字 如孟子取諸人以爲善 是 與人爲善者也 初則取之 旣取而許與 奬勸之

신안 진씨가 말했다. 집주의 '취', '여' 두 글자는 맹자의 "남에게서 취하여 (자신의) 선으로 삼는 것은 남이 선을 행하는 것을 인정하는 것이다(『맹자』3, 「공손추 상」 8장)"라는 말에서의 '취(취함)', '여(인정함)'와 뜻이 같다. 처음에는 취하고, 이미 취한 다음에는 인정하여 장려한다.

【집주】

此 見聖人氣象從七容反容 誠意懇至 而其謙遜審密 不掩人善 又如此 蓋 一事之微 而衆善之集 有不可勝平聲旣者焉 讀者 宜詳味之

이는 성인께서 기상이 조용하고 성의가 간절하고 지극하며, 겸손하고 치밀하여 남의 선을 가리지 않으심이 또 이와 같다는 것을 보여준다. 대개 작은 하나의 일에도 여러 선이 모여 있으니, 이루 다할 수 없는 것이 있다. 읽는 자는 마땅히 자세히 감상해야 할 것이다.

【세주】

朱子曰 聖人天縱 多能 其於小藝 不待取於人而後足 乃欲得其詳如此 其謙遜謹審 可知也 然 若不待其曲終而遽和之 則幾於伐己之能 以掩彼之善矣 故 必俟其曲終 以盡見其首尾節奏之善 然後又使復歌 而始和之 則旣不失其與人爲善之意 而又不掩其善也 然 此 亦聖人動容周旋 自然而中 非有意於爲之也 抑又見其從容不迫 不輕信而易悅之意

주자가 말했다. 성인은 하늘이 풀어주신 것이라 다재다능하시니, 작은 기예에 있어서는 남에게서 취한 다음에야 완전해지는 것은 아닌데도 그 상세한 것을 얻으시려 함이 이와 같았으니, 그 겸손함과 삼가 살피심을 알 수 있다.

그러나 만약 그 노래가 끝나기를 기다리지 않고 성급히 화답하면 (이는) 거의 자신의 능함을 자랑해 남의 잘하는 것을 가리는 것이다. 그러므로 반드시 그 노래가 끝나 그 처음부터 끝까지 절주의 선함을 다하기를 기다린 연후에 또다시 노래하게 한 후 비로소 화답하셨으니, 이미 남이 잘하는 것을 인정하는 뜻을 잃지 않았고 또 그 선을 가리지 않으셨다. 그러나 이 또한 성인의 모든 동작과 움직임이 저절로 (법도에) 맞는 것이지 그렇게 하려고 의도하신 것은 아니다. 또, 조용하고 급박하지 않으시지만 가벼이 믿거나 쉽게 기뻐하지는 않으시는 뜻도 볼 수 있다.

問 子 與人歌而善 必使反之 而後和之 晦翁云 蓋 一事之微 而衆善之集 有不可勝旣者 如何 潛室陳氏曰 必使復歌者 旣欲彰其善之實 又欲暢其歌之情 而後和之者 示我樂善之無倦 詠歎而淫泆之也 只一歌詩耳 而意思 綢繆容與若此 豈非衆善之集乎

물었다. '공자께서는 남과 더불어 노래하실 때 (그 사람이) 잘하면 반드시 반복하게 하신 후에 화답하셨다'는 구절에 대해 회옹(주자)은 '대개 작은 하나의 일에도 여러 선이 모여 있으니, 이루 다할 수 없는 것이 있다'고 했는데 어떠합니까? 잠실 진씨가 답했다. 반드시 다시 노래하게 하신 것은 그 선의 실체를 드러내시려는 것이고 또 그 노래의 정서를 고양하시려는 것이다. 그런 다음에 화답하신 것은 자신이 선을 즐기는 것을 게을리하지 않는다는 점과 영탄하고 푹 빠진다는 점을 보이신 것이다. 다만 하나의 시를 노래하는 것뿐인데 그 의사가 이처럼 심원하고 포용적이시니 어찌 여러 선이 모인 것이 아니겠는가.

○慶源輔氏曰 氣象從容 故 謙遜 誠意懇至 故 審密

경원 보씨가 말했다. 기상이 조용하신 까닭에 겸손하셨고, 성의가 간절하신 까닭에 치밀하셨다.

○雲峯胡氏曰 此 不過歌之善者爾 夫子 所以取之與之者 如此 則凡所以取人之善 與人之善者 可知矣

운봉 호씨가 말했다. 이는 노래를 잘하는 것에 불과하지만 공자께서 취하고 인정하신 것이 이와 같으니 무릇 남의 선을 취하고 남의 선을 인정하셨음을 알 수 있다.

7.32 子曰 文 莫吾猶人也 躬行君子 則吾未之有得

공자께서 말씀하셨다. 문은 내가 남 못지않지만, 군자의 도를 실천하는 것은 내가 아직 얻은 것이 없다.

【집주】

莫 疑辭 猶人 言不能過人而尚可以及人 未之有得 則全未有得 皆自謙之辭 而足以見言行去聲之難易去聲緩急 欲人之勉其實也

'막'은 의문사이다. '유인(남만 함)'이란 남보다 낫지는 않지만 오히려 남에게 미칠 수는 있다는 말이고, '아직 얻은 것이 없다'는 것은 전혀 얻지 못했다는 것이다. 모두 스스로 겸양하시는 말씀이지만, 말과 실천의 난이(어려움과 쉬움)와 완급(천천히 해야 할 것과 급히 해야 할 것)을 충분히 알 수 있으니, 사람들로 하여금 그 실천에 힘쓰게 하고자 하신 것이다.

【세주】

慶源輔氏曰 勉人爲其實 而不廢其文 但 有先後緩急之序耳

경원 보씨가 말했다. 사람들로 하여금 그 실천에 힘쓰게 하셨지만 그 문을 없애지는 않으셨으니, 다만 선후와 완급의 순서가 있을 뿐이다.

○雙峯饒氏曰 身行君子之道 而有得 則爲君子之德矣

쌍봉 요씨가 말했다. 군자의 도를 몸소 실천해서 얻은 것이 있다면 (그것이) 곧 군자의 덕이 된다.

【집주】

○謝氏曰 文 雖聖人 無不與人同 故 不遜 能躬行君子 斯可以入聖 故 不居 猶言君子道者三 我無能焉

사씨가 말했다. 문은 비록 성인이시지만 남과 다르지 않은 까닭에 겸양하지 않으셨다. 군자의 도를 실천할 수 있다는 것, 이는 성인의 경지에 들어가는 것이기 때문에 자부하지 않으셨다. '군자의 도는 셋인데 나는 (그 셋에) 능하지 못하다(『논어』14, 「헌문」 30장)'는 말씀과 같은 뜻이다.

【세주】

朱子曰 文莫吾猶人也 莫 是疑辭 猶今人云莫是如此否 言文則吾與人一般 如云聽訟吾猶人也 若躬行君子 則吾未之有得 此 與君子之道四丘未能一焉之意同

주자가 말했다. '문은 내가 남 못지않다'라는 말씀에서, '막'은 의문사로서 요즈음 사람들이 '막시여차부(이와 같지 않느냐)'라고 말할 때의 '막'과 같은 뜻으로, 문은 내가 남들과 같다는 말씀이니, '소송을 처리하는 것은 내가 남만 하다(『논어』12, 「안연」 13장)'는 말씀과 마찬가지이다. '군자의 도를 실천하는 것은 내가 아직 얻은 것이 없다'는 말씀의 경우는 '군자의 도는 넷인데 구(공자 자신)는 아직 그 하나에도 능하지 못하다(『중용』 14장)'라는 말씀과 같은 뜻이다.

○問此章 曰 於文 言其可以及人 足見其不難繼之意 言其不能過人 又見其不必工之意 且合而觀之 又見其雖不遜其能 而亦不失其謙也 於行 言其未之有得 則見其實之難焉 見其必以得爲效焉 見其汲汲於此 而不敢有毫髮自足之心焉 一言之中 而指意 反覆更出互見 曲折詳盡 至於如此 非聖人而能若是哉

이 장에 대해 물었다. 답했다. 문에 대해서는 남에게 미칠 수 있다고 하셨으니 족히 잇기(남의 뒤를 잇기, 즉 남만 하기) 어렵지 않다는 뜻을 알 수 있고, 남보다 낫지 못하다고 말씀하셨으니 또한 꼭 잘하는 것은 아니라는 뜻을 알 수 있다. 그래서 (이 두 뜻을) 합해서 보면 또 비록 그 능함에 대해 겸양하지는 않으시면서도 또한 그 겸손함을 잃지는 않으셨음을 알 수 있다. 행(실천)에 대해서는 아직 얻지 못했다고 말씀하셨으니 그 실천의 어려움을 알 수 있고, '반드시 얻어야만 성과가 있는 것임(자득해야만 효과가 있는 것임)'을 알 수 있고, 이에 대해 급급하시되 감히 터럭만큼의 자족하는 마음도 없으셨음을 알 수 있다. 한마디 말씀 중에 그 가리키신 뜻이 반복해서 서로 드러나고, 그 곡절의 상세함을 다한 것이 이 같은 경지에 이르렀으니, 성인이 아니면 이럴 수가 있으랴.

○雲峯胡氏曰 此文字 輕 不過著於言辭者爾

운봉 호씨가 말했다. 이 '문' 자는 가벼운 (의미의) 것으로, 언사에 드러나는 것에 불과할 뿐이다.

○新安陳氏曰 文不在玆之文 文字重 此 以文對躬行而言 可見文爲言 而躬

行爲行 故 集註 以言行之難易緩急釋之

신안 진씨가 말했다. '문이 여기에(나에게) 있지 아니하냐(『논어』9, 「자한」 4장)'는 말씀에서의 '문'은 무거운 (의미의) 것이고, 여기서는 문을 궁행(몸소 실천함)에 대비해서 말씀하셨으니 (여기서의) 문은 말을 의미하고 궁행은 행을 의미한다는 것을 알 수 있다. 그래서 집주에서는 '언행의 난이와 완급'이라고 해석했다.

7.33 子曰 若聖與仁 則吾豈敢 抑爲之不厭 誨人不倦 則可謂云爾已矣 公西華曰 正唯弟子不能學也

공자께서 말씀하셨다. 만약 성이나 인이라면 내가 어찌 감히 감당하겠느냐마는, 그러나 그것(성이나 인의 일)을 함에 싫증 내지 않고 사람들을 가르침에 게을리하지 않는 것이라면 그렇다고 할 수 있을 뿐이다. 공서화가 말했다. 바로 (그 점이) 제자들이 배울 수 없는 것입니다.

【집주】

此 亦夫子之謙辭 聖者 大而化之 仁 則心德之全 而人道之備也

이 또한 공자의 겸손의 말씀이다. 성이란 위대해서 변화시키는 것(만물을 원래의 모습으로 만듦)이며 인이란 마음의 덕이 완전한 것이고 사람의 도리가 갖추어진 것이다.

【세주】

勿軒熊氏曰 聖 則仁之熟 而至於化矣 聖 非出於仁之外也

물헌 웅씨가 말했다. 성은 인이 무르익어서(완성되어) 변화에 이른 것이다. 성은 인의 바깥으로 나가지 않는다[인과 사실상 동일한 개념이다].

○新安陳氏曰 此 專言之仁 包義禮智 故 爲心德之全 立人之道 曰仁與義 仁體而義用 言仁 則義在其中 故 爲人道之備

신안 진씨가 말했다. 이는 하나(모든 덕을 포괄하는 하나의 덕)로 말하는 것으로서의 인이니 의, 예, 지를 포함하는 것이다. 그래서 마음의 덕의 완전함이 된다. 사람으로 서는 도리를 인과 의라고 하는데, 인은 체이고 의는 용이다. 인을 말하면 의가 그 안에 포함된다. 그래서 (인은) 사람의 도리가 갖추어진 것이 된다.

【집주】

爲之 謂爲仁聖之道 誨人 亦謂以此敎人也

'위지(그것을 함)'는 인과 성의 도를 행하는 것을 말한다. '회인(사람을 가르침)' 또한 이것(인과 성의 도)으로써 사람을 가르치는 것을 말한다.

【세주】

朱子曰 他 也不曾說是仁聖 但 爲之 畢竟是箇甚麽 誨人 是箇甚麽

주자가 말했다. 그(공자)도 일찍이 (자신이) 성(성인)이나 인(인인)이라고 말한 적이 없다. 단, 그것을 (한다고 할 때의) 하는 것이란 필경 이 무엇(성과 인)일 것이고, 사람을 (가르친다고 할 때의) 가르친 것도 이 무엇이었을 것이다.

○新安陳氏曰 自爲 觀十五志學章 可見 敎人 觀博文約禮 可見 皆 不外乎知行

신안 진씨가 말했다. 스스로 하신 것(이 무엇인지)은 <십오지학>장(『논어』 2,「위정」 4장)을 보면 알 수 있고, 사람을 가르치신 것(이 무엇인지)은 '박문약례'를 보면 알 수 있다. 모두 지와 행 이외의 것이 아니다.

【집주】

然 不厭不倦 非己有之 則不能 所以 弟子不能學也

그러나 싫증 내지 않고 게을리하지 않는 것은 자신이 가지고 있지 않으면 할 수 없다. 그래서 제자들이 배울 수 없는 것이다.

【세주】

雲峯胡氏曰 此 雖夫子 不敢當聖與仁之名 而愈見夫子 有聖與仁之實

운봉 호씨가 말했다. 이는 비록 공자라 하더라도 성과 인의 이름을 감히 감당할 수 없다는 것이지만, (오히려) 공자께서 성과 인의 실질을 가지고 계심을 더욱 보여준다.

○新安陳氏曰 夫子 雖不居仁聖之名 而所行所敎 無非不息於仁聖之道 不厭不倦 卽純亦不已也 非己實有此仁聖之道 則有時而厭倦矣

신안 진씨가 말했다. 공자께서는 비록 인과 성의 이름을 자부하지는 않으셨지만 행하신 바나 가르치신 바는 모두 '인과 성의 도를 (행하여) 쉬지 않음'이었으니, 싫증 내지 않고 게을리하지 않음이란 곧 '순수하여 또한 그치지 않는다'는 것이다. 자신이 실지로 이 인과 성의 도를 가지고 있지 않으면 때때로 싫증 내거나 게을리하게 된다.

【집주】

○晁晉潮氏曰 名 說之 字 以道 淸豐人 當時 有稱夫子聖且仁者 以故夫子辭之 苟辭之而已焉 則無以進天下之材 率天下之善 將使聖與仁爲虛器 而人終莫能至矣

조씨가 말했다. <이름은 열지이고 자는 이도이다. 청풍 사람이다.> 당시 공자를 성인이나 인자로 칭하는 자가 있었다. 그 때문에 공자께서 그것을 사양하셨는데, 만약 사양할 뿐이었다면 천하의 인재를 진보하게 하거나 천하의 선을 이끌 수 없어 장차 성과 인이 헛된 그릇[내용 없는 개념]이 되게 하여 사람들이 마침내는 (인과 성에) 이를 수 없게 되었을 것이다.

【세주】

新安陳氏曰 聖人之道 若天下無一人能與於此 是終爲虛器 而無人能實之矣

신안 진씨가 말했다. 성인의 도가 만약 천하에 어느 한 사람도 이에 참여할 수 없는 것이라면, 이는 마침내 헛된 그릇이 되어 아무도 채울 수가 없을 것이다.

【집주】

故 夫子 雖不居仁聖 而必以爲之不厭 誨人不倦 自處上聲也 可謂云爾已矣者 無他之辭也 公西華 仰而歎之 其亦深知夫子之意矣

그런 까닭에 공자께서는 비록 인과 성을 자부하지는 않으셨지만, 반드시 그것을 함에 싫증 내지 않고 사람을 가르침에 게을리하지 않는다는 것은 자처하셨다. '그렇다고 할 수 있을 뿐이다'라는 것은 다른 것이 없다(그것뿐이다)는 말이다. 공서화가 우러러보고 탄식했으니 그 또한 공자의 뜻을 깊이 안 것이다.

【세주】

朱子曰 夫子 固多謙辭 到得說抑爲之不厭誨人不倦 公西華 便識得 所以有正唯弟子不能學也之說 便說道聖人有不讓處

주자가 말했다. 공자께서는 본래 겸양의 말씀을 많이 하셨지만 '그러나 그것을 함에 싫증 내지 않고 사람들을 가르침에 게을리하지 않는다'는 말씀을 하시기에 이르자 공서화는 곧 깨닫고는 그래서 '바로 제자들이 배울 수 없는 것입니다'라고 말했다. 이는 곧 성인께서 사양하지 않으시는 곳이 있음을 말해준다.

○其他人 爲之誨人 不能無厭倦時 唯聖人 則不厭不倦 正唯弟子不能學也 言正是弟子不能學處 這 若不是公西華 親曾去做來 親見是恁地 如何解恁地說

만약 다른 사람들이 그것을 하고 사람들을 가르치는 경우, 싫증 내고 게을리하는 때가 없을 수 없다. 오직 성인만이 싫증 내지 않고 게을리하지 않으신다. '바로 제자들이 배울 수 없는 것입니다'라는 말은 바로 그것이 제자들이 배울 수 없는 곳이라는 말이다. 이것이 만약 공서화가 일찍이 직접 와서 공부하여 그렇다는 것을 직접 본 것이 아니라면 어떻게 그렇게 풀어 말할 수 있었으리요.

○仁之與聖 所以異者 大而化之之謂聖 若大而未化之 只可謂之仁 此 其所以異

인이 성과 다른 것은, 위대해서 변화시키는 것은 성이라 하지만, 만약 위대하기는 하지만 변화시키지는 못하면 단지 인이라고만 할 수 있으니, 이것이 그 다른 점이다.

○南軒張氏曰 夫子 雖不居聖 然玩味辭氣 其所以爲聖者 亦可得而見矣 夫 盡人道 聖人也 爲之不厭誨人不倦 聖人之仁 天之無疆也

남헌 장씨가 말했다. 공자께서는 비록 성을 자부하지는 않으셨지만 그러나 어조를 감상해보면 (공자가) 성인이 되는 까닭을 또한 알 수 있다. 무릇 사람의 도리를 다하면 성인이다. 그것을 함에 싫증 내지 않고 사람을 가르침에 게을리하지 않는 것은 성인의 인이고 하늘의 무궁함이다.

○慶源輔氏曰 爲之不厭者 仁聖之實 誨人不倦者 仁聖之施 非在己者 有仁聖之德 豈能如是 公西華 蓋 卽爲之不厭誨人不倦 而見夫子 實全仁聖之道 非學者所能效也

경원 보씨가 말했다. 그것을 함에 싫증 내지 않는다는 것은 인과 성의 실질이고 사람들을 가르침에 게을리하지 않는다는 것은 인과 성의 베풂이다. 자신에게 있는 것이 인과 성의 덕이 아니라면 어찌 능히 이럴 수 있으랴. 공서화는 대개 그것을 함에 싫증 내지 않고 사람들을 가르침에 게을리하지 않는다는 것을 근거로 하여 공자께서 실로 인과 성의 도에 완전하시어 배우는 자가 능히 흉내낼 수 있는 것이 아님을 알았다.

○雙峯饒氏曰 前 以學不厭誨不倦 爲何有於我 此 却以二者自任 何也 蓋

前章 是泛說 所以 雖非聖人之極至 而亦不敢當 此章 是見人以仁聖歸之己 旣遜了第一第二等 只得且承當第三等底事 所以勉人也

쌍봉 요씨가 말했다. 앞에서는 '배움에 싫증 내지 않고 가르침에 게을리하지 않는 것, 그 가운데 무엇이 나에게 있으리오(『논어』7, 「술이」 2장)'라고 하시고서는 여기서는 오히려 이 두 가지를 자임하셨으니 어떻게 된 것인가? (답하자면) 대개 앞 장은 일반적인 말씀이기 때문에 비록 (배움에 싫증 내지 않고 가르침에 게을리하지 않는 것이) 지극한 성인만이 할 수 있는 일은 아니지만 또한 감당할 수 없다는 것이고, 이 장은 사람들이 인과 성을 자신(공자)에게 돌리는 것을 보고, 이미 일등과 이등(가장 높은 수준과 그다음 수준, 즉 성과 인)을 사양하셨고 다만 또 3등(세 번째 수준)의 일만을 맡으셨다는 것이니, 사람들을 면려하신 것이다.

7.34 子 疾病 子路 請禱 子曰 有諸 子路對曰 有之 誄曰 禱爾于上下神祇 子曰 丘之禱 久矣 誄 力軌反

공자께서 병환이 깊으셨다. 자로가 기도하기를 청하자 공자께서 말씀하셨다. 그런 것(이치)이 있느냐? 자로가 대답해 여쭈었다. 있습니다. 뇌(기도문)에 말하기를 '그대를 (위해) 상하의 신지에 기도한다'라 했습니다. 공자께서 말씀하셨다. 구(내)가 기도한 지는 오래되었다.

【집주】

禱 謂禱於鬼神 有諸 問有此理否 誄者 哀死而述其行去聲 下素行同之辭也

'도'는 귀신에게 기도하는 것을 말한다. '유저'는 이런 이치가 있는지를 물은 것이다. '뇌'란 죽음을 슬퍼하여 그 행적을 기술하는 말이다.

【세주】

厚齋馮氏曰 士有誄 累生時德行 以賜之命 則誄 周官六辭 六曰誄 是也 禱疾 亦誄其功德 故 謂之誄云

후재 풍씨가 말했다. 사(선비)의 경우는 뇌가 있다. 살았을 때의 덕행 때문에 명을 하사하는 것을 뇌라 한다. 『주관』(『주례』3, 「춘관종백」 <태축>조)의 6사에 '여섯째를 뇌라 한다'라 한 것이 이것이다. 질병을 위한 기도 또한 그 공덕을 뇌(진술해 빔)하는 까닭에 뇌라고 한다.

【집주】

上下 謂天地 天曰神 地曰祇 禱者 悔過遷善 以祈神之佑也

'상하'는 천지를 말하니 하늘은 신이라 하고 땅은 지라 한다. '도(기도)'란 허물을 후회하고 선으로 옮겨감으로써 신의 도움을 기원하는 것이다.

【세주】

朱子曰 只是引此古語 以明有禱之理 非謂欲禱皇天后土也 禱 雖臣子之禮 其辭 則述君父悔過遷善之意 以解謝鬼神之譴怒

주자가 말했다. 다만 이 옛말을 인용해 기도하는 이치가 있다는 것을 밝힌 것이지 황천과 후토에 기도하려 한다는 말은 아니다. 기도는 비록 신하나 자식의(신하나 자식이 행하는) 예이지만 그 말(기도의 내용)은 임금이나 아버지가 잘못을 후회하고 선으로 옮겨가려 한다는 뜻을 진술함으로써 귀신의 질책과 분노를 풀고 사죄하는 것이다.

【집주】

無其理 則不必禱 旣曰有之 則聖人 未嘗有過 無善可遷 其素行 固已合於神明 故曰 丘之禱久矣

이 이치가 없다면 기도할 필요는 없지만, 이미 있다고 하더라도 성인께서는 일찍이 허물을 지은 적이 없으니 옮겨갈 만한 선도 없고 그 평소의 행동도 본디 이미 신명에 합치하므로 [이미 기도의 의의를 평소에 구현하고 있으므로], 그래서 '구가 기도한 지는 오래되었다'고 말씀하셨다.

【세주】

問 聖人 與天地合其德 與鬼神合其吉凶 我 卽天地鬼神 天地鬼神 卽我 何禱之有 朱子曰 自他人言之 謂聖人如此 可也 聖人之心 豈以此自居 惟味某之禱久矣一句 語意深厚 聖人氣象 與天人之分 自求多福之意 可見

물었다. 성인께서는 천지와 그 덕이 합치하시고 귀신과 그 길흉이 합치하시니, 나(성인, 즉 공자)는 곧 천지요 귀신이며, 천지와 귀신은 곧 나인데 내가 무슨 기도를 하겠습니까? 주자가 답했다. 다른 사람의 입장에서 말한다면 성인께서는 이와 같다고 말해도 된다. (그러나) 성인의 마음이 어찌 이를 자부하시겠는가? 다만 '내가 기도한 지는 오래되었다'라는 한 구절 말씀을 음미해보면 그 말뜻이 깊고 두텁다. 성인의 기상에 하늘과 사람의 구분을 인정하시어 스스로 다복을 구하시는 뜻을 볼 수 있다[성인 스스로는 자신이 하늘이 아니라 사람이라고 생각해 하늘의 복을 기원하셨다].

○雙峯饒氏曰 誄 如哀公誄孔子 是也 古誄文之意 蓋曰 往者 疾病時 嘗禱爾于神祇矣 而卒莫之救 蓋 哀其死之辭也

쌍봉 요씨가 말했다. 뇌는 예컨대 애공이 공자에게 뇌를 한 것이 그 예이다. 옛 뇌문의 내용은 대개 '지난날 질병이 있었을 때 일찍이 귀신께 기도했지만 결국에는 구할 수 없었다'라고 하는 것이니 대개 그 죽음을 슬퍼하는 말이다.

○新安陳氏曰 聖人 素履無愧 少將迨老 無非對越神明之時 豈待疾病而後

禱哉 所謂禱久矣 乃因子路引禱爾而言 蓋 不禱之禱也

신안 진씨가 말했다. 성인께서는 평소의 행동에 부끄러움이 없으셨고 어려서부터 늙을 때까지 신명을 대월(맞이하여 빔)하지 않으신 적이 없었으니 어찌 병에 걸린 다음에야 기도하시겠는가. 이른바 '기도한 지는 오래되었다'라는 말씀은 자로가 기도를 인용함으로 말미암아 말씀하신 것으로, 대개 (공자가 한 기도란) 기도하지 않는 기도이다.

【집주】

又士喪禮 疾病 行禱五祀

또 (『의례』) 「사상례」에 '질병이 있으면 5사에 기도를 행한다'라 했다.

【세주】

儀禮第十三篇 註云 謂門戶竈行中霤 盡孝子之情 五祀 博言之 士二祀 曰門曰行

『의례』 13편(12편 「사상례」의 속편인 「기석」편)의 주에 "(5사란) 문, 호, 조, 행, 중유를 말한다. 효자의 정을 다하는 것이다. 5사라고 한 것은 일반적으로 말한 것이고 사(선비)의 경우는 2사이니 문과 행이다"라고 했다.

【집주】

蓋 臣子迫切之至情 有不能自已者 初不請於病者 而後禱也 故孔子之於子路 不直拒之 而但告以無所事禱之意

대개 신하나 자식의 절박하고 지극한 정에 스스로 그만둘 수 없는 것이 있으니 애초에 병자에게 청한 다음에야 기도하는 것이 아니다. 그러므로 공자께서는 자로에 대해 곧바로 거절하지 않으시고 다만 기도를 일삼을 필요가 없다는 뜻을 알려주셨다.

【세주】

朱子曰 在臣子 則可 在我 則不可 聖人 也知有此理 故 言我不用禱 而不責子路之非也 疾病行禱者 臣子之於君父 各禱於其所當祭 子路所欲禱 必非淫祀 但不當請耳

주자가 말했다. 신하나 자식으로서는 할 수 있지만 나(임금이나 아버지)로서는 할 수 없다. 성인 또한 이 이치를 알고 계셨기 때문에 '나는 기도를 쓰지 않겠다'고 하시면서도 자로의 잘못을 질책하지는 않으셨다. 질병에 기도를 행하는 것은 신하나 자식이 임금이나 아버지를 위해 각각 그 마땅히 제사지낼 수 있는 것에 기도드리는 것이다. 자로가 기도드리려는 것은 필시 음사(부당한 제사)는 아니고, 다만 청하지는 말아야 하는 것이다.

○病而與聞乎禱 則是不安其死 而諂於鬼神 以苟須臾之生 君子 豈爲是哉 祈禱卜筮之屬 皆 聖人之所作 至於夫子而後 敎人一決諸理 而不屑於冥漠不可知之間 其所以建立人極之功 於是而備

병들었을 때 기도의 응답을 구하는 것은 그 죽음을 편안히 여기지 못하고 귀신에 아첨해 구차스럽게 잠시의 삶을 얻으려는 것이니, 군자가 어찌 이런 일을 하리오. 기도하고 점치는 것 등은 모두 성인께서 만드신 것이지만, 공자에 이른 이후에는 사람들로 하여금 일체를 이치에 의해 결정하고 아득하고 막막해 알 수 없는 것들(신비한 현상)을 달갑게 여기지 않도록 하셨으니 인극(사람의 도리의 최고 상태, 즉 인간됨의 표준)을 확립한 공은 이에 이르러 (공자에 의해) 갖추어졌다.

○問 嘗疑集註曰 聖人 未嘗有過 無善可遷 其素行 固已合於神明 故曰 丘之禱久矣 夫 自其論聖人所以無事於禱者 其義 固如此 然 此一句 乃聖人自語也 聖人之意 豈自謂我未嘗有過 無善可遷 其素行 固已合於神明哉 曰 聖人 固有不居其聖時節 又有直截擔當無所推讓時節 如天生德於予 未喪斯文之類 蓋 誠有不可掩者

물었다. 집주에서 "성인께서는 허물을 지으신 적이 없으니 옮겨갈 만한 선도 없고 그 평소의 행동도 본디 이미 신명에 합치하셨으므로, 그래서 '내가 기도한 지는 오래되었다'고 말씀하셨다"라고 한 것에 대해 일찍이 의문을 품었습니다. 무릇 성인께서 기도를 일삼지 않으신 까닭을 논한다면 그 의의는 본디 이와 같겠지만 그러나 이 한 구절은 곧 성인께서 스스로 하신 말씀입니다. 성인의 뜻이 어찌 스스로 '나는 일찍이 허물을 지은 적이 없으니 옮겨갈 선이 없고 평소의 행동은 본디 이미 신명에 합치한다'라 말씀하셨겠습니까? 답했다. 성인께서는 본디 성인임을 자부하지 않으신 때가 있고 또 딱 잘라 (성인임을) 감당하시어 사양하지 않으신 때가 있다. 예컨대 '하늘이 내게 덕을 주셨다(『논어』7, 「술이」 22장)', '이 문이 없어지지 않을 것이다(『논어』9, 「자한」 5장)'라 하신 것들의 경우, 대개 진정 (성인이 성인임을) 가릴 수 없는 것이 있다.

○南軒張氏曰 子路 請禱 而夫子 告之以有諸 蓋 欲子路深省夫禱之理也 苟知其有是理 則知夫子之何用禱也 而子路 未達 獨擧誄以爲證 於是 從而

告之曰 丘之禱久矣 蓋 禱者 悔過遷善之意 平日之思慮云爲 神之聽之 未嘗斯須離也 一有未順 則逆於神理 是則當禱也 若夫聖人之心 則所謂天且弗違 而況於鬼神乎 獨曰 丘之禱久矣 辭氣謙厚 而所以啓告子路者 亦至矣

남헌 장씨가 말했다. 자로가 기도하기를 청하자 공자께서는 '그런 것이 있느냐'라고 알려주셨는데 (이는) 대개 자로가 기도의 이치를 깊이 성찰하기를 바라신 것이다. 만약 이런 이치가 있음을 안다면 공자의 '어찌 기도를 쓰겠는가'라는 말씀의 뜻도 알겠지만 자로는 깨닫지 못하고 다만 '뇌'를 들어 증거로 삼으려 하자, 이에 이어서 '내가 기도한 지는 오래되었다'고 알려주셨다. 대개 기도란 개과천선하겠다는 뜻으로, 평소의 생각과 말과 행동은 신이 듣고 있으니 일찍이 잠시도 이를 떠난 적이 없어야 하고, 하나라도 따르지 않았으면 귀신의 이치를 거스른 것이니, 이것이 곧 마땅히 기도해야 하는 이유이다[떠난 적이 있거나 따르지 않은 적이 있어야 기도하는 것이다]. 무릇 성인의 마음이라면 이른바 '하늘도 (성인을) 어기지 않는데' 하물며 귀신에 있어서이랴[귀신의 뜻에 어긋난 일은 있을 수 없다. 따라서 귀신에게 기도할 필요가 없다]. 다만 '내가 기도한 지는 오래되었다'고 말씀하셨는데 어조가 겸손하고 중후하니 자로에게 깨우쳐 일러주신 것 또한 지극하다.

○慶源輔氏曰 疾病而行禱 乃臣子迫切之至情 在周公猶爲之 然 周公 則可 武王 則不可 子路 則可 夫子 則不可 領子路之至情 明在己之正理 夫子之心 卽天地神祇之心也

경원 보씨가 말했다. 질병에 기도를 행하는 것은 신하나 자식의 절박하고 지극한 정이다. 주공의 경우에도 그것을 행했다. 그러나 (아들인) 주공은 해도 되지만 (아버지인) 무왕은 할 수 없고, (제자인) 자로는 해도 되지만 (스승인) 공자는 할 수 없다. 자로의 지극한 정은 이해하시면서도 자신에 있어서의 올바른 도리는 밝히셨으니 공자의 마음은 곧 천지신명의 마음이시다.

○厚齋馮氏曰 觀夫子答媚竈之問 以爲獲罪於天 無所禱也 然則行與天合 禱 何所用 在子路 爲夫子禱 則可 請於夫子而後禱 則夫子 不爲也

후재 풍씨가 말했다. 공자께서 미조의 질문(부뚜막에 아부하는 것이 어떠냐라는 질문)에 답변하신 것을 보면 '하늘에 죄를 얻으면 기도할 곳이 없다'라 하셨다(『논어』3, 「팔일」 13장). 그러니 행동이 하늘과 합치하는데 기도가 무슨 소용이 있으랴. 자로로서는 공자를 위해 기도해도 되지만, 공자께

청한 다음에 기도한다면 공자께서는 하지 않으신다.

○雲峯胡氏曰 禱 自是臣子之至情 無所事禱 自是聖人之素行 不必以夫子之言 遂謂禱爲無 亦不必以子路之言 直謂禱爲有 要之 鬼神之有無 不必問但 人之素行 自不可失爾

운봉 호씨가 말했다. 기도하는 것은 신하와 자식의 지극한 정 때문이고 기도를 일삼지 않는 것은 성인의 평소 행동 때문이다. 꼭 공자의 말씀을 가지고 급기야 기도는 없어야 한다고 말할 필요는 없고, 또 꼭 자로의 말을 가지고 곧바로 기도는 있어야 한다고 말할 필요도 없다. 요컨대 귀신의 유무는 꼭 물을 필요가 없다. 다만, 사람의 평소 행동은 본디 잘못해서는 안 되는 것일 뿐이다.

7.35 子曰 奢則不孫 儉則固 與其不孫也 寧固 孫 去聲

공자께서 말씀하셨다. 사치하면 불손하고 검소하면 고루하다. 불손한 것보다는 오히려 고루한 것이 낫다.

【집주】

孫 順也 固 陋也 奢儉 俱失中 而奢之害 大

'손'은 순한 것(유순한 태도)이다. '고'는 고루한 것이다. 사치한 것과 검소한 것은 모두 중정함을 잃은 것이지만 사치함의 해악이 더 크다.

【세주】

雲峯胡氏曰 與其奢也寧儉 是言禮之弊也 如此 與其不孫也寧固 是言弊之極也 其終 必至於此

운봉 호씨가 말했다. '사치한 것보다는 오히려 검소한 것이 낫다(『논어』3, 「팔일」 4장)'는 말씀은 예의 폐단이 이와 같다는 말씀이고[사치와 검소는 예를 잘못 행하는 것이다], '불손한 것보다는 오히려 고루한 것이 낫다'는 말씀은 그 폐단의 극단을 말씀하신 것이니 [불손함과 고루함은 예를 잘못 행하는 것의 극단적 결과이다] 마침내는 (폐단이) 반드시 이(극단)에 이른다.

○新安陳氏曰 奢 失之過 儉 失之不及 皆 非中道 然 奢而僭犯 爲害甚 儉陋之害 止此而已 卽與其奢也寧儉之意

신안 진씨가 말했다. 사치함은 지나친 데서 잘못을 저지르는 것이고 검소함은 미치지 못하는 데서 잘못을 저지르는 것이니 모두 중도(적정한 도리, 즉 중용의 도)가 아니다. 그러나 사치해서 참람함을 범하는 것은 해로움이 심하고, 검소하고 누추함의 해로움은 이(고루함)에 그칠 뿐이니, (이것이) 곧 '사치한 것보다는 오히려 검소한 것이 낫다'는 (말씀의) 뜻이다.

【집주】

○晁氏曰 不得已 而救時之弊也

조씨가 말했다. 부득이하여 당시의 폐단을 구제하시려는 것이다.

【세주】

問 奢則不孫 朱子曰 纔奢 便是不孫 他 自是不戢斂也 且看奢底人意思

儉底人意思 那奢底人 便有驕傲底意思 須必至於過度僭上而後已

'사치하면 불손하다'(는 구절)에 대해 물었다. 주자가 답했다. 조금이라도 사치하기만 하면 곧 불손한 것이니, 그것(사치)은 본래 절제하지 않는 것이다. 또 사치하는 사람의 뜻이나 검소한 사람의 뜻을 보면 저 사치한 사람은 교만한 뜻이 있어서 반드시 도를 넘어 윗사람을 참람히 범하는 데 이른 뒤에야만 그친다.

○問 奢 非止謂僭禮犯上之事 只是有夸張侈大之意 便是否 曰 是

물었다. 사치함이란 단지 예를 참람히 하고 윗사람을 범하는 일을 말하는 것뿐만 아니고, 다만 과장하고 큰 척하려는 뜻이 있는 것입니다. 그렇지 않습니까? 답했다. 맞다.

7.36 子曰 君子 坦蕩蕩 小人 長戚戚

공자께서 말씀하셨다. [길에 비유하자면] 군자는 (넓고) 평평해서 호호탕탕하고(거칠 것이 없고), 소인은 (좁고) 길어서 조마조마하다(걸리적거리는 것이 많다).

【집주】

坦 平也 蕩蕩 寬廣貌 程子曰 君子循理 故 常舒泰 小人役於物 故 多憂戚

'탄'은 평탄한 것이다. '탕탕'은 넉넉하고 넓은 모습이다. 정자가 말했다. 군자는 이치를 따르므로 항상 느긋하고 편안하며 소인은 외물에 부림을 당하므로 근심, 걱정이 많다.

○程子曰 君子 坦蕩蕩 心廣體胖

정자가 말했다. 군자는 평평해서 호탕하므로 마음이 넓고 몸이 넉넉하다.

【세주】

南軒張氏曰 正己而不求諸人 故 坦蕩蕩 徇欲而不自反 故 長戚戚 坦蕩蕩 非謂放懷 自適無所憂慮之謂也 謂求之在己 而無必於外 故 常舒泰云耳

남헌 장씨가 말했다. 자신을 바르게 할 뿐, 남에게서 구하지 않기 때문에 평평해서 호탕하다. 욕심을 따를 뿐, 스스로를 반성하지 않기 때문에 길어서 조마조마하다. '평평해서 호탕하다'는 것은 풀어진 편안함을 말하는 것이 아니고 유유자적해서 우려하는 것이 없다는 말이다. 구하는 것이 나에게 있어 꼭 밖에서 구할 필요가 없다. 그래서 항상 느긋하고 편안하다고 하는 것이다.

○胡氏曰 循理 役於物 乃蕩蕩戚戚之所由生也 理 本自然 循而行之 則坦然而平 不愧不怍 所以 舒泰 爲物所役 則求名 役於名 求利 役於利 行險僥倖 患得患失 所以 憂戚

호씨가 말했다. 이치를 따르는 것과 외물에 부림을 당하는 것이 곧 호탕함과 조마조마함이 생겨나는 원인이다. 이치는 본디 자연스러운 것이니 (이치를) 따라 행하면 평탄해서 편안하다. 부끄러워하지도 않고 창피해하지도 않으니, 그래서 느긋하고 편안하다. 외물에 부림을 당하면 이름나기를 구해 이름에 부림을 당하게 되고, 이익을 구해 이익에 부림을 당하게 되고, 모험을 하고 요행을 바라고 이익과 손해를 걱정하게 된다. 그래서 근심, 걱정한다.

○厚齋馮氏曰 蕩蕩 曰坦 其心 無適而不寬廣也 戚戚 曰長 無時而不憂慮也

후재 풍씨가 말했다. '탕탕'한 것을 '탄'이라 하니 그 마음은 어디 가든 넓지 않음이 없는 것이다. '척척'한 것을 '장'이라 하니 근심, 걱정하지 않는 때가 없는 것이다.

7.37 子 溫而厲 威而不猛 恭而安

공자께서는 따스하되 엄숙하고, 위엄 있되 사납지 않고, 공손하되 편안하셨다.

【집주】

厲 嚴肅也 人之德性 本無不備 而氣質所賦 鮮上聲有不偏

'여'는 엄숙함이다. 사람의 덕성은 본디 갖추어지지 않는 것이 없지만, 타고난 기질이 치우치지 않은 경우는 드물다.

【세주】

慶源輔氏曰 德性 根於無極之眞 所以 本無不備 氣質 稟於陰陽五行之氣 有剛柔過不及之分 所以 鮮有不偏

경원 보씨가 말했다. 덕성은 무극의 진(형체 없는 궁극적 원리)에 뿌리를 둔 것이니, 그래서 본디 갖추어지지 않은 것이 없다. 기질은 음양오행의 기로부터 품부받은 것이어서 단단하고 부드럽고, 지나치고 모자라는 차이가 있으니, 그래서 치우치지 않은 경우가 드물다.

【집주】

惟聖人 全體渾上聲然 陰陽合德

오직 성인만이 전체로서 혼연(모든 것이 포함된 완전한 하나)하시고, 음양의 합덕(음과 양이 그 덕을 합함)이 있으시다.

【세주】

雙峯饒氏曰 全體渾然 應上文德性而言 陰陽合德 應上文氣質而言

쌍봉 요씨가 말했다. '전체로서 혼연하다'는 것은 윗글의 덕성에 대응해 하는 말이고, '음양의 합덕이 있다'는 것은 윗글의 기질에 대응해 하는 말이다.

【집주】

故 其中和之氣 見賢遍反於容貌之間者 如此

그런 까닭에 그 중화의 기상이 용모에 드러난 것이 이와 같다.

【세주】

朱子曰 厲 便自有威底意思 不猛 便自有溫底意思 溫 威 恭 三字 是主 厲 不猛 安 是帶說 如伯夷柳下惠 猶未免偏 下惠 則溫勝厲 伯夷 則厲勝溫

주자가 말했다. '여(엄숙함)'는 곧 그 자체로 위엄 있다는 뜻이 있다. '불맹(사납지 아니함)'은 곧 그 자체로 따스하다는 뜻이 있다. '온', '위', '공' 세 글자는 주가 되고 '여', '불맹', '안'은 부대적인 설명이다. 예컨대 백이나 유하혜의 경우도 오히려 치우침을 면치 못했으니, 유하혜는 따스함이 엄숙함을 넘었고, 백이는 엄숙함이 따스함을 넘었다.

○問 集註云 陰陽合德 竊嘗因其言 而分之 以上三截 爲陽 而下三截 爲陰 似乎有合 然 又以上三截 爲陰 而下三截 爲陽 亦似有合 未知所決 抑聖人渾是一元氣之會 無間可得而指 學者 强爲之形容 如且以其說 自分三才而言 則溫然有和之可揖 而不可屈奪 則人之道也 儼然有威之可畏 而不暴於物 則天之道也 恭順卑下 而恬然無所不安 則地之道也 自陽根陰而言 則溫者 陽之和 厲者 陰之嚴 威者 陽之震 不猛者 陰之順 恭者 陽之主 安者 陰之定 自陰根陽而言 則溫者 陰之柔 厲者 陽之剛 威者 陰之慘 不猛者 陽之舒 恭者 陰之肅 安者 陽之健 蓋 渾然無適而非中正和平之極 不可得而偏指者也 曰 此說推得 亦好

물었다. 집주에서는 음양이 그 덕을 합한다고 하셨는데, 제가 일찍이 가만히 그 말씀에 근거해 나누어보건대, 위의 세 부분(온, 위, 공)은 양이 되고 아래 세 부분(여, 불맹, 안)은 음이 되어 맞아 떨어지는 것 같습니다만, 그러나 또 위의 세 부분이 음이 되고 아래 세 부분이 양이 되어도 또한 맞아 떨어지는 것 같으니 어떻게 결론지어야 할지 모르겠습니다. 또 성인은 혼연히 하나의 원기가 모인 것으로서 지적할 만한 틈새가 없는데도 배우는 자(이 구절을 기록한 공자의 제자)가 억지로 (이 구절처럼) 형용한 것입니다. 만약 또 그 설명(이 구절의 말)을 3재(천지인)로 나누어 말하자면, 따스하여 당길 만한[가까이할 만한] 온화함이 있으면서도 굴복시키거나 빼앗을 수 없는 것이 사람의 도리이고, 엄숙하여 두려워할 만한 위엄이 있으면서도 사물에 사납지 않은 것이 하늘의 도리이며, 공손하고 낮추면서도 태연하여 편안하지 않음이 없는 것이 땅의 도리입니다. 양이 음에 뿌리를 둔다는 점에서 말하자면 온은 양의 화(따스함)이고 여는 음의 엄(엄숙함)이며, 위는 양의 진(위엄 있음)이고 불맹은 음의 순(유순함)이며, 공은 양의 주[존중함]이고 안은 음의 정[안정됨]입니다. 음이 양에 뿌리를 둔다는 점에서 말하자면 온은 음의 유(부드러움)이고 여는 양의 강(단단함)이며, 위는 음의 참(가혹함)이고 불맹은 양의 서(느긋함)이며, 공은 음의 숙(단정함)이고 안은 양의 건(강건함)입니다. 대개 혼연하고 무적(마음이 흩어지지 않음)하여 중정함과 화평함의 극치에 이른 자가 아니라면 (이러쿵저러쿵) 치우치게 가리킬 수 없는 것입니다. 답했다. 이 설명이 추론한 것 또한 좋다.

○溫厲之說 若直以厲爲主 誠可爲一偏之論矣 或恐以氣質之偏 而欲矯以趨中 則有當如是者 亦不爲過矣 然 聖人之溫而厲 乃是天理之極致 不勉不思 自然恰好 毫髮無差處 要須見此消息 則用力矯揉 隨其所當 自有準則不至偏倚矣

따스하되 엄숙하다는 설에 대해, 만약 ['따스하되 엄숙하다'는 말을 엄숙함이 더 중요하다는 말로 해석해서] 곧바로 엄숙함이 주가 된다고 한다면 진정 한쪽으로 치우친 논의라 할 수 있다. 혹시 기질의 치우침을 우려하여 (그 치우침을) 바로잡고자 중정함을 좇는다면 마땅히 이처럼 해야 할 것이 있으니[예컨대 기질이 따스함에 치우친 자가 그것을 바로잡으려 엄숙함에 주력해 그 치우침을 바로잡으려 한다면 그렇게 해야 하니], 역시 허물이 되지는 않는다. 그러나 성인께서 따스하되 엄숙하심은 곧 천리의 극치이니 애쓰지 않고 생각하지 않아도 저절로 딱 맞아서 털끝만큼도 차이가 없다. 모름지기 이 소식[소장(消長), 즉 어느 한쪽이 줄어들면 반대편이 늘어나는 변화. 예컨대 따스함이 부족하면 엄숙함이 지나침]을 알아야 한다. 그리하면 힘쓰는 것을 조절하여 [예컨대 따스함이 모자라고 엄숙함이 남으면 따스함에 힘을 쓰고 엄숙함을 억제해서] 그 마땅한 바를 따르게 되고, 스스로 준칙이 있어 치우치는 데 이르지 않는다.

○此 雖是說聖人之德容如此 然 學者 也當如此擧偏補弊 蓋 自舜之命夔已如此 而皐陶陳九德 亦然

이는 비록 성인의 덕 있는 모습이 이와 같다는 것을 설명한 것이지만, 그러나 배우는 자 또한 마땅히 이처럼 치우침을 들어올려(문제로 삼아) 폐단을 보완해야 한다. 대개 순임금이 기에게 명령한 것이 이미 이와 같고(『서경』, 「우서 순전」 9장), 고요가 9덕을 진술한 것(『서경』, 「우서 고요모」 3장) 또한 그러하다.

○初學 如何便得安 除是孔子方恭而安 初要持敬 也須勉强 久後自熟

초학자가 어떻게 해야 편안할 수 있는가? 공자처럼 바야흐로 공손하되 편안한 것이 아니라면 처음에는 경건함을 지녀야 하고, 또 모름지기 애써 공부해야 한다. (그렇게 한 것이) 오래된 뒤에는 저절로 익는다.

○南軒張氏曰 和順充積者 其發見 必溫 然 溫而厲也 德盛者 其威 必著於外 威而不猛也 從容中禮者 其貌 必恭 恭而安也 溫而不厲 則和而無制 有害於溫矣 威而猛 則爲物所憚 有病於威矣 恭而不安 則不可以持久 有損於恭矣 從容而全盡者 其唯聖人乎

남헌 장씨가 말했다. 화순하고 속이 꽉 찬 자는 그 드러나는 것이 반드시 따스하지만, 그러나 따스하면서도 엄숙하다. 덕이 성한 자는 그 위엄이 반드시 밖으로 드러나지만, 위엄 있으면서도 사납지 않다. 조용히 예에 맞게 행동하는 자는 그 모습이 반드시 공손하지만, 공손하면서도 편안하다. 따스하기만 하고 엄숙하지 않으면, 온화하기만 하고 절제가 없어 따스함 때문에 해가 있다. 위엄 있고 또 사나우면 남들이 꺼리니 위엄 때문에 문제가 생긴다. 공손하기만 하고 편안하지 않으면 오랫동안 지킬 수 없으니 공손함 때문에 해가 있다. 조용하면서도 완전한 자는 오직 성인뿐이리라.

○新安陳氏曰 常人 偏於溫 則不厲 偏於威 則易猛 勉於恭 則不安 聖人 溫而厲 陽中有陰也 威而不猛 陰中有陽也 恭而安 恭者 嚴威儼肅 陰也 安者 和順自然 陽也 亦陰中有陽也 惟其不偏而中 是以 不戾而和 惟聖人 有中和自然之德性 所以 有中和自然之德容也

신안 진씨가 말했다. 보통 사람은 따스함에 치우치면 곧 엄숙하지 못하고, 위엄 있음에 치우치면 곧 쉽게 사나워지고, 공손함에 힘쓰면 곧 불안하다. 성인께서는 따스하되 엄숙하시니 양 가운데 음이 있는 것이다. 위엄 있되 사납지 않으시니 음 가운데 양이 있는 것이다. '공손하되 편안하시다'라고 할 때의 공손함이란 위엄 있고 엄숙한 것이니 음이고, 편안함이란 화순하고 자연스러운 것이니 양이다. (그러니) 또한 음 가운데 양이 있는 것이다. 오직 치우지치 않고 중정해야 어그러지지 않고 조화롭다. 오직 성인만이 중화와 자연의 덕성이 있으시니 그래서 중화와 자연의 덕용이 있으시다(내면에 본성의 덕이 있기 때문에 외면에 덕 있는 모습이 나타난다).

【집주】

門人 熟察而詳記之 亦可見其用心之密矣 抑 非知去聲足以知聖人而善言德行去聲者 不能記

문인들이 익히 관찰하고 자세히 기록했으니 또한 그 마음 씀의 면밀함을 알 수 있다. 아, 지식이 성인을 알기에 충분하고 덕행을 말로 잘 그려내는 자가 아니라면 (이처럼) 기록할 수 없다.

【세주】

慶源輔氏曰 用心不密 則見其溫 不見其厲 餘 皆然

경원 보씨가 말했다. 마음 씀이 면밀하지 않다면 그 따스함은 보아도 엄숙함은 보지 못한다. 나머지도 모두 그렇다.

【집주】

故 程子 以爲曾子之言 學者 所宜反復方服反而玩心也

그러므로 정자는 (이 구절을) 증자의 말이라고 생각했다. 배우는 자는 마땅히 반복해서 마음으로 감상해야 할 것이다.

【세주】

問 此章 是總言聖人容貌 鄕黨 是逐事上說否 朱子曰 然 此章 就大體上看

물었다. 이 장은 성인의 용모를 총괄해서 말한 것이고 「향당」편은 일에 따라 말한 것 아닙니까? 주자가 답했다. 그렇다. 이 장은 (성인의) 대체에 대해 본 것이다.

泰伯第八

【집주】

凡二十一章

모두 21장이다.

8.1 子曰 泰伯 其可謂至德也已矣 三以天下讓 民無得而稱焉

공자께서 말씀하셨다. 태백은 가히 지덕이라 할 만하다. 세 번 천하를 사양했으나 백성들이 칭송할 수가 없었다.

【집주】

泰伯 周大音泰王之長上聲 下同子 至德 謂德之至極 無以復加者也 三讓 謂固遜也

태백은 주나라 태왕의 장자이다. '지덕'은 덕이 지극하여 다시 더할 것이 없는 것을 말한다. 세 번 사양하는 것을 고손(진정한 양보)이라 한다.

【세주】

朱子曰 古人 辭讓 以三爲節 一辭爲禮辭 再辭爲固辭 三辭爲終辭

주자가 말했다. 옛사람들이 사양할 때는 세 번(사양하는 것)을 법도로 삼았다. 처음 사양하는 것을 예사(의례적으로 사양함)라 하고 두 번 사양하는 것을 고사(굳이 사양함)라 하고 세 번 사양하는 것을 종사(끝까지 사양함)라 한다.

【집주】

無得而稱 其遜隱微 無迹可見也 蓋 大王三子 長 泰伯 次 仲雍 次 季歷 大王之時 商道寖衰 而周日彊大 季歷 又生子昌 有聖德 大王 因有翦商之志 而泰伯不從

칭송할 수 없었다는 것은 그 양보함이 은미하여 (사양한) 흔적도 볼 수 없었다는 것이다. 대개 태왕의 세 아들은 장자가 태백이고 차자가 중옹이고 그다음이 계력이다. 태왕 때에 상의 도는 쇠퇴하고 주는 날로 강성해졌다. 계력은 또 아들 창을 낳았는데 성덕이 있었다. 태왕은 이로 인하여 상을 정벌할 뜻이 있었는데, 태백은 따르지 않았다.

【세주】

問 詩云 至于大王實始翦商 恐是推本得天下之由如此 朱子曰 若推本說 不應下實始翦商 翦商 自是周人說 若無此事 他 豈有自誣其祖 左氏 分明說

泰伯不從 不知是不從甚事

물었다. 『시』(「노송」 <비궁>)에서 말하기를 “태왕에 이르러 실로 상을 정벌하기 시작했다”라 했으니, 아마도 천하를 얻게 된 연유의 근본을 이와 같이 (실제는 태왕이 그런 것이 아닌데 태왕에게) 미룬 것이 아닌가 합니다. 주자가 답했다. 추본설(태왕에게 미루었다는 설)의 경우는 ‘실로 상을 정벌하기 시작했다’라는 구절과 상응하지 않는다. ‘상을 정벌한다’라는 (시에 있는) 말은 본디 주나라 사람들이 한 말인데, 만약 이 일이 없었다면(이 일이 실제로 있었던 일이 아니라면) 그들이 어찌 스스로 그 조상을 무고했을 것인가? 좌씨는 분명히 ‘태백이 따르지 않았다(『좌전』 희공 5년 추)’고 말했는데, 무슨 일을 따르지 않은 것인지는 모르겠다.

【집주】

大王 遂欲傳位季歷 以及昌 泰伯 知之 卽與仲雍 逃之荊蠻

태왕은 마침내 왕위를 계력에게 전하여 창에게 미치려 했다. 태백은 이를 알고 중옹과 함께 형만으로 도망했다.

【세주】

洪氏曰 仲雍之讓 一也 何以獨稱泰伯 泰伯 當立者也

홍씨가 말했다. 중옹의 사양도 마찬가지인데 왜 태백만 칭찬하는가? 태백은 마땅히 (왕위에) 즉위할 자이기 때문이다.

【집주】

於是 大王 乃立季歷傳國 至昌 而三分天下 有其二 是爲文王 文王 崩 子發立 遂克商 而有天下 是爲武王 夫音扶 以泰伯之德 當商周之際

이에 태왕은 계력을 세워 나라를 전했고, 창에 이르러 천하를 삼분하여 그 둘을 가졌으니, 이 사람이 문왕이다. 문왕이 죽고, 아들 발이 즉위하여 드디어 상을 정벌하여 천하를 가졌는데, 이 사람이 무왕이다. 무릇 태백의 덕이라면 상과 주의 교체기에

【세주】

謂二代交會之間

두 왕조의 교체기를 말한다.

【집주】

固足以朝音潮諸侯 有天下矣 乃棄不取 而又泯其迹焉 則其德之至極 爲何如哉 蓋 其心 卽夷齊扣馬之心 而事之難處上聲 有甚焉者

본디 족히 제후의 조하를 받고 천하를 가질 수 있었는데, 버리고 취하지 않았으면서도 그 흔적마저도 없앴으니 그 덕의 지극함은 어떠한가? 대개 그 마음은 곧 백이 숙제의 말머리를 두드렸던 마음과 같았지만, 일의 난처함은 더 심한 점이 있었다.

【세주】

朱子曰 夷齊 諫武王 不信 便休 泰伯 不從大王翦商 却是一家內事 與諫武王不同 所以 謂之難處

주자가 말했다. 백이와 숙제는 무왕에게 간언했으나 믿지 않자 곧 그만두었다. 태백은 태왕이 상을 정벌하려는 것을 따르지 않았으니 이는 오히려 한 집안의 일로서 무왕을 간하는 것과는 다르다. 그래서 난처함이라고 했다.

○夷齊 處君臣間 道不合 則去 泰伯 處父子之際 不可露形迹 只得不分不明且去 某書謂 大王 有疾 泰伯 採藥不返 疑此時去也

백이 숙제는 군신의 관계에 해당되기 때문에 도에 맞지 않으면 떠났고, 태백은 부자의 관계에 해당되기 때문에 그 흔적을 드러낼 수 없어서 다만 분명하지 않게(도에 맞지 않아 떠난다는 분명한 이유를 대지 않고) 떠날 수 있었을 뿐이다. 어떤 책에 말하기를 태왕이 병이 있어 태백이 약을 캐러 갔다가 돌아오지 않았다고 했는데, 아마도 이때 떠난 것이 아닌가 싶다.

【집주】

宜 夫子之歎息 而贊美之也 泰伯不從事 見賢遍反春秋傳

마땅하도다, 공자께서 탄식하시고 찬미하심은. 태백이 따르지 않은 일은 『춘추전』(희공 5년 추)에 나온다.

【세주】

吳越春秋 古公三子 古公 周大王之本號 後乃尊爲大王 名亶父 長曰 泰伯 次曰 仲雍 一名虞仲 少曰 季歷 季歷 娶大任 生子昌 古公 知昌聖 欲傳國以及昌 曰 興王業者 其在昌乎 泰伯仲雍 望風知指 古公病 二人 託名採藥于衡山 遂之荊蠻 荊者 楚舊號 以州言曰荊 蠻者 南夷之名 正義曰 泰伯 奔吳 所居城 在蘇州北常州無錫縣界 梅里村

其城及塚 見存 而云亡荊蠻者 楚 滅越 其地屬楚 秦 滅楚 其地屬秦 秦 諱楚 故 通號吳越之地爲荊 及北人書史 加云蠻 勢使然也 斷髮文身 因其俗爲夷狄之服 示不可用 古公卒 泰伯仲雍歸赴 喪畢 還荊蠻 國民 君事之 自號爲勾吳 吳言勾者 夷之發聲 猶言於越耳 吳名始於泰伯 明以前未有吳號 古公 病將卒 令季歷讓國於泰伯 而三讓不受 故云 泰伯三以天下讓

『오월춘추』(권1 「오태백전」)에 보면 다음과 같이 나와 있다. 고공의 세 아들 중 <고공은 주 태왕의 본디 칭호이다. 나중에 추존해서 태왕이 되었다. 이름은 단보이다.> 큰 아들은 태백이고 둘째는 중옹, 일명 우중이고, 막내는 계력인데 태임에게 장가들어 아들 창을 낳았다. 고공은 창이 성스러움이 있는 것을 알아 나라를 전해 창에게 미치려 하여 말하기를 '왕업을 흥하게 하는 것은 창에게 달려 있다'라 했다. 태백과 중옹은 바람을 보고 그 가리키는 것을 알아채었다(그 낌새를 눈치채었다). 두 사람은 고공이 아프자 형산에 약 캐러 간다고 핑계를 대고 마침내 형만으로 갔다. <'형'이란 초의 옛 이름으로, 주의 이름으로 말해서 형이라 한다(형주라 한다). '만'이란 남쪽 오랑캐의 이름이다. 『(사기)정의』에 말하기를 '태백은 오로 도망갔는데 그 거처한 성은 소주 북쪽의 상주 무석현과 경계에 있는 매리촌이다'라 했다. 그 성과 무덤은 지금도 남아 있다. '형만으로 도망갔다'라고 하는 것('형만'이라 하는 것)은 초가 월을 멸하여 그 땅이 초에 예속되었고, 진이 초를 멸하여 그 땅이 진에 예속되었는데, 진이 '초'라는 이름을 꺼려 오월의 땅을 총칭하여 형이라 한 것이고, 또 북쪽 사람들이 역사서를 쓰면서 '만' 자를 더한 것은 사세가 그렇게 하도록 한 것이다.> 단발하고 문신을 한 것은 그 풍속을 따라 이적의 복장을 한 것으로, (더 이상 주나라에) 쓰일 수 없음을 보인 것이다. 고공이 죽자 태백과 중옹은 돌아왔다가 상이 끝나자 형만으로 돌아갔다. 나라 사람들이 군주로 모셨는데, 스스로 (나라 이름을) '구오'라 칭했다. <오나라 말에 '구'라고 하는 것은 오랑캐 발음으로, '어월(그 너머)'이라는 말과 같다. 오라는 이름은 태백에게서 비롯된 것으로, 분명 그 전에는 오라는 호칭이 없었다.> 고공이 병이 들어 죽게 되자 계력에게 명하여 태백에게 나라를 양위하라고 했으나 (태백은) 세 번 사양하여 받지 않았다. 그래서 '태백은 천하를 세 번 사양했다'라 한다.

○問 泰伯 逃必之荊蠻 斷髮文身者 蓋 不示以不可立 則王季之心不安 其位未定 終無以仁天下遂父志 而成其遠者大者 泰伯之讓 上以繼大王之志 下以成王季之業 無非爲天下之公 而不爲一身之私 其事 深遠 民 莫能測識而稱之 曰 此意 甚好 非惟說得泰伯之心 亦說得王季之心 泰伯之讓 權而不失其正 所以爲時中也 逃父 非正 但 事須如此 必用權 然後得中 雖變而不失其正也

물었다. 태백이 하필 형만으로 도망하여 단발하고 문신한 것은, 대개 즉위할 수 없다는 뜻을 보이지 않으면 왕계(태백 대신 즉위한 셋째 아들)의 마음이 불안하고 그 왕위가 안정되지 않아, 끝내는 천하에 인을 행함으로써 아버지(태왕)의 뜻을 이어 그 원대한 것을 이루지 못하게 될 것이기 때문이었습니다. 태백의 사양은 위로는 태왕의 뜻을 이은 것이고 아래로는 왕계의 왕업을 이루는 것이었으니 천하를 위하는 공적인 마음이 아닌 것이 없고, 제 한 몸을 위한 사적인 것이 아니었습니다. 그 일은 심원하여 백성들이 (그 의미를) 헤아려 칭송할 수가 없었습니다. 답했다. 이 생각이 매우 좋다. 단지 태백의 마음을 잘 말했을 뿐만 아니라 왕계의 마음도 잘 말했다. 태백의 사양은 권도(편법)이기는 하지만 그 올바름을 잃지 않았으니 시중(시의에 적절함)이 되는 것이다. 아버지로부터 도망간 것은 올바른 일이 아니지만 단, 일이 모름지기 이와 같다면 반드시 권도를 써야만 중(적정함)을 얻을 수 있으니, 비록 변칙이기는 해도 그 올바름은 잃지 않은 것이다.

○大王 見商政日衰 是以 有翦商之志 泰伯 惟知君臣之義 截然不可犯 是以不從 二者 各行其心之所安 聖人 未嘗說一邊不是 泰伯之心 卽夷齊叩馬之心 天地之常經也 大王之心 卽武王孟津之心 古今之通義也 於二者中 須見得道竝行而不相悖 乃善

태왕이 상의 정치가 날로 쇠퇴하는 것을 보고 이 때문에 상을 없애려는 마음을 가졌다. 태백은 오직 군신의 의리가 엄연하여 범할 수 없다는 것을 알았기에 이 때문에 따르지 않았다. 두 사람(태왕과 태백)은 각각 그 마음의 편안한 바를 행했고, 성인께서는 일찍이 어느 한편이 틀렸다고 말씀하신 적이 없다. 태백의 마음은 곧 백이와 숙제가 말머리를 두들긴 마음이니 천지의 상경(변하지 않는 원칙)이며, 태왕의 마음은 곧 무왕과 맹진의 마음이니 고금의 통의(어느 시대에나 통하는 의리)이다. 두 일 가운데로부터 모름지기 도가 같이 행해지면서도 서로 모순되지 않는 것이 선임을 알아야만 한다.

○論語 兩稱至德 一爲文王發 是對武王誓師而言 一爲泰伯而發 則是對大王翦商而言 若論其志 則文王 固高於武王 而泰伯所處 又高於文王 若論其事 則泰伯王季文王武王 皆處聖人之不得已 而泰伯 爲獨全其心 表裏無憾也

『논어』에서는 두 번 '지덕(지극한 덕)'이라고 칭했는데, (그중) 하나는 문왕 때문에 나온 것으로, 이는 무왕의 전쟁선언에 대비해서 말씀하신 것이고, 하나는 태백 때문에 나왔는데, 이는 태왕이 상을 정벌하려던 것에 대비해서 하신 말씀이다. 만약 그 뜻으로 논하자면 문왕은 본디 무왕보다 높지만 태백이 처신한 바는 또 문왕보다 높다. 만약 그 일로 논하자면 태백이나 왕계나 문왕이나 무왕이나 모두 성인의 부득이한 처신이지만 태백은 홀로 그 마음을 온전히 하여 안팎으로 유감이 없었다.

○或問 其爲至德 何也 曰 讓之爲德 美矣 至於三 則其讓 誠矣 以天下讓 則其讓 大矣 而又隱晦其迹 使民無得而稱焉 則其讓 非有爲名之累矣 此其德 所以至極而不可加也 曰 大王 有立少之意 非禮也 泰伯 又探其邪志 而成之 至於父死 不赴 傷毁髮膚 皆非賢者之事 不合於中庸之德矣 曰 大王之欲立賢子聖孫 爲其道 足以濟天下 非有愛憎利欲之私也 是以 泰伯去之 不爲狷 王季受之 不爲貪 不赴毁傷 不爲不孝 蓋 處君臣父子之變 而不失乎中庸 所以 爲至德也

혹자가 물었다. 그것이 지덕이 되는 이유는 무엇입니까? 답했다. 사양함의 덕은 아름다운 것인데 세 번(사양하기)에 이르렀으니 그 사양은 참되다. 천하를 사양했으니 그 사양함은 큰 것인데 또 그 흔적을 어둡게 숨겨 백성들로 하여금 칭송할 수 없도록 했으니 그 사양은 이름을 떨치기 위한 것이라는 폐단이 없다. 이것이 그 덕이 지극하여 더할 것이 없는 이유이다. 물었다. 태왕은 막내아들을 세우려는 뜻이 있었으니 예가 아니고, 태백은 또 그 잘못된 뜻을 알고서도 그것을 이루게 했고, 아버지가 죽음에 이르러서는 (상에) 오지 않았고, 머리칼과 피부를 상하게 했으니, 모두 현자의 일이 아니고 중용의 덕에도 합치하지 않습니다. 답했다. 태왕이 현자(현명한 아들)와 성손(성스러운 손자)을 세우려 한 것은 그 도가 족히 천하를 구제할 만했기 때문이지, 애증과 이욕의 사사로움이 있었던 것은 아니었다. 그러므로 태백이 떠난 것은 고집스러움이 되지 않고, 왕계가 (왕위를) 받은 것은 탐욕이 되지 않고, (상에) 오지 않고 (머리칼과 피부를) 손상한 것은 불효가 되지 않는다. 대개 군신과 부자의 변칙적 사태에 처하여 중용을 잃지 않았으니 그래서 지덕이 되는 것이다.

○陳氏曰 泰伯讓國 人得見其迹 其讓天下 人莫知其心 所以 聖人 表而出之 蓋 其處父子兄弟之變 而欲全天性之恩 處商周興亡之際 而欲全君臣之義 其事 類夷齊 而又泯其迹也

진씨가 말했다. 태백이 나라를 사양했다면 사람들이 그 흔적을 알 수 있었겠지만, 천하를 사양했기에 사람들이 그 마음을 알 수 없었다. 그래서 성인께서는 그것을 밝혀 드러내셨다. 대개 부자 형제의 변칙적 사태에 처하여 천성(하늘이 낸 본성)의 은혜를 온전히 하고자 했고, 상과 주의 교체 흥망하는 때를 당하여 군신의 의리를 온전히 하고자 했으니, 그 일은 백이 숙제와 비슷하지만 또 그 흔적은 없애버린 것이다.

○雙峯饒氏曰 泰伯 逃以成父之志 所以 上順天命於幾微 而下爲他日開拯民水火之地 非特遜國 而實以天下讓也

쌍봉 요씨가 말했다. 태백은 도망을 감으로써 아버지의 뜻을 이루었다. 그래서 위로는 천명의 기미에 순응했고 아래로는 후일 백성을 물불의 땅으로부터 구해내었으니, 다만 나라를 사양한 것일 뿐만 아니라 실로 천하를 사양한 것이다.

○新安陳氏曰 泰伯 既不從大王翦商之志 苟不併與仲弟逃之 則大王 無由傳之季歷 不得遂其志矣 今 自泰伯與仲雍俱逃 遂傳季歷 以及武王 而有天下 是 周有天下 由於泰伯之逃 人 但見泰伯之逃 而不知其實以天下讓 其讓隱微 無迹可見 更涉三世 事幾湮滅 人 安得而稱之 必待夫子推原周得天下之由 發其潛德之幽光 而後人始知之歟

신안 진씨가 말했다. 태백이 이미 태왕의 상을 정벌하려는 뜻을 따르지 않으면서도 만약 둘째와 같이 도망가지 않았더라면 태왕은 계력에게 왕위를 전할 까닭이 없어 마침내 그 뜻을 이루지 못했을 것이다. 지금 태백이 중옹과 같이 도망감으로써 마침내 계력에게 전해 무왕에게까지 미쳐 천하를 가졌으니, 이는 주나라가 천하를 가지게 된 것이 태백의 도망으로 말미암은 것이라 하겠다. 사람들은 다만 태백의 도망만을 알 뿐, 기실 그것이 천하를 사양한 것임은 알지 못한다. 그 사양은 은미하여 볼 수 있는 흔적도 없고, 또 삼세[태왕·왕계·문왕의 삼대]를 거쳐오면서 그 일은 거의 흩어져 인멸되었으니 사람들이 어찌 (알고) 칭송할 수 있으리오. 반드시 공자께서 주나라가 천하를 얻게 된 연유의 근원을 탐색해 그 숨은 덕의 어두운 빛을 드러내시기를 기다려서야 비로소 뒷사람들이 알게 되었도다.

8.2-1 子曰 恭而無禮 則勞 愼而無禮 則葸 勇而無禮 則亂 直而無禮 則絞 葸 絲里反 絞 古卯反

공자께서 말씀하셨다. 공손하되 예가 없으면 피곤하고, 신중하되 예가 없으면 소심하고, 용감하되 예가 없으면 난폭하고, 곧되 예가 없으면 급급하다.

【집주】

葸 畏懼貌 絞 急切也

'시'는 두려워하는 모습이다. '교'는 급급한 것이다.

【세주】

朱子曰 絞 如繩兩頭絞得緊 都不寬舒

주자가 말했다. '교'는 새끼의 두 끝을 서로 단단히 묶은 것처럼 전혀 느슨하지 않은 것이다.

【집주】

無禮 則無節文 故 有四者之弊

예가 없는 것은 절문(성문화된 규범)이 없는 것이니, 그런 까닭에 이 네 가지의 폐단이 있다.

【세주】

朱子曰 禮 只是理 只是看合當恁地不恁地 若不合恭後却要去恭 則必勞 若合當謹後謹 則不葸 若合當勇後勇 則不亂 若不當直後却要直 如證攘羊之類 便是絞

주자가 말했다. 예는 단지 '이(理)'일 뿐이니, 다만 그렇게 하는 것이 합당한지 그렇게 하지 않는 것이 합당한지를 살펴야 할 뿐이다. 만약 공손한 것이 합당하지 않은데도 오히려 공손하려 하면 반드시 피곤하다. 만약 삼가는 것이 합당해서 삼가면 소심한 것이 아니다. 만약 용감한 것이 합당해서 용감하면 난폭한 것이 아니다. 만약 곧은 것이 합당하지 않은데도 오히려 곧게 하려 하면 마치 (아버지가) 양을 훔친 것을 (아들이) 증언하는 것처럼 곧 급급한 것이다.

○南軒張氏曰 恭而無禮 則自爲罷勞 愼而無禮 則徒爲畏懼 勇而無禮 則流於陵犯 直而無禮 則傷於急切 然則其弊如此 何所貴於恭愼勇直者哉 蓋 有禮以節之 則莫非天理之當然 無禮以節之 則是 人爲之私而已 是故 君子以約諸己爲要矣

남헌 장씨가 말했다. 공손하되 예가 없으면 저절로 피로해지고, 신중하되 예가 없으면 헛되이 두려워하게 된다. 용감하되 예가 없으면 (남을) 능멸하고 거스르는 데로 흐르고, 곧되 예가 없으면 급급한 데서 상처받게 된다. 그런즉, 그 폐단이 이와 같으니 공손하고 신중하고 용감하고 곧은 자에게 있어서 무엇이 귀하겠는가? 대개 예로써 절제하면 천리의 당연함이 아닌 것이 없고, 예로써 절제하지 않으면 이는 인위적인 사욕일 뿐이다. 이런 까닭에 군자는 (예로써) 스스로를 단속하는 것으로 요체를 삼는다.

○慶源輔氏曰 恭愼 柔德也 勇直 剛德也 四者 雖皆美德 然 無禮以爲之節文 則過而爲四者之弊

경원 보씨가 말했다. 공손함과 신중함은 부드러운 덕이고, 용감함과 곧음은 강직한 덕이다. 네 가지는 비록 모두 아름다운 덕이지만 그러나 예로써 절문(규범)으로 삼지 않으면 지나쳐서 네 가지의 폐단이 된다.

○雙峯饒氏曰 恭而過 則病于夏畦者有之 是 謂勞 愼而過 則畏首畏尾者有之 是 謂葸 勇而過 則犯上作亂者有之 是 謂亂 直而過 則證父攘羊者有之 是 謂絞 四德 以得中爲貴 禮 是中底準則 無準則 則失之過 故 有弊

쌍봉 요씨가 말했다. 공손하되 지나치면 여름날 밭두둑에서 일하는 것보다 더 피곤한 경우가 있으니, 이를 일러 '노(피곤함)'라 한다. 신중하되 지나치면 머리가 어떻게 될까 꼬리가 어떻게 될까 겁내는 경우가 있으니, 이를 일러 '시(소심함)'라 한다. 용감하되 지나치면 윗사람을 범하고 난을 일으키는 경우가 있으니, 이를 일러 '난(난폭함)'이라 한다. 곧되 지나치면 아버지가 양 훔친 것을 증언하는 경우가 있으니 이를 일러 '교(급급함)'라 한다. 네 덕은 중정함을 얻는 것을 귀히 여긴다. 예는 중정한 준칙이니, 준칙이 없으면 지나침의 잘못을 저지른다. 그러므로 폐단이 있다.

8.2-2 君子 篤於親 則民 興於仁 故舊不遺 則民 不偸
군자가 친족에게 독실하면 백성은 인으로 흥기하고, 옛 친구를 버리지 않으면 백성은 각박하지 않게 된다.

【집주】

君子 謂在上之人也 興 起也 偸 薄也

'군자'는 (남의) 윗자리에 있는 사람이다. '흥'은 일으키는 것이다. '투'는 각박한 것이다.

【세주】

雲峯胡氏曰 君子 不弛其親 故舊 無大故 則不棄 周公之言 與此同一 忠厚之至也

운봉 호씨가 말했다. 군자가 그 친족을 버리지 않고, 옛 친구가 큰 과실이 없으면 버리지 않는다는 주공의 말(『논어』18, 「미자」 10장)은 이(이 장의 말씀)와 같으니, 지극한 충후함이다.

○新安陳氏曰 親親 仁也 上仁 則下興仁 不遺故舊 厚也 上厚 則下歸厚 上行下效也

신안 진씨가 말했다. 친족을 친히 하는 것은 인이다. 위에서 인하면 아래에서는 인을 일으킨다. 옛 친구를 버리지 않는 것은 후함이다. 위에서 후하면 아래에서는 후함으로 돌아간다. 위에서 행하면 아래에서 본받는다.

【집주】

○張子曰 人道 知所先後 則恭不勞 愼不葸 勇不亂 直不絞 民化而德厚矣

장자가 말했다. 사람의 도리에 대해 그 선후를 알면, 공손하되 피곤하지 않고, 신중하되 소심하지 않고, 용감하되 난폭하지 않고, 곧되 급급하지 않고, 백성은 교화되어 덕이 후해진다.

○吳氏曰 君子以下 當自爲一章 乃曾子之言也 愚按 此一節 與上

文不相蒙 而與首篇愼終追遠之意 相類 吳說 近是

오씨가 말했다. 군자 이하는 당연히 그 자체로 별도의 한 장이 되니, 곧 증자의 말이다. 내가 살피건대, 이 한 구절은 위의 글과 서로 연관되지 않고 수편(「학이」편)의 '신종추원(9장)'의 뜻과 서로 비슷하다. 오씨의 설이 옳은 듯하다.

【세주】

朱子曰 橫渠說 未敢決以爲定 不若吳氏分作兩邊說爲是

주자가 말했다. 횡거(장재)의 '(다른 장으로 구분하는 것을) 감히 결정하지 못한다'는 설은 오씨의 '두 장으로 나누어야 한다'는 설의 옳음만 못하다.

8.3 曾子 有疾 召門弟子 曰 啓予足 啓予手 詩云 戰戰兢兢 如臨深淵 如履薄冰 而今而後 吾知免夫 小子 夫 音扶

증자가 병이 들어 문하의 제자들을 불러 말했다. 내 발을 들쳐 보아라. 내 손을 들쳐 보아라. 시에 말하기를 전전긍긍하기를 마치 깊은 못에 임하듯 살얼음을 밟듯 한다 했다. 지금 이후에야 내가 면한 것을 알겠노라, 제자들아.

【집주】

啓 開也 曾子 平日 以爲身體受於父母 不敢毁傷 見孝經 故 於此 使弟子開其衾 而視之

'계'는 여는 것이다. 증자는 평소에 신체는 부모에게 받은 것이라 감히 훼손하지 않아야 한다고 생각했다. <『효경』에 나온다.> 그런 까닭에 이에 제자들로 하여금 이불을 들치고 보게 했다.

【세주】

新安陳氏曰 此字 指今病時 與上平日字對

신안 진씨가 말했다. '차' 자는 지금 병든 때를 가리키니, 위의 '평일'이라는 글자에 대비되는 것이다.

【집주】

詩 小旻之篇 戰戰 恐懼 兢兢 戒謹 臨淵 恐墜 履冰 恐陷也 曾子 以其所保之全 示門人 而言其所以保之之難 如此 至於將死 而後 知其得免於毁傷也

시는 (『시경』, 「소아 소민」편의) <소민>편(장)이다. '전전'은 두려워하는 것이고, '긍긍'은 경계해 삼가는 것이다. 못에 임한다 함은 떨어질까 두려워하는 것이고 얼음을 밟는다 함은 빠질까 두려워하는 것이다. 증자는 그가 온전히 보존한 것을 문인들에게 보여주고, 보존하는 일의 어려움이 이와 같으니 장차 죽음에 이르러서야 훼손하는 잘못을 면했음을 알았다고 말했다.

【세주】

新安陳氏曰 述前日常恐難保此身 幸今日 得以保全此身也

신안 진씨가 말했다. 전날에 항상 이 몸을 보존하기 어려움을 걱정했는데, 다행히 오늘 이 몸을 보전할 수 있었다는 것을 설명한 것이다.

【집주】

小子 門人也 語畢 而又呼去聲之 以致反復方服反丁寧之意 其警之也 深矣

'소자'는 문인이다. 말을 마치고 또 (문인들을) 부름으로써 거듭 틀림없이 하려는 뜻을 다했으니, 그 경계함이 깊다.

○程子曰 君子 曰終 小人 曰死

정자가 말했다. (죽음을) 군자에 대해서는 '종(마침)'이라 하고 소인에 대해서는 '사(죽음)'라 한다.

【세주】

見記檀弓 乃子張將死之言

『예기』, 「단궁」편을 보면 '자장이 장차 죽으려(사: 死) 함에'라는 말이 있다.

【집주】

君子 保其身 以沒爲終其事也 故 曾子 以全歸爲免矣

군자가 그 몸을 보존하는 것은 죽음을 그 일의 끝으로 삼는 것이다. 그러므로 증자는 (몸을) 온전히 하여 돌아가는 것을 (잘못을) 면한 것으로 여겼다.

【세주】

慶源輔氏曰 終者 成其始之辭 死 則澌盡泯沒之謂 君子 平日 以保身爲事 故 於將沒 可以言終

경원 보씨가 말했다. '종(마침)'이란 그 시작을 완성했다는 말이다. '사(죽음)'란 (목숨이) 다하여 죽어 없어지는 것을 말한다. 군자는 평소 몸을 보존하는 것을 일로 삼는 까닭에 장차 죽게 됨에 '종'이라 말할 수 있다.

【집주】

尹氏曰 父母 全而生之 子 全而歸之 曾子 臨終而啓手足 爲去聲是

故也 非有得於道 能如是乎 范氏曰 身體 猶不可虧也 況虧其行去聲 以辱其親乎

윤씨가 말했다. 부모가 온전하게 낳아 주었으니 자식은 온전히 하여 돌아가야 한다. 증자가 임종에 수족을 들쳐 보인 것은 이 때문이다. 도를 얻지 못했다면 이처럼 할 수 있겠는가? 범씨가 말했다. 신체도 또한 훼손할 수 없는데 하물며 그 행동을 훼손하여 부모를 욕되게 하리오.

【세주】

新安陳氏曰 此 推廣餘意 形體 固全受 德性 尤全受之大者 身體雖全 德行有虧 不可謂之全歸 尤爲辱親也 記祭義 樂正子春曰 吾 聞諸曾子 曾子 聞諸夫子 曰 父母 全而生之 子 全而歸之 可謂孝矣 不虧其體 不辱其親 可謂全矣 亦謂德行之不可虧也

신안 진씨가 말했다. 이(범씨의 말)는 숨은 뜻을 미루어 넓힌 것이다. 신체는 본디 온전하게 받은 것이지만, 덕성은 더욱이 온전하게 받은 큰 것이다. 비록 신체를 온전히 한다 하더라도 덕행에 이지러짐이 있으면 온전히 하여 돌아갔다고 할 수 없으니, 더욱 부모를 욕되게 하는 것이다. 『예기』, 「제의」 편에 보면, 악정자춘이 "나는 증자에게 들었고, 증자는 공자께 들었는데, (공자께서) 말씀하시기를 '부모가 온전히 낳아 주셨으니 자식이 온전히 하여 돌아가면 가히 효라고 할 수 있다. 그 몸을 손상하지 않고 그 부모를 욕되게 하지 않으면 가히 온전히 했다고 할 수 있다'라 하셨다"라고 말했는데, 또한 덕행을 훼손해서는 안 된다는 말이다.

○朱子曰 曾子云 戰戰兢兢 如臨深淵 如履薄冰 此 乃敬之意 此心不存 則常昏矣 今 有人 昏睡著 遇身有痛痒 則蹶然而醒 蓋 心所不能已 則自不至於忘 中庸 戒謹恐懼 皆敬之意

주자가 말했다. 증자가 전전긍긍하기를 깊은 못에 임하듯, 살얼음을 밟듯 한다 했는데, 이는 곧 경건히 한다는 뜻이다. 이 마음이 없으면 항상 어둡다. 지금 어떤 사람이 혼곤히 잠든 중에 몸이 아프거나 가려운 경우를 당하면 벌떡 일어나 깬다. 대개 마음에 그만둘 수 없는 것은 저절로 잊지 않게 된다. 『중용』의 계·근·공·구(경계하고 삼가고 우려하고 두려워함)는 모두 경건히 한다는 뜻이다.

○曾子 奉持遺體 無時不戒謹恐懼 直至啓手足之時 方得自免 這箇身 已直是頃刻不可不戒謹恐懼 如所謂孝 非止是尋常奉事而已 當念慮之 微有毫

釐差錯 便是悖理傷道 便是不孝 只看一日之間 內而思慮 外而應接事物 是多多少少 這箇心 略不檢點 便差失了至危者 無如人之心 所以 曾子 常常恁地戰戰兢兢 如臨深淵 如履薄冰

증자는 (부모가) 남겨준 몸을 받들어 지킴에 있어서 경계하고 삼가고 우려하고 두려워하지 않은 때가 없었으니, 진정 수족을 들쳐 보일 때에 이르러서야 비로소 스스로 (잘못을) 면할 수 있었다. 이 몸은 그야말로 잠시라도 경계하고 삼가고 우려하고 두려워하지 않을 수 없는 것이니, 이른바 '효는 단지 보통의 받들어 모시는 일에 그치는 것만은 아니다'라는 말 같은 것은 마땅히 염두에 두어야 한다. 조금이라도 털끝만 한 잘못이 있기만 하면 곧 이치에 거스르고 도를 손상시키는 것이고, 곧 불효이다. 단지 하루 동안을 보더라도 안으로 생각하는 것과 밖으로 사물에 마주하는 것이 얼마나 많은데, 이 마음을 제대로 점검하지 않아 잘못을 저질러 위태로운 지경에 이르는 자는 사람다운 마음이 없는 것이다. 그래서 증자는 항상 그렇게 전전긍긍하여 마치 깊은 못에 임하듯, 살얼음을 밟듯 했던 것이다.

○南軒張氏曰 曾子 當死生之際 其言如此 與易簀之意同 啓手足 示保其身而無傷也 戰兢臨履 曾子 平日之心 所以爲敬而無失也 至是 而知免於戾所謂全而歸之也歟

남헌 장씨가 말했다. 증자는 죽고 사는 때를 당하여서도 그 말이 이와 같았으니, 역책(죽음에 이르러 신분에 맞는 자리로 바꿈)의 뜻과 마찬가지이다. 수족을 열어 보인 것은 그 몸을 보전하여 손상이 없었음을 보인 것이다. 전전긍긍하여 (깊은 못에) 임하듯 (살얼음을) 밟듯 한 것은 증자의 평소의 마음이 경건함을 잃지 않았다는 것이다. 이에 이르러 잘못을 면한 것을 알았으니 이른바 '온전히 하여 돌아감'이로다.

○慶源輔氏曰 父母 全而生之 子 全而歸之 此 祭義所載 曾子 述孔子之言也今 若此 可謂非苟知之 亦允蹈之矣 曾子 平日 見道明 信道篤 故 能始終不息如此

경원 보씨가 말했다. '부모가 온전히 낳아 주셨으니 자식은 온전히 하여 돌아간다'라는 이 말은 (『예기』) 「제의」편에 실려 있는 것으로, 증자가 공자의 말씀을 기술한 것이다. 지금 이와 같으니, 겨우 아는 것이 아니라 또한 진정 실천했다고 할 수 있겠다. 증자는 평소에 도를 분명히 알았고 도를 독실하게 믿었던 까닭에 능히 처음부터 끝까지 이처럼 쉬지 않을 수 있었다.

○西山眞氏曰 曾子之啓手足也 蓋 以爲知免矣 而易簀一節 猶在其後 使其

終於大夫之簀 猶爲未正也 全歸之難 如此 學者 其可不戰兢以自省歟

서산 진씨가 말했다. 증자가 수족을 들쳐 보인 것은 대개 면한 것을 안 것이지만, 역책의 한 행동은 오히려 그 뒤에 있었으니 대부의 자리에서 (생을) 마치도록 하는 것은 오히려 옳지 못한 일이 된다는 것이다. 온전히 하여 돌아가는 일의 어려움이 이와 같으니, 배우는 자가 전전긍긍 자성하지 않아서 되겠는가?

○雲峯胡氏曰 范氏 正恐學者 但以曾子不虧其身而已 則將有僥倖苟免之意 故 又特以不虧其行申言之 所以厲中人也 曾子嘗曰 仁以爲己任 死而後已 至此 可謂能實踐其言矣

운봉 호씨가 말했다. 범씨는 다만 증자의 그 몸을 훼손하지 않은 것만 말하면, 배우는 자들이 장차 요행히 겨우 면하려는 뜻을 가질까 진정 우려한 까닭에, 또 특히 그 행동을 훼손하지 않아야 한다는 점을 말했으니, 보통(수준의) 사람들을 격려한 것이다. 증자가 일찍이 말하기를 '인을 나의 임무로 삼아 죽은 다음에야 그친다(『논어』8, 「태백」 7장)'라 했는데, 이에 이르러 가히 그 말을 능히 실천했다 하겠다.

8.4-1 曾子 有疾 孟敬子 問之

증자가 병이 있어 맹경자가 문병했다.

【집주】

孟敬子 魯大夫 仲孫氏 名 捷 問之者 問其疾也

맹경자는 노나라 대부 중손씨이며 이름은 첩이다. '문지'란 그 병을 문안했다는 말이다.

8.4-2 曾子言曰 鳥之將死 其鳴也 哀 人之將死 其言也 善

증자가 말했다. 새가 장차 죽으려 함에 그 울음이 슬프고, 사람이 장차 죽으려 함에 그 말이 선하다.

【집주】

言 自言也 鳥 畏死 故 鳴哀 人 窮反本 故 言善

'언'은 스스로 말하는 것이다. 새는 죽음을 두려워하는 까닭에 울음이 슬프고, 사람은 끝내는 근본으로 돌아가는 까닭에 말이 선하다.

【세주】

慶源輔氏曰 人性 本善 其惡者 役於氣 動於欲 而陷溺也 至將死 氣消欲息 故 反本而言善 此 凡人也 曾子 平日所言 何嘗不善 自謙云爾

경원 보씨가 말했다. 인성은 본디 선하다. (사람이 저지르는) 그 악이란 기질에 부림을 당하고 욕심에 흔들려서 빠지게 된 것이다. 장차 죽으려 함에 이르러서는 기는 사그러지고 욕심은 그치는 까닭에 근본으로 돌아가 말이 선하다. 이는 보통 사람의 경우이다. 증자의 평소 말한 바가 어찌 일찍이 선하지 않았으랴. 스스로 겸손히 말했을 뿐이다.

【집주】

此 曾子之謙辭 欲敬子知其所言之善 而識之也 識 音志 記也

이는 증자의 겸손의 말씀이다. 경자가 (증자가) 하는 말이 선하다는 것을 알고 그것을 기억하기를 바란 것이다.

8.4-3 君子所貴乎道者 三 動容貌 斯遠暴慢矣 正顏色 斯近信矣 出辭氣 斯遠鄙倍矣 籩豆之事 則有司存 遠 近 皆去聲

군자가 도에 있어서 귀히 여기는 것이 셋이니, 용모(신체)의 움직임에서는 난폭함이나 태만함을 멀리하고, 안색을 바로 함에 있어서는 진실함에 가깝게 하고, 말과 어조를 냄에 있어서는 비루함이나 배리됨(이치에 위배됨)을 멀리해야 한다. 변두의 일(종묘 제사의 제기 같은 세부적인 일)은 유사(담당관리)가 있다.

【집주】

貴 猶重也 容貌 擧一身而言 暴 粗厲也 慢 放肆也

'귀'는 귀중하다는 뜻이다. '용모'는 몸 전체를 들어 말한 것이다. '포'는 거칠고 사나운 것이다. '만'은 제멋대로 하는 것이다.

【세주】

朱子曰 暴 剛者之過 慢 柔者之過 人之容貌 少得和平 不暴 則慢 如人狠戾 固是暴 稍不溫恭 亦是暴 倨肆 固是慢 稍怠緩 亦是慢

주자가 말했다. 난폭함은 강파른 자의 허물이고, 태만함은 유약한 자의 허물이다. 사람의 용모는 화평하기 어려우니, 난폭하지 않으면 곧 태만하다. 예컨대 사람이 잔인하고 괴팍한 것은 본디 난폭한 것이지만 조금이라도 온화하고 공손하지 않으면 그 또한 난폭한 것이다. 거만하고 거리낌 없는 것은 본디 태만한 것이지만 조금이라도 게으르고 늘어진 것 또한 태만한 것이다.

【집주】

信 實也 正顔色 而近信 則非色莊也

'신'은 진실한 것이다. 안색을 바로 하되 진실함에 가깝게 하면 색장(겉만 장엄하게 꾸밈)이 아니다.

【세주】

朱子曰 正顔色 亦著力不得 須是裏面正 後顔色自正 正其顔色 即近於信 表裏如一 正顔色 而不近信 却是色莊 多見人顔色自恁地 而中不恁地者 如色厲而內荏 色取仁而行違 皆外面有許多模樣 所存却不然 便是與信遠了 只將不好底對看 便見近字 是對上遠字說

주자가 말했다. 안색을 바로 하는 것은 또한 힘쓴다고 되지 않는다. 반드시 내면이 바른 후에야 안색이 저절로 바르게 되는 것이다. 그 안색을 바로 함에 있어서 진실함에 가깝게 하면 표리가 일치하는 것이다. 안색을 바로 하면서 진실함에 가깝게 하지 않으면 그것은 오히려 색장이다. 사람이 안색은 스스로 그렇게 하면서 마음속은 그렇지 못한 자를 많이 본다. 예컨대 겉은 사나운데 속은 물렁하다든지 겉으로는 인을 취하는 듯하면서 행동은 어그러진 경우, 이는 모두 겉으로 여러 가지 모습이 있더라도 (마음속에) 있는 것은 그렇지 않으니, 곧 진실함과 거리가 멀다. 다만 좋지 않은 것[난폭함과 태만함, 천박함과 배리됨]을 가지고 [진실함과] 대비해보면 '근(가깝게 하다)' 자는 위의 '원(멀리하다)' 자와 대비해서 말한 것임을 곧 알 수 있다.

○新安陳氏曰 顔色 以見於面者言

신안 진씨가 말했다. 안색이란 얼굴에 드러난 것을 말한다.

【집주】

辭 言語 氣 聲氣也 鄙 凡陋也 倍 與背同 倍 背 竝音佩 謂背理也

'사'는 말이다. '기'는 소리의 기세(어조)이다. '비'는 범상하고 누추한 것이다. '패'는 '배(위배되다)'와 같은 뜻이니, 이치에 위배되는 것을 말한다.

【세주】

朱子曰 今人議論 有雖無甚差錯 只是淺陋者 此 是鄙 又有說得甚高 而實背於理者 此 是倍

주자가 말했다. 요즘 사람들이 의론을 할 때, 비록 심한 오류는 없지만 다만

(그 논의 수준이) 천박한 자가 있으니 이것이 '비(비루함)'이다. 또 말은 매우 고매하지만 그 실제는 이치에 위배되는 자가 있으니 이것이 '패(배리됨)'이다.

○斯字 來得甚緊 斯遠暴慢 猶云便遠暴慢 正顏色 便須近信

'사(이에)' 자는 매우 긴요하다. '이에 포만(난폭함과 태만함)을 멀리하라'는 말은 '곧 포만을 멀리하라'라는 말과 같다. 안색을 바로 할 때는 곧 모름지기 진실함에 가깝게 해야 한다.

○動 出 都說自然 惟正字 却似方整頓底意思 蓋 緣顏色 亦有假做恁地而內實不然者 若容貌之動 辭氣之出 卽容僞不得

'동(움직임)'이나 '출(냄)'은 모두 저절로 그렇게 된다는 말이지만 오직 '정' 자는 (의도적으로) 반듯한 것처럼 정돈한다는 뜻이다. 대개 안색은 또한 거짓으로 그렇게 하고 속으로는 실제로 그렇지 않은 경우가 있을 수 있기 때문이다. 용모의 움직이는 것이나 말과 어조가 나오는 것은 거짓으로 할 수 없다.

【집주】

籩 竹豆 豆 木豆

'변'은 대나무 제기이고 '두'는 나무 제기이다.

【세주】

新安陳氏曰 三禮圖說 籩 盛棗栗脩脯糗餌之屬 豆 盛菹醢之屬

신안 진씨가 말했다. 『삼례도설』에 다음과 같이 나와 있다. 변은 대추와 밤, 육포, 마른 밥 등을 담고, 두는 절인 채소나 젓갈을 담는다.

【집주】

言道 雖無所不在

도는 비록 없는 곳이 없으나

【세주】

新安陳氏曰 此語 甚闊 籩豆器物 皆包在內

신안 진씨가 말했다. 이 말은 심히 포괄적이어서, 변두기물이 다 그 안에 포함된다.

【집주】

然 君子所重者 在此三事而已 是 皆修身之要 爲政之本 學者 所當操存省悉井反察 而不可有造七到反次顚沛之違者也 若夫音扶籩豆之事 器數之末 道之全體 固無不該 然 其分扶問反 則有司之守 而非君子之所重矣

군자가 소중히 여기는 것은 이 세 가지 일에 있을 뿐이라는 말이다. 이는 모두 수신의 요체이고 정치의 근본이니, 배우는 자가 마땅히 붙들어 보존하고 성찰하여, 급할 때나 당황할 때라도 떠나서는 안 되는 것이다. 무릇 변두의 일 같은 것은 그릇의 숫자 같은 말엽의 일이니, 본디 도의 전체에 포함되지 않는 것은 아니지만 그 역할은 유사가 지키는 것이지 군자가 중히 여기는 것이 아니다.

【세주】

和靖尹氏曰 曾子所謂容貌 乃睟然見於面者 出辭氣 如修辭立其誠 有德必有言 是也 暴慢鄙倍 非謂人也 謂己所有爾 故曰 遠

화정 윤씨가 말했다. 증자가 말한 바의 용모는 곧 얼굴에 환히 드러나는 것이다. 말과 어조를 낸다는 것은 '말을 닦아 그 참됨을 세운다', '덕이 있으면 반드시 말이 있다'라는 말들이 그 예이다. 난폭하고 태만하고 비루하고 배리된다는 것은 남을 말하는 것이 아니라 자기가 가진 것을 말하는 것이니, 그래서 '멀리하라'라고 말하는 것이다. [예컨대, 비루한 사람을 멀리하라는 말이 아니라 나의 비루함을 멀리하라, 즉 내가 비루해지지 않도록 하라는 말이다.]

○朱子曰 君子所貴乎道者三 是 指夫道之所以可貴者爲說 故云 道之所以可貴者 有三事焉 故 下 數其所以可貴之實 且看世上人 雖有動容貌者 而便避足恭 不能遠暴慢 雖有正顔色者 而色取仁而行違 多是虛僞 不能近信 雖有出辭氣者 而巧言飾辭 不能遠鄙倍 這便未見道之所以可貴矣 道之所以可貴者 惟是動容貌 自然便會遠暴慢 正顔色 自然便會近於信 出辭氣 自然便會遠鄙倍 此 所以貴乎道者此也

주자가 말했다. 군자가 도에 있어서 귀히 여기는 것이 셋이라는 것은 도에 있어서 귀히 여길 만한 것을 가리켜 하는 말이다. 그러므로 (이 말은) 도에 귀히 여길 만한 것이 세 가지 일이 있다는 말이다. 그런 까닭에 아래에는 귀히 여길 만한 것의 실제를 열거했다. 또 세상 사람들을 보면, 비록 용모를 움직이는 자가 있기는 하나 곧 아첨하거나 지나치게 공손하여 난폭함과 태만함을 멀리하지 못하고, 비록 안색을 바로 하는 자가 있기는 하나 겉으로만 인을 취하고 행동은 어긋나서 거짓이 많아 진실함에 가깝게 하지 못하고, 비록 말과 어조를 내는 자가 있기는 하나 교묘한 말과 그럴싸한 말로 비루함과 배리됨을 멀리하지 못한다. 이는 곧 도에 있어서 귀히 여길 만한 것을 알지 못한 것이다. 오직 용모를 움직이면 저절로 난폭함과 태만함을 멀리할 수 있고, 안색을 바로 하면 저절로 진실함에 가깝게 할 수 있고, 말과 어조를 내면 저절로 비루함과 배리됨을 멀리할 수 있는 것, 이것이 '도에 있어서 귀한 것이 이것이다'라고 하는 것이다.

○以道言之 固不可謂此爲道 彼爲非道 然 其本 在此 則其末 在彼 所貴在此 則其賤 在彼矣 籩豆之事 非是說置之度外 不用理會 只去理會動容貌三者 蓋 此三者 却是自家緊要合做底 籩豆 是付有司管底 其事爲輕耳 今人於制度文爲 一一致察 未爲不是 然 於己身 都不照管 於大體上 欠闕 則是棄本而求末者也 籩豆之事 亦道之所寓 但 非在所當先而可貴耳

도로써 말하자면 본디 '이것은 도이고 저것은 도 아닌 것이다'라고 할 수 없다. 그러나 그 본이 여기 있으면 그 말은 저기 있고, 귀한 것이 여기 있으면 천한 것은 저기 있다. 변두의 일은 치지도외하여 이해할 필요도 없고 다만 용모를 움직이는 것 등의 세 가지만 이해하라는 말은 아니다. 대개 이 세 가지는 스스로 긴요하게 마땅히 해야 할 일이고, 변두의 일은 유사의 소관으로 맡겨져 있으니 그 일은 가벼운 것이다. 요즘 사람들은 제도문위(각종의 제도나 의례 등의 일)에 대해서는 일일이 잘 살피니 옳지 않은 일은 아니지만, 그러나 자신의 몸에 대해서는 전혀 살펴보지 않으니, 대체(근본적인 원칙)에 있어서 결함이 있으면 이는 곧 근본을 버리고 지엽을 구하는 것이다. 변두의 일 또한 도가 깃들어 있는 곳이지만, 다만 마땅히 먼저 해야 하는 귀히 여길 만한 일에는 들어가지 않는다.

○問 集註 舊 以三者爲修身之驗 爲政之本 非其平日莊敬誠實 存省之功積之有素 則不能也 專是做效驗說 如是 則動正出三字 只是閑字 改本 以驗爲要 非其以下 改爲學者所當操存省察 而不可有造次頃刻之違者也 如此則工夫 却在動正出三字上 某 疑正字 尙可說做工夫 動字 出字 豈可以爲工夫耶 曰 這三字 雖不是做工夫底字 然 便是做工夫處 作效驗 似有病 故改之 若專以爲平日莊敬持養 方能如此 則不成未莊敬持養底人 便不要遠暴慢近信遠鄙倍耶

물었다. 집주의 구설에는 이 세 가지를 수신의 효험이요 정치의 근본이라 하고, 평소에 장경성실(엄숙하고 경건하며 성실함)하여 보존하고 성찰하는 노력이 바탕에 쌓이지 않으면 할 수 없는 것이라 했는데, 오로지 효험설(이 세 가지가 평소 공부한 결과라는 설)을 주장한 것입니다. 그렇다면 '동(움직임)'과 '정(바로 함)'과 '출(냄)'의 세 글자는 단지 별 의미없는 글자가 되고 맙니다. 개정본에서는 '험(효험)'을 '요(요체)'로 바꾸고, '비기(非其)' 이하는 '배우는 자가 마땅히 보존하고 성찰하여, 급할 때나 당황할 때라도 떠나서는 안 되는 것이다'라고 고쳤습니다. 이렇게 되면 공부는 오히려 '동', '정', '출' 세 글자에 있게 됩니다. 제가 의심하건대, '정' 자는 오히려 공부해야 한다고 말할 수 있으나, '동' 자와 '출' 자는 어찌 공부할 수 있겠습니까? 답했다. 이 세 글자는 비록 공부해야 할 글자는 아니지만 그러나 공부해야 할 곳이다. 효험이라 하면 문제가 있는 듯하여 그래서 고쳤다. 만약 오로지 평소에 장경지양(엄숙하고 경건하게 지키고 기름)해야만 비로소 이처럼 할 수 있다고 한다면 아직 장경지양하지 않은 사람은 곧 난폭함과 태만함을 멀리하거나 진실함에 가깝게 하거나 비루함과 배리됨을 멀리하거나 할 필요가 없다는 말이 되는데, 이는 말이 안 된다.

○此章之指 蓋 言日用之間 精粗本末 無非道者 而君子 於其間 所貴者 在此三事而已 然 此三者 皆其平日涵養工夫至到之驗 而所以正身及物之本也 故 君子 貴之 若夫籩豆之事 則道 雖不外乎此 然 其分 則有司之守 而非君子之所有事矣 蓋 平日涵養工夫 不至 則動容貌 不免暴慢 正顔色 不出誠實 出詞氣 不免鄙倍矣 一身 且不能治 雖欲區區於禮文度數之末 是何足以爲治哉 此 乃聖門學問 成己成物 着實效驗 故 曾子 將死 諄諄言之 非如異端 揚眉瞬目 妄作空言之比也

이 장이 가리키는 것은 대개 일상의 생활 중에 정밀한 것과 거친 것, 근본과 말단이 도 아닌 것이 없지만 군자가 그중에서 귀히 여기는 것이 이 세 가지 일에 있을 뿐이라는 말이다. 그러나 이 세 가지는 모두 평소의 함양공부가 지극한 데 이른 효험이고 몸을 바르게 하고 남에게 미치는 근본이 되는 것이다. 그러므로 군자가 귀히 여기는 것이다. 변두의 일 같은 경우에는 도가 이 일 밖에 있는 것은 아니지만 그 역할은 유사가 지키는 것이지 군자가 일삼을 바는 아니다. 대개 평소의 함양공부가 지극하지 않으면 용모를 움직임에 난폭함이나 태만함을 면할 수 없고, 안색을 바로 함이 성실함에서 나오지 않고, 말과 어조를 냄에 비루함과 배리됨을 면할 수 없다. 일신도 (제대로) 다스릴 수 없는데, 비록 예의 규정의 세세한 숫자를 구구하게 잘하려 한다 해서 이것이 어찌 족히 다스림이 되리오. 이는 곧 성인 문하의 학문의 자신을 완성하고 남을 완성하게 하는 착실한 효험이다. 그러므로 증자가 장차 죽으려 함에 지성스레 그것을 말했으니 이단자들이 눈썹을 치키고 눈을 깜빡이며 헛된 말을 망령되이 하는 것에 비할 수 없다.

○陳氏曰 此章 重在貴字上 集註舊本 則平時涵養之說也 改本 則臨事持守之說也 舊說 雖有根源 却在三言之外起意 其工夫 全在日前 而目下 則疎闊任其自爾 不若今本工夫 縝密親切 旣可以包平日涵養在內 又從目今臨事以至於一息未絶之前 皆無有頃刻之違 其所謂操存 則在上三句 所謂省察則在下三句 本末不偏 始終兼貫 其義爲長

진씨가 말했다. 이 장의 중점은 '귀' 자에 있다. 집주 구본은 평소에 함양하라는 설이고, 개정본은 일에 임하여 지키라는 설이다. 구설이 비록 근원이 있기는 하지만 오히려 이 세 가지 말 이외에서 의미를 불러온 것이니, 그 공부는 모두 과거에 있고 지금 눈앞의 일에 대해서는 소략하여 저절로 그렇게 되도록 맡겨 둔 셈이다. (구본은) 금본의 공부가 치밀하고 친절하여 가히 평소의 함양이 그 안에 포함되어 있고, 또 지금 눈앞에 임하는 일에서부터 한 숨이 끊어지기[죽기] 전에 이르기까지 모두 잠시의 떠남도 없는 것만 못하다. 이른바 '조존(붙들어 보존함)'은 위의 세 구절(동용모, 정안색, 출사기)에 해당되고, 이른바 '성찰'은 아래 세 구절(원포만, 근신, 원비패)에 해당된다. 본과 말이 편중되지 않고 처음과 끝이 서로 관통하니 그 뜻이 (구본보다) 낫다.

○汪氏曰 集註 合操存省察爲說 乃朱子 欲爲學者計 故 以學者二字提出所謂其分 則有司之守 如樂記曰 鋪筵席陳尊俎列籩豆 以升降爲禮者 禮之末節也 故 有司掌之 又如周禮 有籩人 皆有司也

왕씨가 말했다. 집주는 '조존(붙들어 보존함)'과 '성찰'을 합하여 설로 삼았는데, 이는 주자가 배우는 자를 위해 계획했기 때문으로, 그래서 '배우는 자(학자)' 두 글자를 제시했다. 이른바 그 역할이란 유사의 담당이다. 예컨대 (『예기』) 「악기」에서는 "자리를 펴고 제수를 진설하고 변두를 줄 세우고 오르고 내려 예를 행하는 것은 예의 말절이다. 그러므로 유사가 담당한다"라 했고, 『주례』(「천관 총재」)에는 '변인(변을 담당하는 관리)'이 있으니, 모두 유사이다.

○新安陳氏曰 所貴乎道 不求之高虛 而在乎容色辭氣之間 可謂切實矣 操存 卽平日涵養於靜時者 省察 卽目前致察於動時者 如動容貌 便省察 其斯遠暴慢矣 可也 下二節 倣此 內外交盡 動靜兼該 工夫周密 始無欠闕 又此

必因敬子之失 而告之 其爲人 得非忽略於脩身之本 而煩瑣於名物器數之末者乎

신안 진씨가 말했다. 도에 있어서 귀한 것, (그것을) 높고 공허한 데서 구하는 것이 아니라, (그것이) 얼굴색과 말과 어조 사이에 있으니 가히 절실하다 하겠다. '조존'은 곧 평소의 조용히 있을 때 함양하는 것이고, '성찰'은 움직일 때 목전에서 지극하게 살피는 것이다. 예컨대 용모를 움직임에 곧 성찰하면 난폭함과 태만함을 멀리하는 것이 가능하다. 아래 두 구절도 이와 마찬가지이다. 내외가 서로 완전하고, 동정을 겸했고, 공부가 치밀하여 비로소 빠진 것이 없다. 또 이는 분명 경자의 결점으로 인하여 알려준 것일 터이니, 그 사람됨은 수신의 근본에는 소홀하고 각종 물건의 이름이나 숫자의 지엽적인 것에 대해서는 번쇄하게 하는 자가 아닐 수 있겠는가?

【집주】

程子曰 動容貌 擧一身而言也 周旋中去聲禮 暴慢斯遠矣 正顔色則不妄 斯近信矣 出辭氣 正由中出 斯遠鄙倍

정자가 말했다. 용모를 움직인다 함은 온몸을 들어 말한 것이다. 주선(이리저리 동작함)함에 예에 맞으면 곧 난폭함과 태만함과는 (거리가) 멀다. 안색을 바로 함에 거짓되지 않으면 곧 진실함에 가깝다. 말과 어조를 냄에 올바름이 마음속에서 나오면 곧 비루함과 배리됨을 멀리하는 것이다.

【세주】

此 卽集註舊說

이것이 바로 집주의 구설이다.

【집주】

三者 正身 而不外求 故曰 籩豆之事 則有司存 尹氏曰 養於中則見賢遍反於外

이 세 가지는 몸을 바로 하는 일로, 밖에서 구하는 것이 아니다. 그래서 변두의 일은 유사가 있다 했다. 윤씨가 말했다. 마음속에 기르면 밖으로 드러난다.

【세주】

亦卽集註舊說

이 또한 집주의 구설이다.

【집주】

曾子 蓋 以修己爲爲政之本 若乃器用事物之細 則有司存焉

증자는 대개 스스로를 닦는 일을 위정의 근본으로 삼았고, 그릇 같은 사물의 세세한 것들은 유사가 있다고 했다.

【세주】

勉齋黃氏曰 曾子之意 則但欲其在外之無不正 而集註之意 則以爲未有不正其內 而能正其外者也 況夫暴慢也 信也 鄙倍也 皆心術之所形見者也 不正其內 安能使其外之無不正乎 有諸中 必形諸外 制於外 必養其中 則心可正 理可明 敬可存 誠可固 修身之要 孰有急於此者乎 此曾子將死之善言 不獨可爲孟敬子之師法而已

면재 황씨가 말했다. 증자의 뜻은 단지 외면적으로 바르지 않음이 없기를 바란 것이지만, 집주의 뜻은 그 안을 바르게 하지 않고 그 밖을 바르게 할 수 있는 자는 없다고 생각한 것이다. 하물며 난폭함이나 태만함, 진실함, 비루함이나 배리됨 등은 모두 마음 씀이 드러난 것임에랴. 그 안을 바르게 하지 않고 어찌 밖에 옳지 않음이 없을 수 있으랴. 마음속에 있는 것은 반드시 밖으로 드러나고 밖을 통제하면 반드시 마음속을 기르게 되니, 마음은 바르게 될 수 있고, 이치는 밝아질 수 있고, 경건함은 보존될 수 있고, 참됨은 굳건해질 수 있다. 수신의 요체 중에 무엇이 이보다 더 급하리오. 증자가 죽음에 이르러 한 이 선한 말은 다만 맹경자가 본받아야 할 가르침이 될 수 있는 것만은 아니다.

○胡氏曰 曾子之疾 見於語者 二 見於檀弓者 一 此章 最先 前章 次之 易簀 最後 又曰 曾子 是時 氣息奄奄 性命僅存須臾 而聲律身度 心與理一 乃如此 釋氏 坐忘幻語 不誠不敬 豈能做其萬一哉

호씨가 말했다. 증자가 병든 것은 『논어』에 나온 것이 두 번, (『예기』)「단궁」편에 나온 것이 한 번인데, 이 장이 가장 (시간적으로) 빠르고, 앞의 장이 그다음이고, 역책이 가장 나중이다. 또 말했다. 증자가 이때 숨이 가쁘고 목숨이 겨우 잠시 붙어 있으면서도, 목소리와 몸가짐의 법도가 있고 마음과 이치가 하나된 것이 이와 같았다. 부처가 앉아서 죽으면서 홀리는 말을 한 것은 참되지도 않고 경건하지도 않으니, 어찌 만분의 일만큼이라도 비슷할 수 있으랴.

8.5 曾子曰 以能 問於不能 以多 問於寡 有若無 實若虛 犯而不校 昔者 吾友 嘗從事於斯矣

증자가 말했다. 능하면서도 능하지 못한 자에게 묻고, 많으면서도 적은 자에게 묻고, 있으면서도 없는 듯이 하고, 차 있으면서도 빈 듯이 하고, 범하여도 따지지 않는 것, 전에 내 친구가 이 일에 종사했다.

【집주】

校音教 計校也 友 馬氏 融 以爲顔淵 是也

'교'는 헤아려 따지는 것이다. (본문에서 말하는) 친구란 마씨<마융>가 안연이라 여긴 그 사람이다.

【세주】

厚齋馮氏曰 曾子之亡友 多矣 獨以爲顔淵者 非顔子 不能以與此 然 顔子與曾晳爲輩行 父之執友也 曾子 亦可謂之吾友乎 曰 同師門 則皆友也

후재 풍씨가 말했다. 증자의 죽은 친구들은 많은데, 유독 안연이라고 여긴 것은 안연이 아니면 이 같을 수 없기 때문이다. 그러나 안연은 증석과 동년배가 되니 아버지의 사귀는 친구이다. (아들인) 증자가 또한 내 친구라 할 수 있는가? 답하자면, 같은 스승의 문하이면 모두 친구이다.

【집주】

顔子之心 惟知義理之無窮

안자의 마음은 다만 의리의 무궁함만을 알아서

【세주】

該以能至若虛

'이능'에서 '약허'까지의 구절에 해당된다.

【집주】

不見物我之有間去聲

님과 나 사이에 간격이 있음을 몰랐기에,

【세주】

○此 謂犯而不校

이는 '범해도 따지지 않음'을 말한다.

【집주】

故 能如此

그래서 이처럼 할 수 있었다.

【세주】

王氏曰 二句 包盡 上句 知之事 下句 仁之事

왕씨가 말했다. (집주의) 두 구절은 모든 것을 포함하고 있으니, 위 구절은 앎의 일이고, 아래 구절은 인의 일이다.

○問 以能問於不能 朱子曰 想是顔子 自覺得有未能處 但 不比常人 十事曉得九事 那一事 便不肯問人 顔子 深知義理之無窮 惟恐一善之不盡 故雖能 而肯問於不能 雖多 而肯問於寡 以求盡乎義理之無窮者而已

능하면서도 능하지 못한 자에게 물었다는 것에 대해 물었다. 주자가 답했다. 아마도 안자는 아직 능하지 못한 것이 있음을 자각한 것 같다. 단, 보통 사람이 열 가지 일 중에 아홉 가지 일은 알면서 그 (모르는 나머지) 한 가지 일은 남에게 물으려 하지 않는 것과는 비교되지 않는다. 안자는 의리의 무궁함을 깊이 알아서 다만 하나의 선도 다하지 못할까 염려했다. 그러므로 비록 능하면서도 능하지 못한 자에게 즐겨 묻고, 비록 많으면서도 적은 자에게 즐겨 물어 의리의 무궁함을 완전히 구하려 했던 자일 뿐이다.

○犯而不校 蓋 是他分量 大 有犯者 如蚊蟲過前 自不覺得 何暇與之校耶

'범해도 따지지 않는다'는 것은 대개 그의 국량이 크다는 것이다. 범하는 자가 있어도 마치 모기나 벌레가 앞을 지나가듯 스스로 깨닫지 못하니 어느 틈에 그와 더불어 따지겠는가?

○問 從事於斯 是著力否 曰 若是著力 却是知自己能 自己多 須要去問 不幾於詐乎 曾子 是見得顔子如此 非謂其著力也

물었다. '이 일에 종사했다'는 것은 (이 일에) 힘을 썼다는 것입니까? 답했다. 만약 힘을 썼다면 오히려 자기가 능한 줄, 자기가 많은 줄 알면서도 꼭 물으려 한 것이 되니, 속이는 것에 가깝지 않겠는가? 증자가 안자가 이러하다는 것을 알았다는 것이지 힘을 썼다고 말한 것은 아니다.

【집주】

○謝氏曰 不知有餘在己 不足在人

사씨가 말했다. (안자는) 나에게는 남음이 있고 남에게는 모자람이 있다는 것을 몰랐고,

【세주】

慶源輔氏曰 以理言也 釋上四句

경원 보씨가 말했다. 이치로써 말한 것으로, 위 네 구절을 해석한 것이다.

【집주】

不必得爲在己 失爲在人

꼭 잘한 것은 내게 있고 잘못한 것은 남에게 있다고는 생각하지 않았으니

【세주】

慶源輔氏曰 以事言也 釋下一句

경원 보씨가 말했다. 일로써 말한 것으로, 아래 한 구절을 해석한 것이다.

【집주】

非幾平聲於無我者 不能也

거의 무아(의 경지)에 달한 자가 아니면 그럴 수 없다.

【세주】

問 幾字 朱子曰 聖人 全是無我 顏子 是不以我去壓人 却尙有箇人 與我相對 在聖人 便和 人我都無了

'기(기의)' 자에 대해 물었다. 주자가 답했다. 성인은 완전히 무아(의 경지)이다. 안자는 나를 가지고 남을 누른 것은 아니지만, 오히려 아직도 나와 대립되는 어떤 사람이 있기는 했다. 성인의 경우는 곧 조화로우니 남과 내가 아예 없다.

○問 以能問於不能 以多問於寡 有若無 實若虛 犯而不校 此 聖人之事也 非與天同量者 不能 顔子 所以未達一間者 正在此 故 第曰 嘗從事於斯 非謂已能爾也 曰 此 正是顔子事 若聖人 則無如此之迹 有如此說處 便有合內外之意 如舜 善與人同 舍己從人 好察邇言 用中於民 必兼言之 惟顔子 行而未成 故 其事 止於如此爾

물었다. '능하면서도 능하지 못한 자에게 묻고, 많으면서도 적은 자에게 묻고, 있으면서도 없는 듯이 하고, 차 있으면서도 빈 듯이 하고, 범하여도 따지지 않는 것', 이는 성인의 일입니다. 하늘과 같은 국량인 자가 아니라면 그럴 수 없습니다. 안자가 조금 미달한 것이 있다는 이유는 바로 여기에 있습니다. 그래서 단지 '이 일에 종사했다'라 했을 뿐, 이미 (이 일에) 능했다는 말은 아닙니다. 답했다. 이는 바로 안자의 일이다. 만약 성인의 경우라면 이 같은 흔적도 없었을 것이다. 이렇게 말한 곳이 있다는 것은 곧 안과 밖을 합치시키려는 뜻이 있다는 것이다. 순의 경우에는 '선을 남과 더불어 같이하고 나를 버리고 남을 좇으며(『맹자』3, 「공손추 상」 8장)'라는 말과 '가까운 말을 잘 헤아리고 그 가운데 것을 백성에게 쓰셨다(『중용』 6장)'라는 말을 반드시 겸해서 말해야 한다. 다만 안자는 행하기는 했지만 완성하지는 못했으니, 그런 까닭에 그 일이 이와 같은 데 그쳤을 뿐이다.

○或問 顔子 深知義理之無窮 惟恐一善之不盡 非挾其能 而故問之也 雙峯饒氏曰 仁者之心 視人猶己 故 人 雖有犯 不忍與之校曲直 纔校 則直在己曲在人 而物我相形矣 便非包含徧覆之意 又曰 分言之 則如上文所云 合言之 則能問不能 犯而不校 皆是無我 故 又引謝說以包之

혹자가 물었다. 안자는 의리의 무궁함을 깊이 알아서 다만 하나의 선도 다하지 못할까 염려했으니, 그 능함을 숨기고 일부러 물은 것은 아닙니다. 쌍봉 요씨가 답했다. 인자의 마음은 남을 나와 같이 본다. 그러므로 남이 범하는 일이 있어도 차마 더불어 옳고 그름을 따지지 않는다. 따지기만 하면, 옳음은 내게 있고 그름은 남에게 있어서, 남과 내가 서로 대립되게 되니 곧 포용하고 두루 덮으려는 마음이 아니다. 또 말했다. 나누어 말하면 위 글(주자의 집주 부분)에서 말한 바와 같고, 합쳐서 말하면 능하면서도 능하지 못한 자에게 묻고 범해도 따지지 않는 것은 모두 무아(의 경지)이다. 그러므로 (집주에서는) 사씨의 설을 인용하여 포함시켰다.

○吳氏曰 子貢 多聞 故 於顔子 見其聞一之十 曾子 力行 故 又見其如此

오씨가 말했다. 자공은 많이 들었기에 안자에게서 하나를 들으면 열을 안다는 것을 보았고(자공은 지식의 측면에서 안자를 보았고), 증자는 역행했기에 또 (안자가) 이러하다는 것을 보았다(증자는 실천의 측면에서 안자를 보았다).

○雲峯胡氏曰 聖賢 無我之心 常如太虛然 能容天下之理 而不見己之有餘 能容天下之人 而不見人之不足

운봉 호씨가 말했다. 성현의 무아의 마음은 항상 마치 태허(우주의 처음의 텅 빔) 같으니, 천하의 이치를 능히 용납할 수 있어서 자신의 넉넉함은 보지 않고, 천하의 사람을 능히 용납할 수 있어서 남의 부족함은 보지 않는다.

8.6 曾子曰 可以託六尺之孤 可以寄百里之命 臨大節 而不可奪也 君子人與 君子人也 與 平聲

증자가 말했다. 가히 6척의 외로운 임금을 부탁할 수 있고, 가히 백 리의 명(사방 백 리의 땅, 즉 제후국을 다스리라는 명)을 맡길 수 있고, 대절(큰 절조)에 임하여 빼앗을 수 없으면 군자다운 사람일까? 군자다운 사람이다.

【집주】

其才 可以輔幼君 攝國政 其節 至於死生之際 而不可奪 可謂君子矣

그 재주가 가히 어린 임금을 보필하여 국정을 대리할 수 있고, 그 절조가 생사 간에 이르러서도 빼앗을 수 없으면 가히 군자라 할 수 있다.

【세주】

朱子曰 託孤寄命 有才者 能之 臨大節而不可奪 非有德者 不能也

주자가 말했다. 탁고기명(외로운 임금을 부탁하고 나라 다스림을 맡김)은 재주가 있는 자라면 할 수 있지만, 대절에 임하여 빼앗을 수 없는 것은 유덕자가 아니면 할 수 없다.

○問 君子 才德出衆之名 曰 有德而有才 方見於用 如有德而無才 則不能爲用 亦何足爲君子

물었다. 군자란 재주와 덕이 출중한 자의 이름 아닙니까? 답했다. 덕이 있고 재주가 있으면 바야흐로 쓰이지만, 만약 덕은 있는데 재주가 없으면 쓰일 수 없으니, 또 어찌 족히 군자라 하겠는가?

○新安胡氏曰 周禮疎云 六尺 年十五 故 知爲幼君 孟子曰 公侯 皆方百里 故 知爲國政也 才者 德之用 節者 德之守 二者 不可偏廢 有其節 無其才 雖無欺人之心 而未足以託 恐不免爲他人所欺也 雖無竊人之心 而未足以寄 恐不免爲他人所竊也 爲人欺竊 而徒死無益矣 荀息 死於奚齊 是也 有

其才 無其節 則大者 不足觀矣 霍光 奪於妻顯 是也 二者 雖若槪言 而節爲之本

신안 호씨가 말했다. 『주례』의 소에 6척은 나이 열다섯이라 했으니, 그런 까닭에 어린 임금임을 알겠고, 맹자가 공과 후(가 다스리는 나라)는 모두 (그 다스리는 땅이) 사방 백 리라 했으니 그런 까닭에 국정임을 알겠다. 재주란 덕의 쓰임이고 절조란 덕의 지킴이다. 둘은 한쪽을 폐할 수 없다. 절조는 있는데 재주가 없으면 비록 남을 속이려는 마음은 없지만 부탁하기에는 충분하지 않으니, 다른 사람에게 속임을 당함을 면하지 못할 우려가 있기 때문이고, 비록 남의 것을 훔치려는 마음은 없지만 맡기기에는 충분하지 않으니, 다른 사람에게 빼앗김을 면하지 못할 우려가 있기 때문이다. 남에게 속임을 당하고 빼앗김을 당해 헛되이 죽어 이익이 없으니, 순식이 해제에게 죽임을 당한 것이 그 예이다. 재주는 있는데 절조가 없으면 큰 것(큰 절조)은 볼 만하지 않으니, 곽광이 그 처 현 때문에 빼앗긴 것이 그 예이다. 둘(재주와 절조)은 비록 대강의 말(대체로 둘 다 중요하다는 말) 같지만, 절조는 그 근본이 된다.

【집주】

與 疑辭 也 決辭 設爲問答 所以深著其必然也

'여'는 물어보는 말이고 '야'는 단정하는 말이다. 문답으로 설정한 것은 그것이 꼭 그러함을 깊이 드러내기 위해서이다.

【세주】

問 此章 本是兼才節說 然 緊要處 却在節操上 朱子曰 不然 三句 都是一般說 須是才節兼全 方可謂之君子 若無其才 而徒有其節 雖死 何益 如受人託孤之責 自家雖無欺之之心 却被別人欺了 也是自家不了事 不能受人之託矣 如受人百里之寄 自家雖無竊之之心 却被別人竊了 也是自家不了事 不能受人之寄矣 自家徒能臨大節 而不可奪 却不能了得他事 雖能死 也濟得甚事 故 伊川說 君子者 才德出衆之名 孔子曰 君子不器 旣曰 君子 須是事事理得 方可 若但有節 而無才 也喚做好人 只是不濟得事耳

물었다. 이 장은 본시 재주와 절조를 겸해서 말한 것이지만, 그러나 긴요한 점은 절조에 있는 것입니다. 주자가 답했다. 그렇지 않다. 세 구절 모두 같은(같은 중요성을 가진) 말이다. 모름지기 재주와 절조를 겸전해야 비로소 군자라 할 수 있다. 만약 그 재주는 없고 다만 그 절조만 있으면 비록 죽은들 무슨 이익이 있으리오. 예컨대 남이 외로운 임금을 부탁한 책임을 맡은

泰伯第八 6장

경우, 스스로는 그를 속이려는 마음이 없지만, 오히려 다른 사람에게 속임을 당하고 만다면, 이는 스스로 일을 다 해내지 못하는 것이니, 남의 부탁을 받을 수 없는 것이다. 예컨대 백 리의 땅을 (다스려 달라는) 부탁받은 경우, 스스로는 그것을 훔치려는 마음이 없지만, 오히려 남에게 훔침을 당한다면, 이는 스스로 일을 다 해내지 못하는 것이니, 남의 부탁을 받을 수 없는 것이다. 스스로는 단지 대절에 임하여 뺏을 수는 없지만 오히려 그 일을 해내지 못한다면 비록 능히 죽는다한들 무슨 일을 해내리오. 그런 까닭에 이천(정이)은 '군자란 재주와 덕이 출중한 사람의 이름이다'라 했고, 공자께서는 '군자는 그릇이 아니다'라고 하셨다. 이미 군자라 했으면, 모름지기 모든 일들을 다 처리해내어야 비로소 옳다고 할 수 있다. 만약 단지 절조만 있고 재주가 없다면 호인이라고 부를 수는 있겠지만, 단지 일을 해내지는 못할 뿐이다.

○問 託孤寄命 雖資質高者 亦可 及臨大節而不可奪 非學問至者 恐不能
曰 資質高底 也都做得 學問到底 也都做得 大抵 是上兩句 易 下一句 難
譬如說有猷有爲有守 託孤寄命 是有猷有爲 臨大節而不可奪 却是有守

물었다. 탁고기명은 비록 자질이 높은 자라도 또한 해낼 수 있지만, 대절에 임하여 빼앗을 수 없는 것에 이르러서는 학문이 지극한 자가 아니면 아마도 할 수 없을 듯합니다. 답했다. 자질이 높은 자도 모두 해낼 수 있고, 학문이 지극한 자도 모두 해낼 수 있다. 대저 위 두 구절은 쉽고 아래 한 구절은 어려운 것이다. 비유해 말하자면, 지략이 있는 경우, 유능한 경우, 지킴이 있는 경우가 있는데, 탁고기명은 지략이 있고 유능한 것이지만, 대절에 임하여 빼앗을 수 없는 것은 곧 지킴이 있는 것이다.

○新安陳氏曰 旣有可託可寄之才 又有不可奪之節 則始之疑其爲君子人者 今決知其爲君子人矣 大意 以節爲重而才以成之 節也者 才之所恃以立 才也者 節之所賴以成者歟

신안 진씨가 말했다. 이미 부탁하고 맡길 수 있는 재주가 있고 또 빼앗을 수 없는 절조가 있으면 비로소 군자다운 사람이 아닌가 생각해볼 수 있는데, 지금 결단코 군자다운 사람임을 안다고 했다. (이 장의) 대의는 절조가 중요하지만 재주로써 그것을 완성시킨다는 말이다. 절조란 재주가 의존해서 서게 되는 것이고, 재주란 절조가 의존해서 완성되는 것이리라.

【집주】

○程子曰 節操如是 可謂君子矣

정자가 말했다. 절조가 이와 같으면 가히 군자라 할 수 있다.

【세주】

雙峯饒氏曰 旣以才節竝言 復引程子節操之說者 以明重在於節也

쌍봉 요씨가 말했다. 이미 재주와 절조를 겸해 말해 놓고도 다시 정자의 절조의 설을 인용한 것은 절조에 중점이 있음을 명확히 하고자 한 때문이다.

○問 臨大節而不可奪也 貫上二句 蓋 惟臨大節而不可奪 方見得可以託可以寄耳 夫 託孤寄命 幸而無大變 未見其難也 唯其幾微之間 義理精明 危疑之時 志意堅定 雖國勢搶攘 人心搖兀 猶能保輔幼孤 而安其社稷 維持百里而全其生靈 利害不能移 其見死生 不能易其守 故曰 臨大節而不可奪也 斯足以當夫所謂可以託可以寄矣 朱子曰 此段 亦好 鄙意 正如此說 然 可以二字 蓋 猶以其才言之 不可奪處 乃見其節 重處 正在此也

물었다. 대절에 임하여 빼앗을 수 없다는 것은 위의 두 구절을 관통하는 것입니다. 대개 오직 대절에 임하여 빼앗을 수 없어야만 비로소 부탁하고 맡길 수 있음을 알 수 있습니다. 무릇 탁고기명은, 다행히 큰 변고가 없으면 그 어려움이 드러나지 않지만, 오직 그 기미가 있을 때는 의리에 정밀하고 명확해야 하고, 위급하고 의심스러운 때는 의지와 뜻이 굳건해야만 비록 나라의 정세가 어지럽고 인심이 흔들릴 때라도 오히려 능히 어리고 외로운 임금을 보호하고 보필하여 그 사직을 편안히 하고 백 리의 땅을 유지하고 그 생령을 온전히 할 수 있습니다. 이익과 손해가 능히 (그의 절조를) 옮기지 못하고, 죽음과 삶(죽느냐 사느냐의 위기)을 보고도 그 지키는 바를 바꿀 수 없기 때문에 '대절에 임하여 빼앗을 수 없다'라 합니다. 이래야 이른바 '부탁할 수 있고 맡길 수 있다'라는 말을 감당할 수 있습니다. 주자가 답했다. 이 문단 또한 좋다. 나의 뜻도 바로 이 설과 같다. 그러나 '가이(할 수 있다)' 두 글자는 대개 그 재주로 말한 것이고, 빼앗을 수 없다는 것은 그 절조를 보여주는 것이니, 중요한 점은 바로 여기에 있다.

8.7-1 曾子曰 士 不可以不弘毅 任重 而道遠

증자가 말했다. 선비는 넓고 굳세지 않을 수 없다. 임무는 무겁고 길은 멀기 때문이다.

【집주】

弘 寬廣也

'홍'은 너그럽고 넓은 것이다.

【세주】

新安胡氏曰 寬 則容受之多 廣 則承載之闊

신안 호씨가 말했다. 너그러우면 받아들이는 것이 많고 넓으면 싣는 것이 너르다.

【집주】

毅魚旣反 强忍也

'의'는 강인한 것이다.

【세주】

新安陳氏曰 强 則執守之堅 忍 則負荷之久

신안 진씨가 말했다. 강하면 붙들어 지키는 것이 견고하고, '인(참고 견딤)'하면 오랫동안 짐을 질 수 있다.

【집주】

非弘 不能勝平聲 下能勝 同其重 非毅 無以致其遠

넓음이 아니면 그 무거움을 이길 수 없고, 굳셈이 아니면 멀리까지 도달할 수 없다.

【세주】

朱子曰 弘 只是寬廣 却被人只把做度量寬容看了 便不得 弘 是執德不弘之

弘 是 無所不容 心裏無足時 道理事物都着得 若容民畜衆 也是弘 但是外面事 今人 多作容字說了 則弘字裏面 無用工夫處

주자가 말했다. '홍'은 다만 너그럽고 넓은 것이니, 오히려 다만 남들에게 도량이 넓은 것으로 보이더라도 (그것이) 곧 넓은 것은 아니다. '홍'은 '덕을 가지는 것이 넓지 않다(『논어』19, 「자장」1)'라 할 때의 넓음이니, 이는 받아들이지 않는 것이 없는 것이다. 마음속이 가득 차지 않았을 때(여유가 있을 때) 도리와 사물이 모두 (들어가) 붙을 수 있다. 예컨대 '백성을 용납하고 무리를 기른다(『주역』7, 「사괘」 <상전>)'라는 것도 '홍'이지만 (이 경우는) 단지 외면의 일일 뿐이다. 요즘 사람들은 '용(용납함)' 자로 설명하는 경우가 많지만, 그렇다면 '홍' 자의 안에는 공부할 것이 없다.

○弘字 只對隘字看 便見得 如看文字 只執一說 見衆說 皆不復取 便是不弘 若弘底人 便包容衆說 又非是於中無所可否 包容之中 又爲判別 此 便是弘

'홍' 자는 다만 '애(좁음)' 자와 대비해 보아야 곧 알 수 있다. 예컨대 글자를 볼 때 다만 한 가지 설만을 고집하고 여러 설을 보고도 모두 취하지 않는다면 곧 넓지 않은 것이다. 만약 넓은 사람 같으면 곧 여러 설을 포용한다. 또 그 가운데 가·불가가 없는 것이 아니라 포용하는 가운데에도 또 (가·불가를) 판별하는 것, 이것이 곧 넓음이다.

○弘 乃能勝得箇重任 毅 便能擔得遠去 弘而不毅 雖勝得重任 恐去前面倒了

'홍(넓음)'은 곧 무거운 임무를 이겨낼 수 있는 것이다. '의(굳셈)'는 곧 짊어지고 멀리 갈 수 있는 것이다. 넓되 굳세지 않으면 비록 무거운 임무를 이기기는 해도 아마도 가다가 눈앞에서 넘어질 것이다.

○毅 是立脚處 堅忍强厲 擔負得去底意

'의'는 발 디디는 곳이니 굳게 인내하고 힘있게 분발하여 짊어지고 나갈 수 있다는 의미이다.

○潛室陳氏曰 弘 言其量之容 猶大車之足以載重 毅 言其力之勁 猶健馬之足以致遠

잠실 진씨가 말했다. '홍'은 그 받아들이는 양을 말하는 것이니, 큰 수레가 무거운 짐을 실을 수 있는 것과 같다. '의'는 그 힘이 굳센 것을 말하는 것이니, 튼튼한 말이 멀리 갈 수 있는 것과 같다.

○雲峯胡氏曰 惟弘 能勝重 不以一善而自足也 惟毅 能致遠 不以半途而自廢也

운봉 호씨가 말했다. 오직 넓어야만 무거움을 이길 수 있으니, 한 가지 선을 가지고 자족하지 않는다. 오직 굳세어야만 멀리 갈 수 있으니, 반쯤 가다가 스스로 그만두지 않는다.

○呂氏曰 自小者 無敢爲之心 自怠者 無必爲之志 此 弘毅之反也

여씨가 말했다. 스스로 작다고 여기는 자는 감히 하려는 마음이 없고, 스스로 게으르다고 여기는 자는 꼭 해야겠다는 의지가 없다. 이는 '홍'과 '의'의 반대이다.

8.7-2 仁以爲己任 不亦重乎 死而後已 不亦遠乎

인을 자신의 임무로 삼으니 또한 무겁지 아니한가. 죽은 다음에야 그치니 또한 멀지 아니한가.

【집주】

仁者 人心之全德 而必欲以身體 而力行之 可謂重矣 一息尚存此志 不容少懈居隘反 **可謂遠矣**

인이란 인심의 완전한 덕으로서, 반드시 (인을) 몸으로 체현하여 힘써 행하려 하니 무겁다고 할 수 있고, (마지막) 숨 한 번이 남아 있을 때에도 오히려 이 뜻은 조금의 해이함도 용납하지 않으니 멀다고 할 수 있다.

【세주】

朱子曰 須是認得箇仁 又將身體驗之 方眞箇知得這擔子重 眞箇是難 世間有兩種 有一種 全不知者 固全無摸索處 又有一種 知得仁之道如此大 而不肯以身任之者 今 自家全不會擔著 如何知得他重與不重 所以 學 不貴徒說 須要實去驗而行之 方知

주자가 말했다. 모름지기 인을 인식하고 또 장차 몸으로 체험하여야 비로소 진정 이 짐이 무겁고 진정 힘든 것임을 알 수 있다. 세간에는 두 종류의 사람이 있으니, 한 종류는 아무것도 모르는 자로, 본디 전혀 모색하는 바가 없는 자이고, 또 한 종류는 인의 도가 이처럼 크다는 것을 알면서도 자신이 그것을 맡으려 하지 않는 자이다. 지금 스스로는 전혀 짊어지지 못하면서 그것이 무거운지 안 무거운지 어찌 알겠는가? 그러므로 배움은 헛되이 말만 하는 것을 귀히 여기지 않는다. 모름지기 실제로 체험하고 행해 나가야만 비로소 알게 된다.

○慶源輔氏曰 仁 包四者 無物不體 以爲己任 可謂重矣 非寬洪容受 何以勝其任 且曰 必欲身體而力行之 則異乎說仁 而但欲知之者矣 與生俱生 無有間斷 死而後已 可謂遠矣 非强忍堅決 何以致其遠 且曰 此志 不容少懈 則信乎 求仁者 不可有造次顚沛之違矣

경원 보씨가 말했다. 인은 네 가지(인의예지)를 포함하는 것이니, 어떤 사물도 체현하지 않음이 없다. (이를) 자신의 임무로 삼으니 가히 무겁다 할 수 있다. 넓게 받아들이지 않는 자라면 어찌 그 임무를 이길 수 있으리오. 또 말했다. '반드시 몸으로 체현하여 힘써 행하려 한다'는 말은, 인을 설명하는 것과는 다르지만 단, (인을) 알려고 한다는 것이다. 태어나면서 갖추어 나와 끊어짐이 없고 죽은 다음에야 그치니 가히 멀다 할 수 있다. 강인하고 굳건하지 않으면 어찌 멀리 갈 수 있으리오. 또 말하기를 '이 뜻은 조금의 해이함도 용납하지 않는다'라 했으니, 인을 구하는 자는 급할 때나 당황할 때라도 떠나서는 안 되는 것임에 틀림없다.

○覺軒蔡氏曰 弘毅 不可執一 而廢一 蓋 弘者 易失之不毅 毅者 易失之不弘 然 弘毅之任重道遠 又惟歸於仁 何也 蓋 仁道 最大 孔門傳道 莫大於求仁 蓋 仁之道 非全體而不息者 不足以當之 惟其全體也 則無一理之不該 所以 不可不弘 惟其不息也 則無一念之間斷 所以 不可不毅 仁之任重而道遠 如此 是 豈可以易爲哉 曾子 平日三省 一貫致力 於大學格致誠正修齊治平 不使有一理之或違 非弘而何 啓手啓足 猶戰兢而不已 易簀之際 得正而斃 非毅而何 此 所以 卒任傳道之責也

각헌 채씨가 말했다. '홍'과 '의'는 하나만 고집하고 하나를 폐할 수는 없다. 대개 넓은 자는 굳세지 못한 잘못을 저지르기 쉽고, 굳센 자는 넓지 못한 잘못을 저지르기 쉽다. 그러나 넓고 굳센 자의 임무가 무겁고 길이 먼 것이 또 오직 인으로 귀결되는 것은 왜 그런가? 대개 인의 도는 가장 큰 것이고 공자 문하에서 도를 전하는 것은 인을 구하는 것보다 큰 것이 없다. 대개 인의 도는 전체로서 쉬지 않는 자가 아니면 감당할 수 없다. 오직 전체라야만 하나의 이치도 갖추지 않음이 없으니, 그러므로 넓지 않을 수 없다. 오직 쉬지 않아야만 한 생각의 끊어짐도 없으니, 그러므로 굳세지 않을 수 없다. 인의 임무가 무겁고 길이 먼 것이 이와 같으니, 이것이 어찌 쉽게 할 수 있는 일이리오. 증자는 평소에 삼성(세 가지 일을 반성함)하고 일관에 힘을 기울이고 대학의 격물·치지·성의·정심·수신·제가·치국·평천하에 있어서 하나의 이치라도 혹 어기지 않도록 했으니 넓음이 아니면 무엇이랴. 손과 발을 들쳐 보여 전전긍긍 그치지 않고, 역책(죽음에 이르러 신분에 맞는 자리로 바꿈)의 때에는 올바름을 얻은 후에야 죽었으니, 굳셈이 아니고 무엇이랴. 이것이 마침내 도를 전하는 책임을 맡게 된 이유이다.

【집주】

○程子曰 弘而不毅 則無規矩 而難立 毅而不弘 則隘陋 而無以居之

정자가 말했다. 넓되 굳세지 않으면 법도가 없어 서기 어렵고, 굳세되 넓지 않으면 좁고 누추하여 그것(인)이 거처할 곳이 없다.

【세주】

此 是寬以居之之居

이는 '너그러움으로 거처한다'라 할 때의 거처함이다.

【집주】

又曰 弘大剛毅 然後能勝重任 而遠到

또 말했다. 넓고 크고 강하고 굳센 연후에야 능히 무거운 임무를 이기고 멀리 갈 수 있다.

【세주】

朱子曰 曾子言 以能問於不能 見曾子弘處 又言 臨大節而不可奪 見他毅處

주자가 말했다. 증자는 '능하면서도 능하지 못한 자에게 묻는다'라 말했으니, 증자의 넓은 곳을 볼 수 있고, 또 '대절에 임하여 빼앗을 수 없다'라 말했으니 그의 굳센 곳을 볼 수 있다.

○新安陳氏曰 此章 初以弘毅二者竝立對說 細味之 任重而道遠 而字 已作一意貫說下來 又所謂死而後已者 何事哉 卽是已所以任此仁者 身體力行

至死而後已也 程子謂 弘大剛毅 然後能勝重任而遠到 不假訓釋 辭約而意貫矣

신안 진씨가 말했다. 이 장은 처음에는 '홍', '의' 두 글자를 [대립되는 개념처럼] 병립시켜 대비해 말했는데, 자세히 감상해보면, '임중이도원(임무는 무겁고 길은 멀다)'에서의 '이' 자는 이미 하나의 뜻으로 꿰뚫어 말해 내려간 것이다['임무는 무겁지만 길은 멀다'라는 식으로 대립되는 의미로 해석하면 안 되고, '임무는 무겁고 또 길도 멀다'는 식으로 일관되게 해석해야 한다. 따라서 '홍'과 '의'도 대립되는 개념으로 보아서는 안 되고 동시에 양립하는 개념으로 보아야 한다]. 또 소위 '죽은 다음에야 그친다'라는 것은 무슨 일인가? 이는 곧 이미 이 인을 임무로 한 자는 몸으로 체현하여 힘써 행해 죽음에 이르러서야 그친다는 것이다. 정자는 '넓고 크며 강하고 굳센 연후에야 무거운 임무를 이기고 멀리 갈 수 있다'라 했는데, 훈석을 빌릴 필요도 없이, 그 말은 요약적이면서 의미는 관통한다.

8.8-1 子曰 興於詩

공자께서 말씀하셨다. 시에서 일어나고,

【집주】

興 起也 詩 本性情 有邪有正

'흥'은 일어나는 것이다. 시는 (사람의) 성정에 근본을 두므로 사특한 것이 있고 올바른 것이 있다.

【세주】

新安胡氏曰 如二南之正始 爲正 鄭衛之淫奔 爲邪

신안 호씨가 말했다. 예컨대 이남(주남과 소남)의 (인륜의) 올바른 시작은 올바름이 되고, 정위(정풍과 위풍)의 음란함은 사특함이 된다.

【집주】

其爲言 旣易去聲 下同知

그 말뜻은 이미 쉽게 알 수 있고,

【세주】

詩辭 明白 而近人情

시의 말은 명백하고 사람의 감정에 가깝다.

【집주】

而吟咏之間 抑揚反覆

음영하는 사이에 억양(소리를 높이고 낮춤)하고 반복(소리를 꺾고 뒤집음)하니,

【세주】

新安陳氏曰 抑揚 謂聲音高下 反覆 謂前後重復飜倒

신안 진씨가 말했다. 억양이란 소리의 높고 낮음이고, 반복이란 앞뒤로 거듭하면서 뒤집고 엎는 것이다.

【집주】

其感人 又易入 故 學者之初 所以興起其好去聲善惡去聲惡之心 而不能自已者 必於此 而得之

사람을 감동시키는 것은 또 쉽게 (마음속으로) 들어간다. 그런 까닭에 배우는 자가 처음 단계에 그 선을 좋아하고 악을 싫어하는 마음을 일으켜 스스로 그만두지 못하게 되는 것은 반드시 여기(시)에서 얻어진다.

【세주】

新安陳氏曰 此字 指詩而言 學者之初 得力在此

신안 진씨가 말했다. '차' 자는 시를 가리켜 하는 말이다. 배우는 자의 처음 단계에서는 여기서 힘을 얻는다.

8.8-2 立於禮

예에서 서며,

【집주】

禮 以恭敬辭遜爲本 而有節文度數之詳

예는 공손함과 경건함, 사양함과 겸손함을 근본으로 하고 절문(명문화된 규정)과 도수(몇 번을 하느냐 하는 등의 규정된 숫자)의 상세함이 있어서,

【세주】

新安胡氏曰 恭 主一身而言 敬 主一心而言 處己之道也 辭者 解使去己 讓者 推以與人 接物之方也 節文 品節文章也 度數 制度數目也 旣有以爲處己接物之本 而周旋曲折 又能纖悉如此

신안 호씨가 말했다. 공손함은 주로 일신(자신의 몸)에 대한 말이고, 경건함은 주로 일심(자신의 마음)에 대한 말이니, 자기 처신의 도이다. '사(사양함)'란 임무를 벗고 스스로 떠나는 것이고 '양(양보함)'이란 남에게 미루어 주는 것이니 남과 대하는 방법이다. '절문'이란 품절문장(신분에 따른 예의 형식)이다. '도수'란 제도수목(제도화된 시행 숫자나 조목)이다. 이미 스스로의 처신과 남과의 대함에 있어서 근본으로 삼는 것이 있으니, 세세한 동작도

또 모두 다 이와 같이 할 수 있다.

○新安陳氏曰 恭敬辭遜 禮之本也 節文度數 禮之文也

신안 진씨가 말했다. 공·경·사·손은 예의 근본(정신)이고 절문도수는 예의 (외면적) 문식이다.

【집주】

可以固人肌膚之會 筋骸音斤諧之束

가히 사람의 살과 가죽의 모임과 힘줄과 뼈의 묶임(몸의 모습을 갖추는 것)을 굳건하게 할 수 있다.

【세주】

出記禮運

『예기』, 「예운」편에 나온다.

○新安胡氏曰 人肌膚 本有所會 筋骸 本有所束 至此 又愈堅固

신안 호씨가 말했다. 사람의 살과 가죽은 본래 모이는 바가 있고, 힘줄과 뼈는 본래 묶이는 바가 있는데, 이에 이르러 또 더욱 견고해진다.

【집주】

故 學者之中 所以能卓然自立 而不爲事物之所搖奪者 必於此 而得之

그러므로 배우는 자가 중간 단계에서 우뚝 자립하여 사물에 의해 흔들리거나 빼앗기지 않게 되는 것은 반드시 여기(예)에서 얻어진다.

【세주】

新安陳氏曰 此字 指禮而言 學者之中 得力在此

신안 진씨가 말했다. '차' 자는 예를 가리켜 하는 말이다. 배우는 자의 중간 단계에서는 여기서 힘을 얻는다.

○慶源輔氏曰 禮 雖本於恭敬辭遜 然 規矩森嚴 節目明備 外足以固人之肌膚筋骸 而內足以禁人之非心逸志 學者之中 於此 固執而允蹈焉 則足踏實

地 卓然自立 而外物 不足以搖奪之

경원 보씨가 말했다. 예는 비록 공경사손을 근본으로 하지만 법도가 삼엄하고 절목이 밝게 갖추어져 있으니 밖으로는 사람의 살과 가죽, 힘줄과 뼈를 굳건하게 하기 충분하고, 안으로는 사람의 잘못된 마음과 일지(일탈하려는 뜻)를 막기에 충분하다. 배우는 자가 중간 단계에서 이에 대해 굳게 지켜 충실히 실천하면, 발은 탄탄하게 실제 땅을 밟고 우뚝 자립하여 바깥의 사물이 흔들거나 빼앗을 수 없다.

8.8-3 成於樂

악에서 이루어진다.

【집주】

樂 有五聲十二律 更平聲唱迭和去聲 以爲歌舞八音之節

음악은 5성과 12율이 있어서, 번갈아 노래하고 화답함으로써 노래와 춤의 8음의 가락을 이룬다.

【세주】

前漢志 聲 宮商角徵羽也 晋志 土音 宮 其數八十一 爲聲之始 屬土者 以其最濁 君之象也 火音 徵 三分宮去一以生 其數五十四 屬火者 以其微清 事之象也 金音 商 三分徵益一以生 其數七十二 屬金者 以其濁次宮 臣之象也 水音 羽 三分商去一以生 其數四十八 屬水者 以其最清 物之象也 木音 角 三分羽益一以生 其數六十四 屬木者 以其清濁中 民之象也 凡聲尊卑 取象五行 數多者濁 數少者清 大 不過宮 細 不過羽

전한의 지(『한서』, 「율력지」)에는 "'성(소리)'은 궁상각치우이다"라 했다. 진의 지(『진서』, 「율력 상」)에는 "토의 음은 궁인데, 그 숫자는 81이고 소리의 시작이 된다. 토에 속하는 것은 가장 탁하기 때문에 임금의 상징이다. 화의 음은 치인데 궁음을 삼분하여 그 하나를 빼서 만들어진다. 그 숫자는 54이다. 화에 속하는 것은 약간 밝기 때문에 일의 상징이다. 금의 음은 상인데 치음을 삼분하여 그 하나를 더하여 만들어진다. 그 숫자는 72이다. 금에 속하는 것은 궁 다음으로 탁하기 때문에 신하의 상징이다. 수의 음은 우인데, 상음을 삼분하여 그 하나를 빼서 만들어진다. 그 숫자는 48이다. 수에 속하는 것은 가장 맑기 때문에 물의 상징이다. 목의 음은 각인데, 우의 음을 삼분하여 그 하나를 더하여 만들어진다. 그 숫자는 64이다. 목에 속하는 것은 맑음과 탁함의 중간이기 때문에 백성의 상징이다. 무릇 소리의 존귀함과 비천함(높낮이)은 오행의 상징을 취한 것이니, 숫자가 많은 것은 탁하고 숫자가 적은 것은 맑다. 커도 궁을 넘지 않고 가늘어도 우를 넘지 않는다"라 했다.

○漢志 律 有十二 陽律爲律 陰律爲呂 律 以統氣類物 曰黃鐘 大簇 姑洗 蕤賓 夷則 無射 呂 以旅陽宣氣 曰林鐘 南呂 應鐘 大呂 夾鐘 中呂 皆曰律陽統陰也

『한서』, 「율력지」에는 "율에는 12가지가 있다. 양의 율을 율이라 하고 음의 율을 여라 한다. 율은 기를 통어하고 사물을 분류하니, 황종 태주 고선 유빈 이칙 무역이라 한다. 여는 양을 도와 기를 흩뜨리니 임종 남려 응종 대려 협종 중려라 한다"라 했다. 모두 '양을 규율하고 음을 통어한다'라는 말이다.

○白虎通曰 土 曰塤 竹 曰管 革 曰鼓 匏 曰笙 絲 曰絃 石 曰磬 木 曰柷敔 金 曰鐘鏞 此 八音也

『백호통』(「권3 예악」 <오성팔음>)에서 말하기를, "토(흙으로 만든 악기)는 훈이라 하고 죽(대나무)은 관이라 하고 혁(가죽)은 고라 하고 포(바가지)는 생이라 하고 사(실)는 현이라 하고 석(돌)은 경이라 하고 목(나무)은 축어라 하고 금(쇠붙이)은 종용이라 하니 이것이 8음이다"라 했다.

○朱子曰 書云 聲依永 律和聲 蓋 人聲 自有高下 聖人 制五聲以括之 宮聲洪濁 其次爲商 羽聲輕清 其次爲徵 清濁洪纖之中 爲角 又制十二律 以節五聲 五聲 又各有高下 每聲 分十二等 謂如黃鐘爲宮 則太簇爲商 姑洗爲角 林鐘爲徵 南呂爲羽 還至無射爲宮 便是黃鐘爲商 太簇爲角 中呂爲徵 林鐘爲羽 然而無射之律 只長四寸六七分 而黃鐘長九寸 大簇長八寸 林鐘長六寸 則宮聲概下 而商角羽三聲 不過 故 有所謂四清聲 夾鐘 大呂 黃鐘 大簇是也 蓋 用其半數 謂如黃鐘九寸 只用四寸半 餘三律亦然 如此 則宮聲可以概之 其聲和矣 看來十二律 皆有清聲 只說四者 意其取數之多者言之

주자가 말했다. 『서경』(「우서 순전」 9)에 말하기를 "소리는 길게 뺌에 의존하고 율은 소리를 조화롭게 한다"라 했으니 대개 사람의 음성은 그 자체로 높낮이가 있는데 성인께서 5성을 제작하시어 포괄하셨다. 궁의 소리는 크고 탁하며 그다음은 상이 된다. 우의 소리는 가볍고 맑으며 그다음은 치가 된다. 맑고 탁하고 크고 가는 그 중간이 각이 된다. 또 12율을 제작하시어

5성을 제어하셨다. '5성은 또 각각의 높낮이가 있어 매 성은 12단계로 나뉜다'라 함은 '황종이 궁이 되면 태주는 상이 되고 고선은 각이 되고 임종은 치가 되고 남려는 우가 된다. 다시 돌아와서 무역이 궁이 되면 황종은 상이 되고 태주는 각이 되고 중려는 치가 되고 임종은 우가 된다'는 말이다. 그러나 무역의 율은 다만 길이가 4촌 6, 7푼인데 황종은 길이가 9촌이고 태주는 길이가 8촌이고 임종은 길이가 6촌이니 궁성은 이미 (가장) 낮은 소리가 되어 상 각 우 3성은 (이를) 넘지 않는다. 그러므로 소위 네 개의 맑은 소리가 있으니 협종 대려 황종 태주라 하는 것이 그것이다. 대개 '그 숫자의 반을 쓴다'라 함은 '예컨대 황종은 9촌이지만 다만 4촌 반만을 쓰고, 나머지 3율도 역시 마찬가지이다'라는 말이다. 이러한즉 궁성은 (다른 소리들을) 포괄하니 그 소리가 조화롭다. 12율을 보면 모두 모두 맑은 소리가 있는데 다만 (맑은 소리에는) 넷이 있다고 말하는 것은 생각건대 숫자가 많은 것을 취해 말한 것이다.

【집주】

可以養人之性情 而蕩滌其邪穢 消融其査滓壯里反

가히 사람의 성정을 길러 그 사악하고 더러운 것을 씻어내고 그 찌꺼기를 녹여 없앨 수 있다.

【세주】

○新安陳氏曰 邪穢 謂私欲之汚惡 皆蕩滌而無餘 査滓 謂道理勉强未純熟者 皆消融而無迹也

신안 진씨가 말했다. 사악하고 더러운 것이란 사욕의 더러움을 말하는데, 모두 깨끗이 씻어 남기지 않는다. 찌꺼기란 도리에 대해 애써 노력하나 아직 순숙하지 못한 것을 말하는데, 모두 녹아 없어져 흔적도 없다.

【집주】

故 學者之終 所以至於義精仁熟

그러므로 배우는 자가 마지막 단계에서 의에 정밀하고 인에 완숙해짐에 이르고

【세주】

易曰 精義入神 孟子曰 仁 在乎熟之而已

『역』(「계사 하」5)에 말하기를 "의에 정밀하여 신묘함으로 들어간다"라 했고, 맹자는 "인은 익음에 있을 뿐이다(『맹자』11, 「고자 상」 19장)"라 했다.

【집주】

而自和順於道德者

저절로 도덕에 화순(온화하게 순응함)하게 되는 것은

【세주】

易曰 和順於道德 而理於義

『역』(「설괘전」1)에 말하기를 "도덕에 화순하고 의에 있어서 이치에 맞다"라 했다.

【집주】

必於此 而得之 是 學之成也

반드시 여기(음악)에서 얻어지니 이것이 배움의 완성이다.

【세주】

新安陳氏曰 此字 指樂而言 三節 當看始中終三字 及三箇得之字 皆學之得力處也

신안 진씨가 말했다. '차' 자는 음악을 가리켜 하는 말이다. 세 구절은 마땅히 처음(단계), 중산, 마시막의 세 글사와 세 개의 '득지(얻어진다)'라는 글자를 보아야 한다. 모두 배움이 힘을 얻는 곳이다.

○問 五聲十二律 作者 非一人 不知如何能和順道德 朱子曰 如金石絲竹匏土革木 雖是有許多 却打成一片 淸濁高下長短大小 更唱迭和 皆相應 渾成一片 有自然底和氣 不是各自爲節奏 歌者 歌此而已 舞者 舞此而已 所以聽之 可以和順道德 學者 須是先有興詩立禮工夫 然後用樂以成之

물었다. 5성과 12율은 지은 사람이 한 사람이 아닌데 어떻게 능히 도덕에 화순할 수 있는지 모르겠습니다. 주자가 답했다. 예컨대 금 석 사 죽 포 토 혁 목은 비록 여러 가지이지만 오히려 하나의 조각(음악 한 편)을 이루는 것으로, 청탁과 고하와 장단과 대소를 서로 번갈아 노래하고 화답함으로써 모두 서로 상응하여 하나의 조각을 융화해 이루기 때문에 저절로 화합하는 기운이 있는 것이지, 각각이 따로 연주될 수 있는 것은 아니다. 노래란 이것을 노래하는 것일 뿐이고, 춤이란 이것을 춤추는 것일 뿐이다. 그래서 그것을 들으면 가히 도덕에 화순할 수 있다. 배우는 자는 모름지기 먼저 시에서 일어나는 공부와 예에서 서는 공부가 있은 연후에 음악을 써서 완성해야 한다.

○興於詩 此三句 上一字 謂成功而言也 非如志於道四句 上一字 以用功而言也

'흥어시'의(본 장의) 이 세 구절의 위 첫 글자(흥, 입, 성)는 성공[예컨대 '흥'은 시를 성공적으로 공부한 결과]을 말하는 것이니, '지어도' 네 구절(『논어』7, 「술이」 6장의 지어도 거어덕 의어인 유어예를 말함)의 첫 글자(지, 거, 의, 유)가 노력함[예컨대 '지'는 도를 지향하려는 노력]을 말하는 것과는 다르다.

○只是這一心 更無他說 興於詩 興此心也 立於禮 立此心也 成於樂 成此心也 古之學者 必先學詩 學詩 則誦讀其善惡是非勸戒 有以起發其意 故曰興 人 無禮以爲規矩 則身無所處 故曰 立 此 禮之文也 中心斯須不和不樂 則鄙詐之心 入之 不和樂 則無所自得 故曰 成 此 樂之本也 古者 玉不去身 無故不徹琴瑟 自成童入學 四十而出仕 所以養之者 備矣 理義以養其心 禮樂一作舞蹈以養其血氣 故 其才高 爲聖賢 下者 亦爲吉士 由養之至也

다만 이 한마음(을 말하는 것)이지 다른 말이 아니다. '시에서 일어난다'는 것은 이 마음을 일으키는 것이고 '예에서 선다'는 것은 이 마음을 세우는 것이고 '악에서 이룬다'는 것은 이 마음을 완성하는 것이다. 옛날의 배우는 자들은 반드시 먼저 시를 배웠다. 시를 배우면 그 선악과 시비, 권계(권장함과 경계함)를 읽고 읊어 그 뜻을 일으켜 분발하는 것이 있으니, 그래서 '흥(일어난다)'이라 한다. 사람이 법도로 삼을 예가 없으면 몸이 처할 곳이 없다. 그래서 '입(선다)'이라 한다. 이것이 예의 문식이다. 모름지기 마음 가운데가 조화롭지 못하고 즐겁지 못하면 비루하고 거짓된 마음이 들어온다. 조화롭지 못하고 즐겁지 못하면 스스로 얻은 것이 없으니, 그래서 '성(이룬다)'이라 한다. 이것이 음악의 근본이다. 옛날에는 옥은 몸에서 떼지 않고, 까닭 없이는 금슬(의 연주)을 그만두지 않았다. 성동이 되어 입학한 후 사십이 되어 벼슬길에 나서니 기르는 것이 갖추어졌다. 이치와 의로써 그 마음을 기르고 예악<어떤 데는 무도라 되어 있다.>으로 그 혈기를 기른다. 그런 까닭에 그 재주가 높은 자는 성현이 되고 낮은 자 또한 길사(좋은 선비)가 되니, 기름의 지극함으로 말미암는 것이다.

○學之興起 莫先於詩 詩有美刺 歌誦之 以知善惡治亂廢興 禮者 所以立也

不學禮 無以立 樂者 所以成德 樂 則生矣 生 則惡可已也 惡可已 則不知手之舞之足之蹈之也

배워서 일어나는 것은 시보다 앞서는 것이 없다. 시에는 미자(찬미하거나 비판함)가 있으니, 그것을 노래함으로써 선악과 치란과 흥폐를 알게 된다. 예란 서게 되는 원인이니, 예를 배우지 않으면 설 수 없다. 악이란 덕을 이루는 원인이니, 즐기면 (인의의 마음이) 생겨난다. 생겨나면 어찌 그칠 수 있겠는가? 그칠 수 없으면 손이 (저절로) 춤추고 발이 춤추는 것을 알지 못한다(『맹자』7, 「이루 상」 27장).

○詩 較感發人 故 在先 禮 則難執守 須是常常執守得 樂 則如太史公所謂動盪血脈流通精神者 所以 涵養前所得也

시는 비교적 사람을 감동시켜 일으킨다. 그러므로 먼저이다. 예는 지키기 어려우니 모름지기 항상 지켜야 한다. 음악은 태사공(사마천)이 말한바, 혈맥을 흔들고 정신을 유통시키는 것이니 그래서 함양하기 전에 얻어야 하는 것이다.

○興於詩 是小底成於樂 成於樂 是大底興於詩 初間 只是因他感發興起到成處 却是自然恁地與理爲一 凡 有毫髮不善 都蕩滌得盡了 這 是甚氣象

'시에서 일어남'은 작은 '악에서 이룸'이고, '악에서 이룸'은 큰 '시에서 일어남'이다. 처음에는 다만 그것으로 인해 감격하여 일어나지만, 완성에 이르러서는 저절로 그렇게 이치와 하나가 되어, 무릇 털끝만 한 불선도 모두 다 씻겨 나가니, 이 무슨 기상인가.

○慶源輔氏曰 樂 雖始於詩歌 而聖人 依之以五聲 和之以十二律 更唱迭和而以爲歌舞八音之節 所以合天人之和 以養人之耳目 說人之情性 蕩滌其邪穢 而使之不存 消融其查滓 而使之盡化 學者 於此 涵泳而優游焉 則能至義精仁熟之地 而於道德 各極其和順 而無一毫勉强拂戾之意也 興 則起 立則不反 成 則渾全 此三節 其間 甚闊 學者 於此 眞積而力久焉 則自知之

경원 보씨가 말했다. 음악은 비록 시가에서 비롯되었지만 성인께서 5성에 의거하고 12율로 조화를 이루어 번갈아 노래하고 화답함으로써 가무의 8음의 절조로 삼으셨으니 하늘과 사람의 조화를 합치시켜 사람의 이목을 기르는 것이다. 사람의 성정을 기쁘게 하여 그 사악함과 더러움을 씻어내어 있지 못하게 하고, 그 찌꺼기를 녹여 없애 완전히 변화하도록 한다. 배우는 자가 여기에 함영(학문의 세계에 푹 잠기어 헤엄침)하고 우유(편안한 마음으로 공부하며 노님)하면, 능히 의가 정밀하고 인이 완숙한 경지에 이를 수 있고, 도덕에 있어서 각자 그 화순함을 다하여 추호의 억지나 어그러지는 뜻이 없게 되는 것이다. 일어나면 흥기하고, 서면 되돌아가지 않고, 이루면 완전해진다. 이 세 구절은 그 사이가 매우 넓으니[매우 포괄적인 말이니] 배우는 자는 이에 대해 참됨을 쌓고 힘을 오래 쓰면 저절로 알게 될 것이다.

○吳氏曰 古詩樂 相表裏 言之不足 而歌生焉 歌之不足 而舞生焉 歌舞生而樂作矣 聖人 以爲未也 又爲之金石絲竹匏土革木 以相其歌 羽旄干戚 以飾其舞 而樂 於是乎大備 君子 於樂 或親爲其事 或觀聽其聲容 或講習以知其意 內而一心 外而衆體 蓋 莫不有養焉

오씨가 말했다. 옛 시와 음악은 서로 표리를 이루었다. 말로 다 못하기에 노래가 생겼고, 노래로 다 못하기에 춤이 생겼다. 노래와 춤이 생기니 음악이 지어졌다. 성인께서는 아직 완전하지 않다고 여기시어 금 석 사 죽 포 토 혁 목으로 (악기를) 만들어 그 노래를 돕게 하시고 우모간척(춤에 사용되는 각종의 깃발)으로 그 춤을 장식하셨으니, 음악이 이에 크게 완비되었다. 군자는 음악에 있어서 혹은 직접 그 일을 하기도 하고, 혹은 그 소리와 모습을 보고 듣기도 하고, 혹은 강습하여 그 의미를 깨우치기도 하여, 안으로 한마음과 밖으로 모든 지체(몸과 팔다리 등)를 대개 기르지 않음이 없다.

○齊氏曰 十三 學樂誦詩 則已通於樂章 學舞 則已通於舞節 至成於樂 則淪肌浹髓 而莫能名 手舞足蹈 而不可已

제씨가 말했다. 열세 살에 음악을 배우고 시를 외우니 이미 악장에 통한 것이고, 춤을 배우니 이미 춤의 형식에 통한 것이다. '악에서 이룸'에 이르러서는 피부에 스며들고 골수에 사무치니 이름도 붙일 수 없고, (저절로) 손이 춤추고 발이 춤추어 그칠 수 없다.

○雲峯胡氏曰 興於詩 知之事 成於樂 則知之精 故曰 義精 立於禮 行之事 成於樂 則行之熟 故曰 仁熟

운봉 호씨가 말했다. '시에서 일어난다'는 것은 앎의 일이고, '악에서 이룬다'는 것은 앎이 정밀해지는 것이다. 그러므로 의에 정밀하다고 한다. '예에서 선다'는 것은 행의 일이고, '악에서 이룬다'는 것은 행의 완숙해짐이다. 그러므로 인이 완숙하다고 한다.

○新安陳氏曰 夫子 屢以詩禮敎人 至此 則參及於樂 成於樂 所以成就其始

焉中焉之興於詩立於禮者也

신안 진씨가 말했다. 공자께서는 누차 시와 예로써 사람을 가르치셨는데, 여기에 이르러서는 음악에 대해 언급하셨다. '악에서 이룸'은 그 처음과 중간 단계인 '시에서 일어남'과 '예에서 섬'을 완성하는 것이다.

【집주】

○按內則 十歲 學幼儀 十三 學樂誦詩 二十而後 學禮 則此三者 非小學傳授之次 乃大學終身所得之難易去聲 下同先後淺深也

(『예기』) 「내칙」을 살펴보면 열 살에 유의(아동용 의례)를 배우고, 열세 살에 음악을 배우고 시를 외우며, 스무 살 이후에 예를 배운다 했으니, 이 장의 세 가지는 소학 전수의 순서가 아니라 대학(공부)에서 종신토록 얻는 것의 난이(쉽고 어려움) 선후(시간상의 순서) 천심(얕고 깊음의 수준)의 순서이다.

【세주】

朱子曰 古人 自少時 習樂誦詩學舞 不是到後來方始學詩學禮學樂 興詩立禮成樂 不是說用工次第 乃是得效次第

주자가 말했다. 옛사람들은 어릴 때부터 음악을 익히고 시를 외우고 춤을 배웠으니 나중에야 비로소 시를 배우고 예를 배우고 음악을 배운 것이 아니다. '흥시', '입례', '성악'은 공부의 순서가 아니라 효과를 얻는 순서이다.

○詩者 樂之章也 故 必學樂 而後誦詩 所謂樂者 蓋 琴瑟塤篪 樂之一物 以漸習之 而節夫詩之音律者也 然 詩 本於人之性情 有美刺風諭之旨 其言近而易曉 而從容詠歎之間 所以漸漬感動於人者 又爲易入 故 學之所得 必先於此 而有以發起其仁義之良心也 至於禮 則有節文度數之詳 其經 至於三百 其儀 至於三千 其初 若甚難强者 故 其未學詩也 先已學幼儀矣 蓋禮之小者 自爲童子 而不可闕焉者也 至於成人 然後及其大者 又必服習之久而有得焉 然後內有以固其肌膚之會 筋骸之束 而德性之守 得以堅定而不移 外有以行於鄕黨州閭之間 達於宗廟朝廷之上 而其酬酢之際 得以正固而不亂也 至於樂 則聲音之高下 舞蹈之疾徐 尤不可以旦暮而能 其所以養其耳目 和其心志 使人淪肌浹髓 而安於仁義禮智之實 又有非思勉之所及者 必甚甚安且久 然後有以成其德焉 所以 學之最早 而其見效 反在詩禮之後焉

시란 음악의 가사이다. 그러므로 반드시 음악을 배운 후에 시를 외운다. 소위 음악이란 대개 금 슬 훈 호 같은 음악의 한 가지 악기를 가지고 점차 연습하여 시의 음률에 가락을 주는 것이다. 그러나 시는 사람의 성정에 근본을 두고 미자(찬미하거나 비판함) 풍유(비유하여 풍간함)의 뜻이 있다. 그 말은 비근하고 쉬이 깨달을 수 있어서, 조용히 읊고 영탄하는 사이에 사람을 적시고 감동시키는 것이 또 쉽게 들어간다. 그러므로 배워서 얻는 것은 반드시 이를 먼저로 하니, 인의의 양심을 일으키게 하는 바가 있다. 예에 이르러서는 절문과 도수의 상세함이 있으니 그 근간이 되는 것은 삼백에 이르고 그 세부적인 규정은 삼천에 이른다. 그 처음에는 억지로 하기 매우 어려운 것이니 그러므로 아직 시를 배우기 전이라도 이미 먼저 아동용 의례를 배우는 것이다. (아동용 의례란) 대개 예 중에 작은 것으로, 본디 아동을 위한 것이지만 빠뜨릴 수 없는 것이다. 성인이 된 연후에는 그 큰 것에 대해 또 반드시 오래 익혀 얻는 것이 있어야 한다. 그런 연후에야 안으로는 그 피부의 모임과 근골의 묶임을 굳게 하고 덕성의 지킴을 단단히 하여 옮기지 않을 수 있고, 밖으로는 향당과 주려에서 행세하거나 종묘와 조정에까지 현달하여 그 대화를 주고받을 때 바르고 굳건하여 어지럽지 않을 수 있다. 음악에 이르러서는 소리의 높낮이와 춤의 빠르고 늦음은 더욱 하루 아침이나 저녁에 능해질 수 있는 것이 아니다. 그 이목을 기르고 그 심지를 조화롭게 하는 것은 사람의 피부에 스며들고 골수에 사무쳐 인의예지의 실질에 편안하게 하는 것이니, 또 사려와 노력으로는 미칠 수 없는 바가 있다. [음악은 지식공부로 얻을 수 없는 것을 준다.] 반드시 깊이 깊이 편안해 하고 오래된 연후에야 그 덕을 완성할 수 있다. 그러므로 (음악은) 배우는 것은 가장 먼저이지만 그 효과가 드러나는 것은 거꾸로 시와 예의 뒤에 있다.

○潛室陳氏曰 此章 先禮而後樂 內則 先樂而後禮 此章 非爲學之序 乃論其終身所得之先後也 學之序 當如內則 至其將來得力處 其先 善心興起 是於詩上得力 其次 操守植立 是於禮上得力 至末稍 德性純熟 是於樂上得力

잠실 진씨가 말했다. 이 장은 예를 앞세우고 음악을 뒤로 했지만 (『예기』) 「내칙」에서는 음악을 앞세우고 예를 뒤로 했다. 이 장은 배움의 순서가 아니라 종신토록 얻는 것의 선후를 논한 것이다. 배움의 순서는 마땅히 「내칙」처럼 하여야 한다. 앞으로 힘을 얻게 되는 곳에 대해 말하자면, 먼저 선심을 일으키는 것은 시에서 힘을 얻고, 그다음 붙들어 지키고 심어 세우는 것은 예에서 힘을 얻고, 마지막으로 덕성이 순숙해지는 것은 음악에서 힘을 얻는다.

○慶源輔氏曰 詩 易於禮 禮 易於樂 興者淺 立者深 成 則又其深者也 故

其先後之序 如此

경원 보씨가 말했다. 시는 예보다 쉽고, 예는 음악보다 쉽다. 일어나는 것은 얕고 서는 것은 깊다. 이루는 것은 또 더 깊은 것이다. 그러므로 그 선후의 순서가 이와 같다.

【집주】

程子曰 天下之英才 不爲少矣 特以道學不明 故 不得有所成就 夫音扶古人之詩 如今之歌曲 雖閭里童稚 皆習聞之 而知其說 故 能興起 今 雖老師宿儒 尙不能曉其義 況學者乎 是 不得興於詩也 古人 自灑掃並去聲應對 以至冠去聲昏喪祭 莫不有禮 今 皆廢壞 是以 人倫不明 治家無法 是 不得立於禮也 古人之樂 聲音 所以養其耳 采色 所以養其目 歌詠 所以養其性情 舞蹈 所以養其血脈 今皆無之 是 不得成於樂也 是以 古之成材也 易 今之成材也 難

정자가 말했다. 천하의 영재는 적지 않지만 다만 도학이 밝지 않은 까닭에 성취하는 바를 얻지 못한다. 무릇 옛사람들의 시는 마치 오늘날의 가곡처럼 비록 시골 동네의 아이들이라 하더라도 모두 익혀 들어 그 설을 알기 때문에 능히 흥기할 수 있었다. 지금은 비록 노사(늙은 선생) 숙유(오래된 선비)라도 오히려 그 의의를 깨닫지 못하니 하물며 배우는 자이리오. 이는 시에서 일어나지 못한 것이다. 옛사람들은 쇄소응대에서부터 관혼상제에 이르기까지 예가 없는 적이 없었다. 지금은 모두 무너진 까닭에 인륜이 밝지 못하고 집안 다스림에 법도가 없다. 이는 예에서 서지 못한 것이다. 옛사람들의 음악이란 소리는 그 귀를 기르는 것이었고 색채는 그 눈을 기르는 것이었고 노랫가락은 그 성정을 기르는 것이었고, 춤은 그 혈맥을 기르는 것이었는데 지금은 모두 없어졌다. 이는 음악에서 이루지 못한 것이다. 이런 까닭에 옛날의 인재 양성은 쉬웠고, 오늘날의 인재 양성은 어렵다.

【세주】

問 成於樂 是古人 眞箇學其六律八音 習其鐘鼓管絃 方底於成 今人 但借其意義 以求和順之理 如孟子 樂之實 樂斯二者 亦可以底於成否 朱子曰 古樂既亡 不可復學 但 講學踐履間 可見其遺意耳 故曰 今之成材也 難

물었다. '악에서 이룬다'는 것은 옛사람들이 진정 그 6율과 8음을 배우고 그 종고와 관현을 익힌 다음에야 비로소 마침내 완성했다는 것입니다. 요즘 사람들은 (진짜로 음악을 배우는 것이 아니라) 다만 그 의의를 빌려 화순의 이치를 구하는 것입니다. 예컨대 맹자는 "음악의 실질은 이 두 가지(인의)를 즐기는 것이다(『맹자』7, 「이루 상」 27장)"라 했는데, 이 또한 가히 드디어 완성한 것입니까? 주자가 답했다. 옛 음악은 이미 없어져 다시 배울 수 없다. 단, 공부하고 실천하는 동안 그 남아 있는 뜻을 볼 수 있다. 그래서 '오늘날의 인재 양성은 어렵다'라고 하는 것이다.

○此章 與志道據德章 不同 彼 就德性上說 此 就工夫上說 只是游藝一脚意思耳

이 장은 <지도거덕>장(『논어』7, 「술이」 6장)과는 다르다. 그 장은 덕과 성에 대해 말한 것이고, 이 장은 공부에 대해 말한 것이니, 다만 예에 노니는 것 한 방면의 의미일 뿐이다.

○西山眞氏曰 自周衰 禮樂崩壞 然 禮書 猶有存者 制度文爲 尙可考尋 樂書 則盡缺不存 後之爲禮者 旣不合先王之制 而樂 尤甚焉 今世所用 大抵鄭衛之音 雜以夷狄之聲而已 適足以蕩人心 壞風俗 何能有補乎 然 禮樂之制 雖亡 而禮樂之理 則在 故 樂記謂 致禮以治身 致樂以治心 外貌斯須不莊不敬 而慢易之心入之矣 中心斯須不和不樂 而鄙詐之心入之矣 莊敬者 禮之本也 和樂者 樂之本也 學者 誠能以莊敬治其身 和樂養其心 則於禮樂之本 得之矣 亦足以立身 而成德也 三百篇之詩 雖云難曉 今 諸老先生 發明其義 了然可知 如能反復涵泳 眞可以感發興起 則所謂興於詩 亦未嘗不存也

서산 진씨가 말했다. 주나라가 쇠한 이래 예악이 붕괴되었다. 그러나 예서는 오히려 보존되어 제도문위(제도와 각종의 규정들)는 아직도 상고할 수 있지만 악서는 모두 없어져 존재하지 않는다. 후세에 예를 행하는 자들은 이미 선왕의 제도와 합치하지 않는데, 음악은 더욱 심하다. 오늘날의 세상에서 쓰이는 것은 대개 이적(오랑캐)의 음악과 섞인 정위의 음악(정나라나 위나라의 음악, 즉 음란한 음악)일 뿐이어서 사람의 마음을 뒤흔들고 풍속을 망치기에 딱 알맞으니 어찌 (세상에) 도움이 되리오? 그러나 예악의 제도는 비록 망했지만 예악의 이치는 남아 있다. 그런 까닭에 (『예기』) 「악기」에서는 "예를 다하여 몸을 다스리고 악을 다하여 마음을 다스린다. 모름지기 겉모습이 장경(엄숙하고 경건함)하지 않으면 해이한 마음이 들어온다. 모름지기 마음속이 화락(조화롭고 즐거움)하지 않으면 비루하고 거짓된 마음이 들어온다"라 했으니, 장경은 예의 근본이고 화락은 악의 근본이다. 배우는 자가 진실로 장경으로써 그 몸을 다스리고 화락으로써 그 마음을 기를 수 있다면 예악의 근본에 대해 얻은 것이니, 또한 족히 몸을 세우고 덕을 이룰 수 있다. 삼백 편의 시는 비록 깨치기 어렵다 하나 오늘날 여러 선생들이 그 의미를 밝혀 놓았으니 요연하게 알 수 있다. 만약 능히 반복하고 함영할 수 있으면 진정 감격해 일어날 수 있으니, 소위 '흥어시' 또한 일찍이 보존되지 않은 것은 아니다.

○胡氏曰 程子 因世變而歎傷 學者 當因其尙存者 而深考之 不可以自畫也

호씨가 말했다. 정자는 세상이 변한 것 때문에 탄식했다. 배우는 자는 마땅히 아직도 남아 있는 것에 근거하여 깊이 고찰해야지, 스스로 한계를 그어서는 안 된다.

○雲峯胡氏曰 無程子之說 後世不知所以成材之難 無眞氏之說 後世遂眞以成材爲難矣 況詩 自性情中流出 非吾心外物 天高地下 合同而化 天地間自然之禮樂 禮是敬 樂是和 亦非吾心外物也

운봉 호씨가 말했다. 정자의 설이 없었다면 후세에는 인재의 육성이 어려운 이유를 모를 것이고, 진씨의 설이 없었다면 후세에는 드디어 진짜로 인재 육성이 어렵다고 생각할 것이다. 황차 시란 성정 가운데로부터 나오는 것이니, 내 마음 밖의 물건이 아니다. 하늘은 높고 땅은 낮음, 같이 합하여 변화함(『예기』, 「악기」), (이는) 천지간의 자연의 예와 악으로, (이) 예는 경(경건함)이고 악은 화(조화로움)이니 또한 내 마음 밖의 물건이 아니다.

8.9 子曰 民 可使由之 不可使知之

공자께서 말씀하셨다. 백성은 말미암게 할 수는 있지만 알게 할 수는 없다.

【집주】

民 可使之由於是理之當然 而不能使之知其所以然也

백성은 이 이치의 당연함으로 말미암게(이치에 따라 행동하게) 할 수는 있지만 그 소이연(그것이 그러한 이유)을 알게 할 수는 없다.

【세주】

朱子曰 民 但可使由之耳 至於知之 必待其自覺 非可使也 由之而不知 不害其爲循理 及其自覺此理 而知之 則沛然矣 必使知之 則人未知之心勝 而由之不安 甚者 遂不復由 而惟知之爲務 其害 豈可勝言 由之而自知 則隨其淺深 自有安處 使之知 則知之必不至 至者 亦過之 而與不及者 無以異 此機心惑志 所以生也

주자가 말했다. 백성은 다만 말미암게 할 수 있을 뿐이다. 알게 되는 것은 반드시 그 자각을 기다려야 하는 것이지 (알도록) 시킬 수 있는 것은 아니다. 말미암으면서 알지 못하는 것은 이치를 따르는 데에 방해가 되지 않고 또 이 이치를 자각하여 알게 되면 시원해진다. 꼭 알게 하려 하면 사람의 모르는 마음이 지나쳐 말미암는 것도 불안해지고, 심지어는 드디어 다시는 말미암지도 않으면서 오직 아는 것을 급무로 삼게 되니 그 해악을 어찌 말로 다하리오. 말미암으면서 스스로 알게 되면 그 (앎의) 얕고 깊음에 따라 응당 편안한 바가 있다. 알게 하려 하면 알게 되는 데에 반드시 이르지 못한다. (알게 되는 데에) 이른 자는 또한 지나치게 되니 미치지 못하는 자와 다를 것이 없다. 이는 (기회를) 엿보는 마음과 미혹된 의지가 생기는 원인이다.

○所由 雖是他自有底 却是聖人使之由 如道以德 齊以禮 敎以人倫 皆是使之由 不可使知 不是愚黔首 是不可得而使知之 無緣逐箇與他解說

말미암는 바는 비록 그가 원래 가지고 있는 것이지만, 오히려 성인께서 말미암도록 하신 것이니, 예컨대 덕으로써 이끌고 예로써 가지런히 하고 인륜으로써 가르치신 것이 다 말미암게 하신 것이다. 알게 하지 못하는 것은 긍수(검은 머리 백성)를 바보로 여겨서가 아니라 알게 할 수가 없기 때문이다. 다른 해석을 좇을 아무 이유가 없다.

○問 不知 與百姓日用而不知 同否 曰 彼 是自不知 此 是不能使之知

물었다. 알지 못한다는 것은 '백성이 매일 쓰면서도 알지 못한다(『주역』, 「계사 상」5)'는 것과 같습니까, 다릅니까? 답했다. 그것은 스스로 깨닫지 못한다는 것이고 이것은 알게 할 수 없다는 것이다.

○不可使之知 謂凡民爾 學者 固欲知之 亦須積累涵泳 由之而熟 一日脫然自有知處 乃可 亦不可使之强知也

알게 할 수 없다는 것은 평범한 백성을 두고 하는 말이다. 배우는 자는 본디 알려고 하지만, 또한 모름지기 쌓아나가고 함영하여 그로 말미암아 완숙해져 어느 날 벗어나듯 저절로 아는 바가 있게 되어야 하는 것이지, 또한 억지로 알게 할 수는 없는 것이다.

○理之所當然者 所謂民之秉彝 百姓所日用者也 聖人之爲禮樂刑政 皆所以使民由之也 其所以然 則莫不原於天命之性 雖學者 有未易得聞者 而況於庶民乎 其曰 不可使知之 蓋 不能使之知 非不使之知也

이치의 당연한 바란 소위 사람이 지키는 떳떳한 도리로서 백성이 매일 쓰는 것이다. 성인께서 예악 형정을 행하시는 것은 모두 백성으로 하여금 말미암게 하시려는 것이다. 그 소이연(그러한 까닭)은 천명의 성에 근원을 두지 않는 것이 없으므로 비록 배우는 자라 하더라도 쉽게 얻어 들을 수 없는 것이니, 하물며 서민에게 있어서랴. 알게 할 수 없다고 말씀하신 것은 대개 알게 할 수 없다는 것이지, 알지 못하게 한다는 것은 아니다.

○潛室陳氏曰 謂政教號令 但能使民由行於中 不能使民洞曉其理 非不欲使之曉也 勢有所不能 故曰 百姓日用而不知

잠실 진씨가 말했다. 정교호령(정치와 교화, 법과 명령)은 다만 백성으로 하여금 (법도에) 맞도록 말미암아 행동하게 할 수는 있어도 백성으로 하여금 그 이치를 통효하게 할 수는 없다. 알게 하고 싶지 않아서가 아니라 사세가 그럴 수 없는 바가 있기 때문이다. 그러므로 '백성이 매일 쓰면서도 알지 못한다'라 한다.

○陳氏曰 所當然 如父當慈 子當孝之類 所以然 乃根原來歷 是性命之本處

진씨가 말했다. 소당연(당연한 바)이란 예컨대 아버지는 마땅히 자애롭고 자식은 마땅히 효도해야 하는 등의 것이고, 소이연(그러한 까닭)이란 곧 근원과 내력이니, 성명의 근본이 되는 곳이다.

○新安陳氏曰 此理當然之則 必有所以然之故 當然之理 雖凡民可律以持循 其所以然之妙 在學者 難遽求其領會 而況於凡民乎

신안 진씨가 말했다. 이 이치의 당연한 법칙은 반드시 그것이 그러한 이유를 가지고 있다. 당연한 이치는 비록 평범한 백성이라 하더라도 법으로 삼아 지키고 따를 수 있지만 그 소이연의 묘함은 배우는 자에게 있어서도 급히 이해를 구하기 어려운 것이니, 하물며 서민에게 있어서랴.

○雙峯饒氏曰 兩之字 皆指此理而言 民 可使之由此理 不可使之知此理 堯舜 帥天下以仁 而民從之 桀紂 帥天下以暴 而民亦從之 以其無知 故也 若知得仁爲是 暴爲非 則帥之以暴 而不從矣 以此觀之 民 不特不曉其所以然 於所當然者 亦未易使之曉

쌍봉 요씨가 말했다. 두 '지' 자는 모두 이 이치를 가리켜 말한 것이니, 백성은 이 이치로 말미암게 할 수는 있어도 이 이치를 알게 할 수는 없다. 요순은 인으로써 천하를 이끌었으되 백성이 따랐고, 걸주는 폭압으로써 천하를 이끌었으되 백성이 또한 따랐으니, 그 무지함 때문이다. 만약 인이 옳은 것이고 폭압이 옳지 않은 것임을 알았다면, 폭압으로 이끌면 따르지 않았을 것이다. 이로써 보건대 백성은 다만 그 소이연을 깨닫지 못할 뿐만 아니라 소당연에 대해서도 또한 쉽게 깨닫게 할 수 없다.

【집주】

○程子曰 聖人設教 非不欲人家喩而戶曉也 然 不能使之知 但能使之由之爾 若曰 聖人 不使民知 則是 後世朝四暮三之術也

정자가 말했다. 성인께서 가르침을 베푸심에, 집집마다 깨우치고 집집마다 알게 하려 하지 않으신 것은 아니지만, 그러나 알게 할 수는 없고 다만 말미암게 할 수 있을 뿐이었다. 만약 성인께서 백성으로 하여금 알지 못하게 하셨다고 말한다면 이는 후세의 조삼모사의 술책이지,

【세주】

新安陳氏曰 借狙公之愚群狙 以比後世之愚黔首不使之知也

신안 진씨가 말했다. 저공이 원숭이 무리를 바보로 여긴 것을 빌려 후세에 백성을 바보로 여겨 알지 못하게 한 것을 비유했다.

【집주】

豈聖人之心乎

어찌 성인의 마음이리오.

【세주】

列子云 宋 有狙公者 善養猿猴之人 故 號狙公 愛狙 養之成群 將限其食 先誑之曰 與若芧音序 栗也 一云 橡子也 朝三而暮四 足乎 衆狙皆起而怒 俄而曰 與若芧朝四而暮三 足乎 衆狙皆笑而喜 物之以能鄙相籠 皆由此也

『열자』에 다음과 같이 말했다. "송나라에 저공이라는 자가 있었는데, 원숭이를 잘 키우는 사람이었다. 그래서 저공이라 불리었다. 원숭이를 사랑하여 길러 무리를 이루었다. 장차 그 먹이를 제한하려고 먼저 속여 말하기를 '만약 서<음은 서이고, 뜻은 밤이다. 어떤 데에는 도토리라 했다.>를 아침에 세 개 저녁에 네 개를 주면 만족하겠는가?'라 하니 여러 원숭이들이 모두 일어나 노했다. 잠시 있다가 말하기를 '만약 아침에 네 개 저녁에 세 개를 주면 만족하겠는가?'라 하니 여러 원숭이들이 모두 웃으며 기뻐했다. 남을 능히 비루하게 서로 농락할 수 있는 것은 모두 이 때문이다."

○慶源輔氏曰 所謂聖人不使民知者 乃老氏愚民 莊子以智籠愚之說 朝三暮四 朝四暮三 詭譎不誠 聖人而肯爲是哉 使民家喩而戶曉者 聖人之本心 不能使之知之 但能使之由之者 聖人之不得已也

경원 보씨가 말했다. 소위 성인이 백성을 알지 못하게 한다는 것은 곧 노자의 '백성을 바보로 여김'이고 장자의 '지혜로운 자가 바보를 농락한다'는 설이다. '조삼모사', '조사모삼'은 속임수로서 진실하지 않는 것이니 성인께서 이처럼 하시려 하겠는가? 백성의 집집마다 깨우치시고 집집마다 알게 하시려는 것이 성인의 본심이고, 알게 할 수는 없고 다만 말미암게 할 수는 있는 것은 성인께서 부득이하게 그러신 것이다.

○西山眞氏曰 聖人之教 惟恐不能開明下民之心 如申韓斯鞅之徒 所以治其國者 專用愚黔首之術 不知民可欺以暫 不可欺以久 故 卒以此亡 可不戒哉

서산 진씨가 말했다. 성인의 가르침은 다만 아래 백성들의 마음을 밝게 열어주지 못할까를 걱정하신 것일 뿐이다. 신(신불해) 한(한비) 사(이사) 앙(상앙)의 무리들(법가)이 나라를 다스린 방식은 오로지 백성을 바보로 여기는 술책이었고, 백성을 잠시 속일 수는 있지만 오랫동안 속일 수는 없다는 것은 몰랐다. 그런 까닭에 마침내 이 때문에 망했으니, 경계하지 않을 수 있겠는가?

8.10 子曰 好勇疾貧 亂也 人而不仁 疾之已甚 亂也

공자께서 말씀하셨다. 용맹을 좋아하고 가난을 싫어하면 난을 일으킨다. 사람이 불인하다고 해서 지나치게 미워하면 난을 일으킨다.

【집주】

好勇 而不安分去聲 則必作亂 惡去聲不仁之人 而使之無所容 則必致亂 二者之心 善惡雖殊 然 其生亂 則一也

용맹을 좋아하되 분수를 편안히 여기지 않으면 반드시 난을 일으킨다. 불인한 사람을 미워하되 용납될 곳이 없도록 하면 반드시 난을 일으키는 데 이른다. 두 사람의 마음은 선악은 비록 다르지만 그러나 난을 일으킨다는 점에 있어서는 마찬가지이다.

【세주】

程子曰 人而不仁 君子 當敎養之 不盡敎養 而惟疾之甚 必至於亂

정자가 말했다. 사람이 불인하면 군자는 마땅히 그를 가르쳐야 한다. 제대로 가르치지 않고 다만 심히 미워하기만 하면 반드시 난을 일으키는 데 이른다.

○慶源輔氏曰 好勇者 有果於作亂之資 而又不安分 是不知義也 所謂有勇而無義爲亂 此 其亂 在我 惡不仁 本善也 惡之過 當使其人無所容 事窮勢迫彼 將以不肖之心應之 肆其不仁之毒 以求免 未有不激而生亂者 此 其亂在人 而致亂 亦在我也

경원 보씨가 말했다. 용맹을 좋아하는 자는 과감히 난을 일으키는 자질을 가지고 있고, 또 분수를 편안히 여기지 않는 것은 의를 모르는 것이니, 이른바 '용맹은 있고 의는 없으면 난을 일으킨다'라는 것이다. 이는 그 난이 나에게 있는 것이다(난을 일으키는 것은 용맹을 좋아하는 자 그 자신이다). 불인을 미워하는 것은 본디 선이지만, 지나치게 미워하면 당연히 그 사람으로 하여금 용납될 곳이 없게 한다. 일이 궁하고 세가 급박하면, 그는 장차 불초한 마음으로 대응하고 그 불인의 독기를 부림으로써 면하기를 구하여, 격분해 난을 일으키지 않는 경우가 없다. 이는 그 난은 남에게 있지만(난을 일으키는 것은 남이지만) 난을 일으키게 하는 것(원인)은 또한 나에게 있는 것이다.

○雙峯饒氏曰 好勇而不疾貧 未必遽至於亂 疾貧而不好勇 亦不能爲亂 不仁之人 力能誅 則誅之 不能誅而疾之 至於無所容身 則致亂必矣 大學之屛諸四夷 是力能誅 而誅之 如舜之誅四凶 是也 何自而致亂乎

쌍봉 요씨가 말했다. 용맹을 좋아하되 가난을 싫어하지 않으면 꼭 급히 난을 일으키는 데에 이르는 것은 아니다. 가난을 싫어하되 용맹을 좋아하지 않으면 또한 난을 일으킬 수 없다. 불인한 사람에 대해서는 힘이 처벌할 만하면 처벌하지만, 처벌할 수 없는데도 싫어해서 용신할 곳이 없게 하는 데 이르면 난을 일으키는 것은 필연이다. 『대학』에서 '네 오랑캐에게로 쫓아낸다(「전 10장」)'라 한 것은 힘이 능히 처벌할 만하여 처벌한 것이니, 예컨대 순임금이 네 흉적을 주살한 것이 그것이다. (이 경우) 무슨 까닭에 난을 부르겠는가?

8.11 子曰 如有周公之才之美 使驕且吝 其餘 不足觀也已

공자께서 말씀하셨다. 만약 주공 같은 재주의 아름다움이 있다 하더라도 교만하고 인색하다면 그 나머지는 볼 만하지 못할 뿐이다.

【집주】

才美 謂智能技藝之美 驕 矜夸 吝 鄙嗇音色也

재주의 아름다움이란 지능과 기예의 아름다움을 말한다. '교'는 뽐내고 자랑하는 것이다. '인'은 인색한 것이다.

【세주】

朱子曰 誇人所無 是驕 挾己所有 是吝

주자가 말했다. 남에게 없는 것을 자랑하는 것이 교만함이고, 내가 가진 것을 끼고 있는 것이 인색함이다.

○南軒張氏曰 古聖人 才藝之多 莫如周公 觀其自言多才多藝 可見 故 借以明之

남헌 장씨가 말했다. 옛 성인 중에 재주와 기예가 많기로는 주공만 한 사람이 없다. (주공) 스스로 다재다예하다고 말한 것을 보면 알 수 있다. 그런 까닭에 이를 빌려 밝혔다.

○雲峯胡氏曰 本文 如字 使字 皆假設之辭

운봉 호씨가 말했다. 본문의 '여' 자와 '사' 자는 모두 가정의 말이다.

【집주】

○程子曰 此 甚言驕吝之不可也 蓋 有周公之德 則自無驕吝 若但有周公之才 而驕吝焉 亦不足觀矣

정자가 말했다. 이는 교만하거나 인색해서는 안 된다는 것을 강조해 한 말이다. 대개 주공과 같은 덕이 있으면 당연히 교만하거나 인색하지 않다. 만약 단지 주공 같은 재주가 있으면서 교만하고 인색하다면 역시 볼 만하지 않다.

【세주】

慶源輔氏曰 德 出於理 才 出於氣 世固有優於德 而短於才者 然 德極其盛 則才亦無不足 若但有其才 而無其德 則雖有智能技藝之美 必不能居廣居 立正位 行大道 爲向上一著事

경원 보씨가 말했다. 덕은 이에서 나오고 재주는 기에서 나온다. 세상에는 본디 덕은 뛰어나지만 재주는 짧은 자가 있다. 그러나 덕이 그 성함을 다하면 재주 또한 부족함이 없게 된다. 만약 단지 그 재주만 있고 그 덕이 없으면, 비록 지능과 기예의 아름다움이 있다 하더라도 결코 넓은 자리에 거처하고 바른 자리에 서고 대도를 행하여 한결같이 향상해 가는 일을 하지 못한다.

○鄭氏曰 不言周公之德 而言才美 蓋 有德 則必無驕吝 有才美 則驕吝容或有之

정씨가 말했다. 주공의 덕을 말하지 않고 재주의 아름다움을 말한 것은 대개 덕이 있으면 반드시 교만함이나 인색함이 없지만 재주의 아름다움이 있으면 교만함이나 인색함이 있을 수 있기 때문이다.

【집주】

又曰 驕 氣盈 吝 氣歉若忝反 **愚謂 驕吝 雖有盈歉之殊 然 其勢常相因 蓋 驕者 吝之枝葉 吝者 驕之本根 故 嘗驗之 天下之人 未有驕而不吝 吝而不驕者也**

또 말했다. 교만함은 기가 가득 찬 것이고 인색함은 기가 부족한 것이다. 내가 생각건대, 교만함과 인색함은 비록 차고 부족한 차이는 있지만 그 형세는 항상 서로 연결된다. 대개 교만함이란 인색함의 지엽이고 인색함이란 교만함의 근본이다. 그러므로 일찍이 겪어보니, 천하의 사람들 중에 교만하면서 인색하지 않은 자가 없고, 인색하면서 교만하지 않는 자가 없었다.

【세주】

朱子曰 聖人 只是平說有周公之才美而驕吝 連他才美壞了 況無周公之才美 而驕吝者乎 甚言驕吝之不可也 程子所云 有德 則自無驕吝 與驕吝相因 又是發餘意 先說得正意分曉 然後說此 方得

주자가 말했다. 성인께서는 다만 주공 같은 재주의 아름다움이 있으면서 교만하고 인색하다면 그의 재주의 아름다움마저도 무너진다고 평이하게 말씀하셨으니, 하물며 주공 같은 재주의 아름다움도 없으면서 교만하고 인색한 자이리오. 교만하거나 인색해서는 안 된다는 것을 강조해 말씀하신 것이다. 정자가 말한바, 덕이 있으면 당연히 교만함과 인색함이 없다는 말과 교만함과 인색함은 서로 연결된다는 말은 또 언외의 뜻을 드러낸 것이니 먼저 (본문의) 본뜻을 명확하게 말한 연후에 이렇게 (언외의 뜻을) 말해야 된다.

○問 氣 歉則不盈 盈則不歉 如何却云使驕且吝 曰 如曉此文義 吝 惜不肯與人說 便是要去驕人 非驕 無所用其吝 非吝 無以爲驕 驕者 吝之所發 吝者 驕之所藏 吝之所有 驕之所恃也 驕而不吝 無以保其驕 吝而不驕 無所用其吝 此 盈於虛者 所以歉於實 而歉於實者 所以盈於虛也

물었다. 기는 부족하면 차지 않은 것이고, 차면 부족하지 않은 것입니다. 어째서 '교만하고 또 인색하다면'이라고 말하는 것입니까? 답했다. 예컨대 이 글의 뜻을 잘 안다고 치자. 인색함은 아까워서 (이 글의 뜻을) 남에게 말해주지 않으려는 것이니 곧 남에게 교만하게 굴려는 것이다. 교만함이 아니면 그 인색함을 쓸 데가 없고, 인색함이 아니면 교만하게 될 방법이 없다. 교만함이란 인색함이 드러난 것이고, 인색함이란 교만함이 숨어 있는 것이니, 가진 것이 있어서 인색하고, 믿는 것이 있어서 교만한 것이다. 교만하면서 인색하지 않으면 그 교만함을 지킬 수 없고 인색하면서 교만하지 않으면 그 인색함을 쓸 데가 없다. 이는 빈 데를 채우려는 자는 실제로는 부족하기 때문이고 실제로 부족한 자는 빈 데를 채우려 하기 때문이다.

○吝 爲主 蓋 吝 其在我 則謂我有伱無 便是要驕人 爲是要驕人 所以 吝

인색함이 주가 된다. 대개 인색함이란, 내게 있으면 '나는 있는데 너는 없다'라고 말하는 것이니, 이는 곧 남에게 교만하게 하려는 것이다. 남에게 교만하게 하려 하기 때문에 인색하게 된다.

○西山眞氏曰 程子謂 驕氣盈 吝氣歉 文公曰 驕者 吝之枝葉 吝者 驕之本根 未有驕而不吝 未有吝而不驕 此一章 更當熟思盈與歉各是一病 文公 乃以爲二者相因而生 又謂 驕生於吝 何也 蓋 吝者 氣不足也 惟其無浩然之氣 所以 鄙陋局促 容受不得 內而德善未有少進 便自以爲有餘 外而勢位稍或高人 便有陵忽之意 俗諺所謂 器小易盈 正此謂也 惟其小而吝 是以 易盈而驕 使其有江河之量 無不容受 則雖德至於聖賢 而不以爲足 位至於王公 不以爲可矜 前章所謂 弘毅 弘 則規模廣大 而不吝矣 不吝 則不驕矣 正當參玩也

서산 진씨가 말했다. 정자는 '교만함은 기가 가득 찬 것이고 인색함은 기가 부족한 것이다'라 했고, 문공(주자)은 '교만함이란 인색함의 지엽이고 인색함이란 교만함의 근본이니, 교만하면서 인색하지 않은 자가 없고 인색하면서 교만하지 않은 자가 없다'라 했다. 이 한 장에서는 또 가득 찬 것과 부족한 것이 각각 하나의 병통임을 마땅히 깊이 생각해보아야 한다. 문공은 두 가지(교만함과 인색함)가 서로 연결되어 생겨난다고 여겼고, 또 말하기를 교만함은 인색함에서 생겨난다고 했는데, 왜 그런가? (답하자면) 대개 인색함이란 기가 부족한 것이니, 다만 호연지기가 없기 때문에 비루하고 협소하여 받아들이지 못하는 것이다. 안으로는 덕과 선이 조금도 진보하지 못했으면서도 스스로는 곧 남음이 있다고 생각하고, 밖으로는 세력이나 지위가 혹시 남보다 조금이라도 높으면 곧 능멸하고 홀대하려는 뜻이 있다. 속담에서 말하는 소위 '그릇이 작으면 쉽게 찬다'는 것이 바로 이 말이다. 다만 작기 때문에 인색하고, 그래서 쉽게 차서 교만해진다. 만약 강과 바다 같은 도량으로 받아들이지 않는 것이 없다면 비록 덕이 성현에 이르러도 족하다고 여기지 않고, 지위가 왕공에 이르러도 자랑할 만하다고 여기지 않는다. 앞 장(8장)에서는 홍의(넓고 굳셈)를 말했는데, 넓으면 규모가 넓고 커서 인색하지 않고, 인색하지 않으면 교만하지 않다. 바로 마땅히 (이 장과 <홍의>장을) 같이 완상해야 한다.

○胡氏曰 驕 張大 吝 收縮 姑以驕吝於財觀之 其所以閉藏 乃欲資以矜夸 其所以矜夸 卽閉藏者爲之地也 根本枝葉 相爲貫通 集註 特發此義以示人 欲人知其病根 而藥之 驕之證 發於外 吝之病 藏於內 發者易見 藏者難知 學者 欲翦其枝葉 當先拔其本根也

호씨가 말했다. 교만함은 늘어나는 것이고 인색함은 줄어드는 것이다. 잠시 교만함과 인색함을 재물에 적용시켜 본다면, 문을 닫고 감추는 까닭은 곧 자랑할 밑천으로 삼고자 하기 때문이고, 자랑하는 까닭은 문을 닫고 감춘 것이 그 바탕이 되기 때문이다. 근본과 말단은 서로 관통하는 것이다. 집주는 특별히 이 뜻을 드러내어 사람들에게 보임으로써 사람들이 그 병의 근원을 알고 약을 쓰도록 하고자 했다. 교만함의 증표는 밖으로 드러나고, 인색함의 병통은 안에 숨어 있다. 드러난 것은 쉽게 볼 수 있고, 숨은 것은 알기 어렵다. 배우는 자가 그 지엽을 자르고자 한다면 마땅히 먼저 그 뿌리부터 뽑아야 할 것이다.

8.12 子曰 三年學 不至於穀 不易得也 易 去聲

공자께서 말씀하셨다. 삼 년을 배우고도 봉록에 뜻을 두지 않는 자는 쉽게 얻을 수 없다.

【집주】

穀 祿也 至 疑當作志 爲學之久 而不求祿 如此之人 不易得也

'곡'은 봉록이다. '지(至)'는 아마도 마땅히 '지(志)'가 되어야 할 것 같다. 오래 배우고도 봉록을 구하지 않는 사람, 이러한 사람은 쉽게 얻을 수 없다.

【세주】

朱子曰 此處解 不至 作志 稍通耳

주자가 말했다. 이곳의 해석은 '부지'(의 '지')를 '지(志)'로 해야 조금 통할 뿐이다.

○慶源輔氏曰 後世之士 求祿之志 皆在爲學之先 不然 則不學矣

경원 보씨가 말했다. 후세의 선비들은 봉록을 구하는 마음이 모두 배우기 전부터 있다. 그렇지 않으면 배우지 않는다.

【집주】

○楊氏曰 雖子張之賢 猶以干祿爲問 況其下者乎 然則三年學 而不至於穀 宜不易得也

양씨가 말했다. 비록 자장의 현명함으로도 오히려 봉록 구하는 것을 질문으로 삼았는데 황차 그 이하의 자들이리오. 그런즉, 삼 년을 배우고도 봉록에 뜻을 두지 않는 자는 당연히 쉽게 얻을 수 없다.

8.13-1 子曰 篤信好學 守死善道 好 去聲

공자께서 말씀하셨다. 독실하게 믿어 배움을 좋아하고, 죽음으로써 지켜 도를 잘 행한다.

【집주】

篤 厚而力也

'독'은 두터우면서 힘쓰는 것이다.

【세주】

朱子曰 篤信 是信得深厚牢固 守死 只是以死守之 善道 猶工欲善其事之善 又如善吾生善吾死之善 不壞了道也

주자가 말했다. 독실하게 믿는다는 것은 깊고 두텁고 견고하게 믿는다는 것이고, 죽음으로써 지킨다는 것은 단지 죽음으로써 지킨다는 것이다. 도를 잘 행한다고 할 때의 (선은) 마치 장인이 그 일을 잘하려 한다고 할 때의 '선(잘함)', 또 '내가 잘 살고 내가 잘 죽었다(『장자』6, 「대종사」)'라고 할 때의 '선' 같은 것으로, 도를 무너뜨리지 않는 것이다.

【집주】

不篤信 則不能好學 然 篤信而不好學 則所信 或非其正 不守死 則不能以善其道 然 守死而不足以善其道 則亦徒死而已 蓋 守死者 篤信之效 善道者 好學之功

독실하게 믿지 않으면 배움을 좋아할 수 없다. 그러나 독실하게 믿으면서도 배움을 좋아하지 않으면 믿는 바가 혹 옳은 것이 아닐 수 있다. 죽음으로써 지키지 않으면 도를 잘 행할 수 없다. 그러나 죽음으로써 지키면서도 도를 잘 행했다고 하기에 부족하면 또한 헛된 죽음일 뿐이다. 대개 죽음으로써 지키는 것은 독실하게 믿는 것의 효과이고, 도를 잘 행하는 것은 배움을 좋아하는 것의 효과이다.

【세주】

朱子曰 篤信 乃能好學 亦有徒篤信而不能好學者 不好學以明理 愈篤信 而愈不正 不可回矣 故 篤信 又須是好學 守死 乃能善道 不能守死 臨利害又變

了 則不能善道 然 亦有守死而不足以善其道者 如荊軻聶政之死 徒死而已 比干之死 方能善其道 若不善道 但知守死 也無益 故 守死 又須是善道 然 雖曰篤信 而未能至死不變 則其信 亦不篤矣 故 能守死 方見篤信之效 雖曰 好學 而不能推以善道 則其學 亦無用矣 故 能善道 方見好學之功 能篤信好 學 乃能守死善道 而篤信好學 又須要守死善道 數義錯綜 其義始備 此四者 之所以更相爲用 而不可有一闕焉者也

주자가 말했다. 독실하게 믿으면 곧 배움을 좋아할 수 있지만, 또한 독실하게 믿으면서도 배움을 좋아하지 못하는 자가 있으니, 배움을 좋아하여 이치를 밝히지 못하기 때문에 독실하게 믿을수록 더욱 옳지 않게 되어 돌이킬 수가 없다. 그러므로 독실하게 믿고 또 모름지기 배움을 좋아해야 한다. 죽음으로써 지키면 곧 도를 잘 행할 수 있다. 죽음으로써 지키지 못하면 이해관계에 임해서는 또 변해버리니 도를 잘해내지 못한다. 그러나 또한 죽음으로써 지키면서도 도를 잘 행했다고 하기에 부족한 자가 있으니, 예컨대 형가가 섭정을 하다 죽은 것은 헛된 죽음일 뿐이다. 비간의 죽음이라야 비로소 도를 잘 행한 것이다. 만약 도를 잘 행하지 못하면서 죽음으로써 지키는 것만 알면 또한 무익하다. 그러므로 죽음으로써 지키고 또 모름지기 도를 잘 행해야 한다. 그러나 비록 독실하게 믿는다 하더라도 죽음에 이르러도 변하지 않을 수 없다면 그 믿음은 또한 독실한 것이 아니다. 그러므로 죽음으로써 지킬 수 있어야 비로소 독실하게 믿는 것의 효과가 나타난다. 비록 배움을 좋아한다고 하더라도 도를 잘 행하는 데까지 밀고 나가지 못한다면 그 배움은 또한 쓸모가 없다. 그러므로 도를 잘 행해야 비로소 배움을 좋아하는 것의 효과가 나타난다. 독실하게 믿어 배움을 좋아할 수 있으면 곧 죽음으로써 지켜 도를 잘 행할 수 있으니, 독실하게 믿어 배움을 좋아하고 또 모름지기 죽음으로써 지켜 도를 잘 행해야 한다. 여러 가지 의미가 엉켜 있지만, 그 의미는 애당초에 완비되어 있으니, 이 네 가지는 다시 서로에게 쓰임이 되는 것이기에 하나라도 뺄 수 없는 것이다.

○鄭氏曰 許行 陳相 非不篤信 曰好學 則未也 召忽 荀息 非不守死 曰善道 則非也

정씨가 말했다. 허행과 진상은 독실하게 믿지 않은 것은 아니지만, 배움을 좋아한다고 말하기에는 아직 아니다. 소홀과 순식은 죽음으로써 지키지 않은 것은 아니지만 도를 잘해냈다고 말하면 잘못이다.

8.13-2 危邦不入 亂邦不居 天下有道 則見 無道 則隱

見 賢遍反

위태로운 나라에는 들어가지 않으며 혼란한 나라에는 거처하지 않는다. 천하에 도가 있으면 드러내고 도가 없으면 숨는다.

【집주】

君子 見危授命 則仕危邦者 無可去之義 在外 則不入 可也 亂邦未危 而刑政紀綱 紊音問矣 故 潔其身 而去之

군자는 위기를 당해서는 목숨을 내놓는 것이니, 위태로운 나라에 벼슬을 하는 자가 떠날 수 있는 의리(정당성)는 없다. 밖에 있을 때는 들어가지 않는 것이 옳다. 혼란한 나라는 아직 위태롭지는 않으나 법과 정치의 기강이 문란한 것이니, 그러므로 그 몸을 깨끗이 하여 떠난다.

【세주】

朱子曰 未仕在外 則不入 已仕在內 見其紀綱亂 不能從吾之諫 則當去之 不早見幾而作 則亂必危亡 不可去矣

주자가 말했다. 아직 벼슬하지 않았으면서 밖에 있으면 들어가지 않는다. 이미 벼슬하여 안에 있을 때, 그 기강이 문란하고, 나의 간언을 따르지 못함을 보면 마땅히 떠난다. 일찍 그 기미를 보고 행동하지 않으면 혼란함은 반드시 위태로움과 멸망으로 변하여 떠날 수가 없게 된다.

○齊氏曰 君子 在危之外 則不入 在亂之中 則不居 非徒以遠害也 去就不審 以及於難 則其死也 亦死於愚而已 非死於義也 是故 貧賤患難之中 君子 貴於守死 而亦不徒死 守死 將以善其道也 徒死 豈得爲善哉

제씨가 말했다. 군자가 위태로운 나라의 밖에 있으면 들어가지 않는다. 혼란한 나라에는 거처하지 않는다. 이는 비단 해로움을 멀리하기 위해서만은 아니다. 거취를 따져보지 않아 혼란함에 이르면 그 죽음도 또한 어리석음 때문에 죽는 죽음이지 의로운 죽음은 아니다. 이런 까닭에 빈천과 환난 가운데 군자는 죽음으로써 지키는 것을 귀히 여기지만, 또한 헛되이 죽지는 않는다. 죽음으로써 지키는 것은 장차 도를 잘해내려는 것이니 헛되이 죽는 것이 어찌 잘한 것이 될 수 있으리오.

【집주】

天下 擧一世而言 無道 則隱其身而不見賢遍反也 此 惟篤信好學守死善道者 能之

'천하'는 온 세상을 들어 말한 것이다. 도가 없으면 그 몸을 숨겨 드러내지 않는다. 이는 오직 독실하게 믿어 배움을 좋아하고 죽음으로써 지켜 도를 잘해내는 자만이 할 수 있다.

【세주】

朱子曰 有道 不必待十分太平 然後出 無道 亦不必待十分大亂 然後隱 有道 如天將曉 雖未甚明 然 自此只向明去 不可不出爲之用 無道 如天將夜 雖未甚暗 然 自此只向暗去 知其後來必不可支持 須見幾而作 可也

주자가 말했다. 도가 있는 경우, 꼭 완전히 태평한 다음에야 (벼슬길에) 나가야 하는 것은 아니다. 도가 없는 경우, 또한 꼭 완전히 대란에 빠진 다음에야 숨어야 하는 것은 아니다. 도가 있으면 마치 하늘이 장차 밝아지려는 것처럼, 비록 아직 매우 밝지는 않지만 지금부터 다만 밝아져 가기만 할 것이니 나가 쓰이지 않아서는 안 된다. 도가 없으면 마치 날이 장차 밤이 되려는 것처럼, 비록 심히 어둡지는 않지만 지금부터 다만 어두워져 가기만 할 것이니 나중에는 결코 버틸 수 없음을 알아야 한다. 모름지기 기미를 보고 행동해야 된다.

○慶源輔氏曰 好學以善道 則見道 明矣 篤信而守死 則信道 篤矣 見道明 信道篤 必能審去就出處之宜 守常 固必行其道 遇變 亦必能守死以善其道也

경원 보씨가 말했다. 배움을 좋아하여 도를 잘해내면 도를 아는 것이 명확한 것이다. 독실하게 믿고 죽음으로써 지키면 도를 믿는 것이 독실한 것이다. 도를 아는 것이 명확하고 도를 믿는 것이 독실하면 반드시 거취(떠나거나 머무름)와 출처(벼슬길에 나서거나 나서지 않음)의 마땅함을 따질 수 있어서, 평상시의 지킴에 있어서는 본디 반드시 도를 행하지만 변고를 만나서도 또한 반드시 죽음으로써 지켜 도를 잘 행할 수 있다.

○雙峯饒氏曰 危亂不入不居 尙有可入可居之邦 若天下無道 則無適而可 惟有隱而已

쌍봉 요씨가 말했다. 위태롭거나 혼란한 나라에는 들어가지 않고 거처하지 않지만, 아직 들어갈 수 있고 거처할 수 있는 나라는 있다. 만약 천하에 도가 없으면 갈 만한 곳이 없으니 오직 숨음이 있을 뿐이다.

8.13-3 邦有道 貧且賤焉 恥也 邦無道 富且貴焉 恥也

나라에 도가 있는데도 가난하고 천하면 부끄러운 것이고, 나라에 도가 없는데도 부유하고 귀하면 부끄러운 것이다.

【집주】

世治去聲 而無可行之道 世亂 而無能守之節 碌碌音祿庸人 不足以爲士矣 可恥之甚也

세상이 잘 다스려졌는데도 행할 만한 도가 없고 세상이 혼란한데도 지킬 만한 절개가 없다면 평범하고 용렬한 사람이어서 선비라 하기 족하지 않으니 심히 부끄러워할 만하다.

【세주】

慶源輔氏曰 所貴於士者 爲其進而用 則有可行之道 退而藏 則有能守之節 故 退不失己 進不失義 若咸無焉 則是碌碌庸人 而不足以爲有亡矣 冒士之名 而無士之實 豈不可恥之甚哉

경원 보씨가 말했다. 선비에게 귀한 것은 나아가 쓰이면 행할 만한 도가 있고, 물러나 숨으면 지킬 만한 절개가 있는 것이다. 그러므로 물러나서는 자신(의 도)을 잃지 않고, 나아가서는 의로움을 잃지 않는다. 만약 (둘 중) 아무것도 없다면 평범하고 용렬한 사람이니 (나라의 도가) 있고 없음은 문제 삼을 만하지도 않다. 선비의 이름을 모칭하면서 선비로서의 실질은 없으니 어찌 깊이 부끄러워하지 않을 수 있겠는가.

○洪氏曰 邦無道而富貴 固可恥 邦有道而貧賤 何足恥乎 蓋 有道之邦 必用有道之士 無可用之道 所以爲恥也

홍씨가 말했다. 나라에 도가 없는데도 부귀한 것은 본디 부끄러워할 만하지만, 나라에 도가 있는데도 빈천한 것은 왜 족히 부끄러운 것인가? (답하자면)

대개 도가 있는 나라는 반드시 도 있는 선비를 쓴다. (쓰이지 않았다면) 쓸 만한 도가 없는 것이니 그래서 부끄러움이 된다.

【집주】

○晁氏曰 有學有守 而去就之義 潔 出上聲處之分去聲 明 然後爲君子之全德也

조씨가 말했다. 배움이 있고 지킴이 있어 거취(떠나거나 나아감)의 의리가 깨끗하고 출처(벼슬길에 나서거나 나서지 않음)의 구분이 명확한 연후에야 군자로서의 온전한 덕이 된다.

【세주】

雙峯饒氏曰 邦有道而貧賤 是 無學也 邦無道而富貴 是 無守也

쌍봉 요씨가 말했다. 나라에 도가 있는데도 빈천하면 이는 배움이 없는 것이요, 나라에 도가 없는데도 부귀하면 이는 지킴이 없는 것이다.

○勿軒熊氏曰 學者 先須辯得篤信守死底心 又做得好學善道底事 然後於出處去就 見得明 守得定 用之有可行 舍之有可藏也 篤信 是知之眞 守死是行之篤

물헌 웅씨가 말했다. 배우는 자는 우선 모름지기 독실하게 믿고 죽음으로써 지키는 마음을 알아내야 하고, 또 배움을 좋아하고 도를 잘 행하는 일을 해내야 한다. 그런 연후에야 출처와 거취에 있어서 견해가 명확하고 지킴이 탄탄해지고, 쓰이면 행할 만한 것이 있고 버려지면 감출 만한 것이 있게 된다. 독실하게 믿는 것은 진정하게 아는 것이고 죽음으로써 지키는 것은 독실하게 행하는 것이다.

○雲峯胡氏曰 首兩句 雖四者相爲用 不可缺一 然 集註曰 守死者 篤信之效 善道者 好學之功 則第一句 最重 蓋 有學 貴乎有守 然 必有學 然後能有守 學問之深者 雖以之處死生之變 可也 而況於去就之義出處之分哉 危邦而入 亂邦而居 雖死 不足以爲善 有道 無可見而貧賤 無道 不能隱而富貴 雖生而深爲可恥 此 皆無學力者之所爲也 故 夫子曰 信而好古 曰 好古敏求 曰 好學 其教人 獨於此拳拳焉

운봉 호씨가 말했다. 처음의 두 구절에서, 비록 네 가지(독신, 호학, 수사, 선도)가 서로 쓰임이 되어 하나라도 빠질 수 없지만, 집주에서는 '죽음으로써 지키는 것은 독실하게 믿는 것의 효과이고 도를 잘 행하는 것은 배움을 좋아하는 것의 효과이다'라 했으니, 제1구(독신호학)가 가장 중요하다. 대개 배움에 있어서는 지킴이 있는 것을 귀히 여긴다. 그러나 반드시 배움이 있은 연후에야 지킴이 있을 수 있다. 학문이 깊은 자는 비록 죽고 사는 변고에 처하게 해도 괜찮으니 하물며 거취의 의리와 출처의 구분에 있어서이리오. 위태로운 나라에 들어가고 혼란한 나라에 거처하면 비록 죽더라도 잘했다고 할 수 없다. 도가 있는데도 드러내지 못해 빈천하고, 도가 없는데도 숨지 못하고 부귀하면 비록 살았다 하더라도 깊이 부끄러워할 만하다. 이는 모두 배우고 노력함이 없는 자의 소행이다. 그런 까닭에 공자께서는 '옛것을 믿고 좋아한다', '옛것을 좋아하여 민첩하게 구한다', '배움을 좋아한다'라고 하셨으니, 사람을 가르치시는 것은 유독 여기[호학]에 힘을 쓰셨다.

8.14 子曰 不在其位 不謀其政

공자께서 말씀하셨다. 그 지위에 있지 않으면 그 정사를 도모하지 않는다.

【집주】

程子曰 不在其位 則不任其事也 若君大夫問而告者 則有矣

정자가 말했다. 그 지위에 있지 않으면 그 일을 맡지 않는 것이다. 만약 임금이나 대부가 물어서 대답하는 경우는 있을 수 있다.

【세주】

新安陳氏曰 本文 不過思不出其位之意 問而告 乃推廣餘意也

신안 진씨가 말했다. 본문의 뜻은 생각이 그 지위를 넘어서지 않는다는 데 불과하다. 물어보면 대답한다는 것은 언외의 뜻을 미루어 넓힌 것이다.

○或問 不在其位 不謀其政 朱子曰 此 各有分限 田野之人 不得謀朝廷之政 身在此間 只得守此

혹자가 '그 지위에 있지 않으면 그 정사를 도모하지 않는 것'에 대해 물었다. 주자가 답했다. 이는 각자가 분수와 한계를 가지고 있다는 것이다. 논밭의 사람은 조정의 정사를 도모할 수 없다. 몸이 이곳에 있으면 다만 이곳을 지켜야 할 뿐이다.

○夫子之言 無上下之異 但爲不在此位 則不謀此政耳 自下而推 如士 不可侵大夫之職 以至於天子 不可過於天道 乃爲備耳 然 不止此 又當知前後彼此之間 各有分守 皆不可以相踰 乃爲大備 而盡得聖人之意

공자의 말씀은 상하의 차이가 없는 것이다. 다만 이 지위에 있지 않으면 이 정사를 도모하지 않는다는 것뿐이다. 아래로부터 미루어 올라가 보면, 선비의 경우 대부의 직분을 침범할 수 없고, 천자에 이르러서는 천도를 넘을 수 없다. 그래야 갖춘 것이 된다. 그러나 이에 그치지 말고 또 마땅히 전후 피차의 사이에 각자 지킬 분수가 있어 모두 서로 넘을 수 없어야[아랫사람이 윗사람의 직분을 침범하지 않는 것은 물론, 윗사람도 아랫사람을 침범하지 않아야] 곧 크게 갖춘 것이 되고, 성인의 뜻을 완전히 실현한 것이다.

○慶源輔氏曰 不在其位 而謀其政 不義而不可爲也 問而不以告 不仁而不可爲也

경원 보씨가 말했다. 그 지위에 있지 않으면서 그 정사를 도모하는 것은 의롭지 않은 것이기 때문에 해서는 안 된다. 물어보는데 대답하지 않는 것은 불인한 것이기 때문에 해서는 안 된다.

○雙峯饒氏曰 此章本意 只當自下而上 不在大夫之位 則不謀大夫之政 不在公卿之位 亦然 范氏 又自上而下 以爲天子 不可治三公之職 三公 不可爲卿大夫之事 乃是推說 蓋 經筵 告君之語也 若又從而旁推之 則左 不可侵右 右 不可侵左 雖同寮 亦有分守 聖人之言 無所不包 故 可推而無適不通也

쌍봉 요씨가 말했다. 이 장의 본의는 단지 당연히 아래로부터 위로 올라가는 것이니, 대부의 지위에 있지 않으면 대부의 정사를 도모하지 않고, 공경의 지위에 있지 않으면 또한 그러하다는 것이다. 범씨는 또 위에서 아래로 내려가서 천자가 되어서는 삼공의 직무를 다스려서는 안 되고 삼공은 경대부의 일을 해서는 안 된다고 했으니 이는 곧 추론으로, 대개 경연에서 임금에게 고하는 말이다. 또 따라서 옆으로(횡적으로) 미루어 본다면 좌는 우를 침범할 수 없고 우는 좌를 침범할 수 없으니, 비록 동료라 하더라도 또한 지켜야 할 분수가 있다. 성인의 말씀은 포괄하지 않은 것이 없으니, 그래서 가히 미루어 나가 통하지 않는 곳이 없다.

8.15 子曰 師摯之始 關雎之亂 洋洋乎 盈耳哉 摯 音至

공자께서 말씀하셨다. 사지가 벼슬 초기에 연주하던 관저의 마지막 악장이 양양하게 귀에 차는구나.

【집주】

師摯 魯樂師 名 摯也 亂 樂之卒章也 史記曰 關雎之亂 以爲風始 洋洋 美盛意 孔子 自衛反魯 而正樂 適師摯在官之初 故 樂之美盛如此

'사지'는 노나라의 악사로 이름은 지이다. '난'은 음악의 마지막 장이다. 『사기』에 말하기를 "관저의 마지막 악장은 풍의 시작이 된다"라 했다. '양양'은 아름답고 성대하다는 뜻이다. 공자께서 위나라로부터 노나라로 돌아와 음악을 바로잡으신 것이 마침 사지가 관직에 있은 초기였다. 그래서 음악의 아름답고 성대함이 이와 같았다.

【세주】

程子曰 洋洋 盈耳美也 孔子 反魯樂正 雅頌 各得其所 其後 自太師而下 入河蹈海 由樂正 魯不用 而放棄之也

정자가 말했다. '양양'은 귀에 아름답게 차는 것이다. 공자께서 노나라로 돌아와 음악이 바르게 되어 아와 송이 각기 그 (마땅한) 바를 얻었다. 그 후에 태사 이하(의 악관들이) 하내(한중)로 바다(바다 가운데의 섬)로 흩어져 들어갔는데, 음악이 바른데도 노나라가 쓰지 않고 방기했기 때문이다.

○或問 關雎之亂 何謂樂之卒章 朱子曰 自關關雎鳩 至鐘鼓樂之 皆是亂 想其初 必是已作樂 只無此詞 到此處 便是亂

혹자가 물었다. 관저의 '난'을 왜 음악의 마지막 장이라 합니까? 주자가 답했다. '관관저구'에서 '종고낙지'까지가 모두 '난'이다. 아마도 그 처음은 필시 이미 음악만 연주하여 이 가사가 없다가 여기에 이르러 곧 '난'이 되는 것 같다.

○楚辭註曰 亂者 樂節之名 國語云 以那爲首 其輯之亂曰 自古在昔 輯成也 凡 篇章旣成 撮其大要 以爲亂辭 樂記曰 旣奏以文 又亂以武 古賦

亂曰 皆卒章也

『초사』의 주에 말하기를 "'난'이란 악절의 이름이다"라 했고, 『국어』에서는 "'나'가 머리(처음)가 되고 '난'으로 마무리해 말하기를 '자고로 옛날에는 (운운)'이라 했다"라 했다. '집'은 완성하는 것이다. 무릇 편장이 이미 완성되면 그 대요를 취해 난사로 삼는다. (『예기』) 「악기」에 말하기를 "이미 문으로 연주하고 또 무로써 '난'한다"라 했다. 고부의 '난왈'은 모두 마지막 장이다.

○師古曰 古賦 未有亂 亂 理也 總理一賦之終

사고(안사고)가 말했다. 고부에는 난이 없다. 난은 정리하는 것이니, 한 부의 끝을 총정리하는 것이다.

○南軒張氏曰 聖人 自衛反魯 然後樂正 雅頌各得其所 師摯 實傳其聲音者也

남헌 장씨가 말했다. 성인께서 위나라로부터 노나라로 돌아오신 연후에 음악이 바르게 되어 아와 송이 각각 그 (마땅한) 바를 얻었다. 사지는 실제로 그 소리(곡조)를 전한 자이다.

○新安陳氏曰 據國語 則當以關雎之末章爲亂 以夫子之聖 而正樂 以師摯之賢 而任樂 故 一時 音樂 美盛如此 自師摯適齊 繼者 皆不能及 所以 追思而歎美之 論語言魯樂者 四章 語魯大師樂 在先 自衛反魯 次之 摯適齊 又次之 此章 其最後歟

신안 진씨가 말했다. 『국어』에 의거하면 당연히 관저의 끝 장이 난이 된다. 공자의 성스러움으로 음악을 바로잡고 사지의 현명함으로 음악을 맡았으니 한때의 음악이 아름답고 성대하기가 이와 같았다. 사지가 제나라로 간 이후 후계자들은 모두 (사지에) 미치지 못했다. 그래서 그를 추억하여 한탄하고 찬미하신 것이다. 『논어』에서 노나라의 음악을 말한 것이 네 장인데, '노의 태사에게 음악에 대해 말한 것'이 먼저이고, '위나라로부터 노나라로 돌아온 것'이 그다음이고, '지가 제나라로 간 것(『논어』18, 「미자」 9장)'이 그다음이고, 이 장이 가장 마지막이다.

8.16 子曰 狂而不直 侗而不愿 悾悾而不信 吾 不知之矣 侗 音通 悾 音空

공자께서 말씀하셨다. 광간하면서 곧지도 아니하고, 무지하면서 삼가지도 아니하고, 무능하면서 믿음도 없는 자, 나는 알지 못한다.

【집주】

侗 無知貌 愿 謹厚也 悾悾 無能貌 吾不知之者 甚絶之之辭 亦不屑之敎誨也

'통'은 무지한 모습이다. '원'은 근후한(삼가고 두터운) 것이다. '공공'은 무능한 모습이다. '나는 알지 못한다'라는 것은 심히 거절하는 말씀이니, 또한 탐탁히 여기지 아니하시는 가르침(탐탁히 여기지 않아 가르치기를 거절함으로써 간접적으로 깨닫게 하는 가르침)이다.

【세주】

朱子曰 狂 是好高大 便要做聖賢 宜直 侗 是愚模樣 不解一事底人 宜謹愿 悾悾 是拙模樣 無能爲底人 宜信 今 皆不然 夫子 所以絶之

주자가 말했다. '광'은 높고 큰 것을 좋아해, 성현이 되려 하기 때문에 의당 곧다(당연히 곧기는 곧다). '통'은 어리석은 모습인데, 하나의 일도 이해하지 못하는 사람은 의당 근후하다. '공공'은 졸렬한 모습인데, 무능한 사람은 의당 믿음이 있다. 지금 모두 그렇지 아니하니, 그래서 공자께서 거절하셨다.

○慶源輔氏曰 狂者 宜率直 無知者 多謹厚 無能者 不解作爲 今 乃不然 非常理也 事出非常 則非聖人之所知 此 雖是甚絶之之辭 然 天地 無棄物 聖人 無棄人 故 又知其爲不屑之敎誨也

경원 보씨가 말했다. 광간한 자는 의당 솔직하고, 무지한 자는 근후한 경우가 많고, 무능한 자는 꾸며 내지는 않는다. 지금 그렇지 않으니 통상적인 이치가 아니다. 일이 통상의 것을 벗어나면 성인께서 아시는 바가 아니다. 이것이 비록 깊이 거절하시는 말씀이기는 하지만, 그러나 천지는 어떤 물건도 버리지 않고, 성인께서는 어떤 사람도 버리지 않으신다. 그러므로 그것이 탐탁히 여기지 아니하시는 가르침이 됨을 알 수 있다.

○新安陳氏曰 狂侗悾悾者 氣稟之偏蔽 不直不愿不信者 氣習之不美 旣拘於氣稟 而氣習 又不美如此 眞棄才矣 雖曰 甚絶之之辭 使其知爲聖人所絶而改焉 則不屑之敎誨 是亦敎誨之也

신안 진씨가 말했다. 광간하고 무지하고 무능한 것은 기품(선천적으로 품부받은 기질)이 치우치고 가려진 것이고, 곧지 아니하고 근후하지 아니하고 믿음이 없는 것은 기습(후천적으로 기가 익힌 것)이 아름답지 않은 것이다. 이미 기품에 구속되어 있으면서 기습 또한 아름답지 않음이 이와 같다면 진정 버린 재질이다. 비록 깊이 거절하시는 말씀이라고는 하지만, 성인께서 거절하시는 이유를 알게 함으로써 고치게 되는 것이니, 탐탁히 여기지 아니하시는 가르침 또한 가르치시는 것이다.

【집주】

○蘇氏曰 天之生物 氣質不齊 其中材以下 有是德 則有是病 有是病 必有是德 故 馬之蹄齧倪結反者 必善走

소씨가 말했다. 하늘이 사물을 냄에 기질이 고르지 않아서, 중간 이하의 재질인 경우 이 덕이 있으면 이 병(약점)이 있고, 이 병이 있으면 반드시 이 덕이 있다. 그러므로 말 중에 발길질하고 깨무는 놈은 반드시 잘 달리고,

【세주】

新安陳氏曰 此 有是病必有是德之譬也

신안 진씨가 말했다. 이는 이 병이 있으면 반드시 이 덕이 있다는 것의 비유이다.

【집주】

其不善者 必馴

잘 못달리는 놈은 반드시 순하다.

【세주】

新安陳氏曰 不善走者 必馴熟 此 有是德則有是病之譬也

신안 진씨가 말했다. 잘 달리지 못하는 놈은 반드시 순하다는 것은 이 덕이 있으면 이 병이 있다는 것의 비유이다.

【집주】

有是病 而無是德 則天下之棄才也

이 병이 있으면서 이 덕도 없으면 천하에 버린 재질이다.

【세주】

慶源輔氏曰 氣質不齊 中材以上 有德而無病 信矣 中才以下 有是德 必有是病 有是病 必有是德 猶可取也 若有是病 而無是德 則下之下者 棄才也 以是三者 品量天下之才 無餘蘊矣

경원 보씨가 말했다. 기질은 고르지 않으니, 중간 이상의 재질은 덕은 있고 병은 없는 것이 확실하다. 중간 이하의 재질은 이 덕이 있으면 반드시 이 병이 있고 이 병이 있으면 이 덕이 있으니 오히려 취할 만하다. 만약 이 병이 있으면서 이 덕도 없으면 하질 중의 하질인 자로, 버린 재질이다. 이 세 경우로 천하의 재질을 잰다면 (다 포함되어) 남는 것이 없다.

○潛室陳氏曰 狂者 只是說大話 立大論底人 這 是狂人 凡心下有事 都說出在外 亦無遮蔽 但 直行將去也好 今 有狂人者 都恁地說大話 立大論 至於利害處 但 知有己 反以義責人 却不直 侗者 凡事只是恁地謹愿 不敢妄動也好 而今侗者 却不愿 要妄動 悾悾者 無能爲底人 都一向恁地朴厚也好 而今無能爲底人 也都會用許多詭詐 狂侗悾悾 這 是得之於氣如此 至於不直不愿不信 都却習得如此 有是病而無是德 也是天下之棄人

잠실 진씨가 말했다. 광간한 자는 다만 큰 이야기를 말하고 큰 논의를 세우는 사람이니 이것이 광인이다. 무릇 마음에 둔 일이 있으면 모두 밖으로 말해버려 또한 가리거나 숨기는 것이 없이 곧바로 해 나가니 (그 점에서는) 또한 좋다. 오늘날의 광인이라고 하는 자는 모두 그렇게 큰 이야기를 말하고 큰 논의를 세우지만 이해가 달린 곳에서는 다만 자기만 알고 거꾸로 의를 가지고 남을 책하니 오히려 곧지 않다. 무지한 자는 범사에 다만 그렇게 근후해서 감히 망동하지 않으니 또한 좋다. 그러나 오늘날의 무지한 자는 오히려 근후하지 않고 망동하려 한다. 무능한 자는 할 줄 모르는 자이지만 모두 내내 그렇게 소박하고 두터우니 또한 좋다. 그러나 오늘날의 무능한 자는 또한 모두 허다한 속임수와 사기를 쓸 줄 안다. 광간함과 무지함과 무능함, 이는 (선천적으로) 얻은 기질이 이러한 것이고, 곧지 않음과 삼가지 않음과 믿음이 없는 것은 모두 (후천적으로) 익힌 바가 이와 같은 것으로, 이 병은 있으면서 이 덕도 없는 것이니 또한 천하에 버린 사람이다.

8.17 子曰 學如不及 猶恐失之

공자께서 말씀하셨다. 배움은 마치 미치지 못하는 것처럼 하고, 그러고도 (배운 것을) 잃어버릴까 걱정한다.

【집주】

言人之爲學 旣如有所不及矣 而其心 猶竦荀勇反然 惟恐其或失之 警學者當如是也

'사람이 배움에 있어서, 이미 미치지 못하는 바가 있는 것처럼 하고, 그러고도 그 마음은 두렵게도 오직 혹시 (배운 것을) 잃어버릴까 걱정한다'라는 말씀이니, 배우는 자는 마땅히 이처럼 하여야 함을 경계하신 것이다.

【세주】

朱子曰 學如不及 猶恐失之 如今學者 却恁地慢了 譬如捉賊相似 須是著氣力精神 千方百計去趕捉他 如此 猶恐不獲 今却只在此安坐熟視他 不管他如何 奈得他何

주자가 말했다. '배움은 마치 미치지 못하는 것처럼 하고, 그러고도 잃어버릴까 걱정한다.' 그런데 오늘날의 배우는 자들의 경우는 오히려 그렇게 태만할 뿐이다. 비유하자면 마치 도둑을 잡는 일과 비슷하니, 모름지기 기력과 정신을 기울여 천 가지 방책과 백 가지 꾀를 내어 그를 잡으려 하고, 그렇게 하고도 오히려 잡지 못할까 걱정한다. 지금 오히려 다만 여기에 편히 앉아 그(도둑)를 그냥 보기만 할 뿐, 그가 어쩌는지 관여하지 않으면 그를 어떻게 할 수 있겠는가?

○新安陳氏曰 爲學之道 當如湯之檢身若不及 成王之夙夜不逮 常如有所不及 然 此心 尙恐其或失之 苟自謂已至 失之也必矣 一說也 又一說 如追逐然 旣如不及矣 尙恐果不能及 而竟失之 又一說 如撑上水船之追前船 不可少緩 旣如不及 而不能前進 又恐失之 而反退流也 學 貴日新 無中立之理 不日進者 必日退 如不及者 如不能日進也 猶恐失之者 恐其反日退也

신안 진씨가 말했다. 배움의 도는 마땅히 탕임금이 마치 미치지 못할 것처럼 몸을 단속했듯이, 성왕이 새벽부터 밤까지 미치지 못할 것처럼 했듯이, 항상 미치지 못하는 바가 있는 것처럼 한다. 그러나 (그러고도) 이 마음은 오히려 혹 잃어버릴까 걱정한다. 만약 스스로 이미 지극하다고 말한다면 잃어버리는 것은 필연이다. 이것이 하나의 설명이다. 또 하나의 설명은 마치 쫓아가듯이 이미 미치지 못하는 것처럼 하고서도 오히려 결국 능히 미치지 못해 마침내 잃어버릴까 걱정한다는 것이다. 또 하나의 설명은 마치 배가 앞 배를 뒤따라 노 저어가는 것처럼, 약간이라도 느슨하게 해서는 안 되니 이미 (힘이) 미치지 못하여 앞으로 나가지 못할 듯이 하고 또 (앞 배를) 잃어버려 거꾸로 떠내려갈까 걱정하듯이 한다는 것이다. 배움은 날로 새로워지는 것을 귀히 여기는 것으로, 중립(진보도 퇴보도 없음)의 이치는 없다. 날로 진보하지 않는 자는 반드시 날로 퇴보한다. 미치지 못하는 것처럼 한다는 것은 마치 날로 진보하지 못하는 듯이 하는 것이며, 그러고도 잃어버릴까 걱정한다는 것은 거꾸로 날로 퇴보할까 걱정하는 것이다.

【집주】

○程子曰 學如不及 猶恐失之 不得放過 才說姑待明日 便不可也

정자가 말했다. '배움은 마치 미치지 못하는 듯이 하고 그러고도 잃어버릴까 걱정한다'라 하셨으니, (시간을) 그냥 흘려보내서는 안 된다. 만약 '잠시 내일을 기다려보자'라고 말하기만 하면 그것은 곧 옳지 못한 것이다.

【세주】

新安陳氏曰 卽是莫謂今日不學有來日之意

신안 진씨가 말했다. 이는 곧 '오늘 배우지 않고 내일이 있다고 말하지 말라'라는 뜻이다.

○朱子曰 此 君子 所以孳孳焉愛日不倦 而競尺寸之陰也

주자가 말했다. 이것이 군자가 열심히 하루하루를 아껴 게을리하지 않고 촌음을 다투는 까닭이다.

○陳氏曰 此章大意 說爲學用工如此之急 程子 不得放過 又發明恐失之義 才放過待明日 便緩便失了

진씨가 말했다. 이 장의 대의는 배움의 노력이 이처럼 급하다는 것을 말한 것이다. 정자가 '그냥 흘려보내서는 안 된다'라고 한 것은 또 '잃어버릴까 두려워한다'의 뜻을 밝혀 드러낸 것이다. 그냥 흘려보내고 내일을 기다리기만 하면 곧 느슨해지고 잃어버리고 만다.

8.18 子曰 巍巍乎 舜禹之有天下也 而不與焉 與 去聲

공자께서 말씀하셨다. 높도다. 순임금과 우임금은 천하를 가지고서도 (그 점을) 상관하지 않으셨다.

【집주】

巍巍 高大之貌 不與 猶言不相關 言其不以位爲樂音洛也

'외외'는 높고 큰 모습이다. '불여'는 상관하지 않는다는 말이니, 그 (천자의) 지위를 즐거움으로 삼지 않았다는 말이다.

【세주】

朱子曰 與天下不相關 如不曾有這天下相似 今人 纔富貴 便被他勾惹 此是爲物所役 是自卑了 若舜禹 直是高 所謂首出庶物 故 夫子 稱其巍巍

주자가 말했다. 천하와 상관하지 않았다는 것은 마치 일찍이 이 천하를 가지지 않은 것과 마찬가지처럼 했다는 말이다. 요즘 사람들은 조금만 부귀하면 그것에 유혹을 당하게 되는데, 이는 곧 사물에 부림을 당하는 것이고 스스로를 비하하는 것이다. 순이나 우의 경우는 진정으로 높아서 소위 '만물 가운데 으뜸으로 나온다(『주역』, 「건괘」 <단전>).' 그러므로 공자께서 그 높음을 칭찬하셨다.

○問 舜禹 有天下 而不與 莫是物各付物 順天之道否 曰 據本文說 只是崇高富貴 不入其心 雖有天下 而不與耳 巍巍 是至高底意思 大凡 人有得些小物事 便覺累其心 今 富有天下 一似不曾有相似 豈不是高

물었다. '순과 우가 천하를 가지고서도 상관하지 않았다'는 것은 사물이 각기 그 사물의 성질을 가지는 것은 하늘에 순응하는 도라는 말 아닙니까? 답했다. 본문의 말씀에 의하면 다만 높고 부귀한 것이 마음에 들어가지 않아 비록 천하를 가지고서도 상관하지 않았다는 것뿐이다. '외외'는 지고하다는 뜻이다. 대개 사람이 조그마한 사물을 얻으면 곧 그 마음에 누가 되는 것을 깨닫게 된다. 지금 천하를 소유하는 부유함으로서 마치 일찍이 가지지 않은 것처럼 했으니 어찌 높은 것이 아니셨는가?

○新安陳氏曰 舜禹 不以天下動其心 於不與上 見其巍巍

신안 진씨가 말했다. 순과 우는 천하에 의해 그 마음이 흔들리지 않았다. '상관하지 않았다'는 구절에서 그 높음이 드러난다.

8.19-1 子曰 大哉 堯之爲君也 巍巍乎 唯天爲大 唯堯則之 蕩蕩乎 民無能名焉

공자께서 말씀하셨다. 크도다, 요의 임금됨이여. 높도다, 오직 하늘만이 크며 오직 요만이 그것에 비등하셨다. 넓도다, 백성들이 이름 붙일 수 없었다.

【집주】

唯 猶獨也 則 猶準也 蕩蕩 廣遠之稱也 言物之高大 莫有過於天者 而獨堯之德 能與之準 故 其德之廣遠 亦如天之不可以言語形容也

'유'는 '홀로'라는 뜻이다. '칙'은 비등하다는 뜻이다. '탕탕'은 넓고 먼 것을 이르는 말이다. '사물 가운데 높고 큰 것은 하늘을 넘는 것이 없는데, 유독 요의 덕이 능히 그(하늘)와 더불어 비등했다. 그러므로 그 덕의 넓고 멂은 마치 하늘이 말로써는 형용하기 어려운 것과 마찬가지이다'라는 말씀이다.

【세주】

朱子曰 惟天爲大 唯堯則之 只是尊堯之詞 不必謂堯獨能如此 而他聖人不與也

주자가 말했다. '오직 하늘만이 크고 오직 요만이 그에 비등하다'는 것은 다만 요를 존숭하는 노래말일 뿐, 꼭 요만이 홀로 이렇게 할 수 있고 다른 성인은 그렇지 못하다고 말하는 것은 아니다.

○雙峯饒氏曰 天之巍巍 以形體言 堯則之 以德言 則 乃準則 非法則也 準 如易與天地準 言與天地平等也 天 如此大 堯德 亦如此大 與之平等 若言法天 特賢君之事耳

쌍봉 요씨가 말했다. 하늘이 높다는 것은 형체를 말하는 것이고, 요가 그에 비등하다는 것은 덕을 말하는 것이다. '칙'은 곧 '준칙(비등함)'이니, 법칙(모범으로 본받음)이 아니다. '준'은 '역은 천지에 준한다(『주역』, 「괘사전 상」 4장)'라는 것처럼, 천지와 평등하다는 말이다. 하늘은 이처럼 크고 요의 덕 또한 이처럼 커서 그것과 평등하다는 말이다. 만약 '하늘을 본받는다'라 한다면 (이는) 다만 (성인 아닌) 현군의 일일 뿐이다.

8.19-2 巍巍乎 其有成功也 煥乎 其有文章

높도다, 그 성공이여. 빛나도다, 그 문장이여.

【집주】

成功 事業也

'성공'은 일의 업적이다.

【세주】

新安陳氏曰 上文巍巍 言天之高 此巍巍 言堯功業之高

신안 진씨가 말했다. 윗글의 '높도다'는 하늘의 높음을 말하는 것이고, 이 '높도다'는 요임금의 공업의 높음을 말하는 것이다.

【집주】

煥 光明之貌 文章 禮樂法度也 堯之德 不可名 其可見者 此爾

'환'은 빛나는 모습이다. '문장'은 예악과 법도이다. 요의 덕은 이름 붙일 수 없다. 볼 수 있는 것은 이것(공업과 문장)뿐이다.

【세주】

新安陳氏曰 此字 指成功與文章而言 堯德之與天同高大者 不可得而名 其功業文章 猶可得而見 功業文章之可見者 皆其德之不可名者之所發見呈露也

신안 진씨가 말했다. '차' 자는 성공과 문장을 가리키는 말이다. 요의 덕이 하늘과 같이 높고 큰 것은 이름 붙일 수 없지만, 그 공업과 문장은 오히려 볼 수 있다. 볼 수 있는 공업과 문장은 모두 그 이름 붙일 수 없는 덕이 드러나 발현된 것이다.

【집주】

○尹氏曰 天道之大 無爲而成 唯堯則之 以治天下

윤씨가 말했다. 천도는 위대하니 작위하지 않아도 이루어진다. 오직 요만이 그것을 본받아 (그런 방식으로) 천하를 다스렸다.

【세주】

新安陳氏曰 此 似以爲法則之則 朱子 想以末二句取之

신안 진씨가 말했다. 이는 법칙(모범으로 본받음)의 칙과 비슷한 것 같다. 주자는 아마도 끝의 두 구절(본 장 2절의 두 구절) 때문에 (윤씨의 주석을) 인용한 것 같다.

【집주】

故 民 無得而名焉 所可名者 其功業文章 巍然煥然而已

그러므로 백성들은 이름 붙일 수 없었다. 이름 붙일 수 있는 것은 그 공업과 문장이 높고 빛난다는 것뿐이다.

【세주】

雲峯胡氏曰 天之德 難名也 所可見者 其四時生成之功 日月星辰之文耳 聖人 與天地一也

운봉 호씨가 말했다. 하늘의 덕은 이름 붙이기 어렵다. 볼 수 있는 것은 사시생성의 공업과 일월성신의 문채뿐이다. 성인은 천지와 하나이다.

8.20-1 舜 有臣五人 而天下治 治 去聲

순임금은 신하 다섯 사람이 있었는데 천하가 다스려졌다.

【집주】

五人 禹 稷 契私列反 皐陶音遙 伯益

다섯 사람이란 우, 직, 설, 고요, 백익이다.

【세주】

勿軒熊氏曰 按虞書 命禹宅百揆 禹 讓稷契皐陶 禹 治水 益稷爲有功 舜 欲讓位於皐陶 禹 欲讓位於益 則功德之著 可知矣

물헌 웅씨가 말했다. (『서경』) 「우서」를 살펴보면, 우에게 백규(백관)를 총리하라 명하자 우가 직과 설과 고요에게 양보했다. 우가 물을 다스림에, 익과 직에게 공이 있다고 생각했다(「우서」 <익직>). 순은 고요에게 양위하려 했고, 우는 익에게 양위하려 했으니 공덕의 현저함을 알 수 있다.

○新安陳氏曰 虞廷之臣 五人 其尤也

신안 진씨가 말했다. 우 조정의 신하 다섯 사람은 그 뛰어난 사람만을 말한 것이다.

8.20-2 武王曰 予 有亂臣十人

무왕은 "나에게 다스리는 신하 열 사람이 있다"라 했다.

【집주】

書 泰誓之辭 馬氏曰 亂 治也

『서경』 (「주서」) <태서>의 말이다. 마씨(마융)가 말하기를 '난'은 다스림이라 했다.

【세주】

慶源輔氏曰 荀子云 治亂 謂之亂 猶治汚 謂之汚也 則亂之訓治 久矣

경원 보씨가 말했다. 순자가 말하기를 "난을 다스리는 것을 '난'이라 한다. 마치 '오(더러움)'를 다스리는 것을 '오'라 하는 것과 마찬가지이다"라 했으니, '난'의 훈이 다스림이 된 지 오래되었다.

【집주】

十人 謂周公旦 召實照反公奭施隻反 太公望 畢公 榮公 太顚 閎夭於沼反 散上聲宜生 南宮适 其一人 謂文母

열 사람이란 주공 단, 소공 석, 태공 망, 필공, 영공, 태전, 굉요, 산의생, 남궁괄, 그리고 나머지 한 사람은 문모라 한다.

【세주】

新安陳氏曰 此 馬融說 文德之母 文王妃 大姒也 雝詩曰 亦右文母

신안 진씨가 말했다. 이는 마융의 설이다. (문모란) 문덕의 모로, 문왕의 비인 태사이다. (『시경』, 「주송신공」) <옹>시에 "또한 문모를 높였다"라 했다.

【집주】

劉侍讀 以爲子無臣母之義 蓋 邑姜也

유시독(유창)은 아들이 어머니를 신하로 삼는 법은 없다고 했으니, 아마도 (나머지 한 사람은 문모가 아니라) 읍강인 듯하다.

【세주】

武王后 太公女

(읍강은) 무왕의 왕비인 태공의 딸이다.

【집주】

九人 治外邑 姜 治內

아홉 사람은 외읍을 다스리고, 강은 안을 다스렸다.

【세주】

南軒張氏曰 邑姜 亦婦人之有聖德者

남헌 장씨가 말했다. 읍강은 또한 부인으로서 성덕이 있는 사람이다.

【집주】

或曰 亂 本作乿 古治字也

혹자가 말하기를, "'난'은 본디 '치(乿)'라고 되어 있는데, '치(治)' 자의 옛 글자이다"라 했다.

8.20-3 **孔子曰 才難 不其然乎 唐虞之際 於斯爲盛 有婦人焉 九人而已**

공자께서 말씀하셨다. 재주 있는 자를 얻기 어렵다. 그렇지 아니한가? 당우(요임금과 순임금)의 교체기에는 이(주 무왕 때)보다 더 성했으니, (주 무왕 때는) 부인이 있어 (그를 빼면) 아홉 사람이 있었을 뿐이다.

【집주】

稱孔子者 上係武王 君臣之際 記者 謹之 才難 蓋 古語 而孔子然之也 才者 德之用也

공자라고 칭한 것은 (공자가) 위로는 무왕과 군신의 관계가 되기 때문에 기록하는 자가 삼간 것이다. '재난'은 대개 옛말인데, 공자께서 그렇게 여기셨다는 것이다. '재'란 덕의 쓰임이다.

【세주】

西山眞氏曰 聖賢言才 有與德合言者 才子 才難 是也 有與德分言者 有才而驕吝 小有才而未聞大道 是也 才子 以齊聖廣淵忠肅恭懿之德言 與此才難 卽德也 然 不曰德 而曰才者 德 專以本體言 才 兼以著於用者言 才子 才難之才 體用兼全者也 若與德分言 則所謂才者 專指知能技藝耳 才 本於德 雖才未備 不害爲君子 才 不本於德 雖其才可喜 不免爲小人

서산 진씨가 말했다. 성현께서 '재(재주)'라고 말한 것에는 덕과 합쳐(재덕을 겸비한 것을) 말한 경우가 있는데, '재자(재주 있는 남자)', '재난(재주 있는 자를 얻기 어려움)'이 그 예이다. 덕과 나누어서(덕과 무관한 재주만) 말한 경우가 있는데, '재주가 있되 교만하고 인색하다', '재주는 조금 있지만 대도는 듣지 못했다'라는 것이 그 예이다. '재자'는 제성 광연 충숙 공의의 덕으로써 말한 것이니 이 '재난'과 함께 (이 경우의 재란) 곧 덕이다. 그러나 덕이라 하지 않고 재라고 한 것은 덕은 오로지 본체로서 말하는 것이고 재는 쓰임에 드러난 것을 겸해 말하는 것이기 때문이다. '재자'나 '재난'의 재는 체와 용을 겸전한 것이다. 만약 덕과 나누어 말한다면 소위 재란 오로지 지능과 기예를 가리킬 뿐이다. 재가 덕에 근본을 두었다면 비록 재가 미비해도 군자가 되는 데는 지장이 없다. 재가 덕에 근본을 두지 않았다면 비록 그 재가 기뻐할 만해도 소인이 되는 것을 면할 수 없다.

【집주】

唐虞 堯舜有天下之號

당과 우는 요와 순이 천하를 가진 것을 부르는 호칭(요순의 나라 이름)이다.

【세주】

厚齋馮氏曰 堯 以唐侯升爲天子 虞 河東太行山西地 舜 居之以爲氏 堯 封之虞爲諸侯 後升帝位 遂以爲號

후재 풍씨가 말했다. 요는 당후로서 천자에 올랐다. 우 땅은 하동의 태행산 서쪽인데 순이 그곳에 거주해 씨로 삼았다. 요는 (순을) 우 땅에 봉해 제후로 삼았는데 후에 제위에 올라 마침내 (우를) 호로 삼았다.

【집주】

際 交會之間 言周室人才之多 惟唐虞之際 乃盛於此

'제'는 서로 교체되는 때이다. '주 왕실의 인재가 많지만 다만 당우의 교체기에는 이보다 성했고,

【세주】

問 集註此句 恐將舜有臣五人　句閑了 朱子曰 寧將上　句存在這裏 若從元註說 則是亂臣十人却多於前 於今爲盛 却是舜臣五人 不得如後來之盛

물었다. 집주의 이 구절은 아마도 '순이 다섯 사람의 신하를 가졌다'는 구절을 무시한 듯합니다. 주자가 답했다. 오히려 위 한 구절[집주의 이 구절]이 여기 있는 것이 더 낫다. 만약 원래의 주석을 따르면 '다스리는 신하 열 사람'은 오히려 전(순임금 때의 다섯)보다 많으니 지금이 더 성한 것이 되고 또 순이 다섯 사람의 신하를 가진 것은 후대의 번성함만 못한 셈이 된다.

○新安陳氏曰 舜卽位初 九官 多堯舊臣 可見唐虞交會間 人才之盛

신안 진씨가 말했다. 순 즉위 초의 아홉 관리 중에는 요의 옛 신하가 많았으니 당우의 교체기에 인재가 번성했음을 알 수 있다.

【집주】

降自夏商 皆不能及

내려와 하와 상 이래로는 (당우의 인재의 성함에) 모두 미칠 수 없었다.

【세주】

新安陳氏曰 集註 補此八字 方解得去 此處 必有缺誤 看三分有二 一節 突起無頭 缺文可見

신안 진씨가 말했다. 집주에서 이 여덟 글자를 보충함으로써 비로소 이해할 수 있게 되었다. 이곳은 틀림없이 빠지고 잘못된 것이 있다. 셋 중에 둘을 가졌다는 구절(아래의 4절)을 보면 첫 절은 머리말이 없이 갑자기 튀어나온 것이니 결문임을 알 수 있다.

【집주】

然 猶但有此數人爾 是 才之難得也

그러나 (인재가 성했다는 시기에도) 오히려 다만 이 몇 사람이 있었을 뿐이니, 이는 재주 있는 자를 얻기 어려움이다'라는 말이다.

【세주】

慶源輔氏曰 詳味夫子之言 便起人有敬重愛惜人才之意

경원 보씨가 말했다. 공자의 말씀을 자세히 감상해보면 곧 사람으로 하여금 인재를 존중하고 아끼는 마음을 가지도록 일으키신다.

○新安陳氏曰 此 言人才難得 自古而然 堯舜以聖聖繼作 而後禹皐之徒

聖賢之才出焉 文武 亦以聖聖繼作 而後周召之徒 聖賢之才出焉 此 天地間 眞元會合之運 亘古而僅兩見者也 五人 反以爲盛者 即晋三卿爲主 可謂衆 矣之意 況唐虞人才之尤者 五人 豈五人之外無人乎

신안 진씨가 말했다. 이는 인재 얻기의 어려움은 옛날부터 그러했다는 말이다. 요와 순은 성인과 성인이 잇달아 일어난 것이고 그 후의 우와 고요의 무리는 성현인 인재가 나온 것이다. 문왕과 무왕은 성인과 성인이 잇달아 일어난 것이고 그 후의 주공과 소공의 무리는 성현인 인재가 나온 것이다. 이는 천지간의 사람의 원기가 모인 운으로, 그 오랜 옛적부터 겨우 두 번 나타난 일인 것이다. 다섯 사람이 오히려 번성함이 되는 것은 곧 진나라의 삼경이 군주가 된 것(진의 삼경이 분립하여 한 위 조의 삼국이 된 것)을 가히 '많다'라고 할 수 있는 것과 같은 의미에서이다. 황차 당우의 시기에도 인재 중에 뛰어난 자가 다섯이었다는 것이지 어찌 다섯 사람 이외에 다른 사람이 없었으리오.

8.20-4 三分天下 有其二 以服事殷 周之德 其可謂至德也已矣

천하를 셋으로 나누어 그 둘을 가졌으면서도 은에 복종하여 섬겼으니 주의 덕은 가히 지덕이라 할 만한 것이로다.

【집주】

春秋傳曰 文王 率商之畔國 以事紂 蓋 天下歸文王者 六州 荊梁雍去聲豫徐揚也 惟青兗冀 尙屬紂耳

『춘추전』에서 (다음과 같이) 말했다. 문왕은 상을 배반한 나라들을 거느렸으면서도 주왕을 섬겼다. 대개 천하에 문왕에게 귀속된 것이 여섯 주였는데, 형주, 양주, 옹주, 예주, 서주, 양주였다. 오직 청주, 연주, 기주는 아직도 주왕에게 속해 있었다.

【세주】

勿軒熊氏曰 雍 今陝西諸路 后稷公劉 居豳 大王 遷岐 文王 都豐 武王 都鎬京 皆雍州境 詩 有江沱漢廣 則荊梁州境 殷都 朝歌 衛地 則兗冀固在畿內

青在冀之東 屬紂可知 若徐揚 則未有考

물헌 웅씨가 말했다. 옹주는 지금의 섬서의 여러 지방이다. 후직과 공류가 빈에 거주했고 태왕은 기로 천도했고 문왕은 풍에 도읍했고 무왕은 호경에 도읍했는데, 모두 옹주의 경내이다. 시에 '강타(『시경』, 「국풍·소남」 <강유사>에 나오는 구절)', <한광>(『시경』, 「국풍·주남」의 편명)이 있으니 형주와 양주의 경내이다. 은의 도읍은 조가인데 위 땅이었고, 연주와 기주는 본디 기내에 있고 청주는 기주의 동쪽이니 주왕에게 속함을 알 수 있다. 서주와 양주의 경우는 고찰할 수 없다.

【집주】

范氏曰 文王之德 足以代商 天與之 人歸之 乃不取而服事焉 所以爲至德也 孔子 因武王之言 而及文王之德 且與泰伯皆以至德稱之 其指微矣

범씨가 말했다. 문왕의 덕은 상을 대신하기에 족하여 하늘이 (명을) 주고 사람들이 귀부했는데도 취하지 않고 복종하여 섬겼으니 그래서 지극한 덕이 되는 것이다. 공자께서는 무왕의 말에 이어 문왕의 덕을 언급하시면서 또 태백과 함께 모두 지덕이라고 칭찬하셨으니 그 가리킴은 미묘하다.

【세주】

朱子曰 孔子稱至德 只二人 皆可爲而不爲者也

주자가 말했다. 공자께서 지덕이라고 칭한 것은 다만 두 사람(문왕과 태백)뿐이었다. 모두 할 수 있는데도 하지 않은 자이다.

○問 三分天下 有其二 以服事商 使文王更在十三四年 將終事紂乎 抑爲武王牧野之擧乎 曰 看文王 亦不是安坐不做事底人 如詩中言 文王受命 有此武功 旣伐于崇 作邑于豐 文王烝哉 武功 皆是文王做來 詩載武王武功 却少但卒其伐功耳 觀文王一時氣勢如此 度必不終竟休了

물었다. 천하를 셋으로 나누어 그 둘을 가지고도 상에 복종하여 섬겼다는데, 만약 문왕으로 하여금 13~14년을 더 재위하게 했다면 끝까지 주왕을 섬겼을까요? 아니면 무왕이 목야에서 거병한 것처럼 했을까요? 답했다. 문왕을 보면 역시 가만히 앉아서 아무 일도 안하는 사람은 아니었다. 『시』(「대아·문왕」 <문왕유성>)에서 "문왕이 (천)명을 받으시어 이처럼 무공이 있으셨다. 이미 숭을 정벌하시고 풍에 도읍하셨다. 문왕은 훌륭하시도다"라 했듯이 무공은 모두 문왕이 해낸 것이다. 시에 실려 있는 무왕의 무공은 오히려 적고, 다만 그 정벌의 공을 마무리했을 뿐이다. 문왕의 당시의 기세가 이와 같음을 보면 반드시 끝까지 가만있지는 않았을 것임을 헤아릴 수 있다.

○又曰 文王之事紂 惟知以臣事君而已 都不見其他 玆其所以爲至德也 若謂三分天下 紂尙有其一 未忍輕去臣位 以商之先王德澤未忘 歷數未終 紂惡未甚 聖人 若之何而取之 則是文王之事紂 非其本心 蓋 有不得已焉耳 若是 則安得謂之至德哉 至於武王之伐紂 觀政于商 亦豈有取之之心 而紂罔有悛心 武王 灼見天命人心之歸己 也不得不順而應之 故曰 予弗順天 厥罪惟均 以此觀之 足見武王之伐紂 順乎天 而應乎人 無可疑矣

또 말했다. 문왕이 주왕을 섬긴 것은 다만 신하로서 임금 섬기는 것만을 알았을 뿐, 다른 것은 전혀 보지 않았던 것이다. 이것이 지덕이 되는 이유이다. 만약 '천하를 셋으로 나눈 중에 주왕이 아직도 그 하나를 가지고 있어 아직 차마 신하의 지위를 경솔히 떠나지 못했고, 상의 선왕들의 덕택이 아직 잊혀지지 않았고 운수도 아직 끝나지 않았고 주왕의 악도 아직 심하지 않았으니 성인이 어찌 취할 수 있었겠는가?'라고 말한다면, 이는 문왕의 일(문왕이 상을 정벌하지 않은 일)은 그 본심이 아니라 대개 부득이해서 그런 것뿐인 셈이 된다. 만약 그렇다면 어찌 지덕이라고 할 수 있겠는가? 무왕이 주왕을 토벌함에 이르러서 상의 정치를 보매, 역시 어찌 그것을 취하려는 마음이 있었겠는가마는 주왕이 개전의 마음이 없었고, 무왕은 천명과 인심이 자기에게로 돌아온 것을 확연히 보았기에 또 (그 천명에) 순응하지 않을 수 없었다. 그러므로 말하기를 "내가 하늘을 따르지 않는다면 그 죄는 마찬가지이다(『서경』, 「주서」 <태서 상>)"라 한 것이다. 이로써 보건대 무왕이 주왕을 토벌한 것은 하늘에 따르고 사람에 응한 것임에 틀림없음을 족히 알 수 있다.

○厚齋馮氏曰 不曰文王之德 而曰周之德 以對殷而言也

후재 풍씨가 말했다. 문왕의 덕이라 하지 않고 주의 덕이라 한 것은 은에 대비하여 말한 것이다.

○新安陳氏曰 泰伯不從翦商 文王三分有二而事商 其於名分之際 嚴矣 宜夫子皆以至德稱之 范氏謂 其指微矣 微指 得非專爲名分言歟 以泰伯文王爲至德 以武爲未盡善 非微指歟

신안 진씨가 말했다. 태백이 상을 정벌하려는 것을 따르지 않은 것과 문왕이 셋 중 둘을 가지고도 상을 섬긴 것은 그 명분의 사이에 대해 엄격한 것이니,

공자께서 모두 지덕이라고 칭찬하신 것은 마땅하다. 범씨는 '그 가리킴이 미묘하다'라 했는데, 미묘한 가리킴이란 오로지 명분 때문이라는 말 아니겠는가? 태백과 문왕은 지덕이라 하시고 무왕은 완전히 선하지는 않다고 하신 것이 미묘한 가리킴 아니겠는가?

【집주】

或曰 宜斷音短三分以下 別以孔子曰起之 而自爲一章

혹자가 말하기를 "마땅히 '삼분' 이하를 끊어 따로 '공자왈'을 넣어 새로 시작하여 그 자체로 하나의 장을 이루어야 한다"라 했다.

8.21 子曰 禹 吾無間然矣 菲飮食 而致孝乎鬼神 惡衣服 而致美乎黻冕 卑宮室 而盡力乎溝洫 禹 吾無間然矣 間 去聲 菲 音匪 黻 音弗 洫 呼域反

공자께서 말씀하셨다. 우임금에 대해 나는 아무 흠잡을 것이 없다. 나쁜 음식을 먹으면서도 귀신에게는 효를 다했고, 나쁜 의복을 입으면서도 불과 면(제사의 복장)에는 아름다움을 다했고, 나쁜 궁실에 살면서도 도랑을 치는 데는 힘을 다했다. 우임금에 대해 나는 아무 흠잡을 것이 없다.

【집주】

間 罅虛訝反隙也 謂指其罅隙而非議之也 菲 薄也 致孝鬼神 謂享祀豐潔

'간'은 빈틈이니, 그 빈틈을 지적하여 비판하는 것을 말한다. '비'는 박한 것이다. 귀신에게 효를 다한다는 것은 제사를 넉넉하고 깔끔하게 지내는 것을 말한다.

【세주】

新安陳氏曰 書云 奉先思孝 此云 致孝 必廟焉而人鬼享之鬼神

신안 진씨가 말했다. 『서경』(「상서」 <태갑 중>)에 말하기를 "선조를 받듦에 효를 생각한다"라 했고, 여기서는 치효(효를 다한다)라 했으니 (여기서 말하는 귀신이란) 틀림없이 '사당에서 사람 귀신이 누린다'라고 할 때의 귀신이다.

【집주】

衣服 常服 黻 蔽膝也 以韋爲之

'의복'은 통상복이다. '불'은 무릎을 덮는 것인데, 가죽으로 만든다.

【세주】

朱子曰 韋 熟皮也 祭服 謂之黻 朝服 謂之韠

주자가 말했다. '위'는 길 낸 가죽이다. 제사지낼 때의 옷을 불이라 하고, 조정에서 입는 옷을 비라 한다.

○厚齋馮氏曰 韍 其色皆赤 尊卑以深淺爲異 天子純朱 諸侯黃朱 大夫赤

후재 풍씨가 말했다. '불'은 그 색이 모두 붉은데, 높고 낮음에 따라 (붉은색의) 짙고 옅음에 차이를 둔다. 천자는 순수한 주홍색이고 제후는 누런 주홍이고 대부는 적색이다.

【집주】

冕 冠也

'면'은 관이다.

【세주】

胡氏曰 冕 冠上板 前低後高 因俯以得名

호씨가 말했다. '면'은 관 위의 판인데 앞은 낮고 뒤는 높아서 엎드린 것 같기 때문에 그런 이름을 얻었다.

【집주】

皆祭服也 溝洫 田間水道 以正疆界 備旱潦音老者也

모두 제사지낼 때의 복장이다. '구혁(도랑)'은 논밭 사이의 물길로서, 경계를 바로 하고 가물거나 큰 비 올 때를 대비하는 것이다.

【세주】

或問 溝洫之制 朱子曰 見於周禮遂人匠人之職 詳矣 蓋 禹 旣平水患 又治田間之水 便無水患之災 所謂濬畎澮距川 是也

혹자가 도랑의 제도에 대해 물었다. 주자가 답했다. 『주례』의 <수인>(「지관 사도」), <장인>(「동관 고공기」)의 직무에 자세히 나와 있다. 대개 우임금이 이미 물난리를 평정하고 또 논밭 사이의 물을 다스려 곧 물난리가 없어졌다. 소위 '견회(봇도랑)를 준설하여 개천에 이르게 했다(『서경』, 「우서」 <익직 1>)'라는 것이 그것이다.

○胡氏曰 匠人職云 九夫爲井 井間有溝 十里爲成 成間有洫 洫深廣 皆八尺

溝 半之 夏制 當不異也 旣用以定經界 又旱 則瀦水 潦 則泄水也

호씨가 말했다. <장인>직에서 말하기를 "아홉 남자가 한 '정'을 이루는데, 정 사이에는 구(도랑)가 있다. 십리가 '성'이 되는데, 성 사이에는 혁(도랑)이 있다. 혁의 깊이와 넓이는 모두 팔 척이고 구는 그 반이다"라 했다. 하나라의 제도도 당연히 다르지 않았을 것이다. 이를 써서 먼저 경계를 정하고 또 가물면 물을 대고 큰 비가 오면 물을 뺀다.

【집주】

或豐或儉 各適其宜 所以 無罅隙之可議也 故 再言以深美之

혹은 넉넉하게 하거나 혹은 검소하게 하거나 하여, 각기 그 마땅한 바를 따랐으니 그런 까닭에 비판할 만한 빈틈이 없었다. 그러므로 두 번 말씀하시어 깊이 찬미하셨다.

○楊氏曰 薄於自奉 而所勤者 民之事 所致飾者 宗廟朝音潮廷之禮 所謂有天下 而不與音預也 夫音扶 何間然之有

양씨가 말했다. 스스로를 봉양하는 데는 박했지만, 애쓴 것은 백성의 일이었고 꾸밈을 다한 것은 종묘와 조정의 예였다. 이른바 천하를 소유하면서도 상관하지 않았으니, 무릇 무슨 빈틈이 있으리오.

【세주】

胡氏曰 禹之自奉常薄 而宗廟朝廷之禮 百姓衣食之源 則未嘗不盡心 所以不容於非議也

호씨가 말했다. 우임금이 스스로를 봉양한 것은 항상 박했지만 종묘와 조정의 예, 백성의 의식의 자원에 대해서는 일찍이 마음을 다하지 않음이 없었다. 그러므로 비판을 허용하지 않는 것이다.

○雲峯胡氏曰 舜 稱禹克儉 於此見之 授禹以執中 亦於此見其能行之 集註 以爲或豐或儉 各適其宜 卽各適其中也 若能儉而不能豐 則墨氏之儉 非中矣

운봉 호씨가 말했다. 순임금은 우를 극히 검소하다고 칭찬했는데, (그런 사실을) 여기서 볼 수 있다. 우에게 중정함을 지키라는 가르침을 주었는데, 또한 여기서 능히 해내었음을 볼 수 있다. 집주는 '혹은 넉넉하게 하거나 혹은 검소하게 하거나 하여, 각기 그 마땅한 바를 따랐다'라 했는데, 곧 각기 그 중정함을 따랐다는 것이다. 만약 능히 검소하게 하기는 하면서도 넉넉하게 하지는 못한다면 그것은 묵씨(묵자)의 검소함이지 중정함은 아니다.

○新安陳氏曰 禹 素履儉勤 不以位爲樂 有天下而不與之實也

신안 진씨가 말했다. 우임금이 장식 없는 신을 신고 근검했으며 제위를 즐거움으로 삼지 않은 것, (이는) '천하를 소유하고서도 상관하지 않았다'는 것의 실제 내용이다.

子罕第九

【집주】

凡三十章

모두 30장이다.

9.1 子 罕言利與命與仁

공자께서는 이익과 (천)명과 인에 대해서는 드물게 말씀하셨다.

【집주】

罕 少也 程子曰 計利 則害義 命之理 微 仁之道 大 皆夫子所罕言也

'한'은 드물다는 뜻이다. 정자가 말했다. 이익을 계산하면 의(올바름)를 해친다. 천명의 이치는 미묘하고 인의 도는 크다. 모두 공자께서 드물게 말씀하신 것이다.

【세주】

龜山楊氏曰 夫子 對問仁 多矣 曰罕言者 蓋 言求仁之方而已 仁之本體 則未嘗言

구산 양씨가 말했다. 공자께서 인에 관한 질문에 대답하신 것이 많은데도 드물게 말씀하셨다고 한 것은 대개 인을 구하는 방법을 말씀하신 것뿐이고, 인의 본체에 대해서는 일찍이 말씀하지 않으셨기 때문이다.

○朱子曰 罕言者 不是不言 特罕言之耳 罕言利者 蓋 凡做事 只循這道理做去 利自在其中矣 如利涉大川 利用行師 聖人 豈不言利 但所以罕言者 正恐人求之 則害義矣

주자가 말했다. 드물게 말씀하셨다는 것은 말씀하지 않았다는 것이 아니라 다만 드물게 말씀하셨다는 것뿐이다. 이익에 대해 드물게 말씀하신 것은 대개 모든 일을 할 때 다만 이 도리를 따라 해가면 이익은 저절로 그 안에 있기 때문이다. 예컨대 '큰 강을 건너면 이롭다(『주역』, 「5 수괘」 <단전>)', '군대가 나가면 이롭다(『주역』, 「15 겸괘」 <상륙>)'처럼, 성인께서 어찌 이익을 말씀하지 않았으리오. 다만 드물게 말씀하신 까닭은 바로 사람들이 그것을 구하면 의를 해칠까 걱정하셨기 때문이다.

○命 只是一箇命 有以理言者 有以氣言者 天之所以賦與人者 是理也 人之所以壽夭窮通者 是氣也 理 精微而難言 氣數 又不可盡委之 而至於廢人事

故 聖人 罕言之也 仁之理 至大 數言之 不惟使人躐等 亦使人有玩之之心 蓋 擧口便說仁 人 便自不把當事了

명은 다만 하나의 명이지만 이로써 말하는 경우가 있고 기로써 말하는 경우가 있다. 하늘이 사람에게 부여한 것은 이이다. 사람이 일찍 죽거나 오래 살거나 잘살거나 못살거나 하는 것은 기이다. 이는 정미하여 말하기 어렵고, 기수(운수)는 또 다 그것에 의존하여 사람의 일(사람으로서 해야 할 노력)을 폐하는 데 이르러서는 안 된다. 그러므로 성인께서 드물게 말씀하신 것이다. 인의 이치는 지극히 크니, 번번이 말해주면 사람으로 하여금 단계를 뛰어넘게 할 뿐 아니라 또한 사람으로 하여금 그것을 가지고 장난하려는 마음을 갖게 한다. 대개 입만 벌리면 인을 말하는 사람은 곧 본디 그 일을 감당할 수 없다.

○問 竊謂夫子罕言者 乃放於利而行之利 若利用出入 乃義之所安處 曰 利用出入之利 亦不可去尋討 尋討著 便是放於利之利 如言利物足以和義 只云利物 不言自利 又曰 只元亨利貞之利 亦不可計較 計較著 卽害義 爲義之人 只知有義而已 不知利之爲利

물었다. 제가 생각건대 공자께서 드물게 말씀하신 (이익이라는) 것은 곧 '이익에 의거해 행한다(『논어』4, 「이인」 12장)'라 할 때의 이익입니다. '편리하게 써서 들고 난다(『주역』, 「계사 상」 11)'라 할 때의 이익은 곧 의에 합당한 것입니다. 답했다. '편리하게 써서 들고 난다'라 할 때의 이익도 또한 찾아 구해서는 안 된다. 찾아 구하면 곧 '이익에 의거해 행한다'라 할 때의 이익이 된다. 예컨대 '남을 이롭게 하면 족히 조화롭고 의롭다'라고 하는 경우 다만 '남을 이롭게 하는 것'을 말했을 뿐, 자신의 이익은 말하지 않았다. 또 말했다. 다만 원형이정의 '이' 또한 계산하고 비교해서는 안 된다. 계산하고 비교하면 곧 의를 해친다. 의를 행하는 사람은 다만 의가 있는 것을 알 뿐, 이익이 이익이 된다는 것을 모른다.

○勿軒熊氏曰 易 六十四卦 皆言利 尤詳於性命之原 罕言者 非與門人常言之道

물헌 웅씨가 말했다. 『역』의 64괘에서는 모두 이익을 말했고, 또 성명의 근원에 대해서는 더욱 상세하니, 드물게 말씀하셨다는 것은 (성명이나 이익이) 제자들과 늘상 말씀하신 도는 아니라는 말이다.

○慶源輔氏曰 義者 天理之公也 利者 人欲之私也 天理人欲 不兩立 計於彼

則害於此矣

경원 보씨가 말했다. 의라는 것은 천리의 공이고 이익이란 인욕의 사사로움이다. 천리와 인욕은 양립할 수 없으니, 저것을 계산하면 이것에 해가 된다.

○命 乃天之所賦予萬物者 以理言之 則聲臭俱無 以氣言之 則雜糅難辨 是 其理爲甚微 仁 乃五性之首 所以包乎四德 而無物不體 是 其道爲甚大 理之微 則人有所難識 知未及而驟語之 則反滋其惑 且使人棄人事 而不脩 道之大 則人有所難盡 德未至而强語之 則反起其妄 且或使之忽庸行 而不謹 此 夫子所以罕言

명은 곧 하늘이 만물에 부여한 것이다. 이로써 말하자면 소리나 냄새가 모두 없고, 기로써 말하자면 잡박하게 섞여 있어 구분하기 어렵다. 이것이 '그 이치는 심히 미묘하다'는 것이다. 인은 곧 5성(다섯 가지의 인간 본성, 즉 인의예지신)의 으뜸이니 4덕을 포괄하는 것이고 어떤 사물에도 체현되어 있지 않은 경우가 없다. 이것이 '그 도는 심히 크다'라는 것이다. 이는 미묘하니 사람이 인식하기 어려운 바가 있다. 앎이 미치지 못했는데도 급히 말해주면 거꾸로 그 의혹을 키우고 또 사람으로 하여금 사람의 일을 포기해 닦지 못하게 한다. 도는 크니 사람이 다하기 어려운 바가 있다. 덕이 지극하지 못했는데도 억지로 말해주면 거꾸로 그 망령됨을 일으키고 또 혹시 소홀히 함부로 행해 삼가지 못하게 할 수 있다. 이것이 공자께서 드물게 말씀하신 까닭이다.

○雙峯饒氏曰 夫子有常言者 詩書執禮 是也 有不言者 怪力亂神 是也 有罕言者 利命仁 是也 無非教人者 故 門人 皆謹記之

쌍봉 요씨가 말했다. 공자께서 항상 말씀하신 것은 시·서·집례이고, 말씀하지 않으신 것은 괴(괴이함)·력(물리적인 힘)·난(혼란)·신(귀신)이고, 드물게 말씀하신 것은 이·명·인이니, 모두 사람을 가르치심이 아닌 것이 없다. 그러므로 문인들이 모두 삼가 기록해두었다.

○新安陳氏曰 集註言 命之理微 則此命字 以理言 罕言利者 防學者趨乎此 罕言命與仁 以學者未易及此也 既慮學者 沒溺於利欲之卑汚 又慮學者 躐等於命與仁之精微弘大 其爲慮 遠矣

신안 진씨가 말했다. 집주에서 '천명의 이치는 미묘하다'라 했는데, 이 '명' 자는 이로써 말한 것이다. 이익에 대해 드물게 말씀하신 것은 배우는 자가 이를 좇는 것을 막으려는 것이고, 명과 인에 대해 드물게 말씀하신 것은 배우는 자가 이에 쉽게 미치지 못하기 때문이다. 이미 배우는 자가 이욕의 더러움에 몰두할까 염려하시고, 또 배우는 자가 명과 인의 정미하고 큰 경지로 단계를 뛰어넘어갈까 염려하셨으니, 그 염려하심은 멀리 미친다.

9.2-1 達巷黨人曰 大哉 孔子 博學而無所成名

달항의 당인이 말했다. 크구나, 공자여. 박학하되 이름을 이룬 바가 없구나.

【집주】

達巷 黨名 其人姓名 不傳 博學而無所成名 蓋 美其學之博 而惜其不成一藝之名也

달항은 당(지방 행정의 단위)의 이름이다. 그 사람의 성명은 전해지지 않는다. 박학하되 이름을 이룬 바가 없다는 것은 대개 그 배움의 넓음을 찬미하면서 한 예의 이름(한 가지의 예에 뛰어나다는 명성)을 이루지 못한 것을 안타까워한 것이다.

【세주】

節齋陳氏曰 孟康註 董仲舒傳 達巷黨人 乃項橐

절재 진씨가 말했다. 맹강이 주석한 「동중서 전」에 달항 당인은 곧 항탁이라 했다.

○雙峯饒氏曰 黨人 見聖人無所不知不能 遂以此爲聖人之大 不知聖人所大 在於道全德備耳

쌍봉 요씨가 말했다. 당인은 성인께서 모르는 것이 없고 못하는 것이 없는 것을 보고 드디어 이것이 성인의 위대함이라고 생각했다. 성인의 위대함은 도가 완전하고 덕이 갖추어져 있다는 데 있는 것임은 알지 못했던 것이다.

9.2-2 子聞之 謂門弟子曰 吾 何執 執御乎 執射乎 吾執御矣

공자께서 듣고 문하의 제자들에게 말씀하셨다. 내가 무엇을 전문하랴. 마차 몰기를 전문하랴, 활쏘기를 전문하랴. 나는 마차 몰기를 전문하겠다.

【집주】

執 專執也 射御 皆一藝 而御爲人僕 所執尤卑 言欲使我何所執以成名乎 然則吾 將執御矣 聞人譽平聲己 承之以謙也

'집'은 오직 (한 가지만을) 전문하는 것이다. 사(활쏘기)와 어(마차 몰기)는 모두 하나의 예지만, 마차 몰기는 남의 종복이 되는 것이니 전문하는 것이 더욱 비천하다. '나로 하여금 무엇인가를 전문으로 하여 이름을 이루라 하는 것인가? 그렇다면 나는 장차 마차 몰기를 전문으로 할 것이다'라는 말씀이다. 남이 자신을 칭찬하는 말을 듣고 겸양의 말씀으로 이어 말씀하신 것이다.

○尹氏曰 聖人 道全而德備 不可以偏長目之也 達巷黨人 見孔子之大 意其所學者博 而惜其不以一善得名於世 蓋 慕聖人 而不知者也 故 孔子曰 欲使我何所執 而得爲名乎 然則吾將執御矣

윤씨가 말했다. 성인께서는 도가 완전하고 덕이 갖추어져 있으니 어떤 편벽된 장점을 지목할 수는 없다. 달항의 당인은 공자의 위대함을 보고 그 배운 바가 넓은데도 세상에서 하나의 선으로(어떤 특정 덕목에 뛰어나다고) 이름을 얻지 못한 것을 안타깝게 생각했으니, 대개 성인을 사모하면서도 (바로) 알지 못한 자이다. 그러므로 공자께서 말씀하기를 '나로 하여금 무엇인가를 전문으로 하여 이름을 이루라 하는 것인가? 그렇다면 나는 장차 마차 몰기를 전문으로 할 것이다'라 하신 것이다.

【세주】

雙峯饒氏曰 六藝 禮樂爲大 夫子 只說射御 射御 藝之卑者 御 又最卑

쌍봉 요씨가 말했다. 육예 중에는 예와 악이 큰 것이다. 공자께서는 다만 활쏘기와 마차 몰기만을 말씀하셨는데, 활쏘기와 마차 몰기는 예 중에 비천한 것이고, 마차 몰기는 또 가장 비천한 것이다.

○朱子曰 達巷黨人 本不知孔子 但歎美其博學 而惜其無所成名 謂不以一善得名也 此言 至爲淺近 然 自察邇言者觀之 則於此 便見聖人道德純備 不可以一善名 愚夫愚婦 可以與知 而其所以然者 聖人 有所不知 故 孔子 不欲以黨人所稱者自居 而曰 必欲使我有所執而成名 則吾 將執御矣

주자가 말했다. 달항의 당인은 본디 공자를 (바로) 알지 못했다. 다만 그 박학을 탄미하고 이름을 이룬 바가 없음을 안타까워했으니 하나의 선으로 이름을 얻지 못했다는 말이다. 이 말은 지극히 수준이 낮고 평범하다. 그러나 가까운 말을 살피는 자의 입장에서 볼 때, 여기서 곧 성인의 도덕이 순수하고 갖추어져 있어 하나의 선으로 이름 붙일 수는 없음을 알 수 있다. 어리석은 사람들(이 한 말)은 알 수는 있지만 (그 사람들이 그런 말을 한) 그 이유는 성인께서도 알지 못하시는 바가 있다. 그러므로 공자께서는 당인이 칭찬한 것으로써 스스로 자부하려 하지 않으시고, '꼭 나로 하여금 전문하는 바가 있어 이름을 이루게 한다면 나는 장차 마차 몰기를 전문으로 할 것이다'라 하신 것이다.

○南軒張氏曰 達巷黨人 大孔子之博學 而疑其不能以偏成也 夫豈知本末精粗一以貫之之道哉 故 夫子 但擧一藝自居 而又於藝之中復居其次者 以見夫道之無乎不在

남헌 장씨가 말했다. 달항의 당인은 공자의 박학을 크게 여기면서도 (왜) 한쪽으로 치우친(특정 분야만의) 성취를 이루지 못했는지 의심했다. 무릇 어찌 근본과 말단, 정밀한 것과 거친 것을 하나로 꿰뚫는 도를 알 수 있으리오. 그러므로 공자께서는 다만 하나의 예로써 스스로 자부하시고 또 예 가운데 그 낮은 것으로써 다시 자부하심으로써 도가 없는 것이 없음을 드러내셨다.

○厚齋馮氏曰 執射成名 王良造父 是也 大凡 專於一善 精於一業者 乃能成名 如信人善人惠人 則其善專故也 如稷之穡 羿之射 秋之奕 則其業精故也 學之博 雖各極其專且精 不可得以一事名矣 無所成名 乃夫子之所以爲大 而黨人 不悟也 堯之民無能名 此 堯之所以爲大也歟

후재 풍씨가 말했다. 마차 몰기와 활쏘기를 전문하여 이름을 이룬 것은 왕량과 조보가 그 예이다. 대개 하나의 선을 전문으로 하거나 하나의 기술에 정밀한 자는 능히 이름을 이룰 수 있다. 예컨대 신인(믿을 만한 사람), 선인(착한 사람), 혜인(은혜로운 사람)의 경우는 그 선이 전문이기 때문이다. 예컨대 직의 농사, 예의 활쏘기, 추의 바둑의 경우는 그 기술이 정밀하기 때문이다. 배움이 넓은 것은 비록 (모든 분야의) 각각의 그 전문성과 정밀함을 다하는 것이지만 하나의 일로 이름을 붙일 수는 없다. 이름을 이룬 바가 없다는 것이 곧 공자께서 위대한 이유이지만, 당인은 깨닫지 못했다. 요임금은 백성들이 (요의 덕을) 이름을 붙일 수 없었는데, 이것이 요가 위대한 이유이리라.

○新安陳氏曰 惟道全德備 故 不可以一善名 使可以一善名 則所長 止於此 不足以爲大矣 黨人 惜聖人之大 而不以一善得名 豈知聖人之所以爲大 正在於不可以一善名歟

신안 진씨가 말했다. 오직 도가 완전하고 덕이 갖추어져 있는 까닭에 하나의 선으로 이름 붙일 수 없다. 만약 하나의 선으로 이름 붙일 수 있다면 장점은 그것에 그쳐, 위대하다고 할 수 없다. 당인은 성인께서 위대하시면서도 하나의 선으로 이름을 얻지 못한 것을 안타까워했지만, 어찌 성인께서 위대하신 이유가 바로 하나의 선으로 이름 붙일 수 없다는 점에 있다는 것을 알 수 있으리오.

9.3-1 子曰 麻冕 禮也 今也純 儉 吾 從衆

공자께서 말씀하셨다. 마면이 예이지만 지금은 순으로 하니 검소한 것이라, 나는 대중(이 하는 방식)을 따르겠다.

【집주】

麻冕 緇莊持反布冠也 純 絲也 儉 謂省約 緇布冠 以三十升布爲之 升八十縷隴主反 則其經 二千四百縷矣 細密難成 不如用絲之省約

'마면'은 치포로 만든 관이다. '순'은 실이다. '검'은 (수공을) 절약한다는 말이다. 치포관은 30승의 포로 만드는데, 1승은 80가닥이므로 그 날줄은 2400가닥이다. 세밀하여 만들기 어려우니 실을 써 절약하는 것만 못하다.

【세주】

朱子曰 八十縷爲升 古尺一幅 只闊二尺二寸 如深衣 用十五升布 已似如今極細絹一般 這處 又曉未得 古尺 又短於今尺 若盡一千二百縷 須是一幅闊不止二尺二寸方得

주자가 말했다. 80가닥이 1승이 된다. 옛 자의 한 폭은 그 넓이가 단지 2척 2촌이었다. 심의(학자의 웃옷)의 경우 15승(1200가닥짜리)의 포를 썼다는데, 이미(그것만으로도) 지금의 극세 견포와 마찬가지이다. 이런 것들은 또한 정확하게 알 수는 없다. 또 옛 자는 지금의 자보다 짧았으니, 만약 1200가닥을 다 썼다면 반드시 한 폭의 넓이가 2척 2촌에 그칠 수는 없었을 것이다.

○胡氏曰 麻 績麻爲布 冕 冠上板也 謂之緇布冠者 染布爲赤黑色也 冠者首服之總名 冕者 冠中之別號 禮 朝服十五升 冠倍之 鄭註 八十縷爲升 升字當爲登 登 成也

호씨가 말했다. 마는 삼베 실을 잣아 포를 짠 것이다. 면은 관 위의 판이다. 그것을 치포관이라고 부르는 것은 포를 염색해 붉고 검은색으로 했기 때문이다. 관이라는 것은 머리에 쓰는 것의 총칭이고 면이라는 것은 관 중의 (어떤 관의) 별칭이다. 『예』(「잡기 상」)에 조복은 15승으로 한다 했는데, 관은 그 두 배이다. 정주(정현의 주석)에는 "80가닥을 1승으로 한다. '승' 자는 당연히 '등'이라 해야 한다. '등'은 이룬다는 뜻이다"라 했다.

○雙峰饒氏曰 前漢書食貨志 周布 幅廣二尺二寸 程子言 古尺 僅當今五寸

五分弱 如此 則二尺一寸 只是今一尺二寸爾 却用二千四百縷爲經 是一寸布 用二百經也 其細密難成 可知

쌍봉 요씨가 말했다. 『전한서』, 「식화지」에 주나라의 포는 폭의 넓이가 2척 2촌이라 했는데, 정자가 말하기를 옛 (한) 자는 겨우 오늘날의 5촌 5푼에 조금 못 미친다 했다. 그렇다면 2척 1촌[2척 2촌의 착오인 듯]은 겨우 지금의 1척 2촌에 불과하다. 그런데도 2400가닥을 날줄로 한다면 이는 1촌의 포에 200 날줄을 쓰는 것이니 그 세밀하고 만들기 어려움을 알 만하다.

9.3-2 拜下 禮也 今 拜乎上 泰也 雖違衆 吾 從下

(당) 아래에서 절하는 것이 예이지만 지금은 위에서 절하니 교만한 것이라, 비록 대중을 어기는 것이라 해도 나는 아래에서 절하는 것을 따르겠다.

【집주】

臣 與君行禮 當拜於堂下 君 辭之 乃升成拜 泰 驕慢也

신하가 임금과 더불어 예를 행할 때는 당연히 당 아래에서 절하는 것이다. 임금이 사양하면 올라와 절을 완성한다. '태'는 교만한 것이다.

【세주】

慶源輔氏曰 按燕禮 君燕卿大夫禮也 公 坐 取大夫所酳觶 興以酬 賓 降西階下 再拜 稽首 公 命小臣辭 賓 升成拜 鄭註 升成拜 復再拜 稽首也 又覲禮 天子 賜侯氏以車服 侯氏 拜賜禮 亦如之

경원 보씨가 말했다. 연례(『예기』, 「연의」)를 살펴보면 임금이 경 대부를 초청하는 예이다. 공(군주)은 앉아서 대부가 따른 술잔을 받고 일어나 잔을 돌린다. 손님은 서쪽 계단 아래로 내려가 두 번 절하고 머리를 조아린다. 공이 소신에게 명하여 사양하면 손님은 올라와 절을 완성한다. 정주(정현의 주석)에 '올라와 절을 완성한다'는 것은 다시 재배하고 머리를 조아리는 것이라 했다. 또 근례(『의례』, 「근례」)를 살펴보면 천자가 후씨(제후)에게 마차와 복장을 하사하면 후씨는 절하여 하사받는 예를 행하는데, 또한 그와 같이 한다.

○雙峯饒氏曰 先已拜於堂下 而君辭之 則是 不曾受其拜 故 升堂再拜 以成之 孔子時 君弱 臣强 徑自拜於堂上 故 孔子云然 人以爲諂 想是此類

쌍봉 요씨가 말했다. 이미 당 아래에서 절했는데 임금이 사양하면 이는 아직 그 절을 받지 않은 것인 까닭에 당 위로 올라와 두 번 절함으로써 (절을) 완성한다. 공자 당시에 임금은 약하고 신하는 강하여 (신하가) 곧바로 당 위로 올라와 스스로 절했다. 그러므로 공자께서 그렇게 말씀하신 것이다. '사람들이 아첨한다고 여긴다(『논어』3, 「팔일」 18장)'라는 것도 아마도 이런 종류의 일이 아닌가 싶다.

【집주】

○程子曰 君子處上聲世 事之無害於義者 從俗可也 害於義 則不可從也

정자가 말했다. 군자가 처세함에, 의에 해롭지 않은 일은 세속을 따라도 된다. 의에 해로우면 따라서는 안 된다.

【세주】

范氏曰 衆人之所爲 君子酌焉 或從或違 唯其是而已 以衆爲公義 而擧從之 非也 以衆爲流俗 而擧違之 非也 聖人之道 若權衡輕重 不可以銖兩欺 故 純儉 雖不及禮 而可從 拜上 則虧君臣之義 雖擧世而行之 亦不可從也

범씨가 말했다. 대중이 행하는 것에 대해 군자는 참작해야 한다. 혹 (대중이 하는 방식을) 따르거나 혹 어기거나 하는 것은 다만 그 옳음을 따르는 것일 뿐이다. 대중(이 행하는 방식)을 공의라고 생각해 다 따르는 것은 잘못이다. 대중을 유속(유행하는 풍속)이라 생각해 모두 다 어기는 것 또한 잘못이다. 성인의 도는 경중을 살펴 잘 재량하는 것이니, 수(한 냥의 24분의 1)를 가지고 냥이라고 속일 수 없다. 그러므로 순(을 쓰는 것)의 검소함은 비록 예에 미치지는 못하지만 따를 수 있고, 위에서 절하는 것은 군신의 의리를 이그러뜨리는 것이니 비록 온 세상이 그렇게 행한다 해도 또한 따라서는 안 된다.

○尹氏曰 聖人處世 可見於此 蓋 非有意於從違 合乎義而已

윤씨가 말했다. 성인의 처세를 여기서 볼 수 있다. 대개 (대중을) 따르느냐 어기느냐에 뜻이 있는 것이 아니라 다만 의에 합당한가에 (성인의 뜻이) 있을 뿐이다.

○慶源輔氏曰 君子之於世俗 或從或違 無適無莫 一於義而已 以是而違俗

則人 亦不得以爲異也

경원 보씨가 말했다. 군자가 세속에 대해 혹 따르거나 혹 어기거나 하는 것은, 꼭 해야 하는 것도 없고 꼭 하지 말아야 하는 것도 없고, 하나같이 의에 의거할 뿐이기 때문이다. 옳은 것으로써(옳은 것을 따름으로써) 세속을 어기게 되면 남들도 또한 이상하다고 생각하지는 못한다.

○趙氏曰 制度節文之細 猶可以隨時 至於繫乎三綱五常者 萬世而不容易

조씨가 말했다. 제도 절문의 세세한 것은 오히려 때(현재의 방식)를 따를 수 있다. 삼강 오상에 관련된 것에 이르러서는 만세 후에도 바꿀 수 없다.

○雙峯饒氏曰 此 聖人處事之權衡 所謂君子以同而異

쌍봉 요씨가 말했다. 이는 성인께서 일을 처리하심에 있어서의 재량이다. 소위 '군자는 이로써 같이하되 다르다(『주역』, 「규괘」 <상전>)'는 것이다.

○新安陳氏曰 程子 欲學者 凡處世事 皆當以義裁之 以此爲例 而推其餘也

신안 진씨가 말했다. 정자는 배우는 자로 하여금 무릇 세상사에 처함에 모두 마땅히 의로써 판단하도록 하고자 했으니, 이(이 말씀)로써 모범을 삼아 그 나머지(다른 일들)도 미루어 판단해야 한다는 것이다.

9.4 子 絶四 毋意 毋必 毋固 毋我

공자께서는 네 가지가 전혀 없으셨으니, 사의(사사로운 뜻)가 없으셨고, 꼭 그러려는 것이 없으셨고, 정체됨이 없으셨고, 이기심이 없으셨다.

【집주】

絶 無之盡者 毋 史記作無 是也 意 私意也

'절'은 전혀 없는 것이다. '무'는 『사기』에 '무(無)'라고 한 것이 그것이다. '의'는 사의(사사로운 뜻)이다.

【세주】

程子曰 意 是發動處 意發而當 卽是理也 發而不當 是私意也 問 聖人 莫是任理而不任意否 曰 是

정자가 말했다. '의(뜻)'는 발동하는 것이니 뜻이 발동한 것이 정당하면 곧 이치이며 발동한 것이 부당하면 사의이다. 물었다. 성인께서는 이치에 맡기실 뿐 사의에 맡기지는 않으시는 것 아닙니까? 답했다. 그렇다.

○胡氏曰 理本於天 意出於己 大學 以誠意爲言 蓋 好善惡惡 一有不實 則所謂意者 爲私意 意 不可以孤行 必根於理 而後可 此 獨以意言 卽私心之發也

호씨가 말했다. 이치는 하늘에 근본을 두고, 뜻은 자신으로부터 나온다. 『대학』에서는 '성의(뜻을 참되게 함)'라고 했는데 대개 선을 좋아하고 악을 미워함에 있어서 하나라도 진실되지 못한 것이 있다면 소위 뜻이라는 것이 사의가 되는 것이다. 뜻은 홀로 행해질 수 없는 것이니, 반드시 이치에 근거한 후에 행해져야 한다. 여기서는 '의' 한 글자만을 말했으니, (이때의 의란) 사심의 발로이다.

【집주】

必 期必也 固 執滯也 我 私己也 四者 相爲終始

'필'은 꼭 그러려고 하는 것이다. '고'는 붙들고 정체되어 있는 것이다. '아'는 개인의 사사로움이다. 이 네 가지는 서로 시작과 끝의 관계가 된다.

【세주】

趙氏曰 四者 分之 則各爲一事 合之 則相爲終始

조씨가 말했다. 네 가지는 나누어보면 각각 하나의 일이지만 합쳐서 보면 서로 시작과 끝의 관계가 된다.

【집주】

起於意 遂於必

'의'에서 시작되고 '필'에서 이행되고

【세주】

遂 謂將成而勢不容已

'수'는 장차 이루어지려 하여 그 추세가 그칠 수 없는 것을 말한다.

【집주】

留於固 而成於我也 蓋 意 必 常在事前 固 我 常在事後

'고'에서 머무르고 '아'에서 마무리된다. 대개 '의'와 '필'은 항상 사전에 있고, '고'와 '아'는 항상 사후에 있다.

【세주】

胡氏曰 意必 在方有作爲之先 故曰 事前 固我 在已有作爲之後 故曰 事後

호씨가 말했다. '의'와 '필'은 바야흐로 행위를 하기 전에 있다. 그래서 사전이라 했다. '고'와 '아'는 이미 행위를 한 다음에 있다. 그래서 사후라 했다.

【집주】

至於我 又生意 則物欲牽引 循環不窮矣

'아'에 이르러서는 다시 '의'가 생긴다. 그러므로 물욕에 이끌리어 순환해 그치지 않는다.

【세주】

華陽范氏曰 私意 動於內 而係於事 則有必 必 則守而不移 故 有固 固 則不能忘己 故 有我 是三者 皆出於意 故 意爲之先

화양 범씨가 말했다. 사의는 안에서 움직이는 것이지만 일에 관계되어 있으니 '필'이 있게 된다. '필'하면 지켜 옮기지 않으니 그래서 '고'가 있게 된다. '고'하면 사사로움을 잊을 수 없으므로 '아'가 있게 된다. 이 세 가지는 모두 '의'에서 나온다. 그러므로 '의'가 먼저가 된다.

○問 意 如何毋得 朱子曰 凡事順理 則意自正 毋意者 主理而言 不順理 則只是自家私意

물었다. '의'가 어떻게 없을 수 있습니까? 주자가 답했다. 범사에 이치를 따르면 뜻은 저절로 바르게 된다. '무의(사의가 없다)'라는 것은 이치를 위주로 말하는 것이니 이치를 따르지 않으면 (그것은) 개인의 사의일 뿐이다.

○問 意必固我 曰 意 是初創 如此有私意 便到那必處 必 便到固滯不通處 固 便到有我之私處

'의', '필', '고', '아'에 대해 물었다. 답했다. '의'는 시작이다. 이처럼 사의가 있으면 곧 그 '필'의 단계에 도달한다. '필'은 곧 꽉 막혀 통하지 않는 ('고'의) 단계에 도달한다. '고'는 곧 개인의 사사로움의 단계에 도달한다.

○凡人做事 必先起意 不問理之是非 必期欲事成而已 事旣成 是非得失已定 又復執滯不化 是之謂固 三者 只成就得一箇我 及至我之根源 愈大少間 三者 又從這裏生出 意 又生必 必 又生固 固 又歸宿於我

무릇 사람이 일을 함에 반드시 먼저 뜻을 일으키는데, 이치의 옳고 그름을 묻지 않고 반드시 일이 이루어지기를 원하게 될 따름이다. 일이 이미 이루어지면 시비와 득실은 이미 정해지고 다시 또 붙들고 정체하게 되어 변화하지 않는다. 이를 일러 '고'라 한다. 세 가지는 단지 하나의 '아'를 이룬 것이다. '아'의 근원은 더욱 크니 얼마 안 있어 이 세 가지가 또 이곳('아'의 근원)을 따라 생겨난다. '의'는 또 '필'을 생기게 하고 '필'은 또 '고'를 생기게 하고 '고'는 또 '아'로 되돌아간다.

○必者 迎之於前 固者 滯之於後 意 是爲惡先鋒 我 是爲惡成就 此四字 如元亨利貞 循環不已 但元亨利貞 是好事 此 是不好事 貞 是好底成就 我是惡底成就

'필'이란 (일을 하기) 전에 맞이하는 것이고 '고'란 (일을 한) 후에 정체되어 있는 것이다. '의'는 악을 행하는 선봉이고 '아'는 악행의 성취(완성)이다. 이 네 글자는 마치 '원·형·이·정'이 순환하여 그치지 않는 것과 같다. 단,

원형이정은 좋은 일이고 이것은 좋지 않은 일이다. '정'은 좋은 성취이고 '아'는 나쁜 성취이다.

○無意者 渾然天理 不任私意 無必者 隨事順理 不先期必也 無固者 過而不留 無所凝滯也 無我者 大同於物 不私一身也 四者 始於意 而行於必 留於固 而成於我 必之時 淺 固之時 長 意 是始 我 是終 固必 在中間 一節重似一節也

'뜻(사의)이 없다'는 것은 혼연한 천리여서 사의에 맡기지 않는 것이다. '꼭 그러려 하지 않는다'라는 것은 일에 따라서 (그 일의) 이치를 따르기에 먼저 꼭 그렇게 될 것을 기약하지 않는다는 것이다. '정체됨이 없다'라는 것은 지나가 머무르지 않는 것이니 정체되는 바가 없는 것이다. '이기심이 없다'는 것은 남과 대동일치하여 일신의 사사로움이 없는 것이다. 네 가지는 의에서 시작하여 필로 나아가고 고에서 머물며 아에서 마무리된다. 필의 때는 얕고 고의 때는 길다. 의는 시작이고 아는 끝이며, 고와 필은 중간에 있어서 한 단계, 비슷한 또 한 단계가 거듭되는 것이다.

○黃氏曰 卽事而言 其別有四 以心而言 其本則一 天理流行 廓然大公 物各付物 泊然順應 此心如鑑空水止 而一毫之繫累無所容焉 此 其所以自始至終 而絶無四者之病也

황씨가 말했다. 일에 근거해 말하자면 그 구분은 넷이 있고, 마음으로 말하자면 그 근본은 하나이다. 천리의 유행은 텅 빈 듯 크게 공정하여 사물은 각각 그 사물의 본성을 가지면서 조용히 순응한다. 이 마음은 마치 거울이 텅 비고 물이 고요한 것 같아서 한 터럭의 얽매임도 용납하지 않는다. 이는 처음부터 끝까지 네 가지의 병폐가 전혀 없는 것이다.

○新安陳氏曰 集註 四者 相爲終始以下 乃以常人之私欲細分之 有此四者相爲終始 又平分之 作兩截 判以事前事後 又飜轉說 終而復始 如元而亨利貞 貞下 又起元 有三節意 皆說常人之累於私如此 非謂夫子之心無私 亦有此三件節數也 聖人之心 惟純乎大公 而渾然一無私耳 細察之 則皆無常人此四者之累也

신안 진씨가 말했다. 집주의 '네 가지가 서로 시작과 끝이 된다'는 말 이하는 곧 보통 사람의 사욕을 세분해 본다면 이 네 가지가 있어서 서로 시작과 끝이 된다는 것이다. 또 공평하게 나누어 두 덩어리로 사전과 사후로 나누었고, 또 뒤집어 말해 끝에 가서 다시 시작된다 했으니 마치 원 다음에 형이 정이 오고 정 다음에는 또 원에서 시작되어 (원·형·이의) 세 단계가 있다는 뜻이다. 모두 보통 사람이 사심에 매여 있는 것이 이와 같다는 것을 설명한 것이지, '공자의 마음은 사심이 없지만 또한 이와 같은 세 가지의 단계는 있다'는 말은 아니다. 성인의 마음은 오직 순수히 크게 공정하고 혼연하여 하나의 사사로움도 없으시다. 자세히 살펴보면 보통 사람의 이러한 네 가지 병폐가 없으시다.

【집주】

○程子曰 此毋字 非禁止之辭 聖人 絶此四者 何用禁止 張氏曰 四者 有一焉 則與天地不相似

정자가 말했다. 이 '무' 자는 금지의 말이 아니다. 성인께서는 이 네 가지가 전혀 없으셨으니 어찌 금지할 필요가 있겠는가? 장씨가 말했다. 네 가지 가운데 하나라도 있으면 천지와 서로 비슷하지 않다(천지와 동일한 성인이 아니다).

【세주】

新安陳氏曰 天地 大公而已 四者 才有一 則累於私小 無復大公氣象 何由與天地相似

신안 진씨가 말했다. 천지는 대공(크게 공정함)일 뿐이다. 네 가지 가운데 하나라도 있으면 사사롭고 작은 것에 얽매인 것이니 다시 대공의 기상이 있을 수 없다. 무슨 연유로 천지와 서로 비슷할 수 있겠는가.

○問 橫渠說 略有疑 朱子曰 人之爲事 亦有其初 未必出於私意 而後來不能化去者 若謂絶私意 則四者皆無 則曰子絶一便得 何用更言絶四 以此 知四者 又各是一疵也

물었다. 횡거(장재)의 설은 약간 의심스러운 데가 있는 듯합니다. 주자가 답했다. 사람이 일을 행함에 또한 그 처음에는 꼭 사의에서 나오지는 않았더라도 나중에 가서는 [이후 세 단계의 폐단을] 제거하지 못하는 자도 있다. 만약 '사의가 전혀 없으면 네 가지도 모두 없다'고 할 수 있다면 '공자께서는 하나(사의)가 전혀 없으셨다'라고 말해도 될 것이니, '네 가지가 전혀 없으시다'라고 말할 필요가 있겠는가? 이로 보건대 네 가지는 또 각각의 병폐임을 알 수 있다.

○雲峯胡氏曰 心兮本虛 聖人 絶此四者 亦不失其本虛之心而已 意 似微雲點翳 我 則昏霾之甚矣 大虛中 本無一物 聖人此心 渾似天理 亦無一物也

운봉 호씨가 말했다. 마음은 본디 허령한 것이다. 성인께서 이 네 가지가 전혀 없으신 것은 또한 그 본디의 허령한 마음을 잃지 않으신 것일 뿐이다. '의'는 작은 구름이 살짝 덮은 것이라면 '아'는 어두운 흙비가 심한 것이다. 태허 가운데는 본디 하나의 사물도 없다. 성인의 이 마음도 혼연하기가 천리와 같아 또한 하나의 사물도 없다.

【집주】

楊氏曰 非知去聲足以知聖人 詳視而默識之 不足以記此

양씨가 말했다. 그 지혜가 족히 성인(이 어떤 분인지)을 알아 자세히 보고 말없이 인식할 수 있는 자가 아니라면 이렇게 기록할 수 없다.

9.5-1 子 畏於匡

공자께서 광 땅에서 경계하셨다.

【집주】

畏者 有戒心之謂

'외'란 경계하는 마음이 있는 것을 말한다.

【세주】

新安陳氏曰 恐人誤以畏爲怵迫懼死 故 本孟子 予有戒心 訓之

신안 진씨가 말했다. 사람들이 '외'를 위급함을 겁내고 죽음을 두려워하는 것으로 오해할 우려가 있기 때문에 『맹자』의 '내가 경계하는 마음이 있다(「공손추 하」3)'라는 구절에 근거해 해석했다.

【집주】

匡 地名 史記云 陽虎 曾暴於匡 夫子貌 似陽虎 故 匡人 圍之

'광'은 땅 이름이다. 『사기』에, "양호가 일찍이 광 땅에서 포악하게 굴었는데, 공자의 모습이 양호와 비슷한 까닭에 광 사람들이 공자를 포위했다"라 했다.

【세주】

厚齋馮氏曰 匡 宋邑 陽虎 曾暴於匡 夫子弟子顏剋 時與虎俱 夫子 適陳過匡 顏剋御 匡人 識剋 夫子貌 又似虎 匡人 以兵圍之五日 弟子 懼 故 子曰 如下所云

후재 풍씨가 말했다. 광은 송나라의 읍이다. 양호가 일찍이 광에서 포악하게 굴었는데, 공자의 제자인 안극이 한때 양호와 함께했다. 공자께서 진나라에 가시면서 광을 지나게 되었는데 안극이 수레를 몰았다. 광 사람들이 극을 알아보고, 공자의 모습이 또 양호와 비슷했으므로 광 사람들이 군대를 동원해 닷새간 포위하니, 제자들이 두려워했다. 그런 까닭에 공자께서 아래와 같이 말씀하셨다.

9.5-2 曰 文王 旣沒 文 不在玆乎

말씀하셨다. 문왕이 이미 돌아가셨음에 문이 여기 있지 아니한가.

【집주】

道之顯者 謂之文 蓋 禮樂制度之謂

도가 드러난 것을 문이라 하니, 대개 예악제도를 가리킨다.

【세주】

新安陳氏曰 道者 禮樂制度之本 禮樂制度者 道之寓 道 無形體 顯設於文而後乃可見爾

신안 진씨가 말했다. 도란 예악제도의 근본이고 예악제도란 도가 깃든 것이다. 도는 형체가 없으니 문으로 드러난 후에야 비로소 볼 수 있을 뿐이다.

【집주】

不曰道 而曰文 亦謙辭也 玆 此也 孔子自謂

도라고(도가 여기 있다고) 말씀하지 않고 문이라고 말씀하신 것은 역시 겸손의 말씀이다. '자'는 여기이니, 공자께서 스스로를 일컬으신 것이다.

9.5-3 天之將喪斯文也 後死者 不得與於斯文也 天之未喪斯文也 匡人 其如予何 喪 與 皆去聲

하늘이 장차 이 문을 없애려 하셨다면 나중에 죽는 자에게 이 문이 허용되지 않았을 것이다. 하늘이 아직 이 문을 없애려 하지 않으시는데 광 사람들이 나를 어떻게 하겠는가?

【집주】

馬氏曰 文王旣沒 故 孔子 自謂後死者 言天若欲喪此文 則必不使我得與於此文 今 我 旣得與於此文 則是 天未欲喪此文也 天 旣未欲喪此文 則匡人 其奈我何 言必不能違天害己也

마씨가 말했다. 문왕은 이미 죽었기에 공자께서는 스스로를 나중에 죽는 자라 하셨다. '하늘이 만약 이 문을 없애려 하셨다면 반드시 내게 이 문을 허용하지 않으셨을 것인데, 지금 나에게는 이미 이 문이 허용되었으니 이는 하늘이 이 문을 없애려 하시는 것이 아니다. 하늘이 이미 이 문을 없애려 하지 않으신다면 광 사람들이 나를 어찌하겠느냐'라는 말씀이니, 반드시 하늘(의 뜻)을 어겨 나를 해치지는 못할 것이라는 말씀이다.

【세주】

程子曰 於天之將喪斯文下 便言後死者 不得與於斯文 則是 文之興喪 在孔子 與天爲一矣 蓋 聖人德盛 與天爲一 出此等語 自不覺耳

정자가 말했다. '하늘이 장차 이 문을 없애려 하셨다면'의 구절 아래에 '나중에 죽는 자에게 이 문이 허용되지 않았을 것이다'라고 말씀하신 것, 이는 문이 흥하는가 쇠하는가가 공자께 달려 있다는 것이니, (공자는) 하늘과 마찬가지이다. 대개 성인께서는 덕이 성대하시어 하늘과 마찬가지이시니, 이런 말씀이 나온 것은 부지불각 중에 나온 것일 뿐이다.

○朱子曰 後死者 是對上文文王言之 如曰未亡人之類 此 孔子自謂也 與天生德於予意思一般 斯文 旣在孔子 孔子 便做著天在

주자가 말했다. '나중에 죽는 자'는 윗글의 문왕에 대비해 하신 말씀이니, 마치 '미망인'과 같은 종류의 말로서, 이는 공자께서 스스로를 일컬으신 것이다. (이 말씀은) '하늘이 내게 덕을 내셨다(『논어』7, 「술이」22)'라는 말씀과 같은 뜻이다. '사문(이 문)'이 이미 공자께 있으니 공자께서는 곧 하늘이 되어 계신 것이다.

○南軒張氏曰 文也者 所以述是道而有傳也 文王旣沒 聖人 以斯文爲己任也 己之在與亡 斯文之喪與未喪係焉 是二者 豈人之能爲哉 天也 不曰喪己而曰喪斯文 蓋 己之身 卽斯文之所在也

남헌 장씨가 말했다. '문'이라고 하는 것은 이 도를 찬술하여 전하는 것이다. 문왕이 이미 돌아가심에, 성인께서는 이 문을 자신의 임무로 여기셨다. 자신이 사느냐 죽느냐는 곧 이 문이 없어지느냐 없어지지 않느냐와 관련된다. 이 두 가지가 어찌 사람이 할 수 있는 것이리오, 하늘이다(하늘이 할 수 있는 것이다). '나를 없앤다'라고 하지 않고 '이 문을 없앤다'라고 한 것은 대개 자신의 몸이 곧 이 문이 있는 곳이기 때문이다.

○雙峯饒氏曰 天生聖人 以任斯道 達則爲天地立心 爲萬民立命 窮則繼往聖 開來學 天意如此 人 安能違天而害之 有夫子之德 有夫子之道 而後可以如夫子之自任 否則妄也

쌍봉 요씨가 말했다. 하늘이 성인을 내시어 이 도를 맡기셨다. 현달하면 천지를 위해 마음을 세우고 만민을 위해 명을 세운다. 궁하면 옛 성인을 계승하고 학문을 개발한다. 하늘의 뜻이 이와 같은데 사람이 어찌 능히 하늘을 어겨 해칠 수 있으리오. 공자의 덕이 있고 공자의 도가 있은 다음에라야 공자께서 스스로 자임하신 것처럼 할 수 있다. 그렇지 않으면 망령된 것이다.

○雲峯胡氏曰 文不在茲之文 卽文王之所以爲文也 文王 接堯舜禹湯之統 夫子 接文王之統 皆天也 紂 能囚文王 不能違天而害文王 匡人 能圍夫子 不能違天而害夫子

운봉 호씨가 말했다. '문이 여기 있지 아니한가'라고 할 때의 문은 곧 문왕이(그 시호가) 문이 되는 그 이유로서의 문이다. 문왕은 요순우탕의 정통을 이었고, 공자께서는 문왕의 정통을 이으셨으니, 모두 하늘이다. 주임금은 능히 문왕을 가둘 수는 있었으나 하늘을 어겨 문왕을 해칠 수는 없었다. 광 사람들은 공자를 포위할 수는 있었지만 하늘을 어겨 공자를 해칠 수는 없었다.

9.6-1 大宰 問於子貢 曰 夫子 聖者與 何其多能也 大音泰 與 平聲

태재가 자공에게 물었다. 공자께서는 성인이신가? 어찌 그리 다능하신가.

【집주】

孔氏曰 大宰 官名 或吳或宋 未可知也 與者 疑辭 大宰 蓋 以多能爲聖也

공씨가 말했다. 태재는 관직명이다. 혹 오나라 (관리)인지 송나라인지 알 수 없다. '여'는 의문사이다. 태재는 대개 다능함을 성인(의 본질)이라 생각했다.

【세주】

杜氏曰 按春秋之時 以大宰名官者 惟吳宋與魯耳 吳 有大宰嚭 宋 有大宰華督 事殤公 其後九世 至平公 乃以向帶爲大宰 平公卽位之歲 距孔子 過宋歷二公 八十餘年 其間 或廢或否 雖未可知 然 左氏及史記 亦不復載 不可考也 況孔子過宋時 遭桓司馬之厄 遂微服而去 豈復有問子貢者歟 疑此大宰 卽吳嚭也 吳與魯 會繒 嚭召季康子 康子 使子貢往焉 則此 當是吳大宰 而亦當在此年也 魯 自公子翬 請於隱公 欲殺桓 以求大宰 其後不復見

두씨가 말했다. 춘추의 시대를 살펴보면, 태재라는 이름의 관직은 다만 오와 송과 노에 있을 뿐이다. 오에는 태재 비가 있고, 송에는 태재 화독이 있는데 상공을 모셨다. 그 후 9세 뒤 평공에 이르러 상대가 태재가 되었다. 평공이 즉위한 해와 공자와의 시대 차는 송에 두 제후가 이어져 80여 년이나 되니 그 사이에 혹 (태재 관직이) 없어졌는지 아닌지 비록 알 수는 없지만 그러나 『좌씨전』과 『사기』에 또한 다시 실려 있지 않으니 고찰할 수 없다. 황차 공자가 송을 지나갈 때 환(퇴) 사마의 곤액을 만나 급기야 미복으로 떠났으니 어찌 다시 자공에게 물어본 자가 있었으리오. 아마도 이 태재는 오의 비인 듯하다. 오와 노는 증에서 회합했는데 비가 계강자를 부르자 강자가 자공으로 하여금 가게 했으니 이는 당연히 오의 태재이고, 또 당연히 이 해의 일이다. 노의 경우는 공자 휘가 은공에게 청하여 환(공)을 죽여 태재의 자리를 얻으려 한 이후에는 (태재에 관한 기록이) 보이지 않는다.

9.6-2 子貢曰 固天縱之 將聖 又多能也

자공이 답했다. 본디 하늘이 마음대로 하셨으니, 거의 성인이시고 또 다능하시다.

【집주】

縱 猶肆也 言不爲限量去聲也 將 殆也 謙若不敢知之辭

'종'은 마음대로 한다는 뜻이니, (능력에) 제한을 두지 않는다는 말이다. '장'은 '거의'라는 뜻이니, 감히 알지 못하는 듯이 겸손하게 하는 말이다.

【세주】

朱子曰 天 放縱他作聖得恁地 不去限量他 問 愚不肖 是天限之乎 曰 也是天限量他一般 如這道理 聖人知得盡 愚不肖要增進一分不得 拘定在這裏 殆 庶幾也 如而今說將次

주자가 말했다. 하늘이 마음대로 그(공자)를 그렇게 성인으로 만들었으니 그에게 제한을 두지 않으셨다. 물었다. 어리석은 자나 불초한 자는 하늘이 제한을 둔 것입니까? 답했다. 또한 하늘이 그에게 제한을 둔 것은 마찬가지이다. 예컨대 이 도리에 대해 성인은 모두 다 알지만 어리석은 자나 불초한 자는 한 푼어치 더 나아가려 해도 그럴 수 없으니, 여기(제한된 능력)에 꽉 매여 있는 것이다. '태'는 거의라는 뜻이니 마치 요즈음 말하는 '장차' 같은 뜻이다.

【집주】

聖 無不通 多能 乃其餘事 故 言又以兼之

성인은 통하지 않는 것이 없고, 다능은 곧 그 여사(그에 수반된 일)이다. 그러므로 '우(또)'라고 말함으로써 (성인이면서 동시에 다능하시기도 하다고) 겸해 말했다.

9.6-3 子 聞之 曰 大宰 知我乎 吾 少也賤 故 多能鄙事 君子 多乎哉 不多也

공자께서 들으시고 말씀하셨다. 태재가 나를 아는구나. 나는 어렸을 때 미천했으므로 비천한 일에 다능했다. 군자가 다능하겠는가? 다능하지 않다.

【집주】

言由少賤 故 多能 而所能者 鄙事爾

어렸을 때 미천했던 까닭에 다능했는데 그 능한 바란 비천한 일이었다는 말이다.

【세주】

朱子曰 鄙事 如釣弋獵較之類

주자가 말했다. 비천한 일이란 낚시나 주살 쏘기, 사냥 경쟁 같은 일들이다.

【집주】

非以聖而無不通也 且多能 非所以率人 故 又言君子不必多能 以曉之

성인이라서 통하지 않는 것이 없는 것도 아니고, 또 다능은 남을 이끌 수 있는 것도 아니기 때문에, 또 '군자는 꼭 다능할 필요는 없다'라고 말씀하시어 밝히셨다.

【세주】

朱子 嘗問學者 曰 大宰云 夫子 聖者與 何其多能也 是 以多能爲聖也 子貢對以夫子固天縱之將聖又多能也 是 以多能爲聖人餘事也 子曰 吾少也賤故 多能鄙事 君子多乎哉 不多也 是 以聖爲不在於多能也 三者之說 不同諸君 且道誰說得聖人地位著 諸生 多主夫子之言 曰 大宰 以多能爲聖 固不是 若要形容聖人地位 則子貢之言爲盡 蓋 聖 主於德 固不在多能 然 聖人未有不多能者 夫子 以多能不可以律人 故 言君子不多 尙德而不尙藝之意而其實 聖人 未嘗不多能也

주자가 일찍이 배우는 자들에게 물어보았다. 태재가 말하기를 '공자께서는 성인이신가? 어찌 그리 다능하신가'라 했는데, 이는 다능함을 성인(의 본질)이라 생각한 것이다. 자공이 대답하기를 '공자께서는 본디 하늘이 마음대로 하셨으니, 거의 성인이시고 또 다능하시다'라고 했는데 이는 다능을 성인의 여사로 본 것이다. 공자께서는 '나는 어릴 적에 미천했으므로 비천한 일에 다능했다. 군자가 다능하겠는가? 다능하지 않다'라고 말씀하셨으니 이는 성인이 (성인인 이유가) 다능에 있지 않다고 본 것이다. 세 가지 설(태재, 자공, 공자의 말)은 다른데 제군들은 또 (셋 가운데) 어느 설이 성인의 경지를 잘 설명한 것인지 말해보라. 제생들이 (답하기를) 공자의 말씀을 위주로 하는 경우가 많았다. (주자가) 말했다. 태재가 다능을 성인이라고 본 것은 본디 옳지 않지만 만약 성인의 경지를 형용하려 한다면 자공의 말이 완전하다. 대개 성인은 덕을 위주로 하니 본디 다능에 있지 않다. 그러나 성인은 다능하지 않는 경우가 없다. 공자께서는 다능을 가지고는 사람을 규율하지 못하는 까닭에 군자는 다능하지 않다고 말씀하셨는데, 덕을 숭상하지 기예를 숭상하지는 않으신다는 뜻이다. 그러나 기실, 성인은 일찍이 다능하지 않은 경우가 없다.

○又曰 太宰知我乎以下 煞有曲折意思 聖人 不直謂大宰不足以知我 只說大宰也知我 這 便見聖人待人恁地溫厚

또 말했다. '태재가 나를 아는구나'라는 구절 이하에는 완곡히 말씀하시는 뜻이 매우 많다. 성인께서 곧바로 '태재는 나를 알기에 부족하다'라고 말씀하지 않으시고 다만 '태재가 나를 아는구나'라고 말씀하셨으니, 여기서 또 성인께서 사람을 대우하심이 이렇게 온후하심을 알 수 있다.

○南軒張氏曰 多能 雖不害其爲君子 然 爲君子 不在乎多能

남헌 장씨가 말했다. 다능은 비록 군자가 되는데 지장을 주는 것은 아니지만 그러나 군자가 되는 것은 다능에 달려 있지 않다.

○慶源輔氏曰 若以多能率人 則人 將徇末而忘本 尙才而不務德 卒無以入聖賢之域矣

경원 보씨가 말했다. 만약 다능으로 사람을 이끌면 사람들은 장차 말을 좇아 본을 잊을 것이고 재주를 숭상해 덕에 힘쓰지 않아 마침내 성현의 영역에 들어갈 수 없을 것이다.

9.6-4 牢曰 子云 吾 不試 故 藝

뇌가 말했다. 공자께서는 '나는 쓰이지 않았기에 기예가 있다'라 하셨다.

【집주】

牢 孔子弟子 姓 琴 字 子開 一字 子張 衛人 試 用也 言由不爲世用故 得以習於藝 而通之

뇌는 공자의 제자로, 성은 금이고 자는 자개이며 또 다른 자는 자장이다. <위나라 사람이다.> '시'는 쓰이는 것이다. 세상에 쓰이지 않았기에 기예를 익혀 통했다는 말씀이다.

○吳氏曰 弟子 記夫子此言之時 子牢因言 昔之所聞有如此者 其意 相近 故竝記之

오씨가 말했다. 제자가 공자의 이 말씀을 기록할 당시에, 자뢰가 이어서 전에 들은 바 중에 이와 같은 것이 있다고 말했는데, 그 뜻이 서로 비슷하므로 같이 기록해둔 것이다.

【세주】

問 吾不試故藝 朱子曰 想見聖人 事事會 但不見用 所以 人 只見小小技藝 若使其得用 便做出大功業來 不復有小小技藝之可見矣

'내가 쓰이지 않았으므로 기예가 있다'라는 말씀에 대해 물었다. 주자가 답했다. 성인을 뵈면 모든 일을 다하실 수 있는 것 같은데 다만 쓰이지 않으셨다. 그래서 사람들이 다만 소소한 기예만 보았지만, 만약 쓰이게 했더라면 커다란 공업을 이루어내셨을 것이니 다시는 소소한 기예를 볼 수 없었을 것이다.

○新安陳氏曰 多能 亦聖德無不通之驗 大宰 認多能爲聖 知其末 不知其本也 子貢謂 聖而又多能 知其由本而該末也 孔子自言 與琴牢所聞 皆謙辭耳

신안 진씨가 말했다. 다능은 또한 성인의 덕이 통하지 않는 것이 없음의 증거이다. 태재는 다능이 성인이라고 생각했는데, 그 말은 알고 그 본은 몰랐던 것이다. 자공이 말하기를 '성인이시고 또 다능하시다'라 했는데,

근본으로부터 비롯하여 말을 갖춘 것임을 안 것이다. 공자께서 스스로 말씀하신 것과 금뢰가 들은 바는 모두 겸손의 말씀이다.

9.7 子曰 吾 有知乎哉 無知也 有鄙夫問於我 空空如也 我 叩其兩端而竭焉 叩 音口

공자께서 말씀하셨다. 내가 아는 것이 있으리오? 아는 것이 없다. 촌사람이 나에게 물어볼 때 (비록) 막연하여도 나는 그 두 끝을 두드려 힘을 다한다.

【집주】

孔子謙言 己無知識 但其告人 雖於至愚 不敢不盡耳 叩 發動也

공자께서는 겸손하게 말씀하시어 '나는 지식이 없다'라고 하셨지만 다만 남에게 알려주실 때는 비록 지극히 어리석은 자라도 감히 힘을 다하지 않음이 없으셨다. '고'는 발동시키는 것이다.

【세주】

趙氏曰 叩 乃叩擊 有發動之意

조씨가 말했다. '고'는 곧 두드린다는 것이니, 발동시킨다는 뜻이 있다.

【집주】

兩端 猶言兩頭 言終始本末上下精粗 無所不盡

양단(두 끝)은 양쪽 끝을 말하는 것이니, 처음과 끝, 본과 말, 위와 아래, 정밀한 것과 거친 것 어느 것도 다하지 않음이 없다는 말이다.

【세주】

朱子曰 兩端 就一事而言 說這淺近道理 那箇深遠道理 也便在這裏 吾有知乎哉 無知也 此 聖人謙辭 凡 聖人謙辭 未有無因而發者 這上面必有說話 門人 想記不全 須求這意始得 如達巷黨人 稱譽孔子 博學而無所成名 聖人乃曰 吾 執御矣 皆是因人譽己 聖人 方承之以謙 此處 想必是人稱道聖人無所不知 誨人不倦 有這般意思 聖人 方道是我無知識 亦不是誨人不倦 但鄙夫來問 我則盡情向他說 若不如此 聖人 何故自恁地謙 自今觀之 人 無故說謙話 便似要人知模樣

주자가 말했다. 두 끝은 하나의 일에 대해 말하는 것이니, 이 얕고 가까운 도리에 대해 설명하면 저 깊고 먼 도리 또한 거기에 있다. '내가 아는 것이 있는가? 아는 것이 없다'라는 이 말은 성인의 겸손의 말씀이다. 무릇 성인의 겸손의 말씀은 아무 연유 없이 나온 경우가 없다. 이 위쪽의 말씀에도 반드시 (배경이 되는) 이야기가 있었을 것인데, 아마도 문인이 온전히 기록하지 못한 듯하니, 반드시 이 뜻(그 의미)을 구해보아야 할 것이다. 예컨대 달항의 당인이 공자를 박학하되 이름을 이룬 바가 없다고 칭송하자 성인께서 이에 말씀하시기를 '내가 마차 몰기를 전문으로 하겠다(『논어』9, 「술이」 2장)'라고 하신 것은 모두 남이 나를 칭송하면 성인께서 비로소 겸사로써 이어받으신 것이다. 여기서는 아마도 필시 어떤 사람이 성인께서 모르시는 것이 없고 사람을 열심히 가르친다고 칭찬했던 것 같다. 이런 의미가 있었기에 성인께서 비로소 '나는 지식이 없으며 또한 사람을 열심히 가르치는 것도 아니다. 다만, 촌사람이 와서 물으면 나는 정성을 다해 그에게 설명한다'라고 말씀하셨을 것이다. 만약 그렇지 않다면 성인께서 무슨 까닭에 스스로 이렇게 겸양하셨겠는가? 요즈음 보면, 사람이 아무 까닭 없이 겸손한 말을 하면 곧 남에게 그런 모습[자신이 겸손하다는 것]을 알게 하려는 것 같다.

○慶源輔氏曰 終始 以事言 本末 以物言 上下 以道器言 精粗 以事理言 必如是 而後該括得盡 夫子之告人 必發動其兩端 而盡告之

경원 보씨가 말했다. 처음과 끝은 일을 가지고 하는 말이고, 본과 말은 사물을 가지고 하는 말이고, 위와 아래는 도기(도의 수단)를 가지고 하는 말이고, 정밀한 것과 거친 것은 사리(이치와 일, 즉 원리와 사태)를 가지고 하는 말이다. 반드시 이처럼 한 다음이라야 모든 것을 포괄했다고 할 수 있다. 공자께서 남에게 알려주실 때는 반드시 그 두 끝을 발동시켜 모두 다 알려주셨다.

○新安陳氏曰 聖人 雖謙言己無所知 然 教人 而竭盡其理 如此 非上智周知之者 不能也

신안 진씨가 말했다. 성인께서는 비록 자신은 아는 바가 없다고 겸손히 말씀하셨지만, 그러나 사람을 가르치심에 그 이치를 이처럼 다하셨으니 상지(최고로 지혜로운 사람)로서 두루 아는 자가 아니면 그럴 수 없는 것이다.

【집주】

○程子曰 聖人之教人 俯就之若此 猶恐衆人以爲高遠而不親也 聖人之道 必降而自卑 不如此 則人不親 賢人之言 則引而自高 不如此 則道不尊 觀於孔子孟子 可見矣

정자가 말했다. 성인께서 사람을 가르치는 것은 이처럼 낮추어 접근하셨으니, 뭇사람들이 높고 멀다고 생각하여 가까이 하지 않을까 염려하신 때문이다. 성인의 도는 반드시 내려서 스스로 낮추신다. 그렇지 않으면 사람들이 가까이 하지 않는다. 현인의 말은 끌어올려 스스로 높인다. 그렇게 하지 않으면 도가 높아지지 않는다. 공자(낮추어 말하는 성인)와 맹자(높여 말하는 현인)를 보면 알 수 있다.

【세주】

朱子曰 聖人 極其高大 人 自難企及 若更不俯就 則人 愈畏憚 而不敢進 賢人 有未熟處 人 未甚信服 若不引而自高 則人 將必以爲淺近不足爲 不是要人尊己 蓋 使人知斯道之大 庶幾竦動著力去做 孔子嘗言 如有用我者 朞月而已 可也 又言 吾 其爲東周乎 只作平常閑說 孟子言 如欲平治天下 當今之世 舍我其誰 便說得廣 是 勢不得不如此

주자가 말했다. 성인께서는 그 높고 큼을 다하셨으니 사람들이 당연히 미치기 어렵다. 만약 낮추어 접근하지 않으면 사람들이 더욱 두렵고 꺼리어 감히 나서려 하지 않을 것이다. 현인은 아직 완전하지 못한 곳이 있어서 사람들이 완전히 신복하지 않으니 만약 끌어올려 스스로 높이지 않으면 사람들은 장차 반드시 얕고 가까워 실천하기에 족하지 않다고 여길 것이다. (현인이 그렇게 하는 것은) 남들이 자기를 존경하게 하려는 것이 아니라 대개 남으로 하여금 이 도의 큼을 알게 하려는 것으로, 거의 야단스럽게 힘을 기울여 해나간다. 공자께서 일찍이 말씀하시기를 "만약 나를 쓰는 자가 있다면 일 년이면 가능하다(『논어』13, 「자로」10)"라 하시고 또 말씀하시기를 "내가 동주를 만들겠다(『논어』17, 「양화」5)"라 하셨는데, 다만 일상의 한가한 이야기처럼 말씀하셨다. 맹자는 "만약 천하를 태평하게 다스리려 하면 지금 세상에 나 말고 누가 있으랴(『맹자』4, 「공손추 하」13)"라 했으니 곧 과장스럽게 말한 것이다. 이는 사세가 그럴 수밖에 없었기 때문이다.

【집주】

尹氏曰 聖人之言 上下兼盡 卽其近 衆人 皆可與音預**知 極其至 則雖聖人 亦無以加焉 是之謂兩端 如答樊遲之問仁智 兩端竭盡 無餘蘊**委粉 於問 二反**矣**

윤씨가 말했다. 성인의 말씀은 위아래를 모두 극진히 하셨으니, 가까운 것에 대해서는 뭇사람이 모두 함께 알 수 있고, 그 지극한 것에 대해서는 비록 성인이라 하더라도 또한 더할 것이 없다. 이를 일러 두 끝이라 한다. 예컨대

번지의 인과 지를 묻는 질문에 대답하신 것은 두 끝을 다하셔서 남은 것이 없었다.

【세주】

雙峯饒氏曰 如答樊遲問仁智 只是眼前事 子夏 推之 則舜湯之治 亦不過此 故 於兩端爲竭焉

쌍봉 요씨가 말했다. 번지의 인과 지를 묻는 질문에 답하신 것은 단지 눈앞의 일이고 자하가 (그 답하신 것을 듣고) 추론한 것은 순임금과 탕임금의 정치도 또한 이에 지나지 않는다는 것이니(『논어』12, 「안연」22), 그러므로 그 두 끝에 대해 다한 것이다.

【집주】

若夫音扶語上 而遺下 語理 而遺物 則豈聖人之言哉

만약 위를 말하면서 아래를 빠트리고 이치를 말하면서 사물을 빠트리면 어찌 성인의 말씀이리오.

【세주】

慶源輔氏曰 程子 論佛氏之學 如管中窺天 只見上去 不見四旁 是 語上而遺下也 又曰 言爲無不周徧 實則外於倫理者 是 語理而遺物也

경원 보씨가 말했다. 정자가 불씨(부처)의 학을 논하면서 미치 대롱으로 하늘을 보는 것처럼 다만 위쪽만 보고 사방은 보지 못한다 했는데, 이는 위를 말하고 아래는 빠트린 것이다. 또 말했다. 말은 두루 빠트린 것이 없이 잘하지만 실제는 윤리의 밖에 있다면, 이는 이치를 말하면서 사물은 빠트린 것이다.

○問 執兩端 與竭兩端 如何 朱子曰 兩端 也只一般 猶言頭尾也 執兩端 方識得一箇中 竭兩端 言徹頭徹尾 都盡也 問 只此 是一言而盡這道理 如何 曰 有一言而盡者 有數言而盡者 如樊遲問仁 曰 愛人 問知 曰 知人 此 雖一言而盡 推而遠之 亦無不盡 如子路正名之論 直說到無所措手足 如子路問政 哀公問政 皆累言而盡 但 只聖人之言 上下本末始終大小 無不兼擧

물었다. 두 끝을 잡는 것(양 극단을 헤아리는 것)과 두 끝을 다하는 것은 어떻습니까(어떻게 다릅니까)? 주자가 답했다. 두 끝은 또한 마찬가지일 뿐이니, 머리와 꼬리를 말하는 것이다. 두 끝을 잡으면 바야흐로 하나의 가운데(중용에 해당되는 것)를 알게 되는 것이고, 두 끝을 다하는 것은 철두철미 모두 다한다는 말이다. 물었다. 다만 이는 한마디 말로 이 도리를 다하는 것입니다. 어떻습니까? 답했다. 한마디 말로 다하는 경우가 있고 몇 마디 말로 다하는 경우가 있다. 예컨대 번지가 인을 물었을 때 사람을 사랑하는 것이라고 답하신 것이나 앎을 물었을 때 사람을 아는 것이라고 답하신 것, 이는 비록 한마디 말로 다한 것이지만 미루어 멀리 나아가면 또한 다하지 않음이 없다. 예컨대 자로의 정명의 논의에 대해서는 곧바로 '(이름이 바르지 않으면) 손발을 둘 곳이 없다'고 말씀하셨고, 자로가 정치를 물었을 때나 애공이 정치를 물었을 때 모두 여러 가지를 말씀하시어 다했다. 단, 다만 성인의 말씀만이 위와 아래, 본과 말, 처음과 끝, 큰 것과 작은 것을 모두 겸하여 들지 않은 것이 없을 뿐이다.

○雲峯胡氏曰 大舜 是取人之言 執其兩端 而用其一 夫子 是教人之言 竭其兩端 而未嘗遺其一也

운봉 호씨가 말했다. 대순(순임금)의 경우는 남의 말을 듣는 것이니, 그 두 끝(극단)을 헤아려 (중용에 해당하는) 하나를 썼다(『중용』6). 공자의 경우는 사람을 가르치는 말이니, 그 두 끝을 다하여 일찍이 그 하나도 빠트리지 않으셨다.

9.8 子曰 鳳鳥不至 河不出圖 吾 已矣夫 夫 音扶

공자께서 말씀하셨다. 봉황도 오지 아니하고 하도도 나오지 아니하니, 나는 그만이로구나.

【집주】

鳳 靈鳥 舜時 來儀 文王時 鳴於岐山 河圖 河中龍馬負圖 伏羲時出 皆聖王之瑞也 已 止也

'봉'은 신령스러운 새이다. 순임금 때 훌륭한 모습으로 왔고 문왕 때 기산에서 울었다. '하도'는 황하 가운데의 용마가 그림을 등에 진 것이니, 복희 때 출현했다. 모두 성왕의 상서로운 표징이다. '이'는 그치는 것이다.

○張子曰 鳳至圖出 文明之祥 伏羲舜文之瑞 不至 則夫子之文章知其已矣

장자가 말했다. 봉황이 오고 하도가 나오는 것은 문명의 상서로움이니, 복희와 순임금과 문왕의 상서로움이 오지 않으면 공자의 문장(빛나는 문명)이 그칠 것임을 알 수 있다.

【세주】

南軒張氏曰 鳳至圖出 蓋 治世之徵也 聖人 歎明王之不興 而道之終不行耳

남헌 장씨가 말했다. 봉황이 오고 하도가 나오는 것은 대개 잘 다스려진 세상의 상징이다. 성인께서는 밝은 임금이 일어나지 않아 도가 마침내 행해지지 않는 것을 탄식하신 것뿐이다.

○慶源輔氏曰 聖人之道行 則文章 著見於外 禮樂制度之類也 故 鳳至圖出 以兆文明之祥 鳳 以其文采 圖 以其卦畫 文明之祥 不至 則夫子之道 不行 故 知其文章已矣

경원 보씨가 말했다. 성인의 도가 행해지면 문장이 밖으로 드러나니, 예악제도 등이 그것이다. 그러므로 봉황이 오고 하도가 나옴으로써 문명의 상서로움의 조짐을 보이니, 봉황은 그 문채 때문이고 하도는 그 괘의 그림 때문이다. 문명의 상서로움이 오지 않으면 공자의 도는 행해지지 않을 것이니, 그러므로 그 문장이 그칠 것임을 알 수 있다.

○新安陳氏曰 吾道文明 必有其應 鳳至圖出 文明祥瑞之應也 夫子 有其德 無其時 鳳不至 圖不出 天未欲聖道之行 可知矣 夫子 所以深歎也 麟出 似矣 而踣焉 春秋 所以作也 斯歎也 其在獲麟之前乎

신안 진씨가 말했다. 우리 도의 문명은 반드시 그 조짐이 있으니 봉황이 오고 하도가 나오는 것이 문명의 상서로움의 조짐이다. 공자께서는 그 덕이 있으셨지만 그때는 없었으니(도를 행할 만한 때를 얻지 못했으니), 봉황이 오지 않고 하도가 나오지 않았다. 하늘이 성스러운 도가 행해질 것을 아직 바라지 않음을 알 수 있으니, (이것이) 공자께서 깊이 탄식하신 이유이다. 기린이 나온 것은 비슷한 일인 듯하지만 넘어뜨렸으니 (이것이) 『춘추』를 지으신 까닭이다. 이 탄식은 획린(기린을 잡음) 전에 있었던 것인가.

9.9 子 見齊衰者 冕衣裳者與瞽者 見之 雖少 必作 過之 必趨 齊 音咨 衰 七雷反 少 去聲

공자께서는 자최자(상복 입은 자)나 면류관과 의상을 입은 자(신분이 귀한 자)나 소경을 보시면, 비록 어리더라도 반드시 일어나셨고, 지나갈 때는 반드시 빨리 가셨다.

【집주】

齊衰 喪服

'자최'는 상복이다.

【세주】

邢氏曰 言齊衰 則斬衰 從可知也

형씨가 말했다. 자최라 했으니(자최도 그리한다 했으니) 참최는(참최자도 그리할 것임을) 따라서 알 수 있다.

【집주】

冕 冠也 衣 上服 裳 下服 冕而衣裳 貴者之盛服也

'면'은 관이다. '의'는 윗옷이고 '상'은 아래옷이다. 면과 의상은 귀한 자의 성장이다.

【세주】

禮 玉藻 曰 衣 正色 裳 間色 鄭曰 冕服 玄上 纁下

『예기』, 「옥조」편에 말하기를 의는 바른 색(원색)이고 상은 간색(중간색)이라 했다. 정씨가 말하기를 면복은 위는 검은색이고 아래는 분홍색이라 했다.

【집주】

瞽 無目者 作 起也 趨 疾行也 或曰 少 當作坐

'고'는 눈이 없는 자이다. '작'은 일어나는 것이다. '추'는 빨리 가는 것이다. 혹자는 '소(어리다)'는 마땅히 '좌(앉아 있다가)'라 해야 한다고 했다.

○范氏曰 聖人之心 哀有喪 尊有爵 矜不成人 其作與趨 蓋 有不期然而然者 尹氏曰 此 聖人之誠心 內外一者也

범씨가 말했다. 성인의 마음에, 상을 당한 것은 슬퍼하셨고 작위에 대해서는 존경하셨고 온전하지 못한 사람은 긍휼히 여기셨다. 일어나고 빨리 가는 것은 대개 그렇게 하려는 것이 아닌데도 그렇게 되는 것이다. 윤씨가 말했다. 이는 성인의 참된 마음이 안과 밖이 하나같기 때문이다.

【세주】

問 作與趨者 敬之貌也 何爲施之於齊衰與瞽者 朱子曰 作與趨 固是敬 然 敬心之所由發 則不同 見冕衣裳者 敬心生焉 而因用其敬 見齊衰者瞽者 則 哀矜之心 動於中 而自加敬也

물었다. 일어나고 빨리 가는 것은 존경하는 모습입니다. 어째서 자최자나 소경에게도 그리하셨습니까? 주자가 답했다. 일어나고 빨리 가는 것은 본디 존경하는 것이지만, 그러나 존경하는 마음이 일어나는 연유는 같지 않다. 면과 의상을 한 자를 보면 존경하는 마음이 일어나 그 때문에 그 존경함을 보이지만, 자최자나 소경을 보면 애긍하는 마음이 마음속에서 움직여 저절로 존경심을 더하게 되는 것이다.

○慶源輔氏曰 聖人之心 寂感 自然內外如一 方其未感也 如止水 如明鏡 一有所感 則隨感而應 敬愛之心 感於內 而作趨之容 見於外 皆自然而然 不知其所以然也

경원 보씨가 말했다. 성인의 마음은 고요할 때나 감응되었을 때나 자연히 내외가 여일하다. 바야흐로 아직 감응되지 않았을 때는 마치 고요한 물 같고, 맑은 거울 같지만, 한 번 감응되면 느낌에 따라 응하니, 경애하는 마음이 마음속에 느껴지면 일어나고 빨리 가는 모습이 밖으로 드러난다. 모두 저절로 그러한 것이지 왜 그러한지는 모르는 것이다.

○雙峰饒氏曰 范氏說 外面作與趨 皆由其裏面 哀有喪 尊有爵 矜不成人 而然 尹氏又說 他人裏面 雖有此 未必便見於此 聖人 裏面如此 外面也如此 二說 互相發明 蓋 裏面不如此 而外面如此者 僞也 裏面如此 而外面不如此者 誠不至也 聖人 至誠 所以 表裏 皆如此

쌍봉 요씨가 말했다. 범씨는 "외면으로(겉의 동작으로) 일어나고 빨리 가는 것은 모두 그 내면으로부터 말미암으니, 상에는 슬퍼하고, 작위에 대해서는 존경하고, 온전하지 않은 사람은 긍휼히 여겨 그렇게 하신 것이다"라 했고,

윤씨는 또 말하기를 "다른 사람의 내면에 비록 이러한 것이 있다 하더라도 꼭 이러한 것이 드러나는 것은 아니다. 성인은 내면도 이와 같고 외면도 또한 이와 같다"라 했다. 두 설은 서로가 서로를 밝혀준다. 대개 내면이 이와 같지 않으면서도 외면은 이와 같은 자는 거짓된 것이다. 내면은 이와 같은데 외면은 이와 같지 않은 자는 참됨이 지극하지 않은 것이다. 성인은 지극히 참되시니 그런 까닭에 겉과 속이 모두 이와 같다.

9.10-1 **顔淵 喟然歎曰 仰之彌高 鑽之彌堅 瞻之在前 忽焉在後** 喟 苦位反 鑽 祖官反

안연이 한숨 쉬며 탄식하여 말했다. 우러러 보면 더욱 높으시고 뚫어보면 더욱 단단하시다. 앞에 계신 것을 보았는데 홀연히 뒤에 계신다.

【집주】

喟 歎聲 仰彌高 不可及 鑽彌堅 不可入 在前在後 恍忽 不可爲象

'위'는 탄성이다. 우러러 보면 더욱 높아 미칠 수 없고 뚫으려 하면 더욱 단단해 들어갈 수 없다. 앞에 있기도 하고 뒤에 있기도 하니 황홀하여 모습을 그릴 수 없다.

【세주】

新安陳氏曰 象 形也 初未有的見時 如此

신안 진씨가 말했다. '상'은 형용하는 것이다. 처음에 적실하게 볼 수 없었을 때에는 이와 같았다.

【집주】

此 顔淵 深知夫子之道 無窮盡 彌高堅 **無方體** 在前後 **而歎之也**

이는 안연이 공자의 도가 다함이 없고 <더욱 높고 단단함> **구체적 형상이 없음** <앞에도 뒤에도 있음>**을 깊이 깨달아 탄식한 것이다.**

【세주】

程子曰 仰之彌高 見其高而未能至也 鑽之彌堅 測其堅而未能達也 此 顔子知聖人之道 而善形容者也

정자가 말했다. '우러러 보면 더욱 높다'는 것은 그 높음을 보았지만 도달할 수 없다는 것이다. '뚫어보면 더욱 단단하다'는 것은 그 단단함을 헤아렸지만 도달할 수 없다는 것이다. 이는 안자가 성인의 도를 알고 잘 형용한 것이다.

○朱子曰 高堅 是說難學 前後 是說聖人之道捉摸不著 皆是譬喩如此 聖人

只是一箇中的道理 高堅前後 只是箇中庸不可能 蓋 聖人之道 是箇恰好的道理 不著意 又失了 纔著意 又過了 只是難到恰好處

주자가 말했다. '높고 단단하다'는 것은 배우기 어렵다는 말이고, '앞에 있고 뒤에 있다'는 것은 성인의 도가 잘 붙들어지지 않는다는 말이니, 모두 그렇다는 것을 비유한 것이다. 성인께서는 단지 하나의 중정한 도리일 뿐이다. '높고 단단하고 앞에 있고 뒤에 있다'는 것은 단지 해낼 수 없는 중용일 뿐이다. 대개 성인의 도는 꼭 맞는 도리이니 뜻을 두지 않으면(신경을 쓰지 않으면) 잃어버리고, 뜻을 두면 또 지나쳐버려 꼭 맞는 곳에 도달하기는 어렵다.

○顏子 仰之彌高 鑽之彌堅 瞻之在前 忽焉在後 不是別有箇物事 只是做來做去 只管不到聖人處 若做得緊 又大過了 若放慢做 又不及 聖人 則動容周旋 都是這道理

안자는 '우러러 보면 더욱 높고 뚫으려 하면 더욱 단단하고 앞에 계신 것을 보았는데 홀연히 뒤에 계신다'라 했는데, 이는 다른 일이 아니라 다만 이리해도 저리해도 성인의 경지에 도달하지 못한다는 것이다. 만약 너무 바짝 하면 또 너무 지나치고, 만약 느슨하게 하면 또 미치지 못한다. 성인께서는 모든 동작과 행동이 다 이 도리이시다.

9.10-2 夫子 循循然善誘人 博我以文 約我以禮

선생님께서는 순서에 따라 사람을 잘 이끄신다. 문으로 나를 넓혀 주셨고 예로써 나를 단속하셨다.

【집주】

循循 有次序貌

'순순'은 차례가 있는 모습이다.

【세주】

朱子曰 所謂次序者 非特以博文約禮 分先後次序 博文約禮中 各有次序 先後淺深

주자가 말했다. 소위 순서라는 것은 단지 박문과 약례만을 선후의 차례로 나눈 것이 아니다. 박문과 약례 그 가운데에 또 각기 선후와 깊고 얕음의 차례가 있다.

【집주】

誘 引進也 博文約禮 教之序也 言夫子道 雖高妙

'유'는 이끌어 나아가는 것이다. 박문과 약례는 가르침의 순서이다. 공자의 도는 비록 높고 묘하지만

【세주】

雙峰饒氏曰 高 說彌高彌堅 妙 說在前在後

쌍봉 요씨가 말했다. '(공자의 도가) 높다'는 것은 '더욱 높고 더욱 단단하다'는 것을 말하고, '묘하다'는 것은 '앞에 있고 뒤에 있다'는 것을 말한다.

【집주】

而教人 有序也

사람을 가르치심에는 순서가 있었다는 말이다.

【세주】

上蔡謝氏曰 顏子 學得親切 仰之彌高 鑽之彌堅 無限量也 以見聖人之道大 瞻之在前 卽不及 忽焉在後 又蹉却 以見聖人之道中 觀此一段 卽知顏子看得親切 博我以文 使知識廣 約我以禮 歸宿處也

상채 사씨가 말했다. 안자는 가깝고 절실하게 배울 수 있어서, 우러러 보면 더욱 높고 뚫어보면 더욱 단단하여 한량이 없었으니 이로써 성인의 도가 큼을 알았다. 앞에 계신 것을 보았는데 미칠 수 없었고, 홀연히 뒤에 계시어 또 놓쳤으니 이로써 성인의 도가 중정함을 알았다. 이 한 단락을 보면 곧 안자가 가깝고 절실하게 볼 수 있었음을 알 수 있다. '문으로 나를 넓혀 주셨다'는 것은 지식을 넓혀 주신 것이고, '예로써 나를 단속하셨다'라는 것은 돌아가 머무를 곳이다.

○朱子曰 博我以文 約我以禮 聖門教人 只此兩事 須是互相發明 約禮底工夫 深 則博文底工夫 愈明 博文的工夫 至 則約禮的工夫 愈密

주자가 말했다. '문으로 나를 넓혀 주시고 예로써 나를 단속하셨다'는 것,

성인 문하의 교육은 다만 이 두 가지 일이 서로 밝혀주는 것일 뿐이다. 약례의 공부가 깊으면 박문의 공부는 더욱 밝아진다. 박문의 공부가 지극하면 약례의 공부는 더욱 치밀해진다.

○覺軒蔡氏曰 博文條目 多 事事著去理會 禮 却只是一箇道理 如視也 是這禮 聽也 是這禮 言也 是這禮 動也 是這禮 若博文而不約之以禮 便是無歸宿處 詳此數條 解釋 已極分明 學者 合下便有著力處 若更推之 則文 非特文章文華之文 凡 剛柔之往來 上下之交錯 微而天理之節文 著而法度之煥然者 皆是也 極其博 則貫通融會 而天下之理 洞然於吾心 而無所蔽 禮 非特儀禮典禮之禮 凡 天理之自然 人心之固有 截然而有定則者 皆是也 極其約 則操持固執 而天下之理 渾然於吾身 而無所虧 博文 近於致知 約禮 近於力行 不博 則無以造乎約 不約 則無以盡乎博

각헌 채씨가 말했다. 박문의 조목은 많으니 일일이 이해해 나가야 한다. 예는 오히려 다만 하나의 도리일 뿐이니 예컨대 보는 것도 이 예이고 듣는 것도 이 예이고 말하는 것도 이 예이고 움직이는 것도 이 예이다. 만약 박문하면서 예로써 단속하지 않으면 곧 돌아가 머물 곳이 없는 것이다. 이 몇 구절을 자세히 살피면 그 해석은 이미 극히 분명하니 배우는 자가 응당 힘을 기울여야 할 곳이 있다. 만약 좀 더 밀고 나간다면, 이때의 문은 다만 문장 문화(수사나 문학의 화려함)의 문만은 아니니, 무릇 굳셈과 유연함의 왕래, 위와 아래의 교차, 은밀하게는 천리의 절문, 드러나게는 법도의 환함, (그것들이) 다 이것(문)이다. 그 넓음을 다하면 관통융회(하나의 원리가 꿰뚫이 하나로 녹음)하니, 천하의 이치가 내 마음에 환하여 가리어진 것이 없다. 예는 다만 의례 전례(겉 형식으로서의 예)의 예만은 아니니, 무릇 천리의 자연스러움, 인심에 본디 있는 것, 자른 듯이 정해진 규칙이 있는 것, (그것들이) 다 이것(예)이다. 그 단속을 지극히 하면 몸가짐을 단단히 지켜, 천하의 이치가 내 몸에 혼연하여 이지러짐이 없다. 박문은 치지에 가깝고 약례는 역행에 가깝다. 넓지 않으면 단속할 것이 없고 단속하지 않으면 넓음을 다할 수 없다.

○雙峰饒氏曰 先博我以文 以開廣我之知識 然後約我以禮 使我於視聽言動上 皆由乎規矩準繩 而所守 得其要

쌍봉 요씨가 말했다. 먼저 문으로 나를 넓히시어 나의 지식을 넓게 열어주시고, 그런 후에 예로써 나를 단속하시어 나로 하여금 시·청·언·동에 있어서 모두 규구준승(기준이 되는 법칙)으로 말미암도록 하시어 지키는 바가 그 요체를 얻게 하셨다.

【집주】

○侯氏曰 博我以文 致知格物也 約我以禮 克己復禮也

후씨가 말했다. '박아이문(문으로 나를 넓혀 주셨다)'은 치지격물(사물의 원리를 깨우쳐 지식에 도달함)이다. '약아이례(예로써 나를 단속하셨다)'는 극기복례(자신을 이겨 예로 돌아감)이다.

【세주】

朱子曰 博我以文 約我以禮 與博學於文 約之以禮 一般 但 博學於文 約之以禮 孔子 是泛言人能博文 而又約禮 可以弗畔大道 而顔子 則更深於此耳 侯氏謂 博文 是致知格物 約禮 是克己復禮 分曉

주자가 말했다. '박아이문(나를 문으로써 넓혀 주셨다)', '약아이례(나를 예로써 단속하셨다)'(본 장)와 '박학어문(문을 널리 배운다)', '약지이례(그것을 예로써 단속한다)'(『논어』12, 「안연」 15장)는 같은 것이다. 단, '박학어문', '약지이례'는 공자께서 사람이 능히 박문하고 또 약례하면 대도에 어긋나지 않을 수 있다는 것을 포괄적으로 말씀하신 것이고 안자의 경우는 또 이에 대해 깊어진[깊이 깨우친] 것이다. 후씨가 말하기를 박문은 치지격물이고 약례는 극기복례라 했는데, 명쾌하다.

○慶源輔氏曰 致知格物 知之事也 克己復禮 行之之事也 所行 卽是所知 非於知之外 別有所謂行也

경원 보씨가 말했다. 치지격물은 앎의 일이고 극기복례는 그것을 행하는 일이다. 행하는 바는 곧 아는 바이니 아는 것 이외에 따로 소위 '행함'이 있는 것은 아니다.

【집주】

程子曰 此 顔子 稱聖人最切當去聲處 聖人敎人 唯此二事而已

정자가 말했다. 이는 안자가 성인(공자가 어떠하신지)을 말한 것 중 가장 절실하고 합당한 것이다. 성인께서 사람을 가르치신 것은 다만 이 두 가지 일일 뿐이다.

【세주】

朱子曰 博我以文 是要四方八面 都見得周匝無遺 至約我以禮 又要收向身己上來 無一毫之不盡 兩事 須互相發明 若博文而不約以禮 便無歸宿處

주자가 말했다. '박아이문'은 사방 팔방 두루 알아 남김이 없이 해야 한다는 것이고, '약아이례'에 이르러서는 또 터럭만큼도 다하지 않음이 없도록 자신에게로 거두어들여야 한다는 것이다. 이 두 일은 반드시 서로가 서로를 밝혀준다. 만약 박문하면서 예로써 약하지 않으면 곧 돌아가 머무를 곳이 없다.

○覺軒蔡氏曰 不說窮理 又不說格物 只說博文 蓋 文字 上該乎理 而比之理 則尤顯 下該乎物 而比之物 則尤精 不說理 只說禮 便是與復禮之禮同 此禮字 更有檢束 便有規矩準繩 若只說理 便泛了 更味兩箇我字 尤見以身體之切實用功處

각헌 채씨가 말했다. '궁리'라 하지 않고 또 '격물'이라 하지 않고 다만 '박문'이라고 한 것은 대개 '문'이라는 글자는 위로는 '이'에 해당하지만 '이'에 비한다면 더욱 드러나고[구체적이고] 아래로는 '물'에 해당하지만 '물'에 비해 더욱 정밀하기 때문이다. '이'라고 말하지 않고 다만 '예'라고 말한 것은 곧 '복례(예로 돌아감)'의 '예'와 같은 것으로, 이 '예' 자는 단속한다는 뜻이니 곧 규구준승이 있다는 뜻이다. 만약 다만 '이'라고 말한다면 곧 너무 포괄적인 말이 되어버린다. 다시 두 '아(나)' 자를 음미해보면 몸으로 체득해야 하는 절실한 공부처라는 것을 더욱 알 수 있다.

○雙峰饒氏曰 博學於文 約之以禮 是我自去博約 以學言也 博我以文 約我以禮 是夫子博我約我 以教言也

쌍봉 요씨가 말했다. '박학어문 약지이례'는 내 스스로 넓히고 단속한다는 것이니, 배움에 관한 말이다. '박아이문 약아이례'는 공자께서 나를 넓히고 단속하셨다는 것이니, 가르침에 관한 말이다.

○厚齋馮氏曰 博文約禮 夫子教人之法 皆然 惟子淵 求道之力 認道之眞 有以見夫子之爲我設爾

후재 풍씨가 말했다. '박문약례'는 공자의 사람 가르치시는 법이 다 그러하셨지만(누구에게나 그렇게 가르치셨지만), 다만 자연(안연)만이 힘써 도를 구하고 진정 도를 인식했기에 공자께서 나를 위해 베푸신 것임을 알았다.

9.10-3 欲罷 不能 旣竭吾才 如有所立卓爾 雖欲從之 末由也已

그만두려 해도 그럴 수 없고, 이미 나의 재주를 다했음에도 마치 우뚝 서 있는 듯하여, 비록 따르려 해도 (어디로부터 말미암아야 할지 몰라서) 말미암을 수가 없다.

【집주】

卓 立貌 末 無也 此 顔子 自言其學之所至也 蓋 悅之深 欲罷不能 而力之盡 旣竭吾才 所見益親 如有所立卓爾 而又無所用其力也 欲從末由 吳氏曰 所謂卓爾 亦在乎日用行事之間 非所謂窈伊小反冥昏默者

'탁'은 우뚝한 모습이다. '말'은 없다는 뜻이다. 이는 안자가 스스로 그 배움이 도달한 경지를 말한 것이다. 대개 깊이 즐거워하고 <그만두려 해도 그만둘 수 없다.> 힘을 다하고 <이미 나의 재주를 다했다.> 보는 바가 더욱 가깝고 <우뚝 서 있는 듯하다.> 또 그 힘을 쓸 데가 없다 <따르려 해도 말미암을 수 없다.>는 것이다. 오씨가 말했다. 소위 '우뚝하다'는 것은 또한 매일매일의 일상사에 있는 것이지 소위 심오하고 아득한 것이 아니다.

【세주】

朱子曰 卓爾 是聖人之大本 立於此 以酬酢萬變處 卽前日 高堅前後底 今看得確定親切 不似向來無捉摸處 不是離高堅前後之外 別有所謂卓爾者也

주자가 말했다. '우뚝하다'는 것은 성인의 큰 근본이 여기에 서 있어서 주고받아 만 번 변하는 곳이니 곧 앞에 말한 '높고 단단하며 앞에 있고 뒤에 있다'는 것이다. 지금(의 말)은 매우 명확하고 친절하게 알 수 있으니 여태까지(앞의 말)의 더듬어볼 곳이 없는 것과는 다르다. 높고 단단하며 앞과 뒤에 있는 것 말고 소위 우뚝한 것이 따로 더 있는 것은 아니다.

○勉齋黃氏曰 吳氏所釋卓爾之意 最爲切實 嘗以其意推之 夫 聖人之道 固高明廣大 不可幾及 然 亦不過性情之間 動容之際 飮食起居交際應酬之務 君臣父子兄弟夫婦之常 出處去就辭受取舍 以至於政事施設之間 無非道之寓

면재 황씨가 말했다. 오씨가 해석한 '우뚝하다'의 뜻은 가장 절실하다. 일찍이 그 뜻으로 추론해보건대 무릇 성인의 도는 본디 높고 밝으며 넓고 커서 미치려 해볼 수 없다. 그러나 또한 성과 정의 사이, 움직이고 고요한 사이를 넘지 않으니, 음식 기거 교제 응수할 때의 일, 군신 부자 형제 부부의 도리, 나가거나 머물거나 사양하거나 받거나 취하거나 버리는 것에서부터 정사의 시행에 이르기까지, 도가 깃들지 않은 것이 없다.

○雙峯饒氏曰 窈窈冥冥 至道之精 昏昏默默 至道之極 列子之言也 此章學者 易得求之高遠 故 引吳氏之說 以明之

쌍봉 요씨가 말했다. '요요명명(깊고 멈)하니 지극한 도의 정밀함이며 혼혼묵묵(고요하고 아득함)하니 지극한 도의 극진함이다(『장자』11, 「재유」)'라는 것은 열자의 말이다. 이 장은 배우는 자가 고원한 것을 구하기 쉬운 까닭에 오씨의 설을 인용하여 밝힌 것이다.

【집주】

程子曰 到此地位 工夫尤難 直是峻絶 又大段著力不得

정자가 말했다. 이 경지에 도달하면 공부는 더욱 어려워서 진정 험준하고, 또 대단히 힘을 쓸 수가 없다.

【세주】

慶源輔氏曰 地位 指旣竭吾才如有所立卓爾之地位也 至此地位 則其理 爲至精至微 非淺智浮識之所能知 疾趨大步之所能至也 惟寬以居之 勿忘勿助長 則不日而化矣 夫 能爲之謂才 竭其才 則是盡其所能爲之才 則其工夫蓋 非才所能及矣 此 其所以著力不得也

경원 보씨가 말했다. (여기서 말하는) '지위(경지)'란 '이미 나의 재주를 다했음에도 마치 앞에 우뚝 서 있는 듯하다'라는 경지를 가리킨다. 이 경지에 도달하면 그 이치는 지극히 정밀하고 미세하여 천박한 지혜나 부박한 지식으로는 능히 알 수 있는 것이 아니고, 빠르고 큰 걸음으로만 도달할 수 있는 것이다. 다만 너그럽게 거처하면서 잊지도 조장(성급하게 억지로 키움)하지도 않으면 얼마 안 있어 변화[덕화]될 수 있다. 무릇 능히 할 수 있는 것을 재주라 하니 그 재주를 다했다는 것은 그 능히 할 수 있는 재주를 다했다는 것이다. 그런즉, 그 공부는 대개 재주를 가지고는 능히 미칠 수 없는 것이다. 이것이 그 힘을 쓸 수 없는 이유이다.

【집주】

楊氏曰 自可欲之謂善 充而至於大 力行之積也 大而化之 則非力

行所及矣

양씨가 말했다. 바람직한 것(사람)을 선(선인)이라 하는데, (이로부터) 채워서 대(대인)에 이르는 것은 힘써 행함이 쌓인 것이다. 대인이면서 저절로 그러한 것(성인의 경지)은 힘써 행한다고 이를 수 있는 것이 아니다. (양씨의 이 말은 『맹자』14, 「진심 하」25장의 구절을 축약한 것임)

【세주】

新安陳氏曰 此 將孟子善信美大聖神之次第 以配此章 大 猶是力行積累之功 化則久久純熟 自然無迹之妙

신안 진씨가 말했다. 이는 맹자의 선·신·미·대·성·신의 순서를 가지고 이 장에 배치한 것이다. '대'는 오히려 힘써 행함이 쌓인 효과라 할 수 있지만, '화'는 오래되어 순수하고 익은 것이니, 자연스럽고 흔적이 없는 오묘함이다.

【집주】

此 顔子所以未達一間如字也

이것이 안자가 한 칸만큼 도달하지 못했던 이유이다.

【세주】

問 夫子教人 不出博文約禮二事 門人 莫不知 惟顔子 有所進 有所見 故高者 有可攀之理 堅者 有可入之理 在前在後者 有可從而審其的之理 非若其他僅能弗畔而已 此 門人 所以不可企及也 朱子曰 得之

물었다. 공자께서 사람을 가르치시는 것이 박문과 약례 두 일을 넘지 않았음은 문인들이 모르는 사람이 없었습니다. (그러나) 오직 안자만이 진보한 바가 있고 본 바가 있었기에 높은 것은 올라갈 수 있는 방법이 있었고 단단한 것은 뚫고 들어갈 방법이 있었고, 앞에 있고 뒤에 있는 것은 좇아서 그 표적을 헤아려볼 방법이 있었습니다. (그러니) 다른 사람들이 겨우 능히 어기지 않을 수 있을 뿐인 것과는 다릅니다. 이는 문인들이 (안자의 경지에) 미치려 해볼 수 없는 이유입니다. 주자가 답했다. 잘 말했다.

○顔子 到這裏 自覺得要著力 而無所容其力 緣聖人 不勉而中 不思而得 賢者 若要著力不勉不思 便是思勉了 所以 大段著力不得 今日 勉之 明日 勉之 勉而至於不勉 今日 思之 明日 思之 思而至於不思 自生而至熟 到這裏 直待他自熟

안자는 여기에 도달해서 힘을 기울이려 해도 그 힘을 용납할 곳이 없음을 스스로 깨달았다. 성인이기 때문에 애쓰지 않아도 맞으며 생각하지 않아도 옳다. 만약 (성인이 못 되는) 현자가 애쓰지 않고 생각하지 않는 것에(그런 경지에 도달하려) 힘을 쓰면 곧 생각하고 힘쓰는 것이 되고 만다. 그래서 대단히 힘을 쓸 수가 없는 것이다. 오늘 힘쓰고 내일 힘쓰고 힘써 힘쓰지 않는 경지에 이르고, 오늘 생각하고 내일 생각하고 생각하여 생각하지 않는 경지에 이르고, 날 것으로부터 익은 것에 이르는 것, 이 단계에 도달해서는 응당 그것이 저절로 익기를 기다려야 한다.

○仰高鑽堅 瞻前忽後 此 猶是見得未親切 在如有所立卓爾 方始親切 雖欲從之末由也已 只是脚步未到 蓋 不能得似聖人從容中道也

우러러 보면 높고 뚫어보면 단단하고 앞에 보이다가 홀연히 뒤에 있다는 말, 이는 오히려 친절하지 않다. 우뚝 서 있는 듯하다는 말에 와서야 비로소 친절하다. 비록 따르려 하나 말미암을 수 없다는 것은 단지 걸음이 도달하지 못하는 것이다. 대개 성인께서 조용히(저절로) 도에 맞으심을 흉내내지 못하는 것이다.

○潛室陳氏曰 前此 猶可以用力 到此 則自大 趨於化 自思勉 而至不思不勉 介乎二者之境 所未達者 一間 非人力所能爲矣 但 當據其所已然 從容涵養 勿忘勿助 至於日深月熟 則亦將忽不期而自到 而非今日之所預知也

잠실 진씨가 말했다. 이 앞 단계에서는 오히려 힘을 쓸 수 있지만, 이 단계에 와서는 '대(대인의 경지)'로부터 '화(저절로 그러한 경지, 즉 성인의 경지)'로 성큼 나아가는 것이고 생각하고 힘쓰는 단계로부터 생각하지 않고 힘쓰지 않는 단계에 이르는 것이다. 두 단계의 사이에 끼어 있어서 (성인의 경지에) 도달하지 못한 것이 한 칸이지만 인력으로 해낼 수 있는 것은 아니다. 단, 이미 그러한 것(기왕에 달성한 것)에 근거하여 조용히 함양하고, 잊지도 않고 조장(성급하게 억지로 키움)하지도 않으면서 날로 깊어지고 다달이 익으면 또한 장차 홀연히 기대하지 않아도 저절로 도달할 것이지만, 지금 미리 알 수 있는 것은 아니다.

【집주】

○程子曰 此 顔子 所以深知孔子而善學之者也 胡氏曰 無上事而喟然歎

정자가 말했다. 이것이 안자가 공자를 깊이 알아 잘 배운 자라고 할 수 있는 까닭이다. 호씨가 말했다. 위의 일(안자의 말이 나올 만한 배경이 되는 사건)이 없는데도 한숨 쉬며 탄식한 것,

【세주】

非如孔子 因曾點 而喟歎

공자께서 증점 때문에 한숨 쉬며 탄식하신 것과는 다르다.

【집주】

此 顔子 學旣有得 故 述其先難之故 後得之由

이는 안자가 배움이 이미 얻은 바가 있었기 때문에 그 앞서의 어려웠던 까닭과 나중에 얻게 된 이유를 기술하고,

【세주】

新安陳氏曰 先難 指仰鑽瞻忽 後得 指如有所立卓爾 由字 指善誘博約

신안 진씨가 말했다. '앞서의 어려움'이란 '우러러 보면 높고 뚫으려 하면 단단하고 (앞에 있는 것을) 보았는데 홀연히 (뒤에 있다)'라는 말을 가리키고, '나중의 얻음'이란 '우뚝 서 있는 듯하다'라는 말을 가리킨다. '유' 자는 '잘 이끄시니 넓히고 단속하셨다'라는 말을 가리킨다.

【집주】

而歸功於聖人也 高堅前後 語道體也 仰鑽瞻忽 未領其要也 惟夫子 循循善誘 先博我以文 使我知古今達事變 然後約我以禮 使我尊所聞 行所知 如行者之赴家 食者之求飽 是以 欲罷不能 盡心盡力 不少休廢 然後見夫子所立之卓然 雖欲從之 末由也已 是 蓋不怠所從 必求至乎卓立之地也 抑 斯歎也 其在請事斯語之後 三月不違之時乎

성인께 공을 돌린 것이다. 높고 단단하며 앞에 있고 뒤에 있다는 것은 도체(도의 본체)에 대해 말한 것이고, 우러러 보고 뚫으려 하고 바라보고 홀연하다는 것은 그 요체를 얻지 못했다는 것이다. 오직 공자만이 순서에 맞게 잘 이끄시니 먼저 나를 문으로써 넓히시어 나로 하여금 고금을 알게 하시고 일의 변화에 통달하게 하셨고, 그런 다음 나를 예로써 제약하시어 나로 하여금 들은 바를 받들고 안 바를 실천하게 하셨으니 마치 길 가는 자가 집으로 돌아가고 먹는 자가 배부르기를 구하는 것이나 마찬가지였다. 이런 까닭에

그만두고자 하여도 그럴 수 없고 마음과 힘을 다하여 잠시도 쉬거나 폐할 수 없었다. 그런 연후에야 공자의 서신 바가 우뚝하다는 것을 알게 되었으니, 비록 따르고자 해도 말미암을 곳이 없었을 뿐이다. 이는 대개 따르는 것을 게을리하지 않고 반드시 우뚝 서는 경지에 이르기를 구한 것이다. 아마도 이 탄식은 '청컨대 이 말씀을 일삼겠습니다'라고 말한 후에, 3개월을 (인에서) 떠나지 아니했을 때에 있었던 일이 아닌가 싶다.

【세주】

問 程子言 到此 大段著力不得 胡氏又曰 不怠所從 必欲至乎卓立之地 何也 朱子曰 末由也已 不是到此便休了不用力 但 工夫用得細 不是初間用得許多粗氣力 這處也 只是循循養將去 如何大段著力得 只恁地養熟了 因擧橫渠云 大 可爲也 化 不可爲也 在熟之而已 欲罷不能 就只是就這博文約禮中做工夫 合下做時 便是下這十分工夫去做 到得這歎時 便是欲罷不能之效 衆人與此異者 只是爭這箇欲罷不能 做來做去 不知不覺的又住了 顔子 則 雖欲罷 而自有所不能 不是勉强如此 顔子用功 精專 方見得夫子動容周旋無不中處 皆是天理之流行 卓然如此分曉 到這裏 顔子 些小未能渾化如夫子 故曰 雖欲從之末由也已

물었다. 정자는 '이에 이르러서는 대단히 힘을 쓸 수 없다'고 했고, 호씨는 또 '따르는 것을 게을리하지 않고 반드시 우뚝 서는 경지에 이르기를 구했다'라 했는데, 왜 그렇습니까? 주자가 답했다. '말미암을 곳이 없다'라는 것은 이에 이르러 곧 그만두고 힘을 쓰지 않는다는 것이 아니다. 다만, 공부를 세밀하게 하는 것이니 처음 단계에 허다한 거친 기력을 쓰는 것과는 다르다. 이 단계에서는 또한 다만 순서에 맞게 길러 나가는 것이니 어찌 대단히 힘을 쓸 수 있겠는가? 단지 그렇게 길러 익혀나갈 뿐이다. 이어 횡거(장재)를 인용하여 말했다. '대(대인의 경지)'는 할 수 있는 것이지만 '화(성인의 경지)'는 할 수 없는 것이니 익는 데 달려 있을 따름이다. '그만두려고 해도 그럴 수 없다'라는 것은 곧 다만 이 박문약례 중의 공부를 해나간다는 것이니, 응당 공부해야 할 때에는 곧 이 공부를 완전히 해나가야 하는 것이다. 이 탄식의 때에 도달할 수 있었던 것은 곧 '그만두고자 해도 그럴 수 없다'의 (공부를 그만두지 않았던) 효과이다. 뭇사람이 이와 다른 것은 다만 이 '그만두고자 해도 그럴 수 없다'는 것에 있어서의 차이이니, (뭇사람들은) 이리저리 해나가다가 자기도 모르는 새 또 그만두어 버린다. 안자의 경우는 비록 그만두고자 하나 당연히 그럴 수 없는 바가 있었으니 억지로 그렇게 했던 것이 아니다. 안자의 공부는 정밀하고 순일했기에, 비로소 공자의 행동거지가 (법도에) 맞지 아니함이 없고 모두 천리의 흐름이어서 이처럼 우뚝하다는 것을 분명하게 알 수 있었다. 이 단계에 이르러 안자는 공자처럼 혼화한(하나의 원리 그 자체가 된) 경지에는 약간 미달했다. 그래서 '비록 따르고자 하여도 말미암을 곳이 없다'라 한 것이다.

○高堅前後 始時之所見也 博文約禮 中間用力之方也 欲罷不能以後 後來得力之效驗也

'높고 단단하며 앞에 있고 뒤에 있다'는 것은 처음 단계에 본 바이다. 박문약례는 중간 단계의 공부 방법이다. '그만두고자 해도 그럴 수 없다' 이후는 나중에 힘을 얻은 효과이다.

○問 顔子此說 亦是立一箇則例 與學者求道用力處 故 程子 以爲學者須學顔子 有可依據 孟子 才大難學者也 曰 然

물었다. 안자의 이 설은 역시 하나의 법칙을 세워 배우는 자에게 도를 구하려 할 때 힘써야 할 곳을 알려주는 것입니다. 그래서 정자는 배우는 자는 모름지기 안자를 배워야 의지할 곳이 있다고 여긴 것입니다. 맹자는 재주는 크지만 배우기 어려운 자입니다. 답했다. 그렇다.

○南軒張氏曰 仰之彌高 愈進愈難攀也 鑽之彌堅 愈鑽愈難入也 瞻之在前 則若不及 忽焉在後 則又過之 蓋 得其中者 爲難也 夫子 則循循然善誘人 從容不迫 以其序而進之 博文約禮 使之集衆義於見聞之間 宅至理於隱微之際 使我自不能已 盡吾之才 以極其至 則見夫所立卓爾 蓋 至此 非力之所能爲 此 顔子 所以喟然而歎歟 反覆詳味 則顔子學聖人終始之功 孔子教人先後之序 與夫聖人之道之至 皆可得而硏求矣

남헌 장씨가 말했다. 우러러 보면 더욱 높다는 것은 가면 갈수록 더욱 오르기 어렵다는 것이다. 뚫어보면 더욱 단단하다는 것은 뚫으면 뚫을수록 더욱 들어가기 어렵다는 것이다. 앞에 있는 것을 보면 미치지 못할 것 같고 홀연히 뒤에 있어 또 지나쳐버리니, 대개 그 중정함을 얻는 것이 어려운 것이다. 공자께서는 순서에 맞추어 사람을 잘 이끄시니, 조용하면서 급박하지 않으시어 그 순서에 따라 나아가게 하신다. '박문약례'(의 가르침)는 보고 듣는 사이에 뭇 의리를 모으게 하고 은밀한 가운데 지극한 이치에 자리 잡게 하는 것이다. 나로 하여금 스스로 그만두지 못하게 하시니 내 재주를 다하여 그 지극함을 다하면 우뚝 선 것을 본 수 있다. 대개 이 단계에 이르면 힘으로 할 수 있는 것이 아니다. 이것이 안자가 한숨 쉬며 탄식한 이유이리라. 반복해 감상해보면 안자가 성인을 배우는 처음부터 끝까지의 노력과, 공자께서 사람을 가르치심에 있어서의 선후의 순서와, 성인의 도의 지극함을 모두 가히 탐구해볼 수 있다.

○潛室陳氏曰 雖欲從之末由也已 到此際 力無所施 乃氷消雪釋渣滓融化之境 雖聖人 不能授顔子 顔子 亦不能受之於聖人 今欲學顔子 且把博文約禮作依據 日積月累 人十己千 將來不知覺自有豁然融會處

쌍봉 요씨가 말했다. '비록 따르고자 하여도 말미암을 곳이 없다'(라는 단계), 이 단계에 이르러서는 힘을 쓸 곳이 없으니 곧 얼음과 눈이 녹고 찌꺼기가 녹아 없어지는 경지이다. (이런 경지는) 비록 성인이라 하더라도 안자에게 주실 수 없고, 안자 또한 성인에게서 받을 수 없다. 지금 안자를 배우고자 하여 또 박문약례를 근거로 삼아, 나날이 다달이 쌓아서 남이 열 번 하면 나는 천 번 한다면 장차 저도 모르는 사이에 저절로 훤하게 녹아드는 바가 있을 것이다.

○雙峰饒氏曰 不怠所從 是發明雖欲從之末由也已 言不是恁地住了 請事斯語 是約我以禮時事 三月不違仁 是有所立卓爾時事

쌍봉 요씨가 말했다. '따르는 것을 게을리하지 않는다'는 말(집주에 인용된 호씨의 말)은 '비록 따르려 하나 말미암을 곳이 없다'는 말(의 의미)을 밝혀 드러낸 것이니, 그렇게 그만둔 것이 아니라는 말이다. '청컨대 이 말씀을 일삼고자 한다'는 것은 '나를 예로써 단속하셨다'라는 말을 했을 때의 일이고 '3개월을 인에서 떠나지 않았다'는 것은 '우뚝 서 있는 듯하다'라는 말을 했을 때의 일이다.

○新安陳氏曰 此章 顔子 初見聖道之無窮盡無方體 非特不能從之 亦未的於見之也 及夫子 博以文 約以禮 知行功深 方見聖道之卓然有立 的於見之 與初之仰鑽瞻忽 大不同矣 但 雖見其卓爾者 猶未能進而從其卓爾者 雖欲用力 又無所容力也 使天假之年 則由勉而安 由大而化 不特見到聖人地步 亦進到聖人地步矣

신안 진씨가 말했다. 이 장은 안자가 성인의 도의 끝없음과 형상이 없음을 처음 보았을 때의 일로, 다만 따르지 못했을 뿐만 아니라 봄에 있어서도 아직 적실하지 못했던 것이다. 공자께서 문으로 넓혀 주시고 예로써 단속해 주심에 미쳐 앎과 행함의 공부가 깊어져 비로소 성인의 도가 우뚝 선 것을 적실하게 보았으니, 처음에 우러러 보고 뚫어보고 앞에서 보고 홀연히 뒤에 있고 하던 것과는 크게 다르다. 단, 비록 그 우뚝 선 것은 보았으나 오히려 그 우뚝 선 것을 따라 나아갈 수는 없었다. 비록 노력하려 해도 힘을 쓸 곳이 없었던 것이다. 만약 (안자에게) 하늘이 몇 년을 빌려주셨다면(몇 년 더 살았다면) 애쓰는 단계로부터 편안한 단계로, '대(대인의 경지)'로부터 '화(저절로 그러한 경지, 즉 성인의 경지)'로 나아가, 단지 성인의 경지를 볼 수 있게 된 것만이 아니라 또한 나아가 성인의 경지에 도달할 수 있었을 것이다.

9.11-1 子 疾病 子路 使門人爲臣

공자께서 병환이 깊자 자로가 문인을 가신으로 삼았다.

【집주】

夫子 時已去位 無家臣 子路 欲以家臣治其喪 其意 實尊聖人 而未知所以尊也

공자께서는 당시 이미 벼슬을 떠나 가신이 없었다. 자로는 가신으로 하여금 그 상을 치르게 하고자 했는데 그 뜻은 실로 성인을 존숭하려는 것이었지만 존숭하는 방식을 몰랐다.

【세주】

胡氏曰 此 必夫子失司寇之後 未致其事之前也 若夢奠 則子路 死於衛久矣 大夫 老而致仕後 得從其列 無家臣者 無祿故也

호씨가 말했다. 이는 필시 공자께서 사구의 벼슬을 잃은 후 아직 그 일에서 은퇴하기 전(의 일)이다. 만약 돌아가실 무렵의 일이라면 (그때는) 자로가 위나라에서 죽은 지 오래된 때이다(따라서 이 대화가 있은 때는 돌아가실 무렵이 아니다). 대부는 늙어 은퇴한 후에도 그(대부의) 반열을 따를 수 있다. 가신이 없는 것은 봉록이 없기 때문이다.

9.11-2 病間 曰 久矣哉 由之行詐也 無臣而爲有臣 吾誰欺 欺天乎 間 如字

병이 약간 차도가 있자 말씀하셨다. 오래되었도다, 유가 속이는 짓을 한 지는. 가신이 없으면서도 가신이 있는 것처럼 하다니. 내가 누구를 속였는가, 하늘을 속였구나.

【집주】

病間 少差楚懈反 下同也 病時不知 旣差 乃知其事 故 言我之不當有

家臣 人皆知之 不可欺也 而爲有臣 則是欺天而已 人而欺天 莫大之罪 引以自歸 其責子路 深矣

'병간'이란 약간 차도가 있는 것이다. 병환 시에는 모르다가 약간 차도가 있자 곧 그 일을 아신 까닭에 "내가 가신을 두는 것이 마땅하지 않음은 사람들이 모두 아는 것이니 속일 수 없다. 그런데도 가신이 있는 것처럼 한다면 이는 하늘을 속이는 것일 뿐이다"라 하셨다. 사람으로서 하늘을 속이는 엄청난 죄를 자신의 잘못으로 돌리셨지만 그것은 자로를 깊이 질책하신 것이다.

【세주】

朱子曰 久矣哉 不特指那一事 是指從來而言 子路 一時不循道理 本心 亦不知其爲詐 然 子路 平日强其所不知以爲知 只有一毫不誠 便是詐也

주자가 말했다. '오래되었다'는 것은 그 일 하나만을 가리키는 것이 아니고 이전서부터 그랬다는 것을 가리켜 하는 말이다. 자로는 일시적으로 도리를 따르지 않았지만 그 본심은 또한 그것이 속이는 짓이라는 것을 몰랐던 것이다. 그러나 자로는 평소 모르는 것을 억지로 안다고 생각했으니 다만 한 올의 참되지 않음이 있어도 곧 속이는 것이다.

○慶源輔氏曰 子路之意 以夫子之聖 其喪 不可以俯同衆人 必當有以尊異之 而夫子 嘗爲大夫 有家臣矣 故 欲爲家臣治其喪 以尊異之也 然 不知聖人之喪 豈以家臣之有無 爲輕重也哉

경원 보씨가 말했다. 자로의 뜻은 공자께서는 성인이시기에 그 상을 낮추어 뭇사람들과 같이할 수는 없고 반드시 마땅히 높여 달리해야 한다고 생각한 것이다. 공자께서는 일찍이 대부가 되어 가신이 있었기에 가신을 두어 그 상을 치름으로써 높여 달리하고자 한 것이다. 그러나 (자로는) 몰랐으니, 성인의 상에 어찌 가신이 있고 없고가 가벼운(박한) 장례냐 무거운(후한) 장례냐의 기준이 되리오.

○旣斥子路以行詐 而又自謂其欺天 蓋 以見義理之不可犯也 如此

이미 자로가 속이는 짓을 한 것을 배척하시고 또 스스로 하늘을 속였다고 하셨다. 대개 (이 말씀으로써) 의리를 범할 수 없는 것이 이와 같다는 것을 보이셨다.

9.11-3 且 予 與其死於臣之手也 無寧死於二三子之手乎 且 予 縱不得大葬 予 死於道路乎

또 내가 가신의 손에 죽는 것보다는 차라리 너희 몇몇의 손에 죽는 것이 낫지 않겠는가? 또 내가 큰 장례를 얻지 못한다 해서 내가 길거리에서 죽겠느냐?

【집주】

無寧 寧也

'무녕'은 '영(차라리 ~이 낫다)'이다.

【세주】

惟有無字乎字 故 可訓無寧爲寧

다만 '무' 자와 '호' 자가 있기 때문에 '무녕'을 '영'이라고 풀이할 수 있다.

【집주】

大葬 謂君臣禮葬 死於道路 謂棄而不葬 又曉之以不必然之故

'대장(큰 장례)'은 군신의 예장(예를 갖춘 장례)이다. '길거리에서 죽는다'는 것은 내다버리고 장례를 치르지 않는 것이다. 또 꼭 그렇게 하지(거짓으로 가신을 두지) 말아야 하는 까닭을 깨우쳐주셨다.

○范氏曰 曾子將死 起而易簀音責曰 吾得正而斃音弊焉 斯已矣 子路 欲尊夫子 而不知無臣之不可爲有臣 是以 陷於行詐 罪至欺天 君子之於言動 雖微 不可不謹 夫子 深懲子路 所以警學者也 楊氏曰 非知至而意誠 則用智自私 不知行其所無事 往往自陷於行詐欺天 而莫之知也 其子路之謂乎

범씨가 말했다. 증자가 죽음에 임해 일어나 자리를 바꾸면서 말하기를 "내가 올바름을 얻고 죽으면 그것으로 그만이다"라 했다. 자로는 공자를 존숭하고자 했지만 가신이 없는데도 가신이 있는 것처럼 해서는 안 된다는 것을 몰랐다. 그런 까닭에 속이는 짓을 하는 데 빠졌으니 그 죄는 하늘을 속이는 데 이르렀다. 군자는 언동에 있어서 비록 작은 것이라도 삼가지 않을 수 없으니, 공자께서 자로를 깊이 징계하신 것은 배우는 자를 경계하고자 하신 것이다. 양씨가 말했다. 앎이 지극하고 뜻이 참되지 않으면 지혜를 써서 개인의 사사로움을 추구한다. 하지 말아야 할 일을 하는지도 모르고 왕왕 속이는 짓을 하고 하늘을 속이는 데에 스스로 빠지면서도 (그런 줄도) 알지 못하니, (이는) 자로를 두고 하는 말이리라.

【세주】

禮記檀弓篇 曾子 寢疾病 樂正子春曾子弟子 坐於牀下 曾元 曾申曾子二子 坐於足 童子 隅坐而執燭 童子曰 華而睆華板反 華 畫也 睆 明貌 大夫之簀與平聲 子春曰 止 曾子聞之 瞿音 句 驚貌然曰 呼虛憊之聲 曰 華而睆 大夫之簀與 曾子曰 然 斯季孫之賜也 我 未之能易也 元 起易簀 曾元曰 夫子之病 革矣 革 紀力反 急也 不可以變變動 幸而至於旦 請敬易之 曾子曰 爾之愛我也 不如彼 君子之愛人也 以德 細人之愛人也 以姑息 吾 何求哉 吾 得正而斃焉 斯已矣 擧扶而易之 反席 未安而沒

『예기』, 「단궁」편에 다음과 같이 나와 있다. 증자가 병석에 있었는데 악정자춘<증자의 제자이다.>은 침상 아래쪽에 앉아 있었고 증원과 증신<증자의 두 아들이다.>은 발쪽에 앉아 있었고 동자는 귀퉁이에 앉아 촛불을 들고 있었다. 동자가 "(자리가) 그림이 그려져 있고 밝으니 대부의 자리인가?"라 하자 <('환(睆)'은) 화와 판의 반절이다. '화'는 그림이다. '환'은 밝은 모습이다.> 자춘이 "그만두라"고 했다. 증자가 그것을 듣고 놀라 <('구(瞿)'는) 음이 구이다. 놀라는 모습이다.> "호<약하게 앓는 소리이다.>"라 하자 (자춘이) "그림이 그려져 있고 밝은 것은 대부의 자리입니까?"라고 물었다. 증자가 답했다. "그렇다. 그것은 계손씨가 하사한 것이다. 나는 그것을 바꿀 수 없으니 원이 (나를) 일으켜 자리를 바꾸어라." 증원이 말했다. "아버님의 병이 급하니 <'혁(革)'은 기와 역의 반절이다. 급하다는 뜻이다.> 바꿀 수 없습니다. <'변(變)'은 바꾼다는 뜻이다.> 다행히 아침에 이르면 삼가 바꾸고자 합니다." 증자가 말했다. "네가 나를 사랑하는 것이 그(동자)만 못하구나. 군자가 사람을 사랑하는 방식은 덕으로써 하고, 소인이 사람을 사랑하는 방식은 잠시 편한 것으로써 한다. 내가 무엇을 원하겠느냐? 나는 올바름을 얻고 죽으면 그것으로 그만이다." 부축해 들어 올려 (자리를) 바꾸자 자리에 돌아가 채 편안해지기도 전에 죽었다.

○勉齋黃氏曰 久矣哉 責子路之素行如此也 欺天者 曉之以理之正 且予以下 則告之以利害之實 聖人之言 委曲詳盡 如此

면재 황씨가 말했다. '오래되었다'는 것은 자로의 평소 행동이 이와 같았음을 꾸짖으신 것이다. '하늘을 속인다'는 것은 바른 이치로 깨우쳐주신 것이다. '또 내가' 이하는 곧 이익과 손해의 실제를 알려주신 것이다. 성인의 말씀이 곡진하고 상세하기가 이와 같다.

○汪氏曰 禮記 易簀章 一正字 足以斷此章 而責子路 故 引之 曾子 易簀而死 爲得其正 夫子 苟死於家臣之手 不正甚矣 彼執燭之童子 尙知大夫之簀不可不易 子路 乃不知無臣之不可爲有臣乎 況夫子 席不正 且不坐 割不正 且不食 況臨死生之際乎 范氏 引此 見聖人心安於正 生死一而已矣

왕씨가 말했다. 『예기』(「단궁」) <역책>장의 '정(正: 올바름)' 한 글자는 이 장의 뜻을 끊기(딱 잘라 말하기)에 족하고 또 자로를 꾸짖기에 족하다. 그래서 (집주에서) 인용했다. 증자는 자리를 바꾸고 죽음으로써 그 올바름을 얻었는데, 공자께서 구차하게 가신의 손에 죽는다면 심히 올바르지 못하다. 저 촛불 든 동자도 오히려 대부의 자리를 바꾸지 않으면 안 된다는 것을 알았는데, 자로는 가신이 없는데도 가신이 있는 것처럼 해서는 안 된다는 것을 몰랐는가? 하물며, 공자께서는 자리가 바르지 않으면 앉지 않으시고 자른 것이 바르지 않으면 잡숫지도 않았는데, 황차 죽고 사는 때에 임해서이랴. 범씨는 이를 인용해 성인의 마음이 올바른 것을 편안해 하시는 것이 삶에 있어서나 죽음에 있어서나 마찬가지일 뿐임을 보여주었다.

○新安陳氏曰 有家臣而用家臣 理也 無而用之 非理也 天者 理而已 非理則欺天矣 子路 欲尊夫子 豈知陷於欺天 尊夫子者 反所以累夫子歟

신안 진씨가 말했다. 가신이 있어서 가신을 쓰는 것은 (올바른) 이치이다. 없는데 쓰면 이치가 아니다. 하늘이란 이치일 뿐이다. 이치가 아니면 곧 하늘을 속이는 것이다. 자로는 공자를 존숭하고자 했으나 어찌 하늘을 속이는 데 빠질 줄 알았으랴? 공자를 존숭한다는 것이 거꾸로 공자께 누가 되는 것일 줄이야.

9.12 子貢曰 有美玉於斯 韞匵而藏諸 求善賈而沽諸 子曰 沽之哉 沽之哉 我 待賈者也 韞 紆粉反 匵 徒木反 賈 音嫁

자공이 말했다. 여기 아름다운 옥이 있다면 궤짝 속에 감추어두시겠습니까, 좋은(값을 잘 쳐줄) 상인을 찾아 파시겠습니까? 공자께서 답하셨다. 팔아야지, 팔아야지. 나는 상인을 기다리는 사람이다.

【집주】

韞 藏也 匵 匱也 沽 賣也 子貢 以孔子有道不仕 故 設此二端以問也 孔子言 固當賣之 但 當待賈 而不當求之耳

'온'은 넣어두는 것이다. '독'은 궤짝이다. '고'는 파는 것이다. 자공은 공자께서 도가 있으면서도 벼슬을 하지 않는다고 여겼기에 이 두 경우를 가정해 질문을 한 것이다. 공자께서는 본디 마땅히 팔아야 하지만 다만 응당 상인을 기다려야 하지, 찾아서는 안 된다고 말씀하셨다.

【세주】

南軒張氏曰 子貢 以美玉爲喩 疑夫子 將終藏而不售也 若夫子之意 則以爲君子 豈不欲施用於世乎 然 其不輕售者 必待其可而後出耳 如子貢所謂 求善賈 則非矣 待賈者 循乎天理 而求善賈者 則己心先動矣

남헌 장씨가 말했다. 자공은 아름다운 옥에 비유해 공자께서 장차 끝내 감추어 두시고 팔지 않으실 것인지 의문을 가졌다. 공자의 뜻으로 말하자면 군자가 되어가지고 어찌 세상에 쓰이기를 바라지 않겠느냐마는 가볍게 팔지 않는 것은 반드시 할 만하기(정당하게 벼슬할 수 있음)를 기다린 다음에 (벼슬하러) 나간다는 것이다. 자공이 말한바 '좋은 상인을 찾는다'는 것은 잘못이다. 상인을 기다리는 것은 천리를 따르는 것이고, 좋은 상인을 찾는 것은 자신의 마음이 먼저 움직인 것이다.

○慶源輔氏曰 沽之哉 二句 見理 則當沽 而意 則不求沽也 此 亦子貢初年語 至答武叔子禽之問 必不當以夫子出處爲疑矣

경원 보씨가 말했다. '팔아야지'라는 두 구절은 이치로 보아서는 당연히 팔아야 하지만 마음으로는 팔기를 구하지 않는 것이다. 이는 또한 자공의 초년의 말로, 무숙(『논어』19, 「자장」 24장)과 자금(『논어』1, 「학이」 10장)의 질문에 대답했을 때에 이르러서도 공자의 나섬과 머무름(벼슬하는 것과 벼슬하지 않는 것)에 대해 의문을 가졌다고 해서는 결코 옳지 않다.

【집주】

○范氏曰 君子 未嘗不欲仕也 又惡去聲不由其道 士之待禮 猶玉之待賈也 若伊尹之耕於野 伯夷太公之居於海濱 世無成湯文王 則終焉而已 必不枉道以從人 衒音眩玉而求售音壽也

범씨가 말했다. 군자는 일찍이 벼슬하기를 원하지 않은 적이 없지만, 또 그 도(정당한 방식)로 말미암지 않는 것을 싫어하니 선비가 예(예빙, 즉 예를 갖추어 초빙함)를 기다리는 것은 마치 옥이 상인을 기다리는 것과 같다. 예컨대 이윤은 들에서 농사지었고 백이와 태공은 바닷가에 살았는데, 만약 세상에 성탕(탕왕)과 문왕이 없었다면 (삶을) 그렇게 마쳤을 뿐이었지 꼭 도를 굽혀 남을 따르거나 옥을 들고 돌아다니면서 팔려고 하지는 않았을 것이다.

【세주】

雲峯胡氏曰 子貢 嘗答子禽 曰 夫子之求之也 其諸異乎人之求之與 蓋 以子禽之問 病在一求字也 今 子貢之問 亦自病在一求字 豈問夫子者 在先 而答子禽者 在後歟

운봉 호씨가 말했다. 자공이 일찍이 자금에게 대답해 말하기를 '선생님의 구하는 방식은 다른 사람들이 구하는 방식과는 다르다'고 했는데, 대개 자금의 질문에 있어서의 잘못된 점은 '구(구한다)' 자 한 글자에 있다. 지금 자공의 질문 또한 그 자체 '구' 자 한 글자에 잘못이 있다. 어찌 공자께 여쭌 것(이 장의 일)이 앞의 일이고 자금에 대답한 것(「학이」 10장의 일)이 뒤의 일이랴.

○新安陳氏曰 此章 當味求字與待字 不待賈而求之 則併與本然之美失之矣 待賈者 安於命義之正 求賈者 涉於奔競之私 席珍待聘 其可也

신안 진씨가 말했다. 이 장은 마땅히 '구' 자와 '대' 자를 감상해야 한다. 상인을 기다리지 않고 찾는 것은 둘(기다리지 않는 것과 찾는 것) 다 본연의 아름다움을 잃은 것이다. 상인을 기다리는 것은 운명과 의리의 올바름을 편안히 여기는 것이고, 상인을 찾는 것은 분주히 경쟁하는 사사로움에 발담근 것이다. 진기한 보물을 늘어놓고 초빙을 기다리는 것이 옳다.

9.13-1 子 欲居九夷

공자께서는 아홉 오랑캐(의 땅)에 거주하고자 하셨다.

【집주】

東方之夷 有九種上聲

동방의 오랑캐는 아홉 종류가 있다.

【세주】

○後漢東夷傳 夷 有九種 曰 畎夷 于夷 方夷 黃夷 白夷 赤夷 玄夷 風夷 陽夷

『후한서』, 「동이전」에 "(동)이는 아홉 종류가 있는데 견이, 우이, 방이, 황이, 백이, 적이, 현이, 풍이, 양이라 한다"라 했다.

○九種 見書旅獒

아홉 종류는 『서경』(「주서」), 「여오」편에 나온다.

【집주】

欲居之者 亦乘桴浮海之意

거주하고자 하셨다는 것은 또한 뗏목을 타고 바다를 떠돌고자 하신 뜻(『논어』 5, 「공야장」 6장)과 같다.

9.13-2 或曰 陋 如之何 子曰 君子居之 何陋之有

혹자가 말했다. 누추해서 어찌합니까? 공자께서 답하셨다. 군자가 거주함에 무슨 누추함이 있으리오.

【집주】

君子所居 則化 何陋之有

군자가 거처하는 곳은 교화되니 무슨 누추함이 있으리오.

【세주】

問 此及浮海 莫是戲言否 朱子曰 只見道不行 偶發此歎 非戲言也

물었다. 이 말씀과 바다를 떠돈다는 말씀은 농담 아닙니까? 주자가 답했다. 다만 도가 행해지지 않는 것을 보시고 우연히 이런 탄식을 하신 것이지 농담은 아니다.

○問 九夷 尙可化 何故不化中國 曰 當時中國 未嘗不被聖人之化 但 時君不用 不得行其道耳

물었다. 구이도 오히려 교화할 수 있는데 무슨 까닭에 중국을 교화하지 못했습니까? 답했다. 당시의 중국은 일찍이 성인의 교화를 입지 않은 적이 없지만 다만 당시의 군주가 쓰지 않아 그 도를 행하지 못했다.

○問 子 欲居九夷 使聖人居之 眞有可變之理否 曰 然

물었다. 공자께서 구이에 거주하고자 하셨는데, 만약 성인께서 거주하신다면 진정 변할 도리가 있습니까? 답했다. 그렇다(있다).

○南軒張氏曰 欲居九夷 與乘桴浮海之歎 同 或人 未之諭 則以爲眞欲往也 故 疑其陋以爲不可居 夫子之所以告之者 乃行乎夷狄之道 蓋 忠信篤敬 何入而不自得也

남헌 장씨가 말했다. 구이에 거주하고자 하신 것과 뗏목을 타고 바다를 떠돌고자 하신다는 탄식은 같은 것인데 혹자가 이를 깨닫지 못하고 진정 가고자 하신 것이라 생각했다. 그래서 누추해서 거주할 수 없다고 의심했던 것인데, 공자께서 알려주신 것은 이적의 사회에서 행세하는 도리였다. 대개 '충신독경(충실하고 신실하고 독실하고 경건함, 즉 군자의 덕)'을 어디로 들어간들 스스로 얻지 못하겠는가?

○慶源輔氏曰 聖人 能必居夷之化 而不能於中國必使其道之行 則天也

경원 보씨가 말했다. 성인께서는 오랑캐에 거주하시면서 반드시 교화하는 것은 하실 수 있었지만, 중국에서 반드시 그 도가 행해지게 하는 것은 하실 수 없었으니, 이는 곧 하늘(천명)이다.

○厚齋馮氏曰 箕子 封於朝鮮東夷之地也 何陋之有 雖然 夫子 去父母之國 尙遲遲其行 況舍中國 而之夷狄乎 是 蓋 有激而姑云爾 非素志也

후재 풍씨가 말했다. 기자는 조선의 동이의 땅에 봉해졌지만 무슨 누추함이 있는가? 비록 그러하나 공자께서는 부모의 나라를 떠날 때에도 오히려 느릿느릿 가셨는데 하물며 중국을 버리고 이적의 땅으로 가시겠는가? 이는 대개 격분하시어 잠시 말한 것이지 평소의 뜻은 아니다.

○新安陳氏曰 陋 在彼 不陋在我 君子所過者化 若居夷狄 必將用夏變夷 陋習 自可化矣

신안 진씨가 말했다. 누추함은 거기에 있고 누추하지 않음은 나에게 있다. '군자가 지나가는 곳은 교화된다(『맹자』13, 「진심 상」 13장)'고 했듯이 만약 이적의 땅에 거주하시면 반드시 중국(의 도, 문명)을 써서 오랑캐를 변화시키실 것이니 누추한 풍습은 저절로 교화될 수 있다.

9.14 子曰 吾 自衛反魯 然後樂正 雅頌 各得其所

공자께서 말씀하셨다. 내가 위나라에서 노나라로 돌아온 후에 음악이 바르게 되었고 아와 송이 그 마땅한 바를 얻었다.

【집주】

魯 哀公十一年 冬 孔子 自衛反魯 是時 周禮在魯 然 詩樂 亦頗殘缺失次 孔子 周流四方 參互考訂 以知其說 晩知道終不行 故 歸而正之

노 애공 11년 겨울, 공자께서 위나라에서 노나라로 돌아오셨는데 이때 주나라의 의례는 노나라에 있었으나 시와 음악은 또한 자못 빠지거나 비고 순서가 틀린 것이 많았다. 공자께서는 사방을 주류하시면서 (여러 가지 자료를) 서로 참고하고 고증하여 그 설을 아시게 되었지만, 도가 마침내 행해지지 않을 것임을 늦게서야 아셨기에 돌아와 그것(음악과 시)을 바로잡으셨다.

【세주】

朱子曰 是時 王迹熄 而詩亡 其存者 謬亂失次 孔子 自衛反魯 復得之他國以歸 定著爲三百五篇 於是 雅頌 各得其所

주자가 말했다. 이때 왕정의 흔적은 사그라들고 시는 없어져 그 남아 있는 것이라고는 잘못되고 혼란되고 순서가 틀린 것들이었다. 공자께서는 위나라에서 노나라로 돌아오시면서 다시 다른 나라에서 얻은 것을 가지고 돌아오셨다. 산정하고 저술하여 305편을 이루셨으니 이에 아와 송이 그 마땅한 바를 얻었다.

○南軒張氏曰 聖人 未刪詩以前 篇章交錯 不以其序者 亦多矣 故 反魯之後 然後樂正 雅頌 各得其所 獨擧雅頌 蓋 其大者耳

남헌 장씨가 말했다. 성인께서 아직 시를 산삭하시기 전에는 편과 장이 시도 뒤엉키어 그 순서가 잘못된 것이 많았다. 그래서 노나라로 돌아오신 후에야 비로소 음악은 바로잡히고 아와 송은 각각 그 마땅한 바를 얻었다. 아와 송만을 든 것은 대개 그 큰 것을 든 것뿐이다.

○陳氏曰 不及風者 列國 多不正之聲 廟朝所不奏 二南 亦用之房中耳 故正樂 只言雅頌

진씨가 말했다. 풍에 대해 언급하지 않으신 것은 (「국풍」에는) 여러 나라의 (도덕적으로) 올바르지 않은 소리(음악)가 많아 종묘와 조정에서 연주하지 않는 것이었기 때문이다. <이남> 또한 집안에서 쓰였을 뿐이다. 그러므로 음악을 바로잡는 것에 대해서는 다만 아와 송을 말했을 뿐이다.

○胡氏曰 聖人 雖生知 然 聲音節奏 必考而後詳 必驗而後信 在齊聞韶 學之三月 亦其事也

호씨가 말했다. 성인께서는 비록 나면서부터 아시는 분이지만 그러나 음악의 소리와 연주는 반드시 고찰하신 후에야 상세해지셨고 반드시 체험하신 후에야 믿으셨다. 제나라에 계시면서 소악을 들으시고 3개월을 배우셨던 일 또한 그 사례이다.

○新安陳氏曰 晩知道不行於當時 故 歸而正詩樂 以傳之來世 詩者 樂之章 詩 得其所 而後樂 得其正 聖人 追言其效 故 先樂而後詩耳

신안 진씨가 말했다. 당시의 세상에 도가 행해지지 않을 것임을 늦게서야 아신 까닭에 돌아와 시와 음악을 바로잡아 후세에 전하셨다. 시는 음악의 장(가사)이니 시가 그 마땅한 바를 얻은 후에야 음악이 그 올바름을 얻게 된다. 성인께서는 그 효과의 [큰] 순서에 따라 말씀하셨던 까닭에 음악을 먼저 말씀하시고 시를 나중에 말씀하셨다.

9.15 子曰 出則事公卿 入則事父兄 喪事 不敢不勉 不爲酒困 何有於我哉

공자께서 말씀하셨다. 나가면 공경을 모시고 들어오면 부형을 모시는 것, 상사에는 감히 애쓰지 않음이 없는 것, 술에 취하지 않는 것, 내게 (이런 일들 중) 무엇이 있겠는가?(없다.)

【집주】

說見形甸反第七篇

제7편(「술이」 2장)에 그 설명이 나온다.

【세주】

默而識之章 亦言何有於我

<묵이지지>장에서 또한 '나에게 무엇이 있겠는가'라고 말씀하셨다.

【집주】

然 此 則其事愈卑 而意愈切矣

그러나 이는 (<묵이지지>장에 비한다면) 그 일은 더욱 비근한 것이지만 그 의미는 더욱 절실하다.

【세주】

新安陳氏曰 彼三者 以爲雖非聖人之極至 猶不敢當 謙而又謙之辭 此 則視前三者 事愈卑 而其謙謙之意 愈切矣

신안 진씨가 말했다. 그 세 가지(<묵이지지>장의 '말없이 기억하고, 배움에 싫증 내지 않고, 사람을 가르침에 태만하지 않는 것')는 비록 성인의 지극한 경지는 아니더라도 오히려 감히 감당하기 어려운 것이라는 말씀이니 겸손하고 또 겸손한 말씀이다. 이(장의 말씀)는 앞의 세 가지에 비해 일은 더욱 비근하고 그 겸손하고 겸손한 뜻은 더욱 절실하다.

○朱子曰 此說 本卑 非有甚高之行 然 工夫 却愈精密 道理 却愈無窮 故曰

知崇禮卑

주자가 말했다. 이 말씀은 본디 비근해서 심히 높은 행위가 (이 말씀 중에) 있는 것은 아니지만, 그러나 그 공부는 오히려 더욱 정밀하고, 도리는 오히려 더욱 무궁하다. 그래서 '앎은 숭고하고 예는 비근하다'고 한다.

○聖人 自謙言 不曾有此數者 常有慊然不足之意 衆人 雖見他 仁之至熟 義之至精 他 只管自見得有欠缺處

성인께서 스스로 겸손히 일찍이 이런 몇 가지 일이 (자신에게) 없다고 말씀하셨으니 항상 흡족하지 않은 뜻이 있으셨다. 뭇사람들은 비록 그(공자)를 인이 지극히 원숙하며 의가 지극히 정밀하다고 보지만 그는 다만 스스로 모자라는 점이 있음을 아셨다.

○南軒張氏曰 此章 視之若易能 然 行之無憾 則未易也 蓋 於天理之當爲者 求盡其道 而於人情之易動者 不踰其則 雖聖人 亦極乎是理而已 夫子敎人 每指而示之近 使人皆可勉焉

남헌 장씨가 말했다. 이 장은 보기에 쉽게 할 수 있는 일인 듯싶지만 그러나 유감없이 행하려면 쉽지 않다. 대개 천리에 있어서 마땅히 해야 할 일에 대해서는 그 도를 완전히 하기를 구하고, 인정에 있어서 쉽게 흔들리는 일에 대해서는 그 규범을 넘지 않아야 하니, 비록 성인이라 하더라도 이 이치를 끝까지 추구할 뿐이다. 공자께서는 사람을 가르치심에 매번 가까운 것을 가리켜 보이셔서 사람들로 하여금 모두 힘쓸 수 있게 하셨다.

○慶源輔氏曰 此章 所以警學者 使自察於踐履之間 不忽於卑近 不違於微小之意 益深切矣

경원 보씨가 말했다. 이 장은 배우는 자를 경계하신 것이니, 실천하는 동안에 비근한 것을 소홀히 하지 않고 사소한 것을 어기지 않는지 스스로 살피도록 하시려는 뜻이 더욱 깊고 절실하다.

○雙峰饒氏曰 事公卿父兄 事生之禮 喪事 事死之禮 常情 多謹於事生 而易忽於事死 不特三年之喪 如期功緦之輕者 皆不可以不勉 三件 皆是大節目 不爲酒困 是至小底 然 亦甚難 有時被人勸而稍多飮 便能使人神昏氣亂 常人 往往忽視以爲小事 聖人之心 無時不存 亦因可以勉人耳

쌍봉 요씨가 말했다. 공경과 부형을 섬기는 것은 산 사람을 모시는 예이고, 상사는 죽은 사람을 모시는 예이다. 보통 사람의 인정은 산 사람을 모시는 일에 대해서는 삼가는 경우가 많지만 죽은 사람을 모시는 일에는 소홀하기 쉽다. 단지 3년의 상(부모상)뿐만 아니라 기간이 공(대공, 즉 9개월의 상과 소공, 즉 5개월의 상)과 시마(2개월의 상)인 가벼운 상에도 모두 힘쓰지 않으면 안 된다. 이 세 가지는 모두 큰 사항들인 반면, 술에 취하지 않는 것은 지극히 작은 일이지만 그러나 또한 매우 어려운 일이다. 어떤 때 남들이 권해서 약간 많이 마시게 되면 곧 사람으로 하여금 정신이 혼미해지게 한다. 보통 사람은 왕왕 작은 일이라고 소홀히 보지만 성인의 마음은 유의하지 않는 때가 없으셨으니 또한 그로 인해 사람들을 면려할 수 있으셨다.

9.16 子 在川上曰 逝者 如斯夫 不舍晝夜 夫 音扶 舍 上聲

공자께서 시내 위에서 말씀하셨다. 가는 것은 이와 같구나. 주야로 쉬지 않는다.

【집주】

天地之化 往者過 來者續 無一息之停 乃道體之本然也

천지의 변화에 있어서, 가는 것은 지나가고 오는 것은 이어져 잠시도 멈추지 않으니, 이것이 도의 본체의 본연(본모습)이다.

【세주】

此五句所包 甚闊

(집주의) 이 다섯 구절이 포함하고 있는 것은 매우 넓다.

【집주】

然 其可指而易去聲見者 莫如川流

그러나 가리켜 쉽게 볼 수 있는 것은 시냇물의 흐름만 한 것이 없다.

【세주】

吳氏曰 逝者 不指水 斯字 方指水

오씨가 말했다. '가는 것'은 물을 가리키는 말이 아니다. '사(이것)' 자가 비로소 물을 가리킨다.

○問 逝 訓往 集註謂 往過來續 似多了來字 雙峯饒氏曰 不說來字 無以見往者之無窮 往 是前面已去底 來 是後來接續去底 二者 皆往也

물었다. '서(逝: 가다)' 자의 훈은 '왕(往: 가다)'인데 집주에서는 '가는 것은 지나가고 오는 것은 이어진다'라 했으니 (경문에 비해) '내(來: 오는 것)' 자가 더 들어간 듯합니다. 쌍봉 요씨가 답했다. '내' 자를 말하지 않으면 '가는 것'이 무궁함을 드러낼 수 없다. '왕'은 앞서 이미 가버린 것이고 '내'는 뒤에 와서 이어가는 것이니 둘 다 '왕(가는 것)'이다.

○新安陳氏曰 必有來者續 方見道體之無窮 使往過而來不續 則其機息 而非生道矣

신안 진씨가 말했다. 반드시 '오는 것이 이어진다'라 해야 비로소 도의 본체의 무궁함이 드러난다. 만약 가는 것이 지나가는데 오는 것이 이어지지 않으면 그 기제가 멈추니 살아 있는 도가 아니다.

【집주】

故 於此 發以示人 欲學者 時時省悉井反察 而無毫髮之間去聲斷徒玩反也

그러므로 여기서 말씀해 보이셨으니 배우는 자가 때때로 성찰하여 털끝만큼도 끊어지지 않도록 하고자 하셨다.

【세주】

朱子曰 天理流行之際 如少有私欲以間之 便如水被些障塞 不得恁地滔滔流去 又曰 才不省察 便間斷

주자가 말했다. 천리가 흘러갈 때 만약 조금이라도 사욕이 그 사이에 낀다면 곧 마치 물이 약간의 장애물을 만나 그렇게 도도히 흘러가지 못하는 것과 같다. 또 말했다. 성찰하지 않기만 하면 곧 끊어진다.

○慶源輔氏曰 天理流行 無處不然 無時或已 但 隱於人心者 不若形於川流者易見 人能卽此 而有發焉 則當自强於體察 致力於謹獨 使之無一息之間斷 則庶幾乎不虧其本體矣

경원 보씨가 말했다. 천리가 흘러가는 것은 그러하지 않은 곳이 없고 혹시라도 그치는 때가 없다. 단, 사람의 마음에 숨어 있는 것은 시냇물의 흐름에서 드러나는 것처럼 쉽게 볼 수 없다. 사람이 능히 이(말씀)에 의거해 감발되는 바가 있으면, 마땅히 몸소 살피는 데 스스로 힘쓰고 홀로 있을 때를 삼감에 힘을 다해 한순간의 끊어짐도 없도록 해야 할 것이니, (그리하면) 아마도 거의 그 본체를 이지러뜨리지 않을 것이다.

○新安陳氏曰 此 又發言外意 欲學者 於川流上 察識道體之自然不息 而法之 以自强不息也

신안 진씨가 말했다. 이(집주의 말)는 또 언외의 뜻을 드러낸 것으로, 배우는 자가 시냇물의 흐름을 통해 도의 본체가 저절로 쉬지 않는 것임을 살펴 깨닫고, 그것을 본받아 스스로 힘써 쉬지 않을 것을 바란 것이다.

【집주】

○程子曰 此 道體也 天運而不已 日往則月來 寒往則暑來 水流而不息 物生而不窮 皆與道爲體 運乎晝夜 未嘗已也

정자가 말했다. 이는 도의 본체이다. 하늘은 운행해서 그치지 않으니, 해가 가면 달이 오고, 추위가 가면 더위가 오고, 물이 흘러 쉬지 않고, 사물이 태어나 끝이 없는 것은 모두 도와 더불어 형체를 이루어 주야로 운행해 언제나 그치지 않는 것이다.

【세주】

朱子曰 此 是形容道體 伊川所謂 與道爲體此一句 最妙 某 嘗爲人作觀瀾詞 其中有兩句云 觀川流之不息兮 悟有本之無窮 道之本然之體 不可見 觀此則可見無體之體 如陰陽五行 爲太極之體

주자가 말했다. 이는 도의 본체를 형용한 것이다. 이천이 말한바, '도와 더불어 형체를 이룬다'는 이 한 구절은 가장 오묘하다. 내가 일찍이 어떤 사람을 위해 '관란사'를 지었는데 그 가운데 두 구절에서 "시냇물이 흘러 쉬지 않는 것을 보고 근원이 있어 끝이 없음을 깨닫는다"라 했다. 도의 본연의 체는 볼 수 없지만 이(시냇물의 흐름)를 보면 형체 없는 본체를 볼 수 있으니, 마치 음양오행이 태극의 형체가 되는 것과 같다.

○日往月來等 未是道 然 無這道 便無這箇了 有這道 方有這箇 旣有這箇 就上面 便可見得道 是 與道做箇骨了 若說天只如此高 地只如此厚 便也無說了 須看其所以如此者 如何

해가 가고 달이 오는 것, 그런 것들은 도(그 자체)는 아니다. 그러나 이 도(의 본체)가 없으면 곧 이것(현상들)도 없다. 이 도가 있음에 비로소 이것도 있다. 이미 이것이 있음에, 위로 나아가 도를 알 수 있으니, 이는 도를 골격으로 삼은 것이다. 만약 하늘은 다만 그렇게 높고 땅은 그렇게 두텁다고만 말하는 것은 곧 아무 말도 아니다(무의미하다). 모름지기 (그것이) 그러한 이유가 무엇인지를 알아야만 한다.

○道 本無體 此四者 非道之體也 但 因此可見道之體耳 那無聲無臭底 便是道 只於無聲無臭上推究 如何見得道 因有四者 方見得那無聲無臭底 所以說與道爲體

도는 본디 형체가 없다. 이 네 가지는 도의 본체는 아니다. 다만, 이로 인해 도의 본체를 알 수 있을 뿐이다. 저 소리도 없고 냄새도 없는 것이 곧 도이지만, 다만 소리도 없고 냄새도 없는 것에 대해서만 탐구한다면 어떻게 도를 알 수 있겠는가? 이 네 가지로 말미암아 비로소 그 소리도 없고 냄새도 없는 것을 알 수 있다. 그래서 '도와 더불어 형체를 이룬다'고 말한 것이다.

○道 無形體 却是這物事 盛載那道出來 所以 指物以見道 道之體 便在這許多物事上 只是水上較親切易見

도는 형체가 없다. 그러나 이 사물은 저 도를 가득 싣고 나온 것이다. 그래서 사물을 가리킴으로써 도를 볼 수 있다. 도의 본체는 곧 허다한 사물 속에 있지만, 다만 물(의 비유)에서는 비교적 친절(가깝고 절실함)하여 쉽게 볼 수 있다.

○胡氏曰 夫子 因所見之一物而言 程子 因夫子之說 併擧三者而言 夫 道體可見 固不專於水 亦不專於四者 大而造化之流行 近而口鼻之呼吸 莫不皆然

호씨가 말했다. 공자께서는 보시게 된 한 물건(시냇물)으로 말미암아 말씀하셨고, 정자는 공자의 말씀으로 말미암아 세 가지를 같이 들어 말했다. 무릇 도의 본체를 볼 수 있는 것은 본디 오로지 물에서만은 아니고 또 오로지 네 가지에서만도 아니다. 크게는 우주의 원리의 흐름, 가깝게는 입과 코가 호흡하는 것 모두 그렇지 않은 것이 없다.

○勉齋黃氏曰 夫子所云 蓋 合道器兼體用而言

면재 황씨가 말했다. 공자께서 말씀하신 바는 대개 도와 기(도가 담긴 그릇, 즉 구체적 사물과 그 현상)를 합하고, 체(본체)와 용(작용)을 겸해서 말씀하신 것이다.

○新安陳氏曰 天之運日月 寒暑之往來 水之流 萬物之生 皆自然不息者 程子 雜水流於其中言之 水流 蓋 其一端耳 道 無形體之可見 就此有形體之數端上發見出來 所謂與道爲形體也

신안 진씨가 말했다. 하늘에 해와 달이 운행하는 것, 추위와 더위가 오고 가는 것, 물이 흐르는 것, 만물이 태어나는 것은 모두 저절로 쉬지 않는 것이다. 정자는 물의 흐름을 그 가운데 섞어 넣어 말했지만, 물의 흐름은 대개 그 하나의 단서일 뿐이다. 도는 볼 수 있는 형체가 없지만 이 형체가 있는 몇 가지 단서로부터 드러나는 것이니, 이른바 '도와 더불어 형체를 이룬다'는 것이다.

【집주】

是以 君子 法之 自强不息

이런 까닭에 군자는 그것을 본받아 스스로 힘써 쉬지 않아,

【세주】

新安陳氏曰 易乾卦象傳曰 天行健 君子以自强不息 集註之意 本此 是 乃勉而行之者

신안 진씨가 말했다. 『주역』, 「건괘」 <상전>에 "하늘의 운행은 강건하니 군자는 그것으로써 스스로 힘써 쉬지 않는다"라 했다. 집주의 뜻은 이에 근거한 것이니 이는 곧 힘써 그것을 행하는 것이다.

【집주】

及其至也 純亦不已焉

그 지극함에 이르러서는 '순수하여 또한 그치지 않는다(『중용』 26장).'

【세주】

朱子曰 大抵 過去底物不息 猶天運流行不息如此 亦警學者 要當如此不息 蓋 聖人之心 純亦不已 所以 能見之

주자가 말했다. 대저 지나가는 것은 쉬지 않으니 하늘의 운행이 흘러 이처럼 쉬지 않는 것과 같다. 또한 배우는 자가 마땅히 이처럼 쉬지 않아야 함을 경계하셨다. 대개 성인의 마음은 순수해 또한 그치지 않으니 그런 까닭에 (시냇물의 흐름에서 도의 쉬지 않음을) 능히 보셨다.

○問 道 無一息之停 其在天地 則見於日往月來 寒往暑來 水流而不息 物生而不窮 終萬古未嘗間斷 其在人 則本然虛靈 知覺之體 常生不已 而日用萬事 亦無非天理流行 而無少息 故 擧是道之全而言 合天地萬物人心萬事 統是一無息之體 分而言 則於穆不已者 天之所以與道爲體也 生生不已者 心之所以與道爲體也 純亦不已者 聖人之心 與天道爲一體也 自强不息者 君子之所學聖人 存心事天而體夫道也 曰 此 亦得之 但 與道爲體四字 甚精

蓋 物生水流 非道之體 乃與道爲體者也

물었다. 도는 한순간도 쉬는 적이 없으니, 천지에 있어서는 해와 달의 오고 감, 추위와 더위의 오고 감, 물이 흘러 쉬지 않음, 사물이 태어나 끝이 없음으로 드러나 마침내 만고에 일찍이 끊어진 적이 없고, 사람에게 있어서는 본연의 텅 비어 신령하고 지각하는 실체(사람의 본연의 실체로서의 마음)가 항상 태어나 그치지 않고 일상의 만사 또한 천리의 흐름이 아닌 것이 없으면서 조금의 쉼도 없습니다. 그러므로 이 도의 전체를 들어 말하자면 천지만물과 인심만사를 합쳐 모두가 한 번의 쉼도 없는 본체입니다. 나누어 말하자면 심원하여 그치지 않는 것은 하늘이 도와 더불어 형체를 이루고 있기 때문이고, 태어나고 태어나서 그치지 않는 것은 마음이 도와 더불어 형체를 이루고 있기 때문입니다. (성인이) 순수해서 그치지 않는 것은 성인의 마음이 천도와 일체이기 때문이고, (군자가) 스스로 힘써 쉬지 않는 것은 군자가 성인으로부터 배운 바가 마음을 보존해 하늘을 받들어 도를 체현하는 것이기 때문입니다. 답했다. 이 또한 옳다. 단, '여도위체(도와 더불어 형체를 이룬다)'라는 네 글자는 매우 정밀하니 대개 사물이 태어나고 물이 흐르는 것(사물이나 현상 그 자체)은 도의 본체가 아니라 도와 더불어 형체를 이룬 것이다.

○覺軒蔡氏曰 夫子川上之嘆 有感於道體之無窮 勉人進學 以求造乎純亦不已耳

각헌 채씨가 말했다. 공자의 시냇가의 탄식은 도의 본체의 끝없음에 느끼신 바가 있어 사람들로 하여금 배워 나아가 '순수하여 또한 그치지 않음'의 경지에 이르기를 구하도록 면려하신 것이다.

○新安陳氏曰 進於此 則安而行之矣

신안 진씨가 말했다. 여기(이 경지)에 나아가면 편안히 여겨 행하게 된다.

【집주】

又曰 自漢以來 儒者 皆不識此意 此 見聖人之心純亦不已也 純亦不已 乃天德也 有天德 便可語王道 其要 只在謹獨

또 말했다. 한나라 이래 유가들이 모두 이(구절의) 뜻을 깨닫지 못했는데, 이(구절)는 성인의 마음이 '순수하여 또한 그치지 아니함'을 드러낸 것이다. '순수하여 그치지 아니함'은 곧 하늘의 덕이다. 하늘의 덕이 있으면 곧 왕도라 할 수 있으니, 그 핵심은 다만 '근독(홀로 있음을 삼감)'에 있을 뿐이다.

【세주】

朱子曰 有天德 則便是天理 便做得王道 無天德 則便是私意 是計較 人多無天德 所以 做王道不成

주자가 말했다. 하늘의 덕이 있으면 곧 천리이니 곧 왕도를 이룰 수 있다. 하늘의 덕이 없으면 곧 사의(사사로운 의사)이니 (이는) 계교(계산하고 비교함)이다. 사람은 하늘의 덕이 없는 경우가 많으니 그런 까닭에 왕도를 이루지 못한다.

○人 多於獨處間斷 才不愼獨 便去隱微處間斷了

사람은 홀로 있는 곳에서는 끊어지는 경우가 많다. 홀로 있음을 삼가지 못하기만 하면 곧 은밀한 곳에 가서는 끊어지고 만다.

○能愼獨 則無間斷 而其理不窮 若不愼獨 便有欲來參入裏面 便間斷了 如何便會如川流底意

능히 홀로 있음을 삼갈 수 있으면 끊어짐이 없어 그 이치가 끝이 없다. 만약 홀로 있음을 삼가지 않으면 욕심이 (마음) 안으로 섞여 들어와 곧 끊어지고 만다. 어떻게 개천이 흐르는 뜻처럼 할 수 있겠는가?

○慶源輔氏曰 人心 卽天德所寓 天地之道 常久而不已也 則純亦不已 非天德而何 聖人之心 則全具得此天德者也 卽是而推之 便是王道 人心天德王道 只是一理

경원 보씨가 말했다. 사람의 마음은 곧 하늘의 덕이 깃든 곳이다. 천지의 도는 항상 유지되어 그치지 않는 것이니 순수하여 그치지 않는다는 것은 하늘의 덕이 아니고 무엇이랴. 성인의 마음은 이 하늘의 덕을 완전히 갖춘 것이니 이에 의거해 밀고 나가면 이것이 곧 왕도이다. 사람의 마음과 하늘의 덕과 왕도는 다만 하나의 (같은) 이치일 뿐이다.

【집주】

愚按 自此至終篇 皆勉人進學不已之辭

내가 살피건대 여기서부터 이 편의 마지막까지는 모두 사람으로 하여금 배워 나아가 그치지 말 것을 면려하시는 말씀이다.

【세주】

新安陳氏曰 楚辭辨證 騷經 忍而不能舍也 洪氏註 引顔師古曰 舍 止息也

屋舍次舍 皆此義 論語 不舍晝夜 謂曉夕不息耳 今人 或音捨 非是 按辨證 文公 著於慶元己未三月 明年庚申四月 公易簀矣 集註 舍上聲者 舊音 讀如 赦者 定說也

신안 진씨가 말했다. 『초사변증』의 「소경(이소)」에 나오는 '차마 그만둘 수 없다'는 구절에 대해 홍씨의 주에는 안사고의 말을 인용해 "'사'는 머물러 쉬는 것이다. '옥사(집에 머무름)'니 '차사(잠시 머무름)'니 하는 것은 모두 이 뜻이다"라고 했다. 『논어』의 '주야로 쉬지 않는다'는 것은 새벽부터 밤까지 쉬지 않는다는 말이다. 요즈음 사람들은 혹 '사(捨: 버리다)'라고 읽는데 옳지 않다. 『(초사)변증』을 살피건대 문공(주자)은 경원 기미(서기 1199년) 3월에 (『초사변증』을) 저술했고, 명년 경신(1200년) 4월에 공이 돌아가셨으니 집주에서 '사'를 상성이라고 한 것은 옛 음을 말한 것이고, '사(赦: 거성)' 자처럼 읽는 것이 정설이다.

9.17 子曰 吾 未見好德如好色者也 好 去聲

공자께서 말씀하셨다. 나는 덕을 좋아하기를 색을 좋아하는 것처럼 하는 자를 보지 못했다.

【집주】

謝氏曰 好去聲好色 惡去聲惡臭 誠也 好德 如好色 斯 誠好德矣 然 民 鮮上聲能之

사씨가 말했다. 미색은 좋아하고 악취는 싫어하는 것, (이는) 진정이다. 덕을 좋아하기를 색을 좋아하듯이 하면 이는 진정 덕을 좋아하는 것이다. 그러나 사람들이 그렇게 할 수 있는 경우는 드물다.

【세주】

慶源輔氏曰 好色惡臭 與好德 皆出於性 然 人之常情 於好色惡臭 則誠實好之惡之 至於好德 則多虛僞不實 故 謝氏 有此說 而又言 民鮮能之 大凡至誠而好 則內外表裏如一 而心志容色 皆應 有不可掩者

경원 보씨가 말했다. 색을 좋아하고 냄새를 싫어하는 것과 덕을 좋아하는 것은 모두 본성으로부터 나온다. 그러나 사람의 일반적인 감정은 미색과 악취에 대해서는 진정으로 좋아하고 싫어하지만 덕을 좋아하는 것에 있어서는 거짓되고 진실하지 않은 경우가 많다. 그래서 사씨는 이런 설명을 하고, 또 사람들이 그렇게 할 수 있는 경우는 드물다고 했다. 대개 지성으로 좋아하면 안과 밖, 겉과 속이 하나같아서 마음의 뜻과 얼굴색이 모두 일치해 가릴 수 없는 것이 있다.

【집주】

○史記 孔子 居衛 靈公與夫人南子 同車 使孔子 爲次乘去聲

『사기』(「공자세가」)에 다음과 같이 나와 있다. "공자께서 위나라에 계실 적에 영공이 부인<남자>과 같은 수레를 타고 공자로 하여금 그다음 수레를 타도록 하고는

【세주】

○第二乘 次其後

두 번째 수레로, (영공 수레) 다음 차례이다.

【집주】

招搖市過之 孔子 醜之 故 有是言

출싹거리며 저자를 지나가자 공자께서 이를 추하게 여기신 까닭에 이 말씀을 하셨다."

【세주】

朱子曰 招搖 如翺翔

주자가 말했다. '초요'는 '고상(새의 날개짓, 즉 촐싹거림)'과 같다.

○新安陳氏曰 夫人 不翟茀自蔽 公與同車 翺翔過市 無恥 孰甚焉 孔子此言因靈公好色而發也

신안 진씨가 말했다. 부인이 깃털 가리개로 스스로를 가리지 않고 공과 더불어 같은 수레를 타고 촐싹거리며 저자를 지나갔으니 부끄러움을 모르는 것이 무엇이 더 심한 것이 있으리오. 공자의 이 말씀은 영공의 호색 때문에 나온 말씀이다.

9.18 子曰 譬如爲山 未成一簣止 吾止也 譬如平地 雖覆一簣進 吾往也 簣 求位反 覆 芳服反

공자께서 말씀하셨다. 산을 쌓는 일에 비유하자면 한 삼태기만큼 모자라는데도 그쳤다면 그것도 내가 그친 것이고, 땅을 고르는 일에 비유하자면 비록 한 삼태기를 깔아 나아갔더라도 그것도 내가 나아간 것이다.

【집주】

簣 土籠也

'궤'는 흙 광주리이다.

【세주】

韻書 籠字 平聲者 註云 轝土器 則此 合平聲

운서에 '농(광주리)' 자는 평성이라 했는데 주에서 흙을 운반하는 그릇이라 했으니 이는 평성이 맞다.

【집주】

書曰 爲山九仞 功虧一簣 夫子之言 蓋 出於此 言山成 而但少一簣 其止者 吾自止耳 平地 而方覆一簣 其進者 吾自往耳 蓋 學者 自强不息 則積少成多 中道而止 則前功盡棄 其止 其往 皆在我 而不在人也

『서경』(「주서 여오」 2장)에서 말하기를 "아홉 길의 산을 쌓았는데 한 삼태기 때문에(부족하여) 공이 무너진다"라 했는데, 공자의 말씀은 대개 여기서 나온 것으로, "산을 이루는 데 단지 한 삼태기가 부족한 상태에서 그치면 그것도 내 스스로 그친 것일 뿐이다. 땅을 고르는 데 바야흐로 한 삼태기를 깔았으면 그 나아간 것도 내 스스로 나아간 것일 뿐이다"라는 말씀이다. 대개 배우는 자가 스스로 힘써 쉬지 않으면 조금씩 쌓아도 결국은 많이 이루고, 중도에 그만두면 앞서의 노력을 모두 포기하는 것이니 그 그침과 나아감은 모두 내게 달려 있지 남에게 달려 있는 것이 아니다.

【세주】

南軒張氏曰 學 以成德爲貴也 止者 吾止也 進者 吾往也 進止 係乎己 而由乎人哉

남헌 장씨가 말했다. 배움은 덕을 이루는 것을 귀히 여긴다. 그치는 것도 내가 그치는 것이요, 나아가는 것도 내가 나아가는 것이다. 나아가고 그치는 것은 내게 달려 있는 것이지, 남 때문이겠는가.

○慶源輔氏曰 其止者 非有尼之者也 乃吾自止耳 其進者 非有趣之者也 乃吾自往耳 反觀內省 而自强不息 而爲學之終始 蓋 不待外求而得之矣

경원 보씨가 말했다. 그친다는 것은 그치게 하는 자가 있어서가 아니라 내가 스스로 그치는 것이다. 나아간다는 것은 재촉하는 자가 있어서가 아니라 내 스스로 나아가는 것이다. 돌이켜 보고 안으로 성찰하여 스스로 힘써 그치지 않아 배움의 처음과 끝을 이루는 것은 대개 밖으로 구한 다음에야 얻을 수 있는 것이 아니다.

○新安陳氏曰 其往 乃自强 其止 乃自棄 自强者 不成不止 自棄者 止而必不成 語有三四章 純如詩六義之比 此 止言爲山 而未嘗言爲學 然 爲學之義 見於言外 此外 松栢 驥力 苗秀章 是也

신안 진씨가 말했다. 가는 것은 곧 스스로 힘쓰는 것이고 그치는 것은 곧 스스로 포기하는 것이다. 스스로 힘쓰는 자는 이루어지지 않으면 그치지 않고, 스스로 포기하는 자는 그치니 반드시 이루어지지 않는다. 『논어』에 (이와 유사한) 서너 장이 있는데, 모두 시의 육의(시의 여섯 가지 표현법) 가운데 비(비유)에 해당된다. 이 구절은 다만 산을 쌓는 것을 말씀하셨을 뿐 배우기를 말하지는 않았지만 그러나 배우기(의 비유)라는 의미는 언외에 드러난다. 이 구절 외에 <송백>장(본 편 27장), <기력>장(『논어』14, 「헌문」 31장), <묘수>장(본 편 21장)이 모두 그 예이다.

9.19 子曰 語之而不惰者 其回也與 語 去聲 與 平聲

공자께서 말씀하셨다. 말해주면 게을리하지 않은 자는 (안)회로구나.

【집주】

惰 懈居隘反怠也 范氏曰 顔子 聞夫子之言 而心解力行 造七到反次顚沛未嘗違之 如萬物得時雨之潤 發榮滋長上聲 何有於惰 此 群弟子所不及也

'타'는 게을리하는 것이다. 범씨가 말했다. 안자는 공자의 말씀을 듣고 마음으로 이해하고 힘써 행하여 잠시라도, 자빠지고 엎어질 때라도, 언제나 어기지 않았다. 마치 만물이 때맞추어 내리는 촉촉한 비에 꽃피우고 무성하게 자라는 것 같으니 어찌 게으름이 있으랴. 이것이 여러 제자들이 (안회에게) 미치지 못하는 바이다.

【세주】

朱子曰 語之而不惰 惟於行上見得顔子不惰 如得一善 則拳拳服膺而不失 欲罷不能 皆是其不惰處 又曰 顔子 聽得夫子說話 自然住不得 若他人 聽過了 半疑半信 若存若亡 安得不惰

주자가 말했다. '말해주면 게을리하지 않는다'는 말로써 진성 실천의 측면에서 안자가 게을리하지 않았음을 알 수 있다. '하나의 선을 들으면 받들어 가슴에 간직해 잃지 않는다(『중용』 8장)', '그만두고자 해도 그럴 수 없다(본편 10장)'는 말들은 모두 그 게을리하지 않았음을 보여주는 곳이다. 또 말했다. 안자는 공자의 말씀을 들으면 자연히 멈출 수 없었다. 만약 다른 사람이라면 들은 다음에는 반신반의하고 기억하는 듯 마는 듯하니 어찌 게을리하지 않는다고 할 수 있으랴.

○慶源輔氏曰 心解 謂知得透徹 聞一知十 是也 力行 謂行得至到旣竭吾才是也

경원 보씨가 말했다. '마음으로 이해한다'는 것은, 투철하게 아는 것이니 '하나를 들으면 열을 안다(『논어』5, 「공야장」 8장)'는 것이 그것이다. '힘써 행한다'는 것은 '내 재주를 완전히 다할(본 편 10장)' 때까지 행한다는 것이 그것이다.

○雙峯饒氏曰 惟其心解 所以 力行 夫子 稱顔子 所以勵群弟子也

쌍봉 요씨가 말했다. 마음으로 이해했기 때문에 힘써 행했다. 공자께서 안자를 칭찬하신 것은 여러 제자들을 격려하시려는 것이다.

○新安陳氏曰 顔子 惟明睿 故 聞夫子之言 而心解 惟健決 故 聞夫子之言 而力行 一知一行 皆不懈也 又以物得時雨比之 此意 自如時雨化之來 孟子集註謂 孔子之於顔曾 是也 惟顔子 能化於時雨 惟孔子 能當其可化之時 而化以時雨 發榮滋長 所謂 則苗勃然興之者也

신안 진씨가 말했다. 안자는 진정 밝고 총명한 까닭에 공자의 말씀을 들으면 마음으로 이해했고, 진정 강건하고 결단력이 있었기에 공자의 말씀을 들으면 힘써 행했다. (그래서) 아는 것 하나하나, 행동하는 것 하나하나 모두 게을리하지 않았다. 또 만물이 때맞추어 오는 비에 변화하는 것에 비유했는데, 이는 '때맞추어 오는 비에 변화하는 것처럼(『맹자』13, 「진심 상」 40장)'이라는 말에서 온 것으로, 『맹자집주』에 "안자나 증자에게 있어서의 공자의 관계가 그 예이다(안자나 증자에게 공자는 때맞추어 오는 비에 해당한다)"라고 했다. 오직 안자만이 때맞춘 비에 능히 변화할 수 있었고 오직 공자만이 변할 수 있는 때에 맞추어 때맞는 비로 변화하게 할 수 있으셨다. '꽃피우고 무성하게 자란다'는 말이 말하는 바는 모가 쑥쑥 번성한다는 것이다.

9.20 子 謂顔淵曰 惜乎 吾 見其進也 未見其止也

공자께서 안연에 대해 말씀하셨다. 아깝구나, 나는 그 나아가는 것만 보았지 그치는 것을 본 적이 없다.

【집주】

進止二字說 見形甸反上章 顔子 旣死 而孔子 惜之 言其方進而未已也

'진지(나아가고 그침)' 두 글자에 대한 설명은 앞 장에 나와 있다. 안자가 이미 죽었기에 공자께서 아깝게 여기셔서 그 바야흐로 나아가되 그치지 않았음을 말씀하신 것이다.

【세주】

朱子曰 顔子 未到那成就結裹處 蓋 他一箇規模 許大 若求到成就結裹處 必大段可觀

주자가 말했다. 안자는 완전히 이루어 마무리하는 데는 이르지 못했다. 대개 그의 규모는 커서 만약 완전히 이루어 마무리하는 데 이르기를 구했다면 필시 대단히 볼 만했을 것이다.

○勉齋黃氏曰 智愚賢不肖之分 惰與不惰 止與不止之間耳 知逝者如斯之意 則誠不容於止且惰矣

면재 황씨가 말했다. 지혜로움과 어리석음, 현명함과 못남의 차이는 게으르냐 게으르지 않느냐, 그치느냐 그치지 않느냐의 차이에 달려 있다. '가는 것이 이와 같다'는 말의 뜻을 알면 그치거나 게을리하는 것을 진정 용납할 수 없을 것이다.

9.21 子曰 苗而不秀者 有矣夫 秀而不實者 有矣夫 夫音扶

공자께서 말씀하셨다. 싹이 나기는 했으나 꽃을 피우지 못하는 경우도 있고 꽃은 피웠으나 열매를 맺지 못하는 경우도 있다.

【집주】

穀之始生 曰苗 吐華 曰秀 成穀 曰實 蓋 學而不至於成 有如此者 是以 君子 貴自勉也

곡식이 처음 난 것을 묘(苗: 싹 또는 모)라 한다. 꽃을 피우는 것을 수(秀)라 한다. 곡식이 익은 것을 실(實: 열매, 열매 맺음)이라 한다. 대개 배우되 완성에 이르지 못하는 것이 이와 같은 자가 있다. 그런 까닭에 군자는 스스로 힘쓰는 것을 귀히 여긴다.

【세주】

朱子曰 苗 須是秀 秀 須是實 方成 不然 何所用 學不至實 亦何所用 此聖人 勉人進學意也

주자가 말했다. 모는 반드시 꽃피어야 하고 꽃피면 반드시 열매 맺어야 비로소 익은 것이다. 그렇지 않으면 무슨 소용이 있겠는가? 배움이 열매 맺지 못하면 또한 무슨 소용이 있으랴. 이는 성인께서 사람들에게 배워 나아가기를 면려하시는 뜻이다.

○南軒張氏曰 養苗者 不失其耘耔 無逆其生理 雨露之滋 日夜之養 有始有卒而後 可以臻厥成 或舍而弗耘 或揠而助長 以至於一暴十寒 則苗而不秀 秀而不實矣 學 何以異於是 有質而不學 苗而不秀者也 學而不能有諸己 秀而不實者也

남헌 장씨가 말했다. 싹을 키우는 것은 김매고 북 주는 때를 놓치지 않고, 생육의 원리를 거스르지 않고, 비와 이슬의 적심과 밤과 낮의 (기운이) 기름이 있고, 시작과 끝이 있은 후에야 익음에 도달할 수 있다. 혹 버려두고 김매지 않거나, 혹 (빨리 자라지 않는다고) 뽑아서 억지로 키를 키워 놓거나(『맹자』3, 「공손추 상」 2장), 심지어 하루만 햇볕 보이고 열흘은 얼리면(『맹자』11,

「고자 상」 9장) 싹은 나도 꽃피우지 못하고 꽃피우더라도 열매 맺지 못한다. 배움도 이와 다를 것이 무엇이 있겠는가. 자질은 있지만 배우지 않는 것은 싹은 났지만 꽃피우지 못하는 것이고, 배우기는 했어도 그것을 자신(의 내면)에 가지지 못하는 것은 꽃은 피웠으나 열매 맺지 못한 것이다.

○新安陳氏曰 此章 或謂 孔子惜顔回 非也 此 以其始學而不發達 發達而不成就者 學者 不可以方苗而秀自止 當以旣秀且實 自勉也

신안 진씨가 말했다. 이 장에 대해 혹자는 공자께서 안자(가 일찍 죽은 것)를 아까워하신 것이라고 하지만 그것은 잘못이다. 이는 배움을 시작하기는 했으나 발전하지 못하고, 발전하기는 했으나 완성하지는 못한 자를 말씀하신 것으로, 배우는 자는 바야흐로 싹이 나고 꽃피었다고 해서 (거기서) 스스로 그쳐서는 안 되고, 마땅히 꽃피우고 또 열매가 맺도록 스스로 힘써야 한다.

9.22 子曰 後生 可畏 焉知來者之不如今也 四十五十而無聞焉 斯亦不足畏也已

공자께서 말씀하셨다. 후배들을 두려워할 만하다. (그들의) 장래가 지금만 못할지 어찌 알리오. 40, 50이 되어도 (이름이 나서) 알려지지 않으면 이 또한 두려워할 만하지 않다.

【집주】

孔子 言後生 年富力彊

공자께서는 "후배들은 햇수가 많이 남았고 힘이 강하니

【세주】

方來之年多 曰年富

앞으로 올 해가 많은 것을 '연부(햇수가 많다)'라고 한다.

【집주】

足以積學 而有待 其勢 可畏 安知其將來不如我之今日乎 然 或不能自勉 至於老 而無聞 則不足畏矣 言此 以警人 使及時勉學也 曾子曰 五十而不以善聞 則不聞矣 蓋 述此意

족히 배움을 쌓아 기다릴 것이 있으므로(성취를 기대할 만하므로) 그 형세가 가히 두려워할 만하다. 어찌 그 장래가 나의 지금만 못할 줄 알 수 있는가. 그러나 혹시 스스로 힘쓰지 못해 늙어서도 알려지지 않으면 두려워할 만하지 않다"라고 말씀하셨다. 이 말씀으로 사람들로 하여금 때맞추어 면학하도록 경계하신 것이다. 증자가 말하기를 "50이 되어서도 좋은 이름이 알려지지 않으면 (영영) 알려지지 않는 것이다"라 했는데, 대개 이 (공자의 말씀의) 뜻을 기술한 것이다.

【세주】

大戴禮 修身篇 曾子曰 年三十四十之間而無藝 則無藝矣 五十而不以善聞 則不聞矣 七十而未壞 雖有後過 亦可以免矣

『대대례』, 「수신」편에 보면 다음과 같이 나와 있다. "증자가 말했다. 나이가 30, 40쯤에 기예가 없으면 (영영) 기예가 없는 것이다. 50이 되어서도 좋은 이름이 알려지지 않으면 (영영) 알려지지 않는 것이다. 70이 되어서도 흐트러지지 않았다면 비록 나중에 허물이 있다 해도 또한 (그 책임을) 면할 수 있다."

○問 後生可畏 是方進者也 四十五十而無聞 是中道而止者也 朱子曰 然

물었다. 후배들이 두려워할 만하다는 것은 이제 한창 나아가는 자를 말하는 것입니다. 40, 50이 되어서도 이름나지 않았다는 것은 중도에 그친 자를 말하는 것입니다. 주자가 답했다. 그렇다.

○慶源輔氏曰 年富 則進學有餘日 力彊 則進學有餘功 故 足以積學而有待 年少而德業進修 則未易量 而可畏 已老而實隕名銷 則不足畏 而可哀 集註謂 警人使及時勉學 爲盡之矣

경원 보씨가 말했다. 햇수가 많으면 배워 나아가기에 세월이 넉넉하고 힘이 강하면 배워 나아가기에 역량이 넉넉하다. 그러므로 족히 배움을 쌓아 기다릴 것이 있다. 나이 어려서 덕업을 닦아 나아가면 쉽게 (그 진보를) 헤아리기 어려우니 두려워할 만하다. 이미 늙었는데 결실이 없고 이름이 없으면 두려워할 만하지 않고 오히려 서글퍼할 만하다. 집주에서 '사람들로 하여금 때맞추어 면학하도록 경계하셨다'라 한 것은 (그 해석이) 완전하다 하겠다.

【집주】

尹氏曰 少去聲下同而不勉 老而無聞 則亦已矣 自少而進者 安知其不至於極乎 是 可畏也

윤씨가 말했다. 어려서 힘쓰지 않으면 늙어서 알려지지 않으니 또한 그것으로 그만이다. 어려서부터 나아가는 자가 지극한 경지에 도달하지 못할지 어찌 알리오. 이것이 두려워할 만한 이유이다.

【세주】

南軒張氏曰 有至於四十五十 而知好學者 如中庸所謂 困而知 勉而行 聖人猶有望焉 若後生 雖有美質 而悠悠歲月 則夫所謂四十五十者 將轉盼而至 可不懼哉

남헌 장씨가 말했다. 40, 50이 되어서야 호학할 줄 알게 되는 자도 있으니 예컨대 『중용』에서 말한 '곤이지(힘들여 암)', '면이행(애써서 행함)'이 그 예로, (이에 대해) 성인께서는 오히려 기대하는 것이 있으셨다. 만약 후배가 아름다운 자질이 있으면서도 유유히 세월만 보내면 소위 40, 50인 자(40, 50에 호학하게 된 자)가 장차 눈이 휘둥그레 해질 정도가 되어 오게 될 터이니 두렵지 않을 수 있으랴.

○雙峯饒氏曰 曰可畏 期望以勉勵之 曰不足畏 絶望以警戒之 尹氏 先釋後二句 却轉來釋前二句 見勉勵之意重 不成 只說他不足畏了便休

운봉 호씨가 말했다. '두려워할 만하다'라고 말씀하신 것은 기대해 면려하시는 것이고, '두려워할 만하지 않다'라고 말씀하시는 것은 절망해 경계하시는 것이다. 윤씨는 먼저 뒤의 두 구절을 해석한 후 뒤집어 앞의 두 구절을 해석하여 면려하시는 뜻에 중점이 있다는 것을 드러내었다. 단지 '그는 두려워할 만하지 않으니 그것으로 그만이다'라고만 말하는 것은 말이 안 된다(그런 식으로 해석하는 것은 면려의 뜻이 전혀 드러나지 않으므로 잘못된 설명이다).

9.23 子曰 法語之言 能無從乎 改之爲貴 巽與之言 能無說乎 繹之爲貴 說而不繹 從而不改 吾 末如之何也已矣

공자께서 말씀하셨다. 법어(지당한 말)를 말하면 따르지 않을 수 있겠는가마는 고치는 것이 (더) 중요하다. 손언(완곡한 말)을 말하면 기뻐하지 않을 수 있겠는가마는 (그 의미의) 실마리를 찾는 것이 (더) 중요하다. 기뻐하면서도 실마리를 찾지 않고 따르면서도 고치지 않으면 나도 어찌해야 할지 모르겠다.

【집주】

法語陸氏 音 魚據反 下同者 正言之也 巽言者 婉而導之也 繹 尋其緖也

'법어'란 바르게 말하는 것이다. '손언'이란 완곡하게 말해 이끄는 것이다. '역'은 실마리를 찾는 것이다.

【세주】

新安陳氏曰 如絲有端緖 尋求其端緖 而思慮 紬繹之也

신안 진씨가 말했다. 실에 실마리가 있는 것처럼, 그 실마리를 찾아 생각하여 (그 의미를) 뽑아내는 것이다.

【집주】

法言 人所敬憚 故 必從 然 不改 則面從而已 巽言 無所乖忤五故反 故 必說音悅 下同 然 不繹 則又不足以知其微意之所在也

법언은 사람들이 공경하고 어려워하는 것인 까닭에 반드시 따른다. 그러나 고치지 않으면 겉으로 따르는 것일 뿐이다. 손언은 (마음에) 어그러지거나 거슬리는 것이 없기 때문에 반드시 기뻐한다. 그러나 실마리를 찾지 않으면 또 그 숨은 뜻이 어디 있는지 알기에 부족하다.

【세주】

朱子曰 如漢武帝 見汲黯之直 深所敬憚 至帳中可其奏 可謂從矣 然 武帝

內多欲而外施仁義 豈非面從 如孟子 謂好色好貨 齊王 豈不悅 若不知繹 則徒知古人所謂好色 不知其能使內無怨女 外無曠夫 徒知古人所謂好貨 不知其能使居者有積倉 行者有裹糧也

주자가 말했다. 예컨대 한 무제는 급암의 강직함을 보고 깊이 존경하고 어려워해서 심지어는 휘장 안에서도 간언할 수 있게 했으니(『사기』120, 「급정열전」) 가히 따랐다고 하겠다. 그러나 무제는 안으로는 욕심이 많으면서도 겉으로만 인의를 베풀었으니 어찌 면종(겉으로만 따름)이 아니겠는가. 예컨대 맹자가 호색(색을 좋아함)과 호화(돈을 좋아함)에 대해 말하자 제나라 왕이 어찌 기뻐하지 않았겠는가마는, 만약 (그 말의 숨겨진 뜻을) 찾을 줄 모른다면 헛되이 옛사람이 소위 호색했다는 것만 알 뿐 안으로는 원망하는 여인이 없도록 하고 밖으로는 홀아비가 없게 할 줄은 모르게 되고, 헛되이 옛사람이 소위 호화했다는 것만 알 뿐 머무는 자는 창고에 쌓은 것이 있게 하고 길 가는 자는 봇짐에 식량이 있도록 할 줄은 모르게 된다(『맹자』2, 「양혜왕 하」 5장).

【집주】

○楊氏曰 法言 若孟子論行王政之類 是也 巽言 若其論好去聲貨好色之論 是也 語之而不達 拒之而不受 猶之可也

양씨가 말했다. 법언은 예컨대 맹자가 왕도정치를 행하는 것을 논의한 것 같은 것이 그것이다. 손언은 예컨대 호색 호화의 논의 같은 것이 그것이다. 말해주어도 깨닫지 못하고, 거부하고 받아들이지 않는 것은 오히려 괜찮다.

【세주】

新安陳氏曰 謂全不從不說者 此等 不足責

신안 진씨가 말했다. 전혀 따르지도 않고 기뻐하지도 않는 자를 말하는 것이니, 이런 자들은 꾸짖을 필요가 없다.

【집주】

其或喩焉 則尙庶幾平聲其能改繹矣 從且說矣 而不改繹焉 則是終不改繹也已

(이런 사람들은 나중에라도) 혹시 깨달으면 오히려 아마도 능히 고치고 찾을 수도 있겠지만, 따르고 기뻐하면서도 고치거나 찾지 않는 자들, 이들은 끝까지 고치거나 찾지 않고 만다.

【세주】

新安陳氏曰 旣曉論 則有能改繹之機矣 而止於此 此等 深可責

신안 진씨가 말했다. 이미 그 논의를 깨달았으니 고치고 찾을 수 있는 기회가 있었던 것이다. 그런데도 이(따르고 기뻐하기만 하는 것)에 그치는 자, 이런 자들은 심히 꾸짖을 만하다.

【집주】

雖聖人 其如之何哉

비록 성인이라 하더라도 어찌하겠는가?

【세주】

朱子曰 巽 謂巽順與他說 都是敎他做好事 重處 在不改不繹 聖人謂 如此等人 與他說得也不濟事 故曰 吾 末如之何也已

주자가 말했다. '손'은 완곡하고 부드럽게 남에게 말하는 것으로 모두 그로 하여금 좋은 일을 하라고 하는 것이다. (이 말씀의) 중점은 '고치지 않고 찾지 않는다'는 데 있다. 성인께서는 이러한 사람의 경우 그에게 말해주어야 소용이 없다고 하셨으니, 그래서 '나도 어찌해야 할지 모르겠다'라고 말씀하셨다.

○南軒張氏曰 法言 明義而正告之 巽言 委曲而開導之也 自非肆於惡而無忌憚者 其聞之 能無面從與說意乎 然 聞善 將以善其身也 苟惟暫說而不改其故 面從而不改其非 則亦何有於己哉

남헌 장씨가 말했다. 법언은 의(올바름)를 밝혀 옳게 말해주는 것이고, 손언은 에둘러 말해 (생각의 실마리를) 열고 이끄는 것이다. 원래부터 멋대로 악을 저질러 거리낌이 없는 자가 아니라면 듣고서는 겉으로 따르고 기뻐하지 않을 수 있으랴. 그러나 선을 듣는 것은 장차 그 몸을 선하게 하려는 것인데, 만약 단지 잠시 기뻐할 뿐 그 옛날(잘못)을 고치지 않고, 겉으로만 따르면서 그 잘못을 고치지 않으면 또한 자신에게 무슨 득이 있으랴.

○慶源輔氏曰 從法語 說巽言 秉彝之性也 從而不改者 物欲堅强而不屈就於理 說而不繹者 志氣昏惰 而不反求諸心爾 學之不進 德之不修 家之不齊 國之不治 皆由是基之 若此之人 雖聖人 亦莫如之何也已

경원 보씨가 말했다. 법어를 따르는 것과 손언을 기뻐하는 것은 타고난 떳떳한 본성이다. 따르면서도 고치지 않는 자는 물욕이 강고해서 굽혀 이치로 나아가지 않는 것이다. 기뻐하면서도 찾지 않는 자는 기질이 어둡고 게을러 돌이켜 마음으로부터 찾지 못하는 것이다. 배움이 진보하지 못하는 것, 덕이 닦이지 못하는 것, 집안이 다스려지지 못하는 것, 나라가 다스려지지 못하는 것은 모두 이로 말미암아(고치지 않고 찾지 않는 잘못으로부터) 바탕이 마련된 것이다. 이러한 사람은 비록 성인이라 할지라도 또한 어찌해 볼 수 없을 뿐이다.

9.24 子曰 主忠信 毋友不如己者 過則勿憚改

공자께서 말씀하셨다. 충신을 주로 하고 나만 못한 자를 친구로 삼지 말라. 허물이 있으면 고치기를 꺼리지 말라.

【집주】

重平聲出 而逸其半

거듭 나온 것인데 그 반은 없어졌다.

【세주】

新安陳氏曰 弟子 各記所聞 有詳有略

신안 진씨가 말했다. 제자들이 각자 들은 바를 기록했기에 상세한 것이 있고 소략한 것이 있다.

9.25 子曰 三軍 可奪帥也 匹夫 不可奪志也

공자께서 말씀하셨다. 삼군은 그 장수를 뺏을 수 있지만 필부는 그 뜻을 뺏을 수 없다.

【집주】

侯氏曰 三軍之勇 在人 匹夫之志 在己 故 帥可奪 而志不可奪 如可奪 則亦不足謂之志矣

후씨가 말했다. 삼군의 용맹은 남에게 있는 것이고 필부의 뜻은 자신에게 있는 것이다. 그러므로 장수는 뺏을 수 있어도 뜻은 뺏을 수 없다. 만약 뺏을 수 있는 것이라면 역시 뜻이라 부를 만하지 못하다.

【세주】

此 借上句 以明下句意

이는 앞 구절을 빌려 뒤 구절의 의미를 밝힌 것이다.

○南軒張氏曰 志者 中有所主也 三軍 雖衆 其帥可奪者 資諸人故也 匹夫雖微 其志則不可奪者 存諸己故也 夫 使志而可奪 則不得謂之志矣 雖然此 所謂志 謂守其道而不渝 如虞人 非其招不往之類 是也 若守認私意 而不知徙義 則是 失其所主 謂之任意 則可耳 非志也

남헌 장씨가 말했다. 뜻이라는 것은 마음속의 주가 되는 것이다. 삼군은 비록 무리가 많지만 그 장수를 뺏을 수 있는 것은 (용기를) 남에게 의존하고 있기 때문이다. 필부는 비록 미천하지만 그 뜻을 뺏을 수 없는 것은 (뜻이) 자신에게 있기 때문이다. 무릇 만약 뜻이 뺏을 수 있는 것이라면 뜻이라고 부를 수 없다. 비록 그러하나 여기서 말하는 뜻이란 도를 지켜 변하지 않는 것을 말하니, 예컨대 우인이 그 부르는 방식이 아니기에 가지 않은 것(『맹자』 10, 「만장 하」 7장) 같은 것이 그것이다. 만약 사사로운 의사를 인식하고 고집할 뿐, 의로움으로 옮겨갈 줄 모른다면 이는 그 주가 되는 것을 잃은 것이니 임의(임의적인 의사)라고는 할 수 있어도 뜻은 아니다.

○勉齋黃氏曰 共姜 一婦人也 而以死自誓 其志之不可奪 如此 況志於仁志於道 可得而奪乎

면재 황씨가 말했다. 공강은 일개 부녀자이지만 이처럼 그 뜻을 뺏을 수 없다고 죽음으로써 스스로 맹세했다(『시경』, 「국풍 용풍」 <백주>). 하물며 인에 뜻을 두고 도에 뜻을 두었다면 뺏을 수 있겠는가?

○慶源輔氏曰 以三軍之勇 而衛一人 宜若不可奪也 然 其可奪者 勇非在我也 以匹夫而守其志 宜若可奪也 然 其不可奪者 志非在外也

경원 보씨가 말했다. 삼군의 용맹으로 한 사람을 지키면 당연히 뺏을 수 없을 것 같지만 그러나 뺏을 수 있는 것은 그 용맹이 나(장수)에게 있는 것이 아니기 때문이다. 필부로서 그 뜻을 지키면 당연히 뺏을 수 있을 것 같지만 그러나 뺏을 수 없는 것은 뜻이 밖에 있는 것이 아니기 때문이다.

○志與意 不同 意 是發動處 志 是存主處 夫子所謂 志士仁人 有殺身以成仁 無求生以害仁 其可得而奪乎 如可奪 則豈足以爲志哉

'지(지향하는 것으로서의 뜻)'와 '의(단순히 하고 싶은 것으로서의 의사)'는 같지 않다. 의는 발동하는 것이고 지는 (마음속에) 보존해 주로 삼는 것이다. 공자께서는 "지사와 인인은 살신성인하는 경우는 있어도 삶을 구해 인을 해치는 경우는 없다(『논어』15, 「위령공」 8장)"라고 하셨다. 뺏을 수 있겠는가? 만약 뺏을 수 있는 것이라면 어찌 족히 뜻이라 하리오.

○洪氏曰 志 氣之帥也 故 以爲喩

홍씨가 말했다. 뜻은 기를 이끄는 것이다. 그래서 (삼군을 이끄는 장수를) 비유로 삼았다.

○雙峯饒氏曰 三軍 有千萬箇心 匹夫 只是一心 若三軍離心 則帥便被人奪了 匹夫之志 在我而已 故 不可奪 此 是教人立志

쌍봉 요씨가 말했다. 삼군은 천만 개의 마음이고 필부는 단 한 개의 마음이다. 만약 삼군의 마음이 떠난다면 장수는 곧 남에게 뺏기고 만다. 필부의 뜻은 자신에게 있을 뿐이니 그런 까닭에 뺏을 수 없다. 이는 사람들에게 뜻을 세울 것을 가르치신 것이다.

○新安陳氏曰 志公 而意私 初守得定 故 不可奪 此 是志 後守不定 爲人所奪 便非志矣 志 搖奪於私意 只可言意耳 李密云 舅奪母志 非也 若其志如共姜 可奪乎

신안 진씨가 말했다. '지(뜻)'는 공이고 '의(의사)'는 사이다. 처음부터 든든하게 지키는 까닭에 뺏을 수 없다. 이것이 뜻이다. 나중에 든든하게 지키지 못해 남에게 뺏기는 바가 되면 곧 뜻이 아니다. 뜻이 사사로운 의사에 의해 흔들리고 뺏기면 다만 의사라고 할 수 있을 뿐이다. 이밀이 '외할아버지가 어머니의 뜻을 빼앗았다(강제로 개가시켰다)'라고 했는데, 이는 잘못이다. 만약 그 뜻이 공강과 같았다면 뺏을 수 있겠는가?

9.26-1 子曰 衣敝縕袍 與衣狐貉者立 而不恥者 其由也與 衣 去聲 縕 紆粉反 貉 胡各反 與 平聲

공자께서 말씀하셨다. 낡은 모시 솜 겹옷을 입고서 여우나 담비 갖옷을 입은 자와 함께 서도 부끄러워하지 않을 자는 유(자로)이리라.

【집주】

敝 壞也 縕 枲想里反著展呂反也 袍 衣有著者也 蓋 衣之賤者

'폐'는 낡은 것이다. '온'은 모시 솜이다. '포'는 솜을 놓은 옷이니 대개 옷 가운데 천한 것이다.

【세주】

勿軒熊氏曰 縕 枲著 出記玉藻云 纊爲繭 縕爲袍 鄭云 衣有著之稱 纊 今之新綿 縕 今之纊及舊絮 疏 好者爲綿 惡者爲絮 朱子云 袍 謂夾衣有綿在胎底 趙氏曰 枲著 則雜用枲麻 以著袍也 如今麻苧筋類 可置之夾襖中者

물헌 웅씨가 말했다. 온은 모시 솜이다. 『예기』, 「옥조」편에 "광(고치 솜)으로 비단 솜옷을 짓고 온(모시 솜)으로 포(겹옷)를 짓는다"라는 말이 나오는데, 정(현)이 말하기를 "솜을 놓은 옷을 말한다. 광은 오늘날의 신면(새 솜)이고 온은 오늘날의 광과 옛날의 서(헌 솜)이다"라 했고, (이에 대해) 소에서는 "좋은 것은 면이라 하고 나쁜 것은 서라 한다"라 했다. 주자는 "포는 솜을 속에 놓은 겹옷이다"라 했고, 조씨는 "시저(모시 솜)란 모시나 삼을 섞어 솜을 만들어 포를 짓는 것으로, 오늘날의 삼이나 모시 줄기 같은 것들처럼 겹옷 속에 놓을 수 있는 것이다"라 했다.

○雲峯胡氏曰 禮韻 貯字 亦作著 通作褚 作緖 以綿裝衣之謂

운봉 호씨가 말했다. 『예운』(『예부운략』)에 '저(貯)' 자를 또한 '저(著)'로 썼고, 보통은 저(褚), 서(緖)로도 쓴다. 솜을 놓은 옷을 말한다.

【집주】

狐貉 以狐貉之皮爲裘 衣之貴者 子路之志 如此 則能不以貧富動

其心 而可以進於道矣 故 夫子 稱之

'호'와 '학'은 여우와 담비의 가죽으로 지은 갖옷이니 옷 가운데 귀한 것이다. 자로의 뜻이 이와 같았기에, 가난이나 부유함 때문에 그의 마음이 흔들리지 않을 수 있었고 도로 나아갈 수 있었다. 그래서 공자께서 칭찬하셨다.

【세주】

厚齋馮氏曰 與美衣服者竝立 而此心不動 其志 足以帥氣 而不可奪矣 烏得不與之 然 特其立志之初也

후재 풍씨가 말했다. 좋은 옷을 입은 자와 나란히 서도 이 마음이 흔들리지 않았으니 그 뜻은 족히 기를 이끌 만하고 뺏을 수 없는 것이었다. 어찌 인정받지 않을 수 있으리오. 그러나 (이는) 다만 입지의 첫 단계일 뿐이다.

9.26-2 不忮不求 何用不臧 忮 之豉反

해치지도 않고 얻으려 하지도 않으니 어찌 선하지 않다 하겠는가.

【집주】

忮 害也 求 貪也 臧 善也 言能不忮不求 則何爲不善乎 此 衛風雄雉之詩 孔子 引之 以美子路也 呂氏曰 貧 與富交 彊者 必忮 弱者 必求

'기'는 해치는 것이다. '구'는 탐하는 것이다. '장'은 선함이다. 능히 해치지도 얻으려 하지도 않으니 어찌 선하지 않다 하겠느냐는 말씀이다. 이는 (『시경』) 「위풍」 <웅치>의 시인데 공자께서 이를 인용하여 자로를 칭찬하신 것이다. 여씨가 말했다. 가난한 자가 부자와 교제할 때 (성정이) 강한 자는 반드시 (부자를) 해치고 약한 자는 반드시 (부자에게) 얻으려 한다.

【세주】

朱子曰 李閎祖云 忮 是疾人之有 求 是恥己之無 推明得呂氏說好

주자가 말했다. 이굉조가 말하기를, '기'는 남이 가진 것을 질투하는 것이고

'구'는 내가 없는 것을 부끄러워하는 것이라 했는데, 여씨의 설을 명확하게 잘 추론했다.

○問 彊 必忮 弱 必求 曰 世人 見富貴底 不是心裏妬嫉他 便羨慕他

'강한 자는 반드시 해치고 약한 자는 반드시 얻으려 한다'는 말에 대해 물었다. 답했다. 세상 사람들은 부귀한 사람을 보면 마음속으로 그 사람을 질투하거나 그렇지 않으면 곧 그 사람을 부러워한다.

○慶源輔氏曰 忮者 嫉人之有 而欲害之也 求者 恥己之無 而欲取之也 是皆爲外物之所累者也 能於外物一無所累焉 則何往而不善哉

경원 보씨가 말했다. '기'란 남이 가진 것을 질투해서 (남을) 해치고자 하는 것이고, '구'란 자기가 없는 것을 부끄러워하여 얻고자 하는 것이다. 이는 모두 바깥의 물건에 매인 것이다. 바깥의 물건에 조금이라도 매이지 않을 수 있다면 어디 간들 선하지 않으리오.

9.26-3 子路 終身誦之 子曰 是道也 何足以臧

자로가 종신토록 이 구절을 읊자 공자께서 말씀하셨다. 이 도가 어찌 선이라고 하기에 충분하겠느냐.

【집주】

終身誦之 則自喜其能 而不復扶又反 下同**求進於道矣**

종신토록 읊는다는 것은 그 능함(잘했음)을 스스로 기뻐하여 다시는 도의 진보를 구하지 않는다는 말이다.

【세주】

問 子路 終身誦之 此 子路所以不及顔淵處 蓋 此 便是願車馬衣輕裘 與朋友共 敝之而無憾底意思 然 他 將來自誦 便是無那無伐善施勞底意思 朱子曰 所謂終身誦之 亦不是他矜伐 只是將這箇做好底事 終身誦之 要常如此 便別無長進矣

물었다. 자로가 이 구절을 종신토록 읊었다는 이 말은 자로가 안연에게 미치지 못했던 이유입니다. 대개 이는 곧 수레와 가벼운 갖옷을 친구와 같이 나누고 낡더라도 유감이 없겠다고 한 말(『논어』5, 「공야장」 25장에서 자로가 한 말)의 뜻과 같습니다. 그러나 그가 앞으로도 스스로 (이 구절만) 읊는다면 이는 곧 선을 자랑하지 않고 공로를 내세우지 않으려는 뜻(같은 곳에서 안회가 한 말)은 없는 것입니다. 주자가 답했다. 이른바 종신토록 이 말씀을 읊었다는 것이 또한 그(자로)가 자랑하고 뽐냈다는 것은 아니다. 다만 이 좋은 일을 한 것을 가지고 종신토록 읊어 항상 이렇게만 하려 한다면 곧 따로 장족의 발전은 없다.

○問 人 惟中無所養而後 饑渴得以害其心也 故 不能自安於貧 而有慕乎彼之富 此心一動 物欲行焉 故 雖可已而不已 孟子所謂 宮室之美 妻妾之奉 所識窮乏者 得我而爲之類 蓋 有不可勝窮之私 由是以失其本心 而忌嫉忮害生焉 否則諂曲以求之 而不自知其爲卑汚淺陋之甚也 子路之志 不牽乎外物之誘 夫子 稱之 欲以進其德 惜乎 不能充此而上之 至有終身誦之之弊 不然 簞瓢陋巷之樂 當與顔子同之 日用工夫 信乎不可遽已也 曰 然

물었다. 사람이 마음속에 기른 것이 없는 후에는 배고픔과 목마름이 그 마음을 해치게 됩니다. 그런 까닭에 가난을 스스로 편히 여길 수 없어 남의 부를 부러워하게 됩니다. 이 마음이 한 번 흔들리면 물욕이 움직이는 까닭에 그만둘 만한데도 그만두지 않습니다. 맹자가 말한바 "내가 아는 궁핍한 자가 아름다운 궁실과 처첩 먹여 살리기를 나에게서 얻을 수 있다(『맹자』11, 「고자 상」 10장)"라는 말처럼 대개 궁핍함으로 말미암은 사사로움을 이기지 못하는 자가 있습니다. 이 때문에 그 본심을 잃어버리고 질투하고 해치려는 마음이 생기거나, 아니면 굽혀 아첨하여 얻으려 하면서도 스스로는 그 비천하고 누추함이 심한 줄 알지 못합니다. 자로의 뜻은 바깥의 물건의 유혹에 끌리지 않았으니 공자께서 칭찬하시어 그 덕이 진보하기를 바라셨습니다. 아깝습니다, 이를 채워 위로 올라가지 못하고 종신토록 이 말씀을 읊는 폐단에 이르고 말았으니. 그렇지 않았다면 단표누항(한 그릇의 밥, 한 표주박의 물과 더러운 거처, 즉 극도의 가난)의 즐거움을 당연히 안자와 같이 했을 것입니다. 매일매일의 공부는 참으로 성급하게 그칠 수 없는 것입니다. 답했다. 그렇다.

○新安陳氏曰 子路 能如此 本可進於道 今 誦所引詩而自喜其能 則不復求進於道矣 大了 所以 㨍之 抑之也

신안 진씨가 말했다. 자로는 이처럼 잘했으니 본디 도에 있어서 진보할 수 있었다. 지금 인용된 시를 읊으면서 그 잘한 것을 스스로 기뻐했으니 다시 도의 진보를 구하지 못한 것이다. 그래서 공자께서 한 번 띄우고 한 번 누르셨던 것이다.

【집주】

故 夫子 復言此 以警之

그래서 공자께서 다시 이 말씀을 하시어 그를 경계하셨다.

【세주】

新安陳氏曰 是道 謂不忮不求之事 何足以臧 承何用不臧之語 而反之

신안 진씨가 말했다. 이 도란 해치지 않고 얻으려 하지 않는 일을 말한다. '어찌 선이라고 하기에 충분하겠는가'라는 말씀은 '어찌 선하지 않다 하겠는가'라는 말씀을 이어 받아 뒤집은 것이다.

【집주】

○謝氏曰 恥惡衣惡食 學者之大病 善心不存 蓋 由於此 子路之志 如此 其過人 遠矣 然 以衆人而能此 則可以爲善矣 子路之賢 宜不止此 而終身誦之 則非所以進於日新也 故 激而進之

사씨가 말했다. 나쁜 옷과 나쁜 음식을 부끄러워하는 것은 배우는 자의 큰 병이다. 선심이 보존되지 않는 것은 대개 이로 말미암는다. 자로의 뜻이 이와 같았으니 다른 사람보다는 훨씬 낫다. 그러나 보통의 뭇사람으로서 이에 능하다면 선하다고 할 수 있지만, 자로 같은 현인은 마땅히 이에 그쳐서는 안 되는데 종신토록 그것을 읊는다면 날로 새롭게 나아가려는 것이 아니다. 그래서 격려해 나아가게 하셨다.

【세주】

慶源輔氏曰 義理無窮 此 特一事之善 若遽自以爲喜 則不復求進於道 蓋 喜心 生於自足 而怠心 生於自喜 故 夫子 又言此以警之

경원 보씨가 말했다. 의리는 무궁하니 이는 다만 한 가지 일에서의 선일 뿐이다. 만약 성급히 스스로 기뻐하면 다시 도의 진보를 구하지 않게 된다. 대개 기뻐하는 마음은 스스로 만족하는 데서 생기고 게으른 마음은 스스로 기뻐하는 데서 생긴다. 그러므로 공자께서는 또 이 말씀을 하시어 그를 경계하셨다.

○潛室陳氏曰 子路 好勇 必無忮求 自足於此 而道之 故 孔子 因其無日新之功 而進焉 又曰 子路 於世間名利 關大界限分明處 已見得破 但 其工夫粗疎 未入聖賢閫室 所以 聖人 常欲抑其所已能 進其所未能

잠실 진씨가 말했다. 자로는 용맹을 좋아하여 결코 해치고 구하는 일은 없었지만 여기에 만족하여 그것을 도로 여겼다. 그래서 공자께서는 (자로가) 날로 새로이 하려는 노력이 없었기에 (노력해) 나아가도록 하셨다. 또 말했다. 자로는 세상의 명예나 이익에 있어서 큰 한계가 분명한 곳에 관해서는 이미 완전하게 알았다. 그러나 그 공부가 거칠고 소략하여 성현의 경지의 문턱을 넘지 못했으니 그래서 성인께서는 항상 이미 능한 것은 누르고 아직 능하지 못한 것은 나아가게 하고자 하셨다.

9.27 子曰 歲寒 然後知松栢之後彫也 彫字 當作凋

공자께서 말씀하셨다. 날이 차진 연후에야 송백이 늦게 시드는 것을 알 수 있다.

【집주】

范氏曰 小人之在治去聲世 或與君子無異 惟臨利害 遇事變 然後君子之所守 可見也

범씨가 말했다. 소인은 (잘) 다스려진 세상에서는 혹 군자와 다르지 않을 수도 있다. 오직 이해관계에 당면하고 사변을 만난 후에야 군자가 지키는 것(이 있음)을 알 수 있다.

【세주】

南軒張氏曰 力量之淺深 平時未易見也 惟當利害艱難之際 則可見其所守者矣 人 徒見其臨事之能處也 而不知其所守之有素也 松栢之質 堅剛矣 獨於歲寒之時 而後人 知其後彫耳

남헌 장씨가 말했다. 역량의 얕고 깊음은 평시에는 쉽게 드러나지 않는다. 오직 이해관계와 고난에 당면한 때라야 그 지키는 바를 알 수 있다. 사람들은 헛되이 (군자가) 일에 임해서 능숙히 처리하는 것만 볼 뿐, 평소에 그 지키는 바가 있는 줄은 모른다. 송백의 재질은 단단해서 오직 날이 찬 때가 된 다음에라야 사람들이 그 늦게 시듦을 알게 된다.

○慶源輔氏曰 小人之在世 或被化而彊於爲善 或畏威而覬其免罪 故 其迹或與君子無異也 臨利害 遇事變 則彊於爲善者 或汨於欲 而忘其勉彊之心 則惟利之趨 覬於免罪者 或乘其變 而以爲罪之未必及己 則放僻邪侈 故 其眞情 發露而不可掩 惟成德之君子 則素其位而行 雖造次顚沛而未嘗違也 故 其所守 然後可見

경원 보씨가 말했다. 소인은 세상에 살면서 혹은 교화를 입어 억지로 선을 행하기도 하고 혹은 위세를 두려워하여 죄를 면하기를 바랄 수도 있다. 그런 까닭에 그 행적은 혹시 군자와 다르지 않을 수 있다. 이해관계에 당면하고 사변을 만나면, 억지로 선을 행하는 자는 혹 욕심에 골몰해 애써 노력하려는 마음을 잊으니 단지 이익을 좇을 뿐이다. 죄를 면하기를 바라는 자는 혹 그 변고를 틈타 죄가 자신에게 꼭 미치지는 않을 것이라 생각해

방종하고 간사하고 사치한다. 그런 까닭에 그 진정이 드러나 가릴 수 없다. 오직 덕을 이룬 군자라야 평소의 그 자리[자신이 처한 위치]를 지켜 행하고 (『중용』 14장) 비록 짧은 순간이나 당황스러울 때라도 언제나 어기지 않는다. 그러므로 그 지키는 바는 그런(어려운 때를 당한) 후에야 알 수 있다.

○物之受於天者 獨正 故 不凋於歲寒 人之得於天者 必周 故 能不變於邪世

사물이 하늘로부터 받은 것이 다만 바르기 때문에 날이 차도 시들지 않는다. 사람이 하늘부터 얻은 것이 반드시 넉넉하기 때문에 사악한 세상에서도 변하지 않을 수 있다.

○胡氏曰 小人 在治世 或與君子無異者 猶春夏之交 萬物青蔥 雖有堅脆之不齊 然 未可辨也 及事變之來 小人 則隨時變遷 君子 則所守不易 非死生禍福可得而移 亦猶重陰冱寒 生意憔悴 而松栢 獨蒼然不變

호씨가 말했다. 소인은 다스려진 세상에서는 혹시 군자와 다르지 않을 수 있으니, 마치 봄과 여름 사이에는 만물이 푸릇푸릇해 비록 단단하기와 무르기가 같지 않아도 구분할 수 없는 것과 같다. 사변이 오면 소인은 때에 따라 변하지만 군자는 지키는 것이 바뀌지 않아 생과 사, 화와 복이 (군자의 뜻을) 옮길 수 없으니, 또한 마치 깊이 그늘지고 날이 차가워져 생명의지가 시들어질 때 송백만이 홀로 푸르러 변하지 않는 것과 같다.

○厚齋馮氏曰 歲寒 今之建丑月也 木葉 無不凋 而是時 松栢 獨不凋 則知後於衆木之凋也

후재 풍씨가 말했다. 날이 찬 때는 지금의 건축월(12월)이다. 나뭇잎은 시들지 않는 것이 없지만 이때 송백만은 홀로 시들지 않으니 뭇 나무들보다 늦게 시드는 것을 알 수 있다.

○新安陳氏曰 松栢 在春夏 無異衆木 必經歲寒 方見其後衆木而凋零 以比君子 在平時 無異衆人 必經事變 方見其異衆人而特立 後凋 雖待歲寒而後可見 松栢之有心 則貫四時而有常 托物以比君子 其意 深矣 此章 如詩六義之比

신안 진씨가 말했다. 송백은 봄과 여름에는 다른 뭇 나무들과 다르지 않아서 반드시 날이 차진 다음에야 비로소 뭇 나무들보다 늦게 소락하는 것을 알 수 있다. 이로써 군자는 평상시에는 뭇사람과 다르지 않아서 반드시 사변을 겪은 후에야 비로소 뭇사람들과 달리 우뚝 서 있다는 것을 알 수 있음을 비유했다. 늦게 시든다는 것은 비록 날이 차진 다음에야 알 수 있지만 송백의 마음은 4계절을 통해 늘 같다. 사물에 의탁해 군자를 비유한 것이니 그 뜻이 깊다. 이 장은 시의 육의 가운데 비(비유)에 해당한다.

【집주】

○謝氏曰 士窮 見節義 世亂 識忠臣 欲學者必周於德

사씨가 말했다. 선비가 궁해야 절의가 드러나고 세상이 혼란해야 충신을 알아본다. 배우는 자가 덕이 넉넉하기를 바라신 것이다.

【세주】

新安陳氏曰 士窮 乃見節義 韓退之語 疾風知勁草 板蕩識忠臣 唐太宗語 孟子曰 周于德者 邪世 不能亂

신안 진씨가 말했다. '선비가 궁해야 곧 절의가 드러난다'는 말은 한퇴지(한유)의 말이고, '센 바람에 굳센 풀을 알아보고 정치가 어지러워야 충신을 알아본다'는 말은 당 태종의 말이다. 맹자가 말하기를 "덕이 넉넉한 자는 사악한 세상도 어지럽힐 수 없다(『맹자』14, 「진심 하」 10장)"라 했다.

○雙峰饒氏曰 松栢 至春後 方易葉 故曰 後凋 必有松栢之操 然後能不爲歲寒所變 以比必有君子之德 然後能不爲利害事變所移 臨利害 遇事變 是兩件 士窮 見節義 以利害言 世亂 識忠臣 以事變言

쌍봉 요씨가 말했다. 송백은 봄이 된 다음에야 비로소 잎을 간다. 그래서 '늦게 시든다'고 한다. 반드시 송백과 같은 지조가 있은 연후에야 날이 차도 능히 변하지 않을 수 있다. 이로써 반드시 군자의 덕이 있은 연후에야 이해관계와 사변에 의해 옮기지 않을 수 있음을 비유했다. 이해관계에 당면하고 사변을 만나는 것은 두 가지 일로서, 선비가 궁해야 절의가 드러난다는 것은 이해관계를 두고 하는 말이고 세상이 혼란해야 충신을 알아본다는 것은 사변을 두고 하는 말이다.

9.28 子曰 知者不惑 仁者不憂 勇者不懼

공자께서 말씀하셨다. 지자는 미혹되지 않고 인자는 근심하지 않으며 용자는 두려워하지 않는다.

【집주】

明 足以燭理 故 不惑 理 足以勝私 故 不憂

명석함이 족히 이치를 밝힐 수 있으므로 미혹되지 않는다. 이치가 족히 사사로움을 이길 수 있으므로 근심하지 않는다.

【세주】

程子曰 仁者不憂 樂天者也

정자가 말했다. 인자는 근심하지 않으니 하늘을 즐기는 자이다.

○朱子曰 仁者 天下之公 私欲不萌 而天下之公在我 何憂之有

주자가 말했다. 인자는 천하의 공으로서, 사욕이 싹트지 않는다. 천하의 공이 내게 있으니 무슨 근심이 있으랴.

○胡氏曰 公理 不能勝私欲 則憂患多端 仁者 至公無私 與理爲一 理所當然 則貧賤夷狄患難 皆素其位而行 無往而不自得 所以 不憂也

호씨가 말했다. 공리가 사욕을 이지지 못하면 우환이 다양해진다. 인자는 지공무사하니 이치와 더불어 일체가 되어, 이치에 당연한 것이면 빈천하더라도, 이적(오랑캐 사회)에 가더라도, 환란 중에서도 평소의 그 자리를 지켜 행하니 어디가든(어떤 경우에도) 자득(스스로 이치를 얻음)하지 않는 경우가 없다. 그래서 근심이 없는 것이다.

【집주】

氣 足以配道義 故 不懼

기가 족히 도와 의에 짝할(도와 의를 뒷받침할) 수 있으므로 두려워하지 않는다.

【세주】

朱子曰 孟子說 配義與道 無是 餒也 今有見得道理分曉 而反懾怯者 氣不足也

주자가 말했다. 맹자가 말하기를 "(기는) 의와 도에 짝한다. 이것이 없으면 굶주린다(『맹자』3, 「공손추 상」 2장)"라 했는데, 지금 도리를 분명하게 보고서도 거꾸로 겁내는 자는 기가 부족한 것이다.

○慶源輔氏曰 勇 而謂氣足以配道義者 配 則合而有助之意 如陰配陽也 有義理之勇 有血氣之勇 氣 本麤厲 惟配乎道義 則爲道義之助 而可以言勇 所謂不懼者 非悍然不顧也 主乎義理而言 故 以配乎道義 明之

경원 보씨가 말했다. 용이란 기가 족히 도와 의에 짝하는 것을 말한다. 짝한다는 것은 합침으로써 도움이 된다는 뜻이니, 예컨대 음이 양에 짝하는 것이 그 예이다. 의리의 용감함이 있고 혈기의 용감함이 있다. 기는 본디 거칠고 사나운 것이지만 오직 도와 의에 짝했을 때 도와 의에 도움이 되니 그래야 용이라 할 수 있다. 소위 두려워하지 않는다는 것은 난폭하게 아무것도 돌아보지 않는 것이 아니고, 의리를 주로 하는 것을 말한다. 그러므로 '도와 의에 짝한다'는 말로써 (용의 의미를) 밝혔다.

【집주】

此 學之序也

이것이 배움의 순서이다.

【세주】

朱子曰 成德 以仁爲先 進學 以知爲先 此 誠而明 明而誠也 中庸 三者之序 亦爲學者言 問 何以勇皆序在後 曰 末後做工夫 不退轉 此 方是勇

주자가 말했다. 덕을 이루는 것은 인을 먼저로 한다. 배워 나아가는 것은 지를 먼저로 한다. 이는 (인을 먼저로 하는 것은) 참되어서 밝은 것이고 (지를 먼저로 하는 것은) 밝아서 참된 것이다. 『중용』에서의 세 가지의 차례(지인용) 또한 배우는 자를 위해 말한 것이다. 물었다. 왜 용을 (『논어』와 『중용』에서) 모두 나중으로 했습니까? 답했다. 끝까지 공부해 후퇴하거나 방향을 바꾸지 않는 것, 이것이 바로 용이다.

○問 知者 不惑明理 便能無私否 曰 也有人明理 而不能去私欲者 然 去私欲 必先明理 無私欲 則不屈於物 故 勇 惟聖人 自誠而明 可以先言仁 後言知

至於教人 當以知爲先

물었다. 지자는 의혹이 없고 이치에 밝으니 곧 능히 사사로움이 없을 수 있습니까? 답했다. 또한 어떤 사람은 이치에는 밝으면서도 사욕을 제거하지 못하는 경우도 있다. 그러나 사욕을 제거하려면 반드시 먼저 이치에 밝아야 한다. 사욕이 없으면 사물에 굴하지 않기 때문에 용감하다. 오직 성인만이 스스로 참되어서 밝으니 먼저 인을 말하고 지를 나중에 말할 수 있다. 사람을 가르치는 데 있어서는 마땅히 지를 먼저로 해야 한다.

○有仁知 而後有勇 然而仁知 又少勇不得 雖曰 仁能守之 只有這勇 方能守得到頭 方能接得去 若無這勇 則雖有仁知 少間 亦恐會放倒了 所以 中庸 說仁知勇三者 勇 本是箇沒緊要底物事 然 仁知 不是勇 則做不到頭 半途而廢

인과 지가 있은 후에 용이 있다. 그러나 인과 지가 있어도 용이 없어서는 안 된다. 비록 인은 능히 지킬 수 있다고 하지만, 다만 이 용이 있어야 비로소 끝까지 지킬 수 있고 비로소 이어갈 수 있다. 만약 이 용이 없다면 비록 인과 지가 있다 하더라도 얼마 안 있어 또한 넘어질 우려가 있다. 그래서 『중용』에서는 인지용 세 가지를 말했다. 용은 본래 긴요한 일은 아니다. 그러나 인과 지는 용이 아니면 끝까지 해내지 못해 중도에 그만두게 된다.

○問 人之所以憂惑懼者 只是窮理不盡 故 如此 若窮盡天下之理 則何憂何懼之有 因其無所憂 故 名之 曰仁 因其無所惑 故 名之 曰知 因其無所懼 故 名之 曰勇 不知二說孰是 曰 仁者 隨所寓而安 自是不憂 知者 所見明 自是不惑 勇者 所守定 自是不懼 夫 不憂不惑不懼 自有次第

물었다. 사람이 근심하고 미혹되고 두려워하는 것은 단지 이치를 궁구하는 것이 완전하지 못하기 때문에 그런 것이니, 만약 천하의 이치를 완전히 궁구한다면 무슨 근심, 무슨 두려움이 있겠습니까? 그 근심하는 바가 없기 때문에 이름하여 인이라 하고, 미혹되는 바가 없기 때문에 이름하여 지라 하고, 두려워하는 바가 없기 때문에 이름하여 용이라 합니다. 두 설 가운데 어느 것이 옳은지 모르겠습니다. 답했다. 인자는 그 처한 바에 따라 편안히 여기니 본래 근심이 없다. 지자는 아는 것이 밝으니 본래 의혹이 없다. 용자는 지키는 바가 굳건하니 본래 두려움이 없다. 무릇 근심하지 않고 미혹되지 않고 두려워하지 않는 것은 본디 순서가 있다.

○問 知之明 非仁以守之 則不可 仁以守之 非勇而行之 亦不可 三者 不可闕

一 而知爲先 曰 此說甚善 正吾人所當自力也

물었다. 밝게 아는 것은 인으로써 지키지 않으면 안 되고, 인으로써 지키더라도 용으로써(용감하게) 행하지 않으면 또한 안 되니, 세 가지는 하나라도 뺄 수 없지만 지가 먼저가 됩니다. 답했다. 이 설이 매우 좋다. (그것이) 바로 우리가 마땅히 스스로 힘써야 할 곳이다.

○慶源輔氏曰 仁者 知之體統 故 論德 則以仁爲先 知者 仁之根柢 故 論學 則以知爲首 勇 則仁知之發也 未能仁知而勇 則血氣之爲耳 蓋 學之序 不惑而後不憂 不憂 而後不懼 德之序 不憂 則自然不惑 不惑 則自然不懼

경원 보씨가 말했다. 인이란 지의 체통(지를 거느리는 본체)이다. 그러므로 덕을 논한다면 인이 먼저이다. 지란 인의 근저(인을 이해하는 기초)이다. 그러므로 배움을 논한다면 지가 처음이 된다. 용은 인과 지가 발휘되는 것이다. 인과 지에 능하지 못하면서 용하면 곧 혈기의 행위일 뿐이다. 대개 배움의 순서로 보면 미혹되지 않은 후에 근심이 없고, 근심이 없게 된 후에 두려워하지 않는다. 덕의 순서로 보면 근심이 없으면 자연히 미혹되지 않고 미혹되지 않으면 자연히 두려워하지 않는다.

9.29 子曰 可與共學 未可與適道 可與適道 未可與立 可與立 未可與權

공자께서 말씀하셨다. 같이 함께 배울 수는 있어도 같이 도로 나아갈 수 있는 것은 아니고, 같이 도로 나아갈 수는 있어도 같이 설(원칙을 확립할) 수 있는 것은 아니고, 같이 설 수는 있어도 같이 권도(원칙을 고집하지 않고 시의에 적절하게 재량함)를 행할 수 있는 것은 아니다.

【집주】

可與者 言其可與共爲此事也 程子曰 可與共學 知所以求之也 可與適道 知所往也 可與立者 篤志固執而不變也 權 稱去聲 下同錘直追反也 所以稱物而知輕重者也 可與權 謂能權輕重 使合義也

같이할 수 있다는 것은 그 일을 같이할 수 있다는 것이다. 정자가 말했다. 같이 배울 수 있다는 것은 무엇을 구해야 할지를 안다는 것이다. 같이 도로 나아갈 수 있다는 것은 갈 곳을 안다는 것이다. 같이 설 수 있다는 것은 뜻이 독실하고 확고하게 지켜 변하지 않는다는 것이다. '권'은 저울의 추이니, 물건을 달아 경중을 알게 해주는 것이다. 같이 권도를 행할 수 있다는 것은 능히 경중을 재량해 의에 맞도록 한다는 것이다.

【세주】

程子曰 權 與權衡之權同 人 無權衡 則不能知輕重 聖人 則不以權衡 而知輕重矣 聖人 則是權衡也

정자가 말했다. '권'은 권형(저울)이라 할 때의 권과 같다. (보통) 사람은 저울이 없으면 경중을 알 수 없지만 성인께서는 저울이 아니더라도 경중을 아신다. 성인께서는 곧 저울이시다.

○有求爲聖人之志 然後可與共學 而善思 然後可與適道 思而有所得 則可與立 立而化之 則可與權

성인이 되기를 바라는 뜻이 있은 후에야 같이 배울 수 있고, 좋은 생각을 한 후에야 같이 도로 나아갈 수 있다. 생각해서 얻은 것이 있으면 같이 설 수 있고, 섰으되 변화시킬 수 있으면 같이 권도를 행할 수 있다.

○朱子曰 可與共學 有志於此 可與適道 已看見路脈 可與立 能有所立 可與權 遭事變而知其宜 此 只是大綱如此說

주자가 말했다. 같이 함께 배울 수 있다는 것은 여기(학문)에 뜻이 있다는 것이다. 같이 도로 나아갈 수 있다는 것은 이미 그 길을 보았다는 것이다. 같이 설 수 있다는 것은 능히 세운 바(원칙의 확립)가 있다는 것이다. 같이 권도를 행할 수 있다는 것은 변칙적 사태를 만났을 때 그 적의한 것을 안다는 것이다. 이는 다만 대강이 이러하다는 말씀일 뿐이다.

○問 權 便是義否 曰 權 是用那義底 問 中 便是時措之宜否 曰 以義權之 而後得中 義 似秤 權 是將這秤去稱量 中 是物得其平處

물었다. 권은 곧 의 아닙니까? 답했다. 권은 그 의를 쓰는 것이다. 물었다. 중(맞음)은 시조지의(시의에 적절함) 아닙니까? 답했다. 의로써 재량한 후에 중을 얻으니, 의는 저울과 비슷하다(의는 준거이다). 권은 이 저울을 가지고 재는 것(활동)이고, 중은 사물이 그 공평함을 얻은 것(활동의 결과로 얻어진 적절한 상태)이다.

○義字 包得經與權 經 自是義 權 亦是義 義 當守經 則守經 義 當用權 則用權 經 是萬世常道 權 是不得已而用之 須是合義 如湯武放伐 伊尹放太甲 此是權 若時時用之 成甚世界

'의' 자는 경(변하지 않는 원칙)과 권(시의에 적절하게 변함)을 포함하고 있다. 경은 물론 의이지만 권 또한 의이다. 마땅히 경을 지키는 것이 의이면 경을 지키고, 마땅히 권을 쓰는 것이 의이면 권을 쓴다. 경은 만세의 변함없는 도이며 권은 부득이해서 쓰는 것이니 모름지기 의에 맞아야 한다. 예컨대 탕왕과 무왕이 정벌하고 이윤이 태갑을 내친 것, 이는 권이다. 이처럼 때때로 그것을 쓰면 더 나은 세상을 이룬다.

○可與共學底 未必便可與適道 然 共學 須教可與適道 以下 皆然

같이 함께 배울 수 있는 자라도 꼭 같이 도로 나아갈 수 있는 것은 아니다. 그러나 함께 배우면 반드시 같이 도로 나아갈 수 있도록 가르쳐야 한다. 이하도 다 마찬가지이다.

○慶源輔氏曰 權與物 鈞而生衡 而銖兩斤鈞 皆著於衡 物 加於衡之首 而權

移於衡之尾 所以 能知其輕重也

경원 보씨가 말했다. 권(추)과 물건이 대칭되면 균형을 이룬다. 수와 양과 근과 균(모두 무게의 단위. 이 경우는 각각 무게가 다른 추)은 모두 저울에 매단다. 물건은 저울의 머리 쪽에 두고 추는 저울의 꼬리 쪽으로 옮긴다. 그래서 그 경중을 알 수 있게 된다.

○新安陳氏曰 權字之得名 以此 此 推原器物 以論理也

신안 진씨가 말했다. '권' 자가 이름을 얻은 것(권의 개념이 형성된 것)은 이것(저울) 때문이다. 이는 물건의 원리를 탐구함으로써 이치를 논하는 것이다.

【집주】

○楊氏曰 知爲去聲己 則可與共學矣 學足以明善 然後可與適道 信道篤 然後可與立 知時措之宜 然後可與權

양씨가 말했다. 위기(자신을 위해 공부함)를 알면 같이 함께 배울 수 있다. 배움이 선을 밝히기에 충분한 연후에 같이 도로 나아갈 수 있다. 도를 독실하게 믿은 연후에 같이 설 수 있다. 시조지의(시의에 적절함)를 안 연후에 같이 권도를 행할 수 있다.

【세주】

朱子曰 可與立 未可與權 亦是甚不得已 方說此話 然 須是聖人 方可與權 若以顔子之賢 恐也不敢議此 磨而不磷 涅而不緇 而今人 才磨 便磷 才涅 便緇 如何便說權變 所謂未學行 先學走也

주자가 말했다. '같이 설 수는 있지만 같이 권도를 행할 수는 없다'고 하셨지만, 또한 매우 부득이해서 비로소 이런 이야기를 하신 것이다. 그러나 모름지기 성인이라야 비로소 같이 권도를 행할 수 있다. 아마도 안자처럼 현명한 사람도 감히 이런(같이 서느니 같이 권도를 행하느니 하는) 논의를 하지는 못할 것이다. 갈아도 납작해지지는 않으며 검은 물을 들여도 새까맣게 되지는 않는다(『논어』17, 「양화」 7장에 유사하지만 취지는 다른 구절이 있음). 그런데 요즈음 사람들은 갈기만 하면 납작해지고 검은 물을 들이기만 하면 새까매지면서 어떻게 곧 권변(변칙적 사태를 재량함)을 말하는가. 이른바 걷기를 배우지도 않고 먼저 달리기를 배우는 셈이다.

○權處 是道理上面 更有一重道理 如君子小人 君子 固當用 小人 固當去

然 方當小人進用時 猝乍要用君子也未得 當其深根固蔕時 便要去他 適爲所害 這裏 斟酌時宜 便知箇緩急淺深始得

권도를 행하는 것은 도리의 위쪽에 또 한 겹의 도리가 있는 것이다. 군자와 소인의 예를 들면, 군자는 본디 마땅히 써야 하고 소인은 마땅히 버려야 한다. 그러나 마침 소인이 나와 쓰일 때를 당해서는 잠시 동안이나마 군자를 쓰려 해도 쓸 수 없다. 뿌리가 깊고 대가 단단할 때를 당하여(소인의 권력 기반이 강할 때) 곧 그것을 제거하려 하면 꼭 해를 당하게 된다. 여기서(이런 사태에서) 시의적절함을 짐작한다면 곧 (사태에 대처하는) 완급(천천히 또는 시급히 대처해야 할지)과 심천(심각하게 또는 가벼이 대처해야 할지)을 비로소 알게 된 것이다.

○雲峯胡氏曰 程子 是專就權上說義 朱子 只分經與權說義

운봉 호씨가 말했다. 정자는 오로지 권으로(권에 관련해서만) 의를 설명했고 주자는 다만 경과 권으로 나누어 의를 설명했다.

【집주】

洪氏曰 易 九卦 終於巽以行權

홍씨가 말했다. 『역』의 아홉 괘는 '손이행권(겸손함으로 권도를 행함)'으로 끝난다.

【세주】

易 繫辭 履以和行 謙以制禮 復以自知 恒以一德 損以遠害 益以興利 困以寡怨 井以辨義 巽以行權

『역』, 「계사(하)전」(7장)에 다음과 같이 나와 있다. "이로써 조화를 행하고, 겸으로써 예를 통제하고, 복으로써 스스로 알고, 항으로써 덕을 하나로 하고, 손으로써 해를 멀리하고, 익으로써 이익을 일으키고, 곤으로써 원망을 줄이고, 정으로써 의를 변별하고, 손으로써 권도를 행한다."

○潛室陳氏曰 擧易一語 見權者聖人之終事 易 三陳九卦 凡二十七節 道理最微 末一語 方以權終之 見得不可驟語

잠실 진씨가 말했다. 『역』의 한 구절을 들어 권이라는 것이 성인의 마지막 일임을 보였다. 『역』은 아홉 괘를 세 번씩 진술해 모두 27절로, (그) 이치가 가장 은미하다. 마지막 한 구절에서 바야흐로 권으로 끝을 맺었으니 (권에 대해) 성급하게 말할 수 없음을 알 수 있다.

○新安陳氏曰 九卦 謂履謙復恒損益困井巽 是也 詳見易繫辭下傳

신안 진씨가 말했다. 9괘란 이 겸 복 항 손 익 곤 정 손이 그것이다. 『역』의 「계사하전」에 자세히 나온다.

【집주】

權者 聖人之大用 未能立而言權 猶人 未能立而欲行 鮮上聲不僕音赴矣

권이란 성인의 큰 작용(하시는 일)이다. 서지도 못하면서 권을 말하는 것은 마치 사람이 서지도 못하면서 걸으려 하는 것이니 자빠지지 않는 경우가 드물다.

【세주】

雲峯胡氏曰 洪氏之說 上文有曰 可與共學 七十子 是也 可與適道 游夏之徒 是也 可與立 顔閔之徒 是也 權 卽孔子 是也 然則權者 聖人之大用 非如文王孔子 而用權 鮮有不差者矣

운종 호씨가 말했다. 홍씨의 설의 윗글(집주에는 인용되지 않은 윗부분의 글)에는 "같이 함께 배울 수 있는 자는 72 제자가 해당되고, 같이 도로 나아갈 수 있는 자는 자유와 자하의 무리가 해당되고, 같이 설 수 있는 자는 안연과 민자건의 무리가 해당되고, 권은 곧 공자가 해당된다"는 말이 있다. 그런즉, 권이란 성인의 큰 작용으로, 문왕이나 공자 같은 사람이 아니면서 권을 쓰면 틀리지 않는 경우가 드물다.

【집주】

程子曰 漢儒 以反經合道爲權 故 有權變權術之論 皆非也 權 只是經也 自漢以下 無人識權字

정자가 말했다. 한유(한나라의 유가)들은 경에 반하여 도에 합치하는 것을 권이라 생각한 까닭에 권변(변칙적 사태를 재량함), 권술(적절히 대응하는 수법)의 논의가 있었지만 이는 모두 잘못이다. 권은 단지 경일 뿐이다. 한나라 이래 아무도 '권' 자(의 의미)를 깨닫지 못했다.

【세주】

公羊傳 桓公 十一年九月 宋人 執祭仲 何賢乎祭仲 以爲知權也 權者 何

權者 反於經 然後有善者也

『(춘추) 공양전』 환공 11년 9월조에 다음과 같이 나와 있다. "송나라 사람들이 제중을 잡았다. 제중은 무엇이 현명한가? 권을 알기 때문이다. 권이란 무엇인가? 권이란 경에 반한 연후에 선이 있는 것이다."

○韓康伯 註繫辭云 權 反經而合道 必合乎巽順 而後可以行權也

한강백이 「계사」에 주를 달아 말하기를, "권은 경에 반하여 도에 합치하는 것이다. 반드시 손순함(겸손하고 순종적임)에 합치한 후에야 권을 행할 수 있다"라 했다.

○程子曰 反經合道爲權 公羊 唱之 何休 和之 何休 註公羊傳 其實 未嘗反經 古人 多錯用權字 才說權 便是變詐 不知權只是經所不及者 權量輕重使之合義 才合義 便是權也

정자가 말했다. 경에 반하여 도에 합치하는 것이 권이라는 말은 공양이 먼저 제창하고 하휴가 거기에 화답했다. 하휴는 『공양전』에 주를 달았는데, 실지로 경을 반한 적은 없었다. 옛사람들은 '권' 자를 잘못 사용한 경우가 많았는데, '권' 자를 말하기만 하면 그것은 곧 변사(바꾸고 속임)를 의미했으니, 권이란 단지 경이 미치지 못하는 곳임을 알지 못했다. 경중을 재어 의에 맞도록 하는 것이니, 의에 맞기만 하면 곧 권이다.

【집주】

愚按 先儒 誤以此章 連下文偏其反而爲一章 故 有反經合道之說 程子 非之 是矣 然 以孟子嫂溺援平聲之以手之義 推之 則權與經亦當有辨

내가 살피건대 선배 유가들이 이 장을 아랫글의 '편기번의'와 이어서 하나의 장으로 잘못 묶었던 까닭에 반경합도(경에 반하여 도에 합치함)의 설이 있었다. 정자가 그것을 비판했으니 옳다. 그러나 맹자가 말한 '형수가 물에 빠졌을 때 손을 잡아 건지는 것이 옳음'을 가지고 추론해보면 권과 경은 역시 마땅히 구별되는 점이 있다.

【세주】

朱子曰 經與權之分 諸人說 皆不合 若說權自權 經自經 不相干涉 固不可若說事須用權 經須權而行 權 只是經 則權與經 又全無分別 觀孔子曰 可與立 未可與權 孟子曰 嫂溺 援之以手 則權與經 須有異處 雖有異 而權 實不離

乎經也 這裏所爭 只毫釐 伊川說 權 只是經 恐也未盡 嘗記龜山云 權者經之所不及 這說 却好 蓋 經者 只是存得箇大經大法正當底道理而已 若精微曲折處 固非經之所能盡也 所謂權者 於精微曲折處 曲盡其宜 以濟經之所不及耳 所以 說中之爲貴者 權 權者 卽是經之要妙處也 如漢儒說 反經合道 此語 亦未甚病 蓋 事也 有那反經底時節 只是不可說事事要反經 又不可說全不反經 如君令臣從 父慈子孝 此經也 若君臣父子 皆如此 固好 然 事有必不得已處 經所行不得處 也只得反經 依舊不離乎經耳 所以 貴乎權也 孔子曰 可與立 未可與權 立 便是經 可與立 則能守箇經 有所執 立矣 却說未可與權 以此觀之 權 乃經之要妙微密處 非見道理之精密透徹純熟者 不足以與權也

주자가 말했다. 경과 권의 구분에 대해 여러 사람이 설명했지만 모두 일치하지 않는다. 예컨대 권은 그 자체로 권이고 경은 그 자체로 경이어서 서로 상관이 없다고 설명하는 것은 본디 안 되는 것이지만, 일(실천적 사태)에서는 반드시 권을 써야 하고 경은 반드시 권을 통해 행해지니 권은 다만 경일 뿐이라고 설명하는 것도 또 전혀 구분하지 않는 것이다. 공자의 '같이 설 수는 있어도 같이 권도를 행할 수는 없다'는 말씀이나 맹자의 '형수가 물에 빠지면 손을 잡아 구원한다'는 말을 보면 권과 경은 분명히 다른 점이 있다. 비록 다른 점이 있기는 하지만 권은 실제로는 경을 떠나지 않으니, 여기서의 다른 점은 단지 털끝만 한 것이다. 이천이 권은 다만 경일 뿐이라고 했지만 아마도 미진한 듯하다. 일찍이 구산(양시)이 말한 것을 기억하는데, "권이란 경이 미치지 못하는 곳이다"라 했으니 이 설이 오히려 좋다. 대개 경이란 다만 대경(큰 원칙) 대법(큰 법칙)으로 존재하는 정당한 도리일 뿐이다. 정밀하고 자세한 것의 경우에는 본디 경이 능히 다할(다 포괄할) 수 없는 것이다. 소위 권이란 정밀하고 자세한 곳에 대해 그 마땅함을 완전히 다하여 경이 미치지 못하는 바를 처리하는 것이다. 그래서 중(맞음)에서 중요한 것이 권이라고 한다. 권이란 곧 경의 요묘(요긴하고 오묘함)한 곳이다. 한유들이 말한 '반경합도'라는 이 말은 또한 크게 잘못된 것은 아니다. 대개 일에 있어서는 경에 반해야 할 때가 있기는 하다. 다만, 모든 일마다 다 경에 반하려 해서는 안 될 뿐이지, 또 결코 경에 반해서는 안 된다고 말할 수는 없다. 예컨대 임금은 명령하고 신하는 따르고, 아버지는 자애롭고 아들은 효도하는 것, 이는 경이다. 만약 군신과 부자가 모두 이와 같다면 물론 좋겠지만, 그러나 일에는 반드시 부득이한 곳이 있기 마련이니, 경을 행할 수 없는 곳에서는 또한 경에 반할 수밖에 없지만 의연히 경을 떠난 것은 아니다. 그래서 권을 중요하게 여기는 것이다. 공자께서 '같이 설 수는 있어도 같이 권도를 행할 수는 없다'라 하셨을 때, 서는 것은 곧 경이고, 같이 설 수 있다는 것은 능히 경을 지켜 붙들고 있는 것이 있어서 서는 것인데도 오히려 같이 권도를 행할 수는 없다고 하셨으니, 이를 보건대 권은 경의 요묘하고 정밀한 곳이다. 도리를 정밀하고 투철하고 익숙하게 아는 자가 아니라면 같이 권도를 행할 수는 없는 것이다.

○立 是見得那正當道理分明了 不爲事物所遷惑 可與立者 能處置得常事 可與權者 能處置得變事 天下之事 有常有變 而處事之方 有經有權 當事之常 而守其經 雖聖賢 不外乎此 而衆人 亦可能至 於遭事之變 而處以權 則惟大賢 能不失其正 可與立 未可與權 蓋 言其難如此

선다는 것은 정당한 도리를 분명하게 알아서 사물에 의해 (뜻이) 옮겨지거나 미혹되지 않는 것이다. 같이 설 수 있는 자는 통상적인 일을 능히 처리할 수 있는 자이고 같이 권도를 행할 수 있는 자는 변칙적 사태를 능히 처리할 수 있는 자이다. 천하의 일에는 통상적인 것이 있고 변칙적인 것이 있으니, 그 일을 처리하는 방식도 경이 있고 권이 있다. 통상적인 사태에 당면하여 경을 지키는 것은 비록 성현이라 할지라도 이를 벗어나지 않고, 뭇사람 또한 능히 도달할 수 있다. 변칙적 사태를 만나서 권으로 처리하는 것은 오직 대현만이 능히 그 올바름을 잃지 않을 수 있다. 같이 설 수는 있어도 같이 권도를 행할 수는 없다는 것은 대개 그것이(권도를 행하기가) 이처럼 어렵다는 말이다.

○經 有不可行處 而至於用權 此 權所以合經也

경을 행할 수 없는 곳이 있어서 권을 쓰기에 이른다. 이것이 권이 경과 합치하는 이유이다.

○君臣父子 定位不易 事之常也 君令臣行父傳子繼 道之經也 事有不幸 而至於不得盡如其常 則謂之變 而所以處之之術 不得全出於經矣 是 則所謂權也 夷齊季札之徒 所以輕千乘之國 以求即乎其心之所安寧 隕其身亡其國 而不敢失其區區之節者 亦爲此也 又曰 經 是已定之權 權 是未定之經

군신과 부자는 그 위치가 정해져 바뀌지 않는 것이 통상적인 일이다. 임금이 명령하고 신하가 행하고, 아버지가 전하고 아들이 잇는 것은 도의 경이다. 불행히도 일이 그 통상적인 것과 같이 다할 수 없는 경우를 변이라 하는데, 여기에 대처하는 방법이 오로지 경에서 나올 수는 없다. 이것이 소위 권이다. 백이 숙제와 계찰의 무리들이 천승의 나라를 가벼이 여김으로써 곧 그 마음의 편안함을 구하고, 그 몸을 버리고 그 나라를 버리면서도 감히 구구한 절개를 잃지 않았던 이유도 또한 이 때문이다. 또 말했다. 경은 이미 정해진 권이고 권은 아직 정해지지 않은 경이다.

○權 是時中 不中 則無以爲權矣

권은 때에 맞는 것이다. 맞지 않으면 권이라 할 수 없다.

○漢儒反經之說 只緣將下文誤作一章解 故 其說 相承曼衍 且看集義中諸說 莫不連下文 惟范氏蘇氏 不如此說 程子說 漢儒之誤 固如此 要之 反經合道一句 思之亦通 緣權字與經字對說 纔是權 便是變却那箇經 雖謂之反經可也 然 雖是反那經 却不悖於道 雖與經不同 而道一也

한유들의 반경의 설은 다만 아랫글(다음 장)을 잘못 (이 장과 합쳐) 한 장으로 만들어 해석했기 때문으로, 이 때문에 그 설이 계속 이어져 널리 퍼졌다. 또『(논어)집의』중의 여러 설을 보면 아랫글을 (이 장과) 연결하지 않는 경우가 없는데, 오직 범씨와 소씨만이 이렇게 말하지 않았다. 정자는 한유들의 오류라고 했는데, 물론 그렇기는 하지만 요컨대 '반경합도' 이 한 구절은 생각해보면 또한 (이치상) 통하는 점이 있다. (한유들의 설은) '권' 자와 '경' 자를 대립적으로 설명했기 때문에, 권이라 하면 곧 그 경을 변화시킨 것이 되니 비록 '반경(경에 반함)'이라고 말해도 되기는 된다. 그러나 비록 그 경에 반한다고는 하지만 오히려 도에는 어그러지지 않으니, 비록 경과 같지는 않지만 도라는 점에서는 마찬가지이다.

○經者 道之常 權者 道之變 道 則是箇體統 貫乎經與權

경이란 도의 통상적인 것이고 권이란 도의 변칙적인 것이다. 도는 통괄적인 본체이니, 경과 권을 관통한다.

○漢儒說權 是離了箇經說 伊川說權 便道權只在經裏面 且如周公誅管蔡與唐太宗殺建成元吉 其推刃於同氣 雖同 而所以殺之 則異 蓋 管蔡 與商遺民謀危王室 此 是得罪於天下 得罪於宗廟 不得不誅之 若太宗 分明是爭天下 故 周公 可謂之權 太宗 不可謂之權

한유들의 권의 설명은 (권은) 경을 떠난 것이라는 설이고 이천의 권의 설명은 곧 권은 다만 경 안에 존재할 뿐이라고 말한 것이다. 예컨대 주공이 관채를 죽인 것과 당 태종이 건성과 원길을 죽인 것은 형제에게 칼날을 들이댔다는 점에서는 동일하지만 그 죽인 이유는 다르다. 대개 관채는 상의 유민과 더불어 왕실을 위태롭게 할 모의를 했으니 이것은 천하에 죄를 짓고 종묘에 죄를 짓는 일이라 죽이지 않을 수 없다. 태종의 경우는 분명 천하를 다툰 것이다. 그러므로 주공의 경우는 권이라 할 수 있지만 태종의 경우는 권이라 할 수 없다.

○伊川 見漢儒言反經是權 恐無忌憚者 得借權以自便 因有此論

이천은 한유들의 '반경(경에 반함)'이 권이라는 설을 보고는, 거리낌 없는 자가 이 권을 빌려 제 편한 대로 할까 걱정했기 때문에 이런 논의를 했던 것이다.

○伊川 將經做箇大底物事 經 包得權 此說 本好 只是據聖人說 可與立 未可與權 須還他是兩箇字 經 自是經 權 自是權 若如伊川說 便廢了權字始得 權 只是經之變 這 便是反經 今須曉得孔子說 又曉得伊川之說 方得

이천은 경을 큰 일로 여겨 경이 권을 포함한다고 보았다. 이 설이 본디 좋기는 하지만, 다만 성인의 '같이 설 수는 있어도 같이 권도를 행할 수는 없다'는 말씀에 의거하면 모름지기 역시 그것은 두 개의 다른 글자(개념)로 보아야 한다. 경은 그 자체로 경이고 권도 그 자체로 권이다. 만약 이천처럼 말한다면 곧 '권' 자를 없애버리기 시작한 것이다. 권은 다만 경의 변형일 뿐이니, 이것이 곧 반경이다. 지금 모름지기 공자의 말씀을 이해하고 또 이천의 설을 이해해야 비로소 이해한 것이다.

○權與經 固是兩義 然 論權而全離乎經 則不是 蓋 權 是不常用底物事 如人之熱病者 當用凉藥 冷病者 當用熱藥 此 是常理 然 有時 有熱病 却用熱藥 發他熱病者 有冷病 却用凉藥 發他冷病者 此 皆是不可常用者 然 須下得是 方可 若有毫釐之差 便至於殺人 若用得是 便是少他不得 便是合用這箇物事 既是合用 玆權也 玆所以爲經也

권과 경은 본디 두 가지 (구별되는) 뜻(개념)이다. 그러나 권을 논하면서 완전히 경을 떠난다면(경과 무관하게 논한다면) 옳지 않다. 대개 권은 평소 쓰는 물건은 아니다. 예컨대 사람이 열병을 하면 마땅히 식히는 약을 써야 하고 냉병을 하면 마땅히 덥히는 약을 써야 한다. 이것이 통상의 이치이다. 그러나 어떤 때는 열병이 있으면 오히려 덥히는 약을 써서 그 열병을 뽑아내고 냉병이 있으면 오히려 식히는 약을 써서 그 냉병을 뽑아내는데, 이는 모두 통상적으로 쓸 수 있는 방법이 아니다. 그러나 반드시 바로 써야 비로소 (치료가) 가능하다. 만약 털끝만 한 차질이 있으면 곧 사람을 죽이기에 이른다. 만약 바로 썼다면 이는 곧 그것 없이는 안 되는 것이고 또 이 물건을 적합하게 쓴 것이다. 이미 적합하게 썼으면 이것이 곧 권이요, 이것이 곧 경이 되는 이유이다.

○勉齋黃氏曰 常者 一定之理 變者 隨時之宜 遇事之常 但當守一定之理 遇事之變 則不得不移易以適時之宜 此 經權不可無變之說 然也 然 天下之理 惟其當然而已 當經而經 當然也 當權而權 亦當然也 權 雖異於經 而以其當然 則亦只是經 此 程子權只是經之說 然也 有有辨之說 則經權之說 始明 有程子之說 則經權之義 始正

면재 황씨가 말했다. '상(통상적인 것)'이란 일정한 이치이고 '변(변칙적인 것)'은 때에 따른 적의함이다. 통상적인 사태를 만나면 다만 마땅히 일정한 이치를 지켜야 하지만, 변칙적 사태를 만나면 옮기고 바꾸어서 시의에 적절하게 하지 않을 수 없다. 이는 '경과 권은 변화가 없을 수는 없다'는 설이 그러하다. 그러나 천하의 이치에는 오직 그 당연함이 있을 뿐이니, 마땅히 경해야 하면 경하는 것이 당연하고, 마땅히 권해야 하면 권하는 것이 또한 당연하다. 권은 비록 경과는 다르나 그 당연함으로 말하자면 또한 단지 경일 뿐이다. 이는 정자의 '권은 단지 경일 뿐'이라는 설이 그러하다. 구분된다는 설이 있어야 경과 권의 설이 비로소 명확해지고, 정자의 설이 있어야 경과 권의 의미가 비로소 바로잡힌다.

○問 權經二字 如何分別 潛室陳氏曰 經 猶秤衡 銖兩斤鈞 一成畵定 權 卽秤錘隨物低昂 以求合於銖兩斤鈞

물었다. 권과 경의 두 글자는 어떻게 구분됩니까? 잠실 진씨가 답했다. 경은 마치 저울의 수 양 근 균의 추가 한 번에 획일적으로 정해진 것과 같고, 권은 저울의 추를 물건을 따라 올리고 내려 수 양 근 균의 추에 맞추려는 것과 같다.

○陳氏曰 經所不及 須用權以通之 然 非理明義精 便差却 到用權處 亦看不出 權 雖經之所不及 實與經不相悖 柳宗元謂 權者 所以達經者也 蓋 經到那裏行不去 非用權 不可濟 如君臣定位 經也 桀紂暴橫天下 視爲獨夫 此時君臣之義已窮 故 湯武征伐 以通之 所以行權 男女授受不親 此 經也 嫂溺不援 便是豺狼 故 援之者 所以通乎經 用權 須是地位高 方可 但非可以常行 如太宗殺建成 是不當用權 而用權 王魏 不死於建成而事太宗 是合守經而不守經 魏晋以下 皆於國統未絶 而欺人孤寡 託爲受禪 是當守經而不守經 不當用權而用權者也 又如李札 終於固遜 而不肯立 卒自亂其宗國 是 於守經中 見義不精者也 張柬之等 反正中宗 誅諸武而留一武三思 卒自罹慘禍 是 於用權中 見義不精者也

진씨가 말했다. 경이 미치지 못하는 곳에는 반드시 권을 써서 통하게 해야 한다. 그러나 이치에 밝고 의에 정밀하지 않으면 곧 잘못되니 권을 쓰는 곳에 이르러서는 또한 (권을 써야 함을) 알아차리지 못한다. 권은 비록 경이 미치지 못하는 곳이지만 실로 경과 서로 모순되지는 않으니, 유종원이 말하기를 '권이란 경에 도달하려는 것이다'라 했다. 대개 경이 거기서 행해질 수 없을 때 권을 쓰지 않으면 해내지 못한다. 예컨대 군신이 그 지위가 정해져 있는 것이 경이지만, 걸과 주가 천하에 횡포하여 독부(군주 아닌 한 사내)로 여겨지면 군신의 의리는 이미 다한 것이기에 탕왕과 무왕이 정벌하여 통하게 했으니, 권을 행한 것이다. 남녀가 손잡고 친하지 않는 것, 이는 경이지만, 형수가 물에 빠졌는데 (손을 잡아) 구원하지 않는 것은 곧 시랑(짐승)이다. 그러므로 구원하는 것은 경에 통하는 것이다. 권을 쓰는 것은 모름지기 그 경지가 높아야 비로소 가능하지만 다만 항상 써서는 안 된다. 예컨대 태종이 건성을 죽인 것은 권을 쓰는 것이 마땅하지 않은데도 권을 쓴 것이고, 왕위가 건성을 위해 죽지 않고 태종을 섬긴 것은 마땅히 경을 지켜야 하는데도 경을 지키지 않은 것이다. 위진 이래 모두 나라의 정통이 끊어지지 않았는데도 외로운 자식이라고 사람을 속이고 수선(자발적으로 양위함)을 빙자한 것은 마땅히 경을 지켜야 하는데도 경을 지키지 않는 것이고 마땅히 권을 쓰지 말아야 하는데도 권을 쓴 것이다. 또 예컨대 계찰이 끝까지 고사해 즉위하려 하지 않았으면서도 마침내 스스로 그 종주국에 대해 반란을 일으켰으니 이는 경을 지키는 중에 의를 정밀하게 보지 못한 것이다. 장동지 등은 중종반정을 일으켜 여러 무씨들을 죽였지만 무씨 한 사람과 시씨 셋을 남겨 두었는데 마침내 (그 때문에) 침화를 입었으니 이는 권을 쓰는 중에 의를 정밀하게 보지 못한 것이다.

○雲峯胡氏曰 程子 矯漢儒之弊 而謂權只是經 朱子謂 經與權 當有辨 無程子之說 則權變權術之說 可行於世矣 無朱子之說 則經權之辨 不復明於世矣 此 其說不得不異也 先儒謂 朱子 每於程子之說 足其所未盡 補其所未圓 實有功於程子 愚 於此亦云

운봉 호씨가 말했다. 정자는 한유의 폐단을 바로잡아 권은 단지 경일 뿐이라고 말했고, 주자는 경과 권은 당연히 구별된다고 말했다. 정자의 설이 없었다면 권변 권술의 설이 세상에 행해졌을 것이고, 주자의 설이 없었다면 경과 권의 구별은 다시는 세상에 밝아지지 않았을 것이다. 이것이 그 설(정자와 주자의 설)이 다르지 않을 수 없는 이유이다. 선유들이 말하기를 주자는 매번 정자의 설에 대해 그 미진한 바를 채우고 그 원만하지 못한 바를 보완해 실로 정자에게 공이 있다고 했는데, 나 또한 여기서 그렇게 말한다.

9.30-1 **唐棣之華 偏其反而 豈不爾思 室是遠而** 棣 大計反

당체(산앵두)의 꽃이 펄럭이는구나. 어찌 너를 생각하지 않으랴마는 집이 너무 멀구나.

【집주】

唐棣 郁李也

'당체'는 산앵두이다.

【세주】

朱子曰 此唐棣 自是一篇詩 與今常棣詩別 論語及召南 作唐棣 爾雅 作棠棣 無作常者 而小雅常字 亦無唐音 爾雅又云 唐棣棣 常棣棣 則唐棣 常棣 自是兩物 而夫子所引 非小雅之常棣矣

주자가 말했다. 이 당체의 시는 그 자체로 한 편의 (별도의) 시이니, 지금 (『시경』, 「소아 녹명」의) <상체>의 시와는 다른 것이다. 『논어』와 (『시경』의) 「소남」에서는 당(唐)체라 했고 『이아』에서는 당(棠)체라 했으니 (당을) 상으로 쓴 경우는 없고, 또 「소아」에서의 '상' 자는 당이라고 발음하지 않는다. 『이아』에서 또 말하기를 "당체 체, 상체 체"라 했으니 당체와 상체는 본디 두 가지 (서로 다른) 물건으로, 공자께서 인용하신 (이 시는) 「소아」의 <상체> 시가 아니다.

【집주】

偏 晋書 作翩

'편(偏)'은 『진서』에서는 '편(翩)'으로 썼다.

【세주】

或問 偏之爲翩 朱子曰 非獨晋史爲然 角弓之詩 固有翩其反矣之句矣

혹자가 편(偏)이 편(翩)이 된다는 것에 관해 물었다. 주자가 답했다. 나는 『진서』에만 그런 것이 아니라 (「소아 상호」의) <각궁>의 시에도 본디 '편기번의(뒤집어진다)'라는 구절이 있다.

【집주】

然則反 亦當與飜同 言華與花通之搖動也 而 助語也 此 逸詩也 於六義 屬興上聲 上兩句 無意義 但以起下兩句之辭耳 其所謂爾 亦不知其何所指也

그런즉, '번(反)' 또한 마땅히 '번(飜)'과 같은 것으로, 꽃이 흔들리는 것을 말한다. '이'는 어조사이다. 이는 일시(시경에 빠진 시)인데, 육의로 보아서는 흥(상징의 수법)에 속한다. 앞의 두 구절은 의미가 없고 다만 아래 두 구절을 불러일으키는 말일 뿐이다. 소위 '이(너)'는 또한 무엇을 가리키는지 알 수 없다.

【세주】

讀反爲飜 則遠字 亦叶於圓反

'번(反)' 자를 '번(飜)' 자로 읽으면 '원' 자 또한 어와 원의 반절로 협운이 된다.

○汪氏曰 韻書 栘下註云 其華 反向後合 詩云 翩其反而 據此 讀如字 亦可尤與遠叶

왕씨가 말했다. 운서에 '체' 자 아래에 주를 달아 말하기를 '그 꽃이 뒤집어진 다음 (도로) 합치는 것'이라 했고 『시경』에서는 '편기번이'라 했으니 이에 의거하면 원래 글자대로(즉, '번'으로) 읽어도 된다. ('번'으로 읽으면) 더욱이 '원' 자와 협운이 될 수 있다.

9.30-2 子曰 未之思也 夫何遠之有 夫 音扶

공자께서 (이 시에 대해) 말씀하셨다. 생각하지 않은 것이지 어찌 멀리 있겠느냐.

【집주】

夫子 借其言而反之 蓋 前篇仁遠乎哉之意

공자께서 그 말을 빌려 뒤집어 말씀하셨다. 대개 전편의 '인이 멀리 있겠는가'라는 말씀의 뜻과 같다.

○程子曰 聖人 未嘗言易去聲 以驕人之志

정자가 말했다. 성인께서는 쉽다고 말씀해 사람의 뜻을 교만하게 하신 적도 없고

【세주】

以爲易 則忽心生 而驕

쉽다고 생각하면 소홀히 하는 마음이 생겨 교만해진다.

【집주】

亦未嘗言難 以阻人之進

또한 일찍이 어렵다고 말씀해 사람이 나아가는 것을 가로막으신 적도 없다.

【세주】

以爲難 則畏心生 而阻

어렵다고 생각하면 두려워하는 마음이 생겨 가로막힌다.

【집주】

但曰 未之思也 夫何遠之有 此言 極有涵蓄 意思去聲深遠

단지 '생각하지 않은 것이지 어찌 멀리 있겠느냐'라고만 말씀하셨으니, 이 말씀은 극히 함축적이고 뜻이 심원하다.

【세주】

慶源輔氏曰 是理之在人 以爲易知乎 則精深微妙 未易可知也 以爲難知乎 則其在人之理 本是不隱也 若言其易 則驕人之志 而不肯下堅苦之功 若言其難 則阻人之進 而遂生疑畏之意 但曰 未之思也 夫何遠之有 則只是平鋪地道著 無一毫助長益生之意 所以 極有涵蓄意思深遠 極有涵蓄者 該道體之微顯 進學者之工夫 皆寓其中 意思深遠者 令人涵泳之 但覺意味淵永 無有窮盡也 非聖人之言 疇克爾哉

경원 보씨가 말했다. 이 이(理)가 사람에게 있는데, (이를) 쉽게 알 수 있다고 생각하는가? (그 답은) 정밀하고 심오하고 미묘해 쉽게 알 수 없는 것이다. 어렵다고 생각하는가? (그 답은) 사람에게 있는 이는 본래 숨어 있지 않다. 만약 쉽다고 말하면 사람의 뜻을 교만하게 해서 힘든 노력을 하려 하지

않게 되고, 만약 어렵다고 말하면 사람이 나아가는 것을 가로막아 드디어는 의심하고 두려워하는 마음을 일으킨다. 단지 '생각하지 않은 것이지 어찌 멀겠느냐'라고 하셨으니 (이는) 다만 평탄하게 말씀하신 것으로, 조금의 조장익생(모를 잡아 빼 억지로 키를 키움)의 뜻도 없다. 그러니 극히 함축적이고 뜻이 심원하다. 극히 함축적이라고 하는 것은 도의 본체의 은밀함과 드러남을 포괄하고 있다는 것이니 배워 나아가는 자의 공부가 모두 그 안에 깃들어 있고, 뜻이 심원하다는 것은 사람으로 하여금 잠겨 헤엄치게 하지만 의미가 깊고 멀어 끝이 없다는 것을 깨닫게 한다는 것이다. 성인의 말씀이 아니고서 무엇이 이럴 수 있으랴.

○新安陳氏曰 逸詩 所謂爾思 以思其人言 夫子所謂 未之思 以思此理言 理之所在 思 則得之 何遠之有 不思 則不得 始見其遠耳 何以知爾思之爲思其人 以室字知之 但 不知所謂爾者 指何人耳 然 詞意 婉而平和 無褻狎態 東坡 以爲思賢之詩 亦或然也

신안 진씨가 말했다. 빠진 시(이 장에 인용된 시)에서 소위 '너를 생각한다'는 것은 그 사람을 생각한다는 말이고, 공자께서 말씀하신 '생각하지 않았다'는 것은 이 이(理)를 생각한다는 말이다. 이가 있는 곳에 대해, 생각하면 얻을 수 있으니 어찌 멀리 있겠는가? 생각하지 않으면 얻지 못하니 비로소 멀리 있다고 보게 된다. 어떻게 '너를 생각한다'가 '그 사람을 생각한다'는 것임을 알 수 있는가? '실(집)' 자를 보면 알 수 있다. 다만, 소위 '너'라는 것이 누구를 가리키는 것인지는 알 수 없다. 그러나 시의 의미가 완곡하고 평화로우면서도 외설적이거나 희롱하는 모습이 없으니, 동파(소식)가 현자를 사모하는 시라고 여긴 것도 또한 그럴듯하다.

鄕黨第十

【집주】

楊氏曰 聖人之所謂道者 不離去聲乎日用之間也 故 夫子之平日一動一靜 門人 皆審視 而詳記之 尹氏曰 甚矣 孔門諸子之嗜學也 於聖人之容色言動 無不謹書而備錄之 以貽後世 今讀其書 卽其事 宛然如聖人之在目也 雖然 聖人 豈拘拘而爲之者哉 蓋 盛德之至 動容周旋 自中去聲乎禮耳 學者 欲潛心於聖人 宜於此求焉

양씨가 말했다. 성인께서 말씀하신 도라는 것은 일상의 생활을 떠난 것이 아니다. 그런 까닭에 공자의 평소의 일동일정을 문인들이 모두 자세하게 살피고 상세하게 기록했다. 윤씨가 말했다. 대단하구나, 공자의 제자들이 배움을 좋아함이여. 성인의 용모와 안색과 말과 행동을 삼가 써서 자세히 기록함으로써 후세에 전하지 않은 것이 없다. 지금 이 책을 읽고 (기록된) 사태에 근거해보면 마치 완연히 성인께서 눈앞에 계신 듯하다. 그러나 그렇더라도 성인께서 어찌 구구하게 의도적으로 행하신 자이겠는가. 대개 무르익은 덕이 지극하시어 움직이거나 조용히 계시거나 이리저리 처신하시는 것이 저절로 예에 합당하셨을 따름이다. 배우는 자가 성인(의 도)에 마음을 담그고자 한다면 마땅히 여기에서 구해야 하리라.

【세주】

程子曰 鄕黨 分明畫出一箇聖人

정자가 말했다. 「향당」편은 한 성인의 모습을 분명하게 그려내었다.

○朱子曰 鄕黨一篇 自天命之性 至道不可須臾離 皆在裏面 許多道理 皆自聖人身上迸出來 惟聖人 做得甚分曉 故 門人 見之熟 是以 記之詳

주자가 말했다. 「향당」 한 편에는 천명의 성[형이상학적 도]으로부터 잠시도 떨어질 수 없는 도[일상의 도]에 이르기까지 모두 그 안에 들어 있고, 허다한 도리는 모두 성인의 몸으로부터 솟아나온다. 오로지 성인만이 참으로 분명하게 해내셨으니 그런 까닭에 문인들이 주의 깊게 살폈고, 그렇기에 상세하게 기록했다.

○鄕黨 說聖人容色處 是以有事時觀聖人 說燕居申申夭夭處 是以無事時觀聖人 學者 須知聖人無時無處而不然

「향당」편에서 성인의 용모와 안색에 관해 말한 내용은 일이 있을 때에 성인을 살핀 것이고, 한가히 계실 적의 느긋하고 유쾌함에 관해 말한 내용은 일이 없을 때에 성인을 살핀 것이다. 배우는 자는 모름지기 성인께서 언제

어디서나 그렇지 않은 경우가 없음을 알아야 한다.

○南軒張氏曰 此篇 於夫子言語容貌衣服飮食之際 察之精矣 聖人之道 如是 其高深也 茫然測度 懼夫 泛而無進德之地 故 卽其著見之實 而盡心焉 存而味之 則而象之 於此有得 則內外竝進 體用不離 而其高深者 可馴致矣

남헌 장씨가 말했다. 이 편은 공자의 언어와 용모와 의복과 식사 등에 대해 정밀하게 살피고 있다. 성인의 도는 이처럼 높고 깊어 헤아리기 막막한 까닭에, 두렵건대 너무 넓어 덕으로 나아갈 근거가 없다. 그러므로 그 겉으로 드러나는 실상에 근거하여 마음을 다하고, 보존하여 음미하고, 본받아 그려 보아, 이에 얻는 것이 있으면 안과 밖이 함께 나아가고 체와 용이 분리되지 않아서 그 높고 깊은 것에 입문할 수 있다.

○慶源輔氏曰 聖人之道 無精粗 無本末 大至於平天下 治國家 立經陳紀 制禮作樂 小至於容貌辭氣一動一靜 皆自此廣大心中流出 但愈細 則愈密 愈近 則愈實 故 鄕黨一篇 記聖人之容貌辭色 如是之詳且悉者 正所以示聖學之正傳 以垂教於後世也

경원 보씨가 말했다. 성인의 도는 정밀한 것과 거친 것(의 차이)이 없으며 근본과 말단(의 구분)이 없다(모든 것을 다 포괄한다). 크게는 천하를 평정하고 국가를 다스리고 날줄과 씨줄을 교차하듯 규범을 제정하고 예와 악을 제작하는 데서부터, 작게는 용모와 어조의 일동일정에 이르기까지 모두 이 광대한 마음 가운데로부터 나오는 것이다. 다만 가는 것일수록 더욱 정밀하고, 가까운 것일수록 더욱 실질적이다. 그런 까닭에 「향당」 한 편에서 성인의 용모와 말과 안색을 이처럼 상세하고 또 빠짐없이 기록한 것은 바로 성인의 학문의 정전(정통의 전수, 즉 올바른 해석의 전수)을 보임으로써 후세에 가르침을 전하려는 것이다.

○問 鄕黨一書 盡言孔子 中間又言君子 朱子謂 君子 卽孔子 何不便說孔子 潛室陳氏曰 卽孔子做底 便是衆人合依底 故 間稱君子 聖人以身爲教 故 記者 以教法 書之

물었다. 「향당」 한 책은 모두 공자라고(공자께서 이러저러하셨다라고) 말했는데 중간에 또한 (공자라 하지 않고) 군자라고 말했습니다. (이에 대해) 주자는 '군자란 곧 공자이다'라 했는데 어째서 그냥 공자라고 말하지 않았습니까? 잠실 진씨가 답했다. '곧 공자'라고 한 것(구절들)은 여러 사람들이 마땅히 의거해야 하는 것이라서 중간에 군자라고 칭한 것이다. 성인께서는 몸 자체가 곧 가르침이 되니 그런 까닭에 기록한 자가 (성인께서) 가르치신 방식대로 기록한 것이다.

○雲峯胡氏曰 鄕黨 形容夫子之一動一靜 可得而直遂其辭者 曰必 曰不 不可得而直遂其辭者 曰如 曰似 其皆隨時變易 而無非道之所在者歟

운봉 호씨가 말했다. 「향당」편은 공자의 일동일정을 묘사한 것이다. 그 말을 곧바로 실천할 수 있는 것은 '반드시 이러하셨다', '~하지 않으셨다'라고 되어 있고, 그 말을 곧바로 실천할 수 없는 것은 '~한 듯하다', '~와 비슷하다'라고 되어 있다. 모두 때에 따라 바뀌지만 도가 있지 않은 것이 없도다.

【집주】

舊說 凡一章 今分爲十七節

옛 설에는 (전체를) 한 장으로 했지만 지금은 나누어 17절로 했다.

10.1-1 孔子 於鄕黨 恂恂如也 似不能言者 恂 相倫反

공자께서는 향당에 계실 때에 신실하시어 마치 말을 못하는 듯이 하셨다.

【집주】

恂恂 信實之貌 似不能言者 謙卑遜順 不以賢知去聲先人也 鄕黨 父兄宗族之所在 故 孔子 居之 其容貌辭氣 如此

'순순'은 신실한 모습이다. '말을 못하는 듯이 한다'는 것은 겸손하게 낮추어 사양하고 순종하는 것이니 현명함과 지혜로움을 내세워 남보다 앞서려 하지 않는 것이다. 향당은 부형과 친족이 있는 곳인 까닭에 공자께서 그곳에 계실 때에 그 용모와 어조가 이와 같았다.

【세주】

朱子曰 鄕黨 不是不說 但較之宗廟朝廷 爲不敢多說耳

주자가 말했다. 향당에서는 말하지 않는다는 것이 아니다. 다만 종묘 조정과 비교할 때에 감히 많이 말하지 않는다는 것뿐이다.

○或問 恂恂 曰 以詩書訓詁考之 宜爲信實 然 亦有溫恭之意

혹자가 '순순'에 대해 물었다. 답했다. 『시경』과 『서경』의 훈고로 고찰해보면 마땅히 신실하다는 뜻이 되어야 한다. 그러나 또한 따스하고 공손하다는 뜻이 있다.

○慶源輔氏曰 似不能言者 所以形容信實之意 大凡 人纔信實 則言自簡默 況聖人之表裏如一者乎 謙卑遜順 不以賢智先人 卽溫恭之意

경원 보씨가 말했다. '말을 못하는 듯이 한다'는 것은 신실한 뜻을 형용한 것이다. 대개 사람이 신실하기만 하면 말이 저절로 간략하고 과묵해지니, 하물며 성인께서는 표리가 한결같으심에랴. 겸손하게 낮추고 사양하고 순종함으로써 현명함과 지혜로움을 내세워 남보다 앞서려 하지 않으셨으니 곧 따스하고 공손하다는 뜻이다.

○吳氏曰 恂恂似不能言 信實在心 而訥於發言之貌 人倫之序 自近達遠

由親及疎 家之外 則鄕黨矣 生於斯 長於斯 父兄宗族 聚於斯 故 夫子 居之 其貌言如此

오씨가 말했다. '순순하여 말을 못하는 듯이 한다'는 것은 신실함이 마음에 있어서 말을 함에 어눌한 모습이다. 인륜의 순서는 가까운 데에서 시작하여 먼 데에 이르니, 친한 곳으로부터 시작하여 소원한 곳까지 미친다. 집의 바깥이 곧 향당이다. 이곳에서 나고 이곳에서 자라고 부형종친이 이곳에 모여 있는 까닭에 공자께서 그곳에 거처하실 때에 그 모습과 말씀이 이와 같으셨다.

10.1-2 其在宗廟朝廷 便便言 唯謹爾 朝 直遙反 下同 便 旁連反

종묘 조정에서는 (조리 있게) 따져 말씀하시되 오직 삼가셨을 따름이다.

【집주】

便便 辯也 宗廟 禮法之所在 朝廷 政事之所出 言不可以不明辯 總言 故 必詳問

'변변'은 따져 말하는 것이다. 종묘는 예법이 있는 곳이고, 조정은 정사가 나오는 곳이니 명확하게 따져 말하지 않을 수 없다. <총괄하여 말했다.> 그러므로 반드시 상세하게 묻고

【세주】

據入太廟每事問 而言在太廟如此

'태묘에 들어서는 매사를 물으셨다'는 구절에 근거하여 태묘에서는 이와 같으셨음을 말한 것이다.

【집주】

而極言之

끝까지 말씀하셨다.

【세주】

在朝廷 如此

조정에서는 이와 같이 한다.

【집주】

但謹而不放爾

다만 삼가시어 함부로 하지 않으셨을 따름이다.

【세주】

吳氏曰 宗 尊也 尊奉之 故曰 宗 宗廟朝廷 皆謂魯也

오씨가 말했다. '종'이란 높이는 것이다. 높여서 받드는 까닭에 '종'이라고 한다. 종묘와 조정은 모두 노나라(의 종묘와 조정)를 일컫는다.

【집주】

○此一節 記孔子在鄕黨 宗廟朝廷 言貌之不同

이 한 절은 공자께서 향당에 계실 때와 종묘 조정에 계실 때의 말씀하시는 모습이 같지 않음을 기록한 것이다.

【세주】

胡氏曰 在宗廟而明辯 則可以識制度文物之精微 升降揖遜之委折 在朝廷而明辯 則上之 所布者 不悖於理 下之 所受者 不被其害

호씨가 말했다. 종묘에서 명확하게 말하면 제도문물의 정밀함과 오르고 내리고 읍하고 사양하는 (예절의) 상세함을 가히 분별할 수 있고, 조정에서 명확하게 말하면 위로 (말씀을) 올림에 진술한 것이 이치에 어긋나지 않고, 아래로 (말을) 내림에 (아랫사람이) 받아들인 것이 해를 입지 않는다(잘못 이해되지 않는다).

○厚齋馮氏曰 古人 於言語 所不能形容 輒以連綿字狀之 如詩之詠文王曰穆穆亹亹雝雝肅肅 如見文王之德容心志也 此篇 最工於形容夫子之動容周旋 睟然於言辭之表 見之

후재 풍씨가 말했다. 옛사람들은 말로 형용할 수 없는 것은 같은 글자 둘을 이은 단어를 가지고 묘사하는 경우가 많았다. 예컨대 『시경』(「대아 문왕」)에서 문왕을 노래하면서 '목목', '미미', '옹옹', '숙숙'이라고 했으니 마치 문왕의 덕스러운 용모와 심성을 눈으로 보는 듯하다. 이 편은 공자의 모든 행동거지를 형용한 것 중에 가장 정교하니, 바로 보는 듯이 언어의 표현으로 드러내었다.

○雲峯胡氏曰 此篇 記夫子之容貌言動 然 記動 莫先於記言 故 首一節 以言先之 夫子 在鄕黨 非不言 而似不能言 在宗廟朝廷 則當言必言 而猶謹於言 言 心聲也 此心 信實 則訥而不發 此心 謹愼 雖不訥而亦不輕發 信實謹愼 不足以言夫子之聖 而愈見夫子之所以聖

운봉 호씨가 말했다. 이 편은 공자의 용모와 말과 행동을 기록한 것이다. 그러나 행동을 기록하는 것은 말을 기록하는 것보다 앞서는 것이 없는 까닭에 첫 절에서 말을 먼저 다루었다. 공자께서 향당에 계실 때에 말하지 않은 것은 아니지만 말할 줄 모르는 것처럼 하셨으며, 종묘 조정에 계실 때에는 마땅히 해야 할 말은 반드시 말하되 다만 말을 삼가셨을 뿐이다. 말은 마음의 소리이다. 이 마음이 신실하면 어눌하여 발설하지 않는다. 이 마음이 근신하면 비록 어눌하지 않더라도 또한 가볍게 발설하지 않는다. 신실과 근신은 공자의 성스러움을 말하기에는 부족하지만 공자께서 성인이신 까닭은 더 잘 보여준다.

10.2-1 朝 與下大夫言 侃侃如也 與上大夫言 誾誾如也

侃 若旦反 誾 魚中反

조정에서 하대부와 더불어 말할 때에는 간간하셨고, 상대부와 더불어 말할 때에는 은은하셨다.

【집주】

此 君未視朝時也

이는 임금이 조회를 보지 않을 때이다.

【세주】

胡氏曰 以下文君在 互觀之 知此爲君未視朝時 旣視朝 則不當歷位 而相與言矣

호씨가 말했다. 아래글의 임금이 있는 경우와 서로 비교해보면 이것은 임금이 조회를 보지 않을 때임을 알 수 있다. 이미 조회를 보는 경우라면 자리를 건너 서로 더불어 말해서는 안 된다.

【집주】

王制 諸侯 上大夫卿 下大夫 五人

(『예기』) 「왕제」편에 의하면 제후에게는 상대부인 경과 하대부 다섯 사람이 있다.

【세주】

胡氏曰 王制 上大夫卿 又云 大國 三卿 下大夫五人 今合此二節 以爲上大夫下大夫之別也 上大夫 曰卿 大國 次國 小國 竝下大夫五人

호씨가 말했다. 「왕제」편에서는 상대부 경이라 하고 또 큰 나라는 3경과 하대부 5인이 있다고 했는데, 지금 이 두 절을 합하여 상대부와 하대부를 구별했다. 상대부를 경이라 한다. 큰 나라와 그다음의 나라와 작은 나라 모두 하대부 5인을 둔다.

○厚齋馮氏曰 夫子 仕魯 自下大夫 爲上大夫 此 當記爲下大夫之時

후재 풍씨가 말했다. 공자께서 노나라에서 벼슬할 때에 하대부로부터 시작하여 상대부가 되셨다. 이 글은 틀림없이 하대부였던 시기를 기술한 것이다.

【집주】

許氏說文

허씨의 『설문』에 의하면

【세주】

後漢許愼 字叔重 著說文

후한의 허신은 자는 숙중이며 『설문』을 지었다.

【집주】

侃侃 剛直也

'간간'은 강직하다는 뜻이다.

【세주】

慶源輔氏曰 侃侃 謂能守理義 而無所回屈

경원 보씨가 말했다. '간간'은 능히 이치의 올바름을 지키는 것으로, 돌고 굽히는 바(완곡하게 말함)가 없는 것이다.

【집주】

誾誾 和悅而諍也

'은은'은 화락한 태도를 가지면서 간쟁하는 것이다.

【세주】

朱子曰 下大夫 位不甚尊 故 言可得而直遂 上大夫前 雖有所諍 須有含蓄不盡底意 不如侃侃之發露得盡也

주자가 말했다. 하대부는 지위가 그다지 높지 않은 까닭에 말을 곧바로 다할 수 있다. 상대부 앞에서는 비록 간쟁할 것이 있어도 반드시 함축적으로 말해 (하고 싶은 대로) 다 말하지 않는다는 뜻이 있어야 하니, '간간'하여 전부 다 드러내는 것과는 같지 않다.

○和悅 則不失事上之恭 諍 則又不失在己義理之正

화락한 태도를 가지는 것은 윗사람을 모시는 공손함을 잃지 않는 것이고, 간쟁하는 것은 또한 자신의 의리의 바름을 잃지 않는 것이다.

○和悅 終不成一向放倒了 到合當辨處 須辨始得

화락한 태도를 가진다고 해서 끝까지 내내 엎어져 있어서는 안 된다. 마땅히 따져야 할 곳에 이르면 모름지기 따지기 시작할 수 있다.

○內不失其事上之禮 而外不至於曲從 如古人用這般字 不是只說字義 須是想象這意思是如此 如恂恂 皆是有此意思 方下此字 如史記云 魯道之衰 洙泗之間 齗齗如也 齗誾字 同 這 正見和悅而諍意思

안으로는 윗사람을 모시는 예를 잃지 않고 밖으로는 굴종하는 데에 이르지 않는다. 옛사람이 이런 글자를 썼을 경우, 다만 글자의 뜻만을 말한 것이 아니니, 모름지기 그것의 의미가 이와 같다는 것을 상상해야 한다. 예컨대 (여기서의) '순순'도 모두 이와 같은 의미가 있어서 이 글자를 쓴 것이다. 예컨대 「『사기』(「노주공세가」)에서 "노나라의 도가 쇠했구나. 수와 사의 사이(노나라 지역)에서 (사람들이) '단단'한 태도로 간쟁을 하다니"라고 한 것, <'단' 자와 '은' 자는 동일하다> 이것은 바로 화락한 태도로 간쟁한다는 의미를 보여준다.

○北溪陳氏曰 先言和悅 後言諍 和悅者 事長順也 諍 則不詭隨矣

북계 진씨가 말했다. 먼저 화락한 태도를 가지는 것을 말하고 나중에 간쟁하는 것을 말했다. 화락한 태도를 가지는 것은 윗사람을 모심에 순종하는 것이다. 간쟁하는 것은 굽혀 따르지는 않는 것이다.

10.2-2 *君在 踧踖如也 與與如也* 踧 子六反 踖 子亦反 與 平聲 或如字

임금이 계시면 긴장한 듯하셨고, (태도를) 적절하게 하셨다.

【진주】

君在 視朝也 踧踖 恭敬不寧之貌 與與 威儀中適之貌

임금이 계시다는 것은 (임금이) 조회를 본다는 것이다. '축적'은 공경하여

편치 않은 모습이다. '여여'는 위엄 있는 태도가 꼭 맞고 적절한 모습이다.

【세주】

南軒張氏曰 此 君在位之時 在朝 在廟 燕見 皆然也

남헌 장씨가 말했다. 이것은 임금이 자리에 있을 때이다. (임금이) 조정에 있거나 종묘에 있거나 사사로이 있을 때 만나거나 (신하는) 모두 그렇게 한다.

○胡氏曰 中者 不至於過 適者 當其可

호씨가 말했다. '중(꼭 맞음)'이란 넘치는 데에 이르지 않는 것이다. '적(적절함)'이란 마땅히 그리해야 한다는 것이다.

○慶源輔氏曰 踧踖二字 皆從足 蓋 心懼而立不寧也 踧踖 雖是恭敬不寧 與與 又却威儀中適 此 所以爲聖人也

경원 보씨가 말했다. '축적'의 두 글자는 모두 '족' 자에 딸린 것이니, 대개 마음이 두려워서 서 있는 것이 편치 않은 것이다. 축적은 비록 공경하여 편치 않은 것이지만, 여여는 또한 도리어 위엄 있는 태도가 꼭 맞고 적절한 것이니 이것이 성인이 되는 까닭이다.

○新安陳氏曰 中適 得其中 而且安適也 若作中節解 何不曰 適中乎

신안 진씨가 말했다. '중적'은 그 중정함을 얻고 또 편안하게 들어맞는 것이다. 만약 '중절(절도에 맞음)'로 해석한다면 어째서 '적중(딱 들어맞음)'이라고 말하지 않았겠는가.

【집주】

○張子曰 與與上聲 不忘向君也 亦通

장자가 말하기를 '여여'는 임금을 향하기를 잊지 않는 것이라 했는데, 또한 통한다.

【세주】

勉齋黃氏曰 下大夫 侃侃 接下以嚴 上大夫 誾誾 事上以和敬 而不忘向君 忠敬之道備矣

면재 황씨가 말했다. 하대부에게는 간간하니 아래를 대하기를 위엄으로 하는 것이고 상대부에게는 은은하니 윗사람을 화경(온화함과 존경함)으로 모시는 것이지만 또한 임금을 향하기를 잊지 않으니 충과 경의 도리가 갖춰져 있다.

○雙峯饒氏曰 與與 作平聲讀者 威儀中適之貌 言雖恭敬不寧 而威儀 却皆從容中適 恭敬之中 有和意也 作如字讀者 與之又與 不忘向君之意 踧踖 敬君之至也 與與 愛君之至也 敬有餘而愛不足 則疎 愛有餘而敬不足 則褻 聖人 兩皆具足 蓋 莫非中和氣象

쌍봉 요씨가 말했다. ‘여여’를 평성으로 읽으면 위엄 있는 태도가 꼭 맞고 적절한 모습이라는 뜻이 된다. 비록 공경하여 편치 않지만 위의가 도리어 모두 종용히 맞고 적절하니 공경하는 가운데에 화락한 뜻이 있다는 말이다. (여여를) 원래의 글자 뜻대로 읽으면 (임금을) 따르고 또 따라 임금을 향하기를 잊지 않는다는 뜻이 된다. 축적은 임금을 공경하는 것이 지극한 것이며, 여여는 임금을 사랑하는 것이 지극한 것이다. 경에는 남음이 있으면서 사랑에는 부족함이 있다면 곧 소원해지고, 사랑에는 남음이 있으면서 경에는 부족함이 있다면 곧 무람없이 된다. 성인께서는 두 가지를 모두 다 충족하시니 대개 중화의 기상이 아닌 것이 없다.

○慶源輔氏曰 恭敬不寧如此 而意 又不忘向君 亦非聖人 不能也

경원 보씨가 말했다. 공경하여 편치 않음이 이와 같으면서 뜻 또한 임금을 향하기를 잊지 않는 것은 또한 성인이 아니라면 할 수 없는 일이다.

【집주】

○此一節 記孔子在朝廷 事上接下之不同也

이 한 구절은 공자께서 조정에 계실 때 위를 섬기는 것과 아래를 대하는 것이 서로 다름을 기록한 것이다.

【세주】

齊氏曰 君 未視朝 則其待同列也 或莊或和 所施各異 君 旣視朝 則其視君也 一於齊栗專篤而已 觀諸上下之間 而其辭貌 各得其當 可見矣

제씨가 말했다. 임금이 아직 조회를 보지 않으면 같이 줄서서 기다리는 것이니 (상대부냐 하대부냐에 따라) 혹은 엄숙하고 혹은 온화하여 베푸는 것이 각각 다르다. 임금이 이미 조회를 보면 임금을 쳐다보는 것이니 한결같이 엄숙히 긴장하고 오로지 독실할 따름이다. 상하(신분상 높은 자와 낮은 자)의 사이를 살펴보면 그 말과 모습이 각각 마땅함을 얻었음을 알 수 있다.

10.3-1 君召使擯 色勃如也 足躩如也 擯 必刃反 躩 驅若反

임금이 불러서 빈(접빈사)을 시키면 안색을 긴장한 듯이 하셨고 발은 비껴 조심스레 걸으셨다.

【집주】

擯 主國之君 所使出接賓者 勃 變色貌 躩 盤避貌 避 音璧 與躄同

'빈'은 주국(손님을 맞는 나라)의 임금이 나가서 손님을 맞도록 시킨 자이다. '발'은 얼굴색이 변하는 모습이다. '곽'은 비껴 도는 모습이다.

【세주】

○盤避 乃盤旋曲折之意

반벽은 곧 빙 돌아간다는 뜻이다.

【집주】

皆 敬君命 故也

모두 임금의 명을 공경하기 때문이다.

【세주】

慶源輔氏曰 擯 人主使之接賓 此 見儀禮 所以接賓者 盡人主之禮意 而欲賓之無違於禮也 勃如 顏色之變 躩如 容止之變 心敬於中 則容變於外 自然之符也 聖人 固未嘗不敬 但君命之臨 則敬心 愈至耳

경원 보씨가 말했다. 빈은 임금이 그로 하여금 손님을 맞도록 시킨 자이다. 이는『의례』(「빙례」)에 보인다. 손님맞이를 하는 것은 주인으로서의 예의(예로 대접하려는 뜻)를 다하여 손님을 접대함에 예에 어긋남이 없고자 하는 것이다. '발여'는 안색을 바꾸는 것이다. '곽여'는 몸가짐을 바꾸는 것이다. 마음속으로부터 경건하면 겉으로 용모가 변하니 (겉과 속이) 자연히 부합하는 것이다. 성인께서는 일찍이 경건하지 않은 적이 없지만 다만 임금의 명령에 임하면 경건한 마음이 더욱 지극해지셨을 뿐이다.

10.3-2 揖所與立 左右手 衣前後 襜如也 襜 赤占反

함께 선 자에게 읍할 때에는 손을 왼쪽과 오른쪽으로 하셨고 옷의 앞뒤를 가지런히 하셨다.

【집주】

所與立 謂同爲擯者也 擯 用命數之半 如上公九命 則用五人 以次傳命

'소여립(함께 서는 바)'이란 같이 빈이 된 자를 말한다. 빈은 명수(왕으로부터 받은 명의 등급 숫자)의 반을 쓴다. 가령 상공은 9명이니 (빈은) 다섯 사람을 써서 순서대로 명령을 전한다.

【세주】

周禮 行人 上公九介 侯伯七介 子男五介 各隨其命數 賓 次於大門之外 主人使擯者出而請事 卿爲上擯 大夫爲承擯 士爲紹擯 主國之君公 則擯者五人 侯伯四人 子男三人 各用其命數之强半 下於賓 以示謙也 其傳命之制 賓立於庫門之外 卽大門 直闑西 北面 介者 以次立於西北 東面 每介 相去三丈六尺 主君 出接立於庫門之外 直闑西 南面 擯者 以次立於君之東南 西面 每擯相去亦三丈六尺 末擯與末介 相對東西 亦相去三丈六尺 主君 命上擯諸問來故 蓋 雖知其來朝 不敢自許其朝己 恐其或爲他事而來 所以示謙也 上擯受君命而傳之承擯 迤邐傳至末擯 末擯 傳至末介 末介 以次繼傳上至於賓 賓命 上介復命 復以次傳之擯 而達於主君 然後主君 進而迎賓以入

『주례』(「추관 사구」)의 <(대)행인>조에 의하면 상공은 9개(손님으로 온 사람이 쓰는 전령), 후나 백은 7개, 자나 남은 5개인데, 각각 그 명수를 따른다. 손님은 대문의 바깥에서 기다린다. 주인이 빈(주인인 임금이 쓰는 전령)으로 하여금 나가서 (접견 의례의) 일을 청하게 한다. 경은 상빈이 되고 대부는 승빈이 되고 사는 소빈이 된다. 주인 나라의 군공(공인 군주)은 빈을 5사람 두고 후나 백인 군주는 4사람을 두고 자나 남인 군주는 3사람을 두니 각각 그 명수의 반올림한 반(예컨대 9명의 공이면 9의 반인 4.5의 반올림인 5)을 써서 손님보다 낮게 함으로써 겸양을 보인다. 그 명령을 전하는 제도는 다음과 같다. 손님은 고문의 밖에 서서 <(고문이란) 큰 대문이다.> (대문의 가운데 있는) 기둥의 서쪽에 서서 북쪽을 향하고, 그 개는 차례로 (손님의) 서북쪽에 서서 동쪽을 향하며, 모든 개는 서로 3장 6척의 거리를 둔다. 주군(주인인

임금)이 나와서 고문의 밖에서 맞이하는데 가운데 기둥의 서쪽에 서서 남쪽을 향하고 빈은 차례대로 임금의 동남쪽에 서서 서쪽을 향하며, 모든 빈은 서로 또한 3장 6척의 거리를 둔다. 말빈과 말개는 서로 동서로 대하고 또한 서로 3장 6척의 거리를 둔다. 주군이 상빈에게 손님이 온 까닭을 묻게 한다. 대개 비록 조알하러 온 것임을 알지만 감히 스스로 자기를 조알하러 왔다고 여기지는 않는 것이니 혹시 다른 일 때문에 온 것이 아닌가 함으로써 겸양을 보이는 것이다. 상빈이 임금의 명을 받아서 승빈에게 전하고 이어서 말빈에게 전하고 말빈은 말개에게 전한다. 말개는 차례로 계속하여 위로 전하여 손님에게 이른다. 손님이 명하면 상개가 복명하고 다시 차례로 빈에게 전하여 주군에게 이른다. 그런 연후에 주군이 나아가서 손님을 맞이하여 들어오도록 한다.

○朱子曰 古者 相見之禮 主人有擯 賓有介 賓 傳命于上介 上介 傳之次介 次介 傳之末介 末介 傳之末擯 末擯 傳之次擯 次擯 傳之上擯 上擯 傳之主人 然後賓主 方相見

주자가 말했다. 옛날의 상견의 예에, 주인은 빈이 있고 손님은 개가 있다. 손님이 명령을 상개에게 전하면 상개는 그것을 차개에게 전하고 차개는 말개에게 전하고 말개는 말빈에게 전하고 말빈은 차빈에게 전하고 차빈은 상빈에게 전하고 상빈은 주인에게 전한다. 그런 후에 손님과 주인이 비로소 서로 만난다.

○蔡氏模曰 賓主 各有副 賓副 曰介 主副 曰擯

채모가 말했다. 손님과 주인은 각각 부관이 있다. 손님의 부관은 개라고 하고 주인의 부관은 빈이라고 한다.

【집주】

揖左人 則左其手 揖右人 則右其手 襜 整貌

왼쪽 사람에게 읍할 경우에는 손을 왼쪽으로, 오른쪽 사람에게 읍할 경우에는 손을 오른쪽으로 한다. '첨'은 가지런한 모양이다.

【세주】

周禮 春官 大宗伯 以九儀之命 正邦國之位 壹命受職 始見命 爲正吏 受職事 再命受服 受祭衣服 爲上士 三命受位 受下大夫之位 四命受器 受祭器 爲上大夫 五命受則

則者 法也 地未成國之名 王之下 大夫 四命 出封加一等 五命賜之 以方百里二百里之地者 方三百里以上爲成國 六命受官 子男入爲卿 治一官也 此 王六命之卿 賜官者 使得自置其臣治家邑 七命賜國 王之卿 六命 出封加一等者 就侯伯之國 八命作牧 侯伯有功德者 加命 得專征伐於諸侯 爲一州之牧 九命作伯 上公 有功德者 加命 爲二伯 得征五侯 九命者 長諸侯 爲方伯

『주례』, 「춘관 (종백)」 <대종백>조에 다음과 같이 나와 있다. (대종백의 직무는) 9의의 명으로 나라의 지위를 바르게 한다. 1명은 직을 받는다. <처음으로 명을 받으면 정리(정식 관리)가 되어서 직무를 받는다.> 2명은 관복을 받는다. <제사의 의복을 받고 상사가 된다.> 3명은 지위를 받는다. <하대부의 지위를 받는다.> 4명은 기물을 받는다. <제기를 받고 상대부가 된다.> 5명은 칙을 받는다. <칙은 법이다. 땅(영토)이 (좁아서) 나라라는 이름을 이루지 못한다. 왕 밑의 4명 대부에게 봉토를 내리고 1등급을 더해 5명을 내려 사방 백 리, 이백 리의 땅을 준 것이다. 사방 삼백 리 이상이어야 나라를 이룬다.> 6명은 관을 받는다. <자나 남이 (주의 조정으로) 들어와서 경이 되어 하나의 관부를 다스린다. 이는 왕의 6명의 경이다. 관을 사여받은 자는 스스로 신하(가신)를 두어 가읍을 다스리도록 할 수 있다.> 7명은 나라를 내린다. <왕의 6명의 경에게 봉토를 내려 1등급을 더한 것이다. 후나 백의 나라가 된다.> 8명은 목이 된다. <후나 백으로서 공덕이 있는 자에게 명을 더한 것이다. 독자적으로 제후를 정벌할 수 있고 1주의 목이 된다.> 9명은 백이 된다. <상공으로서 공덕이 있는 자는 명을 더하여 (동과 서의) 2백이 된다. 5후를 정벌할 수 있다. 9명을 받은 자는 제후의 수장으로서 방백이 된다.>

○秋官 司寇 大行人 以九儀 辨諸侯之命 等諸臣之爵 以同邦國之禮 而待其賓客 九儀 謂命者五 公侯伯子男也 爵者四 孤卿大夫士也 上公之禮 執桓圭九寸 冕服九章 介九人 禮九牢 擯者五人 諸侯之禮 執信圭七寸 信音身 冕服七章 介七人 禮七牢 擯者四人 諸伯 執躬圭 其他 皆 如諸侯之禮 諸子 執穀璧五寸 冕服五章 介五人 禮五牢 擯者 五人 諸男 執蒲璧 其他 皆 如諸子之禮

(『주례』) 「추관 사구」 <대행인>조에 다음과 같이 나와 있다. 9의로써 제후의 명을 구분하고 여러 신하의 작위를 고르게 한다. 나라의 예를 같게 함으로써 빈객을 대우한다. <9의는 5가지의 명인 공, 후, 백, 자, 남과 4가지의 작인 고, 경, 대부, 사를 (합하여) 말한다.> 상공의 예는 환규 9촌을 쥐고 면복이 9장이고 개가 9인이고 예에 9뢰(소)를 쓰고 빈자가 5인이다. 제후(후작인 군주들)의 예는 신규 7촌을 쥐고 면복이 7장이고 개가 7인이고 예에 7뢰를 쓰고 빈자가 4인이다. 제백(백작인 군주들)의 경우에는 궁규를 쥐고 그 나머지는 모두 제후의 예와 같다. 제자(자작인 군주들)의 경우에는 곡벽 5촌을 쥐고 면복이 5장이고 개가 5인이고 예에 5뢰를 쓰고 빈자가 5인[3인의 잘못인 듯]이다. 제남(남작인 군주들)의 경우에는 포벽을 쥐고 그 나머지는 모두 제자의 예와 같다.

○朱子曰 揖左人傳命出 揖右人傳命入也

주자가 말했다. 왼쪽 사람에게 읍하여 명을 전해 내보내고, 오른쪽 사람에게 읍하여 명을 전해 들인다.

○慶源輔氏曰 左右手 如賓自南而北 則居東者 在賓之右 而賓在其左 故用左手以揖賓 居西者 在賓之左 而賓居其右 故 用右手以揖賓 如此 然後兩相向也 又曰 襜如 言其衣之前後 襜如其齊整也

경원 보씨가 말했다. '좌우수'란 만일 손님이 남쪽에서 북면했으면 동쪽에 자리한 자는 손님의 오른쪽에 있고 손님은 그 왼쪽에 있으니 그런 까닭에 왼손을 써서 손님에게 읍한다. 서쪽에 자리한 자는 손님의 왼쪽에 있고 손님은 그 오른쪽에 자리했으니 그런 까닭에 오른손을 써서 손님에게 읍한다. 이와 같이 한 후에 양편이 서로 향한다. 또 말했다. '첨여'는 그 옷의 앞뒤가 휘장처럼 가지런하게 정리된 것을 말한다.

10.3-3 趨進 翼如也

달려 나아가는 것은 (새가) 날개를 편 듯이 하셨다.

【집주】

疾趨而進 張拱端好 如鳥舒翼

빨리 달려서 나아가되 팔을 펴고 손을 마주잡은 것이 단아하여, 마치 새가 날개를 편 것과 같다.

【세주】

慶源輔氏曰 凡人疾走 則手易散 臂易掉 今疾趨而進 而張拱端好 如鳥舒翼 所謂造次不違者 是也

경원 보씨가 말했다. 보통 사람들은 빨리 달리면 손이 흩어지기가 쉽고 팔이 흔들리기 쉽다. 지금 빨리 달려 나아가면서도 팔을 펴고 손을 마주잡은 것이 단아하여, 마치 새가 날개를 편 것과 같다. 이른바 잠시라도 어기지 않는다는 것이 바로 이것이다.

10.3-4 賓退 必復命曰 賓不顧矣

손님이 물러가면 반드시 '손님이 뒤돌아보지 않았다'라고 복명하셨다.

【집주】

紓音舒君敬也

임금의 경건함을(경건한 태도를) 풀게 하는 것이다.

【세주】

朱子曰 古者 賓退 主人 送出門外 設兩拜 賓 更不顧而去 國君 於列國之卿大夫 亦如此

주자가 말했다. 옛날에 손님이 물러나면 주인은 문밖까지 나와서 배웅하고 두 번 절을 하고, 손님은 다시 뒤를 돌아보지 않고 갔다. 나라의 임금은 여러 나라의 경대부에 대해서도 또한 이와 같이 했다.

○新安陳氏曰 紓 緩也 解也 賓 雖退 主君 敬猶存 擯 告賓去不顧 則主君之敬 可緩解也

신안 진씨가 말했다. '서'는 느슨하게 하는 것이고, 푸는 것이다. 손님이 비록 물러갔더라도 임금의 경건한 태도는 아직 남아 있다. 빈이 '손님이 돌아보지 않고 갔다'고 고하면 임금의 경건한 태도가 이완될 수 있다.

【집주】

○此一節 記孔子爲去聲君擯相去聲之容

이 한 절은 공자께서 임금을 위하여 빈이 되어 돕는 모습을 기록한 것이다.

【세주】

問 夾谷之會 孔子 相禮 恐卽擯相之相 朱子曰 相自是相 擯自是擯 相 是相禮儀 擯 是傳道言語 故 擯用命數之半 是以次傳說

물었다. 협곡의 회합에서의 '공자상례(공자가 예를 도왔다)'(라 할 때의 '상')는 '빈상'의 '상'인 듯합니다. 주자가 답했다. 상은 그 자체로서 상이고 빈은 그 자체로서 빈이니 상은 곧 예의를 돕는 것이고, 빈은 말을 전달하는 것이다. 그러므로 빈은 명수의 절반을 써서 차례로 말을 전하는 것이다.

○勉齋黃氏曰 色勃足躩 被命之初也 揖與趨進 行禮之際也 賓退 禮畢之後也 皆天理之節文 所當然 至於揖之左右 衣之前後 手之翼如 皆禮文之至末者 聖人 於此 動容周旋 無不中禮 盛德之至也

면재 황씨가 말했다. 안색을 긴장하고 발을 비껴 조심스레 걷는다는 것은 명령을 받고 난 처음의 일이다. 읍을 하고 달려 나아가는 것은 예를 행하는 사이의 일이다. 손님이 물러나는 것은 예가 끝난 후의 일이다. 모두 천리의 절문에 마땅히 그러해야 하는 것이다. 좌우로 읍하는 것과 옷의 전후(를 가지런히 하는 것)와 손을 날개 편 듯이 하는 것은 모두 예문의 지극한 말단이다. 성인께서는 이런 일에 움직이고 머무르고 이리저리 행동하심이 예에 맞지 않는 것이 없으니 성덕의 지극함이시다.

10.4-1 入公門 鞠躬如也 如不容

공문(궁궐의 문)에 들어가실 때는 국궁하듯 하셨는데 용납되지 못하는 듯이(좁아서 못 들어갈 듯이) 하셨다.

【집주】

鞠躬 曲身也 公門 高大而若不容 敬之至也

'국궁'은 몸을 굽히는 것이다. 공문이 높고 큰데도 용납되지 못하는 듯이 하신 것은 지극한 경건함이다.

【세주】

南軒張氏曰 入公門 則改容 而不敢少肆也

남헌 장씨가 말했다. 공문에 들어갈 때는 용모를 고쳐 감히 조금이라도 방자하지 않는 것이다.

○慶源輔氏曰 高大 則宜無所不容矣 今 以眇然之身入之 如不容焉 則心小而敬謹 可知矣

경원 보씨가 말했다. (문이) 높고 크니 당연히 용납되지 않는 바(못 들어갈 것)가 없지만 지금 미천한 몸으로 들어감에 마치 용납되지 않을 듯이 하시니 조심하고 경건히 삼가시는 것을 알 수 있다.

10.4-2 立不中門 行不履閾 閾 于逼反

문의 가운데에 서지 않으셨고, 지나갈 때에는 문지방을 밟지 않으셨다.

【집주】

中門 中於門也 謂當棖除庚反闑倪結反之間 君出入處也 閾 門限也 禮 士大夫出入公門 由闑右 不踐閾 見禮記 謝氏曰 立中門 則當尊

行履閾 則不恪克各反於門也

'중문'은 문의 가운데이다. 문설주와 문 말뚝(문 한가운데의 기둥)의 사이에 해당되는 부분을 말하는데 임금이 출입하는 곳이다. '역(문지방)'은 문의 경계이다. 예에, 사대부가 공문을 출입할 때는 문 말뚝의 오른쪽으로 다니고 문지방을 밟지 않는다. <『예기』(「곡례 상」)에 보인다.> 사씨가 말했다. 문의 가운데에 서는 것은 존귀함을 자처하는 것이고, 문지방을 밟고 가는 것은 문에서 조심하지 않는 것이다.

【세주】

○朱子曰 棖 如今衮頭相似 闑 當中礙門者 今 城門有之 古人 常掩左扉 人君 多出在門外見人 當棖闑之間 爲君位

주자가 말했다. '장(문설주)'은 지금의 '곤두(문짝의 부품)'와 유사하다. 문 말뚝은 중간에 있어 문을 막는 것이다. 지금은 성문에 그것이 있다. 옛사람들은 항상 왼쪽 문짝은 닫아 두었다. 임금은 나와 문 밖에서 사람을 만나는 경우가 많으니, (그때) 문설주와 문 말뚝의 사이에 있는 것은 임금의 자리가 된다.

○或問 中門之說 曰 疏云 門中 有闑 兩旁有棖 中門 謂棖闑之中 則門之左右扉 各有中 所謂闔門左扉 立於其中 是也

혹자가 중문의 설에 관해 물었다. 답했다. 소에는 "문의 가운데에는 문 말뚝이 있고 양쪽으로는 문설주가 있다"라 했다. '중문(문 가운데)'이란 문설주와 문 말뚝 사이의 가운데를 말하니 문의 좌우의 문짝에는 각각 가운데가 있다. 이른바 '왼쪽 문짝은 닫고 (열린 오른쪽 문의) 가운데에 선다(『예기』, 「옥조」)'는 것이 이것이다.

○南軒張氏曰 立不中門 避所尊也 行不履閾 行以度也 非獨入公門爲然 特於此記之耳

남헌 장씨가 말했다. 문 가운데에 서지 않는 것은 존귀한 장소를 피하는 것이다. 다닐 때에 문지방을 밟지 않는 것은 법도에 따라 다니는 것이다. 단지 공문에 들어갈 때만 그런 것은 아니지만 특별히 (공문의 예를) 여기(이 장)에 기록했을 뿐이다.

○雙峯饒氏曰 中間有闑 兩旁有棖 棖 是大門兩旁之木 如今壁尺相似 闑 是中間兩扉相合之處 又有一木常設 而不動 東西兩扉 各有中 君出入 則皆

由左 出則以東扉爲左 入則以西扉爲左 士大夫 出入君門 則皆由右 出以闑西爲右 入以闑東爲右 然 雖由右 亦不敢正當棖闑之中 但挨闑旁而行 蓋避君出入處也 行旣不敢當中 則立亦不可當中 故 立不中門

쌍봉 요씨가 말했다. (문의) 중간에는 문 말뚝이 있고 양쪽에는 문설주가 있다. 문설주는 대문의 양쪽 (끝의) 나무기둥이니 지금의 울타리 기둥과 비슷하다. 문 말뚝은 문 중간에 두 문짝이 서로 모이는 곳이니 (거기에) 또 나무 기둥 하나를 항상 설치해 움직이지 않게 한다. 동과 서의 두 문짝에는 각각 가운데가 있다. 임금이 출입할 때는 모두 왼쪽으로 다니는데 나갈 때는 동쪽 문짝이 왼쪽이 되고 들어올 때는 서쪽 문짝이 왼쪽이 된다. 사대부가 임금의 (궁궐) 문을 출입할 때는 모두 오른쪽으로 다니는데 나갈 때는 문 말뚝의 서쪽이 오른쪽이 되고 들어갈 때는 문 말뚝의 동쪽이 오른쪽이 된다. 그러나 비록 오른쪽으로 다니더라도 또한 감히 문설주와 문 말뚝 사이의 정 가운데로는 다니지 않고 다만 문 말뚝의 부근으로만 다닐 뿐이니, 대개 임금의 출입하는 곳을 피하는 것이다. 다닐 때 이미 감히 가운데로 하지 않았으니 서 있는 것 또한 가운데로 할 수 없다. 그러므로 '문 가운데에 서지 않는다'(라 했다).

○吳氏曰 按鄕黨所記夫子之事 有常禮者 有夫子所行不與他人同者 如入太廟每事問 此 夫子不與他人同者 如立不中門 行不履閾 此 常理也

오씨가 말했다. (『논어』의) 「향당」편에 기록한 공자의 일을 살펴보면 통상적인 예절이 있고 공자께서 행하신 바가 다른 사람들과 같지 않은 것이 있다. 예컨대 '태묘에 들어서는 매사를 물으셨다'는 것, 이는 공자께서 다른 사람들과 같지 않으신 것이고, '문 가운데에 서지 않으셨다'는 것, 이는 통상적인 이치이다.

10.4-3 過位 色勃如也 足躩如也 其言 似不足者

(임금의) 자리를 지나갈 때는 안색을 긴장한 듯이 하셨으며 발은 비껴 조심스레 걸으셨고, 말은 잘 못하는 듯이 하셨다.

【집주】

位 君之虛位

‘위(자리)’는 임금의 빈자리이다.

【세주】

胡氏曰 言過 則虛可知矣

호씨가 말했다. 지나간다 했으니 비어 있음을 알 수 있다.

【집주】

謂門屛音丙之間 人君宁仲言反立之處 所謂宁也

문과 병(가림벽)의 사이로 임금이 저립(우뚝 섬)하는 곳이니 소위 ‘저(저립하는 뜰)’이다.

【세주】

禮記曲禮下 天子 當依上聲而立 諸侯 北面而見天子 曰覲 天子 當宁而立 諸公東面 諸侯西面 曰朝 依 狀如屛風 以絳爲質 高八尺 東西當戶牖之間 綉爲斧文也 亦曰斧依 爾雅曰 門屛之間 謂之宁

『예기』, 「곡례 하」에는 “천자가 ‘의(병풍)’에 서고 제후가 북면하여 천자를 뵙는 것을 ‘근’이라 한다. 천자가 ‘저’에 서고 제공은 동면하고 제후는 서면하는 것을 ‘조’라 힌다. <‘의’는 모양이 병풍과 같다. 진홍 바탕에 높이는 8척이며 동서로 창문의 사이에 둔다. 도끼 문양의 수를 놓기에 ‘부의’라고도 한다.>”라 했다. 『이아』에서는 “문과 병의 사이를 저라 한다”라 했다.

○問 過位 注云 君之虛位 謂門屛之間 朱子曰 如今人 廳門之內 屛門之外 似周禮所謂外朝也

물었다. ‘자리를 지나간다’는 구절에 대해 주석하기를 ‘임금의 빈자리이니 문과 병 사이를 말한다’라 했습니다. 주자가 답했다. 요즈음의 관청 문의 안쪽이자 가림문의 바깥쪽과 같은 것이니 『주례』에서 말하는 ‘외조(바깥 조정의 뜰)’와 비슷하다.

○問 過位 色勃如也 位 謂門屛之間 人君宁立之處 曰 古今之制 不同 今之朝儀 用秦制也 古者 朝會 君臣 皆立 故 史記謂 秦王 一旦捐賓客而不立朝 君立於門屛之間 屛者 乃門間蕭墻也 今 殿門 亦設之 三公九卿以下 設位於

廷中 故 謂之三槐九棘者 廷中有樹處 公卿位 當其下也

물었다. '자리를 지나갈 때는 안색을 엄숙히 하셨다'라는 구절에서 '위(자리)'는 문과 병의 사이로 임금이 저립하는 곳이라 했습니다. 답했다. 고금의 제도는 같지 않다. 지금의 조정 의례는 진나라의 것을 쓴다. 옛날에 조회할 때는 군신이 모두 서서 했다. 그러므로 『사기』(「상군열전」)에서는 "진왕은 하루아침에 손님이 없어지고 서서 조회하지 못할 것이다"라 했다. 임금이 문과 병 사이에 선다고 할 때의 '병'은 문간의 소장(가림벽)이다. 지금의 대궐 문에도 또한 설치되어 있다. 3공 9경 이하는 자리가 뜰 가운데 설치되어 있기 때문에 그것을 3괴(홰나무를 심어 3공의 자리를 표시한 것) 9극(대추나무를 심어 9경의 자리를 표시한 것)이라 한다. 뜰 가운데 나무가 있는 곳이 있는데, 공경의 자리는 그(나무) 밑에 있다.

○雙峰饒氏曰 天子至尊 何以立而不坐 曰 古 無坐見臣下之禮 至秦 尊君卑臣 始有君坐臣立之制

쌍봉 요씨가 말했다. 천자는 지존인데 어찌 서고 앉지 않는가? 답하자면, 옛날에는 앉아서 신하를 보는 예는 없었다. 진에 이르러 임금은 높이고 신하는 낮추어 비로소 임금은 앉고 신하는 서는 제도가 있게 되었다.

○門屏之間 謂治朝也 但 天子外屏 其屏 在路門外 諸侯內屏 其屏 在路門內 則宁立之處 天子 當在門外屏內 諸侯 當在屏外門內 此 爲不同爾 問 屏制何如 曰 樹小墻於當門 以蔽內外也

문과 병의 사이를 '치조(실제 정치가 이루어지는 조정의 뜰)'라 한다. 단, 천자는 외병을 하니 그 병은 길문(가장 바깥쪽의 길로 향한 문)의 밖에 있다. 제후는 내병을 하니 그 병은 길문의 안에 있다. 그러므로 저립하는 곳도 천자의 경우는 문의 바깥쪽이자 병의 안쪽에 있고 제후는 병의 바깥쪽이자 문의 안쪽에 있다. 이것이 다른 점이다. 물었다. 병의 제도는 어떠합니까? 답했다. 문에 작은 담장을 세워 안팎을 가리는 것이다.

【집주】

君 雖不在 過之 必敬 不敢以虛位而慢之也 言似不足 不敢肆也

임금이 비록 (자리에) 없더라도 지나갈 때는 반드시 경건히 하셨으니 빈자리라 하여 감히 태만히 하지 않으신 것이다. '말은 잘 못하는 듯이 하셨다'는 것은 감히 (말을) 함부로 하지 않으셨다는 것이다.

10.4-4 攝齊升堂 鞠躬如也 屛氣 似不息者 齊 音咨

옷자락을 들고 당에 오르시면서 국궁하듯이 하셨다. 숨 가리기를 숨을 쉬지 않듯이 하셨다.

【집주】

攝 摳驅侯反也 齊 衣下縫也 縫 房用反 禮 將升堂 兩手摳衣 使去地尺 恐躡尼輒反之而傾跌音迭失容也 屛音丙 藏也 息 鼻息出入者也 近至尊 氣容肅也

'섭'은 추키는 것이다. '자'는 옷의 아래 재봉이다. 예에, 당에 오르려 할 때는 두 손으로 옷을 추켜 땅으로부터 한 자 떨어지게 하니, (옷자락을) 밟아 넘어져서 자세를 잃을까 우려해서이다. '병'은 감추는 것이다. '식'은 콧숨이 들고 나는 것이다. 지존과 가깝기 때문에 숨쉬는 모습을 삼가신 것이다.

【세주】

朱子曰 攝齊者 是謂謹恐上階時 踏着裳 有顚仆之患

주자가 말했다. 옷자락을 드는 것은 계단을 오를 때 치마를 밟아 넘어질까 우려해서 삼가는 것이다.

○或問 升堂攝齊 則手 無所執歟 曰 古者 君臣所執 五玉三帛二生一死 皆以爲贄而已 笏 則搢之揷於腰間 用以記事而已 不執 以爲儀也 宇文周欲復古 乃不修贄而執笏 於是 攝齊鞠躬之禮廢 升堂而蹴齊者 多矣

혹자가 물었다. 당에 오를 때 옷자락을 들었다면 손에는 아무것도 쥐고 있지 않은 것입니까? 답했다. 옛날에는 임금과 신하가 쥐고 있는 것이라고는 5옥과 3백과 2생(산 것 두 가지)과 1사(죽은 것 하나)였는데, 모두 폐백이었을 뿐이다. 홀은 허리 사이에 꽂았다가 기록을 할 때 썼을 뿐이니, (아무것도) 쥐지 않는 것이 예의였다. 우문씨의 주나라(북주)가 옛 제도를 복구하려고 폐백을 준비하지 않고 홀을 쥐게 했는데, 이 때문에 옷자락을 들고 국궁하는 예가 폐지되자 당에 오를 때 옷자락을 밟는 자가 많았다.

○胡氏曰 初則身如不容 次則言似不足 又次則氣似不息 君愈近 則敬愈加

也 至於舒氣解顔 若少放矣 而踧踖 餘敬久 猶未忘 則聖人所以存心也 可見矣

호씨가 말했다. 처음에는 '몸이 용납되지 않는 듯이'라 했고 다음에는 '말은 잘하지 못하는 듯이'라 했고 또 그다음에는 '숨은 쉬지 않는 듯이'라 했으니 임금이 가까이 있을수록 경건함을 더욱 더하신 것이다. 기를 누그러뜨리고 안색을 푸는 데 이르러서는 마치 약간 놓여나신 듯이 하시면서도 (발을) 조심조심하신 것은 남은 경건함이 오래 지속되어 마치 잊지 못하는 듯이 하신 것이니, 성인의 마음가짐이 어떤지를 볼 수 있다.

○慶源輔氏曰 升則肅 降則舒 氣之有張弛也

경원 보씨가 말했다. 올라가면 엄숙히 하고 내려오면 누그러뜨리니, 기운의 당김과 풀림(긴장과 이완)이 있는 것이다.

○鼻息出入 人之所不能無也 但 心敬 則氣肅 其息細微 自不覺其出入 一似不息者也

콧숨이 들고 나는 것은 사람에게 없을 수 없는 것이다. 그러나 마음이 경건하면 기운은 엄숙해진다. 그 숨이 작고 가늘어 스스로 그 들고 나는 것을 알지 못하는 것이니, 숨쉬지 않는 것과 비슷하다.

○趙氏曰 古者 諸侯之堂 七尺 尺一級 使裳之齊去地尺 則升階 不躡之也

조씨가 말했다. 옛날에 제후의 당은 7자이고 한 계단은 1자였다. 치마를 땅에서 1자 떨어지게 하면 계단을 오를 때 밟지 않는다.

○兩手摳衣 去齊尺 出記曲禮上 氣容肅 出玉藻篇 注云 似不息

'두 손으로 옷을 추켜 옷자락을 1자 떨어지게 한다'는 말은『예기』,「곡례상」에 나오고 '숨쉬는 모습을 삼간다'는 말은「옥조」편에 나오는데 주에는 '숨쉬지 않는 것처럼 한다'라 했다.

10.4-5 出降一等 逞顔色 怡怡如也 沒階 趨進 翼如也 復其位 踧踖如也

계단 하나를 내려오시면서 안색을 펴서 기쁜 듯이 하셨고, 계단을 다 내려오시면 달려 나아가기를 날개를 편 듯이 하셨다. 자리로 돌아와서는 (발걸음을) 조심조심하셨다.

【집주】

陸氏曰 趨下 本無進字 俗本有之 誤也

육씨가 말했다. '추' 자 다음에는 본디 '진' 자가 없다. 속본에는 있는데 잘못이다.

○等 階之級也 逞 放也 漸遠所尊 舒氣解顔 怡怡 和悅也 沒階 下盡階也 趨 走就位也 復位踧踖 敬之餘也

'등'은 계단의 층계이다. '영'은 푸는 것이다. 존귀한 곳으로부터 점차 멀어지면 기를 느긋하게 하고 안색을 푼다. '이이'는 편안하고 기쁜 것이다. '몰계'는 계단을 다 내려온 것이다. '추'는 자리로 달려가는 것이다. '자리에 돌아와서는 조심조심하셨다'는 것은 경건함이 남은 것이다.

【세주】

朱子曰 此 是到末梢 又加整頓 衆人 末稍 便撒了 聖人 則始乎敬 終乎敬
問 何以知進字爲衍文 曰 降而盡階 則爲趨而退 不得復有進字

주자가 말했다. 이는 끝에 이르러 더욱 정돈하는 것이다. 뭇사람들은 끝에 가서는 곧 흐트러진다. 성인께서는 경건함으로 시작하시고 경건함으로 끝내셨다. 물었다. 왜 '진' 자가 연문인지 알 수 있습니까? 답했다. 계단을 다 내려오면 달려가 물러나는 것이니 다시 (물러남의 반대인 나아감의) '진' 자가 있어서는 안 된다.

○南軒張氏曰 出降一等 色 始舒也 沒階 翼如 復其位 踧踖 始終以敬也

남헌 장씨가 말했다. 한 계단을 내려오시면 안색이 비로소 펴지고, 계단을 다 내려와서는 날개를 펴듯이 하고 자리에 돌아와서는 조심조심하시는 것은 시종 경건함으로써 하는 것이다.

【집주】

○此一節 記孔子在朝之容

이 한 절은 공자의 조정에서의 모습을 기록한 것이다.

【세주】

勉齋黃氏曰 此 記在朝之容 有五節 一入門 二過位 三升堂 四下階 五復位

면재 황씨가 말했다. 이는 조정에서의 모습을 기록한 것으로 다섯 절차가 있다. 첫째는 문을 들어가는 것이고, 둘째는 자리를 지나가는 것이고, 셋째는 당을 오르는 것이고, 넷째는 계단을 내려오는 것이고, 다섯째는 자리로 돌아오는 것이다.

○雲峯胡氏曰 始入門 而如不容 其敬 卽已可見 至其出也 旣怡怡 而復踧踖 則其敬 愈可見 故 集註 始以爲敬之至 末以爲敬之餘

운봉 호씨가 말했다. 처음 문에 들어갈 때는 마치 용납되지 않는 듯이 하셨으니 그 경건함을 이미 볼 수 있고, 나옴에 이르러서는 이미 기쁜 듯이 하시고도 다시 (발을) 조심조심하셨으니 그 경건함을 더욱 볼 수 있다. 그래서 집주에서는 처음에는 지극한 경건함이라 했고, 끝에서는 경건함이 남은 것이라 했다.

○新安陳氏曰 此章 當玩入與出字 自入以至出 始終一於敬也

신안 진씨가 말했다. 이 장에서는 마땅히 '입(듦)' 자와 '출(남)' 자를 감상해야 한다. 들어가면서부터 나올 때까지 시종 하나같이 경건하셨다.

10.5-1 執圭 鞠躬如也 如不勝 上如揖 下如授 勃如戰色 足蹜蹜 如有循 勝 平聲 蹜 色六反

규를 지니시면 국궁하듯이 하셨는데 (무거워서) 이기지 못하는 듯이 하셨다. (규를 든 손은) 위로는 읍하는 위치까지로 아래로는 주고받는 위치까지로 하셨다. 안색을 긴장하기를 떨리는 듯이 하셨고 발은 종종걸음을 하여 끌듯이 하셨다.

【집주】

圭 諸侯命圭 聘問隣國 則使大夫 執以通信

'규'는 제후의 명규이다. 이웃 나라에 사신으로 방문할 때 대부로 하여금 (규를) 지니게 하여 신임함을 알린다.

【세주】

周禮 冬官考工記 命圭九寸 謂之桓圭 公守之 命圭七寸 謂之信圭 侯守之 命圭七寸 謂之躬圭 伯守之 命圭者 王所命之圭也 朝覲執焉 居則守之 子守穀璧 男守蒲璧 不言之者 闕耳

『주례』, 「동관 고공기」에 다음과 같이 나와 있다. 9치짜리 명규를 환규라 하는데 공이 지킨다. 7치짜리 명규를 신규라 하는데 후가 지킨다. 7치짜리 명규를 궁규라 하는데 백이 지킨다. <명규란 왕이 명한 바의 규이다. 조근할 때 지니고 평상시에는 보관한다. 자는 곡벽을 지키고 남은 포벽을 지킨다. 언급되지 않은 자의 경우는 (그런 것이) 없다.>

○禮 郊特牲云 大夫 執圭而使 所以申信也

『예기』, 「교특생」에 "대부는 규를 지니고 사신 가는데 신임을 알리기 위한 것이다"라 했다.

○朱子曰 圭 自通贄見 通信之物 只是捧至君前而已 少間仍退還

주자가 말했다. 규는 본디 폐백을 가지고 알현할 때의 신임을 알려주는 물건이다(사신의 신임을 보여주는 표지물이다). 다만 받들어 임금 앞에 이르는 것일 뿐, 얼마 안 있어 곧이어 (규를 가진 채로) 물러나 돌아온다.

○或問 命圭 曰 古者 受侯受封 天子 授之以圭 以爲瑞節

혹자가 명규에 대해 물었다. 답했다. 옛날에 후(의 작위)를 받고 봉토를 받을 때 천자는 규로써 수여했으니 상서로운 부절이다.

【집주】

如不勝 執主器 執輕如不克

'여불승(이기지 못하는 듯이 함)'이란 군주의 기구를 지님에 가벼운 것을 지니더라도 이기지 못하는 듯이 하는 것이니

【세주】

出記曲禮下

『예기』, 「곡례 하」에 나온다.

【집주】

敬謹之至也

지극히 경건하고 삼가는 것이다.

【세주】

慶源輔氏曰 一圭之重 能有幾何 豈有不勝之理 但敬謹之至 容儀一似不勝者耳

경원 보씨가 말했다. 규 하나의 무게가 기껏 얼마나 된다고 어찌 이기지 못할 이치가 있겠는가? 다만 지극히 경건하고 삼가는 것이니 몸가짐을 마치 이기지 못하는 듯이 하는 것뿐이다.

【집주】

上上聲如揖 下如授 謂執圭平衡 手與心齊 高不過揖 卑不過授也

위로는 읍하는 위치로 하고 아래로는 주고받는 위치로 한다는 것은 규를 잡는 것을 평평하고 균형 있게 하면서 손과 심장(가슴)이 나란하여 높게는 읍하는 위치를 넘지 않고 낮게는 주고받는 위치를 넘지 않는다는 것이다.

【세주】

問 執圭 上如揖 下如授 旣曰平衡 而又有上下 莫是心與手齊 如步趨之間 其手微有上下 但高不至過揖 下不至過授否 朱子曰 得之

물었다. 규를 잡는 것을 위로는 읍하는 위치로 하고 아래로는 주고받는 위치로 한다고 했는데, 이미 평형(평평하고 균형 있게 함)이라 하고 또 상하가 있다 한 것은 가슴과 손이 나란하여 마치 걷거나 뛸 때 손이 약간 상하로 오르내리지만 높게는 읍하는 위치를 넘지 않고 낮게는 주고받는 위치를 넘지 않는 것 아닙니까? 주자가 답했다. 옳다.

○上如揖 下如授 舊說謂 上階之上 下階之下 亦好 但 此 方說升堂時其容如此 旣升堂納圭於君前 卽不復執之以下 故 說做下堂不得 所以 只用平衡之說言之 上下 謂執圭之高低也

위로는 읍하는 위치로 하고 아래로는 주고받는 위치로 한다는 것에 대해 구설에서는 (상은) 계단을 오른다는 의미의 '상'으로, (하는) 계단을 내려온다는 의미의 '하'로 해석했는데, 역시 좋다. 단, 이(구설)는 당에 오를 때의 모습이 이와 같고 이미 당에 올라 임금 앞에 규를 바치고 나서는 다시 가지고 내려오지 않는다고 설명하는 것이기 때문에 당에서 내려오는 것이라는 말은 성립되지 않는다. 그러므로 다만 평형의 설을 채택해 말했으니 (여기서의) 상하는 규를 잡는 (손 위치의) 고저를 말한다.

○厚齋馮氏曰 太高 則仰 太卑 則俯 上下如此 則升降之間 得其節矣

후재 풍씨가 말했다. 너무 높으면 우러러야 하고 너무 낮으면 굽어보아야 하니, 아래위가 이와 같으면 오르내릴 때 그 절도를 얻은 것이다.

【집주】

戰色 戰而色懼也

'전색'은 떨려서 두려운 안색을 하는 것이다.

【세주】

吳氏曰 臨事而懼 莫過於戰 故 以戰喩過位 使擯 但言色勃如也 此 加戰字 則 莊而且懼矣

오씨가 말했다. 일에 임해 두려워하는 것은 떠는 것보다 더한 것이 없다. 그러므로 떠는 것으로 임금의 자리를 지나가는 것에 비유했다. 빈을 시키는 경우(앞의 장)에는 단지 안색이 긴장된 듯이 한다고만 했는데 여기서는 '전' 자 하나를 더했으니 장중하고 또 두려워하는 것이다.

【집주】

蹜蹜 擧足促狹也 如有循 記所謂擧前曳踵之隴反 言行不離去聲地如緣物也

'축축'은 발을 빠르고 짧게 드는 것이다. '여유순'은 『예기』에서 말한 '거전예종(앞꿈치를 들고 뒤꿈치를 끔)'하는 것이니 마치 묶인 물건처럼 (발바닥이) 땅에서 떨어지지 않고 가는 것을 말한다.

【세주】

禮 玉藻 執龜玉 擧前曳踵 蹜蹜如也 踵 足後跟也 略擧前趾 拖曳後跟 行不離地也

『예기』, 「옥조」에 "구옥(거북껍질이나 옥)을 가지고 있으면 (발)앞을 들고 발꿈치를 끌어 종종걸음 하듯이 한다"라 했다. <'종'은 발의 뒤꿈치이다. 발 앞꿈치를 살짝 들고 뒤꿈치를 끌어서 (발이) 땅에서 떨어지지 않게 가는 것이다.>

○朱子曰 蹜蹜 如有循 緣手中有圭 不得攝齊 亦防顚仆

주자가 말했다. 종종걸음을 하여 끌듯이 하는 것은 수중에 규가 있어서 옷자락을 추킬 수 없으므로 (이렇게 함으로써) 또한 넘어지는 것을 막으려는 것이다.

10.5-2 享禮 有容色

향례에는 부드러운 안색을 하셨다.

【집주】

享 獻也 旣聘而享 用圭璧 有庭實

'향'은 바치는 것이다. 이미 빙례(방문국 군주에게 신임을 제정하는 예)를 다하고 향례를 할 때는 규벽으로 정실(뜰에 진열해 채움)을 한다.

【세주】

新安陳氏曰 記曰 庭實旅百 奉之以玉帛 此云 用圭璧 卽玉帛之玉 與上文執圭 不相妨 彼乃命圭也

신안 진씨가 말했다. 『예기』에서 말하기를 [이 구절은『춘추좌전』과 『주역』에는 나오지만 『예기』에는 보이지 않음. 따라서 여기서의 '기왈'은 '예기에서 말하기를'이 아니라 단순히 '기록에서 말하기를'로 해석하는 것이 옳을 듯함] "정실여백(뜰을 채워 백 가지 물건을 진열함)하여 옥백을 바친다"라 했는데 여기서 규벽으로 한다 한 것은 곧 (집규의 규가 아니라 옥백을 바친다고 할 때의) 옥백의 옥이니 윗글의 집규와는 서로 모순되지 않는다. 그것(윗글의 집규에서의 규)은 곧 명규이다.

【집주】

有容色 和也 儀禮曰 發氣滿容

'유용색(부드러운 안색을 함)'이란 화락함이다. 『의례』에 "가득히 부드러운 기색을 편다"라 했다.

【세주】

問 聘享之禮 朱子曰 正行聘禮畢 而後行享禮 聘 是以命圭通信 少間仍舊退還命圭 享 是獻其圭璧琮璜 非命圭也 皮幣輿馬之類 皆拜跪以獻 退而又以物獻其卿大夫 凡三四次 方畢 所獻之物 皆受 但 少間別有物以回之 又問 庭實 曰 皮幣輿馬 皆陳於庭 故曰 庭實

빙향의 예에 관해 물었다. 주자가 답했다. 바로 빙례를 마친 다음에는 향례를 행한다. 빙은 명규로써 신임을 알리는 것이고 잠시 있다가 전처럼 명규를 가지고 물러나 돌아온다. 향은 규벽과 종황을 바치는 것이니 명규가 아니다(명규를 바치는 것이 아니다). 가죽과 비단과 수레와 말 등속을 모두 절하고 꿇어 앉아 바치고 물러나 또 물건을 그(방문국) 경대부에게 바친다. 모두 3~4차례하고 비로소 마친다. 바친 물건을 다 받으면 잠시 있다가 다른 물건이 있으면 돌린다. 또 정실에 관해 물었다. 답했다. 가죽과 비단과 말과 수레를 모두 뜰에 진열하므로 정실이라 한다.

○問 享禮有容色 儀禮謂 發氣滿容 何故如此 曰 聘 是初見時 故 其意極於恭肅 旣聘 而享 則用圭璧 以通信 有庭實 以將其意 比聘時漸紓也

물었다. '향례에서는 부드러운 안색을 하셨다'고 했고 『의례』에서는 '발기만용'이라 했으니 무슨 까닭에 이와 같이 합니까? 답했다. 빙례는 처음 만나는 때이므로 그 뜻이 극히 공손 엄숙하다. 이미 빙례를 마친 다음에 향례를 하는 것은 규벽으로 신임을 알린 후 정실을 함으로써 그 뜻을 실행하려는 것이므로 빙례의 때에 비해서는 약간 느슨하다.

10.5-3 私覿 愉愉如也

사사로이 만날 때는 유쾌한 듯이 하셨다.

【집주】

私覿 以私禮見形甸反也 愉愉 則又和矣

'사적'은 사사로운 예로 만나는 것이다. '유유'는 더욱 화락한 것이다.

【세주】

朱子曰 享禮 乃其君之信 私覿 則聘使 亦有私禮物 與所聘之國君及其大臣

주자가 말했다. 향례는 그 임금의 신임(을 표하는 의례)이고 사적은 사신 또한 개인적인 예물이 있으므로 방문한 나라의 임금과 대신에게 주는 것이다.

○私覿 是所遣之大夫 旣以君命 行聘享之禮畢 却行私禮 參見他國之君也

사적은 파견된 대부가 이미 임금의 명으로 빙례와 향례를 다 행한 다음 사사로운 예를 행하여 다른 나라 임금을 참예해 뵙는 것이다.

○問 私覿 見於聘禮 孔子行之 而禮記者 以爲非禮 何也 曰 胡氏 以爲若聘禮所記孔子所行者 正也 當時大夫 僭於邦君 於是乎 有庭實旅百 如享禮然 則非匹矣 故 記曰 庭實旅百 何爲乎諸侯之庭 此說 是也

물었다. 사적은 (『의례』의) 「빙례」에 나오는 것으로 공자께서 행하신 것인데 예를 기록한 자(『예기』의 기록자)가 예가 아니라고 한 것(『예기』, 「교특생」)은 무슨 까닭입니까? 답했다. 호씨는 「빙례」에 기록된 공자의 행위의 경우는 올바른 것이라 생각했다. 당시에 대부는 임금에게 참월해서 (대부가 임금을 [illegible] 제 스스로) 이에 정실여백을 마치 향례처럼 했으니 걸맞지 않았다. 그런 까닭에 『예기』에서는 "정실여백[『예기』에는 정실사적이라 되어 있음]을 어찌하여 제후의 뜰에서 행하는가"라 한 것이다. 이 설(호씨의 설)이 옳다.

○雲峯胡氏曰 非敬 無以盡聘問之禮 非和 無以通聘問之情

운봉 호씨가 말했다. 경건함이 아니면 빙문의 예를 다할 수 없고 화락함이 아니면 빙문의 정을 통할 수 없다.

○新安陳氏曰 方聘 則專於敬 旣聘 則漸而和

신안 진씨가 말했다. 바야흐로 빙문할 때는 경건함에 전념하고 이미 빙문했으면 점차 화열하게 한다.

【집주】

○此一節 記孔子爲去聲君聘於隣國之禮也

이 한 절은 공자께서 임금을 위해 이웃나라에 사신 갔을 때의 예를 기록한 것이다.

【세주】

勉齋黃氏曰 此章 言出使有三節 執圭 禮之正也 享禮 則稍輕 私覿 則又輕矣 故 其容節之不同也 如此

면재 황씨가 말했다. 이 장은 사신 나가는 일에 세 가지의 절차가 있음을 말한 것이다. 집규는 정식의 예이고, 향례는 약간 가볍고, 사사로이 보는 것은 또 더 가볍다. 그러므로 그 몸가짐과 절도의 다름이 이와 같다.

【집주】

晁氏曰 孔子 定公九年 仕魯 至十三年 適齊 其間 絶無朝音潮聘往來之事 疑使擯執圭兩條 但孔子 嘗言其禮當如此耳

조씨가 말했다. 공자께서는 정공 9년 노나라에 벼슬하셨고 (정공) 13년에 이르러 제나라로 가셨는데 그 사이에는 조빙왕래의 일이 전혀 없었다. 아마도 사빈(10.4)과 집규(10.5)의 두 조항은 다만 공자께서 일찍이 그 예가 마땅히 이와 같아야 한다는 것을 말씀하신 것뿐이 아닌가 한다.

【세주】

厚齋馮氏曰 據左氏史遷所載 恐不無軼事 是書 出於門人之親記 烏得而疑之

후재 풍씨가 말했다. 『(춘추)좌씨전』과 사마천의 『사기』에 기록된 바에 의거하면 아마도 일사(기록에 빠진 사건)가 없지는 않은 듯하다. 이 책(논어)은 문인들의 직접적인 기록으로부터 나온 것이니 어찌 의심할 수 있으리오.

○雙峯饒氏曰 按史記 定公十四年 孔子 去魯適衛 無十三年適齊事 不知晁氏 何據而云以上數節 必夫子 朝見擯聘時 弟子 隨從見 而記之

쌍봉 요씨가 말했다. 『사기』를 살펴보면 정공 14년에 공자께서 노나라를 떠나서 위나라로 가셨고, 13년에 제나라로 가신 일은 없다. 조씨가 무슨 근거로 위의 몇 구절을 말했는지 모르겠다. 틀림없이 공자께서 조회, 알현, 사신접대, 사신파견의 예를 행하실 때 제자들이 따라가서 보고 기록한 것이다.

10.6–1 君子 不以紺緅飾 紺 古暗反 緅 側由反

군자께서는 감색이나 검붉은 색의 (목깃) 장식을 하지 않으셨다.

【집주】

君子 謂孔子 紺 深青揚赤色 齊側皆反服也 緅 絳色 三年之喪 以飾練服也 飾 領緣兪絹反也

(이 구절에서의) '군자'란 공자를 말한다. '감'은 짙은 청색에 붉은색이 뜨는 것이니 재계할 때의 옷(의 장식)이다. '추'는 진홍색이니 삼년상에 (입는) 연복(소상 이후 입는 상복)을 장식하는 것이다. '식'은 목깃 테두리이다.

【세주】

問 緅以飾練服 緅 是絳色 練服 是小祥後喪服 如何用絳色爲飾 朱子曰 便是不可曉 此箇制度 差異 絳 是淺紅色 紺 是青赤色 揚者 浮也 如今人鴉青也

물었다. '추'는 연복을 장식하는 것이라 했는데 '추'는 진홍색입니다. 연복은 소상 후의 상복인데 왜 진홍색으로 장식을 합니까? 주자가 답했다. 확실히 알 수 없다. 이런 제도는 [요즈음과] 차이가 있다. '강(진홍)'은 엷은 홍색이고 '감'은 청적색이다. '양(뜸)'이란 뜨는 것이니, ('감'이란) 요즈음 사람들이 말하는 아청색이다.

○齊服 用絳 三年之喪 旣朞而練其服 以緅爲飾

재계 때의 옷은 진홍색을 쓴다. 삼년상에 이미 1년이 되어 연복을 입을 때 진홍색으로 장식한다.

○雙峯饒氏曰 集註 本古註說也 然 檀弓云 練衣 縓緣 古註 誤以縓爲緅 疑當闕

쌍봉 요씨가 말했다. 집주는 고주의 설을 본받은 것이다. 그러나 (『예기』) 「단궁」에는 "연복은 '전(분홍)'으로 둘레를 한다"라 했는데 고주에는 '전'을 '추(진홍)'로 잘못 해석했다. 아마도 당연히 빠진 구절이 있는 것 같다.

○新安陳氏曰 縓 取絹切 縓 是淺絳色 緅 則赤多黑少之色 古註 以緅當縓

殊不相似 至於紺近齊服 考之註疏 亦無明證 要之 二色 皆似赤非赤 其色不正 故 不用爲飾歟

신안 진씨가 말했다. '전(분홍)'은 '취'와 '견'의 반절로, '전'은 옅은 홍색이다. '추'는 붉은 기가 많고 검은 기가 조금 있는 색이다. 고주에서는 '추'를 '전'에 해당시켰지만 서로 달라 비슷하지 않다. 감색이 재계할 때의 옷에 가깝다는 것은 주소를 고찰해보아도 또한 명확한 증거가 없다. 요컨대 두 색(감과 추)은 모두 적색(빨강)과 비슷하지만 적색은 아닌 것으로 그 색이 바르지 않은 까닭에 장식으로 쓰지 않은 것이리라.

10.6-2 紅紫 不以爲褻服

홍색(주홍)과 자주색은 평상복으로 하지 않으셨다.

【집주】

紅紫 間去聲色 不正 且近於婦人女子之服也

홍색과 자주색은 중간색으로 바른 색(원색)이 아니고 또 부인이나 여자의 옷에 가깝다.

【세주】

朱子曰 紅紫 非正色 青黃赤白黑 五方之正色也 綠紅碧紫騮 五方之間色也 蓋 以木之青 克土之黃 合青黃而成綠 爲東方之間色 以金之白 克木之青 合青白而成碧 爲西方之間色 以火之赤 克金之白 合赤白而成紅 爲南方之間色 以水之黑 克火之赤 合赤黑而成紫 爲北方之間色 以土之黃 克水之黑 合黑黃而成騮 爲中央之間色

주자가 말했다. 홍색과 자주색은 바른 색이 아니다. 청색 황색 적색 백색 흑색이 5방(동서남북중)의 바른 색이다. 녹색 홍색 벽색(하늘색) 자색(자주색) 유색(검붉은 색)은 5방의 중간색이다. 대개 나무의 청색으로 흙의 황색을 이기니 청색과 황색이 합쳐 녹색이 되어 동방의 중간색이 된다. 쇠의 백색으로 나무의 청색을 이기니 청색과 백색이 합쳐 벽색이 되어 서방의 중간색이 된다. 불의 적색으로 쇠의 백색을 이기니 적색과 백색이 합쳐 홍색이 되어 남방의 중간색이 된다. 물의 흑색으로 불의 적색을 이기니 적색과 흑색이 합쳐 자주색이 되어 북방의 중간색이 된다. 흙의 황색으로 물의 흑색을 이기니 흑색과 황색이 합쳐 유색이 되어 중앙의 중간색이 된다.

【집주】

褻服 私居服也 言此 則不以爲朝音潮祭之服 可知

'설복(평상복)'은 사사로이 (집에) 있을 때의 옷이다. 이렇게 말했으니 (홍색과 자색은) 조정이나 제사 때의 옷으로 하지 않았음을 알 수 있다.

【세주】

朱子曰 自隋煬帝令百官以戎服從 一品 賜紫 次朱 次靑 後世遂爲朝服 然唐人朝服 猶着禮服 京師士人 行道間 猶着衫帽 南渡後 變爲白衫 後來變爲紫衫 皆戎服也

주자가 말했다. 수나라 양제가 백관이 융복(군복)을 입고 호종하도록 명령하고 1품에게는 자색(의 융복)을, 그다음은 주색을, 그다음은 청색을 내린 이래 후세에는 드디어 (융복이) 조복이 되었다. 그러나 당나라 사람들은 조복으로는 아직도 예복을 입었고 서울의 선비들이 길을 갈 때는 아직도 삼(짧은 두루마기)과 모자를 입었다. (송이) 남쪽으로 내려온 후에는 (조복이) 변해서 백색 삼이 되었고 그 뒤에 변해 자색 삼이 되었으니 모두 융복이다.

○南軒張氏曰 紺 齊服 緅 練服 不以飾 別嫌疑 而重喪祭也 紅紫 間色 不以爲褻服 無時而不居正也

남헌 장씨가 말했다. '감'은 재계 때의 옷(에 하는 장식)이고 '추'는 연복(에 하는 장식)이다. (평상복에 감이나 추의) 장식을 하지 않는 것은 혐의(꺼림칙하거나 미심쩍은 것)를 막으려 하고 상과 제사를 중시하기 때문이다. 홍색과 자주색은 중간색이어서 평상복으로 하지 않는다는 것은 바르게 하지 않는 때가 없다는 것이다.

○慶源輔氏曰 朝祭之服 禮服也

경원 보씨가 말했다. 조정과 제사의 옷은 예복이다.

○陳氏用之曰 不以飾 則不以爲服 可知 不以爲褻服 則不爲正服 可知

진용지가 말했다. 장식하지 않는다고 했으니 (그 색깔로) 옷을 하지 않았음도 알 수 있고, 평상복으로 하지 않는다고 했으니 정복(예복)으로 하지 않았음도 알 수 있다.

○齊氏曰 後世朝祭 服綠 服緋 服紫 蓋 不特制度 盡變於拓拔魏 而其色已失其正矣 故 集註 有微意焉

후세의 조정이나 제사의 복장은 녹색, 비색, 자주색을 입었다. 대개 제도가 탁발씨의 위나라(북위)에 의해 모두 변했을 뿐 아니라 그 색도 이미 바름을 잃었다. 그러므로 집주(의 말)에는 비판하는 뜻이 들어 있다.

10.6-3 當暑 袗絺綌 必表而出之

더울 때는 가늘거나 거친 갈포로 된 홑옷을 입으셨는데, 반드시 (그것을) 겉으로 하여 내어 입으셨다.

【집주】

袗 單也 葛之精者 曰絺 麤者 曰綌 表而出之 謂先著陟略反裏衣 表絺綌而出之於外 欲其不見形甸反體也 詩所謂 蒙彼縐絺 是也

'진'은 홑 것이다. 가는 갈포를 '치'라 하고 거친 것을 '격'이라 한다. 겉으로 하여 내어 입으셨다는 것은 먼저 속옷을 입고 겉에 가늘거나 거친 갈포를 밖으로 나오게 입으신 것이니 몸이 드러나지 않도록 하시려는 것이다. 시에서 말한 '주름 잡은 가는 갈포를 걸쳤다(『시경』, 「국풍 용풍」 <군자해로>장)'라는 것이 그것이다.

【세주】

新安陳氏曰 詩傳 蒙 覆也 縐 絺之蹙蹙者 蒙 謂加絺綌於褻衣之上 所謂表而出之也 見鄘風君子偕老篇

신안 진씨가 말했다. 『시전』의 '몽'은 덮는 것이다. '추'는 가는 갈포를 주름 잡은 것이다. '몽'은 내의 위에 가는 갈포나 거친 갈포를 걸치는 것이니 소위 '겉으로 하여 내어 입음'이다. 「용풍」 <군자해로>장에 나온다.

10.6-4 緇衣 羔裘 素衣 麑裘 黃衣 狐裘 麑 研奚反

검은 옷에는 검은 양 갖옷, 흰 옷에는 새끼 사슴 갖옷, 누런 옷에는 여우 갖옷을 같이 입으셨다.

【집주】

緇 黑色 羔裘 用黑羊皮 麑 鹿子 色白 狐 色黃 衣以裼先的反裘欲其相稱去聲

‘치’는 검은색이다. 검은 양 갖옷은 검은 양가죽을 쓴다. ‘예’는 새끼 사슴이고 색깔은 백색이다. ‘호(여우)’는 황색이다. 겉옷을 걸치되 갖옷의 어깨를 드러내 서로 어울리게 하고자 하신 것이다.

【세주】

○朱子曰 緇衣羔裘 乃純用獸皮 而加裏衣 如今之貂裘

주자가 말했다. ‘검은 옷에는 검은 양 갖옷’(이라 할 때의 갖옷)은 짐승 가죽만 쓰는데 속옷 위에 걸치는 것으로 지금의 담비 갖옷과 같다.

○覺軒蔡氏曰 按邢氏云 中衣外裘 皆相稱也 緇衣羔裘之上 必用布衣爲裼 緇衣羔裘 是諸侯君臣日視朝之服也 素衣麑裘 視朔之服 卿大夫士 亦然 受外國聘享 亦素衣麑裘 黃衣狐裘 則大蜡息民之祭服也

각헌 채씨가 말했다. 형씨(형병)가 말한 것을 살펴보면, 중의(바지 저고리)와 겉의 갖옷은 모두 서로 어울려야 하는 것이다. 검은 옷과 검은 양 갖옷 위에는 반드시 포의를 겉옷으로 한다. ‘검은 옷 검은 양 갖옷’은 제후국의 군신이 매일 조회를 볼 때의 복장이다. ‘흰 옷 새끼 사슴 갖옷’은 시삭(매달 종묘에서 달력을 반포하는 행사) 때의 복장이다. 경, 대부, 사도 또한 그리한다. 외국의 사신을 맞이하는 빙례와 향례에서도 또한 흰 옷 새끼 사슴 갖옷을 입는다. ‘누런 옷 여우 갖옷’은 납일에 올리는 백성을 쉬게 하는 제사(종묘 제사) 때의 복장이다.

○胡氏曰 古者 衣裘 不欲其文之著 故 必加單衣以覆之 然 欲其色之稱 玉藻所謂 羔裘 緇衣以裼之 是也

호씨가 말했다. 옛날에 갖옷을 입을 때는 그 무늬가 드러나기를 바라지 않았기 때문에 반드시 홑옷을 걸쳐 덮었다. 그러나 그 색이 어울리게는 하려 했다. (『예기』) 「옥조」에 말한 “검은 양 갖옷에는 검은 옷을 겉에 입는다”라 한 것이 그것이다.

○厚齋馮氏曰 羔裘 朝服 鄭詩 刺朝 晋詩 刺在位 是也 麑裘 聘享之服 見聘禮 狐裘 蜡祭之服 見郊特牲

후재 풍씨가 말했다. 검은 양 갖옷은 조정에서의 복장이다. 정나라 시(『시경』, 「국풍 정풍」)에 조정을 비판한 시(<갱구>)나 진나라 시(「당풍」)에 벼슬하는 자를 비판한 시(<갱구>)가 그 예이다. 새끼 사슴 갖옷은 빙례나 향례의 복장이니 (『의례』) 「빙례」에 나온다. 여우 갖옷은 납일 제사의 복장이니 (『예기』) 「교특생」에 나온다.

○新安陳氏曰 裘之上 加單衣 以袒裼 見裘之美 曰裼 加全衣重襲於裼衣上 以充蔽其美 曰襲 故 玉藻曰 裘之裼也 見美也 服之襲也 充美也

신안 진씨가 말했다. 갖옷 위에 홑옷을 걸쳐 어깨를 드러내는 것은 갖옷의 아름다움을 드러내려는 것이니 '석'이라 한다. 겉옷 위에 온몸을 가리는 옷을 다시 거듭 덮어 입는 것은 그 아름다움을 가리려는 것이니 '습'이라 한다. 그런 까닭에 (『예기』) 「옥조」에서는 "갖옷의 어깨를 드러내는 것은 아름다움을 보이는 것이고 옷을 덮어 입는 것은 아름다움을 가리는 것이다"라 했다.

10.6-5 褻裘長 短右袂

평상시의 갖옷은 (길이는) 길게 하셨고 오른 소매는 짧게 하셨다.

【집주】

長 欲其溫 短右袂 所以便作事

길게 하는 것은 따뜻하기를 바라서이고 오른 소매를 짧게 하는 것은 일할 때 편하게 하려는 것이다.

【세주】

趙氏曰 此 私家所著之裘 長之者 主溫也 袂 是裘之袖 短右袂者 作事便也

조씨가 말했다. 이는 개인의 집에서 입는 갖옷이다. 길게 하는 것은 따뜻함을 위주로 하는 것이다. '메'는 갖옷의 소매이다. 오른 소매를 짧게 하는 것은 일하기 편케 하려는 것이다.

10.6-6　必有寢衣 長 一身有半 長 去聲

반드시 잠옷을 두셨는데 길이는 신장의 한 배 반이었다.

【집주】

齊側皆反 主於敬 不可解衣而寢 又不可著陟略反明衣而寢 故 別有寢衣 其半 蓋 以覆敷救反足 程子曰 此 錯簡 當在齊必有明衣布之下 愚謂 如此 則此條 與明衣變食 旣得以類相從 而褻裘狐貉 亦得以類相從矣

재계는 경건함을 위주로 하므로 옷을 벗고 잘 수도 없고 또 명의(욕의)를 입고 잘 수도 없다. 그래서 따로 잠옷을 두신 것이다. (더 있는) 반은 대개 발을 가리려는 것이다. 정자가 말하기를 "이는 착간(목간의 순서가 바뀜)이니 당연히 '재계하실 때는 반드시 포로 된 명의를 두셨다'는 구절 아래에 있어야 한다"라 했는데, 내가 생각건대 그렇게 하면 이 구절이 '명의, 변식'과 함께 서로 비슷한 것끼리 모이게 되고, 또 '평상 갖옷, 여우 담비 갖옷'의 구절도 서로 비슷한 것끼리 모이게 된다.

【세주】

南軒張氏曰 程子云 疑上文當連齊而言 故曰 必有 蓋 齊日 不用常日之寢衣 所以致其嚴也 長一身有半 因是 而言寢衣之制也

남헌 장씨가 말했다. 정자가 말하기를 "위의 글은 당연히 재계할 때의 일과 이어 말해야 하는 것인 듯하다. 그래서 '반드시 두셨다'라 한 것이다"라 했다. 대개 재계하는 날에는 평소의 잠옷을 쓰지 않는데, 엄숙함을 다하려는 것이다. '길이를 신장의 한 배 반으로 한다'는 것은 이를 빌미로 잠옷의 제도를 말한 것이다.

○新安陳氏曰 齊寢 不以衾 致嚴也 半 以覆足 可寢 不可行 專爲齊之寢衣而已

신안 진씨가 말했다. 재계할 때의 잠자리에서는 이불을 덮지 않으니 엄숙함을 다하려는 것이다. (신장 길이 외에 더 있는) 반으로 발을 가리면 잘 수는 있지만 걸어 다닐 수는 없으니 (한 배 반의 잠옷은) 오로지 재계할 때의 잠옷일 뿐이다.

10.6-7 狐貉之厚 以居

두터운 여우와 담비 갖옷으로 거처하셨다.

【집주】

狐貉 毛深溫厚 私居 取其適體

여우와 담비는 털이 길어 따뜻하고 두텁다. 사사로이 거처할 때는 몸에 적합한 것을 취하셨다.

【세주】

厚齊馮氏曰 豳詩云 一之日于貉 取彼狐狸 爲公子裘 則從古固然 居不厭溫 故 取其厚者 以爲燕服 若出 則以輕裘爲便也

후재 풍씨가 말했다. (『시경』, 「국풍」) 「빈풍」의 시(<칠월>)에 "동짓날에는 너구리를 잡고 저 여우와 삵을 잡아 공자님의 갖옷을 만들어야지"라 했으니 옛날부터 원래 그러하였다. 거처할 때는 따뜻한 것을 싫어하지 않기 때문에 그 두터운 것을 가지고 평상복을 만들었다. 외출하는 경우에는 가벼운 갖옷이 편리하다.

10.6-8 去喪 無所不佩 去 上聲

상기(복상기간)가 지나면 패용하지 않는 것이 없으셨다.

【집주】

君子 無故 玉不去身 觿音攜礪之屬 亦皆佩也

군자는 이유없이 옥을 몸에서 떼지 않는다. 뿔송곳이나 숫돌 등도 모두 패용하는 것이다.

【세주】

南軒張氏曰 異吉凶也 佩 亦有所當佩

남헌 장씨가 말했다. 길흉이 다르기 때문에 패용하는 것도 (경우에 따라) 또한 마땅히 패용해야 하는 것이 있다.

○慶源輔氏曰 凡佩玉 所以比德 固不可舍 其他 如觿礪之屬 亦所當有事而不可闕者 故 唯居喪 則可去 去喪 則無所不佩也

경원 보씨가 말했다. 무릇 패옥은 덕을 표상하는 것이니 본디 버릴 수 없다. 그 외에 뿔송곳이나 숫돌 등도 또한 일이 있으면 쓰이는 것이니 빠트릴 수 없는 것이다. 그러므로 오직 상중에는 뗄 수 있지만 상기가 지나면 패용하지 않는 것이 없다.

○覺軒蔡氏曰 按玉藻云 古之君子 必佩玉 右徵角 左宮羽 凡帶 必有佩玉 唯喪 則否 佩玉 有衝牙 君子 無故 玉不去身 君子 於玉比德焉 孔子 佩象環五寸而綦組綬 此 是明去喪則佩 但曰無所不佩 則又不止于玉爾 又按內則 子事父母 左右佩用 左佩紛帨刀礪小觿金燧 右佩玦捍管遰大觿木燧 觿貌如錐 以象骨爲之 礪 礱也 皆所以備尊者使令也 此 是明無所不佩 但去喪之時 恐不同子事父母之時爾 紛帨 拭物之巾也 觿之大小 以解大小結 金燧 可取火於日 捍 謂拾也 言可以捍弦也 管 筆彄也 遰 刀鞞也 木燧 鑽火也)

각헌 채씨가 말했다. (『예기』) 「옥조」를 살펴보면 "옛날의 군자는 반드시 옥을 패용했으니 오른쪽에는 치와 각을, 왼쪽에는 궁과 우를 패용했다. 무릇 띠에는 반드시 패옥이 있다. 오직 상에는 하지 않는다. 패옥은 충아(옥이 부딪혀 소리가 나게 하는 장치)가 있다. 군자는 이유없이 옥을 몸에서 떼지 않는다. 군자는 옥으로 덕을 표상한다. 공자께서는 코끼리 뼈 구슬 5치를 패용하시고 쑥색 비단 끈으로 인장을 묶으셨다"라 했으니 이는 상기가 지나면 패용하셨음을 분명히 해준다. 단, '패용하지 않는 것이 없었다'라고 했으니 또 (패용하는 것이) 옥에 그치지 않았던 것이다. 또 「내칙」을 살펴보면 "아들이 부모를 섬길 때 좌우로 패용하니 왼쪽에는 분열, 도, 여, 소휴, 금수를 패용하고 오른쪽에는 결, 한, 관, 체, 대휴, 목수를 패용한다. 휴(뿔송곳)는 모습이 송곳과 같은데 코끼리뼈로 만든다. 여(숫돌)는 농(숫돌)이다. 모두 존귀한 분이 심부름시킬 때를 대비하는 것이다"라 했다. 이는 '패용하지 않는 것이 없었다'는 것을 분명히 해준다. 단, 상기가 지났을 때(패용하는 것)는 아마도 아들이 부모를 섬길 때(패용하는 것)와는 다른 것 같다. <'분열'은 물건을 닦는 수건이다. 크고 작은 뿔송곳으로 (각각) 크고 작은 매듭을 푼다. '금수'는 해로부터 불을 채취할 수 있다. '한'은 팔찌이니 활시위(때문에 쓸리는 것)를 막을 수 있다는 말이다. '관'은 붓대이다. '체'는 칼집이다. '목수'는 (비벼서) 불 붙이는 나무이다.>

10.6-9 非帷裳 必殺之 殺 去聲

유상(예복의 치마)이 아니면 반드시 (허리폭을) 줄이셨다.

【집주】

朝音潮祭之服 裳用正幅如帷 要與腰同有襞音璧積而旁無殺所戒反縫房用反 其餘若深衣 要半下 齊倍要齊音咨 則無襞積而有殺縫矣

조정이나 제사의 복장에서의 치마는 장막처럼 정폭을 쓴다. 허리는 겹쳐 접고, 옆을 줄여 재봉하지는 않는다. 그 나머지, 예컨대 심의(두루마기) 같은 것은 허리는 아래의 반으로 하고 자락은 허리의 두 배로 한다. 그리하면 옷을 겹쳐 접어 입지 않는 것으로, 폭을 줄인 재봉이 된다.

【세주】

問 襞積 恐若今裙製 近要有殺也 要半下 謂近要者狹 半於下面齊也 齊倍要 謂向下者闊 倍於上面要也 不知旁無殺縫 如何 恐是深衣之制 裳下面 是裁布爲之 近要者 殺從其小 以打半下之法 所以旁有殺縫也 朱子曰 帷裳 如今之裙 是也 襞積 卽是摺處耳 其幅 自全 安得謂近要者有殺縫邪

물었다. 겹쳐 접는 것은 아마도 요즈음의 치마 만드는 것처럼 허리 부근은 폭을 줄이는 것과 같은 것 같습니다. 허리는 아래의 반으로 한다는 것은 허리 부근은 아래쪽 자락의 반만큼 좁다는 말입니다. 자락이 허리의 두 배라는 것은 아래쪽으로 갈수록 넓어져서 위쪽의 허리보다 두 배라는 말입니다. 옆에 폭 줄인 재봉을 하지 않는다는 것은 어떤 것인지 모르겠습니다. 아마도 심의의 제도는 치마의 아래쪽은 포를 재단해 만들고 허리 부근은 그 작은 쪽으로부터 줄여 아래쪽의 반으로 하는 방식으로 하기 때문에 옆에 폭 줄인 재봉이 있는 것 같습니다. 주자가 답했다. 유상은 지금의 치마 같은 것이 그것이다. 겹쳐 접는다는 것은 곧 겹치는 것일 뿐이다. 그 폭은 본디 온전하니(재단하지 않았으니) 어찌 허리 부근에 폭 줄인 재봉이 있다고 할 수 있겠는가?

○慶源輔氏曰 禮服 取其方正 故 裳 用正幅 而人身之要 爲小 故 於要之兩旁爲襞積 卽今衣摺也

경원 보씨가 말했다. 예복은 방정함을 취하는 까닭에 치마는 정폭을 쓰지만, 사람 몸의 허리는 작은 까닭에 허리 양 옆은 겹쳐 접으니 곧 지금의 옷

접는 것이다.

○雙峯饒氏曰 要半下 取深衣篇 要縫半下之語 齊倍要 取玉藻篇 縫齊倍要之語

쌍봉 요씨가 말했다. '허리는 아래의 반으로 한다'는 말은 (『예기』) 「심의」편의 '허리 재봉은 아래의 반으로 한다'는 말을 채택한 것이고, '자락은 허리의 두 배로 한다'는 말은 「옥조」편의 '자락 재봉은 허리의 두 배로 한다'는 말을 채택한 것이다.

○胡氏曰 裳之如帷者 上衣之裳 皆然 惟深衣 則以布幅斜裁 而易置之下齊 倍於要三之一 不爲襞積

호씨가 말했다. 치마로서 유상 같은 것이나 상의의 치마는 모두 그러하다. 다만 심의만은 포의 폭을 비스듬히 재단해 거꾸로 (정폭의 3분의 2가 되는 넓은 쪽을) 아래에 두니 자락은 3분의 1인 허리 폭의 배가 되므로 (허리는) 겹쳐 접어 입지 않는다.

○新安陳氏曰 深衣之裳 以布六幅斜裁 爲十二幅 三分之一 皆在上 三分之二 皆在下 要狹 齊闊 要 不用襞積 而旁 有斜裁之殺縫 惟朝祭之服 帷裳用正幅者 不殺之 非帷裳而如深衣者 必殺之 殺 謂要殺於齊者一半也

신안 진씨가 말했다. 심의의 치마는 포 6폭을 비스듬히 (두 쪽으로) 재단해 (두 쪽 합계) 12폭으로 만들어 (그중) 3분의 1은 모두 위(허리 쪽)에 두고 3분의 2는 모두 아래(자락 쪽)에 두니 허리는 좁고 자락은 넓다. (그렇게 하면) 허리는 겹쳐 접어 입지 않고 옆은 비스듬히 재단한 줄임 재봉이 있게 된다. 다만 조정이나 제사의 복장의 유상은 정폭의 것을 쓰고 줄이지 않지만, 유상이 아닌 심의 같은 것은 반드시 줄인다. '쇄'는 허리를 자락의 반만큼 줄이는 것을 말한다.

10.6-10 羔裘玄冠 不以弔

검은 양 갖옷과 검은 관으로는 조문하지 않으셨다.

【집주】

喪 主素 吉 主玄 弔 必變服 所以哀死

상에는 흰색을 주로 하고 제사에는 검은색을 주로 한다. 조문할 때 반드시 복장을 달리하는 것은 죽음을 애도하기 때문이다.

【세주】

李氏曰 羔裘 朝服 玄冠 祭服 用之於吉 故 不以弔

이씨가 말했다. 검은 양 갖옷은 조정의 복장이고 검은 관은 제사의 복장이니 제사에 쓰는 것이라 조문할 때는 쓰지 않는다.

○南軒張氏曰 弔 必變服 稱其情也

남헌 장씨가 말했다. 조문할 때 반드시 복장을 달리하는 것은 그 정에 맞게 함이다.

○胡氏曰 吉凶異服 故 色之黑者 不以弔

호씨가 말했다. 길사와 흉사에는 복장을 달리한다. 그러므로 검은 색깔의 것으로는 조문하지 않는다.

○慶源輔氏曰 誠於哀死 故 內外如一也

경원 보씨가 말했다. 죽음을 애도하는 마음이 참되므로 안과 밖이 하나같은 것이다.

10.6-11 吉月 必朝服而朝

길월(매달 초하루)에는 반드시 조복으로 조하하셨다.

【집주】

吉月 月朔也 孔子 在魯致仕時 如此

길월은 매달 초하루이다. 공자께서 노나라에 계시면서 벼슬에서 물러나 계셨을 때 이처럼 하셨다.

【세주】

李氏曰 周禮云 正月之吉 又云 月吉讀邦法 皆因吉禮 以別凶賓軍嘉爾 所謂

月吉也

이씨가 말했다. 『주례』(「지관 사도」)에 말하기를 '정월의 길일(초하루)(<주장>조)'이라 했고 또 '매월 길일에는 나라의 법을 읽는다(<족사>조)'라 했으니 모두 길례로 말미암은 것으로 흉례 빈례 군례 가례와 구분된다. (따라서 길월은) 이른바 월길(매월 초하루)이다.

○慶源輔氏曰 若未致仕時 乃常禮 有不必記

경원 보씨가 말했다. 만약 아직 벼슬에서 물러나셨을 때가 아니라면 곧 통상적인 의례이니 꼭 기록할 필요가 없다.

【집주】

○此一節 記孔子衣服之制

이 한 절은 공자의 의복의 제도를 기록한 것이다.

【세주】

勉齋黃氏曰 古人衣服 不苟如此 蓋 衣 身之章也 輕用之 是輕其身也 後世朝祭之服 皆不如古 而士君子之服 其色其制 無一合於禮矣

면재 황씨가 말했다. 옛사람들의 의복이 구차하지 않았음이 이와 같다. 대개 옷은 몸의 표장이다. 가벼이 쓰는 것은 그 몸을 가벼이 하는 것이다. 후세의 조정이나 제사의 복장은 모두 옛날과 같지 않고, 선비와 군자의 복장의 색이나 제도도 모두 하나도 예에 맞지 않는다.

【집주】

蘇氏曰 此 孔氏遺書 雜記曲禮 非特孔子事也

소씨가 말했다. 이는 공자의 후손 집안에 남아 있는 책에 잡박하게 기록된 세세한 예법이니 단지 공자의 일만은 아니다.

【세주】

朱子曰 前註 君子 謂孔子 此 謂非特孔子事 二義兼存 以待學者之自擇

주자가 말했다. 앞의 주에서는 군자는 공자를 말한다고 했지만 여기서는 단지 공자의 일만은 아니라고 했다. 두 뜻을 같이 놓아두어 배우는 자가 스스로 선택하기를 기다린다.

○南軒張氏曰 程子云 孔子 在魯致仕時 月朔朝也 蓋 雖致其事 而猶行月朔之朝 盡爲臣之恭也

남헌 장씨가 말했다. 정자는 '공자께서 노나라에 계시면서 벼슬에서 물러나 계실 때 매월 초하루에 조하하셨다'라 했는데, 대개 비록 그 일은 물러나셨지만 오히려 매월 초하루의 조하는 행하셨으니 신하로서의 공손함을 다하신 것이다.

○雲峯胡氏曰 此以前 記夫子之容貌 此後 記夫子之衣服飮食 容貌 無一定之象 故 以如字似字形容之 而不字僅二見焉 衣服飮食 有一定之則 故 但以必字不字直言之 而如字僅一見焉

운봉 호씨가 말했다. 이 이전은 공자의 용모를 기록한 것이고 이 이후는 공자의 의복과 음식을 기록한 것이다. 용모는 꼭 정해진 모습이 없기 때문에 '여(~한 듯함)' 자, '사(비슷함)' 자를 가지고 형용했고, '불(~하지 않음)' 자는 겨우 두 번 나온다. 의복과 음식은 꼭 정해진 법칙이 있기 때문에 단지 '필(반드시 ~함)' 자, '불' 자를 가지고 곧바로 말했고, '여' 자는 겨우 한 번 나온다.

○新安陳氏曰 吉月之朝 豈亦雜記曲禮乎 孟子曰 君子之戹於陳蔡之間 君子 亦正謂孔子也

신안 진씨가 말했다. 매월 초하루의 조하가 어찌 잡박하게 기록된 세세한 예절이겠는가? 맹자가 말하기를 "군자께서 진나라와 채나라 사이에서 곤액을 당하심에(『맹자』14, 「진심 하」 18장)"라 했으니 (이 장에서의) 군자 또한 바로 공자를 말한 것이다.

10.7-1 齊 必有明衣 布 齊 側皆反

재계하실 때는 반드시 명의가 있었으니, 포로 만든 것이었다.

【집주】

齊 必沐浴 浴竟卽著陟略反明衣 所以明潔其體也 以布爲之

재계할 때는 반드시 목욕을 하고 목욕이 끝나면 곧 명의를 입으니 그 몸을 밝고 깨끗하게 하려는 것이다. (명의는) 포로 만든다.

【세주】

明衣布 浴衣 見玉藻註

포로 만든 명의는 목욕옷이다. (『예기』) 「옥조」의 주에 나온다.

○陳氏用之曰 明衣 以其致精明之德 用布 以其有齊素之心

진용지가 말했다. 명의로써 깨끗하고 밝은 덕을 다하고 포를 써서 엄숙하고 깨끗한 마음을 가진다.

【집주】

此下 脫前章寢衣一簡

이 아래에는 앞 장의 '침의(잠옷)'에 관한 목간 하나가 빠져 있다.

10.7-2 齊 必變食 居 必遷坐

재계할 때는 반드시 음식을 바꾸셨고 거처도 반드시 옮겨 앉으셨다.

【집주】

變食 謂不飮酒不茹葷

‘변식(음식을 바꿈)’은 술을 마시지 않고 냄새나는 채소를 먹지 않는 것을 말한다.

【세주】

朱子曰 不茹葷 謂不食五辛

주자가 말했다. 냄새나는 채소를 먹지 않는다는 것은 5신채를 먹지 않는 것을 말한다.

○今 致齊有酒 非也 但 禮中 亦有飮不至醉之說

지금 치재하면서 술을 마시는 것은 잘못이다. 단, 예 중에는 또한 ‘술을 마시되 취함이 이르지는 않는다’는 말이 있다.

【집주】

遷坐 易常處也

‘천좌(자리를 옮김)’는 평소의 거처를 바꾸는 것이다.

【세주】

南軒張氏曰 變食遷坐 蓋 皆變易其常 致敬而不敢遑寧也

남헌 장씨가 말했다. 음식을 바꾸고 자리를 옮기는 것은 대개 모두 그 평상시의 것을 바꿈으로써 경건함을 다하고 감히 여유롭고 편안하게 하지 않는 것이다.

○慶源輔氏曰 變食 以致潔 遷坐 以易常 君子致敬 無所不用其至也 豈簡細故 一思慮而已哉

경원 보씨가 말했다. 음식을 바꾸어 깨끗함을 다하고, 자리를 옮겨 평상시와 달리하는 것은 군자가 경건함을 다함에 그 지극함을 다하지 않음이 없기 때문이다. 어찌 세세한 일이라고 소홀히 해 한 번 생각하고(신경쓰고) 말겠는가?

○勉齊黃氏曰 或曰 齊必有明衣布 幷所脫寢衣一簡 當屬上章 齊必變食居必遷坐 當在下章 則上章 言衣服 下章 言飮食 似有倫理 當存之

면재 황씨가 말했다. 혹자가 말하기를 “‘재계하실 때는 명의가 있었으니 포로 만든 것이었다’는 구절은 빠진 목간의 ‘잠옷에 관한 구절’과 합쳐 마땅히 윗장에 속하게 하고 '재계하실 때는 반드시 음식을 바꾸셨고 거처는 반드시 옮겨 앉으셨다'는 구절은 마땅히 아랫장에 두어야 한다"라 했는데, (그렇게 하면) 윗장은 의복에 관한 말이 되고 아랫장은 음식에 관한 말이 되어 순서가 있는 것 같으니 마땅히 (그 설을) 보존해야 한다.

【집주】

○此一節 記孔子謹齊之事 楊氏曰 齊 所以交神 故 致潔明衣變常變食遷坐 以盡敬

이 한 절은 공자의 삼가 재계하는 일을 기록한 것이다. 양씨가 말했다. 재계하는 것은 귀신과 교접하려는 것인 까닭에 깨끗함을 다하고 <명의> 평상시와 달리함으로써 <음식을 바꾸고 자리를 옮김> 경건함을 다한다.

10.8-1 食不厭精 膾不厭細 食 音嗣

밥은 잘 찧은 것을 싫어하지 않으셨고 회는 가는 것을 싫어하지 않으셨다.

【집주】

食 飯也 精 鑿也

'사'는 밥이다. '정'은 찧는 것이다.

【세주】

雲峯胡氏曰 鑿 通作糳 卽各反 糲米一斛 舂米九斗

운봉 호씨가 말했다. '착(鑿)'은 보통 '착(糳)'으로 쓴다. (음은) '즉'과 '각'의 반절이다. 현미 1곡(10말)은 (찧으면) 정미 9말이 된다.

【집주】

牛羊與魚之腥 聶而切之爲膾

소와 양과 생선의 날고기를 저민 다음 썰어 회를 만든다.

【세주】

禮記 少儀篇 注云 聶之爲言 牒也 先藿葉切之 復報切之 則成膾 郊特牲疏云 先牒而大臠 切之而復切之 聶 少儀 音之涉反 一音 泥涉反 牒 少儀音直輒反 郊特牲注 聶 本作攝 又作牒 皆之涉反

『예기』, 「소의」편의 주에 "'섭'의 말뜻은 '접(저민 고기)'이다. 먼저 콩잎처럼 썰고 다시 재빨리 썰면 회가 된다"라 했다. 「교특생」편의 소에는 "먼저 저미고 크게 저며진 고기를 썰고 다시 썬다"라 했다. '섭'은 「소의」에서는 음이 '지'와 '섭'의 반절 또는 '니'와 '섭'의 반절이다. '접'은 「소의」에서는 음이 '직'과 '첩'의 반절이다. 「교특생」의 주에는 "섭(聶)은 본디 섭(攝)으로 쓰고 또 접(牒)으로 쓰는데 모두 음은 '지'와 '섭'의 반절이다"라 했다.

【집주】

食精 則能養人 膾麤 則能害人 不厭 言以是爲善 非謂必欲如是也

밥이 잘 찧은 것이면 사람을 기를 수 있고 회가 거칠면 사람을 해칠 수 있다. '싫어하지 않으셨다'는 것은 그런 것을 좋게 여기셨다는 말이지 꼭 그렇기를 바라셨다는 말은 아니다.

【세주】

慶源輔氏曰 以是爲善 理也 必欲如是 欲也 其流 則爲窮口腹之欲矣

경원 보씨가 말했다. 그것을 좋게 여기는 것은 이치이고, 꼭 그렇기를 바라는 것은 욕심이다. (욕심이 잘못된 곳으로) 흐르면 입과 배의 욕심을 끝까지 채우려는 것이 된다.

10.8-2 食饐而餲 魚餒而肉敗 不食 色惡不食 臭惡不食 失飪不食 不時不食 食饐之食 音嗣 饐 於冀反 餲 烏邁反 飪 而甚反

밥이 쉬어 맛이 변하거나 생선이 무르고 고기가 썩은 것은 드시지 않았다. 색깔이 나쁜 것은 드시지 않았고 냄새가 나쁜 것도 드시지 않았다. 제대로 익히지 않은 것은 드시지 않았고 때(제철)가 아니면 드시지 않았다.

【집주】

饐 飯傷熱濕也 餲 味變也 魚爛 曰餒 肉腐 曰敗 色惡臭惡 未敗而色臭變也

'의'는 밥이 열기나 습기에 상한 것이다. '애'는 맛이 변한 것이다. 생선이 무른 것을 '뇌'라 하고 고기가 썩은 것을 '패'라 한다. 색깔이 나쁘고 냄새가 나쁜 것은 아직 썩지는 않았지만 색깔과 맛이 변한 것이다.

【세주】

吳氏曰 餒 自內出 敗 自外入 臭 氣也 色惡臭惡 廣言衆物 物害而食 必害人 常人且謹 況聖人乎 或問 聖人議恥惡食者 何也 曰 惡食 謂疏食菜羹之類 以其粗菲 故曰 惡爾 非謂腐爛之物 不可食而食之也

오씨가 말했다. '뇌'는 안으로부터 (썩어) 나온 것이고 '패'는 밖으로부터 (썩어) 들어간 것이다. '취(냄새)'는 기이다. 색깔이 나쁘고 냄새가 나쁘다는 것은 (밥, 고기, 생선만이 아니라) 여러 음식물을 두루 말한 것이다. 음식물이 상했는데 먹으면 반드시 사람을 해친다. (이는) 보통 사람도 또한 삼가는데 하물며 성인이랴? 혹자가 '성인께서 악식(나쁜 음식을 먹음)을 부끄러워하는 자를 비판하신 것은 무엇 때문입니까?'라고 물었는데, 답하자면, 악식이란 거친 밥과 야채국 같은 것을 말하니 거칠고 보잘것없기 때문에 악(나쁘다)이라 하는 것이지 썩은 음식물로서 먹어서는 안 되는데도 먹는 것을 말하는 것이 아니다.

【집주】

飪 烹調生熟之節也 不時 五穀不成 果實未熟之類 此數者 皆足以傷人 故 不食

'임'은 삶고 조리할 때의 익히는 정도이다. '불시(때가 아님)'란 5곡이 여물지 않고 과실이 덜 익은 것을 말한다. 이 몇 가지는 모두 사람을 상하게 하기 족하므로 드시지 않았다.

【세주】

禮 王制 五穀不時 果實未熟 不粥於市 物未成 不利人 粥 音育

『예기』, 「왕제」편에 "5곡이 때가 아니고 과실이 덜 익었으면 장에 내다 팔지 않는다"라 했다. <물건이 아직 익지 않았으면 사람에게 이롭지 않다. '육(粥)'은 음이 육이다.>

○朱子曰 不時不食 漢詔所謂 穿掘萌芽鬱養强熟之類

주자가 말했다. '때가 아니면 드시지 않았다'는 것은 『한조』(한대의 조령집)에서 말한 '싹을 캐내고 빽빽하게 키우고 억지로 익힌 것' 같은 것을 말한다.

○慶源輔氏曰 食饐以下數者之不食 不使害於身也

경원 보씨가 말했다. '사의(밥이 쉼)' 이하 몇 가지를 드시지 않았다는 것은 몸에 해가 되지 않도록 하신 것이다.

10.8-3 割不正 不食 不得其醬 不食

바르게 자르지 않은 것은 드시지 않았고, 그(맞는) 장이 없으면 드시지 않았다.

【집주】

割肉不方正者 不食 造七到反次不離去聲於正也 漢 陸續之母 割肉未嘗不方 斷音短蔥 以寸爲度 蓋 其質美 與此暗合也

고기를 반듯하고 바르게 자르지 않은 것을 드시지 않은 것은 잠시라도 바름을 떠나지 않으신 것이다. 한나라의 육속의 어머니가 고기를 자를 때는 언제나 반듯하게 자르고 파를 썰 때는 한 치를 기준으로 삼았는데, 대개 그 성품의 아름다움이 이(구절의 뜻)와 은근히 들어맞는다.

【세주】

後漢 陸續傳 續 詣洛陽 詔獄 明帝時 楚王英謀反 連及太守尹興 續 特爲尹興掾 故 坐就獄 續 被掠考 肌肉消爛 終無異辭 母 遠至京師 覘侯消息 獄事特急 無緣與續相聞 母 但作饋食付門卒進之 續 雖見考苦毒 而辭色慷慨 未嘗容易 唯對食悲泣不能自勝 使者 怪而問故 曰 母來不得相見 故 泣耳 使者大怒 以爲獄門吏卒通傳意氣 續曰 因食餉羹 識母自調和 故 知來耳 非人告也 使者 問何以知母所作乎 曰 母 切肉未嘗不方 斷蔥以寸爲度 是以知之 使者 問諸謁舍停主人之舍也 續母果來 於是 陰嘉之 上書說續行狀 帝 卽赦興等事還里 禁錮終身 續 以老病卒

『후한서』(「열전」) <육속전>에 다음과 같이 나와 있다. 속이 낙양에 갔을 때 옥사의 조칙이 있었다. <명제 때 초왕 영이 모반했는데 태수 윤흥도 연루되었다. 속은 단지 윤흥의 아전이었기 때문에 연좌되어 옥에 갇혔다.> 속은 고문을 당해 살이 문드러졌는데도 끝내 다른 말을 하지 않았다. 어머니가 멀리서 서울에 와 소식을 염탐해 옥사가 매우 위급함을 알았으나 속과 연락할 방법이 없었다. 어머니는 다만 음식을 만들어 문 지키는 옥졸에게 부탁해 넣어주었을 뿐이었다. 속은 비록 아프고 독하게 고문을 당했으나 말과 낯빛은 울분에 차 느슨한 적이 없었다. 다만 음식을 대하고는 슬피 흐느끼기를 이기지 못했다. 사자(담당관리)가 이상하게 여겨 그 까닭을 물으니 '어머니가 오셨으나 서로 만날 수 없어서 웁니다'라고 답했다. 사자가 옥문의 졸개가 연락을 통하게 해준 줄 알고 대노했다. 속이 '도시락과 국을 먹어보니 어머니가 직접 조리한 것임을 깨달았기 때문에 오신 줄 안 것이지 남이 알려준 것이 아닙니다'라 했다. 사자가 어떻게 어머니가 만든 것인 줄 아느냐고 묻자 속이 '어머니는 고기를 자를 때는 언제나 반듯하게 자르고 파를 썰 때는 한 치를 기준으로 했습니다. 이 때문에 알았습니다'라고 답했다. 사자가 알사<묵고 있는 주인의 집이다.>에 물어보았더니 과연 속의 어머니가 와 있었다. 이에 은근히 가상하게 여겨 속의 행동을 써 올리자 황제가 곧 (윤)흥 등의 일을 사면해 고향으로 돌려보내고 종신토록 금고(향리를 떠나지 못하게 함)시켰다. 속은 늙어 병으로 죽었다.

【집주】

食肉用醬 各有所宜 不得 則不食 惡去聲其不備也

고기를 먹을 때 쓰는 장은 각각 그 마땅한 것이 있다. (마땅한 장을) 얻지 못하면 드시지 않았으니 그 갖추어지지 않음을 싫어하신 것이다.

【세주】

禮記 內則 濡豚 包苦實蓼 濡 烹煮之以汁調和也 以苦荼包豚 殺其惡氣 破開腹 實蓼其中 更縫合也 濡雞 醢醬實蓼 濡魚 卵醬實蓼 卵 鄭氏 讀爲鯤 鯤 魚子也 以魚子爲醬 濡鱉 醢醬實蓼 魚膾 芥醬 麋腥 醢醬

『예기』,「내칙」에 다음과 같이 나와 있다. 돼지고기를 삶을 때는 쓴 잎으로 싸고 여뀌를 채운다. <'유(삶음)'는 즙을 가지고 삶고 구워 맛을 내는 것이다. 쓴 차로 돼지를 싸는 것은 그 나쁜 기운을 없애려는 것이다. 배를 갈라 열고 그 안에 여뀌를 채우고 다시 꿰맨다.> 닭을 삶을 때는 젓갈 장에 여뀌를 채운다. 생선을 삶을 때는 난장에 여뀌를 채운다. <'난(알)'을 정씨(정현)는 '곤'으로 읽었는데 곤은 물고기 알이다. 물고기 알로 장을 담근다.> 자라를 삶을 때는 젓갈 장에 여뀌를 채운다. 생선회는 겨자장을 쓰고 사슴고기 회는 젓갈 장을 쓴다.

○朱子曰 醬 非今所謂醬 如內則中 數般醬 隨其所用而不同

주자가 말했다. '장'은 요즈음 말하는 (간)장이 아니다.「내칙」중에 나오는 여러 가지 장 같은 것은 그 쓰임에 따라 다르다.

○雙峯饒氏曰 當看其字 其 是指其所食物而言 醬之爲品 非一 飮食 各有所宜 如食魚膾 宜入芥醬 食濡魚 用卵醬 食麋腥濡雞濡鱉 用醢醬 如內則所云是也 古之制飮食者 使人食某物 則用某醬 必有意義 不是氣味相宜 必是相制 不得之 則非特不備 食之 亦必有害 故 不食也

쌍봉 요씨가 말했다. 마땅히 '기' 자를 보아야 한다. '기'는 그 먹는 바의 음식을 가리켜 하는 말이다. 장의 품목은 하나가 아니니 음식마다 각각 그 마땅한 바가 있다. 예컨대 생선회를 먹을 때는 마땅히 겨자 장을 넣어야 하고 삶은 생선을 먹을 때는 난장을 써야 하고 사슴고기 회나 삶은 닭, 삶은 자라를 먹을 때는 초장을 써야 하니 「내칙」에서 말한 것이 그것이다. 옛날에 음식의 제도를 만든 자가 사람이 어떤 음식을 먹을 때는 어떤 장을 먹도록 했으니 반드시 의의가 있다. (같이 먹는 것은) 그 기운이나 맛이 서로 어울리는 것이거나 아니면 반드시 서로 (나쁜 기운을) 억제하는 것이다. (그 장을) 얻지 못하면 단지 갖추어지지 않은 것일 뿐 아니라 먹으면 반드시 해가 있다. 그래서 먹지 않는다.

【집주】

此二者 無害於人 但 不以嗜味而苟食耳

이 두 가지는 사람에게 해는 없다. 단, 맛만을 좋아해 구차히(갖추어지지 않았는데도) 먹지는 않는 것일 뿐이다.

【세주】

朱子曰 一言語 一動作 一飮食 都有是有非 是底 便是天理 非底 便是人欲 如孔子失飪不食 不時不食 割不正不食 無非天理 如口腹之人 不時也食 不正也食 失飪也食 便都是人欲 都是逆天理

주자가 말했다. 말 한마디, 동작 하나, 음식 하나에 모두 옳고 그름이 있다. 옳은 것은 곧 천리이고 그른 것은 곧 인욕이다. 예컨대 공자께서 제대로 익히지 않은 것은 드시지 않고 때 아니면 드시지 않고 바르게 자르지 않으면 드시지 않은 것은 천리 아님이 없다. 입과 배의 (욕망만을 추구하는) 사람은 때 아니라도 먹고, 바르지 않아도 먹고, 제대로 익지 않아도 먹으니 곧 모두 인욕이고 천리를 거스르는 것이다.

10.8-4 **肉雖多 不使勝食氣 唯酒無量 不及亂** 食 音嗣 量 去聲

고기가 비록 많더라도 밥 기운을 이기지 않도록 하셨다. 다만 술은 양의 제한이 없으셨는데 흐트러지는 데에 이르지는 않으셨다.

【집주】

食如字 以穀爲主 故 不使肉勝食氣

식사는<('식' 자는) 원래 글자대로(먹을 식으로) 읽는다.> 곡식을 위주로 하므로 고기가 밥 기운을 이기지 못하게 하셨다.

【세주】

朱子曰 肉雖多 不使勝食氣 非特肉也 凡蔬果之類 皆不可使勝食氣

주자가 말했다. '고기가 비록 많더라도 밥 기운을 이기지 못하게 하셨다'라 했는데, 단지 고기만이 아니라 채소나 과일의 종류도 모두 밥 기운을 이기게 해서는 안 된다.

○北山陳氏曰 聞之老壽者言 人 得元氣以生 穀氣以養 肉氣以輔 肉氣勝則滯穀氣 穀氣勝 則滯元氣 元氣充行者 壽 夫子不使多肉勝穀食氣者 養生之理當然也

북산 진씨가 말했다. 장수하는 노인에게 들은 말인데, 사람은 원기를 얻어 태어나고 곡기로 길러지고 육기로 보충한다. 육기가 이기면(지나치면) 곡기가 막히고 곡기가 이기면 원기가 막힌다. 원기가 채워져 운행되는 자가 오래 산다. 공자께서 고기를 많이 먹어 곡식 밥 기운을 이기게 하지 않으신 것은 양생하는 이치의 당연함이다.

【집주】

酒 以爲去聲人合懽

술은 사람들이 즐거움을 나누는 것이므로

【세주】

樂記曰 酒食者 所以懽合也

(『예기』)「악기」에 말하기를 "술과 음식은 즐거움을 나누는 것이다"라 했다.

【집주】

故 不爲量 但 以醉爲節 而不及亂耳 程子曰 不及亂者 非唯不使亂志 雖血氣 亦不可使亂 但浹洽而已 可也

그래서 양의 제한을 두지 않으셨다. 단, 취하는 것을 한도로 삼으시고 흐트러지는 데에 이르지는 않으셨다. 정자가 말했다. 흐트러지는 데에 이르지 않는다는 것은 다만 의식(정신)이 흐트러지지 않도록 하는 것일 뿐만 아니라 비록 혈기(몸)라 하더라도 흐트러지게 해서는 안 된다는 것이다. 단지 푹 취하면 그치는 것이 옳다.

【세주】

慶源輔氏曰 酒 以爲人合懽 而人之飮量 各不同也 故 不預爲之量 而以醉爲節 雖以醉爲節 而又不及於亂 此 亦聖人從心所欲不踰矩之一端

경원 보씨가 말했다. 술은 사람들이 즐거움을 나누는 것인데 사람의 주량은 각각 다르다. 그러므로 미리 그 양의 제한을 두지 않고 취하는 것을 한도로 한다. 비록 취하는 것을 한도로 하더라도 또 흐트러지는 데에 이르지는 않으신 것, 이 또한 성인의 '마음이 바라는 것을 따라도 법도를 넘지 않음'의 한 사례이다.

○覺軒蔡氏曰 集註謂 以醉爲節 或者 猶過 疑其或導人於醉也 殊不知 醉字所以釋經文之無量 而繼之以爲節二字 而以不及亂承之 正所以戒人之溺於醉也 況詩中如旣醉如賓之初筵 未嘗不言醉 但 醉甚至於亂 威儀則爲失耳 所謂集註一字不可增減移易者 正謂此也

각헌 채씨가 말했다. 집주에서는 취하는 것을 한도로 한다 했는데, 혹자는 오히려 지나치다 여겨 혹 사람을 취하는 데로 이끄는 것이 아닌가 의심했지만 이는 잘못 안 것이다. '취' 자는 경문의 '무량(양의 제한이 없음)'을 해석한 것으로 '위절(한도로 삼음)' 두 글자로 그 뒤를 잇고 '불급란(흐트러지는 데에 이르지 않음)'으로 이어받았으니 바로 사람이 주취에 빠지는 것을 경계하려는 것이다. 황차 (『시경』의) 시 가운데 <기취>, <빈지초연>장 등의 경우 '취'를 말하지 않은 적이 없음에랴. 단, 너무 취해 흐트러지는 데에 이르면 위의(단정한 모습)를 잃게 된다. 이른바 집주의 한 글자도 더하거나 빼거나 옮기거나 고칠 수 없다는 것이 바로 이를 두고 하는 말이다.

○胡氏曰 亂者 內昏其心志 外喪其威儀 甚 則班伯所謂 淫亂之源 皆在於酒是也 聖人 飮無定量 亦無亂態 蓋 從心所欲不踰矩 是以 如此

호씨가 말했다. 흐트러짐이란 안으로는 그 정신이 혼미한 것이고 밖으로는 그 단정한 모습을 잃은 것이다. 심하면 반백이 말한 '음란의 원천은 모두 술에 있다'는 말에 해당된다. 성인께서는 마실 때 양을 정하지는 않으셨지만 또한 흐트러진 모습은 없으셨다. 대개 마음이 바라는 것을 따라도 법도를 어기지 않는 까닭에 이와 같으셨다.

○新安陳氏曰 無量不及亂 以夫子 則可 程子 是以 浹洽而已 爲限量 此學者所當法 學者 當以有量 學聖人之無量 否則恐致亂矣

신안 진씨가 말했다. 양에 제한을 두지 않고도 흐트러지는 데에 이르지 않는 것은 공자라야 가능하다. 정자는 그런 까닭에 푹 취하면 그치는 것을 한도로 삼았는데 이는 배우는 자가 마땅히 본받아야 할 것이다. 배우는 자는 당연히 양에 제한을 둠으로써 성인의 양의 제한 없음을 배워야 한다. 그렇지 않으면 흐트러지는 데에 이를 우려가 있다.

10.8-5 沽酒市脯 不食

사온 술과 장터의 포는 드시지 않았다.

【집주】

沽市 皆買也 恐不精潔 或傷人也 與不嘗康子之藥 同意

'고'와 '시'는 모두 사는 것이다. 정결하지 않아 혹시 사람을 해칠까 염려하신 것이니, 계강자가 보낸 약을 맛보지 않으신 것과 같은 뜻이다.

10.8-6 不撤薑食

생강 드시기를 그만두지 않으셨다.

【집주】

薑 通神明 去上聲穢惡 故 不撤

생강은 신명을 통하게 하고(정신이 맑아지고) 더러움을 제거하므로 그만두지 않으셨다.

【세주】

本草云 薑 味辛微溫 久服 去臭氣 通神明

『본초』에 말하기를 “생강은 맛이 맵고 약간 따뜻하다. 오래 복용하면 냄새를 제거하고 신명을 통하게 한다”라 했다.

10.8-7 不多食

많이 드시지 않았다.

【집주】

適可而止 無貪心也

적절한 데서 그치셨으니 탐심이 없는 것이다.

【세주】

慶源輔氏曰 沽酒市脯不食 聖人衛生之嚴也 不撤薑食 聖人養生之周也 不多食 當食者不去 可食者不多 惟理是從 所欲不存也

경원 보씨가 말했다. 사온 술과 장터의 포를 드시지 않은 것은 성인의 위생의 엄격함이다. 생강 드시기를 그만두지 않으신 것은 성인의 양생의 주밀함이다. 많이 드시지 않았다는 것은 마땅히 먹어야 하는 것은 버리지 않고(꼭 드시고) 먹어도 되는 것이라 해서 많이 드시지는 않았다는 말이다. 오직 이치만을 따르셨을 뿐, 욕심내는 것은 없으셨다.

10.8-8 祭於公 不宿肉 祭肉 不出三日 出三日 不食之矣

공실의 제사 고기는 하룻밤을 묵히지 않으셨다. 제사지낸 고기는 사흘을 넘기지 않으셨는데, 사흘이 넘으면 (남들이) 먹지 않기 때문이다.

【집주】

助祭於公 所得胙肉 歸卽頒賜 不俟經宿者 不留神惠也 家之祭肉

則不過三日 皆以分賜 蓋 過三日 則肉必敗 而人不食之 是 褻鬼神之餘也 但 比君所賜胙 可少緩耳

공실의 제사를 돕고 얻은 제사 고기는 돌아오는 즉시 나누어주시고 하룻밤 묵히기를 기다리지 않으셨으니 귀신의 은혜를 머물러두게 하지 않으신 것이다. 집안 제사의 고기는 사흘을 넘기지 않고 모두 나누어주셨다. 대개 사흘이 지나면 고기가 반드시 썩어 사람이 먹지 않으니, 이는 귀신이 남긴 것을 더럽히는 것이다. 단, 임금이 내린 제사 고기에 비해서는 약간 늦추어도 될 뿐이다.

【세주】

朱子曰 若出三日 則人將不食 而厭棄之 非所以敬神惠也

주자가 말했다. 만약 사흘을 넘기면 사람들이 장차 먹지 않고 꺼려서 버리게 되니 귀신의 은혜를 받드는 일이 아니다.

○南軒張氏曰 公家之祭 不宿肉 受神惠於公 所欲亟以及人也 家祭之肉 不出三日 懼其或敗 而起人之褻易 非事神之道也 故 或出三日 則寧不食焉

남헌 장씨가 말했다. 공실 제사의 고기를 하룻밤을 묵히지 않는 것은 공실에서 받은 귀신의 은혜를 빨리 남들에게도 미치게 하고 싶어서이다. 집안의 제사 고기를 사흘을 넘기지 않는 것은 그것이 혹시 썩어 남들이(나누어 받은 사람들이) 더럽히고 소홀히 하도록 할까 두려워하는 것이니, (이는) 귀신을 모시는 법도가 아니기 때문이다. 그러므로 혹 사흘을 넘기면 차라리 먹지 않는다(버린다).

10.8-9 食不語 寢不言

식사 때는 대화하지 않으셨고 주무실 때는 말씀하지 않으셨다.

【집주】

答述 曰語 自言 曰言

대답해 말하는 것을 '어(대화함)'라 하고 혼자 말하는 것을 '언'이라 한다.

【세주】

新安陳氏曰 二字 他處通用 此 則有辨

신안 진씨가 말했다. (어와 언) 두 글자는 다른 데서는 통용하는데, 여기서는 구분이 있다.

○朱子曰 食 對人 寢 獨居 故 卽其事而言之

주자가 말했다. 식사 때는 남과 대면하고 잠잘 때는 홀로 있다. 그러므로 그 (각각의) 일에 입각해 말한 것이다.

【집주】

范氏曰 聖人存心 不他 當食而食 當寢而寢 言語 非其時也 楊氏曰 肺 爲氣主 而聲出焉 寢食 則氣窒而不通 語言 恐傷之也 亦通

범씨가 말했다. 성인께서 마음 두시는 것은 다름 아니라 마땅히 먹어야 하면 드시고 마땅히 자야 하면 주무시는 것으로, (먹을 때나 잘 때) 혼잣말이나 대화하는 것은 (마땅한) 때가 아니다. 양씨가 말하기를 "폐는 기를 주관하니 목소리가 나온다. 잠자거나 먹을 때는 기가 막혀 통하지 않으니 대화하거나 말하면 (폐를) 상하게 할 우려가 있다"라 했는데, 역시 의미가 통한다.

【세주】

素問 五藏生成篇 諸脈者 皆屬於目 諸髓者 皆屬於腦 諸筋者 皆屬於節 諸血者 皆屬於心 諸氣者 皆屬於肺 肺藏 主氣 故也

『소문』의 「오장생성」편에 다음과 같이 나와 있다. 모든 맥은 다 눈에 속한다. 모든 신경은 다 뇌에 속한다. 모든 근육은 다 관절에 속한다. 모든 피는 다 심장에 속한다. 모든 기는 다 폐에 속한다. <폐장은 기를 주관하기 때문이다.>

○新安陳氏曰 范說 主理 楊說 主氣 范爲優 楊 亦不可廢

신안 진씨가 말했다. 범씨의 설은 이를 주로 했고 양씨의 설은 기를 주로 했다. 범씨가 낫지만 양씨 또한 버릴 수 없다.

10.8-10 **雖疏食菜羹 瓜祭 必齊如也** 食 音嗣

비록 거친 밥과 야채국이라도 반드시 제사지내셨고, 반드시 경건하게 하셨다.

【집주】

陸氏曰 魯論 瓜作必

육씨가 말했다. 『노론(노나라 논어)』에서는 '과(오이)' 자를 '필' 자로 썼다.

【세주】

新安陳氏曰 瓜字 本齊論 然 瓜 卽菜意重 作必爲是

신안 진씨가 말했다. '과' 자는 『제론(제나라 논어)』을 근거로 한 것인데, 그러나 과라 하면 야채라는 의미가 중복되므로 필로 쓰는 것이 옳다.

【집주】

○古人 飮食 每種上聲各出少許 置之豆間之地

옛사람들은 먹고 마실 때 모든 종류의 음식을 조금씩 덜어내 그릇 사이의 땅에 둠으로써

【세주】

新安陳氏曰 古 席地而坐 置豆於地 故 置祭物於豆間之地

신안 진씨가 말했다. 옛날에는 땅에 자리를 깔고 앉고 그릇을 땅에 두었다. 그래서 제물을 그릇 사이의 땅에 두었다.

【집주】

以祭先代始爲飮食之人 不忘本也 齊 嚴敬貌 孔子 雖薄物 必祭 其祭 必敬 聖人之誠也

선대에 처음으로 음식을 만든 사람을 제사지냈으니 근본을 잊지 않는 것이다. '재'는 엄숙하고 경건한 모습이다. 공자께서는 비록 하찮은 물건이라도 반드시 제사지내셨고, 제사지낼 때는 반드시 경건히 하셨으니 성인의 성의이다.

【세주】

朱子曰 曰必祭 則明無不祭之食也 曰必齊如 則明無不敬之祭也

주자가 말했다. '반드시 제사지낸다'는 말은 제사지내지 않고 먹는 경우가 없음을 밝힌 것이고, '반드시 엄숙히 하셨다'는 말은 경건히 하지 않는 제사가 없었음을 밝힌 것이다.

【집주】

○此一節 記孔子飮食之節

이 한 절은 공자의 음식의 범절을 기록한 것이다.

【세주】

勉齋黃氏曰 飮食以養生 故 欲其精 然 亦能傷生 故 惡其敗 至於失節縱欲 無不致其謹焉 聖人一念之微 莫非天理 學者 不可以不戒也

면재 황씨가 말했다. 음식으로써 양생하기 때문에 그 정결한 것을 바라지만 그러나 또한 생명을 해칠 수 있으므로 부패한 것을 싫어한다. 절도를 잃고 욕심대로 하는 것에 대해서는 그 삼감을 다하지 않으면 안 된다. 성인의 작은 한 가지 생각이라도 천리가 아닌 것이 없으니 배우는 자는 경계하지 않을 수 없다.

【집주】

謝氏曰 聖人 飮食如此 非極口腹之欲 蓋 養氣體不以傷生 當如此 然 聖人之所不食 窮口腹者 或反食之 欲心勝而不暇擇也

사씨가 말했다. 성인께서 이처럼 드시고 마시신 것은 입과 배의 욕심을 다한 것이 아니다. 대개 그 기운과 몸을 길러 생명을 해치지 않으려면 마땅히 이와 같아야 한다. 그러나 성인께서 드시지 않은 것을 입과 배의 욕심을 다하는 자가 혹 거꾸로(성인과는 반대로) 먹는 것은 욕심이 이겨 선택할 틈이 없어서이다.

【세주】

慶源輔氏曰 養氣體不以傷生 聖人飮食之正也 窮口腹以快其欲 常人飮食之流也

경원 보씨가 말했다. 기운과 몸을 길러 생명을 해치지 않는 것은 성인의 음식의 올바름이고, 입과 배를 다해 그 욕심을 만족시키는 것은 보통 사람의 음식의 폐단이다.

10.9 席不正 不坐

자리가 바르지 않으면 앉지 않으셨다.

【집주】

謝氏曰 聖人心 安於正 故 於位之不正者 雖小 不處上聲

사씨가 말했다. 성인의 마음은 바른 것을 편안히 여기시므로 자리가 바르지 않은 것에 대해서는 비록 작은 일이지만 처하지 않으셨다.

【세주】

問 席不正不坐 此 是聖人之心純正 故 日用間纔有不正處 便與心不相合 心 亦不安 朱子曰 聖人之心 無毫釐之差 謂如事當恁地做時 便硬要恁地做

물었다. '자리가 바르지 않으면 앉지 않으셨다'는 이 말은 성인의 마음은 순정한 까닭에 일상생활에서 조금이라도 바르지 않은 것이 있으면 곧 마음에 맞지 않고 마음 또한 불안하셨다는 것입니다. 주자가 답했다. 성인의 마음은 털끝만 한 잘못도 없으시다. 만약 일이 마땅히 그렇게 해야 할 때라면 곧 그렇게 해야 한다는 말이다.

○慶源輔氏曰 形於外者 雖小 不正 不處 則存於中者 密矣

경원 보씨가 말했다. 겉으로 드러난 것이 비록 작더라도 바르지 않으면 처하지 않으셨으니 그 마음에 보존하신 것은 세밀하다.

○覺軒蔡氏曰 此句 與割不正不食 同

각헌 채씨가 말했다. 이 구절은 "바르게 자른 것이 아니면 드시지 않았다"라는 구절과 (그 의미가) 같다.

○葉少蘊曰 席 南鄕北鄕 以西方爲上 此 以方爲正者也 有憂者 側席而坐 有喪者 專席而坐 此 以事爲正者也

섭소온이 말했다. 자리는 남향, 또는 북향으로 하는데, 서쪽을 상석으로 친다. 이는 방위로써 바름(의 기준)을 삼는 것이다. 우환이 있는 자는 자리를 옆으로 하여 앉고 상을 당한 자는 자리를 독차지하여 앉는다. 이는 일로써 바름을 삼는 것이다.

○吳氏曰 危坐 爲跪 安坐 爲居 凡禮坐 皆謂跪也

오씨가 말했다. 꿇어앉는 것을 '궤'라 하고 편안히 앉는 것을 '거'라 한다. 모든 예좌(의례상의 착석)는 모두 '궤'라 한다.

○雲峯胡氏曰 此曰 不正不坐 後曰 必正席 一席之微 亦致嚴 於不與必之二字 聖人之心 無不正也

운봉 호씨가 말했다. 여기서는 '바르지 않으면 앉지 않으셨다'라 했고, 뒤(본편 12장)에서는 '반드시 자리를 바로 하셨다'라 했으니, 자리 하나 같은 작은 일에도 엄정함을 다하셨다. '불(아니함)' 자와 '필(반드시)' 자의 두 글자에서 보면 성인의 마음은 바르지 않음이 없다.

10.10-1 鄕人飮酒 杖者出 斯出矣

마을 사람들과 술을 마실 때, 지팡이 짚는 자가 나간 다음에야 나가셨다.

【집주】

杖者 老人也 六十 杖於鄕 未出 不敢先 旣出 不敢後

'장자'는 노인이다. 나이 60이면 마을에서 지팡이를 짚는다(노인 대접을 받는다). (노인이) 아직 나가지 않았으면 감히 먼저 나가지 않고, 이미 나갔으면 감히 나중에 나가지 않는다(곧 따라 나간다).

【세주】

禮 王制 五十 杖於家 六十 杖於鄕 七十 杖於國 八十 杖於朝 九十者 天子欲有問焉 則就其室以珍從

『예기』, 「왕제」편에 다음과 같이 나와 있다. 나이 50이면 집에서 쉬고 60이면 마을에서 지팡이를 짚는다. 70이면 나라에서 지팡이를 짚고 80이면 조정에서 지팡이를 짚는다. 90이 된 자는 천자가 물을 일이 있으면 진기한 음식을 가지고 그 집으로 간다.

○慶源輔氏曰 鄕黨尙齒 故 其出 視老者以爲節

경원 보씨가 말했다. 향당(지역사회)에서는 나이를 숭상한다. 그러므로 나가는 것은 노인을 보아 기준으로 삼는다(노인이 나가는 것을 보면 술자리를 그친다).

10.10-2 鄕人 儺 朝服而立於阼階 儺 乃多反

마을 사람들이 나례를 하면 조복을 입고 동쪽 계단에서 계셨다.

【집주】

儺 所以逐疫 周禮 方相氏 掌之

‘나’는 역귀를 물리치려는 것으로, 『주례』에 보면 방상씨가 관장했다.

【세주】

夏官 方相氏 掌蒙熊皮 黃金四目 玄衣朱裳 執戈揚盾 方相 猶言放想 如今魌頭是也 帥與率同百隷隷同而時難儺同 以索室敺疫 以索室中疫鬼 而驅逐之也

(『주례』) 「하관 (사마)」편에 보면 방상씨는 곰 가죽을 쓰고, 황금 눈 넷을 하고, 검은 상의와 붉은 치마를 입고, 창을 들고 방패를 올리고, <방상은 방상(상상과 방불함)이라는 말과 같으니 지금의 기두가 그것이다.> 백예<예(隷)는 예(隸)와 같다.>를 거느리고 <솔(帥)은 솔(率)과 같다.> (정해진) 때에 난례<난(難)은 나(儺)와 같다.>를 행하여 집을 수색해 역귀를 몰아내는 일을 맡는다. <집 안의 역귀를 찾아내 몰아내는 것이다.>

【집주】

阼階 東階也 儺 雖古禮 而近於戲 亦朝服而臨之者 無所不用其誠敬也 或曰 恐其驚先祖五祀之神 欲其依己而安也

‘조계’는 동쪽 계단이다. 나례는 비록 옛 예이기는 하나 놀이에 가까운데도 또한 조복을 입고 임하신 것은 성실하고 경건하게 하시지 않는 것이 없기 때문이다. 혹자는 말하기를 ‘선조와 5사의 귀신이 놀랄까 우려하여 (그 귀신들이) 자기에게 의지해 편안하기를 바라신 것이다’라 했다.

【세주】

問 子孫之精神 卽祖考之精神 故 祖考之精神 依於己 若門庭戶竈之屬 吾身朝夕之所出處 則鬼神 亦必依己而存 朱子曰 一家之主 則一家之鬼神屬焉 諸侯守一國 則一國之鬼神屬焉 天子有天下 則天下鬼神屬焉 看來 爲天子者 這一箇神明 是多少大 如何有些子差忒得 若縱欲無度 天上許多星辰 地下許多山川 如何不變怪

물었다. 자손의 정신은 곧 조상의 정신입니다. 그러므로 조상의 정신은 나에게 의지합니다. 문이나 뜰이나 방문이나 부엌 같은 것은 내 몸이 조석으로 드나드는 곳이므로 (그) 귀신 역시 반드시 나에 의지해 존재합니다. 주자가 답했다. 한 집안의 주인에게는 한 집안의 귀신이 속한다. 제후는 한 나라를 지키므로 한 나라의 귀신이 그에 속한다. 천자는 천하를 가지므로 천하의 귀신이 그에 속한다. 살피건대, 천자가 된 자로서는, 이 하나의 신명이 얼마나 큰 것인데, 어찌 약간의 잘못이라도 있을 수 있겠는가? 만약 무도하게 제멋대로 하면 하늘의 허다한 성신과 땅의 허다한 산천에 어찌 변고가 없으랴.

○問 鄕人儺 古人此禮節目 不可考 想模樣亦非後世俚俗之所爲者 曰 後漢志中 有此 想亦近古之遺法

물었다. 마을 사람들의 나례에 관해, 옛사람들의 이 예의 규정은 고찰할 수 없습니다. 생각건대 그 모양도 또한 후세의 세속 풍속에서 하는 것과는 다를 것 같습니다. 답했다. 『후한서』, 「(예의)지 (중)」(<대나>조) 중에 이런 것이 있으니 아마도 가까운 고대의 유법인 것 같다.

○厚齋馮氏曰 禮 郊特牲云 鄕人禓音傷 夫子 朝服立於阼 存室神也 以其達陽氣 故 禓 於文 從示從易 以逐疫去難 故 儺 於文 從人從難 蓋 鄕人之意主於逐疫 而先王制禮不禁 因以達陽氣也 禓儺通稱也 儺 出于鄕俗 其事幾於戲矣 而儼然朝服以立于阼階 外示其敬 而鄕人 亦知所止 不敢升階以驚室神 神 亦得以依己而安也

후재 풍씨가 말했다. 『예기』, 「교특생」편에 "향인이 상 제사를 하면 공자께서는 조복을 입고 동쪽 계단에 서 계셨으니, 집의 귀신을 지킨 것이다"라 했다. 양기를 번성하게 하려는 것이기 때문에 '상'은 문자상 '시' 자와 '역' 자에 딸려 있다. 역귀를 몰아내고 환란을 제거하려는 것이기 때문에 '나'는 문자상 '인' 자와 '난' 자에 딸려 있다. 대개 마을 사람들의 뜻은 역귀를 몰아내는 것을 위주로 하는데, 선왕이 예를 제정하면서 금하지 않은 것은 양기를 번성하게 한다는 것 때문이다. '상'과 '나'는 통칭한다. '나'는 향리의 풍속에서 나왔는데, 그 일은 놀이에 가까운데도 엄연히 조복을 입고 동쪽 계단에 서 계셨던 것은, 밖으로는 그 경건함을 보이는 것이고, 또 마을 사람들로 하여금 그칠 바를 알게 해 감히 계단을 올라와 집의 귀신을 놀라게 하지 않도록 하고, 또 귀신도 나에게 의지해 편안하도록 하신 것이다.

【집주】

○此一節 記孔子居鄕之事

이 한 절은 공자의 향촌 생활의 일을 기록한 것이다.

10.11-1 問人於他邦 再拜而送之

다른 나라에 있는 사람에게 (사람을 보내) 문안할 때는 (심부름 가는 사람에게) 두 번 절하고 보내셨다.

【집주】

拜送使去聲者 如親見之 敬也

심부름하는 사람에게 절하고 보내는 것은 마치 친히 만나는 것처럼 하는 것이니, 경건함이다.

【세주】

朱子曰 古人 有此禮 遣使問人於他邦 則主人 從背後 拜而送之

주자가 말했다. 옛사람들은 이런 예가 있었다. 사람을 보내 다른 나라의 사람에게 문안할 때는 주인은 등 뒤에서 절하고 보낸다.

○慶源輔氏曰 使者 所以將我之命 往見其人 拜而送之 則如親見其人矣 不以遠而廢敬也

경원 보씨가 말했다. 심부름하는 사람은 나의 명으로 가서 그 사람을 만나는 것이니 절하여 보내는 것은 마치 그 사람을 친히 만나는 것처럼 하는 것이다. 멀리 있다고 해서 경건함을 폐하지는 않는다.

10.11-2 康子 饋藥 拜而受之 曰 丘 未達 不敢嘗

강자가 약을 보내자 절하여 받으시고 말씀하셨다. 내가 알지 못하므로 감히 맛보지 않는다.

【집주】

范氏曰 凡賜食 必嘗以拜 藥未達 則不敢嘗 受而不飮 則虛人之賜 故 告之如此 然則可飮而飮 不可飮而不飮 皆在其中矣

범씨가 말했다. 무릇 음식을 하사하면 반드시 맛보고 절한다. 약은 알지 못하면 감히 맛보지 않는다. 받고도 마시지 않으면 남의 선물을 헛되게 하는 것이기 때문에 이처럼 알려주셨다. 그러니 마실 만하면 마시고 마실 만하지 않으면 마시지 않는 것이 모두 그 가운데 있다.

【세주】

朱子曰 古者 賜之車 則乘以拜 賜之衣服 則服以拜 賜之飮食 則嘗而拜之 蓋 今未達 故 不敢拜而嘗耳 已而達焉 則可飮而飮 不可飮而不飮 皆在其中矣

주자가 말했다. 옛날에 차를 하사하면 타고 절하고, 의복을 하사하면 입고 절하고, 음식을 하사하면 맛보고 절했다. 대개 지금 알지 못하는 까닭에 감히 절하고 맛보지 않는 것일 뿐이다. 이미 알았으면 마실 만하면 마시고 마실 만하지 않으면 마시지 않는 것이 모두 그 가운데 있다(알게 된 대로 한다).

【집주】

楊氏曰 大夫有賜 拜而受之 禮也 未達 不敢嘗 謹疾也 必告之 直也

양씨가 말했다. 대부가 하사하면 절하여 받는 것은 예이다. 알지 못하면 감히 맛보지 않는 것은 병을 삼가는 것이다. 반드시 알려주는 것은 정직함이다.

【세주】

南軒張氏曰 於此一事之間 而得三善焉

남헌 장씨가 말했다. 이 하나의 일에서 세 가지의 선을 얻었다.

○胡氏曰 孟子謂 大夫有賜於士 而得受於其家 此 必拜 其賜之禮也 未達者 所用之品 所療之病 皆不知也 一有不宜 則疾生焉 聖人謹疾 不敢嘗也 受之以禮 而告之以實

호씨가 말했다. 맹자가 말하기를 "대부가 사에게 하사함에 그 집에서 받는다(『맹자』6, 「등문공 하」 7장에 유사한 구절이 있음)"라 했으니 이 경우 반드시 절하는 것은 하사받는 예이다. 알지 못한다는 것은 수용이 닿는 물건인지 (그 약으로) 치료되는 병인지 모두 모른다는 것이다. 하나라도 마땅하지 않으면 병이 생기니 성인께서 병을 삼가셔서 감히 맛보지 않으신 것이다.

예로써 받고 사실대로 알려주셨다.

○龜山楊氏曰 君子之治心養氣接物應事 唯直而已 直 則無所事矣 康子饋藥 孔子 既拜而受之矣 乃曰 丘 未達 不敢嘗 此 疑於拂人情 然 聖人愼疾 豈敢嘗未達之藥 既不敢嘗 則直言之

구산 양씨가 말했다. 군자가 마음을 다스리고 기를 기르고 남과 교제하고 일에 대응하는 것은 오직 곧게(정직하게) 할 뿐이다. 곧으면 아무 일이 없다. 강자가 약을 보내자 공자께서 이미 절하여 받으시고는 이어 '내가 알지 못하므로 감히 맛보지 않는다'라 하셨다. 이는 인정을 거절한 것처럼 보이지만, 그러나 성인께서는 병을 삼가시니 어찌 감히 알지 못하는 약을 맛보시겠는가? 이미 맛보지 않았으니 정직하게 말씀하셨다.

【집주】

○此一節 記孔子與人交之誠意

이 한 절은 공자께서 남과 교제할 때의 성의를 기록한 것이다.

10.12-1 廏焚 子 退朝曰 傷人乎 不問馬

마구간이 불탔는데, 공자께서 조정에서 퇴근하시어 "사람이 다쳤느냐?"라고 물으시고 말에 대해서는 묻지 않으셨다.

【집주】

非不愛馬 然 恐傷人之意 多 故 未暇問 蓋 貴人賤畜許又反 理當如此

말을 아끼지 않아서가 아니라 사람이 다쳤을까 우려하시는 생각이 많았기 때문에 물을 틈이 없었던 것이다. 대개 사람을 귀하게 여기고 가축을 천하게 여기는 도리가 마땅히 이와 같아야 한다.

【세주】

南軒張氏曰 仁民愛物 固有間也 方退朝 始聞之時 惟恐人之傷 故 未暇及於馬耳

남헌 장씨가 말했다. 사람에게 어질게 하는 것과 사물을 아끼는 것은 본디 차이가 있다. 막 퇴근해서 처음 들었을 때 단지 사람이 다쳤을까 우려하신 까닭에 말에 (생각이) 미칠 틈이 없었던 것이다.

○邢氏曰 孔子家廏也 以退朝知之

형씨가 말했다. 공자의 집의 마구간이기 때문에 퇴근해서 알게 되었다.

○吳氏曰 廏焚問馬 人之常情 聖人 恐人救馬而傷 故 問人傷否而已 更不問馬 記之 所以示教 雜記家語 皆載此事 家語云 國廏 恐非 國廏 則馬當問 路馬 則又重矣

오씨가 말했다. 마구간이 불타면 말을 물어보는 것이 인지상정이다. 성인께서는 사람들이 말을 구하려다가 다쳤을까 우려하신 까닭에 사람이 다쳤는지 아닌지만을 물어보셨을 뿐이고, 다시 말은 묻지 않으셨다. 이 일을 기록한 것은 가르침을 보이기 위함이다. (『예기』의) 「잡기 (하)」나 『(공자)가어』에 모두 이 일을 실었는데, 『가어』에는 나라의 마구간이라 했지만 아마도 틀린 것 같다. 나라의 마구간이면 당연히 말에 대해 물었어야 한다. 노마(역마)는 더 중요하다.

10.13-1 君賜食 必正席 先嘗之 君賜腥 必熟而薦之 君賜生 必畜之

임금이 음식을 내리면 반드시 자리를 바로 하고 먼저 맛보셨다. 임금이 날고기를 내리면 반드시 익혀 사당에 올리셨고 임금이 산 것을 내리면 반드시 기르셨다.

【집주】

食 恐或餕音俊餘 故 不以薦

(하사받은) 음식은 혹시 대궁(먹고 남긴 것)일 수도 있으므로 사당에 올리지 않는다.

【세주】

曲禮曰 餕餘不祭

(『예기』) 「곡례 (상)」에 "대궁은 제사에 쓰지 않는다"라 했다.

【집주】

正席先嘗 如對君也 言先嘗 則餘 當以頒賜矣

자리를 바로 하고 먼저 맛보는 것은 마치 임금을 대하듯 하는 것이다. 먼저 맛보셨다 했으니 (맛보고 남은) 나머지는 당연히 나누어주셨을 것이다.

【세주】

或問 不正不坐 豈必賜食而從正之 朱子曰 席固正矣 至此又正 以爲禮也 曲禮 主人 請入爲席矣 賓 旣升 又跪正席 豈先爲不正之席 至此然後正之哉 蓋 敬愼之至耳

혹자가 물었다. (자리가) 바르지 않으면 앉지 않는 것인데, 어찌 반드시 음식을 하사받은 다음에야 바르게 하겠습니까? 주자가 답했다. 자리는 원래 바르지만 이에 이르러 다시 또 바르게 하는 것이 예이다. (『예기』) 「곡례 (상)」에 "주인이 들어와 자리하기를 청한다. 손님이 이미 오르면 (주인은) 또 꿇어앉아 자리를 바르게 한다"라 했는데, (여기서 바르게 한다는 것이) 어찌 먼저는 자리가 바르지 않았는데 이에 이른 다음에야 바르게 하는 것이겠는가? 대개 경건히 삼감이 지극한 것일 뿐이다.

○雙峯饒氏曰 賜食 有親 當先以奉親 夫子先嘗 時已孤故矣

쌍봉 요씨가 말했다. 음식을 하사받은 경우 부모가 있으면 마땅히 먼저 부모에게 바친다. 공자께서 먼저 맛보신 것은 당시에 이미 부모가 없었기 때문이다.

【집주】

腥 生肉 熟而薦之祖考 榮君賜也 畜許六反之者 仁君之惠 無故不敢殺也

'성'은 날고기이다. 익혀서 조상에게 올리는 것은 임금의 하사를 영광으로 여기는 것이다. 기르는 것은 임금의 은혜를 어질게 여겨 까닭 없이 감히 죽이지 않는 것이다.

【세주】

慶源輔氏曰 所賜旣殊 所處亦異 如鑑照形 毫釐不差 聖人之時中也

경원 보씨가 말했다. 하사받은 것이 다르면 그 대처하는 방식도 또한 다르다. 마치 거울이 물체를 비추는 것처럼 털끝만 한 차이도 없으니 성인의 시의적절함이다.

10.13-2 侍食於君 君祭 先飯

임금을 모시고 식사할 때, 임금이 제사지내면 먼저 드셨다.

【집주】

周禮 王 日一擧

『주례』(「천관 총재」 <선부>조)에 "왕은 하루에 한 번 성찬을 하는데

【세주】

古註云 殺牲盛饌 曰擧 每日一番盛饌也

고주에 말하기를 "희생을 죽여 성찬을 하는 것을 '거'라 한다. 매일 한 번 성찬을 한다"라 했다.

【집주】

膳時戰反夫 授祭

요리사는 제수를 올리면서

【세주】

飮食 必祭 授王所祭之物

음식은 반드시 제사지내니 제사지낼 물건을 왕에게 올린다.

【집주】

品嘗食

요리를 먼저 맛본다.

【세주】

每品物 皆先嘗之 示無毒也

매 품목의 요리는 모두 먼저 맛보아 독이 없음을 보인다.

【집주】

王 乃食 故 侍食者 君祭 則己不祭而先飯 若爲去聲君嘗食然 不敢當客禮也

그런 다음 왕이 먹는다"라 했다. 그러므로 모시고 식사하는 자는 임금이 제사지낼 때 자신은 제사에 참여하지 않고 먼저 밥을 먹는데, 마치 임금을 위해 먼저 맛보는 것처럼 하는 것이니, 감히 손님의 예를 감당하려 하지 않기 때문이다.

【세주】

南軒張氏曰 禮 賜之食 而君客之 則命之祭 然後祭 今 於君之祭 己則先飯 恐君之客己也 必先飯者 以食爲先也

남헌 장씨가 말했다. 『예기』(「옥조」)에는 "음식을 하사하여 임금이 손님으로 예우하는 경우에는 제사에 참여하기를 명한 연후에 제사에 참여한다"라 했다. 지금 임금은 제사지내는데 자신이 먼저 먹는 것은 임금이 자기를 손님으로 대우할까 우려하는 것이다. 반드시 먼저 밥을 먹는 것은 먹는 것을 먼저로 [마시는 것을 나중으로] 하기 때문이다.

10.13-3 疾 君視之 東首 加朝服拖紳 首 去聲 拖 徒我反

병이 있어 임금이 보러 오면 머리를 동쪽으로 하고 조복을 덮고 띠를 걸치셨다.

【집주】

東首 以受生氣也

머리를 동쪽으로 두는 것은 생기를 받으려는 것이다.

【세주】

新安陳氏曰 天地生氣 始於東方

신안 진씨가 말했다. 천지의 생기는 동방에서 시작된다.

【집주】

病臥 不能著陟略反衣束帶 又不可以褻服見君 故 加朝服於身 又引大帶於上也

병이 있어 누워 있을 때는 옷을 입고 띠를 두를 수 없지만 또 내의 바람으로 임금을 뵐 수는 없는 까닭에 몸에 조복을 덮고 또 그 위에 큰 띠를 끌어 놓는 것이다.

【세주】

問 疾 君視之 方東首 常時 首 當在那邊 禮記自云 寢 常當東首矣 平時亦欲受生氣 恐不獨於疾時爲然 朱子曰 常時多東首 亦有隨意臥時節 如記云 請席何向 請衽何趾 這 見得有隨意向時節 然 多時東首 故 玉藻云 居 常當戶牖 常東首也 常寢於北牖下 君問疾 則移於南牖下

물었다. 병이 있어 임금이 보러 와야 비로소 동쪽으로 머리를 둔다면 평시에는 머리를 마땅히 어디 두어야겠습니까? 『예기』(「옥조」)에 원래 말하기를

"잘 때는 항상 마땅히 머리를 동쪽으로 둔다"라 했으니 평시에도 생기를 받아들이려는 것입니다. 아마도 아플 때만 그리하는 것은 아닌 듯합니다. 주자가 답했다. 평시에 머리를 동쪽으로 두는 경우가 많고, 또 뜻대로 눕는 때도 있다. 예컨대 『예기』(「곡례 (상)」)에서는 "자리는 어느 쪽으로 할지 여쭈고 이불은 발을 어느 쪽으로 할지 여쭌다"라 했으니 여기서 뜻대로 하는 때가 있음을 알 수 있다. 그러나 동쪽으로 머리를 두는 때가 많다. 그래서 (『예기』) 「옥조」에서는 "있을 때(자지 않을 때)는 항상 문을 마주하고 잘 때는 항상 머리를 동쪽으로 둔다. 항상 북쪽 창 밑에서 자지만 임금이 병문안을 하면 남쪽 창 밑으로 옮긴다"라 했다.

○南軒張氏曰 雖不能興 不忘恭也

남헌 장씨가 말했다. 비록 일어날 수는 없으나 공손함을 잊지는 않는 것이다.

○雙峯饒氏曰 君未視疾 容有隨意所適者 但 君視 則必正東首之禮

쌍봉 요씨가 말했다. 임금이 아직 문병하지 않았을 때는 뜻에 따라 적절하게 해도 되지만 단, 임금이 보러오면 반드시 바로잡아 동쪽으로 머리를 두는 예를 취한다.

○慶源輔氏曰 一息尙存 不敢廢禮 況有疾而君視之乎 加朝服拖紳 蓋 禮之變也 亦禮之宜也 然 亦必病不能支 方可如此

경원 보씨가 말했다. 숨 한 번이라도 남아 있으면(죽기 직전이라도) 감히 예를 폐하지 않는 것인데, 하물며 병이 있어 임금이 보러 옴에랴? 조복을 덮고 띠를 걸치는 것은 대개 예의 변형이지만 또한 예의 마땅함이기도 하다. 그러나 또한 반드시 병이 있어 버티지 못할 때라야 비로소 이렇게 해도 된다.

10.13-4 君命召 不俟駕 行矣

임금이 부르면 (마차에) 말 매기를 기다리지 않고 가셨다.

【집주】

急趨君命 行出 而駕車隨之

임금의 명에 급히 달려 나가고, 말 맨 마차는 그 뒤를 따른다.

○此一節 記孔子事君之禮

이 한 절은 공자의 임금 모시는 예를 기록한 것이다.

10.13-0 入太廟 每事問

태묘에 들어서는 매사를 물으셨다.

【집주】

重平聲出

거듭 나왔다.

10.14-1 朋友死 無所歸 曰 於我殯

친구가 죽었는데 돌아갈 곳이 없자, 말씀하셨다. 내 집에 안치하라.

【집주】

朋友 以義合 死無所歸 不得不殯

친구는 의합(의리상의 결합)의 관계이니 죽어서 돌아갈 곳이 없으면 안치하지 않을 수 없다.

【세주】

胡氏曰 朋友 人倫之一 其死也 無父族母族妻族無旁親主之 是無所歸也 爲朋友者 不任其責 則轉於溝壑而已 故曰 於我殯 此節 獨記一曰字 必嘗有是事 人莫知所處 而夫子 有是言也 古者 三日而殯 三月而葬 但曰殯 而不曰葬 則其親者在遠 必訃告之未及 故也

호씨가 말했다. 친구는 인륜의 하나이다. 그 죽음에 상주가 될 부계 친족도 없고 모계 친족도 없고 처계 친족도 없고 방계 친족도 없는 것이 돌아갈 곳이 없는 것이다. 친구가 된 자가 그 책임을 맡지 않으면 구렁텅이에 구를 수밖에 없다. 그래서 '내 집에 안치하라'고 말씀하신 것이다. 이 구절에서 유독 (자왈이라 하지 않고) 단지 '왈' 한 자만 쓴 것은 틀림없이 일찍이 이런 일이 있었는데 사람들이 어떻게 처리할지 모르자 공자께서 이 말씀을 하신 것이다. 옛날에는 사흘이 되면 '빈(염해서 안치함)'하고 석달이 되면 '장(장례 치름)'했는데, 빈이라고만 하고 장이라 하지 않은 것은 그 친족이 멀리 있어 틀림없이 부고가 아직 도달하지 않았기 때문이다.

○吳氏曰 殯於堂 曰殯 瘞於野 曰葬 殷人 殯於兩楹之間 周人 殯於西階之上 此殯 蓋 有館於夫子者 故 死而就使殯於其館耳 檀弓曰 賓客至 無所館 夫子曰 生於我乎館 死於我乎殯

당에 안치하는 것을 '빈'이라 하고, 들에 묻는 것을 '장'이라 한다. 은나라 사람들은 두 기둥 사이에 안치했고, 주나라 사람들은 서쪽 계단의 위에 안치했다. 이 안치는 대개 어떤 사람이 공자의 집에 숙소를 두고 있었던 까닭에 (그가) 죽자 그 숙소에 안치한 것이다. (『예기』) 「단궁 (상)」에 "손님이 왔는데 숙소가 없으면 공자께서는 '살아서는 내 집에 숙소를 두고 죽어서는 내 집에 안치한다'라 하셨다"라 했다.

10.14-2 朋友之饋 雖車馬 非祭肉 不拜

친구가 비록 차나 말을 선물하더라도 제사지낸 고기가 아니라면 절하지 않으셨다.

【집주】

朋友 有通財之義 故 雖車馬之重 不拜 祭肉則拜者 敬其祖考 同於己親也

친구는 재물을 서로 통하는 의리가 있다. 그러므로 비록 차나 말처럼 큰 것이라도 절하고 받지 않는다. 제사지낸 고기면 절하고 받는 것은 그 조상 공경하기를 내 부모나 마찬가지로 하기 때문이다.

【세주】

新安陳氏曰 車馬不拜 義也 祭肉必拜 禮也

신안 진씨가 말했다. 차나 말을 절하고 받지 않는 것은 의이고, 제사지낸 고기를 절하고 받는 것은 예이다.

【집주】

○此一節 記孔子交朋友之義

이 한 절은 공자의 친구 사귀는 의리를 기록한 것이다.

【세주】

雲峯胡氏曰 此節集註 於義之一字 凡三見之 朋友既以義合 當殯而殯 義也 當饋而饋 亦義也 義所當爲 不可辭 義所當受 不必拜

운봉 호씨가 말했다. 이 구절의 집주에서 '의' 한 글자를 모두 세 번 본다. 친구는 이미 의리로 결합한 것이니 마땅히 안치해야 해서 안치하는 것은 의이고, 마땅히 선물해야 해서 선물하는 것도 또한 의이다. 의리상 마땅히 해야 하는 것은 사양할 수 없다. 의리상 마땅히 받아야 하는 것은 꼭 절하고 받을 필요가 없다.

10.15-1 寢不尸 居不容

주무실 때는 주검처럼 하지 않으시고, (집에) 계실 때는 용의를 갖추지 않으셨다.

【집주】

尸 謂偃臥似死人也 居 居家 容 容儀 范氏曰 寢不尸 非惡去聲其類於死也 惰慢之氣 不設於身體 雖舒布其四體 而亦未嘗肆耳 居不容 非惰也 但不若奉祭祀見賓客而已 申申夭夭 是也

'시'는 마치 죽은 사람처럼 쓰러져 누워 있는 것을 말한다. '거'는 집에 있는 것이다. '용'은 용의를 갖추는 것이다. 범씨가 말했다. '주무실 때는 주검처럼 하지 않는다'는 것은 그것이 주검과 비슷한 것을 싫어해서가 아니라 게으른 기운을 신체에 두지 않으신 것이다. 비록 그 사지를 편히 펴기는 하지만 또한 함부로 하신 적은 없었다. '집에 계실 때는 용의를 갖추지 않는다'는 것은 게으름이 아니고 다만 제사를 모시거나 손님을 맞는 때처럼은 하지 않으셨다는 것일 뿐이니, '신신요요(편안히 펴져 있고 유쾌함)'가 그것이다.

【세주】

慶源輔氏曰 容儀 謂奉祭祀見賓客之容貌威儀也 然 居家 亦自有居家之容 所謂申申夭夭 是也 但不若奉祭祀見賓客之極乎莊敬耳 聖人 德盛仁熟 雖寢與居 亦有常則也

경원 보씨가 말했다. '용의'란 제사를 모시고 손님을 맞는 용모와 위의(단정한 태도)를 말한다. 그러나 집에 계실 때는 또한 원래 집에 계실 때의 태도가 있으니, 소위 '신신요요'가 그것이다. 다만 제사를 모시고 손님을 맞을 때의 극히 장엄하고 경건한 태도와 같지는 않으셨을 뿐이다. 성인께서는 덕이 성대하고 인이 난숙하시니 비록 주무실 때나 집에 계실 때라 하더라도 또한 떳떳한 원칙이 있으셨다.

○厚齋馮氏曰 寢 所以休息 易於放肆也 放肆 則氣散而神不聚 居 所以自如 無事乎容儀也 爲容 則體拘而氣不舒 蓋 寢而尸 則過於肆 居而容 則過於拘 二者 皆非養心之道

후재 풍씨가 말했다. 자는 것은 휴식하는 것이기 때문에 풀어져 멋대로 하기 쉽다. 풀어져 멋대로 하면 기가 흩어지고 정신이 모이지 않는다. 집에 있는 것은 혼자 편안히 있는 것이기 때문에 용의 갖추기를 일삼지 않는다. 용의를 갖추면 몸이 구속되고 기가 펴지지 않는다. 대개 시체처럼 자는 것은 지나치게 제멋대로 하는 것이고 집에 있으면서 용의를 갖추는 것은 지나치게 구속되는 것이다. 이 두 가지는 모두 마음을 기르는 방도가 아니다.

10.15-2 見齊衰者 雖狎 必變 見冕者與瞽者 雖褻 必以貌

상복 입은 자를 보시면 비록 친근한 사이더라도 반드시 (안색을) 고치셨고, 면류관을 쓴 자와 소경을 보시면 비록 사사로운 자리라 하더라도 반드시 예모를 갖추셨다.

【집주】

狎 謂素親狎 褻 謂燕見 貌 謂禮貌 餘見形甸反前篇

'압'은 평소에 친해 허물없는 것을 말한다. '설'은 사사로이 만나는 것을 말한다. '모'는 예모(예의를 갖춘 모습)를 말한다. 나머지는 전편에 나왔다.

【세주】

南軒張氏曰 狎 謂與習熟者 褻 謂見之頻數者

남헌 장씨가 말했다. '압'은 서로 (늘 만나) 익숙해진 자를 말한다. '설'은 번번이 자주 만나는 자를 말한다.

○洪氏曰 雖少必作 過之必趨 謂不相識者也 雖狎必變 雖褻必以貌 謂素所親比者也

홍씨가 말했다. '비록 어리더라도 반드시 일어나셨고, 지나갈 때는 반드시 빨리 가셨다(『논어』9, 「자한」 9장)'는 것은 서로 모르는 자에 대한 말이고, '비록 친한 사이더라도 반드시 고치셨고 비록 사사로운 자리더라도 반드시 예모를 갖추셨다'는 것은 평소에 가까이 친한 자에 대한 말이다.

10.15-3 凶服者 式之 式負版者

상복 입은 자에게는 (마차에 타고 계신 경우) 식 경례(마차에서의 경례)를 하셨고, 판적을 짊어진 자에게도 식 경례를 하셨다.

【집주】

式 車前橫木 有所敬 則俯而憑之 負版 持邦國圖籍者 式此二者 哀有喪 重民數也 人 惟萬物之靈 而王者之所天也

'식'은 차 앞의 가로목으로, 경례할 대상이 있으면 몸을 굽혀 그것에 의지한다. '부판(판적을 짊어짐)'은 나라의 판적을 지닌 자이다. 이 두 사람에게 식 경례를 하는 것은 상을 당한 것을 애도하고 백성의 숫자를 중시하기 때문이다. 사람은 만물의 영장이고 임금이 하늘로 삼는 것으로,

【세주】

前漢書 酈食其音異基曰 王者 以民爲天 民 以食爲天 天者 人資而生者也

『전한서』(「열전」 <역이기>조)에 역이기가 말하기를 "왕자는 백성을 하늘로 삼고 백성은 밥을 하늘로 삼는다. <하늘이란 사람이 의존해 살아가는 것이다.>"라 했다.

【집주】

故 周禮 獻民數於王 王拜受之 況其下者 敢不敬乎

그런 까닭에 『주례』에 "백성의 숫자(인구통계)를 왕에게 바치면 왕은 절하여 받는다"라 했으니, 하물며 그 아래인 자가 감히 불경하리오.

【세주】

周禮 秋官 司民 掌登萬民之數 自生齒以上 皆書於版 男八月 女七月 而生齒 版 今戶籍也 歲登下其死生 及三年大比 以萬民之數詔司寇 司寇 獻其數於王 王拜受之 登於天府

『주례』, 「추관」 <사민>조에 보면 다음과 같이 나와 있다. 사민은 만민의 숫자를 등록하는 것을 관장한다. 생치(이가 남) 이상은 모두 판적에 기록한

다. <남자는 8개월, 여자는 7개월이면 이가 난다. '판'은 오늘날의 호적이다.> 매해 그 생사를 등록하고 3년마다 크게 조사해 만민의 숫자를 사구에게 보고하면 사구는 그 숫자를 왕에게 바친다. 왕은 절하여 그것을 받고 천부에 올린다.

10.15-4 有盛饌 必變色而作

성찬이 있으면 반드시 안색을 고치고 일어서셨다.

【집주】

敬主人之禮 非以其饌也

주인에게 경의를 표하는 예이지 그 차린 것 때문이 아니다.

【세주】

慶源輔氏曰 變色而作 謂改容而起 以致敬也

경원 보씨가 말했다. '안색을 고치고 일어난다'는 것은 얼굴색을 고치고 일어나 공경함을 다하는 것이다.

○新安陳氏曰 主敬客 故 爲設盛饌 客敬主 故 變色而作 若不敢當也 怡然當之 則爲不敬 不知禮矣

신안 진씨가 말했다. 주인이 손님을 공경하는 까닭에 성찬을 베푸는 것이고, 손님이 주인을 공경하는 까닭에 안색을 고치고 일어나는 것이니, 마치 감당할 수 없는 듯이 하는 것이다. 좋아하면서 받는 것은 불경이 되고 예를 모르는 것이다.

10.15-5 迅雷風烈 必變

빠른 번개와 세찬 바람에는 반드시 안색을 고치셨다.

【집주】

迅 疾也 烈 猛也 必變者 所以敬天之怒

‘신’은 빠른 것이다. ‘열’은 맹렬한 것이다. 반드시 안색을 고치는 것은 하늘의 노여움을 받들기 때문이다.

【세주】

詩之大雅 板篇曰 敬天之怒

『시경』의 「대아 (생민)」 <판>편에 “하늘의 노여움을 받든다”라 했다.

【집주】

記曰 若有疾風迅雷甚雨 則必變 雖夜必興 衣服冠而坐

『예기』(「옥조」)에 “만약 빠른 바람과 빠른 번개와 심한 비가 있으면 반드시 안색을 고치고, 비록 밤이라도 반드시 일어나 의복과 관을 갖추어 입고 앉아 있는다”라 했다.

【세주】

問 有終日之雷 終夜之雨 如何得常如此 朱子曰 固當常如此 但 亦主於疾風迅雷甚雨 若平平底風雨 也不消如此 問 當應接之際 無相妨否 曰 有事 也只得應

물었다. 하루 종일 번개가 치고 밤새 비가 내리면 어떻게 내내 이럴 수 있겠습니까? 주자가 답했다. 본디 마땅히 내내 이렇게 해야 한다. 단, 주로 빠른 바람과 빠른 번개와 심한 비의 경우에 이렇게 하고, 보통의 바람이나 비에 대해서는 이렇게 할 필요가 없다. 물었다. 응접의 때(손님 맞을 때)에는 (그렇게 하지 않아도) 별 문제없지 않습니까? 답했다. 일이 있으면 다만 응당하게 하면 된다.

○王氏曰 迅雷風烈 天之威也 天子 當自察於天下 諸侯卿大夫 當自察於國 士庶人 當自察於身 恐懼修省 何可已哉

왕씨가 말했다. 빠른 번개와 세찬 바람은 하늘의 위엄이다. 천자는 마땅히 스스로 천하를 살펴야 하고, 제후와 경대부는 마땅히 스스로 나라를 살펴야 하고, 사와 서인은 마땅히 스스로 자신을 살펴야 한다. 두려워하고 닦고 살피는 것을 어찌 멈출 수 있겠는가?

【집주】

○此一節 記孔子容貌之變

이 한 절은 공자께서 용모를 고치신 것을 기록한 것이다.

10.16-1 升車 必正立 執綏

차에 타시면 반드시 바로 서서 손잡이 줄을 잡으셨다.

【집주】

綏 挽以上上聲車之索也 范氏曰 正立執綏 則心體無不正 而誠意肅恭矣 蓋 君子 莊敬 無所不在 升車 則見形甸反於此也

'수'는 당겨 차로 오르는 밧줄이다. 범씨가 말했다. 바로 서서 손잡이 줄을 잡으면 마음과 몸이 바르지 않음이 없고 성의가 엄숙하고 공손하다. 대개 군자는 장엄하고 경건함이 없는 곳이 없어, 차에 타면 그것에서(차 타는 데서) 드러난다.

【세주】

慶源輔氏曰 正立 則身不偏倚 執綏 則不忘有事 范氏所謂 心體無不正而誠意肅恭者 得之

경원 보씨가 말했다. 바로 서는 것은 몸이 한쪽으로 기울지 않는 것이고, 손잡이 줄을 잡는 것은 일이 있음(사고가 날 수 있음)을 잊지 않는 것이다. 범씨가 말한 '마음과 몸이 바르지 않음이 없고 성의가 엄숙하고 공손하다'는 말은 (그 의미를) 얻었다.

○新安陳氏曰 古人乘車 必立 惟老人 安車則坐 婦人 亦坐

신안 진씨가 말했다. 옛사람들은 차에 타면 반드시 섰다. 오직 노인만이 안거(좌석 있는 수레)에는 앉았다. 부인들 또한 앉았다.

10.16-2 車中 不內顧 不疾言 不親指

차 안에서는 안을 돌아보지 않고, 급히 말하지 않으며, 직접 손가락질 하지 않으셨다.

【집주】

內顧 回視也 禮曰 顧不過轂 三者 皆失容且惑人

안을 돌아본다는 것은 휘둘러 보는 것이다. 『예기』에 둘러보는 것은 곡(바퀴)을 넘지 않는다고 했다. 이 세 가지는 모두 (올바른) 태도를 잃은 것이고 또 남을 당혹하게 하는 일이다.

【세주】

問 車中不內顧一章 朱子曰 立視五巂 式視馬尾 蓋 巂 是車輪一轉之地 車輪高六尺 圍三徑一 則 闊丈八 五轉 則正爲九丈矣 立視 雖遠 亦不過此

'차 안에서는 안을 돌아보지 않는다'는 구절에 대해 물었다. 주자가 답했다. 서서 보는 것은 5휴(다섯 바퀴 거리)이고 식 경례 할 때 보는 것은 말 꼬리이다. 대개 '휴'는 차 바퀴가 한 번 구르는 거리이다. 차 바퀴는 높이가 6척인데, 원의 둘레는 직경의 3배이니 (바퀴의) 한 바퀴 길이는 1.8장이 된다. 다섯 바퀴를 구르면 바로 9장이 된다. 서서 보는 것은 비록 멀다 해도 이를 넘지 않는다.

○南軒張氏曰 三者 非獨恐其惑衆也 蓋 以其非在車之容 故耳

남헌 장씨가 말했다. 이 세 가지는 단지 뭇사람을 당혹하게 할까 우려해서 그러는 것만이 아니고, 대개 차 안에서의 (바른) 태도가 아니기 때문이다.

○覺軒蔡氏曰 曲禮篇 車上不廣欬 不妄指 立視五巂 式視馬尾 顧不過轂 正義曰 車上不廣欬者 欬 聲也 廣 弘大 車 高大也 欬 似驕矜 又驚衆也 不妄指者 妄 虛也 在車上 無事 忽虛以手指 亦爲惑衆也 顧不過轂者 車轂也 轉頭不得過轂 過轂 則掩人 私也 此三句 正與此篇 相合

각헌 채씨가 말했다. (『예기』) 「곡례」편에는 "차 위에서는 크게 기침하지 않는다. 함부로 손가락질 하지 않는다. 서서 보는 것은 5휴(다섯 바퀴 거리)이고 식 경례 할 때 보는 것은 말 꼬리이다. 둘러보는 것은 바퀴를 넘지 않는다"라 했다. 『(예기)정의』에서는 "'차 위에서 크게 기침하지 않는 것'에서 '해(기침)'는 소리이고, '광'은 넓고 큰 것이다. 차는 높고 크니 기침하면 교만하고 뽐내는 것 같고 또 뭇사람을 놀라게 한다. '함부로 손가락질 하지 않는 것'에서 '망(함부로)'은 '쓸데없이'라는 뜻이다. 차 위에서 아무 일도 없는데 쓸데없이 손가락질 하면 또한 뭇사람을 당혹하게 하는 것이다. '돌아보는 것은 바퀴를 넘지 않는 것'에서 (곡이란) 차의 바퀴이다. 머리 돌리는 것은 바퀴를 넘을 수 없다. 바퀴를 넘으면 남(의 시야)을 가리니 사사로움(개인적 편의 추구)이다"라 했다. 이 세 구절은 바로 이 편과 서로 합치한다.

【집주】

○此一節 記孔子升車之容

이 한 절은 공자의 승차 시의 모습을 기록한 것이다.

【세주】

新安陳氏曰 大夫 得乘車觀瞻所係 夫子謹之 非勉而能 蓋 動容周旋 自中乎禮 其見於乘車者 如此

신안 진씨가 말했다. 대부는 차를 타고 관련 업무를 살펴볼 수 있다. 공자께서 그것을 삼가신 것은 노력해서 능하게 된 것은 아니다. 대개 행동거지가 저절로 예에 맞는 것이니, 그것이 승차에서 드러난 것이 이와 같다.

10.17-1 色斯擧矣 翔而後集

(새는) 안색을 보고 날아가고, 날며 살핀 다음에 모인다.

【집주】

言鳥見人之顔色不善 則飛去 回翔審視 而後下止 人之見幾平聲而作 審擇所處上聲 亦當如此

새가 사람의 안색이 좋지 않은 것을 보면 날라 도망갔다가 날아돌면서 살펴본 후에야 내려와 머문다는 말이다. 사람이 기미를 보고 행동하고 그 처할 바를 살펴 택하는 것도 또한 마땅히 이처럼 해야 한다.

【세주】

程子曰 色斯擧矣 不至悔吝 翔而後集 審擇其處

정자가 말했다. '안색을 보고 날아가는 것'은 후회에 이르지 않는 것이고, '날며 살핀 다음에 모이는 것'은 그 처할 바를 살펴 고르는 것이다.

○南軒張氏曰 色斯擧矣 炳先見於幾微也 翔而後集 從容審度而後處之也 如是 則悔吝 何從生乎

남헌 장씨가 말했다. '안색을 보고 날아가는 것'은 기미를 먼저 밝게 보는 것이다. '날며 살핀 다음에 모이는 것'은 조용히 헤아린 다음에 처하는 것이다. 이렇게 하면 후회가 어디서 생기겠는가?

【집주】

然 此上下 必有闕文矣

그러나 이 (구절의) 아래위에는 틀림없이 빠진 글이 있다.

【세주】

胡氏曰 上 不知爲何人之言 下 不知爲何事而發 故 以爲有闕文也

호씨가 말했다. 위로는 누구의 말인지 알 수 없고, 아래로는 무슨 일로 나온 말인지 알 수 없다. 그래서 빠진 글이 있다고 생각한 것이다.

10.17-2 曰 山梁雌雉 時哉時哉 子路 共之 三嗅而作 共 九用反 又居勇反 嗅 許又反

말씀하셨다. 산 속 다리께의 암꿩은 때를 잘 맞추는구나, 때를 잘 맞추는구나. 자로가 잡아 바치자 세 번 냄새 맡으시고는 일어서셨다.

【집주】

邢氏曰邢氏 名 昺 濟陰人 梁 橋也 時哉 言雉之飮啄 得其時 子路不達 以爲時物 而共具之 共 九用反 孔子 不食 三嗅其氣而起 晁氏曰 石經 嗅作戞 謂雉鳴也 劉聘君曰 嗅 當作狊 古闃反 闃 古璧反 張兩翅也 見形甸反爾雅 愚按 如後兩說 則共居勇反字 當爲拱執之義 然此 必有闕文 不可强上聲爲之說 姑記所聞以俟知者

형씨가 말했다. <형씨는 이름이 병이고 제음 사람이다.> '양'은 다리이다. '시재'는 꿩이 마시고 쪼는 것이 그 때를 얻었음(때가 적절함)을 말한다. 자로가 깨닫지 못하고 때에 맞는 음식이라는 말씀으로 생각하고 (잡아) 준비해 바쳤다. 공자께서는 드시지 않고 세 번 그 냄새를 맡으신 후 일어서셨다. 조씨가 말했다. 석경에는 '후' 자를 '알' 자로 썼는데, 꿩이 우는 것을 말한다. 유빙군이 말했다. '후' 자는 마땅히 '격' 자로 써야 한다. ('격'은) 고와 격의 반절로 두 날개를 펴는 것이니, 『이아』에 나온다. 내가 살피건대, 뒤의 두 설처럼 보면 '공' 자는 마땅히 잡는다는 뜻이 되어야 한다('자로가 잡으려 하자'로 해석해야 한다). 그러나 여기에는 반드시 빠진 글이 있으니 억지로 설명할 수 없다. 잠시 들은 바를 기록해두고, 아는 사람을 기다린다.

【세주】

爾雅 釋獸 須屬 獸曰釁許靳反 獸之自奮迅動作 名釁 人曰橋紀小反 人之罷倦 頻伸夭橋舒展屈折 名橋 魚曰須 魚之鼓動兩頰 若人之欠須 導其氣息者 名須 鳥曰狊 鳥之張兩翼 狊狊然搖動者 名狊 此 皆氣倦體罷 所須若此 故 題云 須屬也

『이아』, 「석수」편 <수속>조에 다음과 같이 나와 있다. 짐승은 '흔'이라 하고 <허와 근의 반절이다. 짐승이 스스로 떨쳐 일어나 움직이는 것을 '흔'이라 한다.> 사람은 '고'라 하고 <기와 소의 반절이다. 사람이 피곤하고 지겨워서 찌푸렸다 폈다, 굽혔다 폈다, 늘였다 꺾었다 하는 것을 '고'라 한다.> 물고기는 '수'라 하고 <물고기가 두 빰을 흔들어

마치 사람이 하품하고 기지개를 켜서 그 호흡을 이끌려 하는 것처럼 하는 것을 '수'라 한다.> 새는 '격'이라 한다. <새가 두 날개를 펴고 퍼덕이며 요동치는 것을 '격'이라 한다. 이는 모두 기운이 권태롭고 몸이 피곤해 이처럼 기지개 켠다는 것으로, 그런 까닭에 제목을 '수속'이라 한 것이다.>

○慶源輔氏曰 退 當見幾 進 當思義

경원 보씨가 말했다. 물러날 때는 마땅히 기미를 보아야 하고, 나아갈 때는 마땅히 의를 생각해야 한다.

○西山眞氏曰 色斯擧矣 去之速矣 衛靈公問陳 而孔子行 魯受女樂 而孔子去 卽此義也 翔而後集 就之遲也 伊尹 俟湯三聘 而後幡然以起 大公伯夷聞文王善養老而後出 卽此義也 古人所謂 三揖而進 一辭而退 雖相見會聚之間 猶謹諸此 況仕止久速之際乎 賈誼賦所謂 鳳縹縹而高逝兮 夫固自引而遠去 此 卽色斯擧矣之意 又曰 鳳凰翔於千仞兮 覽德輝而下之 此 卽翔而後集之意 後世 如漢穆生 以楚王戊不設醴而去 諸葛武侯 必待先主三顧而後從之 皆有得乎此者

서산 진씨가 말했다. '안색을 보고 날아가는 것'은 신속하게 떠나는 것이다. 위 영공이 진 치는 것을 묻자 공자께서 떠나신 것, 노나라가 여악을 받자 공자께서 떠나신 것이 곧 이 뜻이다. '날며 살핀 다음에 모이는 것'은 천천히 나아가는 것이다. 이윤이 탕왕의 세 번 초빙을 기다린 후에야 돌이켜 일어난 것, 태공과 백이가 문왕이 노인을 잘 봉양한다는 말을 듣고서야 나온 것이 곧 이 뜻이다. 옛사람들이 이른바 '세 번 읍하고 나아가고, 한 번 사양하고 물러난다'고 했으니, 비록 서로 만나고 모이는 때(의례적 교제)라 할지라도 오히려 이(나아가고 물러나는 것)를 삼갔는데, 하물며 벼슬하거나 물러나는 것을 빨리하고 늦게 하는 것이겠는가? 가의의 부에 이른바 "봉이 표표히 높이 날아가는구나. 제 스스로 이끌어 멀리 떠나네"라 한 이 말이 곧 '안색을 보고 날아간다'라는 말의 뜻이다. 또 (가의가) 말하기를 "봉황이 천 길 낭떠러지에서 비상하는구나. 덕이 휘황한 것을 보고 내려오네"라 한 이 말이 곧 '날며 살핀 다음에 모인다'라는 말의 뜻이다. 후세에 한나라의 목생이 초왕 무가 단술을 차리지 않은 것을 보고 떠난 것, 제갈무후(제갈량)가 선주(유비)의 세 번 방문을 기다린 후에야 따라간 것은 모두 이를 얻은 것이다.

○新安陳氏曰 此章文義 略不順 而意亦可通 色擧翔集 卽謂雉也 夫子 見雉如此 曰 此山橋邊之雌雉 其見幾而擧 詳審而集 時哉時哉 蓋 謂時當飛而飛時當下而下 皆得其時也 子路不悟 以爲時物 取雉供之 夫子不食 三嗅而起

聖人寬洪 不直拒人也 雉 一禽耳 去就 猶得其時如此 君子之去就 何可不得其時哉 若移山梁雌雉一句 冠於此章之首 則辭意 似尤明云

신안 진씨가 말했다. 이 장의 글 뜻은 조금 순조롭지 못하지만, 그 의미는 또한 통할 수 있다. 안색을 보고 날아가는 것이나 날며 살피다가 모이는 것은 꿩을 말한 것이다. 공자께서 꿩이 이처럼 하는 것을 보시고 '이 산다리 옆의 암꿩은 그 기미를 보고 날아오르고 자세히 살핀 다음에 모이니 때를 잘 맞추는구나, 잘 맞추는구나'라 하셨으니, 대개 마땅히 날아야 할 때에는 나르고 마땅히 내려와야 할 때는 내려오니, 모두 때를 잘 맞춘다는 말이다. 자로가 깨닫지 못하고 때에 맞는 음식이라는 말씀으로 생각하고 꿩을 잡아 바치자 공자께서 드시지 않고 세 번 냄새 맡으신 후 일어서셨다. 성인께서는 관대하시니 사람을 곧바로 거절하지 않으신 것이다. 꿩은 한 마리 날짐승인데도 오히려 거취가 그 때를 얻은 것이 이와 같은데, 군자의 거취가 어찌 때를 얻지 못해서야 되겠는가? 만약 '산량자치(산 속 다리께의 암꿩)'라는 한 구절을 옮겨 이 장의 머리 부분에 두면 그 말뜻이 훨씬 확실해질 것 같다.

○蔡氏曰 士之修於身 行乎族里者 至鄕黨而備 立乎朝 行乎天下者 自鄕黨而出 此篇所係 不亦重乎 夫子 萬世之標準也 父兄宗族之間 君臣朋友之際 莫不曲盡其道 非屑屑於是也 蓋 其一理渾然而泛應曲當 人見其動容周旋 無不中禮 一言語 一容貌 一擧動 無不盡其道者 當知其德盛禮恭 自不期而合也 告曾子一貫之說 與此篇 相發明 學者 可不思學孔子 以自立於鄕黨哉

채씨가 말했다. 선비의 수신에 있어서, 종족이나 동리에서 행세하는 것은 향당에 이르러 갖추어지고, 조정에 서고 천하에 행세하는 것은 향당으로부터 출발하니, 이 편(「향당」편)에 관련된 것 또한 중요하지 않겠는가? 공자께서는 만세의 표준이시다. 부형과 종족 사이에서나 군신과 붕우 사이에서나 그 도를 곡진히 하지 않으심이 없으셨으니 이(향당의 생활)를 시시하게 여기지 않으신 것이다. 대개 그 하나의 혼연한 이(理)로써 모든 세세한 사태에 올바로 대응하시니 사람들이 보기에 그 행동거지가 예에 맞지 않는 것이 없고, 말씀 하나하나, 용모 하나하나, 거동 하나하나가 그 도를 다하지 않는 것이 없지만, 마땅히 그 덕이 성대하고 예가 공손하시어 그러려 하지 않아도 저절로 맞는 것임을 알아야 한다. 증자에게 일관의 설을 알려주신 것과 이 편은 서로 밝혀주니, 배우는 자가 공자를 사모하고 배워 향당에서 자립하지 않아서야 되겠는가?

부록

별호색인 | 인용 학자 소개

＊활용방법
인용 학자에 대해 알아보려면 먼저 [별호색인]에서 본명을 확인하고, 그 이름을 [인용 학자 소개]에서 찾아본다.

별호색인

· 여씨(呂氏) → 여대림(呂大臨)
· 영가 설씨(永嘉薛氏) → 미상
· 예장 나씨(豫章羅氏) → 나종언(羅從彦)
· 옥계 노씨(玉溪盧氏) → 노효손(盧孝孫)
· 왕씨(汪氏) → 왕염창(汪炎昶)
· 왕씨(王氏) → 왕회(王回)
· 유씨(游氏) → 유초(游酢)
· 윤씨(尹氏) → 윤돈(尹焞)
· 인수 이씨(仁壽李氏) → 이도전(李道傳)
· 임씨(林氏) → 임지기(林之奇)
· 잠실 진씨(潛室陳氏) → 진식(陳埴)
· 장씨(張氏) → 장구성(張九成)
· 장씨(張氏) → 장정견(張庭堅)
· 장씨(張氏) → 장팽로(張彭老)
· 장자(張子) → 장재(張載)
· 정씨(鄭氏) → 정남승(鄭南升)
· 정씨(鄭氏) → 정현(鄭玄)
· 정자(程子) → 정호(程顥)
· 조씨(趙氏) → 미상
· 주씨(朱氏) → 주조의(朱祖義)
· 주자(朱子) → 주희(朱熹)
· 진씨(陳氏) → 미상
· 첩산 사씨(疊山謝氏) → 사방득(謝枋得)
· 포전 황씨(莆田黃氏) → 황사의(黃士毅)
· 하씨(何氏) → 하몽귀(何夢貴)
· 호씨(胡氏) → 호영(胡泳)
· 홍씨(洪氏) → 홍흥조(洪興祖)
· 화정 윤씨(和靖尹氏) → 윤돈(尹焞)
· 후씨(侯氏) → 후중량(侯仲量)
· 휘암 정씨(徽菴程氏) → 정약용(程若庸)
· 연평 이씨(延平李氏) → 이통(李侗)
· 예씨(倪氏) → 미상
· 오씨(吳氏) → 오우(吳迂)
· 온릉 진씨(溫陵陳氏) → 진지유(陳知柔)
· 왕씨(汪氏) → 왕정직(汪廷直)
· 운봉 호씨(雲峯胡氏) → 호병문(胡炳文)
· 유씨(劉氏) → 유팽수(劉彭壽)
· 인산 김씨(仁山金氏) → 김이상(金履祥)
· 임소영(林少穎) → 임지기(林之奇)
· 임천 오씨(臨川吳氏) → 오징(吳澄)
· 장존중(張存中) → 장용(張庸)
· 장씨(張氏) → 장옥연(張玉淵)
· 장씨(張氏) → 장용(張庸)
· 장씨(張氏) → 장호고(張好古)
· 절재 채씨(節齋蔡氏) → 채연(蔡淵)
· 정씨(鄭氏) → 정여해(鄭汝諧)
· 정자(程子) → 정이(程頤)
· 제갈씨(諸葛氏) → 제갈태(諸葛泰)
· 주씨(朱氏) → 주신(朱伸)
· 주자(周子) → 주돈이(周敦頤)
· 지재 진씨(止齋陳氏) → 진부량(陳傅良)
· 천태 반씨(天台潘氏) → 반시거(潘時擧)
· 치당 호씨(致堂胡氏) → 호인(胡寅)
· 하동 후씨(河東侯氏) → 후중량(侯仲量)
· 형씨(邢氏) → 형병(邢昺)
· 호씨(胡氏) → 호인(胡寅)
· 화양 범씨(華陽范氏) → 범조우(范祖禹)
· 황씨(黃氏) → 황연(黃淵)
· 후재 풍씨(厚齋馮氏) → 풍의(馮椅)

·고원상(顧元常): 남송의 학자며, 자는 평보(平甫)이다. 예학의 연구자로서 『예기의소(禮記義疏)』를 주해했다.

·공영달(孔穎達, 574~648): 당의 경학가다. 자는 충원(冲遠) 또는 중달(仲達)이다. 그가 주편한 『오경정의(五經正義)』는 한대 이후 훈고학을 집대성한 것으로, 이후 성리학이 일어나기 전까지는 유가 경전 해석의 표준이 되었다.

·곽충후(郭忠厚): 북송의 학자며 일명 곽충효(郭忠孝)라고도 한다. 자는 입지(立之)며 하남인이다. 정이에게 『역(易)』과 『중용(中庸)』 등을 배웠다. 이후 학문적으로 강서학파에게 큰 영향을 미쳤다.

·구양겸지(歐陽謙之): 남송의 이학가로서 자는 희손(希遜)이며 여릉인이다. 주희의 문인이다.

·구양현(歐陽玄, 1273~1357): 원의 학자로서 자는 원공(原功)이며 호는 규재(圭齋)다. 유양인이다. 어려서 장관에게 배웠으며 문장으로 유명했다. 원 순제 때 한림직학사로서 요·금·원 3사의 수찬 총재관을 맡았다. 저서로 『규재문집(圭齋文集)』이 있다.

·김이상(金履祥, 1232~1303): 송말 원초의 이학가로서 자는 길부(吉父)고 호는 차농(次農)이며, 난계인이다. 인산(仁山) 밑에 살았으므로 인산 선생이라고 불렸다. 왕백·하기 등에게 배웠으며 이학에 조예가 깊었다. 소위 금화 주학의 중요 인물로서 원초의 대표적 학자다. 저서로 『논어맹자집주고증(論語孟子集注考證)』이 있다.

·나종언(羅從彦, 1072~1135): 북송의 이학가로서 자는 중소(仲素)며 예장(豫章) 선생이라 불렸다. 소위 남검삼선생(南劍三先生) 중 한 사람이다. 오의·양시 등에게 배웠으며, 정호·정이의 학문은 남검삼선생인 양시·나종언·이통을 거쳐 주자에게 전해졌다. 저서로 『중용설(中庸說)』·『어맹해(語孟解)』 등이 있다.

·노효손(盧孝孫): 남송의 학자로서 자는 신지(新之)며 옥계(玉溪) 선생이라 불렸다. 태학박사를 지냈고 퇴직 후 제자들을 가르쳤다.

·담유인(譚惟寅): 남송의 학자로서 자는 자흠(子欽)이며 호는 태재(蛻齋)다. 태학박사를 지냈다.

·등명세(鄧名世): 남송의 학자로서 일명 등명아(鄧名亞)라고도 한다. 자는 원아(元亞)며 임천인이다. 경사에 밝았으며 특히 『춘추(春秋)』에 정통했다. 주희의 친구며 저작좌랑을 지냈다. 저서로 『춘추논설(春秋論說)』이 있다.

·반병(潘柄): 남송의 이학가로서 자는 겸지(謙之)다. 회안인이며 과산(瓜山) 선생이라 불렸다. 주희의 제자며, 저서로 『역해(易解)』·『상서해(尙書解)』 등이 있다.

·반시거(潘時擧): 남송의 이학가로서 자는 자선(子善)이며 임해인이다. 주희의 제자로서 육경에 대해 많은 질문과 답변을 해 주희로부터 칭찬을 들었다. 무위군 교수를 지냈다.

·방봉진(方逢辰, 1221~1291): 송말 원초의 학자로서 일명 방몽괴(方夢魁)라고도 한다. 자는 군석(君錫)이며 교봉(蛟峯) 선생이라 불렸다. 가학을 이었기에 특별히 배운 선생은 없다. 화정서원에서 강의했으며, 그 외 금화 순안 등지에서 강학했다. 사서(四書)와 육경(六經)을 존중했으며, 사양좌의 학문을 흠모했다. 저서로 『대학중용주석(大學中庸注釋)』이 있다.

·범조우(范祖禹, 1041~1089): 북송의 사학가·경학가로서 화양인이다. 자는 순보(淳甫)인데, 순부(淳夫)·몽득(夢得) 등의 자도 썼다. 사마광을 따라 『자치통감(資治通鑑)』의 편찬 작업에 참여했으며, 『중용(中庸)』을 깊이 연구해 『중용론(中庸論)』 다섯 편을 지었다.

·보광(輔廣): 남송의 이학가로서 자는 한경(漢卿)이고 호는 잠암(潛菴)이다. 만년에 전이(傳貽)서원을 짓고 제자들을 가르쳤기에 전이 선생이라 불렸다. 여조겸과 교유했으며, 주희에게 배워 문인이 되었다. 주희의 학설을 충실히 전달하는 데 기여했으며, 이익과 의리의 문제를 깊이 연구했다. 저서로 『어맹학용문답(語孟學庸問答)』·『사서찬소(四書纂疏)』 등이 있다.

·사방득(謝枋得, 1226~1289): 남송의 학자로서 자는 군직(君直)이며, 첩산(疊山) 선생이라 불렸다. 송이 망한 후 원 조정에 억지로 불려갔으나 음식을 거부하고 죽음을 맞았다. 서림에게 배웠으며 육학(陸學)을 전수했다. 저서로 『첩산문집(疊山文集)』이 있다.

·사양좌(謝良佐, 1050~1103): 북송의 이학가로서 상채인이다. 자는 현도(顯道)며, 상채(上蔡) 선생이라 불렸다. 소위 정문사선생(程門四先生)의 한 사람으로 정호·정이의 고제다. 특히 '인(仁)'의 개념을 정립하는 데 크게 기여했다. 주희가 젊었을 때 그의 학설에 도움을 많이 받았다고 하며, 후대에 주희 학설의 선하가 된다는 평을 들었다. 저서로 『논어설(論語說)』·『상채어록(上蔡語錄)』 등이 있다.

·섭몽득(葉夢得, 1077~1148): 북송의 문학가이자 경학가로서 오현인이다. 자는 소온(少蘊)이며 호는 석림(石林)이다. 문학은 사(詞)에 능했고 경학은 『춘추(春秋)』에

정통해서, 『춘추전(春秋傳)』·『춘추고(春秋考)』·『춘추얼(春秋讞)』 등의 저서가 있다.

·섭하손(葉賀孫): 남송의 학자로서 일명 섭미도(味道)라고도 한다. 자는 하손 또는 지도(知道)며, 온주인이다. 주희에게 배웠으며, 주자학이 탄압을 받을 때 과거 답안을 주자학에 의거해 써냈다가 낙방했다. 주자학이 해금된 후 진사에 급제하고 악주 교수, 태학박사 겸 숭정전설서·비서저작좌랑 등을 지냈다. 설서의 직을 맡았을 때 『논어(論語)』를 선강해야 한다고 주장했다. 저서로 『사서설(四書說)』·『예해(禮解)』·『대학강의(大學講義)』 등이 있다.

·소갑(邵甲): 남송의 학자로서 양간의 제자다. 진순과 학문을 논했으나 의견이 맞지 않았다고 한다.

·소식(蘇軾, 1036~1101): 북송의 학자이자 문학가로서 미산인이다. 자는 자첨(子瞻)이며, 스스로 동파거사(東坡居士)라 호를 지었다. 진사에 등제한 이래 여러 관직을 역임했으며, 정치적으로 사마광 등을 도우면서 왕안석의 신법당과 대립했다. 문학에서 「적벽부(赤壁賦)」 등의 운문 작품으로 유명하며, 당송팔대가(唐宋八大家)의 한 사람에 들 정도로 산문이 뛰어났다. 경학에도 조예가 깊어 『역전(易傳)』·『논어설(論語說)』·『서전(書傳)』 등의 저서를 남겼다. 주희는 소식의 학문에 불교나 도교의 설이 혼입되어 있다는 점을 비판했으나, 집주에서 소식의 설을 상당수 채택했다.

·소옹(邵雍): 북송의 이학가이자 상수학자다. 자는 요부(堯夫)며, 강절(康節)이라는 시호를 받아 소강절이라고도 불렸다. 백원(百源) 선생이라 불렸으며 스스로 안락(安樂) 선생이라 칭하기도 했다. 남송 도종 함순 초에 공묘에 배향되어 신안백(新安伯)으로 추봉되었고, 명 가정 연간에 선유(先儒) 소자(邵子)로 칭해졌다. 주돈이·장재·정이·정호 등과 함께 소위 북송오자(北宋五子)로서 성리학 창시자의 한 사람이다. 벼슬을 한 적이 없으며, 일생 학문에 매진해 당시의 명사인 부필·사마광 등의 존숭을 받았다. 저서로 『황극경세(皇極經世)』·『격양집(擊壤集)』이 있다.

·심귀요(沈貴瑤): 남송의 학자로서 자는 성숙(誠叔)이며, 의재(毅齋) 선생이라 불렸다. 동몽정의 고제며, 저서로 『정몽의해(正蒙疑解)』·『사서요의(四書要義)』가 있다.

·양시(楊時, 1053~1135): 북송의 이학가로서 자는 중립(中立)이다. 만년에 구산(龜山)에 은거해 구산 선생이라 불렸고, 시호는 문정(文靖)이다. 처음에는 정호에게

배웠고, 정호가 죽자 정이에게 배웠다. 소위 정문사선생(程門四先生) 중 한 사람이다. 정호·정이의 학문이 그를 통해 주희·장식 등에 연결되었으므로 동남학자[소위 남도(南渡) 낙학(洛學)]의 대종이라는 평을 들었다. 저서로 『구산문집(龜山文集)』·『구산어록(龜山語錄)』 등이 있다.

·여대림(呂大臨, 1042~1092): 북송의 학자로서 자는 여숙(與叔)이며, 남전인이다. 처음에는 장재에게 배웠으나 장재가 죽은 후 정호·정이에게 배워 고제가 되었다. 소위 정문사선생(程門四先生) 중 한 사람이다. 저서로 『논어해(論語解)』·『대학해(大學解)』·『중용해(中庸解)』·『노자주(老子注)』 등이 있다.

·여조겸(呂祖謙, 1137~1181): 남송의 이학가이자 문헌학자로서 무주인이다. 자는 백공(伯恭)이며, 동래(東萊) 선생이라 불렸다. 그의 아버지 여본중을 대동래, 그를 소동래라 구분하기도 한다. 주희·장식과 함께 동남삼현(東南三賢) 중 한 사람이다. 학문적으로 주희와 달라서 역사와 문헌에 밝았으며, 소위 여학(呂學)이라는 독자적인 학문 경향을 보였다. 애택서원을 창설해 후학을 가르쳤다. 저서로 『동래집(東萊集)』·『동래좌전박의(東萊左傳博議)』·『동래서설(東萊書說)』 등이 있다.

·예사의(倪士毅, 1303~1348): 원의 학자로서 자는 중홍(仲弘)이며, 휴녕인이다. 일찍이 진력에게 배웠다. 관련 저서로 『사서집석(四書集釋)』이 있는데, 이는 『사서집주대전(四書集註大全)』을 편찬하는 데 기본이 된 책으로 평가받는다.

·오우(吳迂): 원의 이학가로서 부량인이다. 자는 중우(仲迂)며, 호는 가당(可堂)이다. 요노의 제자로서 누차 응거했으나 합격하지 못하고 은거 독서했다. 저서로 『사서어록(四書語錄)』·『오경발명(五經發明)』·『공자세가(孔子世家)』 등이 있다.

·오징(吳澄, 1249~1333): 원의 학자로서 자는 유청(幼淸)인데, 만년에는 백청(伯淸)이라 했다. 남송 말에 과거에 응시했으나 불합격해 초옥에 은거했으므로 초려선생이라 불렸다. 원 무종 때 국자감승, 사업 등의 국자감관을 지냈고 한림학사가 되었다. 『영종실록(英宗實錄)』을 수찬했으며 실록 완성 후 벼슬을 버리고 낙향해 후학을 교육했다. 저서로 『역찬언(易纂言)』·『예기찬언(禮記纂言)』·『춘추찬언(春秋纂言)』 등이 있다.

·오호(吳浩): 남송의 학자로서 휴녕인이다. 자는 의보(義父)며, 호는 직헌(直軒)이다. 은거해 벼슬하지 않았으며, 저서로 『직헌대학의(直軒大學義)』가 있다.

·왕염(王炎, 1137~1218): 남송의 학자로서 무원인이다. 자는 회숙(晦叔)이며, 호는

쌍계(雙溪)다. 장식의 지우를 받아 벼슬했으며 담주 교수를 지냈다. 저서로 『쌍계집(雙溪集)』이 있다.

·왕염창(汪炎昶, 1261~1338): 원의 학자로서 무원인이다. 자는 무원(茂遠)이고, 어릴 때 송의 유민 손숭에게 배웠으며, 은거해 원에 벼슬하지 않았다.

·왕정직(汪廷直): 북송의 학자로서 무원인이다. 진사에 등제하고 둔전원외랑을 지냈다.

·왕통(王侗): 원의 학자로서 호는 노재(魯齋)다. 저서로 『대학장구(大學章句)』·『대학혹문(大學或問)』·『중용구(中庸九)』·『중용혹문(中庸或問)』이 있다.

·왕회(王回, 1023~1065): 북송의 관리로서 자는 심보(深甫)고 후관인이다. 구양수의 학문을 모범으로 삼았다.

·요노(饒魯): 남송의 이학가로서 여간인이다. 자는 백여(伯與) 또는 중니(仲尼)며, 스스로 호를 쌍봉(雙峯)이라 했다. 황간과 이번 등에게 배웠으며 특히 황간 문하의 중요 인물이었다. 석동서원을 세워 강학했으며 후대에 끼친 학문적 영향이 컸다. 그의 학문은 주희를 근본으로 했으나 주희의 설을 묵수하지만은 않았으며, 그 때문에 오징에 의해 "육씨(육구연)를 종주로 하고 주희를 등졌다"라는 평을 받았다. 저서로 『오경강의(五經講義)』·『어맹기문(語孟紀聞)』·『학용찬술(學庸纂述)』 등이 있지만 현존하는 것은 『요쌍봉강의(饒雙峯講義)』뿐이다.

·웅화(熊禾, 1253~1312): 송말 원초의 학자로서 건양인이다. 자는 거비(去非)며 호는 물재(勿齋) 또는 퇴재(退齋)다. 어려서부터 염락학(濂洛學: 주돈이와 정호·정이의 학문, 즉 성리학)에 뜻을 두어 주희의 문인인 보광과 교유했으며, 후에 무이산으로 들어가 오봉서당을 짓고 강학했다. 저서로 『삼례고이(三禮考異)』·『춘추논고(春秋論考)』·『물헌집(勿軒集)』 등이 있다.

·원보(袁甫): 남송의 학자로서 은현인이다. 자는 광미(廣微)며 몽재(蒙齋) 선생이라 불렸다. 어려서는 아버지 원섭에게 배웠으며 후에 양간에게 배웠다. 육학을 종지로 한다는 평을 들었으며, 저서로 『중용강의(中庸講義)』·『효설(孝說)』·『맹자해(孟子解)』 등이 있다.

·유초(游酢, 1053~1123): 북송의 이학가로서 자는 정부(定夫)며 녹산(鹿山) 선생이라 불렸다. 정호·정이에게 배웠으며 소위 정문사선생(程門四先生) 중 한 사람이다. 정이의 설을 이어받아 인(仁)의 개념을 설명하는 데 크게 기여했다. 불학에 조예가 깊었는데, 호광이 이를 정문의 죄인이라고 평했다. 관련 저서로 『역설(易說)』·『중용의(中庸義)』·『논어맹자잡해(論語孟子雜解)』 등이 있다.

·유팽수(劉彭壽): 원대의 학자로서 미주인이다. 경술을 근본으로 삼아 제자들을 가르쳤다. 저서로 『사서제요(四書提要)』·『춘추택존(春秋澤存)』·『춘추정경구석(春秋正經句釋)』이 있다.

·육구연(陸九淵, 1139~1192): 남송의 이학가로서 금계인이다. 심학의 대표적 인물이다. 자는 자정(子靜)이며, 스스로 호를 존재(存齋)라 했다. 중년 이후에는 상산(象山)에 살면서 강학했기에 스스로 상산옹이라 했고, 상산 선생이라 불렸다. 정주학의 '성즉리(性卽理)'설과는 달리 '심즉리(心卽理)'설을 내세워 심학의 창시자가 되었다. 학문 방법론적으로도 주희와 달리 주로 존덕성에 중점을 두었다. 그러나 황종휘에게서 육구연과 주희는 근본적으로 공맹을 종주로 삼았다는 점에서 동일하다는 평을 들었다. 그의 학문은 양간 등이 계승했고 명 왕수인이 집대성해 소위 육왕심학으로 완성되었다. 저서로 『상산선생전집(象山先生全集)』이 있다.

·육전(陸佃, 1042~1102): 북송의 학자로서 산음인이다. 자는 농사(農師)며 호는 도산(陶山)이다. 왕안석에게 배웠으며 국자감 직강을 지냈고, 『신종실록(神宗實錄)』·『철종실록(哲宗實錄)』 등의 편수에 참여했다. 저서로 『예상(禮象)』·『춘추후전(春秋後傳)』·『도산집(陶山集)』 등이 있다.

·윤돈(尹焞, 1071~1142): 북송 말 남송 초의 이학가로서 낙인이다. 자는 명언(明彦) 또는 덕충(德充)이며, 흠종이 화정(和靖)처사라는 호를 사여했다. 일생 응거하지 않았으나 시강을 역임해 윤시강이라 불린다. 어려서 정이에게 배웠으며 정이의 인정을 받았다. 학문적으로는 실체역행을 주로 했으며, 경전 중에 특히 『논어(論語)』를 중시했다. 저서로 『논어해(論語解)』·『맹자해(孟子解)』 등이 있다.

·이도전(李道傳): 남송의 학자로서 자는 관지(貫之)며, 정연인이다. 봉주 교수, 태학박사·태상박사 등을 역임했다. 어려서부터 정이·정호의 책을 읽고 의리를 탐색하는 데 침식을 잊었다고 한다. 주희의 문인은 못 되었으나 주희 제자들과 학문을 논했으며 주희의 저서를 탐독했다. 주희의 『사서집주(四書集註)』 및 『사서혹문(四書或問)』 등을 태학에 반포하기를 청하고, 주돈이·소옹·정이·정호·장재 5인을 공묘에 종사할 것을 상소했다.

·이정옹(李靖翁): 『중용(中庸)』의 주석가다.

·이통(李侗, 1093~1163): 남송의 이학가로서 주희의 스승이다. 자는 원중(愿中)이며 연평(延平) 선생이라 불렸다. 시호는 문정(文靖)이며 검포인이다. 나종언에게

사서(四書)를 배웠으며, 이를 주희에게 전했다. 저서로 『이연평선생문집(李延平先生文集)』이 있다.

·이형(李衡, 1100~1178): 남송의 관리이자 학자로서 강도인이다. 자는 언평(彦平)이며 호는 낙암(樂庵)이다. 감찰어사·시어사 등을 역임했으며, 비서각 수찬으로 치사했다. 만년에 곤산에 정거해 만 권의 책을 모았다.

·임지기(林之奇, 1112~1176): 남송의 학자로서 후관인이다. 자는 소영(少穎) 또는 졸재(拙齋)이며 삼산(三山) 선생이라 불렸다. 비서성 정자 및 교서랑을 역임했다. 여본중에게 배웠으며 왕안석의 『삼경신의(三經新義)』에 반대했다. 저서로 『서설(書說)』·『춘추설(春秋說)』·『논맹강의(論孟講義)』 등이 있다.

·장구성(張九成, 1092~1159): 남송의 이학가로서 전당인이다. 자는 자소(子韶)며, 스스로 호를 횡포거사(橫浦居士)·무구거사(無垢居士)라 했고, 시호는 문충(文忠)이다. 태상박사·시강 등을 역임했다. 당시 재상이던 진회를 거슬러 남안군에 귀양갔는데, 거기서 경전을 연구하고 많은 저작을 남겼다. 양시에게 배워 그의 문인이 되었으며 정호·정이의 재전제자다. 사양좌의 설과 불가의 설을 종합하여 인의 개념을 정리했다. 그의 학설은 심즉리설을 내세워 정호·정이의 학을 육학으로 연결하는 중간 고리에 해당한다는 평을 받았고, 이 때문에 주희의 비판을 받았다. 저서로 『맹자전(孟子傳)』·『중용설(中庸說)』 등이 있다.

·장식(張栻, 1133~1180): 남송의 이학가로서 면죽인이다. 자는 경부(敬夫) 또는 낙재(樂齋)며 호는 남헌(南軒)이다. 남송 이종 경정 연간에 공묘에 종사되었다. 주희·여조겸 등과 어깨를 나란히 하는 명유로서, 소위 동남삼현(東南三賢) 중 한 사람이다. 호굉에게 배웠으며 악록(岳麓)서원에서 강의했다. 학설로는 의(義)와 이(利)의 구분을 강조했으며 주희의 존경을 받았다. 저서로 『논어해(論語解)』·『맹자설(孟子說)』 등이 있으며, 그 외 『남헌집(南軒集)』이 있다.

·장옥연(張玉淵): 미상

·장재(張載, 1020~1077): 북송의 이학가로서 미현인이다. 성리학 창시자의 한 사람으로, 자는 자후(子厚)며 횡거진(橫渠鎭)에 거주해서 횡거 선생이라 불렸다. 시호는 명공(明公)이며, 남송 이종 때 미백(郿伯)으로 봉해지고 공묘에 종사되었다. 범중엄에게 『중용(中庸)』을 배운 이래 경학에 전념했으며 일생의 대부분을 관중(關中)에서 강학과 저작에 바쳤기에 그의 학문을 관학이라 하기도 한다. 그의 학설은 성(性)을 천지지성과 기질지성으로 구분함으로써 이후 성리학의

이론적 골격을 형성했다. 그의 『서명(西銘)』은 정문의 필독서로 취급되었으며, 그 외 『정몽(正蒙)』·『역설(易說)』·『경학리굴(經學理窟)』·『어록(語錄)』 등의 저서가 있고, 이 모든 것은 명대에 『장자전서(張子全書)』로 출간되었다.

·장정견(張庭堅): 북송의 관리로서 광안군인이다. 자는 재숙(才叔)이며 시호는 절민(節愍)이다. 사마광 등을 존숭했으며 소식을 천거했다.

·장용(張庸): 원의 관리로서 자는 존중(存中)이며 온주인이다. 병부상서를 지냈다.

·장팽로(張彭老): 맹자의 주석가다.

·장호고(張好古, ?~1262): 원의 관리로서 자는 신보(信甫)며 남궁인이다. 어려서부터 독서와 글짓기로 유명했다.

·정남승(鄭南升): 남송의 학자로서 자는 문진(文振)이며 조양인이다. 주희의 문인이며, 『논어(論語)』·『맹자(孟子)』 등을 깊이 연구했다. 그의 설은 주희에게 인정을 받았으며, 동문들이 존숭했다.

·정약용(程若庸): 남송의 이학가로서 휴녕인이다. 자는 봉원(逢原)이며 호는 물재(勿齋)고 휘암(徽菴) 선생이라 불렸다. 요노·심귀진 등에게 배웠으며 성리학의 전수에 공이 있다. 안정서원의 산장을 지냈으며 임여서원을 창건했다. 진사에 등제한 후 무이서원의 산장으로 임명되어 강의했다. 정단몽의 『성리자훈(性理字訓)』을 해설한 그의 『성리자훈강의(性理字訓講義)』는 이후 성리학의 초학 교재로 중요하게 취급되었다.

·정여해(鄭汝諧): 남송의 학자로서 청전인이다. 자는 순거(舜擧)며 호는 동곡거사(東谷居士)다. 저서로 『동곡역익전(東谷易翼傳)』·『논어의원(論語意源)』이 있다.

·정이(程頤, 1033~1107): 북송의 이학가로서 낙양인이다. 성리학 창시자 중 한 사람으로 자는 정숙(正叔)이고 호는 이천(伊川)이며, 남송 이종 때 이천백으로 봉해지고 공묘에 종사되었다. 그의 형 정호와 함께 이정자(二程子)라 불린다. 이 이정자가 성리학의 기초를 세웠는데, 그 학문을 낙학이라 한다. 태학에서 유학해 호원의 중시를 받았으며 서경 국자감 교수, 관구국자감 등의 국자감관을 지냈다. 그는 성즉리설을 내세웠는데, 주희는 이 설을 받아들여 발전시킴으로써 성리학을 완성했으며 이후 정통 학문이 되었다. 저서로 『역전(易傳)』·『춘추전(春秋傳)』·『안자소학하론(顔子所學何論)』·『어록(語錄)』 등이 있으며, 제자들이 그의 저서와 그의 형 정호의 저작을 모아 『이정전서(二程全書)』를 펴냈다.

·정현(鄭玄, 127~200): 후한의 학자로서 훈고학의 집대성자다. 자는 강성(康成)이며

고밀인이다. 장공조·마융 등에게 수학했으며, 고문을 위주로 했으나 금문도 일부 채택·종합했다. 삼경(三經)의 주석을 달았으며, 논어의 주석도 달았으니 그것이 소위 정주(鄭注)다.

·정형(程迥): 남송의 학자로서 영릉인이다. 자는 가구(可久)며 호는 사수(沙隨)다. 왕보 등에게 배웠고 호학하는 것으로 유명했으며, 저서로 『고역고(古易考)』 등이 있다.

·정호(程顥, 1032~1085): 북송의 이학가로서 낙양인이다. 성리학 창시자 중 한 사람이다. 자는 백순(伯淳)이고 호는 명도(明道)며, 남송 이종 때 하남백으로 봉해지고 공묘에 종사되었다. 그의 동생 정이와 함께 이정자(二程子)라 불린다. 정이의 학문과 큰 차이는 없으나, 심즉리의 설을 인정해 심학의 선구가 되었다는 점에서 약간의 차이가 있다. 저서로는 『식인편(識仁篇)』·『정성서(定性書)』·『어록(語錄)』 등이 있으며, 후에 그 동생 정이의 저작과 합쳐져 『이정전서(二程全書)』로 출간되었다.

·제갈태(諸葛泰): 원의 학자로서 자는 형보(亨甫)며 진강인이다. 힘써 연구해 경전의 깊은 뜻을 많이 밝혔다고 한다.

·제몽룡(齊夢龍): 남송의 학자로서 소옹의 역학을 연구했다.

·조순손(趙順孫): 남송의 학자로서 진운인이다. 자는 화중(和仲)이며 격재(格齋) 선생이라 불렸다. 비서랑에서 시어사에 이를 때까지 항상 강독을 겸했다. 저서로 『사서찬소(四書纂疏)』가 있다.

·주돈이(周敦頤, 1017~1073): 북송의 이학가로서 연도인이다. 자는 무숙(茂叔)이고 호는 염계(濂溪)다. 원명은 돈실(敦實)인데 영종의 이름을 피휘하느라 돈이로 개명했다. 남송 영종이 원공(元公)의 호칭을 사여했으며, 이종 때 여남(汝南)백에 봉해지고 공묘에 종사되었다. 원 인종 때 도국공(道國公)으로 봉해졌고, 명 세종 때 선유 (先儒) 주자(周子)로 칭해졌다. 연도에 있는 염계를 호로 썼으므로 염계 선생이라 불렸고, 그 학문을 염학이라 한다. 소위 북송오자(北宋五子) 중 한 사람이다. 성리학의 진정한 창시자로, 주희·장식 등이 도학의 종주로서 받들었다. 중용의 성(誠)의 개념을 확립함으로써 성리학의 기본적인 이론적 골격을 세웠으며, 그 외 태극·이·기·성(性)·명(命)·주정(主靜) 등 성리학의 핵심 개념들을 정립했다. 이 점에서 그의 『태극도설(太極圖說)』은 성리학의 기본 이론서라 할 만하다. 그 외의 저서로 『통서(通書)』가 있으며, 후대에 『주자전서

(周子全書)』가 간행되었다.

·주신(朱伸): 미상

·주조의(朱祖義): 원의 학자로서 자는 자유(子由)며 노릉인이다. 여러 경전에 구해(句解)를 달았으며, 저서로 『상서구해(尙書句解)』·『주역구해(周易句解)』 등이 있다.

·주희(朱熹, 1130~1200): 남송의 이학가로서 성리학의 집대성자다. 자는 원회(元晦) 또는 중회(仲晦)고 무원인이다. 건양에 초당을 지어 회암(晦庵)으로 이름 짓고 회옹(晦翁)이라 칭했다. 만년에는 둔옹(遯翁), 또는 거주 지명을 따서 고정(考亭)이라 하기도 했다. 시호가 문(文)이어서 주문공이라고 불리기도 한다. 남송 이종 때 공묘에 종사되었으며, 명 신종 때 선유 주자(朱子)로 칭해졌다. 이통에게 배웠으며 일생의 대부분을 학자와 교육자로서 보냈다. 지방관으로 재직할 때에도 항상 서원을 세우거나 복건해 강학했는데, 남강군에 있을 때는 백록동서원을 복건해 강학했고, 장주에서는 주학을 자주 방문해 강학했고, 담주에서는 악록서원을 복건해 강학했다. 만년에는 복건 건양의 고정에 창주정사를 짓고 문인들을 가르쳤다. 그는 주돈이·정호·정이의 학설을 계승하고 장재·소옹 등을 흡수·종합했으며, 불교와 도교의 설까지도 융합해 광대한 신유학의 체계를 완성했다. 이 과정에서 그는 성리학의 근간이 되는 이기론·심성론·공부론을 확립해 이후 신유학의 새로운 시대를 열었다. 저서로 『태극도설해(太極圖說解)』·『통서해(通書解)』·『서명해의(西銘解義)』·『근사록(近思錄)』·『주문공문집(朱文公文集)』·『주자어류(朱子語類)』·『사서집주(四書集註)』·『사서혹문(四書或問)』 등과 그 외 많은 저서가 있으며, 이는 후대에 『주자전서(朱子全書)』·『주자대전(朱子大全)』 등으로 간행되었다. 그의 직접적인 저서 이외에 그가 참여하거나 감수한 다른 책들도 무수히 많다.

·진공석(陳孔碩): 남송의 이학가로서 후관인이다. 자는 부중(膚仲) 또는 숭청(崇淸)이며, 북산(北山) 선생이라 불렸다. 처음에는 장식과 여조겸에게 배웠으나 이후 주희를 스승으로 모셨다. 처주 교수를 지냈고 예부낭중을 역임했다.

·진덕수(眞德秀, 1178~1235): 남송의 이학가로서 자는 경원(景元) 또는 희원(希元)인데, 나중에 경희(景希)라 했다. 호는 서산(西山)이고 시호는 문충(文忠)이며, 포성인이다. 주희의 학문을 모범으로 해서 『대학연의(大學衍義)』를 지었고, 탄압받던 성리학을 다시 번성하게 하는 데 기여했다. 저서로 『진문충공집(眞文忠公集)』이 있다.

·진력(陳櫟, 1252~1334): 원의 경학가이자 이학가로서 휴녕인이다. 자는 수옹(壽翁)인데 노년에는 동부노인(東阜老人)이라 했고, 정우(定宇) 선생이라 불렸다. 할머니와 아버지에게 경사를 배웠다. 주희를 종주로 삼아 주희 사후의 학문적 혼란을 정리하기 위해 『사서발명(四書發明)』을 지었으며, 이로써 주자학의 전수에 공이 크다는 평을 들었다. 그 외의 저서로 『서집전찬소(書集傳纂疏)』·『예기집의(禮記集義)』·『정우문집(定宇文集)』 등이 있다.

·진부량(陳傅良, 1137~1203): 남송의 학자로서 서안인이다. 영가학파의 중요 인물이며, 자는 군거(君擧)고 호는 지제(止齋)다. 영가의 정백웅·설계선 등에게 배웠으며 태학에서 장식·여조겸 등과 교유했다. 학문적으로 역사 연구를 중시하고 경세치용을 제창했다. 저서로 『시해고(詩解詁)』·『주례설(周禮說)』·『춘추후전(春秋後傳)』·『좌씨장지(左氏章指)』·『지제문집(止齋文集)』 등이 있다.

·진순(陳淳, 1153~1217): 남송의 이학가로서 용계인이다. 자는 안경(安卿) 또는 공부(功夫)며, 북계(北溪) 선생이라 불렸다. 주희 만년의 고제로서 주희가 장주의 지방관이었을 때부터 배웠다. 주희의 학설을 철저하게 추종했으며 육구연에 반대했다. 저서로 『논맹학용구의(論孟學庸口義)』·『사서성리자의(四書性理字義)』·『북계전집(北溪全集)』 등이 있고, 그의 문인 진기가 기록한 『균곡뢰구금산소문(筠谷瀨口金山所聞)』이 있다.

·진식(陳埴): 남송의 이학가로서 영가인이다. 자는 기지(器之)며 잠실(潛室) 선생이라 불렸다. 처음에는 섭적에게 배웠고 나중에 주희에게 배웠으며, 섭적과 주희의 문인이다. 명도서원의 산장으로서 많은 제자를 길렀고, 그 제자들과 문답한 내용을 엮은 『목종집(木鐘集)』이 있다. 학설은 심(心)을 강조해 정호·육구연 쪽으로 기우는 경향이 있다.

·진지유(陳知柔, ?~1184): 남송의 이학가로서 영춘인이다. 자는 체인(體仁)이며 호는 휴재(休齋) 또는 약옹(弱翁)이다. 저서로 『역본지(易本旨)』·『역대전(易大傳)』·『논어후전(論語後傳)』 등이 있다.

·채모(蔡模): 남송의 이학가로서 건양인이다. 자는 중각(仲覺)이고 호는 각헌(覺軒)이며, 채심의 아들이다. 은거 독학했으며, 건안서원의 석장을 지냈다. 주희의 설을 모아 『속근사록(續近思錄)』을 편집했으며, 그 외 『역전집해(易傳集解)』·『대학연설(大學衍說)』·『논맹집소(論孟集疏)』 등의 저서가 있다.

·채심(蔡沈, 1167~1230): 남송의 이학가로서 건양인이다. 자는 중묵(仲默)이며 구봉

(九峰) 선생이라 불렸다. 채원정의 아들이다. 어려서 가학을 이었고, 주희에게 배웠다. 주희의 명을 받아 『상서(尙書)』를 주해해 『서집전(書集傳)』을 완성했다.

·채연(蔡淵, 1156~1236): 남송의 이학가로서 건양인이다. 자는 백정(伯靜)이며 호는 절재(節齋)다. 채원정의 아들이다. 가학을 이었고, 주희에게 배웠다. 저서로 『주역훈해(周易訓解)』·『시사문(詩思問)』·『논맹사문(論孟思問)』 등이 있다.

·추계우(鄒季友): 원의 학자로서 채심의 『서집전(書集傳)』에 음석을 달았다.

·풍의(馮椅): 남송의 이학가로서 도창인이다. 자는 의지(儀之) 또는 기지(奇之)며, 호는 후재(厚齋)다. 주희의 문인으로 만년에는 집에서 제자를 받아 가르쳤다. 『역(易)』·『서(書)』·『시(詩)』·『논어(論語)』·『맹자(孟子)』 등을 주석했으며, 그 외 『효경장구(孝經章句)』·『서명집설(西銘輯說)』·『공자제자전(孔子弟子傳)』 등의 저서가 있다.

·하몽귀(何夢貴): 남송의 학자로서 방일기의 스승이다.

·항안세(項安世, ?~1208): 남송의 학자이자 관리다. 자는 평부(平夫)이며 강릉인이다. 주희를 변호하다 탄핵된 적이 있다. 저서로 『역완사(易玩辭)』·『항씨가설(項氏家說)』 등이 있다.

·허겸(許謙, 1270~1337): 원대의 이학가로서 금화인이다. 자는 익지(益之)며, 스스로 호를 백운산인(白雲山人)이라 해 백운 선생이라 불렸다. 소위 금화 주학의 대표적 인물로서 금화사선생(金華四先生) 중 한 사람이다. 북쪽의 허형과 더불어 남북이허(南北二許)라 칭해졌다. 어려서 어머니 도씨에게 배웠고 나중에 김이상에게 배웠다. 저서로 『춘추온고관규(春秋溫故管窺)』·『자성록(自省錄)』·『허백운선생문집(許白雲先生文集)』 등이 있다.

·허형(許衡, 1209~1281): 송말 원초의 이학가로서 하내인이다. 자는 중평(仲平)이며, 노재(魯齋) 선생이라 불렸다. 시호는 문정(文正)이며 원 인종 때 공묘에 종사되었다. 국자좨주를 지냈다. 요추·보묵 등과 함께 성리 제서를 연구했다. 여러 경전과 자사·예악·명물 등 모든 분야에 박통했지만, 특히 『소학(小學)』과 『사서(四書)』를 중시했다. 하북의 학문의 대종이라는 평을 받았으며, 원 초기를 대표하는 학자로서 원이 성리학을 정통 관학으로 수용하는 데 크게 기여했다. 저서로 『허문정공유서(許文正公遺書)』·『허노재집(許魯齋集)』이 있다.

·형병(邢昺, 932~1010): 북송의 경학가로서 자는 숙명(叔明)이며 제음인이다. 국자감승·국자좨주 등의 국자감관을 역임했고 예부상서를 지냈다. 여러 왕부의 시강직을 맡아 『효경(孝經)』·『예기(禮記)』·『논어(論語)』·『시(詩)』·『서(書)』·『역(易)』·

『춘추(春秋)』 등을 강의했으며, 칙명에 의해 경전의 교정 작업에 참여했다. 저서로는 『논의정의(論語正義)』·『효경정의(孝經正義)』·『이아주소(爾雅注疏)』 등이 있다.

·호병문(胡炳文, 1250~1333): 송말 원초의 이학가로서 무원인이다. 자는 중호(仲虎)며 운봉(雲峯) 선생이라 불렸다. 도일서원의 산장을 지냈다. 그의 아버지 두원이 주자의 종손으로부터 『서(書)』·『역(易)』을 전수받았고, 병문은 이를 아버지로부터 전수받았다. 이후 주희가 집주한 『사서(四書)』의 연구에 진력했으며, 특히 요노의 설이 주희의 원 뜻과 다른 점을 비판하면서 『사서통(四書通)』을 지어 그 잘못을 바로잡았다. 그 외 『역본의통석(易本義通釋)』·『서집전(書集傳)』·『춘추집해(春秋集解)』 등의 저서가 있다.

·호영(胡泳): 남송의 이학가로서 자는 백량(伯量)이며 호는 동원(洞源) 또는 동원(桐源)이다. 주희의 문인으로서 응거하지 않고 학문에 전념했다. 저서로는 『사서연설(四書衍說)』이 있다.

·호원(胡瑗, 993~1059): 북송의 경학가이자 교육가로서 해릉인이다. 자는 익지(翼之)며 안정(安定) 선생이라 불렸다. 시호는 문소(文昭)고, 명 세종 때 선유 호자(胡子)라 칭해지고 공묘에 종사되었다. 손복·석개 등과 같이 수학했으며 이들과 함께 성리학의 선구자로서 송초삼선생(宋初三先生)이라 불린다. 소주와 호주의 교수, 국자감 직강 등의 교관직을 역임했고, 천장각대제로서 태학을 관리했다. 태학을 경술과 치사 양재로 나누어 교학했으며 태학법을 세우고 태학을 진흥시켰다. 저서로 『논어설(論語說)』·『주역구의(周易口義)』 등이 있다.

·호인(胡寅, 1098~1156): 남송의 이학가로서 자는 명중(明仲)이고 호는 중호(仲虎) 또는 중강(仲剛)이며, 치당(致堂) 선생이라 불렸다. 호안국의 아들로서 가학을 이었다. 양시에게 배웠으며 정호·정이의 재전제자다. 저서로 『숭정변(崇正辯)』·『독사관견(讀史管見)』·『논어상설(論語詳說)』 등이 있다.

·호차염(胡次焱, 1229~1306): 남송의 학자로서 무원인이다. 자는 제정(濟鼎)이며 호는 매암(梅岩) 또는 여학(餘學)이다. 원의 침구를 당해 벼슬을 버리고 귀가한 뒤 향리에서 『역(易)』을 가르쳤다. 저서로 『매암문집(梅岩文集)』이 있다.

·홍흥조(洪興祖, 1090~1155): 남송의 경학가로서 자는 경선(慶善)이고 단양인이다. 일생 경전을 연구했다. 저서로 『주역통의(周易通義)』·『고문효경서찬(古文孝經序贊)』 등이 있다.

·황간(黃榦, 1152~1221): 남송의 이학가로서 민현인이다. 자는 직경(直卿)이며 호는 면재(勉齋)고 시호는 문숙(文肅)이다. 어려서 유청지에게서 사사했고 그 명으로 주희에게 배웠다. 주희의 사위다. 주희를 도와 각종의 서적을 편찬했으며 주희 저작의 정리에도 기여했다. 주희가 임종에 이르러 학문의 전수를 그에게 맡길 정도로 신임을 받았다. 학술적으로 존덕성과 도문학의 조화를 주장해 주희와 육구연의 학설을 절충했다는 평을 받는다. 저서로 『경해(經解)』·『중용총론(中庸總論)』·『성현도통전수총서설(聖賢道統傳授總敍說)』·『면재문집(勉齋文集)』 등이 있다.

·황사의(黃士毅): 남송의 이학가로서 포전인이다. 자는 자홍(子洪)이며 호는 호산(壺山)이다. 주희의 문인으로서 『의례(儀禮)』를 주석하고 주희의 『서설(書說)』·『문집(文集)』·『어록(語錄)』 등의 편찬에 참여했다.

·황연(黃淵): 황중원의 개명 후의 이름이다.

·황중원(黃仲元, 1231~1312): 남송의 학자로서 포전인이다. 자는 선보(善甫)며 호는 사여(四如)다. 송이 망한 후 이름을 연(淵)으로 바꾸고 자를 천수(天叟), 호를 운향노인(韻鄕老人)이라 하면서 향리에서 강학했다. 저서로는 『사여강고(四如講稿)』·『경사변의(經史辨疑)』·『사여문집(四如文集)』 등이 있다.

·후중량(侯仲良): 북송의 학자로서 하동인이다. 자는 사성(師聖)이며 형문(荊門) 선생이라 불렸다. 후가의 손자다. 경론을 강학했으며 주희로부터 그 학문이 명백하다는 평을 들었다.

옮긴이

•김동인(金東仁)

서울대학교 동양사학과를 졸업하고, 동 대학원에서 교육학 박사학위를 취득했다. 현재 서울대학교에서 동양교육사를 강의하고 있으며, 이인서원을 개설해 운영하고 있다. 주요 논문으로는 「당송대 진사과에서 추구된 문학적 교양의 성격」, 「논어의 문질론과 그 교육적 함의」, 「이인의 세계와 안인의 세계」, 「위기지학 위인지학」 등이 있다.

•지정민(池政敏)

서울대학교 교육학과를 졸업하고, 동 대학원에서 교육학 박사학위를 취득했다. 현재 대구 가톨릭대학교 교수이며, 이인서원에서 『논어』 연구에 참여하고 있다. 주요 논문으로는 「한비자 법치사상의 교육학적 해석」, 「조선 전기 교육진흥책 분석: 성균관 교관정책을 중심으로」, 「교사의 무언과 무은: 논어의 교수론적 해석」 등이 있다.

•여영기(呂榮基)

서울대학교 교육학과를 졸업하고, 동 대학원에서 교육학 박사학위를 취득했다. 현재 서울대학교 등에서 교육사 강의를 하며, 이인서원에서 『논어』 연구에 참여하고 있다. 주요 논문으로는 「예기 학기편 연구–유가의 학교론」, 「조선중기 서재 연구」, 「17세기 동몽교육 담당 교관직제 연구」 등이 있다.

이인서원(利仁書院)은 2006년 5월 8일 개원했다. 본 서원은 『논어』를 비롯한 동양고전을 강독하고 연구하는 공동체로서 첫 연구과제인 『논어집주대전』의 번역작업을 진행하고 있다. 서원의 명칭인 '이인'은 『논어』의 '仁者安仁 知者利仁'이라는 구절에서 따온 것으로, 성인의 경지를 감히 넘보지 못하는 평범한 인간의 학문적 노력을 의미한다. 도심(강남구 역삼동) 속의 작은 연구실로, 고전의 향기를 느끼고 싶은 사람이라면 누구에게나 열려 있는 공간이다.

한울아카데미 1189
동양철학의 향연
세주 완역 논어집주대전 2

옮긴이 | 김동인 · 지정민 · 여영기
펴낸이 | 김종수
펴낸곳 | 도서출판 한울
편집책임 | 박록희
편집 | 이가양

초판 1쇄 인쇄 | 2010년 11월 8일
초판 1쇄 발행 | 2010년 11월 22일

주소 | 413-756 파주시 교하읍 문발리 535-7 302(본사)
121-801 서울시 마포구 공덕동 105-90 서울빌딩 3층(서울 사무소)
전화 | 영업 02-326-0095, 편집 02-336-6183
팩스 | 02-333-7543
홈페이지 | www.hanulbooks.co.kr
등록 | 1980년 3월 13일, 제406-2003-051호

Printed in Korea.
ISBN 978-89-460-5189-8 94150 (양장)
978-89-460-4184-4 94150 (양장 세트)
978-89-460-4181-3 94150 (학생판)
978-89-460-4179-0 94150 (학생판 세트)

* 책값은 겉표지에 있습니다.
* 이 책은 강의를 위한 학생판 교재를 따로 준비했습니다.
강의 교재로 사용하실 때에는 본사로 연락해주십시오.
* 1권 정오표는 도서출판 한울 블로그(http://blog.naver.com/hanulblog)에서 받으실 수 있습니다.